Arms of the World 1911

The Fabulous ALFA Catalogue of Arms and the Outdoors

Cover illustration from original ALFA catalogue.

Edited by Joseph J. Schroeder, Jr.

DIGEST BOOKS, INC., NORTHFIELD, ILLINOIS

CONTENTS

Covers: Still life photographs of articles relating to the catalogue. Contributors include Howard Aronson, James Butkus, Nancy Hinners, Robert Strauss and Shore Galleries. Photography by Gerry Swart.

ISBN 0-695-80333-6 Library of Congress Catalog Card #70-186803

Adolf Frank Export Gesellschaft

mit beschränkter Haftung.

Bank-Konto:
Commerz- u. Disconto-Bank

Telefone:
Gruppe 3, No. 3858
„ 3, „ 3859
„ 3, „ 3858 N. 1
(Freihafen).

Telegr.-Adressen: „Drilling"
oder „Waffengenschow".

A. A. C. Code 5. Edition
sowie eigener Spezial-Code.

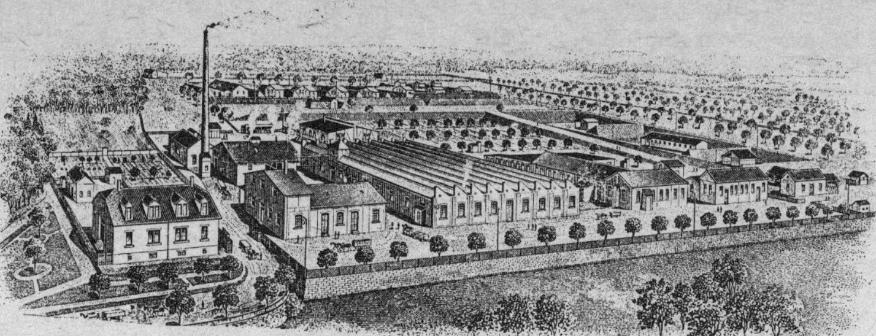

Börsenstand: Vor Pfeiler 56

Komplette Musterausstellung.

Große eigene Transit-Waffen-Läger im Freihafen, **Pickhuben 4.**

Eigenes Munitions-Transit Lager, **Bergstrasse 16/18.**

Bedeutende Läger in:

Kriegs-, Jagd-Waffen, Revolver, Artillerie-Material, Pulver, Munition, Hieb-, Stich-, Faust-Waffen, Komplette Militär- und Jagd-Ausrüstungen.

Dikt.: F C.: Cc.

Hamburg

„Hermannshaus"

INTRODUCTION

ALFA 21 is the greatest catalogue of outdoor living, hunting equipment and small arms that has ever been published. It is the greatest in size (over 700 pages), greatest in content (everything the outdoorsman could possibly desire, from tents to target stands, camp stoves to cane swords, and guns from children's toys to contemporary military issue), greatest in illustration (thousands of high quality wood-cuts and steel engravings), and greatest in marketing concept (every entry appears in four languages). Whether taken as a researcher's reference or a social document, Adolph Frank's 1911 Catalogue is certainly the most complete inventory available of European and North American arms and outdoors equipment of its time.

Encouraged by her military heritage and the pre World War I European love of the outdoors, the Germany of the late 19th and early 20th centuries led the world in the development and production of both outdoors equipment and firearms. Men like Bergmann, Borchardt, Luger, Mauser, Schmeisser and Schwarzlose employed their talents at firms such as DWM, Dreyse (Rheinische Metallwaren), Krieghoff, Mauser, Sauer, and Walther to produce the most advanced arms available anywhere. German arms salesmen were everywhere, courting both military and sporting goods buyers. The armies as well as the hunters of most countries of the world have at one time or an-

VORBEMERKUNGEN

ALFA 21 ist der beste Katalog für das Leben im Freien und für Jagdausrüstungen und Handwaffen, der je veröffentlicht wurde. Er ist der beste in Umfang (über 700 Seiten), der beste in Inhalt (alles Erdenkliche, das sich der Freiluftmensch je wünschen könnte, von Zelten bis Zielständern, Campingöfen bis Rohrschwertern, und Gewehren von Kinderspielzeugen bis zu den modernsten Militärausgaben), der beste in Illustration (Tausende von Holzschnitten und Stahlgravuren von hoher Qualität), und der beste in Einkaufsbegriff (jede Eintragung erscheint in vier Sprachen). Ob als Nachschlagwerk oder gesellschaftliches Dokument betrachtet, ist Adolph Franks 1911 Katalog mit Sicherheit das vollkommenste Verzeichnis europäischer und nordamerikanischer Waffen und Ausrüstugen für den Freiluftsport in seiner Zeit.

Angeregt von seinem militärischen Erbe und der europäischenLiebe zur Natur vor dem Ersten Weltkrieg, leitete das Deutschland des späten 19. und frühen 20. Jahrhunderts die Welt in die Entwicklung und Produktion von Freiluftausrüstungen sowie Schusswaffen; Männer wie Bergmann, Borchardt, Luger, Mauser, Schmeisser und Schwarzlose setzten ihre Fähigkeiten in Firmen wie DWM, Dreyse (Rheinische Metallwaren), Krieghoff, Mauser, Sauer und Walther ein, um die fortschrittlichsten Waffen zu erzeugen, die irgendwo erhält-

INTRODUCTION

ALFA 21 est le plus grand catalogue d'équipement pour le camping et le plein air, la chasse, et les petites armes à feu qui n'a jamais été publié. C'est le plus gros (plus de 700 pages), le plus détaillé dans son contenu (tout ce que ceux qui aiment le plein air peuvent désirer, depuis les tentes aux stands de tir, les réchauds de camping aux cannes à épée, et les armes à feu depuis les jouets d'enfants aux engins militaires contemporains), le meilleur en illustration (des milliers de planches et de gravures de haute qualité), et le meilleur du point de vue du concept de la mise en vente (chaque inscription apparait dans quatre langues). Pris soit comme ouvrage de référence ou soit comme document social, le Catalogue de 1911 d'Adolphe Frank est certainement l'inventaire le plus complet de son temps des armes à feu européennes et américaines et de l'équipement pour le plein air.

Encouragée par son héritage militaire et l'amour européen pour le plein air de la période précédant la Première Guerre Mondiale, l'Allemagne de la fin du XIXème et du début du XXème siècle était au premier rang dans le monde dans le développement et la production de l'équipement de plein air et des armes à feu. Des hommes comme Bergmann, Borchardt, Luger, Mauser, Schmeisser et Schwarzlose employèrent leurs talents dans des firmes comme DWM, Dreyse (Rheinische Metallwaaren), Krieghoff, Mauser, Sauer, et Walther pour produire

INTRODUCCION

ALFA 21 es el catálogo mas grande de vida campestre, de equipos de caza y de armas pequeñas que se haya publicado hasta ahora. Es el mas grande en tamaño (con mas de 700 páginas), el mas grande en contenido (tiene todo lo que el hombre de vida campestre pueda desear, desde carpas hasta equipo de tiro al blanco, cocinas de campo hasta lanzas de caña, y pistolas desde juguetes de niños hasta versiones contemporáneas de uso militar), es el mas grande en ilustración (con miles de trabajos de madera y grabaciones en acero de alta calidad), y el mas grande en concepto de mercado tecnia (cada mención aparece en cuatro idiomas). Ya sea que se tome como una referencia de investigador o como un documento social, el catálogo de Adolph Frank de 1911 es por supuesto el inventario mas completo disponible de armas y equipos para la vida campestre de Europa y Norte América.

Estimulada por su herencia militar y por el amor a la vida campestre de antes de la Primera Guerra Mundial de parte de Europa, la Alemania del siglo 19 y 20 tomó la delantera en el mundo en la producción de armas de fuego y de equipos de vida campestre. Hombres como Bergmann, Borchardt, Luger, Mauser, Schmeisser y Schwarzlose emplearon sus talentos en firmas como DWM, Dreyse (Rheinische Metallwaaren), Krieghoff, Mauser, Sauer, y Walther para producir las armas mas adelantadas adquiribles.

other been armed with Mauser rifles. Numerous outdoors-oriented supply houses, most of them directed toward the German domestic market, came into being at this time. Their well illustrated catalogues, mostly available only in German, are eagerly sought today by historian and collector alike. Many of these firms were conventional wholesale or retail distributors. Others, like Frank, were primarily brokers who carried little stock of their own but offered a single outlet from which a large range of merchandise from various diverse sources could be purchased. Whatever their orientation, however, none ever challenged the Adolph Frank Export Gesellschaft of Hamburg for comprehensive coverage and magnitude of effort.

Adolph Frank was unique among the international sporting goods dealers of his time for his promotion of both surplus and contemporary military weapons and equipment along with camping equipment and sporting and personal defense arms. Perhaps his only rival in the international military surplus market was Frances Bannerman, and surplus was Bannerman's **only** business. But Frank's all-encompassing catalogue begins with surplus military flintlocks (including the U.S. Model 1842, new or like new, for about $5) on page 1 and works its way up to the then current Mauser 1898, available factory new (as issued to various nations including Germany itself) for between $30 and $35. Then, apparently to make certain there is no question as to just what market his opening section is aimed at, follow sections on swords, (Page 36), bayonets (Page 48), helmets (Page 53) and uniforms (Page 55). One can't help but wonder how many palace guards were dressed from these pages, and how many South American revolutions they armed.

A very complete index (in four languages, naturally) has been provided by the original authors of the catalogue. It starts on Page IV. A brief table of contents, supplementing the index, precedes this introduction. Other noteworthy items from the original front material include Fabrique Nationale's interesting sales policies (Page X), an exchange table of the currencies of 43 different nations (Page XIII), and the illustrated definitions of various arms and ammunition terms (Pages XVI through XVIII).

Adolph Frank's 1911 Catalogue has long been the most sought after of all early sporting goods catalogues. Its stature among collectors and researchers had been due to both the completeness of its coverage and its use of all four principle western languages throughout. Not only does the four language presentation make its contents almost universally understanda-

lich waren. Verkäufer deutscher Waffen waren überall und bemühten sich um die Gunst von Militär- sowie Sportartikelkäufern. Die Armeen sowohl als auch die Jäger von fast allen Ländern der Welt waren irgendwann einmal mit Mausergewehren bewaffnet. Zu dieser Zeit entstanden unzählige freiluftsportorientierte Lieferhäuser, die fast alle auf den innerdeutschen Markt orientiert waren. Ihre gutillustrierten Kataloge, meist nur in deutscher Sprache erhältlich, werden heute sowohl von Historikern als auch Sammlern eifrig gesucht. Viele dieser Firman waren herkömmliche Gross- oder Einzelhändler, Andere, wie Frank, waren hauptsächlich Makler, die selbst nur einen geringen Lagerbestand hatten, aber einen zentralen Absatzmarkt baten, von welchem eine ganze Reihe von Waren aus verschiedenen Quellen angekauft werden konnte. Was aber auch ihr Ziel war, so stellte keine die umfassende Ausdehnung und das Ausmass der Bemühungen der Adolph Frank Export Gesellschaft in Hamburg jemals in Frage.

Adolph Frank war einmalig unter den internationalen Sportartikelhändlern seiner Zeit wegen seiner Förderung von Überschuss- sowie neuzeitlichen Militärwaffen und Ausrüstungen, Campingausstattungen und Sport- und persönlichen Abwehrwaffen. Vielleicht sein einziger Konkurrent auf dem internationalen Militärüberschussmarkt war Frances Bannerman, und Überschuss war Bannermans **einziger** Geschäftszweig. Aber Franks allesumfassender Katalog beginnt mit überschüssigen Militärsteinschlössern (einschliesslich dem U.S. Modell 1842, neu oder wie neu, für etwa $5 auf Seite 1 und arbeitet sich aufwärts zu der damals allgemein verbreiteten Mauser 1898, fabrikeneu erhältlich (wie an verschiedene Nationen, einschliesslich Deutschland selbst, geliefert) für $30 und $35. Wohl um sicher zu gehen, dass keine Frage nach der Art der Käufer entsteht, auf welche sein Eröffnungsangebot gerichtet ist, folgen danach Abschnitte über Schwerter (Seite 36), Bajonette (Seite 48), Helme (Seite 53) und Uniformen (Seite 55). Man kann nicht umhin zu rätseln, wieviele Palastwachen von diesen Seiten eingekleidet wurden, und wieviele südamerikanische Revolutionäre sie bewaffneten.

Die ursprünglichen Herausgeber des Katalogs haben ein sehr vollständiges Register (natürlich in vier Sprachen) verfasst. Es beginnt auf Seite IV. Ein kurzes Inhaltsverzeichnis zur Ergänzung des Registers erscheint vorhergehend. Andere erwähnenswerte Artikel von dem ursprünglichen Material im Anfangsteil umfassen Fabrique Nationales interessante Verkaufsrichtlinien (Seite X), eine Umrechnungstabelle für die Währungen von 43 verschied-

les armes à feu les plus avancées que l'on put obtenir. Les vendeurs d'armes allemandes se trouvaient partout, sollicitant les acheteurs militaires aussi bien que les acheteurs d'articles de sport. Les armées aussi bien que les chasseurs de la plupart des pays furent armés, à un temps ou un autre, avec des fusils Mauser. Beaucoup de magasins d'articles de sport, la plupart orientés vers le marché intérieur allemand, furent fondés à ce moment-là. Leurs catalogues bien illustrés, bien souvent disponibles seulement en allemand, sont aujourd'hui recherchés ardemment par l'historien comme par le collecteur. Beaucoup de ces firmes étaient des distributeurs conventionnels en gros ou en détails. D'autres, comme Frank, étaient avant tout des agents qui n'avaient qu'un petit stock qui leur était propre, mais qui offraient un débouché duquel un grand choix de marchandises provenant de sources diverses pouvait être acheté. Quelque fut leur orientation, aucun ne challengea jamais la Adolphe Frank Export Gesellschaft d'Hamburg dans la grandeur de son effort et dans le choix compréhensif qu'elle présentait.

Adolphe Frank était unique parmi les vendeurs d'articles de sport internationaux de son temps pour sa promotion d'équipement et d'armes militaires contemporains et de surplus en même temps que de l'équipement de camping et de sport et des armes de défense personnelle. Peut-être, son seul rival sur le marché international du surplus militaire fut Frances Bannerman, et le surplus était le **seul** commerce de Bannerman. Mais le catalogue si complet de Frank commence avec des fusils militaires à pierre de surplus (comprenant le modèle U.S. 1842, neuf ou comme neuf, pour environ $5 à la première page et continue jusqu'au Mauser 1898, alors courant, disponible directement de la fabrique (distribué à des nations variées comprenant l'Allemagne même) pour entre $30 et $35. Puis, apparemment pour qu'il n'y ait aucun doute envers exactement quel marché sa première section est dirigée, suivent des sections sur les épées (page 36), baionnettes (page 48), casques (page 53) et uniformes (page 55). On ne peut que se demander combien de gardes de palais furent habillés de ces pages, et combien de révolutions sud-américaines elles ont armées.

Un index très complet (en quatre langues, naturellement) a été fourni par les auteurs originaux du catalogue. Il commence à la page IV. D'autres détails dignes d'attention, provenant des matières originales du début du catalogue, comprennent le système de vente intéressant de la Fabrique Nationale (page X), une table d'échange de monnaie de 43 nations diffèrentes (page XIII), et des définitions illustrées de termes d'armes et de

Los vendedores de armas alemanas se encontraban en todas partes, ofreciendo sus armas a los militares y a los compradores de artículos de deportes. Los ejércitos, así como también los cazadores de la mayoría de los paises del mundo han estado armados en diferentes oportunidades con fusiles Mauser. Numerosas casas comerciales dedicadas a ofrecer artículos para la vida campestre se formaron en esta época, la mayoría operando en el mercado doméstico alemán. Sus catálogos muy bien ilustrados, en su mayoría solo adquiribles en alemán son muy buscados tanto por historiadores así como por los coleccionistas de armas. Muchas de estas firmas eran distribuidoras al por mayor o minoristas. Otras así como Frank, eran representantes que tenían muy pocos artículos en existencia de su propiedad pero tenían una sola tienda-almacén de donde una variedad de mercaderías de diferente origen podían ser compradas. Cualquiera que hayan sido la orientación que hayan tenido, sin embargo, ninguna podía igualarse a la de Adolph Frank Export Gesellschaft de Hamburgo, por su extensa variedad y magnitud de esfuerzo.

Adolph Frank fue único entre los comerciantes de artículos deportivos de su tiempo, por la promoción que hizo de armas de modelos restantes así como de armas y equipos contenporáneos al igual que equipos campestres, artículos deportivos y armas de defensa personal. Tal vez su único rival en el mercado internacional de armas sobrantes fue Frances Bannerman; el único negocio de Bannerman fue la venta de armas sobrantes. Pero el catalógo múltiple de Frank empieza con los fusiles de chispa militares restantes (incluyendo el modelo de Estados Unidos de 1842, nuevo o casi nuevo por mas o menos $5 (dólares) en la Página 1 y sigue subiendo hasta llegar al Mauser de 1898 nuevo en aquel entonces, adquirible recién salido de la fábrica (conforme fue entregado a varias naciones, incluyendo Alemania misma) por un precio entre $30 y $35 (dólares). Luego, aparentemente para asegurarse no hay duda a que mercado se dirige en su primera sección, siga las secciones de espadas, (Página 36), bayonetas (Página 48), cascos (Página 53) y uniformes (Página 55). Uno no puede dejar de preguntrase cuántos guardias de palacio habrán sido uniformados de estas páginas, y cuántas revoluciones Sud Americanas habrán armado.

Un índice bien completo (en cuatro idiomas, naturalmente) ha sido proporcionado por los autores originales del catálogo. Empieza en la página IV. Otros artículos de importancia del material original principal incluye las interesantes reglas de venta de Fabrique Nationale (Página X,) una tabla de cambios de las

ble, but as a by-product it provides an invaluable cross-reference key to the translation of other similar materials that were not so thoughtfully endowed.

For this reproduction we were fortunate in obtaining the use of an almost mint condition original copy from James B. Stewart, self-loading pistol collector and author of a number of articles that have appeared in DIGEST BOOKS and other publications. Editing from the original has been kept to a minimum within the space limitations: No guns or ammunition pages have been deleted, and at least a few pages covering every other major subject have been retained. The order has been unchanged from the original's straight-forward presentation. Guns of a specific type (revolvers, air guns, double rifles and so on) are grouped together, and each grouping is followed immediately by its appropriate ammunition and accessories. A picture of a hand with a number imprinted inside it appearing beside a gun illustration indicates the page or pages on which specific accessories for that gun may be found. The odd words in the tables at the bottom of each page are code words used when cabling orders.

Whether viewed for its social significance, historical content, or merely as a collector's reference book ALFA 21 is a remarkable document. The world in which it appeared, along with much of what it contains, will never exist again. J.J.S.

enen Nationen (Seite XIII) und die illustrierten Erklärungen der Waffen- und Munitionsausdrücke (Seiten XVI bis XVIII einschliesslich).

Adolph Franks 1911 Katalog ist seit langer Zeit der meistbegehrte von allen frühzeitigen Sportartikelkatalogen. Sein Ansehen unter Sammlern und Forschern stammt von der Vollkommenheit seiner Angebote und dem Gebrauch von allen vier führenden westlichen Sprachen im ganzen Katalog. Die viersprachige Darbietung macht nicht nur den Inhalt fast weltumfassend verständlich, sondern bietet als Nebenprodukt auch einen unschätzbaren Kreuzverweis zur Übersetzung von anderen, ähnlich gedruckten Artikeln, die nicht so gedankenvoll ausgestattet wurden.

Wir hatten das Glück, für diese Reproduktion eine fast tadellos erhaltene Erstausgabe benutzen zu dürfen, die sich im Besitz von James B. Stewart befindet, einem Sammler von selbstladenden Pistolen und Autor einer Reihe von Aufsätzen, die in DIGEST BOOKS und anderen Veröffentlichungen erschienen sind. Das Original wurde nur minimal überarbeitet, um innerhalb der Platzbegrenzungen zu bleiben: Keine Schusswaffen oder Munitionsseiten wurden ausgelassen, und jedes Thema ist mindestens durch einige Seiten vertreten. Die Reihenfolge ist unverändert von der schlichten Darstellung des Originals. Schusswaffen eines bestimmten Typs (Revolver, Luftpistolen, Doppelflinten, usw.) sind zusammengruppiert, und jede Gruppe wird von jeweils passender Munition und Zubehör ergänzt. Eine Abbildung einer numerierten Hand neben einer Schusswaffenillustration gibt die Seite oder Seiten an, auf welchen Spezialzubehör für diese Waffe zu finden sind. Die seltsamen Wörter in den Tabellen am unteren Rand jeder Seite sind verschlüsselte Wörter für Telegrammbestellungen.

Ob man es wegen seiner gesellschaftlichen Bedeutung, seinem historischen Inhalt oder nur als Sammlernachschlagwerk betrachtet, so ist ALFA 21 ein einzigartiges Dokument. Der grösste Teil seines Inhalts sowie die Welt, in der es entstand, werden nie wieder bestehen. J.J.S.

munitions variés (pages XVI à XVIII).

Le catalogue de 1911 d'Adolphe Frank a été, depuis longtemps, le plus recherché de tous les premiers catalogues d'articles de sport. Son importance pour les collecteurs et chercheurs est due à la fois à la perfection de son contenu et à son emploi des quatre langues occidentales principales dans son entier. Non seulement la présentation en quatre langues rend son contenu compréhensible presqu'universellement, mais en plus, elle fournit une clé de renvoi inestimable pour la traduction d'autres publications semblables qui ne furent arrangées d'une manière aussi réfléchie.

Pour cette reproduction, nous avons eu la bonne fortune d'obtenir une copie originale, d'une condition impeccable, de James B. Stewart, un collecteur de pistolets automatiques et auteur d'un nombre d'articles qui ont paru dans DIGEST BOOKS et autres publications. Les révisions de l'original ont été maintenues au strict minimum dans les limites de l'espace disponible: Aucune page contenant des armes à feu et munitions n'a été oubliée, et un minimum de pages couvrant chaque autre sujet ont été gardées. Les armes à feu d'une catégorie spécifique (revolvers, armes à air comprimé, fusils à canon double, **etc.**) sont groupées ensemble, et chaque groupe est suivi immédiatement par ses accessoires et munitions propres. La figure d'une main avec un numéro à l'intérieur, se trouvant à côté de l'illustration d'une arme, indique la ou les pages où l'on peut trouver les accessoires propres à cette arme. Les mots bizarres dans les tables au bas de chaque page sont des codes pour commandes par télégramme.

Considéré soit pour sa signification sociale, soit pour son contenu historique, ou simplement comme un livre de référence pour collecteur, ALFA 21 est un document remarquable. Le monde dans lequel il est apparu, ainsi que beaucoup de ce qu'il contient, ne reviendront jamais plus. J.J.S.

monedas de 43 naciones diferentes (Página XIII), y las definiciones ilustrades de ALFA 21, varios términos de armas y municiones (Páginas XVI hasta la XVIII).

El catálogo de Adolph Frank de 1911 ha sido por mucho tiempo el catálogo más buscado de los primeros en existencia. Su prestigio entre los colectores é investigadores se debió a su basta extensión y variedad así como al uso de los cuatro principales idiomas a través de sus páginas hablados en la parte occidental del mundo. No solo hace a su contenido universalmente entendible la presentación en cuatro idomas, sino que, como un producto deribado, provee una clave de referencia invalorable para la traducción de otros materiales impresos similares, que no hayan sido cuidadosamente preparados.

Para esta reproducción fuimos afortunados al obtener una copia original casi seca proporcionada por James B. Stewart, un colector de pistolas automáticas y autor de mucho artículos que han aparecido en DIGEST BOOKS y en otras publicaciones. La editación del original ha sido mantenido al mínimo dentro de las limitaciones de espacio: ninguna página de pistolas o municiones han sido sacadas, y por lo menos unas cuantas páginas que se ocupan de cada tema de importancia han sido retenidas. El orden de la presentación clara y precisa del original no ha sido cambiado. Las pistolas del mismo tipo (como revolveres, pistolas de aire, de doble barril, etc.) están agrupados juntos, y a cada grupo le sigue inmediatamente su propia munición y accesorios. Una foto con un número impreso dentro de una mano que aparece cerca a la ilustración de una pistola, indica en que página o páginas se encuentran los accesorios precisos para dicha pistola. Las palabras raras de las tablas en la parte baja de cada página son palabras en código que se usan cuando se hace pedido por telegrama.

Ya sea que se considere por su significado social, contenido histórico, o simplemente como un libro de referencia de colector, ALFA 21 es un documento de gran importancia. El mundo en el que apareció, así como mucho de lo que contiene, munca existira otra vez.

J.J.S.

Inhalts-Verzeichnis.

Index. (Français.)

ALFA

Index. (English).

Indice. (Español).

F. N.

Achtung!

Verkauf der Fabrikate der Fabrique Nationale.

Die Fabrikate der **F. N. (Browning-Pistolen, Gewehre, Büchsen und Patronen)** liefern wir nur an diejenigen Kunden, die sich durch **Unterschrift** der **Fabrikskonditionen**, die vor Bestellung einzuholen sind, zur Einhaltung derselben verpflichten. Diese Konditionen, deren Nicht-Beobachtung **Konventionalstrafe** u. Lieferungseinstellung nach sich ziehen, betreffen die obligatorischen Engros- und Detail-Preise, Rabattsätze etc.

Monopolisiert sind für **Pistolen** folgende Länder: **Frankreich und Kolonien, Belgien, Italien, England, Oesterreich-Ungarn, Holland und Kolonien, Vereinigte Staaten von Nord-Amerika und Canada.**

Für **F. N. Flinten** und **F. N. Büchsen** (nur automatische) **Frankreich, Verein. Staaten von Nord-Amerika.**

Für **F. N. Teschings England, Nord-Amerika, Italien, Belgien, Oesterreich, Australien, Süd-Afrika.**

F. N.

Importante remarque!

Vente des produits de la Fabrique Nationale.

Les produits de la F. N. (Pistolets, Fusils, Carabines et Cartouches Browning) ne sont livrés par nous qu'aux chients qui s'engagent par la **signature** de l'exposé des **conditions de la fabrique** à observer les dites conditions, exposé qu'il y a lieu de nous demander au préalable. Ces conditions, dont la non-observation entraîne les **amendes conventionelles** et la suspension des livraisons, comportent les prix, rabais etc. qui obligatoirement doivent être appliqués augros et au détail.

Les pays monopolisés **pour les pistolets** sont: **France et Colonies, Belgique, Italie, Angleterre, Autriche-Hongrie, Hollande et Colonies, Etats-Unis d'Amérique du Nord et Canada.**

Pour **les fusils F. N.** et **carabines de chasse F. N.** (seulement automatiques) **France et Etats-Unis d'Amérique du Nord.**

Pour **carabines genre Flobert F. N. Angleterre, Amérique du Nord, Italie, Belgique, Autriche, Australie, Afrique du Sud.**

F. N.

Notice!

Sale of articles manufactured by the Fabrique Nationale.

The F. N. manufactures (viz. **Browning pistols, rifles, cartridges etc.**) we supply only to such customers who by their **signatures bind themselves** to the **conditions of the factory**, which must be procured before an order is given. Any infringement of these conditions, which apply to the obligatory wholesale and detail prices, rebates etc. would **entail a fine** and prevent delivery of the goods.

The following countries are **monopolised for Pistols:** viz. **France and Colonies, Belgium, Italy, England, Austria-Hungary, Holland and Colonies, United States of North America and Canada.**

For **F. N. guns** and **F. N. rifles** (automatic only) **France, United States of North America.**

For **F. N. small rifles England, North America, Italy, Belgium, Austria, Australia, South Africa.**

F. N.

Aviso importante!

Venta de los productos de la Fabrique Nationale.

Los productos de la **F. N. (Pistolas, Fusiles, Carabinas y Cartuchos Browning)** no son entregados por nos otros nadamás que á aquellos clientes que **se comprometen** por medio de firma de la expuesto de **las condiciones de la fabrica.** á observar dichas condiciones. Estás condiciones, cuyo no-observación lleva consigo las **multas convencionales** y la suspensión de las entregas, soportan los precios, rabajas etc., que obligatoriamente deben ser aplicados al por mayor y por menor.

Los siguientes paises están **monopolizados para las pistolas: Francia y Colonias, Belgica, Italia, Inglaterra, Austria-Hungria, Holanda y Colonias, Estados Unidos de America del Norte y Canada.**

Para **Escopetas F. N.** y **carabinas de caza F. N.** (automáticas) **Francia y los Estados Unidos de America del Norte.**

Para **carabinas al modo de Flobert F. N. Inglaterra, America del Norte, Italia, Belgica, Austria, Australia y Africa del Sur.**

Masse und Gewichte.

Die angegebenen **Masse** und **Gewichte** sind nach bestem Wissen, jedoch **ohne Verbindlichkeit** für uns notiert. Wir behalten uns Irrtümer vor, ohne damit Konsequenzen zu laufen.

Dimensions et poids.

Les **dimensions** et **poids** sont indiqués par nous avec soin et bonne foi, mais cependant **sans** notre **responsabilité.** Nous faisons tout pour éviter la moindre erreur, mais nous ne saurions supporter les conséquences des erreurs qui par hasard pourraient être commises.

Dimensions and weights.

The **dimensions** and **weights** are specified to the best of our knowledge but without any **responsibility** on our part. Errors and omissions are therefore excepted.

Dimensiones y pesos.

Las **dimensiones** y **pesos** son indicados por nos otros con cuidado y buena fé, pero sin embargo **sin nuestra responsabilidad.** Hacemos todo lo posible para evitar el menor error, pero no podriamos soportar las consecuencias de los errores que por casualidad pudieran ser cometidos.

Münz-Tabelle.

Die in dieser Liste aufgeführten Preise verstehen sich in **Deutscher Währung,** und zwar in **Reichsmark und Pfg. (1 Mark = 100 Pfennig).** Wir berechnen die Zahlen wie folgt, wobei wir jedoch bemerken, dass kleine **Kurs-Schwankungen** zu berücksichtigen sind.

Tableau monétaire.

Les prix indiqués dans ce catalogue s'entendent en **monnaie allemande,** c'est à dire en **marcs allemands et pfennigs (1 Mark = 100 pfennigs).** Nous décomptons les paiements comme suit, mais il est à tenir compte par nous des fluctuations possibles du change.

Exchange-Table.

The prices quoted in this list are in **German currency** viz in **Reichsmark** and **Pfennig (1 Mark = 100 Pfennig).** We calculate the payments as follows, but it must be borne in mind that the respective rates of exchange are subject to slight fluctuations.

Tabla de Monedas.

Los precios cotizados en esta lista se entienden en **Valor Alemán,** es decir en **Marcos del Imperio y Pfennigues (1 Marco = 100 Pfennigues).** Calculamos los pagos de la mañera siguiente. No obstante hay que tener cuenta fluctuaciones del cambio posibles.

Land	Pays	Country	País	Münze	Monnaie	Coin	Moneda	Deutsche Währung. Valeur allemande. German Currency. Valor alemán. Mark	Pfennig
Aegypten	Egypte	Egypt	Egipto	1 Piaster	1 Piastre	1 Piaster	1 Piastre	—	21
Argentinien	Argentine	Argentine	República Argentina	1 Peso Gold	1 Peso d'or	1 Peso Gold	1 Peso Oro	4	20
Australien	Australie	Australia	Australia	1 Pfund Sterling	1 Livre Sterling	1 Pound Sterling	1 Libra esterlina	20	40
Belgien	Belgique	Belgium	Belgica	1 Franc	1 Franc	1 Franc	1 Franco	—	81
Brasilien	Brésil	Brazils	El Brasil	1 Milreïs	1 Milreïs	1 Milreïs	1 Milreïs	1	40
Bulgarien	Bulgarie	Bulgaria	Bulgaria	1 Lew	1 Leu	1 Lew	1 Lew	—	80
Canada	Canada	Canada	El Canada	1 Dollar	1 Dollar	1 Dollar	1 Dollar	4	25
Chile	Chili	Chile	Chile	1 Peso	1 Peso	1 Peso	1 Peso	1	53
China	Chine	China	La China	1 Taël	1 Tail	1 Taël	1 Taël	3	—
Columbia	Colombie	Columbia	Colombia	1 Peso	1 Peso	1 Peso	1 Peso	4	05
Dänemark	Danemark	Denmark	Dinamarca	1 Krone	1 Couronne	1 Krone	1 Krone	1	12
Deutschland	Allemagne	Germany	Alemania	1 Mark (100 Pfg.)	1 Marc (100 Pf)	1 Mark (100 Pfg.)	1 Marco	1	—
Finland	Finlande	Finland	Finlandia	1 Mark	1 Marc	1 Mark	1 Mark	—	80,—
Frankreich	France	France	Francia	1 Franc	1 Franc	1 Franc	1 Franco	—	80,50
Griechenland	Grèce	Greece	Grecia	1 Drachme	1 Drachme	1 Drachme	1 Drachma	—	80
Grossbritannien	Grande-Bretagne	Great Britain	Gran Bretaña	1 Pfund Sterling	1 Livre Sterling	1 Pound Sterling	1 Libra esterlina	20	40
Haïti	Haïti	Haiti	Haiti	1 Gourde	1 Gourde	1 Gourde	1 Gourde	4	05
Havaii	Havaï	Hawaii	Havaii	1 Dollar	1 Dollar	1 Dollar	1 Dollar	4	20
Japan	Japon	Japan	El Japón	1 Gold-Yen	1 Yen d'or	1 Gold-Yen	1 Yen-oro	2	10
Italien	Italie	Italy	Italia	1 Lira	1 Lire	1 Lira	1 Lira	—	80
Luxemburg	Luxembourg	Luxemburg	Luxemburgo	1 Franc	1 Franc	1 Franc	1 Franco	—	80
Marokko	Maroc	Marocco	Marruecos	1 Piaster	1 Piastre	1 Piaster	1 Piastre	4	—
Mexiko	Mexique	Mexico	Méjico	1 Peso	1 Peso	1 Peso	1 Peso	2	10
Niederlande	Hollande	Holland	Holanda	1 Gulden	1 Gulden	1 Gulden	1 Gulden	1	70
Norwegen	Norvège	Norway	Noruega	1 Krone	1 Couronne	1 Krone	1 Corona	1	12
Oesterreich	Autriche	Austria	Austria	1 Krone	1 Couronne	1 Krone	1 Corona	—	85
Ost-Indien (Britisch)	Indes orientales (anglaises)	East Indies (British)	Las Indias Orientales (Inglesas)	1 Rupie	1 Roupie	1 Rupie	1 Rupé	1	60
Paraguay	Paraguay	Paraguay	El Paraguay	1 Peso Gold	1 Peso d'or	1 Peso Gold	1 Peso Oro	4	—
Persien	Perse	Persia	Persia	1 Kran	1 Kran	1 Kran	1 Kran	—	80
Peru	Pérou	Peru	El Perú	1 Sol Gold	1 Sol d'or	1 Sol Gold	1 Sol Oro	4	—
Portugal	Portugal	Portugal	Portugal	1 Milreïs	1 Milreïs	1 Milreïs	1 Milreïs	4	50
Rumänien	Roumanie	Roumania	Rumania	1 Lëi	1 Lëi	1 Lëi	1 Lëi	—	80
Russland	Russie	Russia	Rusia	1 Silberrubel	1 Rouble d'argent	1 Silverrubel	1 Rublo-plata	2	25
do.	do.	do.	do.	1 Papierrubel	1 Rouble papier	1 Paperrubel	1 Rublo-papel	2	10
Schweden	Suède	Sweden	Suecia	1 Krone	1 Couronne	1 Krone	1 Corona	1	12
Schweiz	Suisse	Switzerland	La Suiza	1 Franc	1 Franc	1 Franc	1 Franco	—	80
Serbien	Serbie	Servia	Servia	1 Dinar	1 Dinar	1 Dinar	1 Dinaro	—	80
Siam	Siam	Siam	El Siam	1 Tikal	1 Tikal	1 Tikal	1 Tikal	2	55
Spanien	Espagne	Spain	España	1 Peseta	1 Peseta	1 Peseta	1 Peseta	—	74
Tripolis	Tripoli	Tripolis	Trípoli	1 Piaster	1 Piastre	1 Piaster	1 Piastre	—	19
Tunis	Tunis	Tunis	Tunis	1 Tunes	1 Tunes	1 Tunes	1 Tunes	—	51
Türkei	Turquie	Turkey	Turquia	1 Piaster	1 Piastre d'or	1 Piaster	1 Piastre	—	19
Venezuela	Vénézuela	Venezuela	Venezuela	1 Venezuelano	1 Venezuelano	1 Venezuelano	1 Venezuelano	4	05
Vereinigte Staaten von Nord-Amerika	Etats-Unis d'amérique du Nord	United States of North America	Estados Unidos de Norte America	1 Dollar	1 Dollar	1 Dollar	1 Dollar	4	20

Schutzmarken. | Marques de fabrique. | Trade-marks. | Marcas de fabrica.

Alle **Waren,** welche von **uns** geliefert sind, tragen eine der nebenstehenden **Schutzmarken.** Waren **ohne dieselbe** refüsiere man. Auf diese Weise geht man als Besteller sicher, stets die gewünschte, **gute** Qualität zu erhalten und setzt sich bei Bestellung durch dritte Personen nicht dem Risiko aus, zu **unseren** Preisen **billigere, minderwertige** Ware .zu bekommen.

Toutes les **marchandises** livrées **par nous** portent l'une des **marques de fabrique** ci-contre. **Prière de refuser** toute **marchandise ne portant aucune des dites marques.** De la sorte, on recevra sûrement la marchandise de bonne qualité désiree et on ne courrera pas le risque d'avoir, pour nos prix, de la **marchandise inférieure,** au cas où on aurait passé l'ordre, non directement à nous, mais un tiers.

All **goods, supplied by us** bear one of these **trade-marks. No other goods should be accepted.** In this manner the customer is always certain of receiving the good quality desired and when ordering through third persons is not in danger of being supplied with inferior goods at our prices.

Todos **los artículos** que **proveemos** llevan una de estas **Marcas. Hay que refusar los que no la llevan.** Así se estará seguro de recibir la buena calidad que se desea. Además al mandar ó enviar pedidos por agentes de comisión **no se correra el riesgo de recibir artículos de calidad inferior** paganda nuestros precios por ellos.

Laufmündungen der verschiedenen Gewehr-Arten.

Bouches de canons des diverses sortes de fusils.

Muzzles of different kinds of rifles.

Bocas de fusiles de varias clases.

Doppelflinten. 2 Schrotläufe nebeneinander. (Seite 304—372)

Fusils à 2 coups. 2 canons à plombs, juxtaposés (Page 304—372)

Double barrel guns. 2 shot barrels side by side. (Page 304—372)

Escopetas de dos cañones. 2 cañones perdigoneros el uno al lado del otro. (Página 304—372)

Büchsflinten. 1 Schrot- und 1 Kugellauf nebeneinander. (Seite 238—40, 380, 373—390)

Carabine-fusil. 1 canon à balle et 1 canon à plombs juxtaposés. (Page 238/40, 380, 373—390)

Rifle and shot gun combined. 1 shot and 1 rifle barrel side by side. (Page 238/40,380,373—390)

Escopeta y fusil combinados. 1 cañón perdigonero y 1 cañón bala, el uno al lado del otro. (Página 238/40, 380, 373—390)

Doppelbüchsen. 2 Kugelläufe nebeneinander. (Seite 384—388)

Carabine rayée à 2 coups. 2 canons à balle juxtaposés. (Page 384—388)

Double barrel rifles. 2 rifle barrels side by side. (Page 384—388)

Fusil des cañones. Dos cañones de bala, el uno al lado del otro. (Página 384—388)

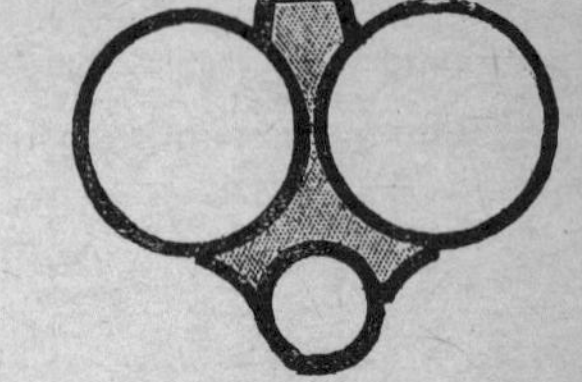

Drillinge. 2 Schrotläufe, darunter 1 Kugellauf (Seite 389—412)

Fusil à 3 canons. 2 canons à plombs, en-dessous un canon à balle. (Page 389—412)

Three barrels 2 shot barrels, 1 rifle barrel underneath. (Page 380—412)

Tres cañones. 2 perdigoneros encima, 1 de bala debajo. (Página 389—412)

Schrotdrillinge. 3 Schrotläufe. (Seite 410)

Fusil à 3 canons à plombs. 3 canons à plombs. (Page 410)

Three barrel shot gun. 3 shot barrels. (Page 410)

Escopeta tres cañones. Tres cañones perdigoneros. (Página 410)

Doppelbüchsendrillinge. 2 Kugelläufe, darunter 1 Schrotlauf. (Seite 397, 412)

Fusil à 3 canons, dont 2 carabine rayée. 2 canons à balle et 1 canon à plombs en-dessous. (Page 397, 412)

Double barrel rifle and shot gun. 2 rifle barrels, 1 shot barrel underneath. (Page 397, 412)

Tres cañones. Dos cañones de bala 1 cañón perdigonero debajo. (Página 397, 412)

Vierlinge. 2 Schrot- und 2 Kugelläufe. (Seite 400, 413)

à 4 canons. 2 canons à plombs et 2 canons à balle. (Page 400, 413)

Four barrels. 2 shot and 2 rifle barrels. (Page 400, 413)

Cuatro cañones. 2 de bala y 2 perdigoneros. (Página 400, 413)

Repetier-Pirschbüchsen mit unten liegendem Schrotlauf.

Carabine à répétition, avec, à la partie inférieure un canon à plombs.

Repeating hunting rifle with shot barrel underneath.

Fusil dé caza de repetición con cañón perdigonero debajo.

Bockbüchsflinten. 1 Schrotlauf oben und 1 Kugellauf unten. (Seite 241—243, 377, 381—383)

Carabine-fusil pour la chasse au chevreuil. (Page 241—243, 377, 381—383)

Buck rifle and shot-gun. 1 shot barrel above and 1 rifle barrel below (Page 241—243, 377, 381—383)

Fusil de corzo cón cañón escopeta. 1 cañón escopeta encima y 1 cañón fusil debajo. (Página 241—43, 377, 381—83)

Verschiedene Caliber.

Vielfach wird die Angabe des **Calibers** bei Jagdgewehren nicht **richtig verstanden.** Die **Bezeichnung** des Calibers z. B. **12, 16, 20** usw. ist **nicht** identisch mit dem Durchmesser des Laufes **in Millimeter.** Zum besseren Verständnis sind durch folgende Kreise die Caliber mit der Angabe ihres Durchmessers in Millimeter dargestellt.

Différents calibres.

Souvent l'indication des **calibres** des fusils de chasse **n'est pas bien comprise. La dénomination des calibres,** par exemples **12, 16, 20 etc. n'est pas identique** au **diamètre** du canon en **millimètres.** Pour meilleure compréhension nous donnons ci-dessus reproduction des divers calibres avec indication de leur diamètre en millimètres.

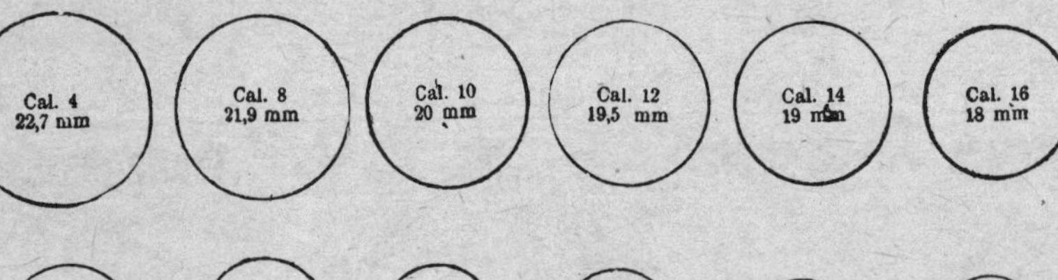

Cal. 20 16.5 mm — Cal. 24 16 mm — Cal. 28 14,5 mm — Cal. 32 13,5 mm — Cal. 12 mm — Cal. 36 11;1 mm

Different Calibers.

The specification of the **caliber** in sporting rifles is frequently **misunderstood.** For instance the **specification 12, 16, 20 etc.** of the caliber is **not itendical with** the **diameter** of the barrel in **millimeter.** Therefore as a guidance in this connection the calibers with their respective diameters in millimeters are indicated by the circles hereunder.

Varios calibres.

Los **calibres** de armas de caza **se equivocan** muchisimas veces. Por ejemplo las **espicificaciones 12, 16, 20 etc.** no corresponden á los **diametros** de las armas en **millimetros.** Como guia, pues, en cuanto á esto se refiere, los círculos adjuntos llevan los calibres y además sus diámetros correspondientes en milimetros.

Abbildungen mit Original-Dimensionen der Schrot-Patronen in den gängigsten Calibern.

Illustrations avec dimensions originales des cartouches à plombs des calibres les plus courants.

Illustrations with original dimensions of the shot cartridges in the best saleable calibers.

Ilustración de los cartuchos de perdigones, dimensiones originales en los calibres más corrientes.

Cal. 8

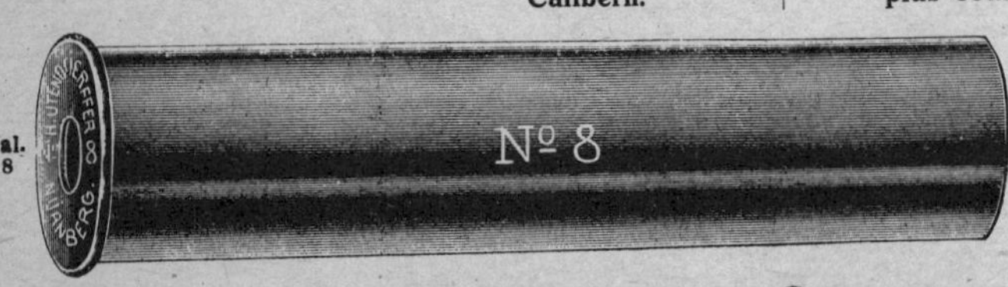

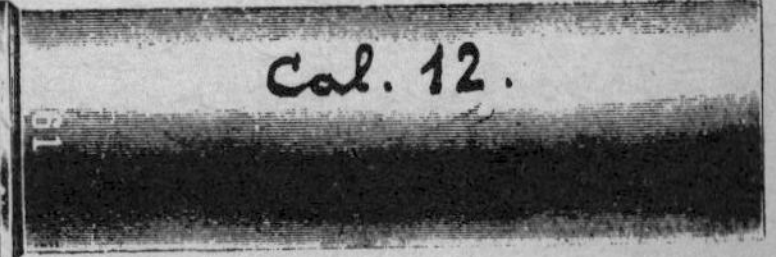

Cal. 16

Cal. 28

Cal. 20

Cal. 24.

Cal. 32

Nº 32

Cal. 12 mm

Lauflängen.

Wo die **Masse nicht** angegeben sind, liefern wir **gewöhnlich** folgende **Lauflängen:**

Drilling	70 cm
Doppelflinte	75 „
Repetierbüchse	56 „
Büchsflinte	68 „

Obige Waffen werden bei **Extraanfertigung** in **vorgeschriebenen Längen ohne Mehrkosten** geliefert.

Longueurs des canons.

Quand on ne nous donne pas **d'instructions** spéciales, nous livrons habituellement dans les **longueurs de canon** suivantes:

Fusils à **3 canons**	70 cm
Fusils à **2 coups**	75 „
Carabines à répétition	56 „
Carabines-fusils	68 „

Les armes ci-dessus sont livrées **sans augmentation de prix** dans les **longueurs demandées spécialement.**

Length of barrels.

When **no measurements** are given we **generally supply barrels** in the **following lengths:**

Three barrel gun	70 cm
Double barrel gun	75 „
Repeating rifle	56 „
Rifle and shot gun combined	68 „

The above arms are **made** to order in **special lengths without extra charge.**

Longitudes de los cañones.

Cuando no se nos dan **instrucciones** especiales, entregamos habitualmente en las **longitudes de cañón siguientes:**

Fusil de **3 cañones**	70 cm
Fusil de **2 cañones**	75 „
Carabinas de repetición	56 „
Carabinas de fusiles	68 „

Las armas arriba indicadas se entregan **sin aumentación de precio** en las **longetudes pedidas especialmente.**

Schäftung. | Crosse. | Stock. | Caja.

a

Glatter englischer Schaft ohne Backe.	Crosse anglaise lisse, sans joue.	Smooth English stock, without cheek.	Caja inglesa lisa, sin carrillo.

b

524
532
544/546

Pistolengriffschaft ohne Backe.	Crosse pistolet, sans joue.	Pistol grip stock without cheek.	Pistola culata sin carrillo.

c

Pistolengriffschaft mit Backe.	Crosse pistolet, avec joue.	Pistol grip stock with cheek.	Caja con pueño de pistola con carrillo.

f

Veranschaulichung einer Schäftung für Schützen, welche mit dem **linken Auge** zielen und **rechts anschlagen.**

Crosse pour tireurs qui visent de **l'oeil gauche** et **épaulent à droite.**

Illustration of a stock for marksmen who aim with the **left eye** and shoot **from the right shoulder.**

Caja para tiradores que apuntan con **el ojo izquierdo y apoyan** sobre **el ¡hombro derecho.**

g

Krüppelschäftung, für Schützen, welche mit dem **linken Auge zielen.**

Crosse spéciale pour tireurs qui visent de **l'oeil gauche**

Crooked stock for marksmen, who aim with the **left eye.**

Caja especial para tiradores que apuntan con **el ojo izquierdo.**

Die bei der Katalogbeschreibung nicht vorgesehene Schäftung wird extra berechnet. Die Herstellung erfolgt billigst, richtet sich der Preis aber ganz nach System der Waffe und kann nur von Fall zu Fall auf Anfrage gestellt werden.

Les genres de crosses non mentionnés dans la description normale de chaque arme, seront facturés extra, et ce au meilleur marché possible. Le prix compté dépendra essentiellement du système du fusil et il ne pourra être fixé au préalable que de cas à cas sur demande.

Stocks not mentioned in the catalogue are charged specially. They are made as cheaply as possible. The price depending entirely upon the system can only be quoted upon application in every single case.

Los géneros de culatas, no mencionados en la descripción normal de cado armo, serán facturados extra y lo más barato posible. El precio contado dependerá esencialmente del sistema del fusil y no podrá ser fijado al prealable que de caso á caso sobre pedido.

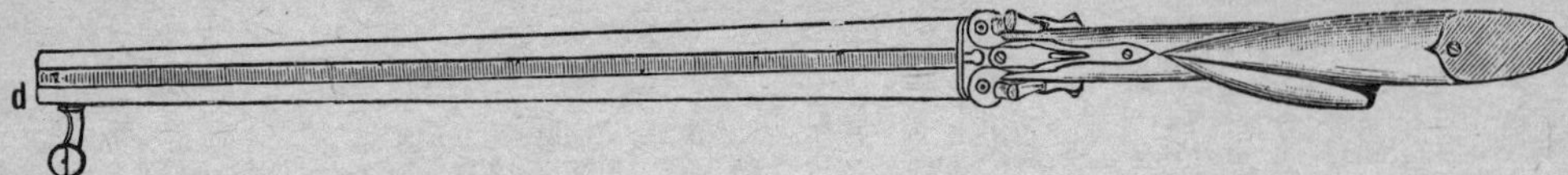

Franks abnehmbares Linksvisier für Flinte. | Guidon à gauche „Frank“ pour fusil — est enlevable. | Franks detachable left sight for gun. | Guiador á la izquierda „Frank“ para fusil desmontable. } † Flink . . Mark 20.—

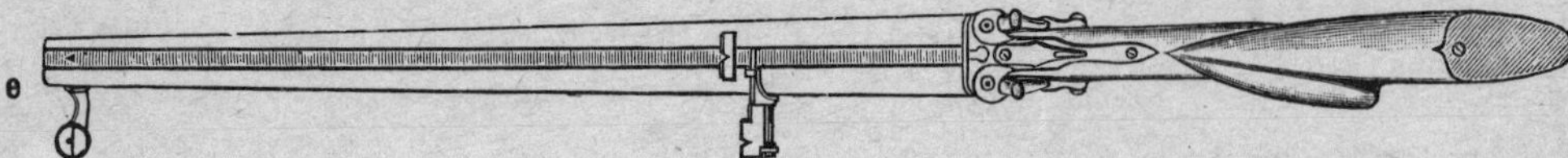

Franks abnehmbares Linksvisier für Büchse. | Guidon à gauche „Frank“ pour carabine — est enlevable. | Franks detachable left sight for rifle. | Guiador á la izquierda „Frank“ para carabina desmontable. } † Bulink . . Mark 32.—

Für Schützen, welche **ein schwaches Auge** haben, bringen wir an jeder Waffe, die uns eingesandt wird, die

„Franksche Linksvisierung“

an. Man verlange Spezialprospekt mit Abbildung. Man kann dann **rechts anschlagen** und mit dem **linken Auge** zielen.

Pour les chasseurs ayant **l'oeil droit faible**, nous apposons à toute arme qui nous est envoyée le

guidon à gauche „Frank“.

Prière de demander circulaire spéciale illustrée. On peut alors épauler à droite et viser de l'oeil gauche.

For marksmen with a **weak right eye** we fix on any arm they send us

„Franks left sight“.

Please apply for special prospectus with illustration. One can then fire from the right shoulder and aim with the left eye.

Para los cazadores que tienen el **ojo derecho débil**, ponemos en toda arma que nos es enviada el

guión „Frank“ á la izquierda.

Se ruega pidan circular especial ilustrada. Entonces se puede apoyar á la derecha y apuntar con el ojo izquierdo.

Schäftung.

Da die gute Lage eines Gewehres von grösster Wichtigkeit ist, ist es erwünscht, wenn bei Bestellung besserer Gewehre des Körperbaues der Herren Auftraggeber Erwähnung getan wird, ebenso der etwa erforderlichen grösseren oder geringeren Senkung infolge langen oder kurzen Halses, um in der Schaftkolbenlänge und Krümmung der Gewehre die richtige Lage treffen zu können.

Am besten ist es, wenn nach **unten stehender Anleitung** von einem **gut liegenden** Schafte die **genauen Masse** angegeben werden eventl. ist auch die Einsendung eines gut liegenden Mustergewehres (Schaft allein genügt nicht) erwünscht.

Im allgemeinen liegen der Mehrzahl der Jäger Gewehre mit einer **normalen Schäftung** gut, kleine **Veränderungen** lassen sich auch noch **nachträglich vornehmen.**

Für gewöhnlich werden die Gewehre mit Pistolengriff angefertigt, eventuelle **Abweichungen** beliebe man bei der **Bestellung ausdrücklich anzugeben.** Gewehre mit halb oder ganz englischer Schäftung sind in den gängigen Sorten stets am Lager.

Crosse.

Etant donné qu'un bon épaulement du fusil est de la plus grande importance, il est désirable que, sur les commandes d'armes supérieures, indication relatierement à la conformation corporelle de MM. les acheteurs soit faite, de même qu' indication de la pente plus ou moins prononcée que devrait avoir la crosse par suite du cou plus on moins long du tireur, afinque par la longueur de la plaque de couche et par la courbe de l'arme nous permettions un épaulement correct et facile.

Le mieux serait qu'on nous donne la **mesure exacte d'une crosse allant bien** et ce à la **base de l'illustration ci-dessous** ou qu'on nous envoie une arme — modèle allant bien (la crosse seule ne suffirait pas).

Une **crosse normale** convient d'ailleurs à la majorité des tireurs et, après coup, de **petites modifications** peuvent être facilement apportées.

En général, les fusils sont fabriqués avec crosse pistolet. Si on **désirait les avoir autrement,** prière del' **indiquer** sur la **commande.** Nous avons constamment en magasins approvisionnement des armes les plus courantes avec crosse mi anglaise ou entièrement anglaise.

Stock.

A good position of the rifle being of great importance, it is desirable that the customer, when ordering better class rifles, furnishes particulars as to his bodily structure and of any great or little depression which may be necessary owing to a long or short neck, so that a correct position may be attained as regards the length of the stock and bend of the rifle.

It is best if, the **exact dimensions** are given **in accordance with the sketch hereunder,** of a **well adjusted stock,** but it may also be desirable to send a rifle with well adjusted stock (the latter alone is insufficient) as model.

Rifles with a **normal stock** are generally well adapted to the majority of sportsmen, **small alterations** can be subsequently effected.

The rifles are usually made with pistol grip, if **any deviations are desired** this should be specially **stated** when the **order** is given. Rifles with half or whole English stock are always stored.

Caja.

El buen asiento del fusil siendo cosa importantísima, es necesario que el cazador, al pedir armas de clase superior, envie detalles relativos á la conformación de su cuerpo, asi como de la mayor ó menor caida de la caja necesitadas por la mayor ó menor logitud del cuello. De esta manera es posible acomodar la longitud y caida de la caja á las exigencias del cazador.

Lo mejor es dar **las medidas exactas** de una caja que le caiga bien **según las indicaciones siguientes** ó de mandar un fusil con caja bien ajustable (la caja sola no basta).

Fusiles con **cajas normales** caen bien á la mayoria de cazadores, las **correcciones menores** se **dejan hacer** más tarde con facilidad.

Los fusiles se componen por regla general con puño de pistola, si se desean de **otro modo** debe **mencionarse** especialmente en **el pedido.**

Fusiles mas corrientes con caja inglesa ó medio inglesa hay siempre listos en almacén.

Règle. — Ruler. — Regia.

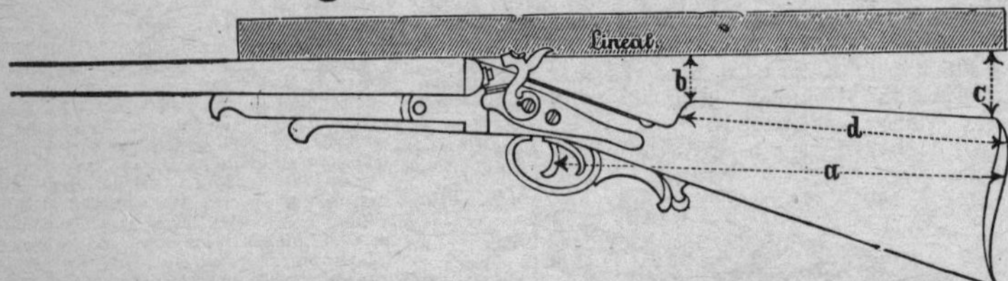

a) Länge vom vorderen Abzug bis zur Kolbenkappe.
b) Abstand der Kolbennase unter der verlängerten Laufschiene.
c) Abstand der Kolbenkappe.
d) Länge der Nase bis Kolbenkappe.

a) Longueur de la détente d'avant à la calotte de la crosse.
b) Distance du bec de la crosse à la ligne de prolongement du canon.
c) Distance de la calotte de la crosse au prolongement du canon.
d) Distance du bec de la crosse à la calotte.

a) Length from front trigger to butt plate.
b) Distance from heel to lengthened extension rib.
c) Distance of butt plate.
d) Length of heel to butt plate.

a) Distancia del fiador delantero á la plancha de talón.
b) Distancia del colmo de la caja á linea de prolongación del dorso.
c) Distancia de la plancha de talón.
d) Distancia del colmo a la plancha de talón.

Bei Waffen **über M. 250.—** pro Stück schäften wir unter Berücksichtigung extra angegebener Masse nach obiger Skizze kostenlos, im anderen Falle tritt **selbstkostende** Berechnung ein.

Quand il s'agit d'armes au-dessus de **M. 250.—** nous livrons gratis avec crosses spéciales sur indications à la base de l'esquisse ci-dessus. Dans les autres cas, nous facturons, au prix coûtant, nos frais extra.

In the case of arms costing over **M. 250.—** each we supply stocks, according to the above sketch and any dimensions given, free of charge; in other cases we charge only for our own costs in this connection.

Cuando se trata de armas de más de **250.— M.** entregamos gratis con culatas especiales sobre indicación a la base del diseño arriba indicado. En los demás casos se pagan gastos extra procedentes de la confección especial de la culata.

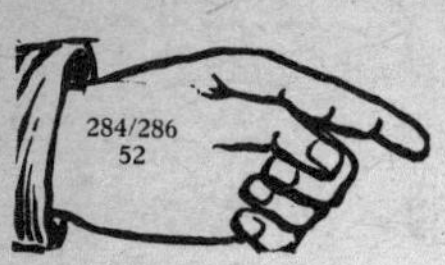

Militärgewehre deutscher und fremder Staaten.

Kriegs-Bestände.
Steinschloss-Gewehre.

Fusils militaires allemands et étrangers.

Matérial de guerre.
Fusils à silex.

German and Foreign Military Rifles.

War Supplies.
Flint lock rifles.

Fusiles de los ejércitos de Alemania y las demás Naciones extranjeras.

Material de guerra.
Fusil de llave con piedra.

Nachstehende Waffen sind teilweise gebraucht, teilweise auch neu. **Wir garantieren dafür, dass nur Gewehre in tadellos kriegsbrauchbarem Zustande abgeliefert werden. Die Munition unterliegt dem Tageskurse. Hierfür sowie für grosse Quantitäten nachstehender Waffen fordere man Spezial-Offerte.** Einzelne Stücke werden nicht abgegeben.

Les armes suivantes sont **partie usagées, partie neuves. Nous garantissons que seuls des fusils en parfait état de service de guerre seront délivrés. Les munitions sont vendues au cours du jour. Prière de nous demander, pour ces munitions et qu'and il s'agit d'importantes commandes d'armes ci-dessous, offres spéciales.** Nous ne livrons pas de ces armes par quantité d'une seule pièce à la fois.

The following arms have been partly in use and are partly new. **We guarantee the supply of rifles in a thoroughly efficient condition only. The ammunition is subject to the current rates. Please ask for special offer in this connection as well as in the case of large quantities of the undermentioned arms.** Single rifles are not supplied.

De estas armas una parte es nueva y la otra ha hecho servicio. **Garantizamos que solo armas que se hallan en buen estado y funcionamiento serán vendidas. La effic munición está sujetada á las fluctuaciones del Mercado. Sírvanse pues pedirnos por ofertas especiales asi como en caso de necesitar cantidades importantes de armas.** No entregamos nadamás que en cierta cantidad.

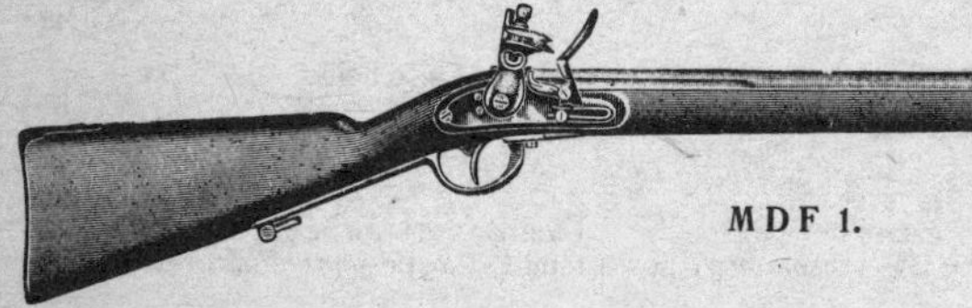

MDF 1.

Oesterreich

Vorrat / Approvisionnement / Supply / Existencia: 2000

Steinschloss-Gewehr, österreich. Modell, ganze Länge 1,34 m, Gewicht ca. 4 Kilo.

Fusil à silex, modèle autrichien, longueur totale 1,34 m, poids environ 4 Kilos.

Flint lock rifle, Austrian model, entire length 1,34 m, weight about 4 Kilos.

Fusil, llave con piedra, Modelo austriaco, longitud total 1,34 m, peso 4 Kilos más ó menos.

MDF 2.

Bayern

Vorrat / Approvisionnement / Supply / Existencia: 1500

Steinschloss-Gewehr, bayrisches Modell, ganze Länge 1,32 m, Gewicht ca. 4,500 Kilo.

Fusil à silex, modèle bavarois, longueur totale 1,32 m, poids environ 4,500 Kilos.

Flint lock rifle, Bavarian model, entire length 1,32 m, weight about 4,500 Kilos.

Fusil, llave con piedra, Modelo bavariano, longitud total 1,32 m, peso más ó menos 4,500 Kilos.

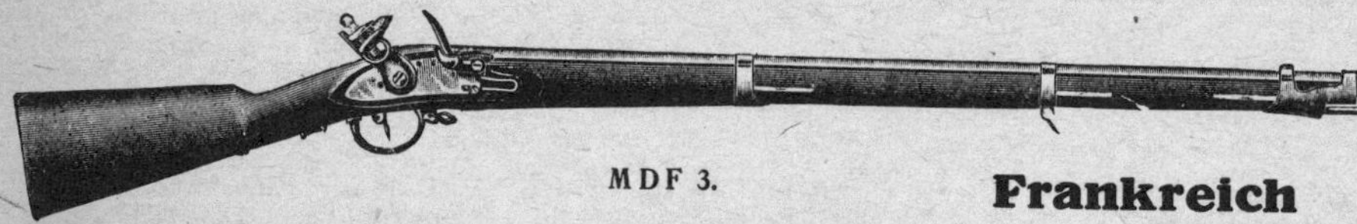

MDF 3.

Frankreich

Vorrat / Approvisionnement / Supply / Existencia: 1300

Steinschloss-Gewehr, französisches Modell, ganze Länge 1,32 m, Gewicht 4 Kilo.

Fusil à silex, modèle français, longueur totale 1,32 m, poids 4 Kilos.

Flint lock rifle, French model, entire length 1,32 m, weight 4 Kilos.

Fusil, llave con piedra, Modelo francés, longitud total 1,32 m, peso 4 Kilos.

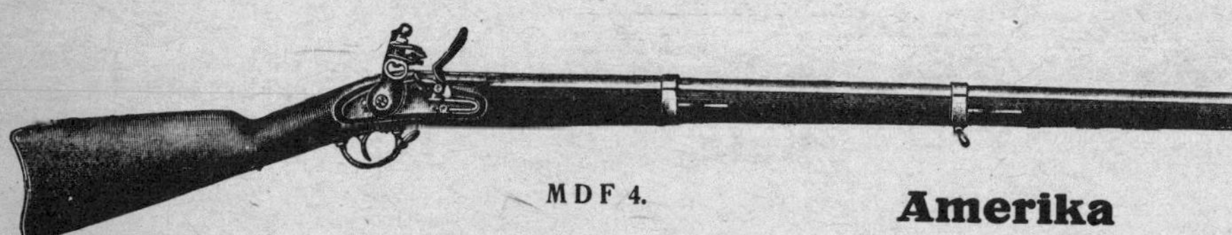

MDF 4.

Amerika

Vorrat / Approvisionnement / Supply / Existencia: 1000

Steinschloss-Gewehr, Modell Springfield, ganze Länge 1,42 m, Gewicht 3,600 Kilo.

Fusil à silex, modèle Springfield, longueur totale 1,42 m, poids 3,600 Kilos.

Flint lock rifle, Springfield model, entire length 1,42 m, weight 3,600 Kilos.

Fusil, llave con piedra, Modelo Springfield, longitud total 1,42 m, peso 3,600 Kilos.

MDF 1	MDF 2	MDF 3	MDF 4
† Neha	† Nobal	† Nechafe	† Neralbe
Mark 15.—	Mark 17.—	Mark 17.—	Mark 18.—

Militärgewehre deutscher und fremder Staaten. | Fusils de guerre des Etats allemands et étrangers. | German and Foreign Military Rifles. | Fusiles de los ejércitos de Alemania y las demás Naciones extranjeras.

287/292
172
199/203

Percussionswaffen. — Fusils à percussion. — Percussion arms. — Fusiles de percusión.

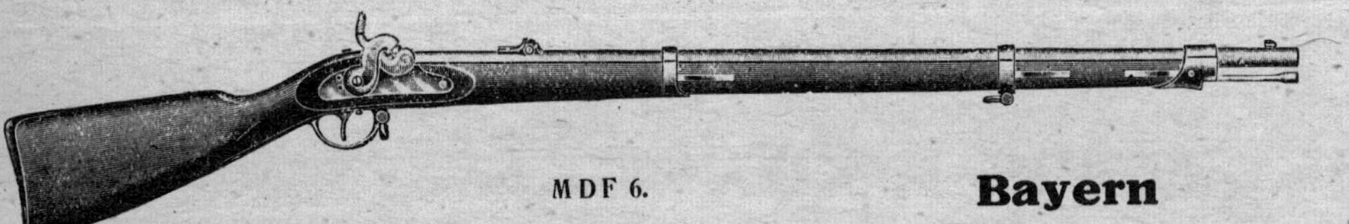

MDF 5.

Amerika

Vorrat / Approvisionnement / Supply / Existencia: 5000

Percussions-Springfield-Gewehr, ganze Länge 1,41 m, Gewicht 3,500 kg. | Fusil Springfield à percussion, longueur totale 1,41 m, poids 3 K. 500. | Springfield Percussion Rifle, entire length 1,41 m, weight 3,500 Kilos. | Fusil Springfield de percusión, longitud total 1,41 m, peso 3,500 Kilos

MDF 6.

Bayern

Vorrat / Approvisionnement / Supply / Existencia: 1800

Percussions-Bayrisches-Gewehr, ganze Länge 1,29 m, Gewicht ca. 4 kg. | Fusil Bavarois, à percussion, longueur totale 1,29 m, poids environ 4 K. | Bavarian Percussion Rifle, entire length 1,29 m, weight about 4 Kilos. | Fusil Bavariano de percusión, longitud total 1,29m, peso proximamente 4 Kilos.

MDF 7.

Frankreich

Vorrat / Approvisionnement / Supply / Existencia: 1950

Percussions-Französisches-Gewehr, rückliegendes Schloss, ganze Länge 1,42 m, Gewicht ca. 4 kg. | **Fusil Français, à percussion, platines à l'arrière**, longueur totale 1,42 m, poids environ 4 K. | **French Percussion Rifle, back action lock**, entire length 1,42 m, weight about 4 Kilos. | **Fusil de percusión frances, llave de cola**, longitud total 1,42 m, peso proximamente 4 Kilos.

MDF 8.

Frankreich

Vorrat / Approvisionnement / Supply / Existencia: 2500

Percussions-Französisches-Gewehr, vorliegendes Schloss, ganze Länge 1,38 m, Gewicht ca. 4 kg. | **Fusil Français, à percussion, platines à l'avant**, longueur totale 1,38 m, poids environ 4 K. | **French Percussion Rifle, front action lock**, entire length 1,38 m, weight about 4 Kilos. | **Fusil de percusión frances, llave delantera**, longitud total 1,38 m, peso proximamente 4 Kilos.

MDF 9.

Minié

Vorrat / Approvisionnement / Supply / Existencia: 3000

Minié-Gewehr, ganze Länge 1,25 m, Gewicht 4,600 kg. | **Fusil Minié**, longueur totale 1,25 m, poids 4,600 K. | **Minie Rifle**, entire length 1,25 m, weight 4,600 Kilos. | **Fusil Minié**, longitud total 1,25 m, peso 4,600 Kilos.

MFD 5.	MDF 6.	MDF 7.	MDF 8.	MDF 9.
† Nechber	† Naberi	† Nubarg	† Neichal	† Nerzal
Mark 17.—	Mark 18.—	Mark 17.—	Mark 17.—	Mark 17.—

Militärgewehre deutscher und fremder Staaten. | Fusils de guerre allemands et étrangers. | German and Foreign Military Rifles. | Fusiles de los ejércitos de Alemania y las demás Naciones extranjeras.

287/292 172 199/203

Percussionswaffen. — Fusils à percussion. — Percussion arms. — Fusiles de percusión.

MDF9
a

Kentucky

Original amerik. Kentucky-Gewehr, hergestellt von der **Remington-Arms Co.**, **Messinggarnitur** mit Zündhütchen-Kapsel aus **Messing** im Schaft, wird **gezogen** oder **glatt** mit oder ohne Visier geliefert.

Fusil original américain **Kentucky**, fabriqué par la **Remington-Arms Co.**, **garniture laiton** — avec boîte à capsules de laiton dans la crosse — est délivré **rayé** ou **lisse**, avec ou sans hausse.

American original **Kentucky rifle**, made by the **Remington-Arms Co.**, **brass mountings** with brass capsule for percussion caps in stock, supplied rifled or smooth, with or without sight.

Fusil original americano „**Kentucky**" fabricado por la **Remington-Arms Co.** — guarnición de latón — con caja de cápsulas de latón en la culatase entrega rayado ó liso, con ó sin calza.

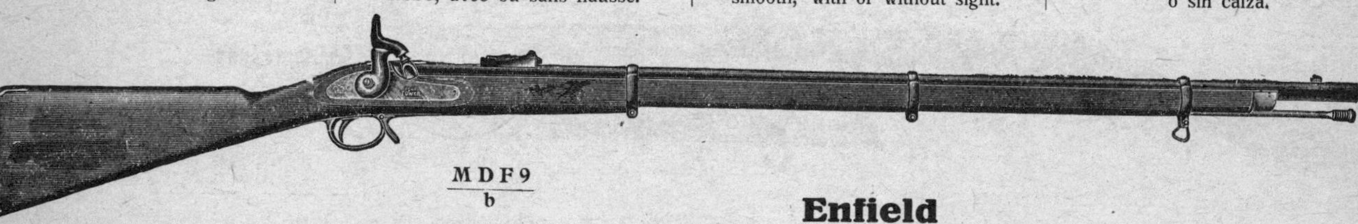

MDF9
b

Enfield

Original englisches Enfield-Gewehr, wird **gezogen** oder **glatt** mit oder ohne Visier geliefert, auf Wunsch auch verkürzt.

Fusil anglais original Enfield — est délivré **rayé** ou **lisse** avec ou sans hausse — et, sur demande, de longueur réduite.

English original Enfield rifle, supplied **rifled** or **smooth** with or without sight, also shortened on application.

Fusil original inglés „Enfield" se entrega, sobre demanda, **rayado** ó **liso** con ó sin calza, de longitud reducida sobre petición.

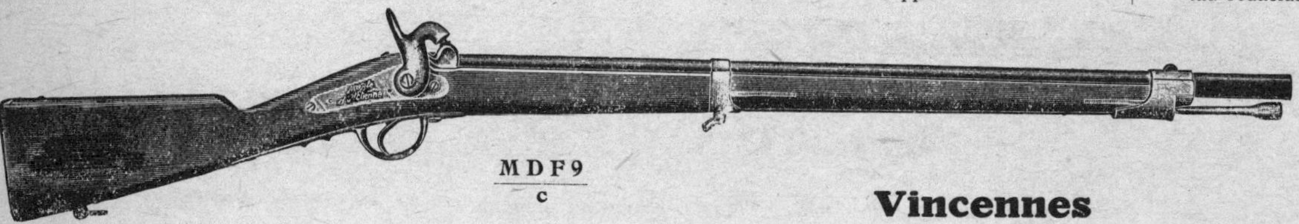

MDF9
c

Vincennes

Original französischer Karabiner de Vincennes, grosskalibrig mit kräftigem Schloss.

Carabine française originale „de Vincennes" — de fort calibre — avec système très solide.

Original French „Vincennes" carbine, large caliber with strong lock.

Carabina original francesa „de Vincennes" de fuerte calibre-con sistema muy solido.

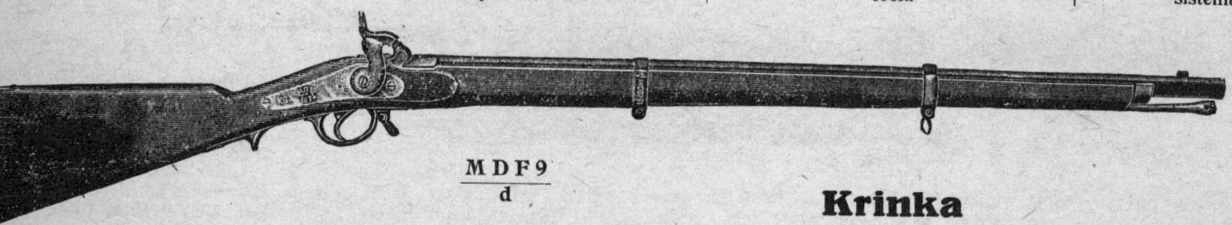

MDF9
d

Krinka

Krinka-Gewehr, Garnitur und Caliber wie beim Enfieldgewehr Lauflänge 82 cm.

Fusil „Krinka" — garniture et calibre comme le fusil „Enfield" — longueur du canon: 82 cm.

Krinka rifle, mounting and **caliber like in Enfield rifle**, length of barrel 82 cm.

Fusil „Krinka" guarnición y calibre como el fusil „Enfield" — longitud del canon: 82 cm.

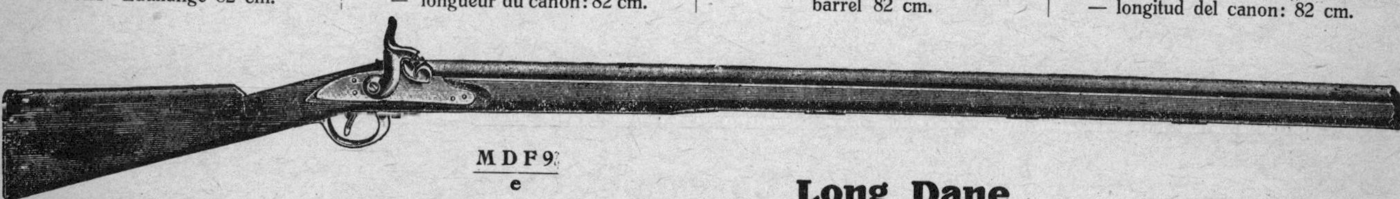

MDF9
e

Long Dane

Long Dane, Percussionsgewehr, Farbe schwarz oder rot, **schwere Qualität** mit gutem Schloss, Cal. 20/24.

Fusil à percussion Long Dane — couleur noire ou rouge — **qualité extra** — avec bon système — cal. 20/24.

Long Dane, percussion rifle, black or red colour, **heavy quality** with good lock, cal. 20/24.

Fusil de percusión Long Dane, color negro ó rojo — **calidad extra** — con buen sistema — cal. 20/24.

MDF9 a	MDF9 b	MDF9 c	MDF9 d	MDF9 e
† Ratolo	† Medilu	† Rodleg	† Sidlog	† Sospalo
M. 20.—	M. 20.—	M. 17.—	M. 15.—	M. 15.70

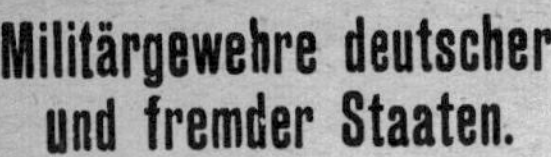

Militärgewehre deutscher und fremder Staaten.

Fusils de guerre allemands et étrangers.

German and Foreign Military Rifles.

Fusiles de los ejércitos de Alemania y las demás Naciones extranjeras

19/27

M D F 10

Albini

Vorrat / Approvisionnement / Supply / Existencia: 8500

Albini-Gewehr mit Bajonett, ganze Länge 1,38 m, Gewicht 4,800 kg, Länge des Bajonettes 53 cm, Gewicht 0,320 kg.

Fusil Albini avec baïonnette — longueur totale: 1,38 m — poids: 4,800 Kilos — longueur de la baïonnette 53 cm, poids 0,320 Kilos.

Albini Rifle with bayonet, entire length 1,38 m, weight 4,800 Kilos, length of bayonet 53 cm, weight 0,320 Kilos.

Fusil Albini con bayoneta, longitud total 1,38 m, peso 4,800 Kilos, longitud de la bayoneta 53 cm, peso 0,320 Kilos.

M D F 11

Werndl

Vorrat / Approvisionnement / Supply / Existencia: 250000

Werndl-Gewehr, ganze Länge 1,27 m, mit 63 cm langem Bajonett in Stahlscheide, Gewicht 4,500 kg, Gewicht des Bajonetts 950 g.

Fusil Werndl, longueur totale 1,27 m, avec baïonnette de 63 cm dans un fourreau d'acier, poids 4,500 Kilos — poids de la baïonnette 950 g.

Werndl Rifle, entire length 1,27 m, with bayonet 63 cm long in steel sheath, weight 4,500 Kilos, weight of bayonet 950 g.

Fusil Werndl, longitud total 1,27 m, con bayoneta de 63 cm en una vaina de acero — peso 4,500 Kilos, peso de la bayoneta 950 g.

M D F 12

Werndl Car.

Vorrat / Approvisionnement / Supply / Existencia: 16000

Werndl-Karabiner, ganze Länge 98 cm, Gewicht 3 kg.

Carabine Werndl, longueur totale 98 cm, poids 3 Kilos.

Werndl-Carbine, entire length 98 cm, weight 3 Kilos.

Carabina Werndl, longitud total 98 cm, peso 3 Kilos.

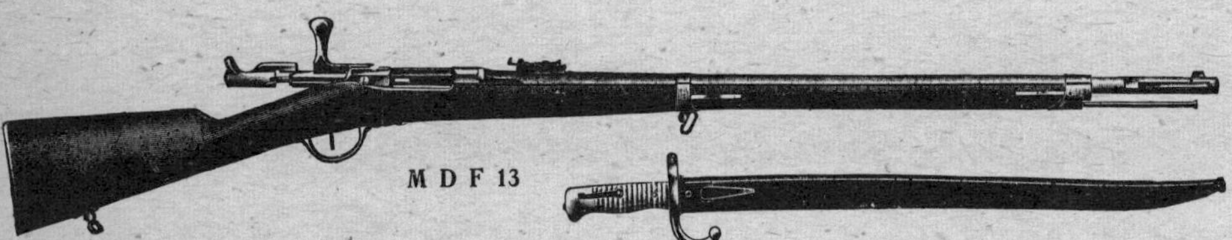

M D F 13

Chassepot

Vorrat / Approvisionnement / Supply / Existencia: 1800

Chassepot-Gewehr, ganze Länge 1,31 m, Gewicht ohne Bajonett 4,100 kg, mit Bajonett 5,100 kg. Das Bajonett ist 71 cm lang und hat schwarze Stahlscheide. Preis mit Bajonett.

Fusil Chassepot, longueur totale 1,31 m — poids sans baïonnette 4,100 Kilos, avec baïonnette 5,100 Kilos. La baïonnette a 71 cm de long et possède un fourreau d'acier bruni. Prix avec baïonnette.

Chassepot Rifle, entire length 1,31 m, weight without bayonet 4,100 Kilos, with bayonet 5,100 Kilos. The bayonet is 71 cm long and has a black steel sheath. Price with bayonet.

Fusil Chassepot, longitud total 1,31 m, peso sin bayoneta 4,100 Kilos, con bayoneta 5,100 Kilos. La bayoneta tiene una longitud de 71 cm y tiene una vaina de acero negro. Precio con bayoneta.

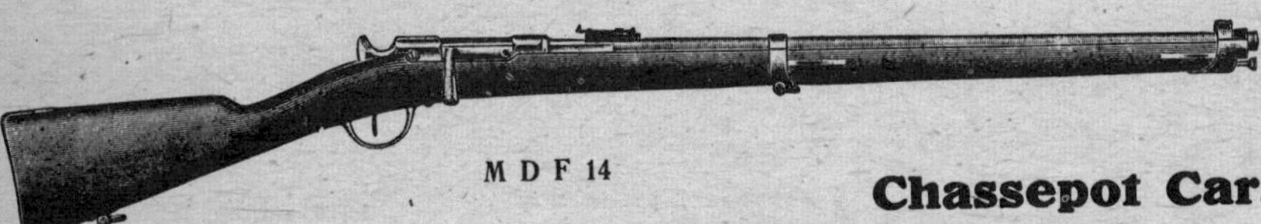

M D F 14

Chassepot Car.

Vorrat / Approvisionnement / Supply / Existencia: 2800

Chassepot-Karabiner, ganze Länge 1,18 m, Visier bis 1200 m. Gewicht 4 kg.

Carabine Chassepot, longueur totale 1,18 m — hausse jusqu'à 1200 mètres — poids 4 Kilos.

Chassepot Carbine, entire length 1,18 m, sighted up to 1200 meters, weight 4 Kilos.

Carabina Chassepot, longitud total 1,18 m, con alza hasta los 1200 metros, peso 4 Kilos.

M D F 10	M D F 11	M D F 12	M D F 13	M D F 14
† Neifere	† Naisade	† Nizwa	† Mementi	† Ninkang
Mark 7.—	Mark 8.—	Mark 9.50	Mark 6.—	Mark 11.-

Militärgewehre deutscher und fremder Staaten.

Fusils Militaires allemands et étrangers.

German and Foreign Military Rifles.

Fusiles de los ejércitos de Alemania y las demás Naciones extranjeras

M D F 14 a | fha |

Preussisch Zündnadel.

Vorrat / Approvisionnement / Supply / Existencia } 8000

Preussisches Zündnadelgewehr, Cal. 11 mm, ganze Länge 1,30 mm, Gewicht 4,100 kg.

Fusil prussien à percuteur, avec aiguille Cal. 11 mm, Longueur totale 1,30 m, poids 4,100 kg.

Prussian needle gun, cal. 11 mm, entire length 1,30 m, weight 4,100 kg.

Fusil prusiano con percutidor, Cal. 11 mm, longitud total 1,30 m, peso 4,100 kg

M D F 14 b | fha |

Oesterr. Waenzl.

Vorrat / Approvisionnement / Supply / Existencia } 12000

Oesterreichisches Waenzlgewehr, Cal. 11 mm, ganze Länge 1,30 m, Gewicht 4,100 kg, mit Bajonett.

Fusil „Waenzl“ autrichien, Cal. 11 mm, Longueur totale 1,30 m, Poids 4,100 kg, avec bayonnette.

Austrian rifle Waenzl, Cal. 11 mm, entire length 1,30 m, weight 4,100 kg, with bayonet.

Fusil austriaco „Waenzl“, Cal. 11 mm, longitud total 1,30 m, peso 4,100 kg, con bayoneta.

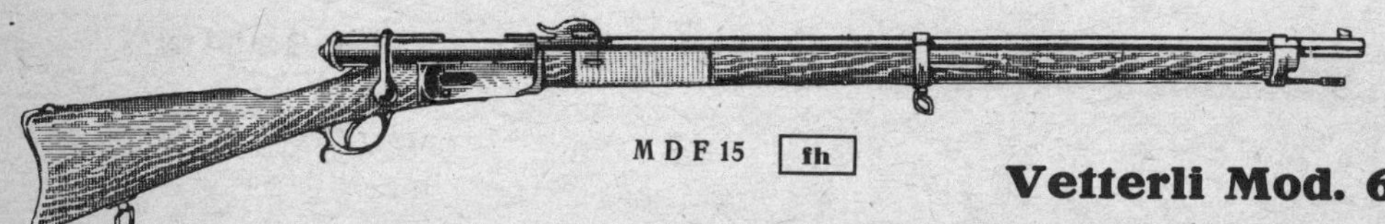

M D F 15 | fh |

Vetterli Mod. 69

Vorrat / Approvisionnement / Supply / Existencia } 450

Schweizer Repetiergewehr ‚Vetterli‘, Cal. 10,4 mm, 13 schüssig, ganze Länge 1,30 m, Gewicht 4,800 kg. Das Bajonett, welches 0,320 kg wiegt, ist 0,56 m lang.

Fusil „Vetterli“ suisse, à répétition, Cal. 10,4 mm, à 13 coups, longueur totale 1,30 m. Poids: 4K800. La baionnette, qui pèse 0K320, est longue de 0m56.

Swiss Repeating Rifle „Vetterli“, Cal. 10,4 mm, 13 shots, entire length 1,30 m, weight 4,800 Kilos. The bayonet weighing 0,320 Kilos, is 0,56 m long.

Fusil de repetición suiza „Vetterli“, Cal. 10,4 mm, 13 tiros, longitud total 1,30 m, Peso 4,800 kg. La bayoneta que pesa 0,320 kg, mide 0,56 m de largo.

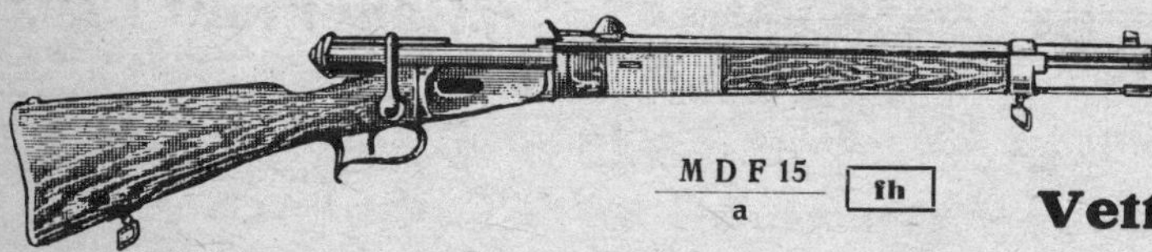

M D F 15 / a | fh |

Vetterli Car. Mod. 69

Vorrat / Approvisionnement / Supply / Existencia } 800

Schweizer Vetterli Repitiercarabiner Cal. 10,4 mm, 7 schüssig, Mod. 69, ganze Länge 97 cm, Gewicht 3,950 kg.

Carabine suisse à répétition „Vetterli“, Cal. 10,4 mm, à 7 coups, Mod. 69, longueur totale 97 cm, Poids 3,950 kg.

Swiss carbine Vetterli Repeating, Cal. 10,4 mm, 7 shots, Mod. 69, entire length 97 cm, weight 3,950 kg.

Carabina de repetición suiza „Vetterli“, Cal. 10,4 mm, de 7 tiros Mod. 69, longitud total 97 cm, peso 3,950 kg.

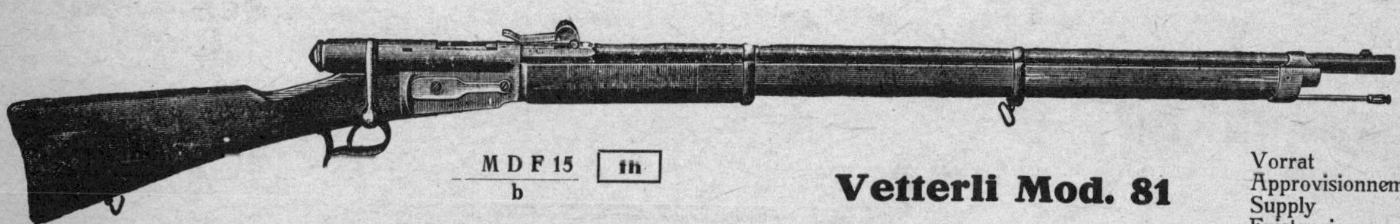

M D F 15 / b | fh |

Vetterli Mod. 81

Vorrat / Approvisionnement / Supply / Existencia } 300

Schweizer Repetiergewehr ‚Vetterli‘, Modell 81 13 schüssig, Cal. 10,4 mm, ganze Länge 1,30 m, Gewicht 4,800 kg.

Carabine suisse à répétition „Vetterli“, Modèle 81, à 13 coups, Cal. 10,4 mm, Longueur totale 1,30 m, Poids 4,800 kg.

Swiss repeating rifle „Vetterli“, model 81, 13 shots, Cal. 10,4 mm, entire length 1,30 m, weight 4,800 kg.

Carabina de repetición „Vetterli“, Modelo 81, de 13 tiros, Cal. 10,4 mm, Longitud total 1,30 m, peso 4,800 kg.

M D F 14 a	M D F 14 b	M D F 15	M D F 15 a	M D F 15 b
† Prezuna	† Wanzl	† Nerda	† Nercabi	† Nerach
M. 21.–	M. 9.–	M. 12.–	M. 18.–	M. 13.–

Militärgewehre deutscher und fremder Staaten.

Fusils militaires allemands et étrangers.

German and Foreign Military Rifles.

Fusiles de los ejércitos de Alemania y las demás Naciones extranjeras.

MDF 15
c

„Vetterli Vitali"

Vorrat / Approvisionnement / Supply / Existencia: 30 000

Italienisches Vetterli-Vitali-Repetier-Gewehr, fünfschüssig, Cal. 10,35, incl. Bajonett in schwarzer Lederscheide. Modell 70—87.

Fusil à répétition italien Vetterli-Vitali — à 5 coups — Cal. 10,35 — avec baïonnette dans un fourreau de cuir noir. Modèle 70—87.

Italian Vetterli-Vitali repeating rifle, 5 shots, cal. 10,35, including bayonet in black leather sheath, model 70—87.

Fusil de repetición italiano Vetterli-Vitali — de cinco tiros — Cal. 10,35 — con bayoneta en una vaina de cuero negro. Modelo 70—87.

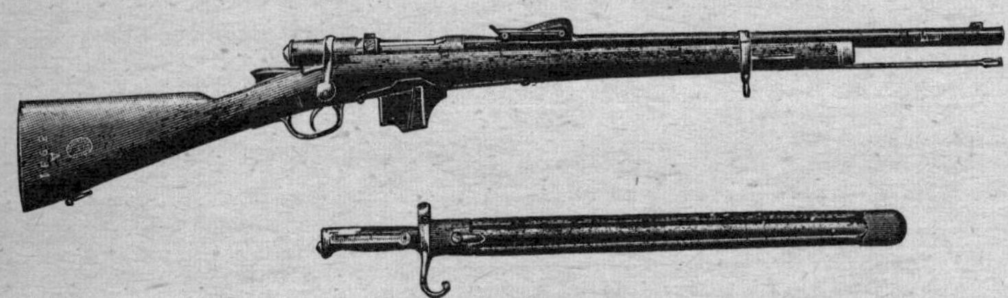

„Vetterli Vitali Car."

MDF 15
d

Vorrat / Approvisionnement / Supply / Existencia: 12 000

Italienischer Vetterli-Vitali-Repetier-Carabiner, fünfschüssig, Länge 110 cm, Cal. 10,35, Gewicht ca. 3,750 kg mit Bayonett in Scheide.

Carabine à répétition italienne Vetterli-Vitali — à 5 coups — longueur 110 cm, Cal. 10,35 — poids environ 3,750 kg avec baïonnette contenue dans un fourreau.

Italian Vetterli-Vitali repeating carbine, five shots, length 110 cm cal. 10,35, weight about 3,750 kg with bayonet in sheath.

Carabina de repetición italiana Vetterli-Vitali — de 5 tiros — longitud 110 cm, Cal. 10,35 — peso aproximadamente 3,750 kg con bayoneta contenida en una vaina.

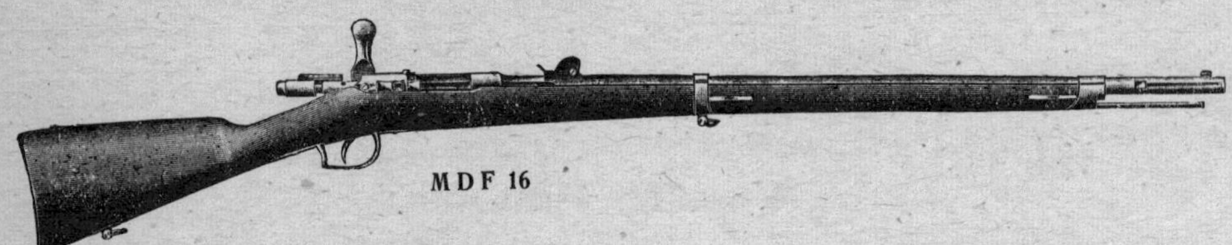

MDF 16

„Beaumont"

Vorrat / Approvisionnement / Supply / Existencia: 7 000

Holländisches Original-„Beaumont-Gewehr", einschüssig, Gewicht 4,250 kg, ganze Länge 1,30 m, Cal. 11 mm. mit Bajonett.

Fusil hollandais Original „Beaumont" — à 1 coup — poids 4,250 kg — longueur totale 1,30 m — Cal. 11 mm. avec baionnette.

Original Dutch „Beaumont rifle", one shot, weight 4,250 kg, entire length 1,30 m, Cal. 11 mm. with bajonet.

Fusil holandés original „Beaumont", de peso 4,250 kg, longitud total 1,30 m. con bayoneta.

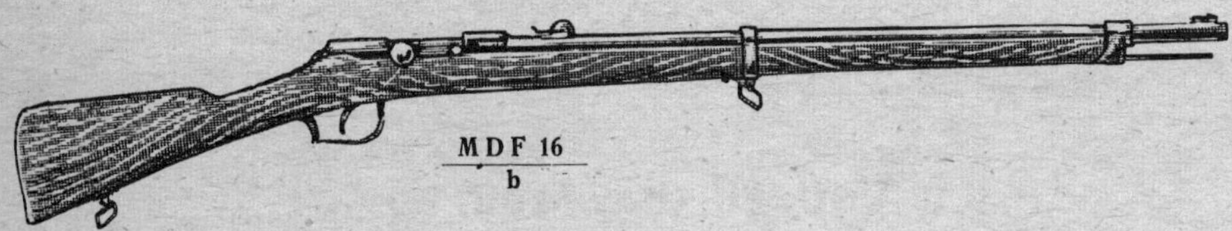

MDF 16
b

„Beaumont Car."

Vorrat / Approvisionnement / Supply / Existencia: 4200

Holländischer Beaumont-Carabiner wie MDF 16, aber auf 100 cm verkürzt, Gewicht 3,500 Kilo.

Carabine hollandaise Beaumont comme le No. MDF 16 mais réduité à 100 cm, — poids 3,500 kg.

Dutch Beaumont carbine like MDF 16 but shortened to 100 cm, weight 3,500 kg.

Carabina holandesa „Beaumont", como el MDF 16 pero reducida à 100 cm de largo — peso 3,500 kg.

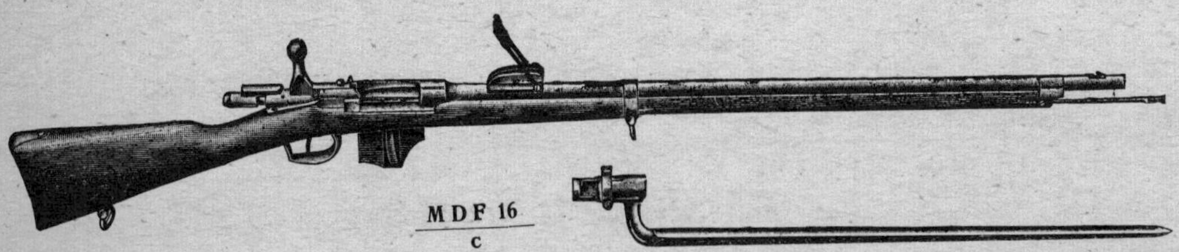

MDF 16
c

„Beaumont Rep."

Vorrat / Approvisionnement / Supply / Existencia: 3 000

Holländisches Original-Beaumont-Repetiergewehr, fünfschüssig, Gewicht 4¼ kg, ganze Länge 1,32 m, Cal. 11 mm.

Fusil à répétition hollandais Original „Beaumont" — à 5 coups — poids 4,250 kg — longueur totale 1,30 m, Cal. 11 mm.

Dutch Original Beaumont repeating rifle, 5 shots, weight 4,250 kg, entire length 1,32 m, Cal. 11 mm.

Fusil de repetición holandés original „Beaumont" de cinco tiros — peso 4,250 kg — longitud total 1,30 m — Cal. 11 mm.

MDF 15 c	MDF 15 d	MDF 16	MDF 16 b	MDF 16 c
† Vetila	† Vetibi	† Nition	† Nitikin	† Nitirep
Mark 12.—	Mark 20.—	Mark 11.50	Mark 18.—	Mark 12.—

Militärgewehre deutscher und fremder Staaten. | Fusils militaires allemands et étrangers. | German and Foreign Military Rifles. | Fusiles de los ejércitos de Alemania y las demás Naciones extranjeras.

19/27

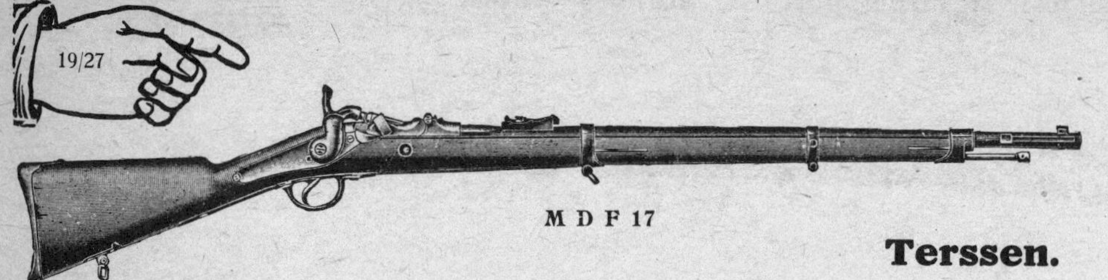

M D F 17

Terssen.

Vorrat / Approvisionnement / Supply / Existencia — 2400

Terssen - Gewehr, ganze Länge 1,28 m, Visierung bis 1400 m, Gewicht 4,750 kg.

Fusil „Terssen“ — longueur totale 1,28 m — hausse jusqu'à 1400 m — poids 4,750 kg.

Terssen rifle, entire length 1,28 m, sighted up to 1400 m, weight 4,750 Kilos.

Fusil Terssen, longitud total, 1,28 m, adjustado hasta los 1400 m, peso 4,750 Kilos.

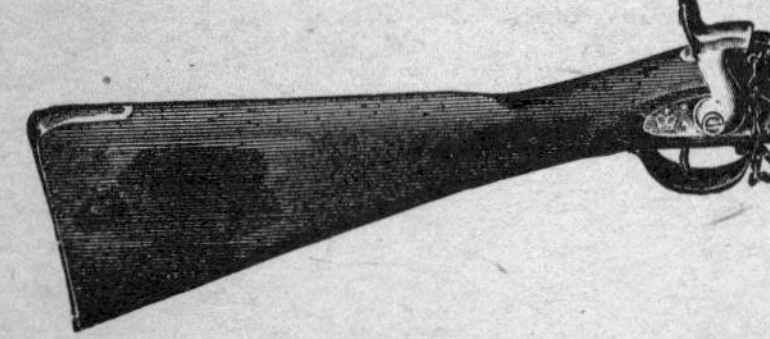

M D F 17 a

Snider.

Vorrat / Approvisionnement / Supply / Existencia — 8400

Englisches Snidergewehr, Verschluss mit Riegel, Ia Qualität, **Original-Regierungswaffe,** fabriziert von der **B. S. A. & M. Co.**

Fusil anglais Snider — fermeture à verrou — 1e qualité — **arme gouvernementale originale** - fabriquée par la **B. S. A. & M. Co.**

English Snider rifle, bolt lock, prime quality, **original government arm,** manufactured by the **B. S. A. & M. Co.**

Fusil inglés Snider, cierre de cerrojo — 1a. calidad — **arma gubernamental original** fabricada por la **B. S. A. & M. Co.**

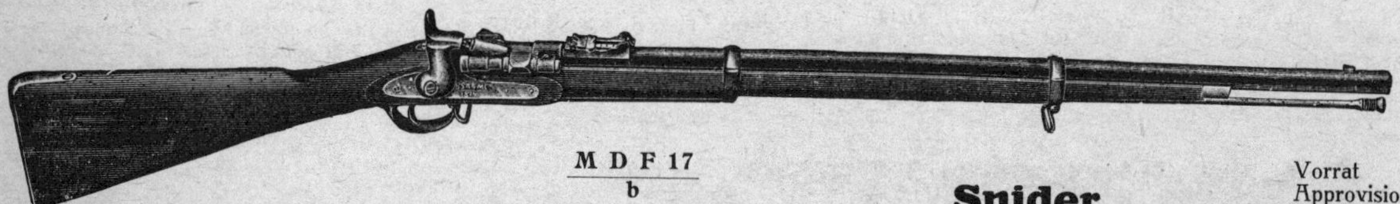

M D F 17 b

Snider.

Vorrat / Approvisionnement / Supply / Existencia — 3800

Englischer Snider - Karabiner aus Original - Regierungsgewehr hergestellt, sonst wie No. M D F 17a.

Carabine anglaise Snider formée du fusil original du gouvernement — pour le reste comme le No. M D F 17a.

English Snider carbine made from original government rifle, otherwise same as No. M D F 17a.

Carabina inglesa Snider formada del fusil original del gobierno — por lo demás como el No. M D F 17a.

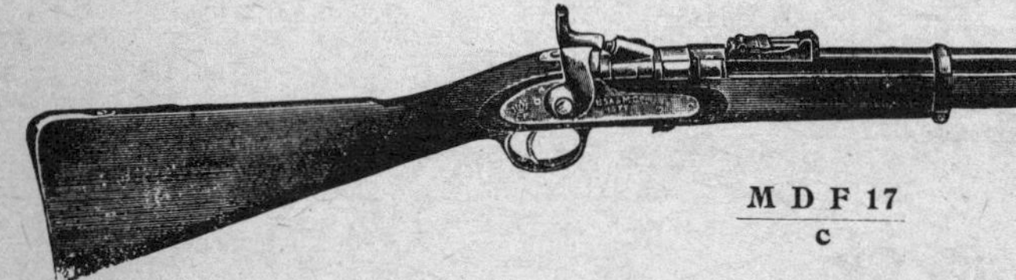

M D F 17 c

Snider.

Vorrat / Approvisionnement / Supply / Existencia — 2750

Englischer Snider-Kavallerie-Karabiner aus Original-Regierungsgewehr hergestellt, sonst wie No. M D F 17a.

Carabine anglaise de Cavalerie „Snider“ provenant du fusil original — pour le reste comme No. M D F 17a.

English Snider cavalry carbine made from original government rifle, otherwise like No. M D F 17a.

Carabina inglesa de **cavalleria „Snider“** procedente del fusil original — para el resto como No. M D F 17a.

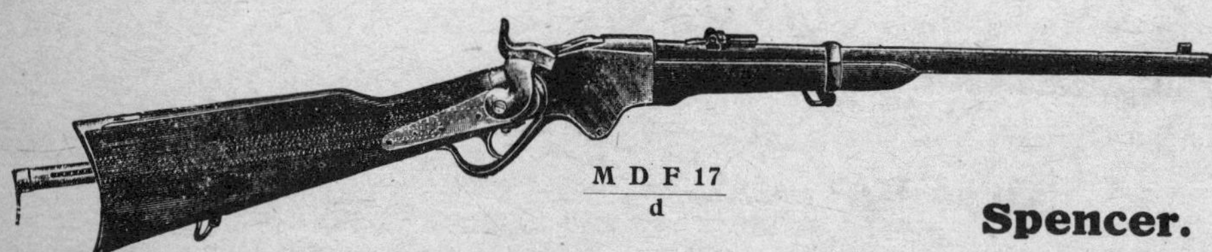

M D F 17 d

Spencer.

Vorrat / Approvisionnement / Supply / Existencia — 1700

7 schüssiger amerik. Spencer-Repetier-Karabiner mit Repetiermagazin im Schaft, **vollkommen ungebraucht.**

Carabine américaine à 7 coups et à répétition spencer — chargeur à répétition dans la crosse, **absolument inusagé.**

7 shot American Spencer repeating carbine with magazine in stock, **quite unused.**

Carabina americana de **7 tiros y de repetición Spencer** — Cargador de repetición en la culata **absolutamente nueva.**

M D F 17	M D F 17 a	M D F 17 b	M D F 17 c	M D F 17 d
† Nutar	† Saira	† Reutal	† Sipsal	† Eriota
M. 10.—	M. 15.—	M. 23.—	M. 23.—	M. 25.—

Militärgewehre deutscher und fremder Staaten.

Fusils militaires allemands et étrangers.

German and Foreign Military Rifles.

Fusiles de los ejércitos de Alemania y las demás Naciones extranjeras.

M D F 18 / a

Gras Mod. 66/74

Vorrat / Approvisionnement / Supply / Existencia: 6000

Original französisches Armee-Gewehr „Gras“, Mod. 66/74, Cal. 11 mm, ohne Bajonett, Länge 1,30 m, Gewicht 4,250 Kilo.

Fusil de guerre francais Original „Gras“, Mod. 66/74, Cal. 11 mm, sans bayonette, longueur 1,30 m, poids 4,250 Kilo.

Original French army rifle „Gras“, model 66/74, cal. 11 mm, without bayonet, length 1,30 m, weight 4,250 Kilo.

Fusil de guerra francés original „Gras“, Mod. 66/74, cal. 11 mm, sin bayoneta, longitud 1,30 m, peso 4,250 Kilos.

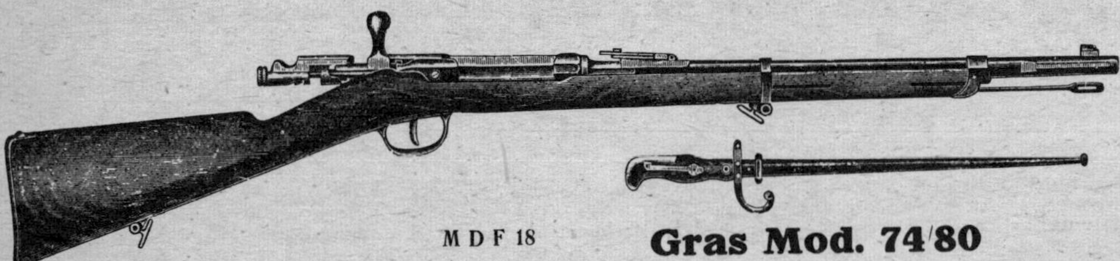

M D F 18

Gras Mod. 74/80

Vorrat / Approvisionnement / Supply / Existencia: 6000

Original französisches Armee-Gewehr „Gras“, Mod. 74/80, cal. 11 mm, Länge 1,30 m, Gewicht 4,250 Kilo, mit Bajonett, welches 0,66 m lang und 0,750 Kilo schwer ist.

Fusil de guerre „Gras“ Original, Mod. 74/80, cal. 11 mm, longueur 1,30 m, poids 4,250 Kilo, et avec bayonette longue de 0,66 m, pesant 0,750 Kilo.

Original French Army Rifle „Gras“, model 74/80, cal. 11 mm, length 1,30 m, weight 4,250 Kilo, with bayonet, which is 0,66 m long and weighs 0,750 Kilos.

Fusil original del ejercito francés „Gras“, Modelo 74/80, cal. 11 mm, longitud con bayoneta 1,30 m, peso 4,250 Kilos. — Bayoneta 0,66 m y 0,750 Kilos.

M D F 19

Gras Car.

Vorrat / Approvisionnement / Supply / Existencia: 500

„Gras“-Carabiner, ganze Länge 0,99 m, Gewicht 3,300 Kilo.

carabine „Gras“, longueur totale 0,99 m, poids 3,300 Kilo.

„Gras“ Carbine, entire length 0,99 m, weight 3,300 Kilos.

Carabina „Gras“, longitud total 0,99 m, peso 3,300 Kilos.

M D F 19 / a

Gras Gend. Car.

Vorrat / Approvisionnement / Supply / Existencia: 300

Französischer Gendarmerie-Karabiner „Gras“, hergestellt aus M D F 18, Mod. 66/74, Gewicht 3,700 Kilo, ganze Länge 1,15 m.

Carabine française „Gras“ de Gendarmerie, faite du M D F 18, Mod. 66/74, poids 3,700 Kilo, longueur totale 1,15 m.

French gendarme carbine „Gras“, made from rifle M D F 18, mod. 66/74, weight 3,700 Kilos, entire length 1,15 m.

Carabina francesa „Gras“ de gendarmeria, formada del M D F 18, Mod. 66/74, peso 3,700 Kilos, longitud total 1,15 m.

M D F 19 / b

Gras Kav. Car.

Vorrat / Approvisionnement / Supply / Existencia: 455

Französischer „Gras“-Kavallerie-Karabiner, Mod. 74/80, hergestellt aus M D F 18, Gewicht 3,750 Kilo, ganze Länge 1,16 m.

Carabine française „Gras“ de cavalerie, Mod. 74/80, faite du M D F 18, poids 3,750 Kilos, longueur totale 1,16 m.

French „Gras“ cavalry carbine, mod. 74/80, made from M D F 18, weight 3,750 Kilos, entire length 1,16 m.

Carabina francesa „Gras“ de caballeria, mod. 74/80, formada del M D F-18, peso 3,750 Kilos, longitud total 1,16 m.

M D F 18 a	M D F 18	M D F 19	M D F 19 a	M D F 19 b
† Netlas	† Nedulg	† Nostrem	† Nogend	† Graska
Mark 20.—	Mark 22.—	Mark 28.—	Mark 32.—	Mark 32.—

Militärgewehre deutscher und fremder Staaten.

Fusils militaires allemands et étrangers.

German and Foreign Military Rifles.

Fusiles de los ejércitos de Alemania y las demás Naciones extranjeras.

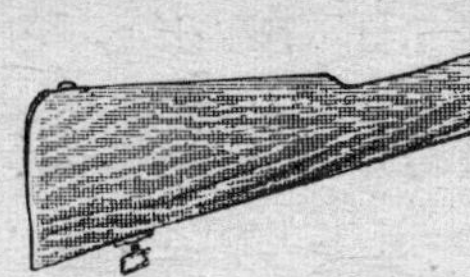

M D F 20
a

fha **Kropatschek**

Vorrat / Approvisionnement / Supply / Existencia: 1500

Kropatschek-Gewehr Mod. 78, eingerichtet für die französische **Graspatrone Cal. 11 mm**, achtschüssig, ganze Länge 1,23 m, Gewicht 4,500 Kilo.

Fusil Kropatschek Mod. 78, adopté pour la **cartouche Gras** française — **cal. 11 mm.** à 8 coups — longuer totale 1 m 23 — poids 4 K. 500

Kropatschek-rifle mod. 78, adapted for the French **Gras cartridge, cal. 11 mm**, 8 shots, entire length 1,23 m, weight 4,500 Kilos.

Fusil Kropatschek Mod. 78 — adoptado para el **cartucho Gras** francés — **cal. 11 mm** — de 8 tiros — longitud total 1 m 23 — peso: 4,500 Kilos.

M D F 20 **fh** **Kropatschek Car.**

Vorrat / Approvisionnement / Supply / Existencia: 150

Kropatschek-Karabiner, ganze Länge 98 cm, Gewicht 3,600 Kilo.

Carabine Originale Kropatschek — longueur totale 98 cm — poids 3 K 600

Original Kropatchek-Carbine, entire length 98 cm, weight 3,600 Kilos.

Carabina Kropatschek Original, longitud total 98 cm, preso 3,600 Kilos.

Berdan

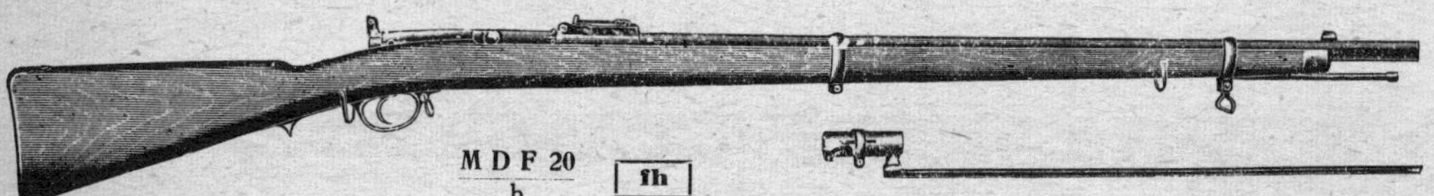

M D F 20
b

fh

Vorrat / Approvisionnement / Supply / Existencia: 4000

Original russisches Berdan-Gewehr Cal. 11 mm, grösstenteils **ungebraucht**, incl. Stichbajonett, Gewicht ca. 4 Kilo, Länge ca. 1,30 m.

Fusil russe Original Berdan — **Cal. 11 mm** — en majeure partie **non usagé** — avec bayonette aïgue — poids environ: 4 K. longueur environ 1 m 30.

Russian original Berdan-rifle, cal. 11 mm, mostly **unused**, thrust bayonet, weight about 4 Kilos, length about 1,30 m.

Fusil ruso original Berdan, Cal. 11 mm — por lo general **sin estrenar** — con bayoneta aguda — peso aproximadamente 4 Kilos — longitud aproximadamente 1 m 30.

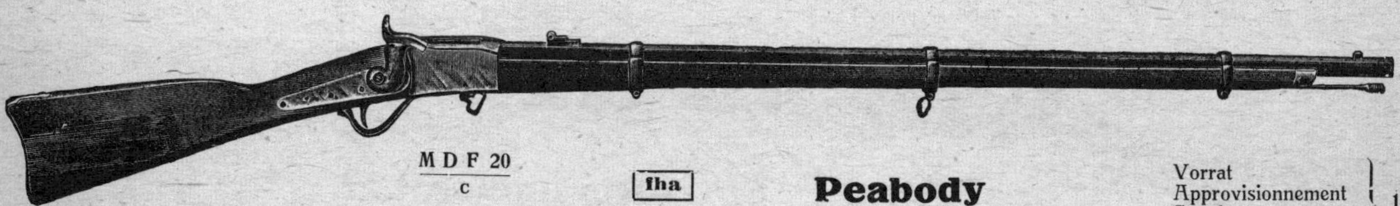

M D F 20
c

fha **Peabody**

Vorrat / Approvisionnement / Supply / Existencia: 1200

Original amerik. Peabody-Gewehr, jedoch eingerichtet für die amerik. **Spencer-Patrone.**

Fusil américain Peabody original, mais adopté pour la **cartouche américaine Spencer.**

American original Peabody rifle, but adapted for the American **Spencer cartridge.**

Fusil americano Peabody original, pero adaptado para el **cartucho americano Spencer.**

Vorrat / Approvisionnement / Supply / Existencia: 900

M D F 20
d

fha **Peabody Car.**

Original amerik. Peabody-Karabiner hergestellt aus einem Gewehr, sonst wie Nr. M D F 20 c.

Carabine américaine Peabody original — provenant d' un fusil — pour le reste comme Nr. M D F 20 c.

American original Peabody carbine, made from a rifle otherwise like No. M D F 20 c.

Carabina americana Peabody original — procedente de un fusil, para el resto como M D F 20 c.

M D F 20 a	M D F 20	M D F 20 b	M D F 20 c	M D F 20 d
† Nusgew	† Nustebe	† Berdan	† Mupal	† Ospal
Mark 23.—	Mark 34.—	Mark 30.—	Mark 16.—	Mark 18.50

Militärgewehre deutscher und fremder Staaten.

Fusils militaires allemands et étrangers.

German and Foreign Military Rifles.

Fusiles de los ejércitos de Alemania y las demás Naciones extranjeras.

M D F 21

Aeg. Remington.

Vorrat / Approvisionnement / Supply / Existencia: 600

„Remington"-Gewehr, aegyptisches Modell, ganze Länge 1,28 m, Gewicht 4 kg, Cal. 11 mm.

Fusil „Remington" modèle égyptien, longueur totale 1,28 m, poids 4 kg, Cal. 11 mm.

„Remington" rifle, Egyptian model, entire length 1,28 m, weight 4 kg, Cal. 11 mm.

Fusil „Remington", modelo egipcio, longitud total 1,28 m, peso 4 kg, Cal. 11 mm.

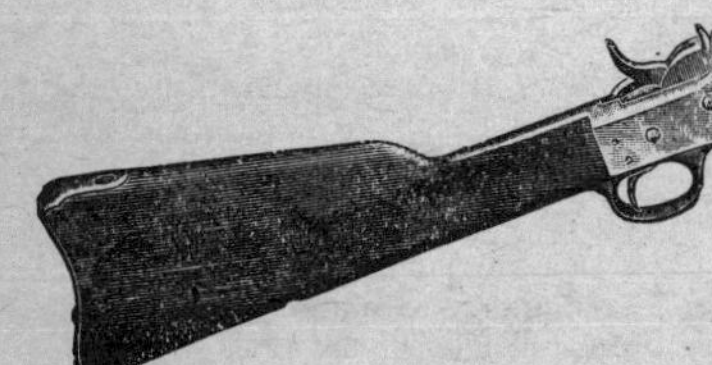

M D F 21 / a

Aeg. Remington Car.

Vorrat / Approvisionnement / Supply / Existencia: 300

Aegyptischer Remington-Carabiner, hergestellt aus M. D. F. 21, Gewicht 3,250 kg, ganze Länge 96 cm.

Carabine Remington égyptienne, faite du fusil M. D. F. 21, poids 3,250 kg, longueur totale 96 cm.

Egyptian Remington carbine, made from rifle M. D. F. 21, weight 3,250 kg. entire length 96 cm.

Carabina Remington egypcia, hecha del fusil M. D. F. 21, peso 3,250 kg, longitud total 96 cm.

M D F 21 / b

Am. Remington.

Vorrat / Approvisionnement / Supply / Existencia: 2000

Original amerik. Remington-Gewehr, Cal. 11/43 mm spanisch, ganze Länge 1,28 m, Gewicht 4 kg.

Fusil Remington américain original, Cal. 11/43 mm espagnol, longueur totale 1,28 m, poids 4 kg.

American original Remington rifle, Cal. 11/43 mm Spanish, entire length 1,28 m, weight 4 kg.

Fusil Remington americano original, Cal. 11/43 mm español, longitud total 1,28 m, peso 4 kg.

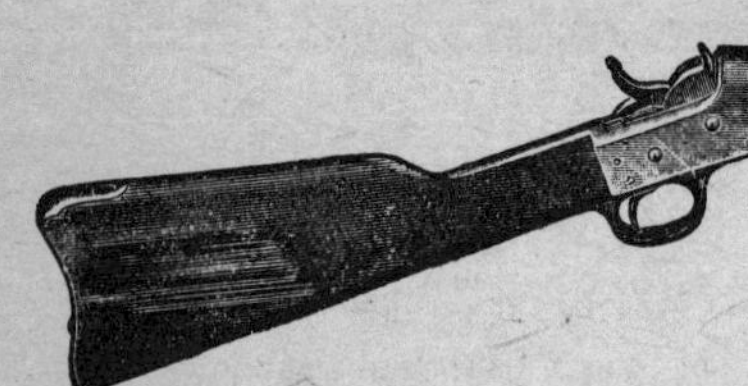

M D F 21 / c

Span. Remington Car.

Vorrat / Approvisionnement / Supply / Existencia: 800

Spanischer Remington-Karabiner, hergestellt aus M. D. F. 21 b, ganze Länge 96 cm, Gewicht 3,250 kg.

Carabine Remington espagnole, faites du M. D. F. 21 b, longueur totale 96 cm, poids 3,250 kg.

Spanish Remington carbine, made from M. D. F. 21 b, entire length 96 cm, weight 3,250 kg.

Carabina Remington española, procedente del M. D. F. 21 b, longitud total 96 cm, peso 3,250 kg.

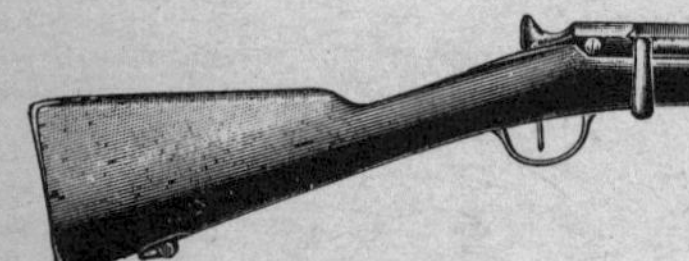

M D F 21 / d

Mauser 66/71 Car.

Vorrat / Approvisionnement / Supply / Existencia: 3200

Mauser Kavallerie-Carabiner, Mod. 66/71, Cal. 11 mm, Gewicht 3,550 kg. ganze Länge 1 m.

Carabine de cavalerie Mauser, Mod. 66/71, Cal. 11 mm, poids 3,550 kg, longueur totale 1 m.

Mauser cavalry carbine, Mod. 66/71, Cal. 11 mm, weight 3,550 kg, entire length 1 m.

Carabina de caballeria Mauser, Mod. 66/71, Cal. 11 mm, peso 3,550 kg, longitud total 1 m.

M D F 21	M D F 21 a	M D F 21 b	M D F 21 c	M D F 21 d
† Nedkeit	† Nedgip	† Nedspan	† Nedspara	† Maremp
M. 14.–	M. 23.–	M. 15.–	M. 16.–	M. 12.–

Militär-gewehre deutscher und fremder Staaten. | Fusils militaires allemands et étrangers. | German and Foreign Military Rifles. | Fusiles de los ejércitos de Alemania y las demás Naciones extranjeras.

MDF 22.

Mauser 71

Vorrat / Approvisionnement / Supply / Existencia: 8000

Deutsches Mausergewehr, Modell „71“, ganze Länge 1,30 m, Gewicht 3,250 kg.

Fusil allemand Mauser Modèle „71“, longueur totale 1,30 m, poids 3 K. 250.

German Mauser rifle, model „71“, entire length 1,30 m, weight 3,250 Kilos.

Fusil „Mauser“ Alemán, modelo „71“, longitud total 1,30 m, peso 3,250 Kilos.

MDF 22 a

Mauser 71 imit.

Vorrat / Approvisionnement / Supply / Existencia: 3200

Imitierte Büchse Mauser, Modell „71“, Cal. 11 mm mit Mauser-Sicherungsflügel, Mauserlauf und Visier, billiger, guter Ersatz für No. M D F 22.

Carabine Mauser, Modèle „71“, Imitation cal. 11 mm — avec ailes de sûreté Mauser — canon et hausse Mauser — bon marché — remplacant bien le No. M D F 22.

Imitation Mauser rifle, Mod. „71“, cal. 11 mm, with Mauser safety, Mauser barrel and sight, cheap and good substitute for M. D. F. 22.

Imitación a la carabina Mauser Mod. „71“, cal. 11 mm, con alas de seguridad, Mauser de ala, cañon y calza Mauser, barato, reemplazando bien M D F 22.

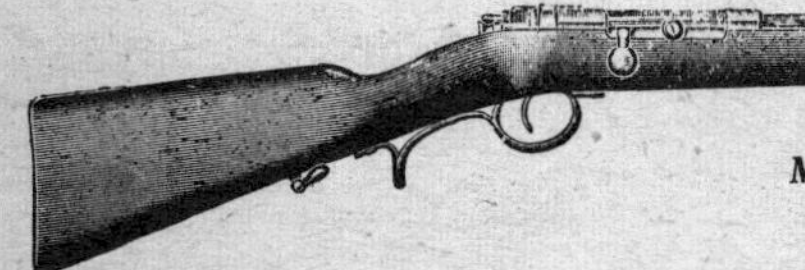

MDF 23.

Mauser 71 J. B.

Vorrat / Approvisionnement / Supply / Existencia: 1500

Deutsches Mausergewehr, Modell „71“, Jägerbüchse, ganze Länge 1,25 m, Gewicht 3,250 kg.

Fusil allemand Mauser Mod. „71“ — arme des chasseurs à pied allemands, longueur totale 1,25 m — poids 3,250 K.

German Mauser rifle, model „71“, Rifleman's weapon, entire length 1,25 m, weight 3,250 Kilos.

Fusil „Mauser“ Alemán, Modelo „71“, El arma de los cazadores á pié alemanes, longitud total 1,25 m, peso 3,250 Kilos.

MDF 23

Mauser 71 J. B. imit.

Vorrat / Approvisionnement / Supply / Existencia: 1200

Imitierte Jägerbüchse Mauser Mod. „71“, Cal. 11 mm, grösstenteils aus Originalteilen zusammengestellt, guter billiger Ersatz für No. M D F 23.

Imitation de la carabine Mauser Mod. „71“ des chasseurs à pied allemands, cal. 11 mm, pour la majeure partie montée avec des pièces originales, remplacant bien et économiquement le No. M D F 23.

Imitation hunter's rifle Mauser Mod. 71, cal. 11 mm, composed principally of original parts, good and cheap substitute for M D F 23.

Imitación á la carabina Mauser Mod. „71“ de los cazadores á pié alemanes, cal. 11 mm, la mayor parte compuesta de piezas originales, reemplazando bien y economicamente el M D F 23.

MDF 24.

Mauser 71 Car.

Vorrat / Approvisionnement / Supply / Existencia: 375

Deutscher Mausercarabiner, Modell „71“, ganze Länge 1 m, Gewicht 3 kg.

Carabine allemande Mauser, Modèle „71“, longueur totale 1 m — poids 3 K.

German Mauser-Carbine, model „71“, entire length 1 m, weight 3 Kilos.

Carabina „Mauser“ Alemana, Modelo „71“, longitud total 1 m, peso 3 Kilos.

M D F 22	M D F 22a	M D F 23	M D F 23a	M D F 24
† Nore	† Norimi	† Niwo	† Niwimi	† Neche
Mark 29.—	Mark 25.—	Mark 36.—	Mark 30.—	Mark 42.—

Militärgewehre deutscher und fremder Staaten.

Fusils militaires allemands et étrangers.

German and Foreign Military Rifles.

Fusiles de los ejércitos de Alemania y las demás Naciones extranjeras.

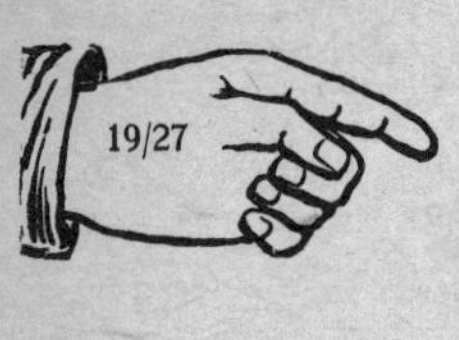

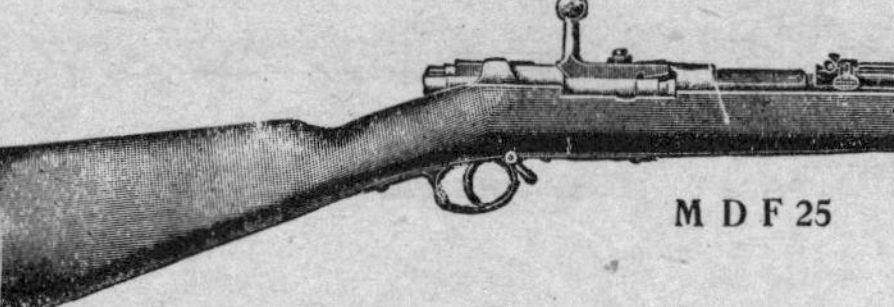

M D F 25

Mauser 71/84

Vorrat / Approvisionnement / supply / Existencia: 12000

Deutsches Original - Mauser - Repetiergewehr Mod. 71/84, teilweise **neu,** achtschüssig, ganze Länge 1,25 m, Gewicht 1,400 kg, Cal. 11 mm.

Wir liefern obige Waffe zum Preise von Mark **12.—** für überseeische Regierungen bei grossen Quantitäten aus Beständen der deutschen Regierung nach deren Bedingungen, die wir auf Wunsch mitteilen, in Holz und Zink, fob. Hamburg.

Fusil à répétition allemand Original Mauser, Mod. 71/84, en partie **neuf,** à 8 coups, longeur totale 1,25 m, poids 1.400 kg, Cal. 11 mm.

Nous livrons cette arme au prix de Mark **12.—** — pour les gouvernements d'outre-mer, par fortes quantités, des approvisionnements du gouvernement allemand et ce d'après les conditions du dit gouvernement, conditions dont nous envoyons exposé sur demande — marchandise emballée avec bois et zinc, fob. Hambourg.

German original Mauser repeating rifle, mod. 71/84, partly **new** 8 shots, entire length 1,25 m, weight 1,400 Kilo, cal. 11 mm.

When large quantities for transoceanic governments are ordered we deliver the above arm in wood and zinc packing fob. Hamburg at the price of Mark **12.—** from the supplies of the German government, according to the conditions of the latter, which will be specified on application.

Fusil Mauser de repetición alemán. Mod. 71/84, en parte **nuevo,** de 8 tiros, longitud total, 1,25 m, peso 1 K. 400, cal. 11 mm.

Entregamos esta arma al precio de Marcos **12,—** — para los gobiernos de ultramar, en grandes cantidades, de, las existencias del gobierno alemán, y con arreglo á las condiciónes de dicho gobierno, que enviamos según demanda, — mercancías embaladas con madera y cinc, fob. Hamburgo.

M D F 29

Mauser Mod. 88

Vorrat / Approvisionnement / supply / Existencia: 40000

Original Deutsches Mausergewehr, Modell 88, Beschreibung auf Seite 452, fünfschüssig, Gewicht 3,900 kg, Länge 1,25 m.

Wir liefern obige Waffe zum Preise von Mark **27.—** für überseeische Regierungen bei grossen Quantitäten aus Beständen der deutschen Regierung nach deren Bedingungen, die wir auf Wunsch mitteilen, in Holz und Zink, fob. Hamburg.

M D F 29a. Seitengewehre dazu, 42 cm lang, in Lederscheide Mark

Fusil allemand Original Mauser Mod. 88 — description page 452 — à 5 coups — poids 3,900 kg — longueur 1,25 m.

Nous livrons cette arme au prix de Mark **27.—** — pour les gouvernements d'outre-mer, par fortes quantités, des approvisionnements du gouvernement allemand et ce d'après les conditions du dit gouvernement, conditions dont nous envoyons exposé sur demande — marchandise emballée avec bois et zinc, fob. Hambourg.

M D F 29a. Bayonnette correspondante, longue de 42 cm avec fourreau de cuir Mark

Original German Mauser Rifle, description on page 452, five shots, weight 3,900 Kilos, length 1,25 m.

When large quantities for transoceanic governments are ordered, we deliver the above arm in wood and zinc packing fob. Hamburg at the price of Mark **27,—** from the supplies of the German government, according to the conditions of the latter, which will be specified on application.

M D F 29a. Original side - arms, 42 cm long, in leather sheath Mark

Fusil alemán Mauser original, Modelo 88, descripción en pagina 452, de cinco tiros, peso 3,900 Kilos, longitud 1,25 m.

Entregamos esta arma al precio de Marcos **27,—** — para los gobiernos de ultramar, en grandes cantidades de las existencias del gobierno alemán, y con arreglo á las condiciónes de dicho gobierno, que enviamos según demanda, — mercancías embaladas con madera y cinc, fob. Hamburgo.

M D F 29a. Bayoneta original correspondiente, en vaina de cuero, Marcos

M D F 30

Mauser Mod. 88 Car.

Vorrat / Approvisionnement / supply / Existencia: 5000

Original Deutscher Mauser-Karabiner, Modell 88, fünfschüssig, Gewicht, 3,150 kg, Länge 96 cm.

Wir liefern obige Waffe zum Preise von Mark **27.—** für überseeische Regierungen bei grossen Quantitäten aus Beständen der deutschen Regierung nach deren Bedingungen, die wir auf Wunsch mitteilen, in Holz und Zink, fob. Hamburg.

Carabine allemande Mauser Originale — Mod. 88 — à 5 coups — poids 3,150 kg — longueur 96 cm.

Nous livrons cette arme au prix de Mark **27.—** — pour les gouvernements d'outre-mer, par fortes quantités, des approvisionnements du gouvernement allemand et ce d'après les conditions du dit gouvernement, conditions dont nous envoyons exposé sur demande — marchandise emballée avec bois et zinc, fob. Hambourg.

Original German Mauser Carbine, Model 88, five shots, weight 3,150 Kilos, length 96 cm.

When large quantities for transoceanic governments are ordered, we deliver the above arm in wood and zinc packing fob. Hamburg at the price of Mark **27,—** from the supplies of the German government, according to the conditions of the latter, which will be specified on application.

Carabina Alemana original „Mauser“, Modelo 88, de cinco tiros, peso 3,150 Kilos longitud 96 cm.

Entregamos esta arma al precio de Marcos **27,—** — para los gobiernos de ultramar, en grandes cantidades, de las existencias del gobierno alemán, y con arreglo á las condiciónes de dicho gobierno, que enviamos según demanda, -- mercancías embaladas con madera y cinc, fob. Hamburgo.

M D F 30 / a

Mauser Mod. 88 Car.

Vorrat / Approvisionnement / supply / Existencia: 1600

Derselbe Karabiner wie M D F 30, jedoch auf **neu** aufgearbeitet, extra eingeschossen, mit Riemenbügeln, Korn mit Silberpunkt etc.

La même carabine que le No. M D F 30, mais remise à **neuf** — spécialement éprouvée au tir avec anneau à bretelle — guidon à point d'argent etc.

The same carbine as M D F 30, but **renovated,** specially tested, with swivels, sight with silver point etc.

La misma carabina que le M D F 30, pero trabajada como **nueva,** probada para el tiro, con anillo de porta-fusil, guiador con punta de plata.

M D F 30 / b

Mauser Mod. 88 Car.

Vorrat / Approvisionnement / supply / Existencia: 1600

Derselbe Karabiner wie M D F 30a, jedoch **mit Stechschloss.**

Même caraubine que M D F 30a, mais avec **double détente.**

The same carbine as M D F 30a but with **hair trigger lock**

La misma carabina que M D F 30a, pero con **doble escape**

M D F 25	M D F 29	M D F 30	M D F 30 a	M D F 30 b
† Nerdon	† Olig	† Nimus	† Nimugu	† Nimuste
M. 40.—	M. 64.—	M. 54.—	M. 60.—	M. 70.—

19/27

Militärgewehre deutscher und fremder Staaten.

Fusils militaires allemands et étrangers.

German and Foreign Military Rifles.

Fusiles de los ejércitos de Alemania y las demás Naciones extranjeras.

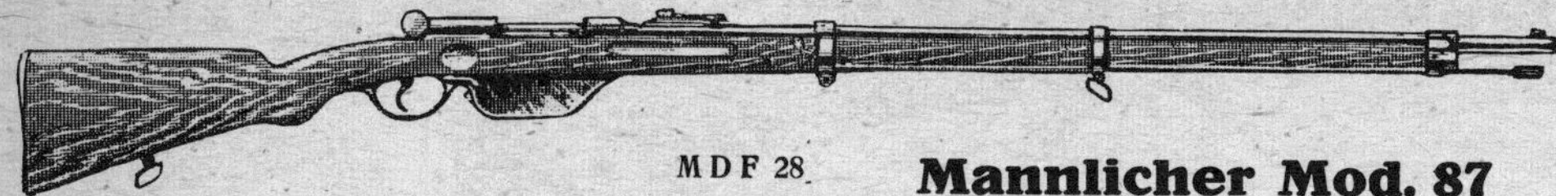

MDF 28 **Mannlicher Mod. 87**

Vorrat / Approvisionnement / Supply / Existencia: 1150

Mannlicher Repetier-Gewehr, Modell 1887, fünfschüssig, Rahmenlader, ganze Länge 1,32 m, Gewicht 4,250 kg, mit Bajonett.

Fusil „Manlicher“ à répétition Modèle 1887 — à 5 coups — à chargeur — longueur totale 1,32 m — poids 4 K. 250, avec bajonnette.

Mannlicher Repeating Rifle, model 1887, five shots, magazine-case, entire length 1,32 m, weight 4,250 Kilos. with bajonet.

Fusil de repetición „Mannlicher“, Modelo 1887 — de 5 tiros — de cargador-magazin — longitud total 1,32 m — peso 4,250 Kilos, con bayoneta.

MDF 27 **Mannlicher Car. Mod. 87**

Vorrat / Approvisionnement / Supply / Existencia: 1300

Mannlicher Repetier-Karabiner, Modell 1887, fünfschüssig, Rahmenlader, ganze Länge 1,08 m, Gewicht 4 kg.

Carabine à répétition „Mannlicher“, Modèle 1887 — à 5 coups — à chargeur — longueur totale 1,08 m — poids 4 K.

Mannlicher Repeating Carbine, model 1887, 5 shots, magazine-case, entire length 1,08 m, weight 4 Kilos.

Carabina de repetición „Mannlicher“, Modelo 1887 — de 5 tiros — cargador-magazin — longitud total 1,08 m — peso 4 Kilos.

MDF 31 **Mauser Mod. 93**

Vorrat / Approvisionnement / Supply / Existencia: 2000

Original Mausergewehr, Modell 93, Kaliber 7 mm, fünfschüssiger Streifenlader, sogen. spanisches Modell, Gewicht 4,100 kg, Länge 1,25 m.

Fusil original „Mauser“, Modèle 93 — calibre 7 mm — à chargeur à 5 cartouches — appelé Modèle espagnol — poids 4 K. 100 — longueur 1,25 m.

Original Mauser rifle, model 93, caliber 7 mm, 5 shot clip-loader, so called Spanish model, weight 4,100 Kilos, length 1,25 m.

Fusil Mauser original, Modelo 93 — calibre 7 mm — cargador-magazin — conocido por Modelo español — peso 4,100 Kilos — longitud 1,25 m.

456/463

MDF 32 **Mauser Car. Mod. 93**

Vorrat / Approvisionnement / Supply / Existencia: 1200

Original Mauser Karabiner, Modell 93, genau wie MDF 31, aber ganze Länge 97 cm, Gewicht 3,250 kg.

Carabine originale „Mauser“, Modèle 93 — exactement comme MDF 31 — mais longueur totale 97 cm — poids 3 K. 250.

Original Mauser carbine, model 93, just like MDF 31, but entire length 97 cm, weight 3,250 Kilos.

Carabina Mauser original, del todo igual al MDF 31 — pero con longitud total de 97 cm — peso 3,250 Kilos.

MDF 26 **Martini-Henry**

Vorrat / Approvisionnement / Supply / Existencia: 1400

Martini-Henry, Militär-Gewehr, Kaliber 577/450, englisches Modell, ganze Länge 1,30 m, Gewicht 4,050 kg.

Fusil militaire „Martini-Henry“, Calibre 577/450 — modèle anglais — longueur totale 1,30 m — poids 4 K. 050.

Martini-Henry, Military Rifle, Calibre 577/450, English model, entire length 1,30 m, weight 4,050 Kilos.

Fusil militar „Martini-Henry“, calibre 577/450 — Modelo inglés longitud total 1,30 m — peso 4,050 Kilos.

MDF 28	MDF 27	MDF 31	MDF 32	MDF 26
† Nemurat	Nitoz	Nuri	Ninone	Neto
Mark 33.—	Mark 34.—	Mark 80.—	Mark 84.—	Mark 60.—

Militärgewehre deutscher und fremder Staaten. | Fusils militaires allemands et étrangers. | German and Foreign Military Rifles. | Fusiles de los ejércitos de Alemania y las demás Naciones extranjeras.

19/27

MDF 26
a

Martini Henry

Wie MDF 26, jedoch mit Fischhaut und wie Abbildung graviert, ganz geschäftet.

Comme le No. MDF 26, mais quadrillé et, gravé suivant l'illustration, devant prolongé jusqu'á l'extrêmité du canon.

Like MDF 26, but chequered and engraved as in drawing, full stock.

Como el MDF 26, pero labrado y grabado segun la ilustración, delantera prolongada hasta la extremidad del cañon.

Martini Henry

MDF 26
b

Wie MDF 26, jedoch mit Fischhaut und wie Abbildung graviert, halb geschäftet.

Comme le No. MDF 26, mais quadrillé et gravé suivant l'illustration, devant non-prolongé.

Like MDF 26 but chequered and engraved as in drawing, half stock.

Como el MDF 26, pero labrado y grabado segun la ilustración, delantera no prolongada.

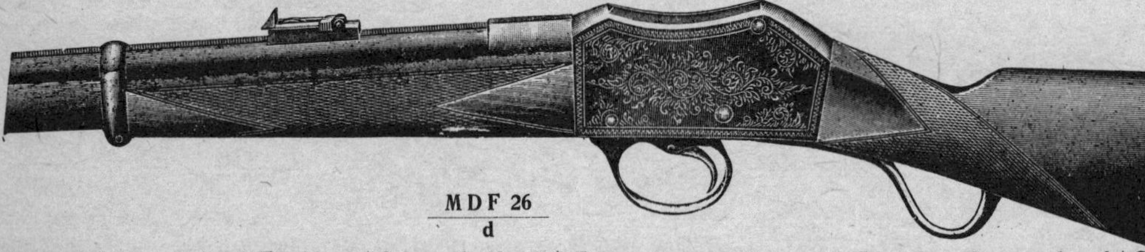

Martini Henry

MDF 26
c

Wie MDF 26, jedoch mit Fischhaut und wie Abbildung graviert, halb geschäftet, Teile schwarz eingesetzt, Vorderschaft geschnitzt.

Comme le No. MDF 26, mais quadrillé et gravé suivant l'illustration, devant non-prolongé pièces noires, devant sculpté.

Like MDF 26, but chequered and engraved as in drawing, half stock, black parts, case hardened, fore-end carved.

Como el MDF 26, pero labrado y grabado segun la ilustración, delantera no prolongada piezas negras delantera esculpida.

Martini Henry

MDF 26
d

Wie MDF 26, jedoch mit Fischhaut und wie Abbildung graviert, ganz geschäftet, Teile schwarz eingesetzt.

Comme le No. MDF 26, mais quadrillé et gravé suivant illustration — devant prolongé — pièces noires.

Like MDF 26, but chequered and engraved as in drawing, full stock, black parts, case hardened.

Como el MDF 26, pero labrado y grabado segun la ilustración — delantera prolongada, piezas negras templadas.

Martini Henry

MDF26
e

Wie MDF 26, jedoch mit Fischhaut und wie Abbildung graviert, ganz geschäftet, Teile schwarz eingesetzt.

Comme le No. MDF 26, mais quadrillé et gravé suivant l'illustration — devant prolongé pièces noires

Like MDF 26, but chequered and engraved as in drawing, full stock, black parts case hardened.

Como el MDF 26, pero, labrado y grabado segun la ilustración — delantera prolongada, piezas negras.

MDF 26 a	MDF 26 b	MDF 26 c	MDF 26 d	MDF 26 e
† Netolos	† Netsolo	† Netlowo	† Netblum	† Netalso
Mark 58.—	Mark 58.—	Mark 58.—	Mark 60.—	Mark 64.—

Militärgewehre deutscher und fremder Staaten.

Kriegs-Bestände.

Fusils militaires allemands et étrangers.

Matérial de guerre.

German and Foreign Military Rifles.

War Supplies.

Fusiles militares alemanes y extranjeros.

Material de guerra.

MDF 32 / a

Mannlicher 7,5

Oesterr. Mannlicher Repetier-Karabiner, Cal. 7,5, in vorzüglichem Zustand, fünfschüssig.

Carabine autrichienne à répétition Mannlicher — cal. 7,5 — en excellent état — à 5 coups.

Austrian Mannlicher repeating carbine, cal. 7,5, in excellent condition, five shooter.

Carabine de repetición austriaca „Mannlicher" cal. 7,5 — en excelente estado, de 5 tiros.

MDF 32 / b

Mannlicher 6,5

Oesterr. Mannlicher Repetiergewehr, Cal. 6,5 ungebraucht, fünfschüssig.

Fusil autrichien à répétition Mannlicher — cal. 6,5 — inusagé — à 5 coups.

Austrian Mannlicher repeating rifle, cal. 6,5 unused, five shooter.

Fusil de repetición austriaco „Mannlicher" cal. 6,5 — ne usado — de 5 tiros.

MDF 32 / c

Mannlicher Mod. 95

Oesterr. Mannlicher Repetiergewehr, fünfschüssig, Mod. 95, Cal. 8 mm, vollständig neu.

Fusil autrichien à répétition Mannlicher — à 5 coups — Mod. 95 — cal. 8 mm — complètement neuf.

Austrian Mannlicher repeating rifle, five shooter, mod. 95, cal. 8 mm, perfectly new.

Fusil de repetición austriaco „Mannlicher" de 5 tiros — mod. 95, cal. 8 mm — cometamente nuevo.

MDF 32 / d

Mannlicher Mod. 95

Oesterr. Mannlicher Repetier-Karabiner, Mod. 95, Cal. 8 mm, ungebraucht, fünfschüssig.

Carabine autrichienne à répétition Mannlicher — Mod. 95 — cal. 8 mm — inusagée — à 5 coups.

Austrian Mannlicher repeating carbine, mod. 95, cal. 8 mm, unused, five shooter.

Carabina de repetición austriaca „Mannlicher" mod. 95 — cal. 8 mm, no usado — de 5 tiros.

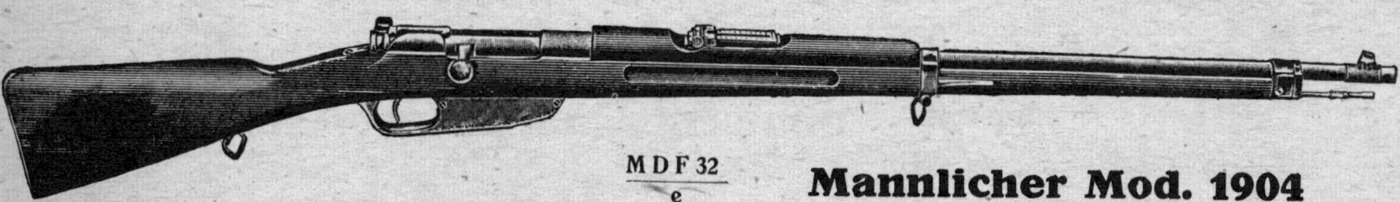

MDF 32 / e

Mannlicher Mod. 1904

Oesterr. Mannlicher Repetiergewehr Mod. 1904, schiesst die deutsche Regierungspatrone Mod. 88, fünfschüssig, Cal. 7,9, ungebrauchte neue Waffe.

Fusil autrichien à répétition Mannlicher, mod. 1904, tire la cartouche de guerre allemande mod. 88, à 5 coups, cal. 7,9, arme neuve, non usagée.

Austrian Mannlicher repeating rifle, mod. 1904, shoots the German military cartridge mod. 88, five shots, cal. 7,9, new weapon unused.

Fusil de repetición austriaco „Mannlicher" mod. 1904 — tira el cartucho de guerra alemán, mod. 88 — de 5 tiros, cal. 7,9 — arma nueva no usada.

MDF 32 a	MDF 32 b	MDF 32 c	MDF 32 d	MDF 32 e
Manslief	Mansex	Manach	Mankara	Manmoda
M. 112.—	M. 140.—	M. 140.—	M. 130.—	M. 110.—

Militärgewehre deutscher und fremder Staaten.
Kriegs-Bestände.

Fusils militaires allemands et étrangers
Matérial de guerre.

German and Foreign Military Rifles.
War Supplies.

Fusiles militares alemanes y extranjeros.
Material de guerra.

19/27

M D F 33 a

Mannlicher Car. Mod. 1903

Vorrat / Approvisionnement / Supply / Existencia: 750

Oesterr. Mannlicher Repetier-Karabiner Mod. 1903, Cal. 6,5, ungebraucht, fünfschüssig.

Carabine à répétition autrichienne Mannlicher Mod. 1903, Cal. 6,5, inusagé, à 5 coups

Austrian Mannlicher Repeating Carbine, mod. 1903, cal. 6,5, unused five shooter.

Carabina austriaca de repetición „Mannlicher", Mod. 1903 — Cal. 6,5 sin estrenar — de 5 tiros.

M D F 33 b

Mannlicher Mod. 1888

Vorrat / Approvisionnement / Supply / Existencia: 2400

Oesterr. Mannlicher Repetiergewehr, Mod. 88, Cal. 8mm, fünfschüssig.

Fusil à répétition autrichien Mannlicher — Mod. 88 — cal. 8 mm, à 5 coups.

Austrian Mannlicher Repeating Rifle, mod. 88, cal. 8 mm. Five shooter.

Fusil austriaco de repetición „Mannlicher", Mod. 88 — Cal. 8 mm, de 5 tiros.

456/463

M D F 33 c

Deutsches Mauser Mod. 1898

Deutsches Mauser-Armee-Gewehr, Mod. 98, Cal. 7,9 mm, fünfschüssig, Streifenlader, **nagelneue** Spezialanfertigung, Gewicht 3,800 Kilo, Länge 1,25 m, eingerichtet für **Spitzgeschoss.**

Fusil Mauser de l'armée allemande — Mod. 98 — Cal. 7,9 mm — à 5 coups, à chargeur — fabrication spéciale **absolument neuve** — poids 3 K. 800 — longueur 1 m 25 — adapté pour **balle pointue.**

German Mauser army-rifle mod. 98, cal. 7,9 mm. Five shooter, clip — loader, special make **quite new**, weight 3,800 Kilos, length 1,25 m, adapted for **pointed bullets.**

Fusil Mauser del ejército alemán — Mod. 98 — cal. 7,9 m — de 5 tiros, de cargador, fabricación especial **absolutamente nueva** — peso 3,800 Kilos, longitud 1,25 m — adoptado para **bala puntiaguda.**

M D F 33 a	M D F 33 b	M D F 33 c
† Nusex	† Nusach	† Nuneun
Mark 128,—	Mark 120,—	Mark 150,— SO

Militärgewehre deutscher und fremder Staaten. | Fusils militaires allemands et étrangers. | German and Foreign Military Rifles. | Fusiles de los ejércitos de Alemania y las demás naciones extranjeras.

M D F 33.

Mauser Modell 1898

Vorrat / Approvisionnement / Supply / Existencia: 2800

Original Mauser-Infanterie-Gewehr, Modell 98, fünfschüssig, Streifenlader, nagelneue Spezialanfertigung in Cal. 7 mm. Gewicht 3.800 Kilo, Länge 1,25 m.

Fusil d'Infanterie Mauser Original, Mod. 98, à 5 coups, à chargeur, fabrication spéciale absolument neuve, Cal. 7 mm, poids 3 K. 800, longueur, 1 m 25.

Original Mauser Infantry Rifle, model 98, 5 shots, cliplader, quite new. Special make in Caliber 7 mm, weight 3,800 Kilos, length 1,25 m.

Fusil de infanteria „Mauser" original, Modelo 98, de cinco tiros de cargador, absolutamente nuevo. Construcción especial en Calibre 7 mm, peso 3,800 Kilos, longitud 1,25 m.

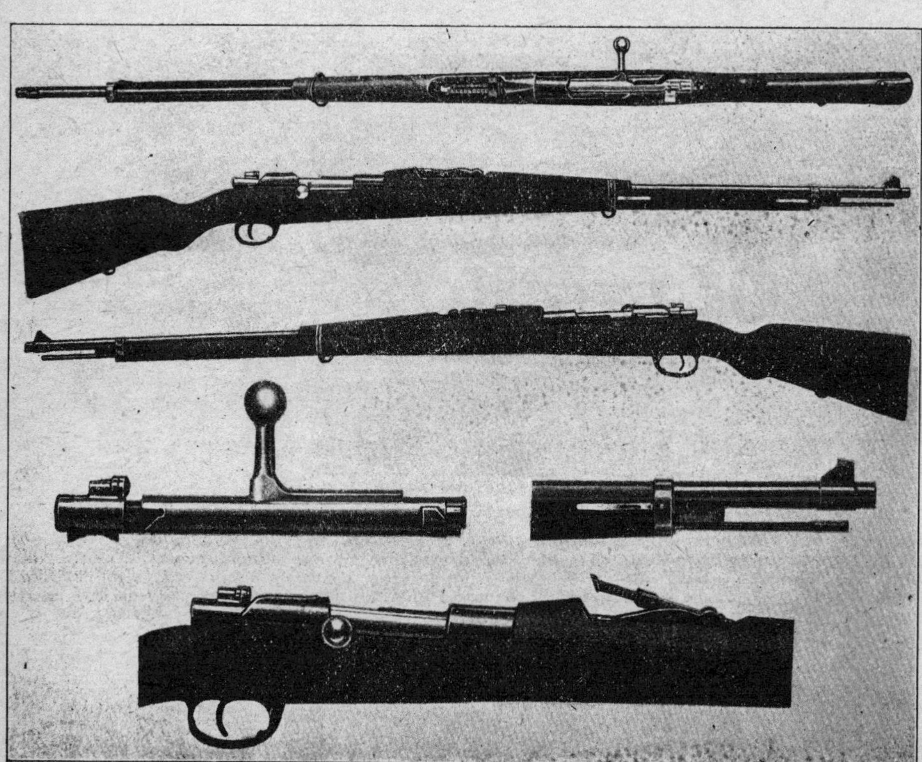

Vorrat / Approvisionnement / Supply / Existencia: 1900

M D F 34

Mauser Mod. 1904
Portugal

Mauser Infanterie-Gewehr, portugiesisch Mod. 1904, Cal. 7 mm, sog. combiniertes Modell, ungebraucht, fünfschüssig, wird für **Rund-** oder Spitz-Geschoss geliefert.

Fusil d'Infanterie Mauser, Mod. portugais 1904 — Cal. 7 mm, appelé **Modèle combiné** — **unusagé** — à 5 coups — est délivré pour balle **ronde** ou **pointue.**

Mauser infantry-rifle Portuguese model 1904, Cal. 7 mm, so-called **combined model, unused,** five shooter, supplied for **round** or **pointed** bullets.

Fusil Mauser de infanteria, Mod. portugués 1904, cal. 7 mm, llamado modelo combinado — **sin estrena** — de 5 tiros — se entrega para **bala redonda y puntiaguda.**

M D F 33	M D F 34
† Nubent	† Naupor
Mark 150,— [SO]	Mark 130,— [SO]

Militärgewehre deutscher und fremder Staaten.

Fusils militaires allemands et étrangers.

German and Foreign Military Rifles.

Fusiles de los ejércitos de Alemania y las demás naciones extranjeras.

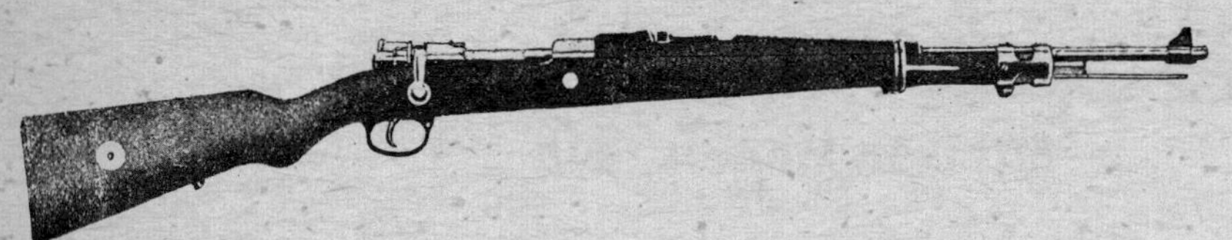

Mauser 1904

Brasilien

Mauser-Kavallerie-Karabiner, brasilianisches Modell, Cal. 7 mm, ungebraucht, fünfschüssig, Streifenlader, für **Spitz**-Geschoss.

Carabine de Cavalerie Mauser, Modèle brésilien, Cal. 7 mm, inusagé, à 5 coups, à chargeur, pour balles **pointues**.

Mauser-Cavalry-Carbine, Brazilian model, cal. 7 mm, unused, five shooter, clip-loader, for **pointed** bullets.

Carabina Mauser de cavalleria, Modelo brasileño. Cal. 7 mm, sin estrenar de cinco tiros, de cargador — para balas **puntiagudas**.

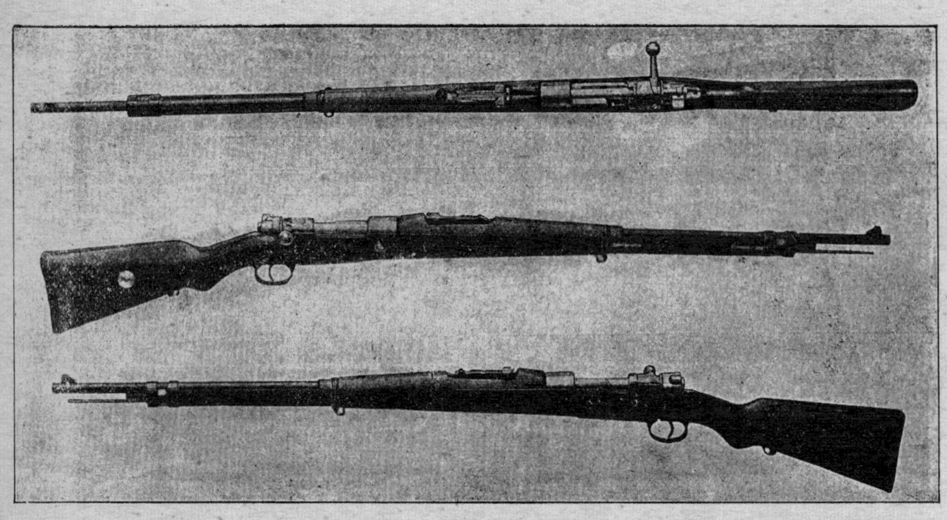

Mauser Mod. 1906

M D F 36

Mauser-Infanteriegewehr, Mod. 1906, Cal. 7 mm, fünfschüssig, ungebraucht, wird für **Rund**- oder **Spitz**-Geschoss geliefert.

Fusil d'Infanterie Mauser, Mod. 1906, Cal. 7 mm, à 5 coups, inusagé, est délivré pour balle **ronde** ou **pointue**.

Mauser Infantry Rifle, mod. 1906, cal. 7 mm. Five shooter, unused, supplied for **round** or **pointed** bullets.

Fusil Mauser de infanteria, Mod. 1906, cal. 7 mm, de 5 tiros, sin estrenar, se vende para bala redonda y **puntiaguda**.

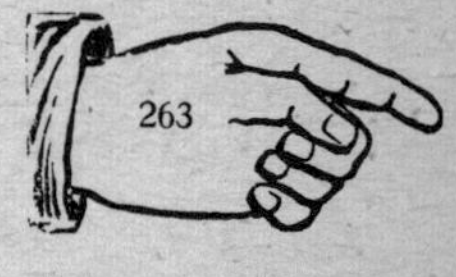

M D F 37

Mauser Car. Mod. 1907

Deutscher Mauser-Repetier-Karabiner, Mod. 1907, Cal. 7 mm, ungebraucht, fünfschüssig.

Carabine allemanoe à répétition Mauser, Mod. 1907, cal. 7 mm, inusagé, à 5 coups.

German Mauser Repeating Carbine, mod. 1907, cal. 7 mm, unused, five shooter.

Carabina Mauser de repetición alemana. Mod. 1907, cal. 7 mm, sin estrenar, de 5 tiros.

M D F 35	M D F 36	M D F 37
† Naucaro	† Maumet	† Nauvilo
Mark 150,—	Mark 150,—	Mark 150,—

Fertig geladene Patronen f. Militärgewehre aller Staaten. | **Cartouches chargeés, pour fusils de guerre de tous états.** | **Ready loaded cartridges for military rifles of all countries.** | **Cartuchos cargados, para fusiles de guerra detodos estados.**

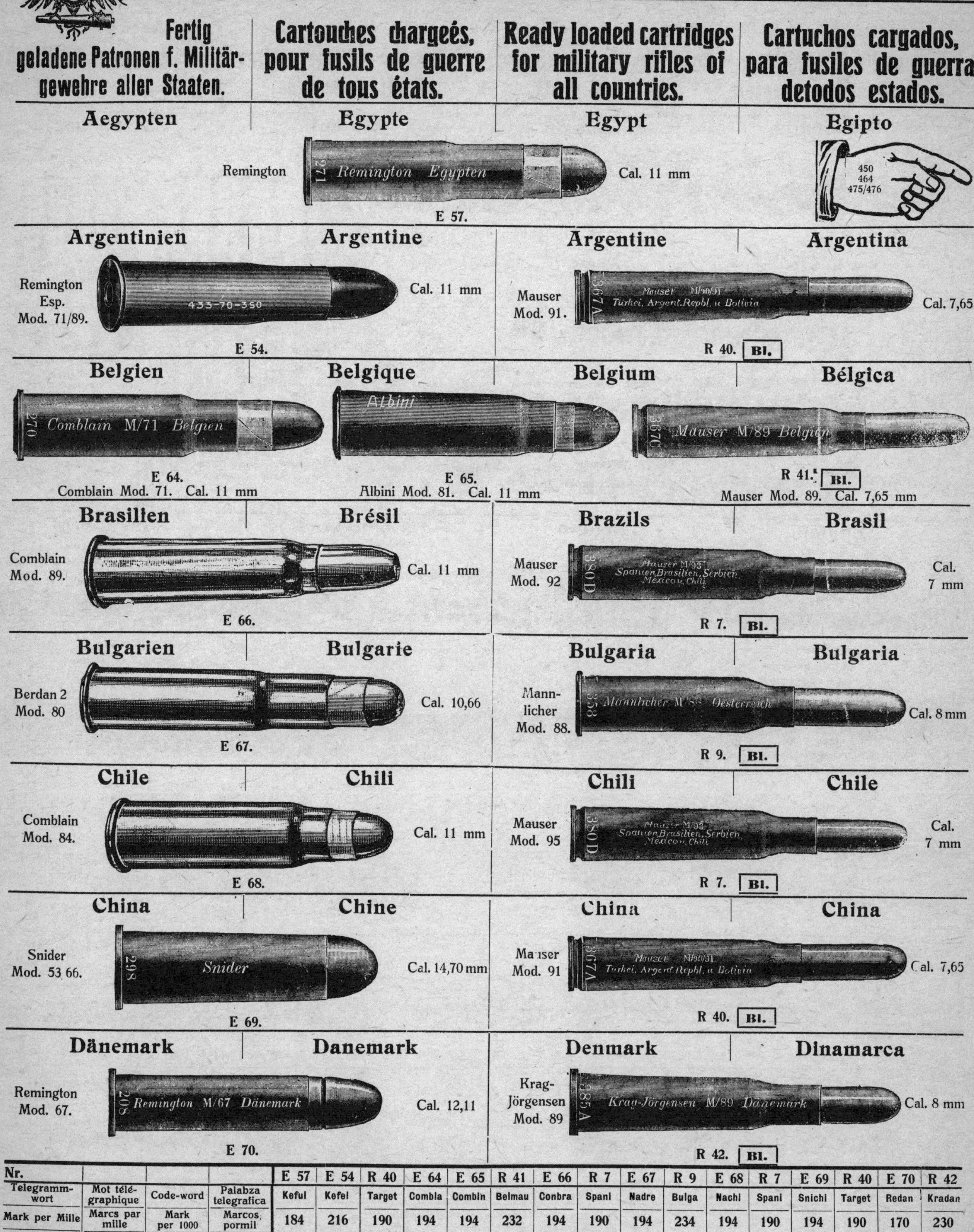

Nr.				E 57	E 54	R 40	E 64	E 65	R 41	E 66	R 7	E 67	R 9	E 68	R 7	E 69	R 40	E 70	R 42
Telegramm-wort	Mot télégraphique	Code-word	Palabza telegrafica	Keful	Kefel	Target	Combla	Combin	Belmau	Conbra	Spani	Nadre	Bulga	Nachi	Spani	Snichi	Target	Redan	Kradan
Mark per Mille	Marcs par mille	Mark per 1000	Marcos pormil	184	216	190	194	194	232	194	190	194	234	194	190	194	190	170	230
mit Rahmen + X Mark	Marcs avec chargeurs-étuis	with magazine-case Mark	Marcos con caja abmacén	—	—	205	—	—	—	—	205	—	—	—	205	—	205	—	—
mit Streifen + Z Mark	Marcs avec lames-chargeurs	with clip Mark	Marcos con cintas	—	—	210	—	—	256	—	210	—	258	—	210	—	210	—	254

Fertig geladene Patronen für Militärgewehre aller Staaten.

Cartouches chargées, pour fusils de guerre de tous états.

Ready loaded cartridges for military rifles of all countries.

Cartuchos cargados, para fusiles de guerra de todos estados.

Deutschland | Allemagne | Germany | Alemania

E 71

Mauser Mod. 71, Cal. 11 mm.

41 Mauser M/71 Deutschland

E 72

Mauser Mod. 71, Cal. 11 mm

E 53 — Mauser Mod. 71/84 Cal. 11 mm

R 8 Bl — 366 M/88 Deutschland — Mauser Mod. 88, Cal. 7,9 mm.

R 43 Bl — Mauser Mod. 1907 Cal. 7,9 mm „S"

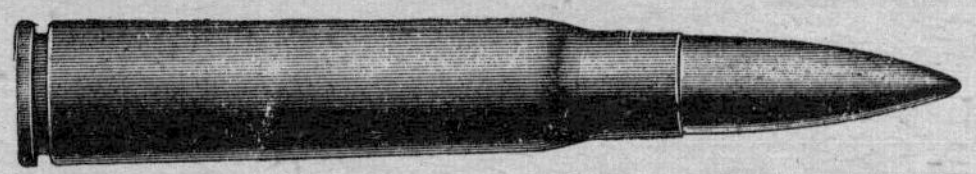

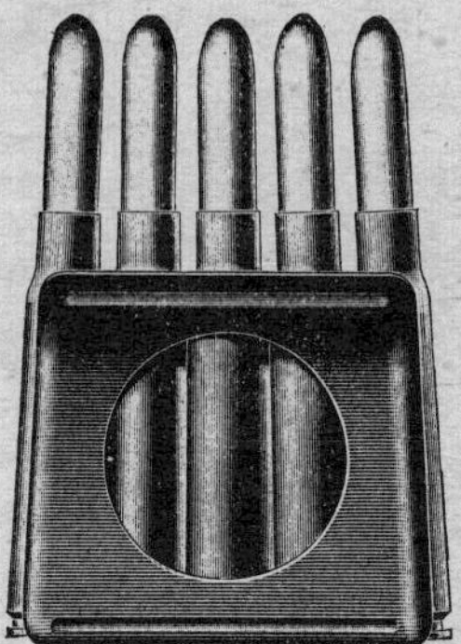

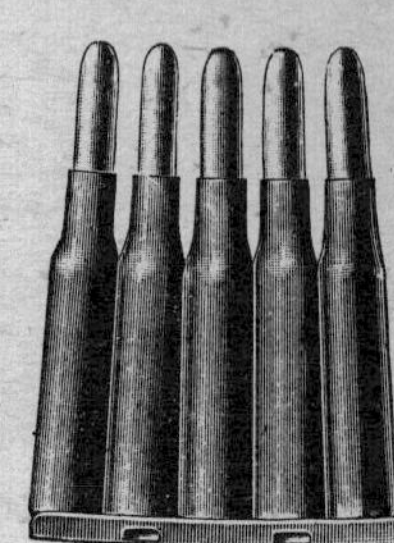

R 8 im Rahmen
[sur chargeurs-étuis
in Magazine Case
en caja almacen.

R 8 auf Streifen
sur lames-chargeurs
on Clips — en cintas.

England | Angleterre | England | Inglaterra

E 55
Snider I
Cal. 11,43 mm (577)

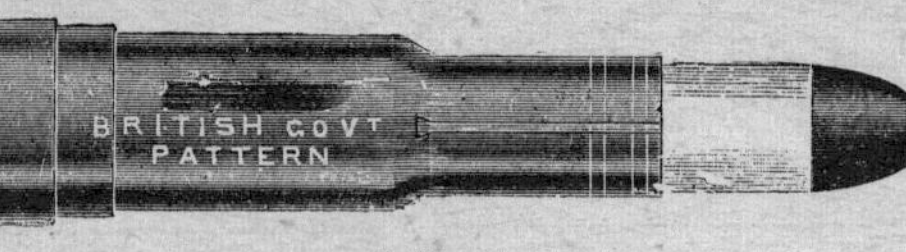

E 60
Martini-Henry Mod. 68/71
Cal. 11,43 mm (577)

E 59
Martini-Henry Mod. 71/74
Cal. 11,43 mm (577)

E 58
Snider II
Cal. 11,43 mm (577)

PEABODY-MARTINI

E 62
Peabody-Martini
Cal. 11,17 mm (500)

122 Henry-Martini M/71 England Gatling

E 73
Martini-Henry-Gatling
Mod. 71, Cal. 11,43 mm (577)

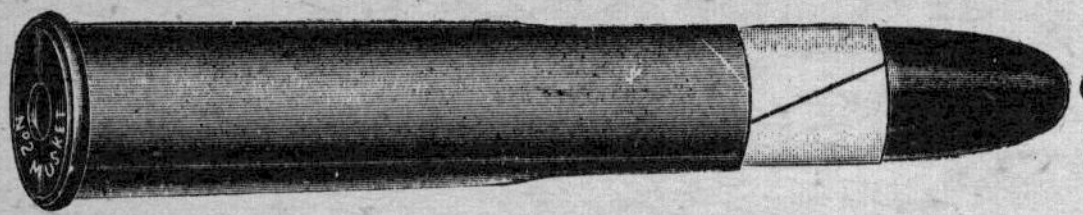

Lee Metford
Cal. 11,91 mm
(500)

E 52

Lee Metford
Mod. 89, Cal.
7,7 mm (303)

Bl

R 4

Frankreich | France | France | Francia

301 Montigniy Mitrailleuse

E 74 Montigny Mod. 71, Cal. 11,7 mm

38 Gras M/74 Frankreich

E 56 Gras Mod. 74, Cal. 11 mm

R 44 Bl Lebel Mod. 93, Cal. 8 mm

Griechenland | Grèce | Greece | Grecia

E 56 — 38 Gras M/74 Frankreich — Gras Mod. 78 Cal. 11 mm

R 3 Bl — MANNLICHER-SCHÖNAUER — Mannlicher Schönauer Modell Cal. 6,5 mm.

No.				E 71	R 8	E 72	R 43	E 53	E 55	E 58	E 52	E 60	E 62	E 73	E 59	R 4	E 56	E 74	R 44	E 56	R 3
Telegrammwort	Mot télégraphique	Code-word	Palabra telegrafica	Grenzol	Wilm	Gremau	Gresma	Kefal	Kefil	Kifax	Kafu	Kifix	Kifux	Marten	Kifex	Enga	Kefol	Monml	Lefra	Kefol	Deut
Mark pro Mille	Marcs par mille	Mark per 1000	Marcos por mil	200	190	130	220	130	150	200	320	218	268	270	200	234	150	200	246	150	210
mit Rahmen Mark	avec chargeurs — étuis Marcs	with magazine case Mark	con caja almacen Marcos	—	200	—	230	—	—	—	—	—	—	—	—	—	—	—	—	—	—
mit Streifen Mark	avec lames.— chargeurs Marcs	with clip Mark	con cintas Marcos	—	210	—	235	—	—	—	—	—	—	—	—	—	—	—	270	—	234

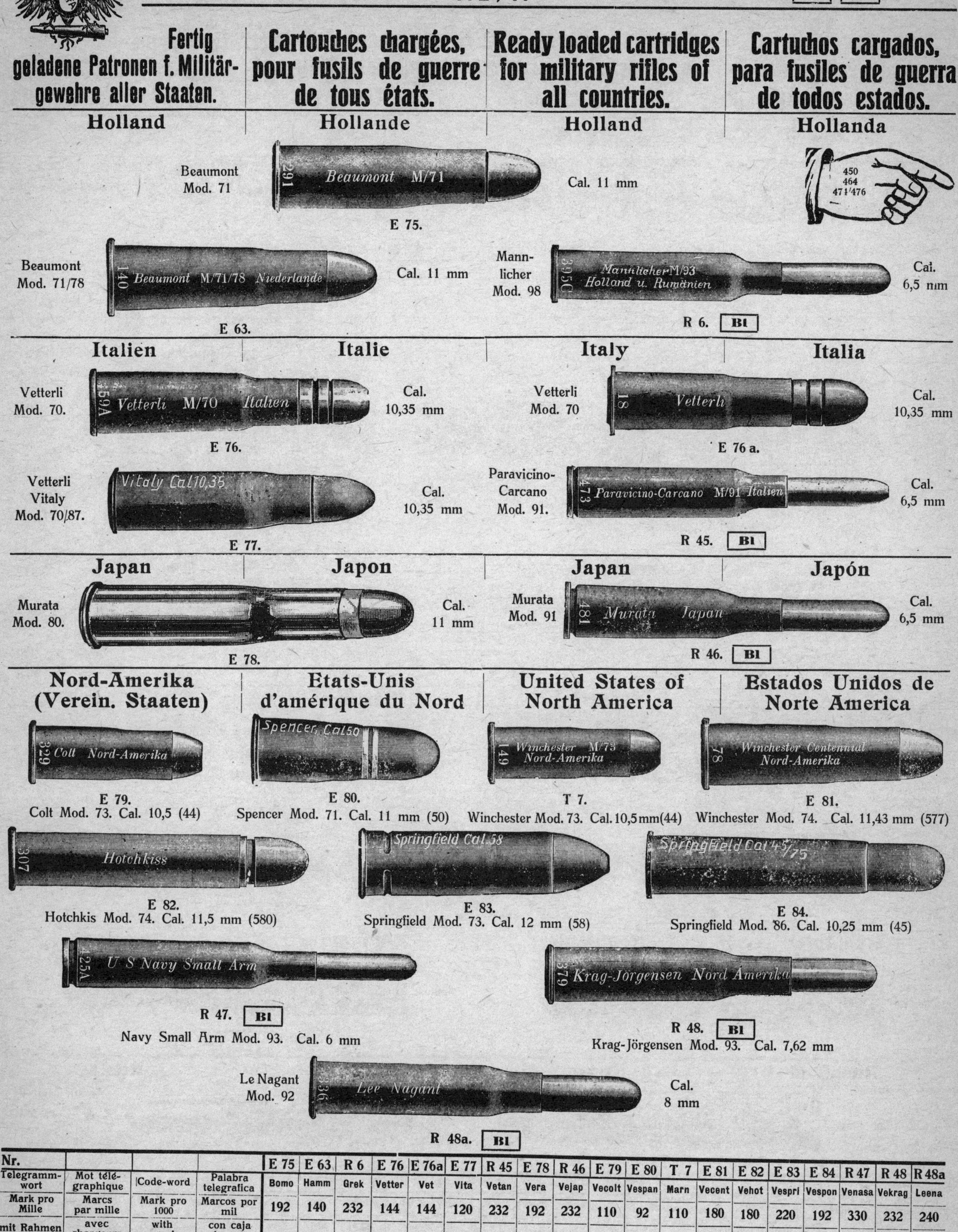

Nr.				E 75	E 63	R 6	E 76	E 76a	E 77	R 45	E 78	R 46	E 79	E 80	T 7	E 81	E 82	E 83	E 84	R 47	R 48	R 48a
Telegrammwort	Mot télégraphique	Code-word	Palabra telegrafica	Bomo	Hamm	Grek	Vetter	Vet	Vita	Vetan	Vera	Vejap	Vecolt	Vespan	Marn	Vecent	Vehot	Vespri	Vespon	Venasa	Vekrag	Leena
Mark pro Mille	Marcs par mille	Mark pro 1000	Marcos por mil	192	140	232	144	144	120	232	192	232	110	92	110	180	180	220	192	330	232	240
mit Rahmen + X Mark	avec chargeurs étuis Marcs	with magazine case Mark	con caja almacén Marcos	—	—	—	—	—	—	—	—	—	—	—	—	—	—	—	—	—	—	—
mit Streifen + Z Mark	avec lames chargeurs Marcs	with clip Mark	con cintas Marcos	—	—	256	—	—	—	256	—	256	—	—	—	—	—	—	—	354	—	—

Fertig geladene Patronen für Militärgewehre aller Staaten.	Cartouches chargées, pour fusils de guerre de tous états.	Ready loaded, cartridges for military rifles of all countries.	Cartouchos cargados, para fusiles de guerra de todos estados.

Norwegen | Norwège | Norway | Noruega

E 85.
Jarmann Mod. 81. Cal. 10,15 mm

E 86
Remington Mod. 67. Cal. 12,11 mm

R 2. Bl
Mauser Krag-Jörgensen Mod. 96. Cal. 6,5 mm

Oesterreich-Ungarn | Autriche-Hongrie | Austria-Hungary | Austria-Hungréa

450
464
475/476

R 10 auf Rahmen
R 10 sur chargeurs-étuis
R 10 in magazine case
R 10 en caja almacén

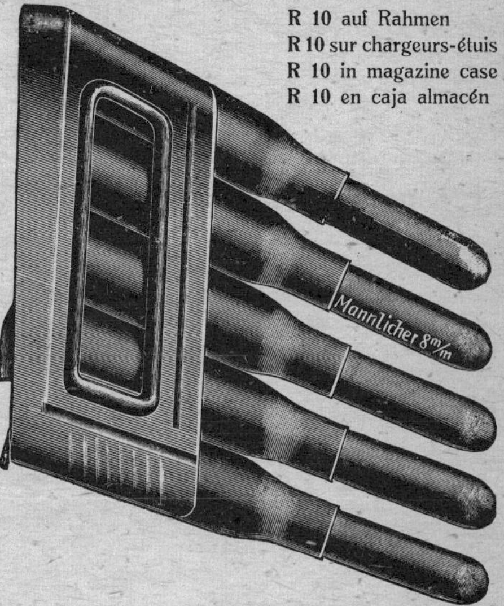

E 88.
Werndl Modell 71. Cal. 11,4 mm

E 87.
Werndl Modell 77. Cal. 11 mm

E 88a.
Mannlicher Mod. 87 Cal. 11 mm

R 10. Bl
Mannlicher Mod. 88 90. Cal. 8 mm

Portugal | Portugal | Portugal | Portugal

Martini-Henry Mod. 71. Cal. 11,43 mm
E 59.

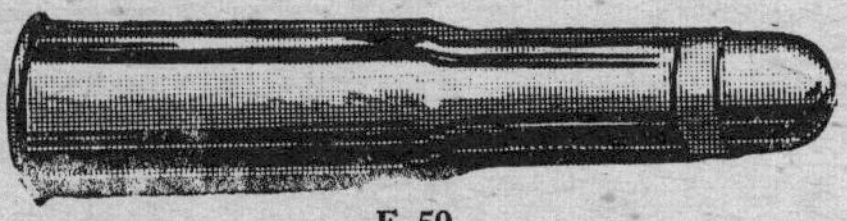

Kropatschek Mod. 86. Cal. 8 mm
R 49. Bl

Mauser Mod. 90 Cal. 8 mm 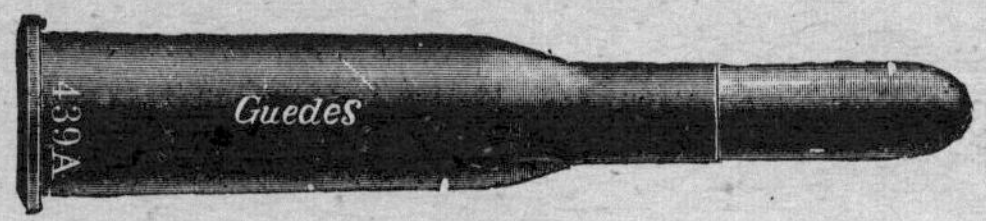
R 49a. Bl

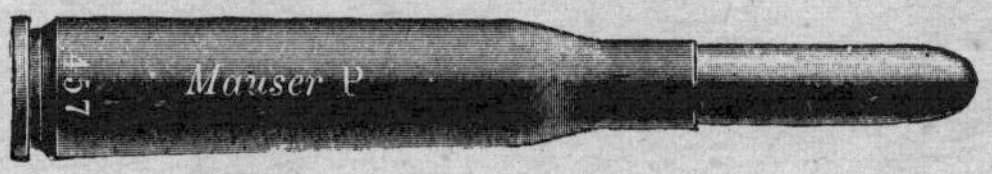

Mauser Mod. 04 Cal. 6,5 mm
R. 49b. Bl

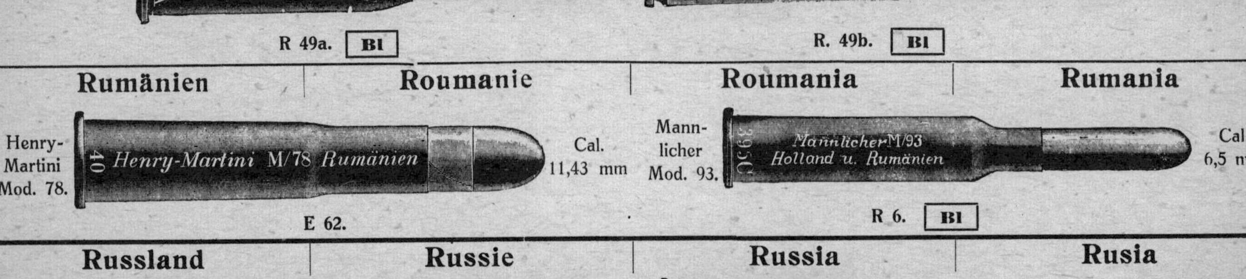

Rumänien | Roumanie | Roumania | Rumania

Henry-Martini Mod. 78. Cal. 11,43 mm
E 62.

Mannlicher Mod. 93. Cal. 6,5 mm
R 6. Bl

Russland | Russie | Russia | Rusia

Berdan 2 Mod. 71 Cal. 10,66 mm 
E 67

Mossin Mod. 91 Cal. 7, 62 mm Bl
R 50.

Nr.				E 85	E 86	R 2	E 88	E 87	E 88a	R 10	E 59	R 49	R 49a	R 49b	E 62	R 6	E 67	R 50
Telegrammwort	Mot télégraphique	Code-word	Palabra telegráfica	Verem	Veswe	Ruma	Vedern	Vejor	Gralis	Manlis	Kifex	Rokro	Guedes	Guesex	Kifux	Grek	Nadre	Rofex
Mark per Mille	Marcs par mille	Mark pro 1000	Marcos por mil	180	180	232	180	90	120	232	200	208	240	260	200	232	192	200
mit Rahmen + X Mark	avec chargeurs étuis Marcs	with magazine case Mark	con caja almacén Marcos	—	—	—	—	—	136	256	—	—	—	—	—	—	—	—
mit Streifen + Z Mark	avec lames chargeurs Marcs	with clip Mark	con cintas Marcos	—	—	256	—	—	—	—	—	—	—	280	—	262	—	220

Fertig geladene Patronen für Militärgewehre aller Staaten.	**Cartouches chargées, pour fusils de guerre de tous états.**	**Ready loaded cartridges for military rifles of all countries.**	**Cartuchos cargados, para fusiles de guerra de todos estados.**

Schweden | Suède | Sweden | Suecia

Jarmann Mod. 81
Cal. 10,15 mm

E 86.

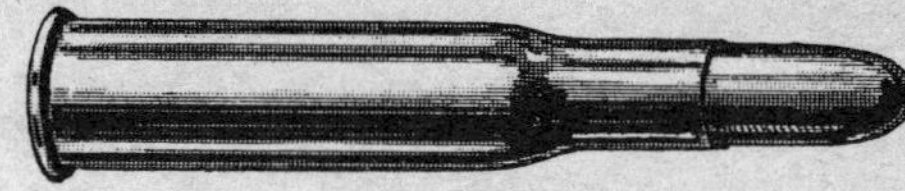

Remington
Mod. 67/89
Cal. 8 mm

R 51. **Bl**

Mauser Krag-Jörgensen Mod. 96.
Cal. 6,5 mm

R 2. **Bl**

Schweiz | Suisse | Switzerland | Suiza

Vetterly Mod. 69. Cal. 10,4 mm
E 89. **Bl**

Vetterly Mod. 89/81. Cal. 10,4 mm
E 90.

Schmidt-Rubin Mod. 89/96. Cal. 7,5 mm
R 52. **Bl**

Serbien | Serbie | Servia | Serbia

Mauser-Koka Mod. 78/80. Cal. 10,15 mm
E 91.

Mauser Mod. 93. Cal. 7 mm
R 7. **Bl**

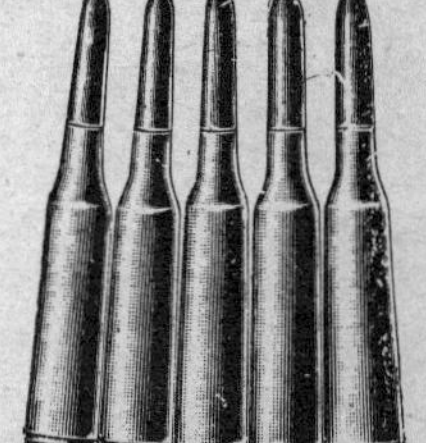

R 7 auf Streifen
sur lames chargeurs.
on Clips — en cintas

Spanien | Espagne | Spain | España

Remington
Mod. 71/89

Cal. 11 mm

E 54.

Remington
Mod. 89.
Cal. 11 mm

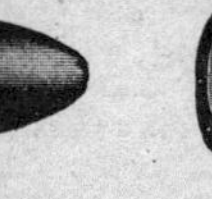

E 92.

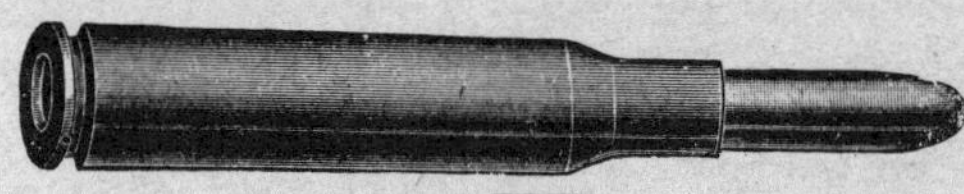

Mauser Mod. 93.
Cal. 7 mm

R 7. **Bl**

Türkei | Turquie | Turkey | Turquia

Martini-Henry
Mod. 71/74

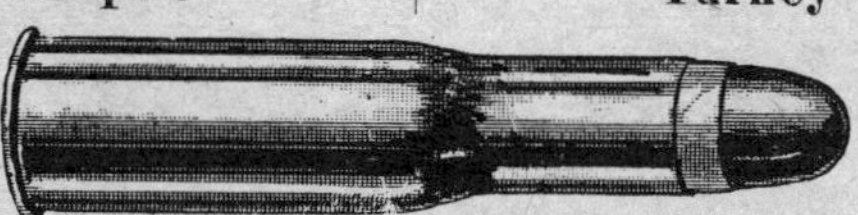

Cal. 11,43 mm

E 59.

Mauser Mod. 87.
Cal. 9,5 mm

E 93.

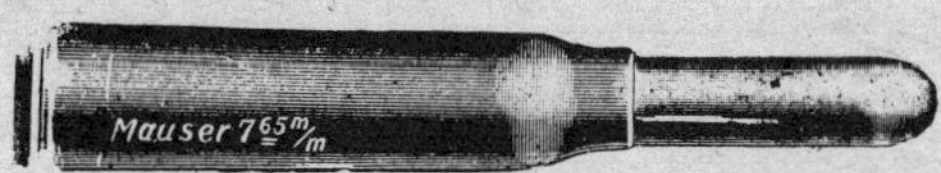

Mauser Mod. 90.
Cal. 7,65 mm

R 40. **Bl**

Nr.				E 86	R 51	R 2	E 89	E 90	R 52	E 91	R 7	E 54	E 92	R 7	E 59	E 93	R 40
Telegrammwort	Mot télégraphique	Code-word	Palabra telegráfica	Veswe	Rogrek	Ruma	Roswei	Rovet	Rosmi	Roserb	Spani	Kefel	Rocomt	Spani	Kifex	Roturk	Target
Mark per Mille	Marcs par mille	Mark pro 1000	Marcos por mil	180	232	232	144	192	232	192	190	216	216	190	200	160	190
mit Rahmen + X Mark	avec chargeurs étuis Marcs	with magazine case Mark	con caja almacén Marcos	—	—	—	—	—	—	—	200	—	—	200	—	—	—
mit Streifen + Z Mark	avec lames chargeurs Marcs	with clip Mark	con cintas Marcos	—	—	256	—	—	256	—	210	—	—	210	—	—	210

Hülsen u. Bleigeschosse für Kriegswaffen.

Douilles et balles de plomb pour armes de guerre.

Shells and leaden bullets for military arms.

Cartuchos vacíos y balas de plomo para armas de guerra.

Hülsen — Douilles — Shells — Cartuchos vacíos.

271 Remington Egypten — 50,15 — E H 57

270 Comblain M/71 Belgien — 50,85 — E H 64

298 Snider — 48,85 — E H 69

208 Remington M/67 Dänemark — 45,85 — E H 70

55 Grenzaufseher Deutschland — 37.85 — E H 71

41 Mauser M/71 Deutschland — 60,35 — E H 72

41 Mauser M71/84 Deutschland — 60,35 — E H 53

Geschosse — Balles — Bullets — Balas.

80 — 26,45 — E K 57

79 — 28,60 — E K 64

92 — 26,50 — E K 69

109 — 26,25 — E K 70

11 — 27,70 — E K 71

11 — 27,70 — E K 72

11 A — 26,20 — E K 53

Hülsen — Douilles — Shells — Cartuchos vacíos.

122 Henry-Martini M/71 England Gatling — 60,25 — E H 73

167 Martini-Henry M/71 England — 59,0 — E H 59

38 Gras M/74 Frankreich — 60,35 — E H 56

301 Montigny Mitrailleuse — 58,85 — E H 74

291 Beaumont M/71 — 50,35 — E H 75

140 Beaumont M/71/78 Niederlande — 51,85 — E H 63

59 A Vetterli M/70 Italien — 48,10 — E H 76

Geschosse — Balles — Bullets — Balas.

14 — 32,25 — E K 73

127 — 32,50 — E K 59

18 — 27,75 — E K 56

14 A — 32,25 — E K 74

109 — 26,25 — E K 75

93 — 24,25 — E K 63

283 — 26,25 — E K 76

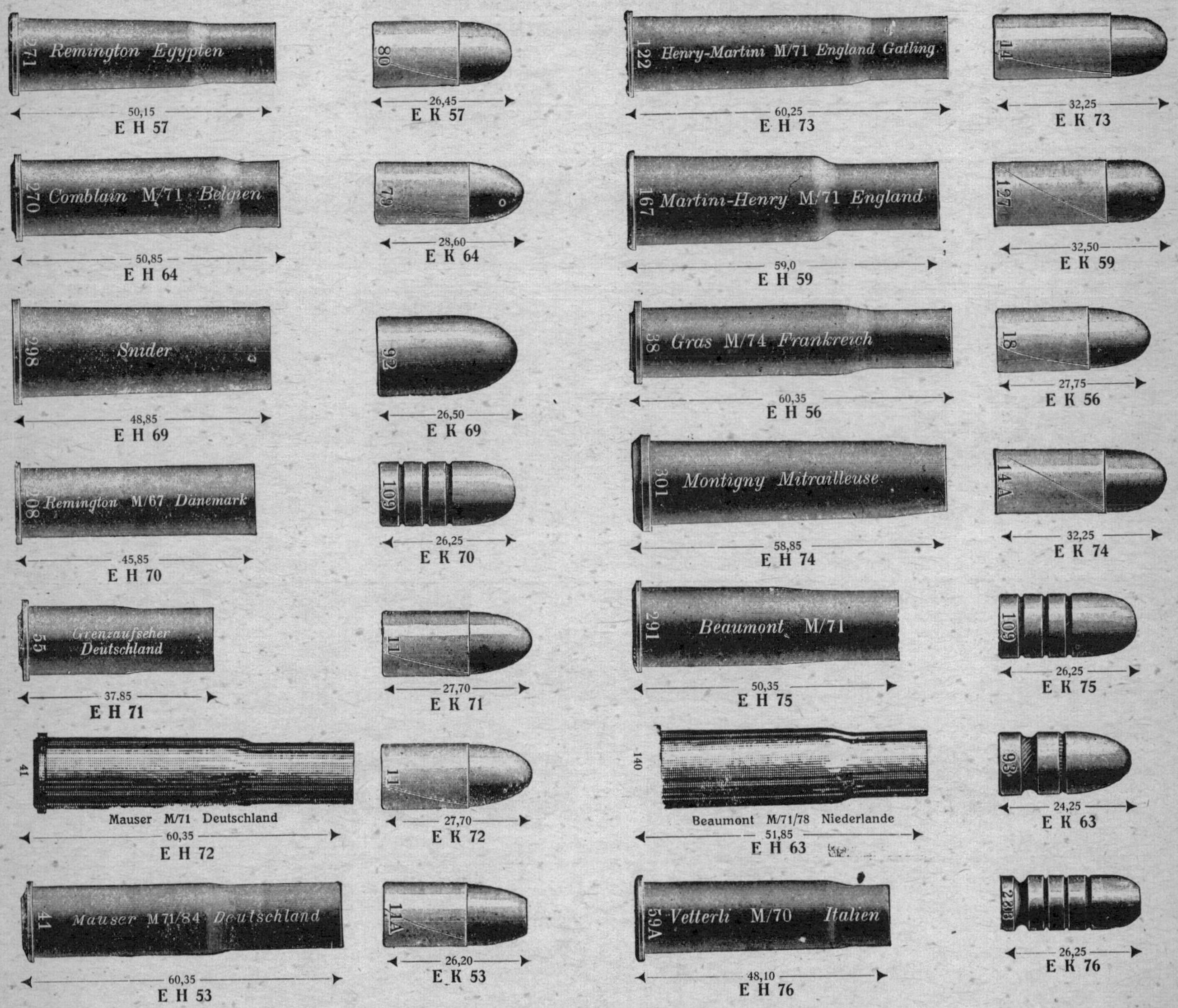

No.	E H 57	E K 57	E H 64	E K 64	E H 69	E K 69	E H 70	E K 70	E H 71	E K 71	E H 72	E K 72	E H 53	E K 53
†	Elgar	Elgus	Elgin	Elgef	Elgru	Elgsa	Elgtlm	Elgmlt	Elgnüs	Elgraf	Elgsal	Elgleb	Elgbau	Elgfos
	per 1000	per 1000	per 1000	per 1000	per 1000	per 1000	per 1000	per 1000	per 1000	per 1000	per 1000	per 1000	per 1000	per 1000
Mark	112.—	36.—	118.—	36.—	112.—	36.—	112.—	36.—	110.—	36.—	90.—	36.—	90.—	36.—

No.	E H 73	E K 73	E H 59	E K 59	E H 56	E K 56	E H 74	E K 74	E H 75	E K 75	E H 63	E K 63	E H 76	E K 76
†	Elgfru	Elgfab	Elgfir	Elgfun	Elgsex	Elgsle	Elgsup	Elgholz	Elgeis	Elgkux	Elgpet	Elgfra	Elgeor	Elgeda
	per 1000	per 1000	per 1000	per 1000	per 1000	per 1000	per 1000	per 1000	per 1000	per 1000	per 1000	per 1000	per 1000	per 1000
Mark	130.—	40.—	122.—	43.—	90.—	36.—	130.—	40.—	112.—	36.—	90.—	30.—	112.—	36.—

Hülsen und Bleigeschosse für Kriegswaffen.

Douilles et balles de plomb pour armes de guerre.

Shells and leaden bullets for military arms.

Cartuchos vacíos y balas de plomo para armas de guerra.

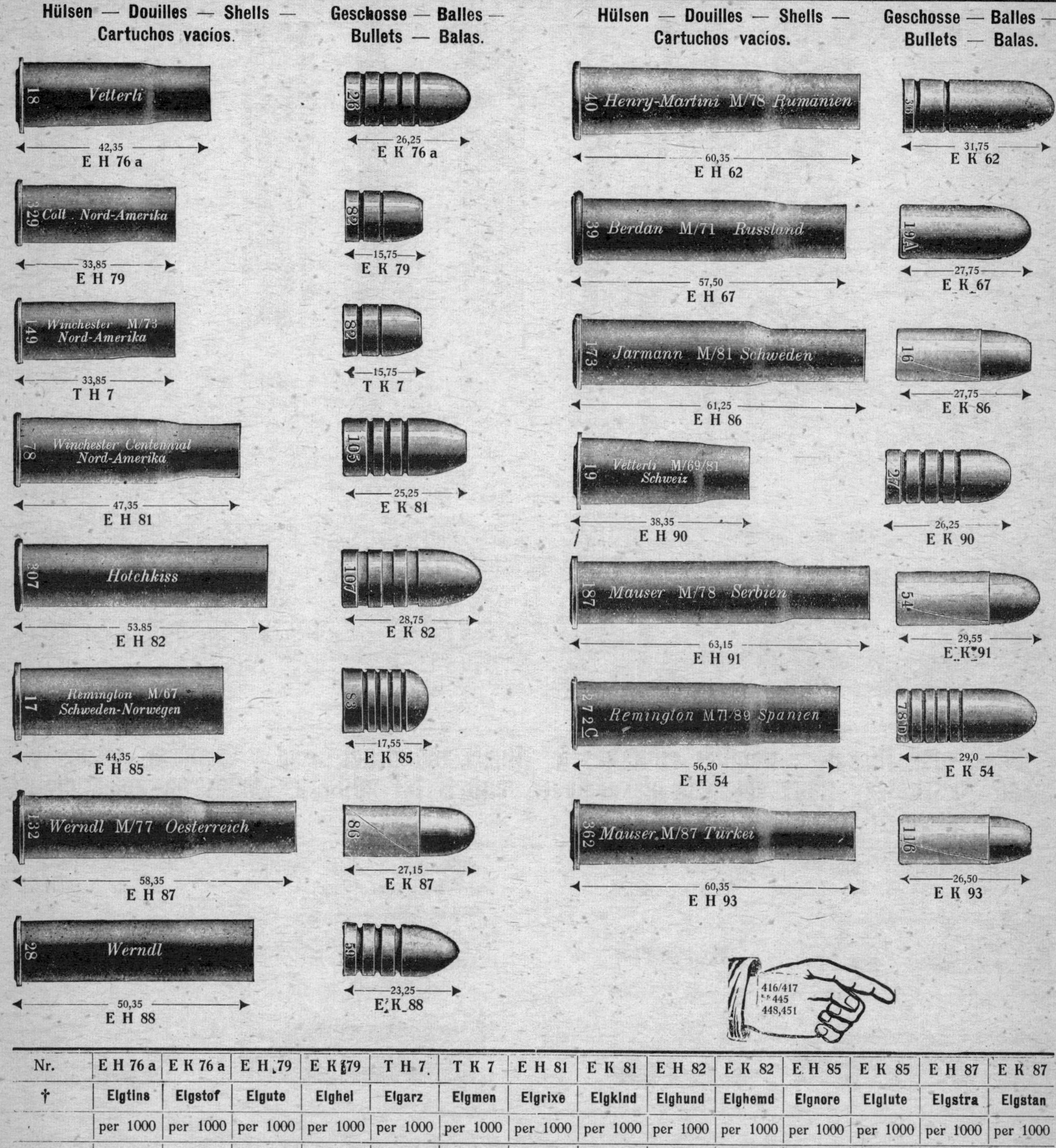

Nr.	E H 76 a	E K 76 a	E H 79	E K 79	T H 7	T K 7	E H 81	E K 81	E H 82	E K 82	E H 85	E K 85	E H 87	E K 87
†	Elgtins	Elgstof	Elgute	Elghel	Elgarz	Elgmen	Elgrixe	Elgkind	Elghund	Elghemd	Elgnore	Elglute	Elgstra	Elgstan
	per 1000	per 1000	per 1000	per 1000	per 1000	per 1000	per 1000	per 1000	per 1000	per 1000	per 1000	per 1000	per 1000	per 1000
Mark	90.—	30.—	64.—	22.—	64.—	22.—	90.—	30.—	96.—	42.—	90.—	30.—	110.—	36.—

Nr.	E H 88	E K 88	E H 62	E K 62	E H 67	E K 67	E H 86	E K 86	E H 90	E K 90	E H 91	E K 91	E H 54	E K 54	E H 93	E K 93
†	Elgstum	Elgstork	Elgstibe	Elgstubo	Elgstabl	Elgsteba	Elgstefu	Elgstifi	Elgstano	Elgbria	Elgbruno	Elgbraut	Elgbrand	Elgbrum	Elgbrause	Elglimo
	per 1000	per 1000	per 1000	per 1000	per 1000	per 1000	per 1000	per 1000	per 1000	per 1000	per 1000	per 1000	per 1000	per 1000	per 1000	per 1000
Mark	88.—	28.—	130.—	72.—	100.—	36.—	108.—	55.—	112.—	34.—	108.—	36.—	108.—	[illegible]8.—	108.—	36.—

Ladestreifen und Laderahmen für Patronen zu Kriegswaffen.

Lames-chargeurs et chargeurs-étuis pour cartouches d'armes de guerre.

Clips and magazine cases for cartridges used in military arms.

Cintas y cajas almacén para cartuchos de armas de guerra.

Str. 1 Mod. 88, Mauser.

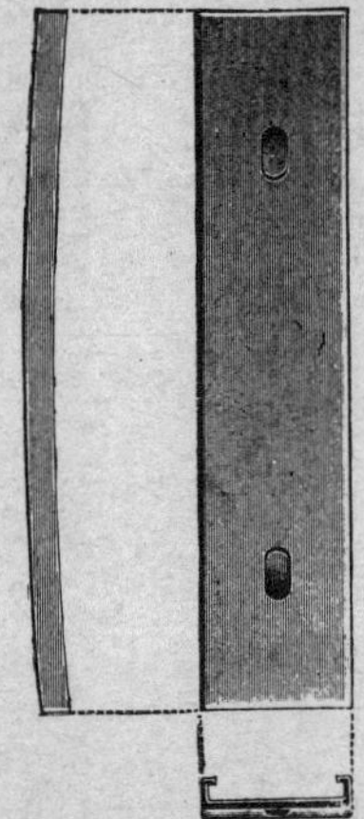

Str. 2.
Mauser Mod. 88, 90 u. 91.

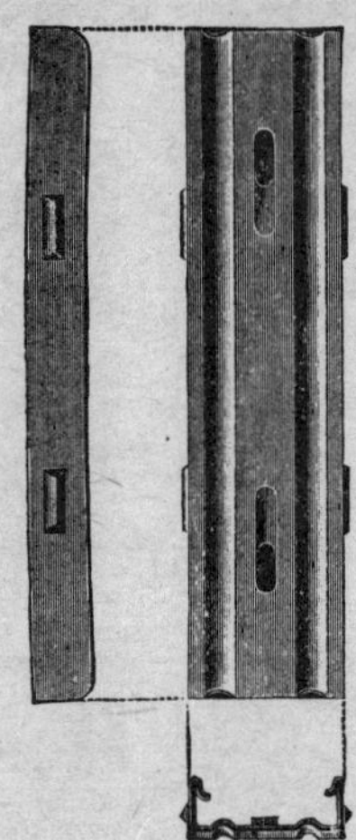

Str. 3 Str. 4
Mauser Mod. 93 u. 94.

Str. 5
Mauser Mod. 98.

Str. 6 Mod. 88, Mannlicher.

Str. 7 Cal. 6,5, Mannlicher.

Die Ladestreifen sind teilweise in ihrer **äusseren Form gleich**, in ihren **innern** Abmessungen jedoch **verschieden**, so dass bei Bestellungen **genaue Bezeichnung** bezw. die betreffende Patronensorte anzugeben ist.

Il arrive parfois que tels chargeurs ayant la **même forme extérieure** sont de **dimensions différentes** à l'intérieur, de sorte qu'il **faut être explicite** à cet égard ou dire de quelle cartouche il s'agit.

The **exterior form** of the clips is sometimes **similar**, whilst the interior **dimensions differ**; therefore on giving an order send **full particulars** or mention the kind of cartridge for which they are intended.

Algunas veces ocurre que tales cintas, teniendo la **misma forma exterior** son de **dimensiones diferentes** á la interior, de modo que **es preciso ser explicito** á cerca de esto, o decir de que cartucho se trata.

No.	Str. 1	Str. 2	Str. 3	Str. 4	Str. 5	Str. 6	Str. 7
†	Streimau	Streinein	Streizehn	Streilowe	Streilibe	Streifuge	Streifart
Mark per 1000	25.—	90.—	70.—	70.—	70.—	108.—	108.—

Hülsen und Nickelmantel-Geschosse für Kriegswaffen.

Douilles et Balles à revêtement nickel pour armes de guerre.

Shells and nickel cased bullets for military arms.

Cartuchos vacios y balas con capa de niquel para armas de guerra.

— Hülsen — Douilles — Shells — — Cartuchos vacios —

Geschosse — Balles — — Bullets — Balas —

— Hülsen — Douilles — Shells — — Cartuchos vacios —

Geschosse — Balles — — Bullets — Ballas —

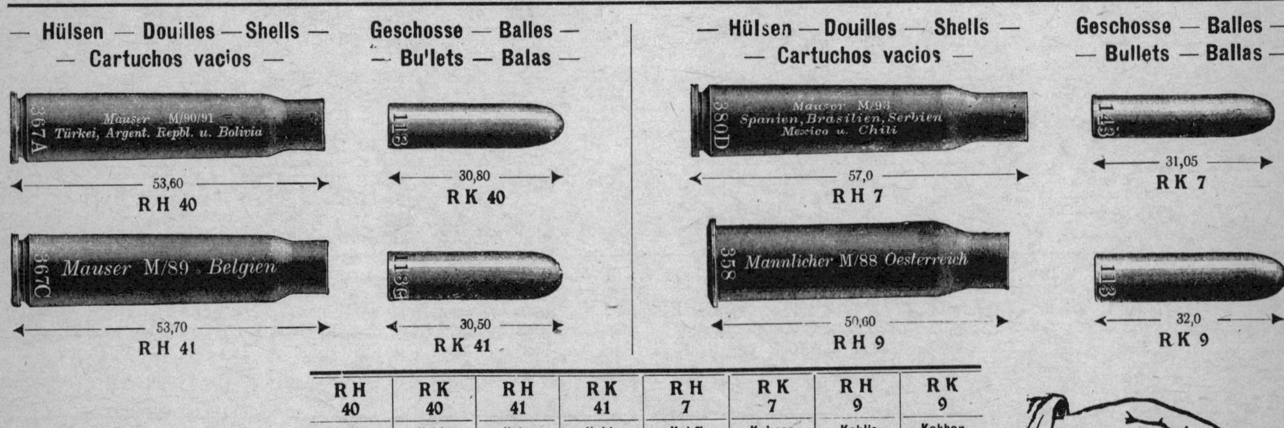

RH 40	RK 40	RH 41	RK 41	RH 7	RK 7	RH 9	RK 9
Kakar	Kaklu	Kakse	Kakto	Kakfl	Kakaos	Kaklis	Kakbon
per 1000	per 1000	per 1000	per 1000	per 1000	per 1000	per 1000	per 1000
Mark 90.—	Mark 45.—	Mark 110.—	Mark 64.—	Mark 90.—	Mark 45.—	Mark 96.—	Mark 54.—

451

Hülsen u. Nickelmantel-Geschosse für Kriegswaffen.

Douilles et Balles à revêtement nickel pour armes de guerre.

Shells and nickel cased bullets for military arms.

Cartuchos vacíos y balas con capa de niquel para armas de guerra.

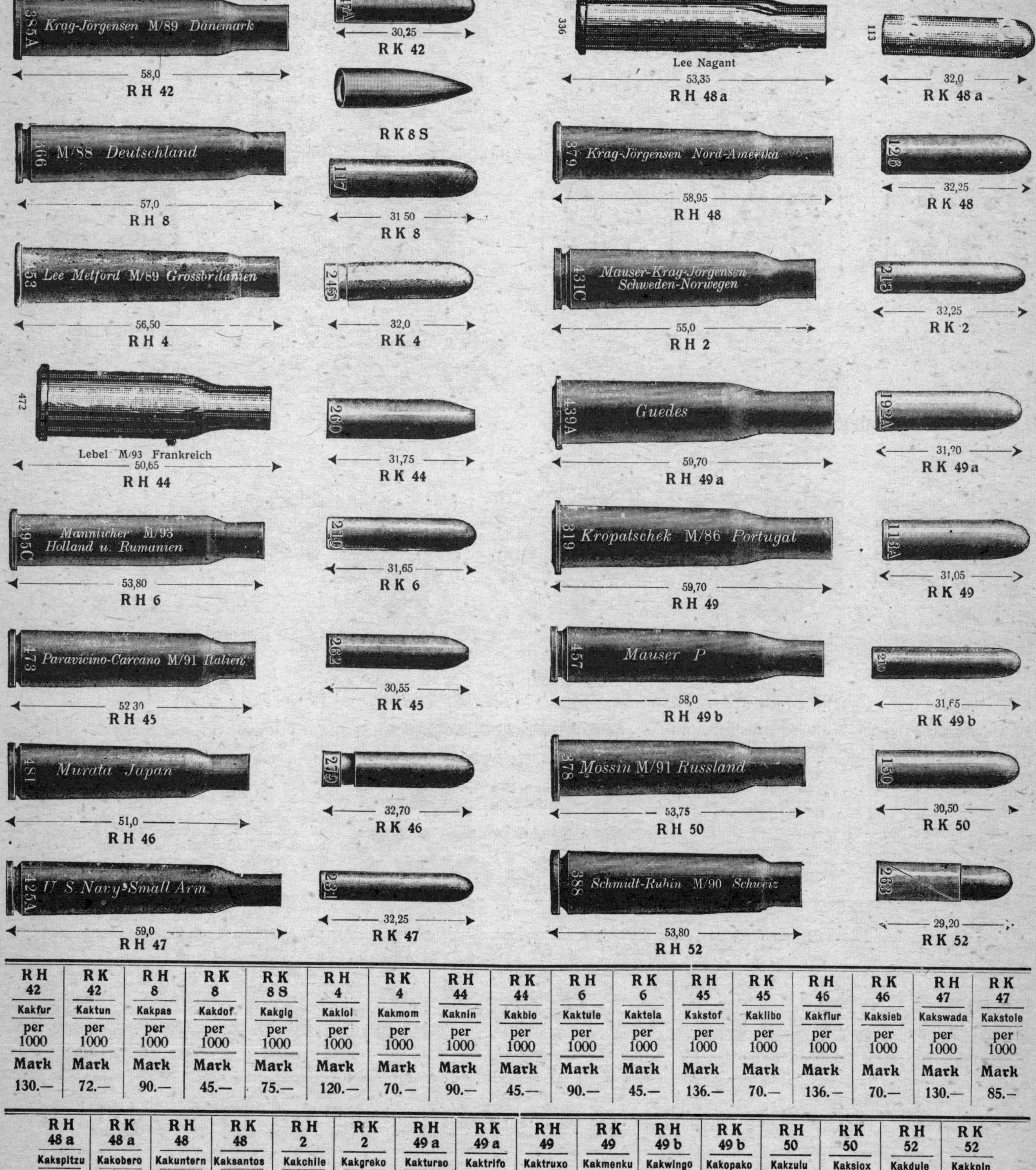

RH 42	RK 42	RH 8	RK 8	RK 8 S	RH 4	RK 4	RH 44	RK 44	RH 6	RK 6	RH 45	RK 45	RH 46	RK 46	RH 47	RK 47
Kakfur	Kaktun	Kakpas	Kakdof	Kakgig	Kaklol	Kakmom	Kaknin	Kakbio	Kaktule	Kaktela	Kakstof	Kaklibo	Kakflur	Kaksieb	Kakswada	Kakstole
per 1000	per 1000	per 1000	per 1000	per 1000	per 1000	per 1000	per 1000	per 1000	per 1000	per 1000	per 1000	per 1000	per 1000	per 1000	per 1000	per 1000
Mark	Mark	Mark	Mark	Mark	Mark	Mark	Mark	Mark	Mark	Mark	Mark	Mark	Mark	Mark	Mark	Mark
130.—	72.—	90.—	45.—	75.—	120.—	70.—	90.—	45.—	90.—	45.—	136.—	70.—	136.—	70.—	130.—	85.—

RH 48 a	RK 48 a	RH 48	RK 48	RH 2	RK 2	RH 49 a	RK 49 a	RH 49	RK 49	RH 49 b	RK 49 b	RH 50	RK 50	RH 52	RK 52
Kakspitzu	Kakobero	Kakuntern	Kaksantos	Kakchile	Kakgreko	Kakturso	Kaktrifo	Kaktruxo	Kakmenku	Kakwingo	Kakopako	Kakzulu	Kaksiox	Kakdule	Kakkoln
per 1000	per 1000	per 1000	per 1000	per 1000	per 1000	per 1000	per 1000	per 1000	per 1000	per 1000	per 1000	per 1000	per 1000	per 1000	per 1000
Mark	Mark	Mark	Mark	Mark	Mark	Mark	Mark	Mark	Mark	Mark	Mark	Mark	Mark	Mark	Mark
120.—	80.—	136.—	72.—	110.—	64.—	120.—	80.—	130.—	56.—	110.—	62.—	136.—	72.—	136.—	72.—

Militär-Schwarzpulver. — Poudres noires militaires. — Military black Powder. — Pólvora negra militar.

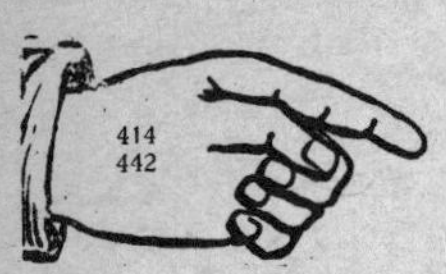

P1.

Musketpulver.
Poudre à mousquet.
Musket Powder.
Pólvora para mosquete.

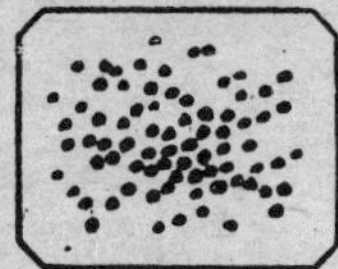

P2.

Böllerpulver.
Poudre à mortiers.
Small Cannon.
Pólvora de mortero para salvas.

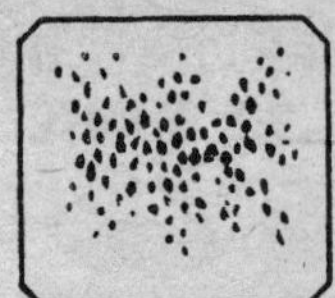

P3.

Gewehrpulver A & F.
Poudre à fusil A & F.
Rifle Powder A & F.
Pólvora de fusil A & F.

P4.

Gewehrpulver M. 71.
Poudre, pour fusils Mauser, Mod. 71.
Rifle Powder M. 71 for Mauser rifles.
Para escopetas Mauser.
Pólvora Modelo 71.

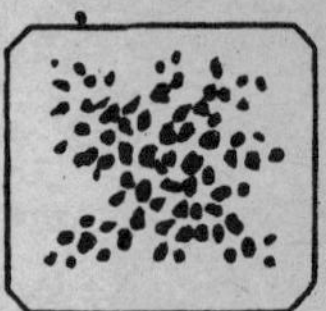

P5.

FeinkörnigesGeschützpulver
Poudre à canon à grains fins.
Fine grained CannonPowder.
Pólvora de cañon en grano fino.

Spreng-Pulver. — Poudre de mine. — Blasting Powder. — Pólvora de mina.

P 6g.

Grob eckig.
à gros grains.
Gross cornered.
de granos gordos.

P 6e.

Fein eckig.
à grains fins.
Sharp cornered.
de granos finos.

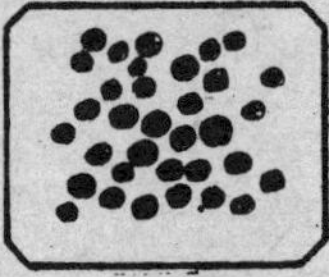

P 6r.

Rund.
Rond.
Round.
Redonda.

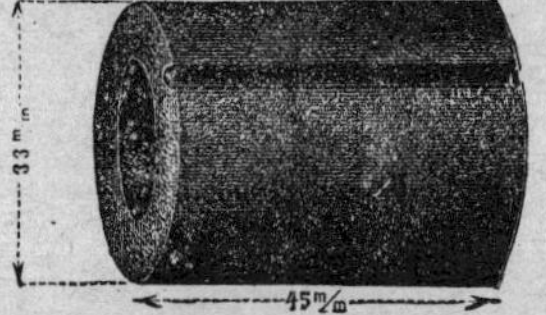

P7.

Compr. Sprengpulver A & F. M. 85,
im offenen Feuer nicht explodierbar.
Poudre de mine comprimée A & F. M. 85,
n'explosant pas en plein feu.
Compr. Blasting Powder A & F. M. 85,
does not explode in open fire.
Pólvora de mina comprimida A & F. M. 85,
sin explotar en fuego abierto.

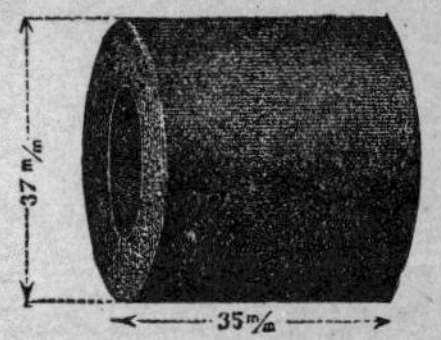

P8.

Comp. Sprengpulver.
Poudre de mine comprimée.
Compr. Blasting Powder.
Pólvora de mina comprimida.

Prismatisches Pulver. — Poudre prismatique. — Prismatic Powder. — Pólvora Prismática.

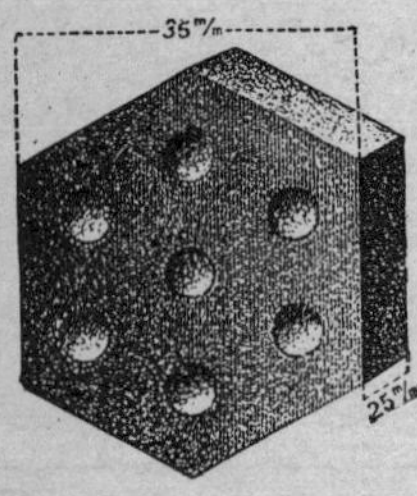

P9.

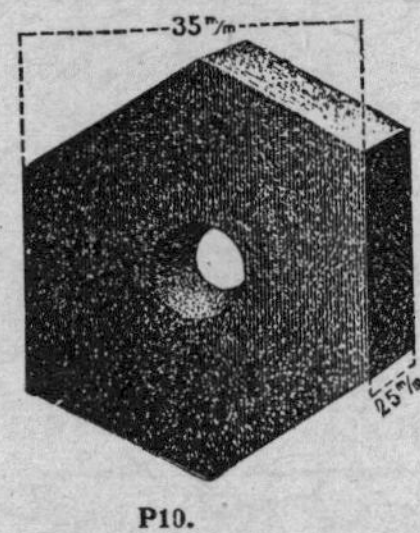

P10.

P11.

Pebble-Pulver.
Poudre Pebble.
Pebble Powder.
Pólvora Guijarro.

P12.

Torpedo-Pulver.
Poudre Torpedo.
Torpedo-Powder.
Pólvora-Torpedo.

P13.

Grobkörniges Geschützpulver.
Poudre à canon à gros grains.
Gross grained Cannon Powder.
Pólvora de cañon en granos grubios.

Geschütz-Pulver. — Poudre à canon. — Cannon-Powder. — Pólvora de cañon.

Für Prismatische Gewehr- und Geschützpulver bitten wir Spezialofferte mit genauer Angabe der Caliber des Geschützsystems, Anforderung, Packung und Land, sowie Quantum einzuholen.

Pour poudre à fusil et à canon en prismes ou en barres, prière de nous demander offres spéciales, en nous indiquant **exactement** le calibre, le système de canon, le genre d'emballage, le pays destinataire, ainsi que l'importance de la commande en vue.

P14. P15. P16. P17.

For prismatic rifle and cannon powder please ask for special offer, stating **exactly caliber, kind of cannon**, packing desired, country as well as quantity.

Para la pólvora de escopeta y cañón, pídase por en prismas ó en banas pedido especial designando **exactamente, el calibre, clase del cañon**; embalage que se desea; país, y también la importancia del pedido en vista.

P1	P2	P3	P4	P5	P 6g | P 6e | P 6r	P7	P8	P9
† Musku.	† Bolur	† Abuf	† Gesih	† Puges	† Grobu † Ekus † Rundu	† Compur	† Cospu	† Prisak
in Fässern à 10—50 Kilo netto	in Fässern à 10—50 Kilo netto	in Fässern à 10—50 Kilo netto	in Fässern à 10—50 Kilo netto	in Fässern à 10—50 Kilo netto	in Fässern à 10—50 Kilo netto	in Fässern à 10—50 Kilo netto	in Fässern à 10—50 Kilo netto	nach Wunsch verpackt
en tonneaux de 10—50 Kilog. net	en tonneaux de 10—50 Kilog. net	en tonneaux de 10—50 Kilog. net	en tonneaux de 10—50 Kilog. net	en tonneausc de 10—50 Kilog. net	en tonneaux de 10—50 Kilog. net	en tonneaux de 10—50 Kilog. net	en tonneaux de 10—50 Kilog. net	emballage selon demande
in barrels of 10—50 Kilo net	in barrels of 10—50 Kilo net	in barrels of 10—50 Kilo net	in barrels of 10—50 Kilo net	in barrels of 10—50 Kilo net	in barrels of 10—50 Kilo net	in barrels of 10—50 Kilo net	in barrels of 10—50 Kilo net	packed according to wish
en barriles de 10—50 Kilos neto	en barriles de 10—50 Kilos neto	en barriles de 10—50 Kilos neto	en barriles de 10—50 Kilos neto	en barriles de 10—50 Kilos neto	en barriles de 10—50 Kilos neto	en bar lles de 10—50 Kilos neto	en barrilles de 10—50 Kilos neto	embalados según se desée
Mark 100,— per 50 kg	**Mark 105,—** per 50 kg	**Mark 114,—** per 50 kg	**Mark 136,—** per 50 kg	**Mark 120,—** per 50 kg	**Mark 80,—** per 50 kg	**Mark 150,—** per 100 kg	**Mark 164,—** per 100 kg	**Mark** per SO kg

P10	P11	P12	P13	P14	P15	P16	P17
† Prisum	† Pebel	† Torpu	† Pugol	† Pusexo	† Pusako	† Punenu	† Puroris
nach Wunsch verpackt	auf Wunsch verpackt	nach Wunsch verpackt	in Fässern à 10—50 Kilo netto	Verpackung nach Wunsch	Verpackung nach Wunsch	Verpackung nach Wunsch	Verpackung nach Wunsch
emballage selon demande	emballage selon demande	emballage selon demande	en tonneaux de 10—50 Kilog. net	emballage selon demande	emballage selon demande	emballage selon demande	emballage selon demande
packed as desired	packed as desired	packed as desired	in barrels of 10—50 Kilos net	packed as desired	packed as desired	packed as desired	packed as desired
embalados según se desée	embalados según se desée	embalados según se desée	en barriles de 10—50 Kilos neto	embalados según se desée	embalaje según se desée	embalaje según se desée	embalaje según se desée
Mark per SO kg	**Mark** per SO kg	**Mark** per SO kg	**Mark 110,—** per kg	**Mark 190,—** per 50 kg	**Mark** per SO kg	**Mark** per SO kg	**Mark** per SO kg

Kriegswaffen-Schiesspulver für Vorderlader etc.

Poudre pour armes de guerre et armes se chargeant par la bouche etc.

Gunpowder for military arms and for use in muzzle loaders.

Pólvora para armas de guerra y armas que se cargan por la boca.

1/1 lb engl. P 22 | 1/2 lb engl. P 21 | 1/4 lb engl. P 20

Qual. A.

Flaschenpackung | Emballage en gourdes. | packed in bottles. | Embalaje en tarros.

P 26 P 27 P 28 P 29 P 30 P 31
Runde Blechdosenpackung.
Emballage en boîte de fer blanc, cylindrique.
packed in round tin canisters.
Embalaje en caja cilindrica de hierro blanco.

1/4 lb engl. P 23 | 1/2 lb engl. P 24 | 1/1 lb engl. P 25

Qual. B.

Flaschenpackung | Emballage en gourdes. | packed in bottles. | Embalaje en tarros.

P 18 P 19
Fasspackung.
Emballage en tonneau.
packed in barrel.
Embalaje en tonel.

Körnung des Export-Pulvers | **granulation de poudre d'exportation.** | **Graining of the Export Powder** | **Granulación de la polvora para la exportación.**

F

F.F.

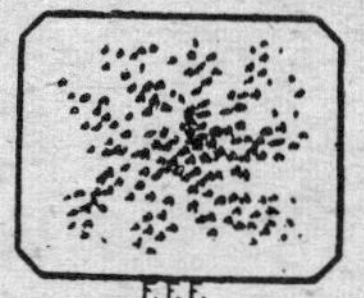

F.F.F.

Qualitäten A u. B. | **Qualités A u. B.** | **qualities A u. B.** | **Calidad A u. B.**

Bei grossen Lieferungen bitte stets besondere Offerte unter Angabe des **Quantums, Bestimmungslands, Körnung** und der gewünschten Packung einzuholen.

Pour quantités importantes, prière de nous demander offres en indiquant la **quantié** le **pays destinataire**, le **genre de poudre** et de granulation ainsi que d' emballage.

If large quantities are desired please ask always for a special offer, stating the **quantity. country** of destination and **packing** required.

Si se desean cantidades importantes, se suplica pidan siempre las ofertas designando la **cantidad, paísde destino, embalage requerido,** y clase de pólvora y granulación.

P 32 P 33 P 34 P 35 P 36 P 37
Eckige Blechdosenpackung.
Emballage en caisses de fer blanc, à angles.
packed in tin cornered canisters.
Embalaje en cajas acero blanco de angulo.

Nr.	P 18	P 19	P 20	P 21	P 22	P 23	P 24	P 25	P 26	P 27
†	Ingmax	Ingaug	Ingkal	Ingfri	Inghed	Inglote	Ingadol	Ingeorg	Ingherm	Ingernt
Qual.	A	B	A	A	A	B	B	B	A	A
Packungsart	In Holzfässern à 10—50 kg netto	wie P 18	in 1/4 lb Flasch. inKisten à 50 kg netto	in 1/2 lb Flasch. inKisten à 50 kg netto	in 1/1 lb Flasch. inKisten à 50 Kg netto	wie P 20	wie P 21	wie P 22	in 1/4 lb runden Blechd. inKisten à 50 kg netto	in 1/2 lb runden Blechd. inKisten à 50 kg netto.
Genre d'emballage	en tonneauxde bois de 10 à 50 Ki. net	comme P 18	gourdes de 1/4 lb en caisses de 50 kg net.	gourdes de 1/2 lb en caisses de 50 kg net.	gourdes d' 1 lb en caisses de 50 kg net.	comme P 20	comme P 21	comme P 22	Boîtesde fer blanc cylindriques de 1/4 lb, en caisses de 50 kg net.	Boîtesde fer blanc cylindriques de 1/2 lb, en caisses de 50 kg net.
Kind of packing	in wooden barrels of 10 to 50 kg net.	like P 18	in 1/4 lb bottles in cases of 50 kg net.	in 1/2 lb bottles in cases of 50 kg net.	in 1/1 lb bottles in cases of 50 kg net.	like P 20	like P 21	like P 22	in round 1/4 lb tin canisters in cases of 50kg net.	in round 1/2 lb tin canisters in cases of 50kg net.
Clase de embalaje	en toneles de madera de 10 à50 kg neto	como P 18	tarros de 1/4 lb en cajas de 50 kg neto	tarros de 1/2 lb en cajas de 50 kg neto	tarros de 1/1 lb en cajas de 50 kg neto	come P 20	como P 21	como P 22	Cajas de hierro blanco cilíndricas, de 1/4 lb, en cajas de 50 kg neto	Cajas de hierro blanco cilíndricas, de 1/2 lb, en cajas de 50 kg neto
per 50 kg Mark	90	80	190	160	140	180	150	130	190	160

Nr.	P 28	P 29	P 30	P 31	P 32	P 33	P 34	P 35	P 36	P 37
†	Ingpaul	Ingludi	Ingmart	Ingrich	Ingbole	Ingzwa	Ingdrei	Ingvier	Ingoxe	Ingleg.
Qual.	A	B	B	B	A	A	A	B	B	B
Packungsart	in 1/1 lb runden Blechd. inKisten à 50 kg netto	wie P 26	wie P 27	wie P 28	in 1/4 lb eckigen Blechd. inKisten à 50 kg netto.	in 1/2 lb eckigen Blechd. inKisten à 50 kg netto	in 1/1 lb eckigen Blechd. inKisten à 50 kg netto.	wie P 32	wie P 33	wie P 34
Genre d'emballage	Boîtesde fer blanc cylindriques d' 1 lb, en caisses de 50 kg net	comme P 26	comme P 27	comme P 28	Boîtesde fer blanc à angles de 1/4 lb, en caisses de 50 kg net.	Boîtesde fer blanc à angles de 1/2 lb, en caisses de 50 kg net:	Boîtesde fer blanc à angles d' 1 lb, en caisses de 50 kg net.	comme P 32	comme P 33	comme P 34
Kind of packing	in round 1 lb tin canisters in cases of 50kg net.	like P 26	like P 27	like P 28	in cornered 1/4 lb tin canisters in cases of 50 kg net.	in cornered 1/2 lb tin canisters in cases of 50 kg net.	in cornered 1 lb tin canisters in cases of 50 kg net.	like P 32	like P 33	like P 34
Clase de embalaje	Cajas de hierro blanco cilíndricas, de 1 lb, en cajas de 50 kg neto	como P 26	como P 27	como P 28	Cajas de hierro blanco de ángulos de 1/4 lb, en cajas de 50 kg neto	Cajas de hierro blanco de ángulos de 1/2 lb en cajas de 50 kg neto	Cajas de hierro blanco de ángulos de 1 lb en cajas de 50 kg neto	como P 32	como P 33	como P 34
per 50 kg Mark	140	180	150	130	190	160	140	180	150	130

Polizeisäbel Marke „Alfa“. | Sabres de police marque „Alfa“. | Police swords, Mark „Alfa“. | Sables de policía, marca „Alfa“.

liefern aber auch alle anderen vorkommenden Arten und bitten, Spezialofferte einzuholen.

Nous ne reproduisons ici que les sabres les plus courants, mais nous livrons aussi tous les autres genres se rencontrant et nous prions de nous demander offre spéciale à cet égard.

We refer only to the most saleable swords etc., but we supply also all other kinds desired. Please apply for special offer.

No reproducimos aqui nadamás que los sables más corrientes: Pero proveemos también las demás clases existentes, y rogamos nos pidan ofertas especiales acerca de esto.

7060 † Polisab	7061 † Polideg.	7062 † Polisum	7063 † Politra
Klinge 28 mm breit, Lederscheide, schwarzer Fischhautgriff, Montur in Neusilber.	Klinge 29 mm breit, Lederscheide, schwarzer Holzgriff, Montur in Neusilber.	Klinge 28 mm breit, Lederscheide, schwarzer Fischhautgriff, Montur in Messing vernickelt.	Klinge 30 mm breit. Lederscheide, Ledergriff, Montur in Messing.
Lame 28 mm de large. Fourreau de cuir — poignée noire quadrillée — monture en vieil argent.	Lame 29 mm de large, forreau de cuir — poignée de bois noire — monture en vieil argent.	Lame 28 mm de large, fourreau de cuir — poignée noire quadrillée — monture laiton nickelé.	Lame 30 mm de large, fourreau de cuir — poignée de cuir — monture laiton.
Blade 28 mm broad, leather sheath, black chequered grip, German silver mounting.	Blade 29 mm broad, leather sheath, black wooden grip, German silver mounting.	Blade 28 mm road, leather sheath, black chequered grip, brass mounting nickeled.	Blade 30 mm broad, leather sheath, leather grip, brass mounting.
Hoja de 28 mm de ancho, Vaina de cuero empuñadura negra labrada — montura de plata nueva.	Hoja de 29 mm de ancho — vaina de cuero empuñadura de modera negra — montura de plata nueva.	Hoja de 28 mm de ancho — vaina de cuero — empuñadura negra labrada — montura de laton niquelado.	Hoja de 30 mm de ancho — vaina de cuero — empuñadura de cuero — montura de latón.
Mark 22.—	Mark 20.—	Mark 18.50	Mark 15.—

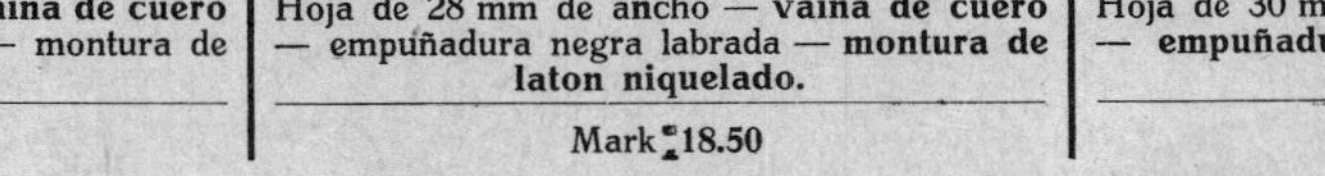

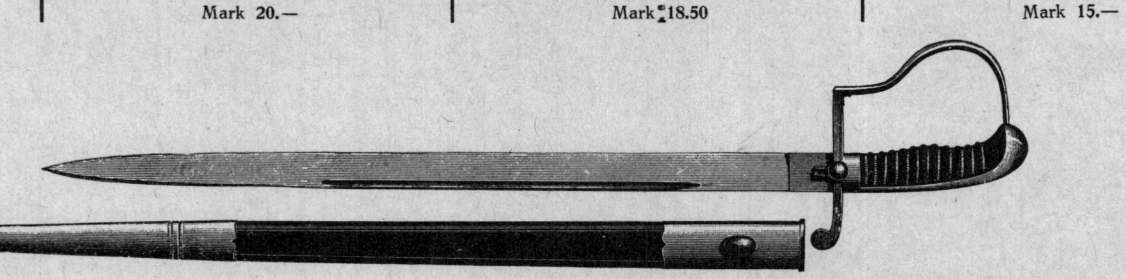

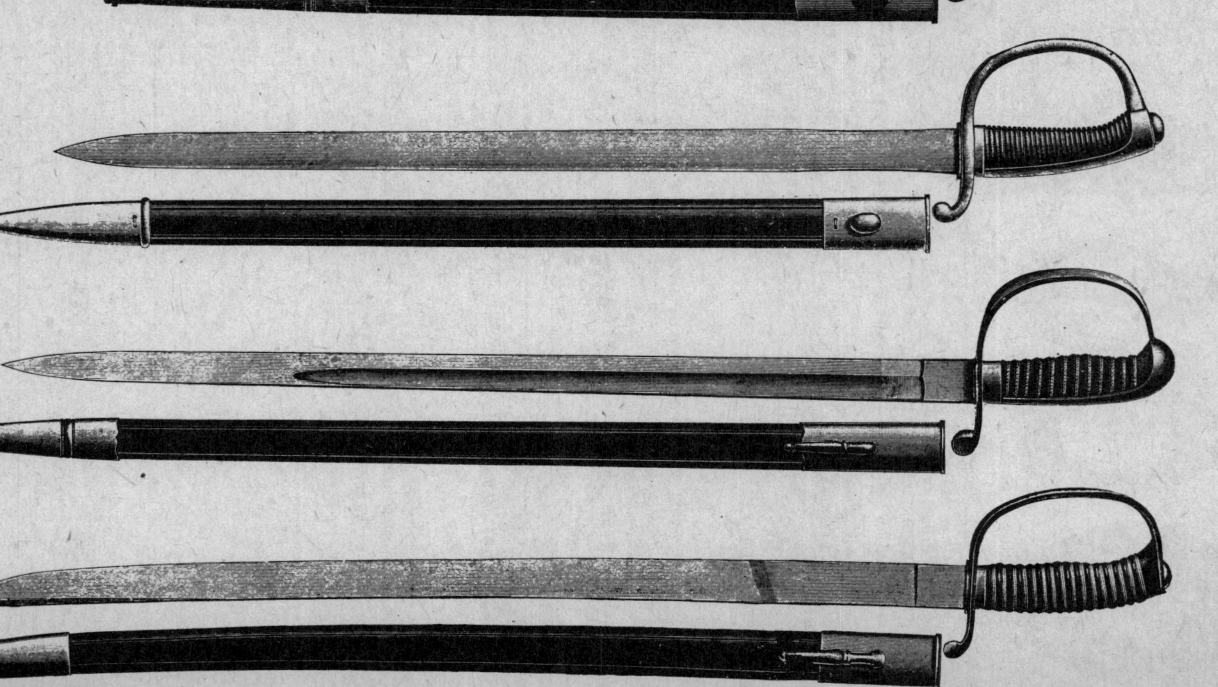

7060

7061

7062

7063

Polizeisäbel Marke „Alfa". | Sabres de police, marque „Alfa". | Police swords, Brand „Alfa". | Sables de policia, marca „Alfa".

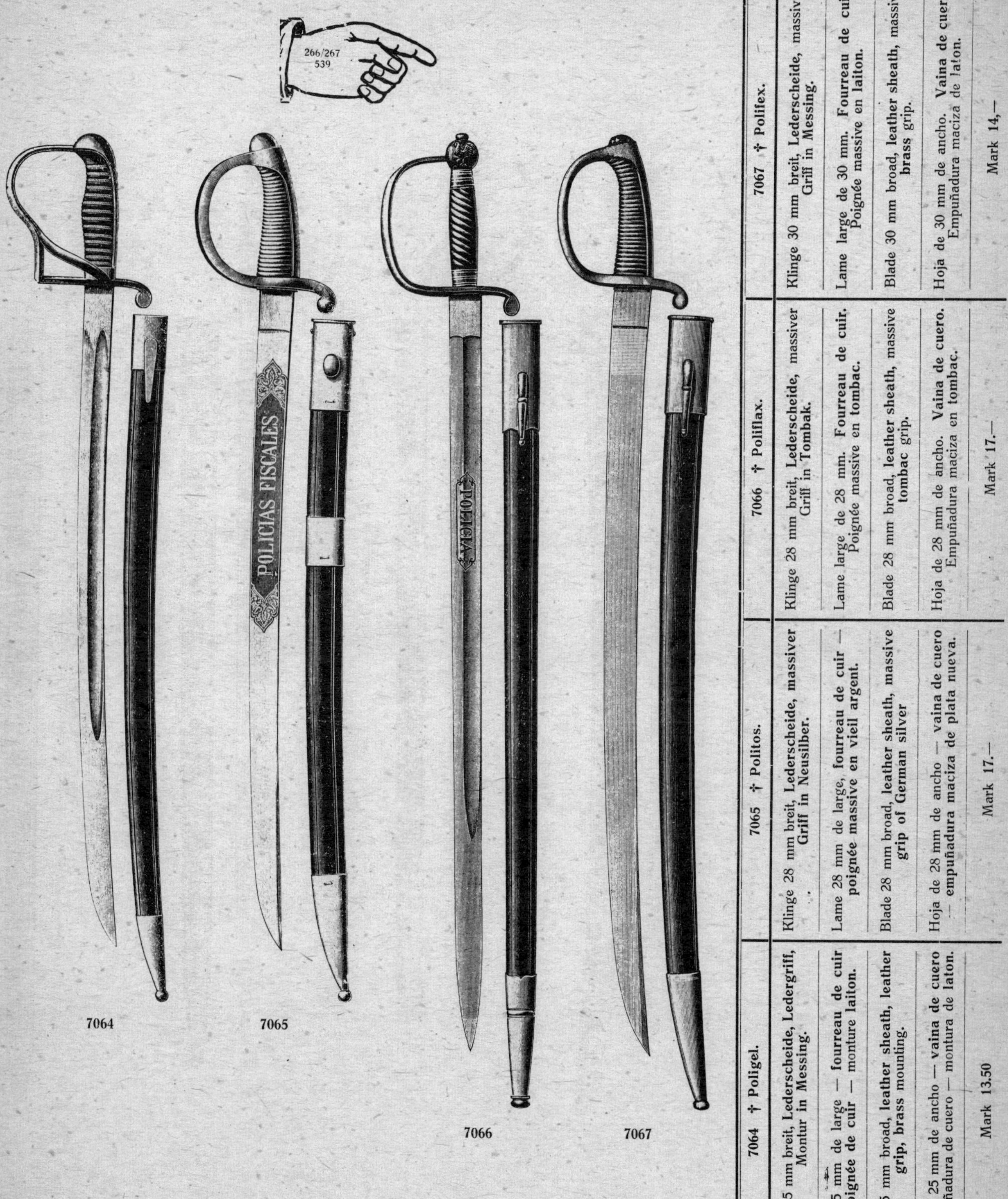

7064 † Poligel.	7065 † Politos.	7066 † Poliflax.	7067 † Polifex.
Klinge 25 mm breit, Lederscheide, Ledergriff, Montur in Messing.	Klinge 28 mm breit, Lederscheide, massiver Griff in Neusilber.	Klinge 28 mm breit, Lederscheide, massiver Griff in Tombak.	Klinge 30 mm breit, Lederscheide, massiver Griff in Messing.
Lame 25 mm de large — fourreau de cuir — poignée de cuir — monture laiton.	Lame 28 mm de large, fourreau de cuir — poignée massive en vieil argent.	Lame large de 28 mm. Fourreau de cuir. Poignée massive en tombac.	Lame large de 30 mm. Fourreau de cuir. Poignée massive en laiton.
Blade 25 mm broad, leather sheath, leather grip, brass mounting.	Blade 28 mm broad, leather sheath, massive grip of German silver	Blade 28 mm broad, leather sheath, massive tombac grip.	Blade 30 mm broad, leather sheath, massive brass grip.
Hoja de 25 mm de ancho — vaina de cuero — empuñadura de cuero — montura de laton.	Hoja de 28 mm de ancho — vaina de cuero — empuñadura maciza de plata nueva.	Hoja de 28 mm de ancho. Vaina de cuero. Empuñadura maciza en tombac.	Hoja de 30 mm de ancho. Vaina de cuero. Empuñadura maciza de laton.
Mark 13.50	Mark 17.—	Mark 17.—	Mark 14,—

Polizeisäbel Marke „Alfa“. | Sabres de police, marque „Alfa“. | Police swords Mark „Alfa“. | Sables de policía, marca „Alfa“.

7068 † Polistru.	7069 † Polidoka.	7070 † Polisont.	7071 † Politrina.	7072 † Poligusta.
Klinge 30 mm breit, Lederscheide, Massiver Griff in Messing.	Klinge 25 mm breit, Lederscheide, schwarzer Fischhautgriff, Montur in Neusilber.	wie Nr. 7069, aber mit weissem Fischhautgriff.	Klinge 28 mm breit, Lederscheide, Kautschukgriff, Montur in Messing.	Klinge 28 mm breit, Lederscheide, massiver Griff in Tombak.
Lame large de 30 mm. Fourreau de cuir. Poignée massive en laiton.	Lame large de 25 mm. Fourreau de cuir. Poignée noire quadrillée monture en vieil argent.	comme len7069, mais avec poignée blanche quadrillée.	Lame large de 28 mm. Fourreau de cuir. Poignée de caoutchouc, monture en laiton.	Lame large de 28 mm. Fourreau de cuir. Poignée massive en tombac.
Blade 30 mm broad, leather sheath, massive brass grip.	Blade 25 mm broad, leather sheath, black chequered grip, German silver mounting.	like No. 7069, but with white chequered grip.	Blade 28 mm broad, leather sheath, rubber grip, brass mounting.	Blade 28 mm broad, leather sheath, massive tombac grip.
Hoja de 30 mm de ancho. Vaina de cuero. Empuñadura maciza de latón.	Hoja de 25 mm de ancho. Vaina de cuero. Empuñadura negra labrada, montura de plata nueva.	Como eln 7069, pero con empuñadura blanca labrada.	Hoja de 28 mm de ancho. Vaina de cuero. Empuñadura de cautchuk, — montura de laton.	Hoja de 28 mm de ancho. Vaina de cuero. Empuñadura maciza de tombac.
Mark 15.50	Mark 24.—	Mark 27.—	Mark 13.—	Mark 14.—

266/267
540

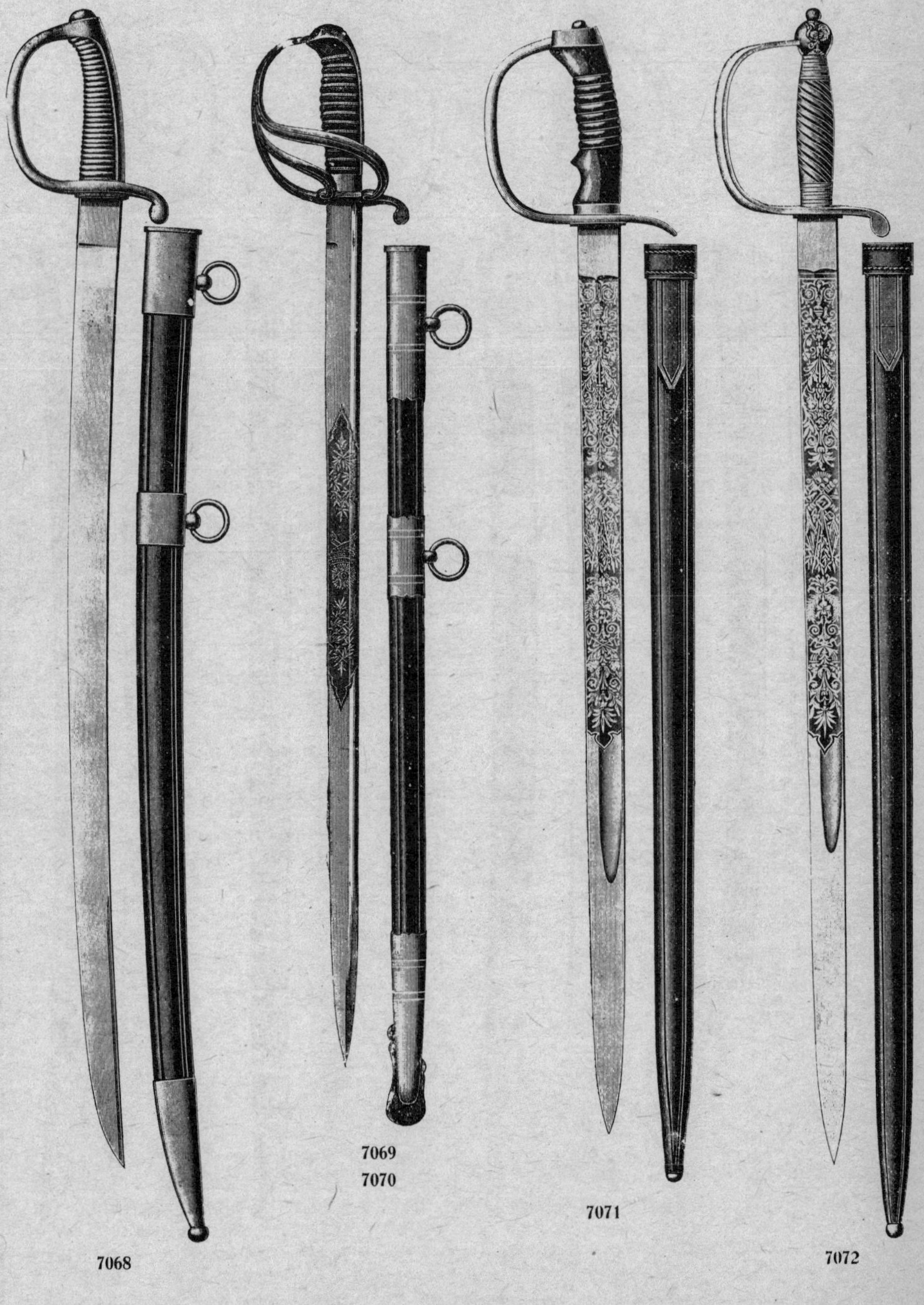

7068

7069
7070

7071

7072

Mannschafts-Säbel. | Sabres de troupe. | Troopers sabres. | Sables de tropa.

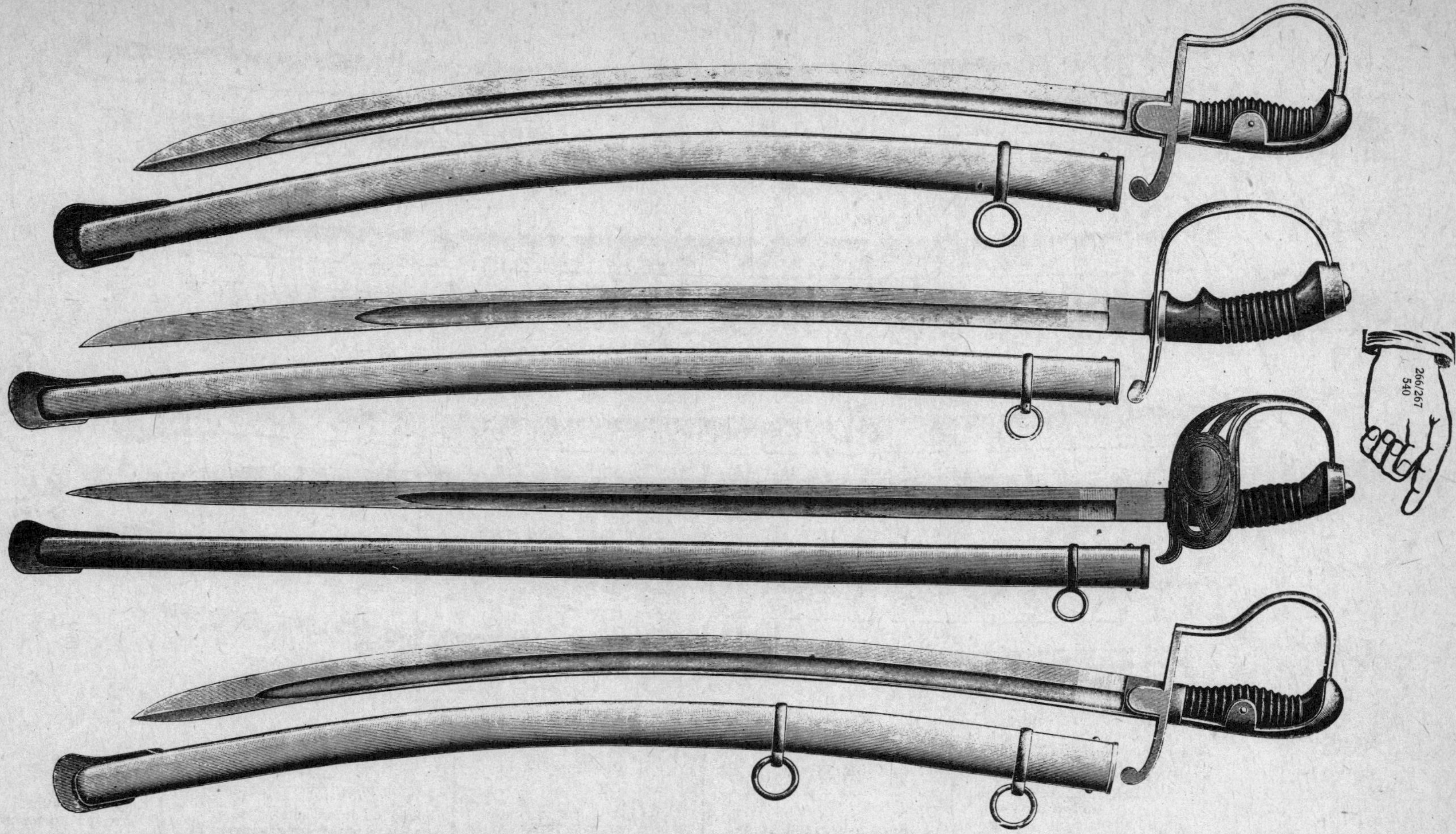

266/267 540

7073 7074 7075 7076

Wir bringen nur die **gängigsten Säbel** etc. Wir liefern aber auch **alle anderen vorkommenden Arten** und bitten **Spezialofferte** einzuholen.

Nous ne reproduisons ici — que les **sabres les plus courants,** mais nous livrons aussi tous les **autres genres** se rencontrant et nous prions de nous demander **offre spéciale** à cet égard.

We refer only to the **most saleable sabres** etc. but supply also any **other kinds** desired. Please apply **for special offer.**

No reproducimos aquí nadamás que los **sables mas corrientes,** pero proveemos también **las otras clases** existentes, y rogamos nos pidan **oferta especial** acerca de esto.

7073 † Mankale	7074 † Manfreda	7075 † Mantose	7076 † Manstru
Klinge 32 mm breit, **Ledergriff, Montur** und **Scheide in Stahl einfach poliert.**	Klinge 28 mm breit, **Kautschukgriff,** Montur und Scheide in Stahl einfach poliert.	Klinge 25 mm breit, **Kautschukgriff,** Montur und Scheide in Stahl einfach poliert.	Klinge 32 mm breit, **Ledergriff,** Montur und Scheide in Stahl einfach poliert.
Lame large do 32 mm. **Poignée de cuir — monture et fourreau d'acier poli.**	Lame large de 28 mm. **Poignée** de **caoutchouc** — monture et fourreau d'acier poli.	Lame large de 25 mm. **Poignée de caoutchouc** — monture et fourreau d'acier poli.	Lame large de 32 mm. **Poignée de cuir** — monture et fourreau d'acier poli.
Blade 32 mm broad, **leather grip, steel scabbard** and **mounting, plainly polished.**	Blade 28 mm broad, **rubber grip,** steel scabbard and mounting, plainly polished.	Blade 25 mm broad, **rubber grip,** steel scabbard and mounting, plainly polished.	Blade 32 mm broad, **leather grip,** steel scabbard and mounting, plainly polished.
Hoja de 32 mm de ancho — **Empuñadura de cuero — montura y vaina de acero pulido.**	Hoja de 28 mm de ancho — **Empuñadura** de **caoutchouc**—montura y vaina de acero pulido.	Hoja de 25 mm de ancho — **Empuñadura** de **caoutchouc**—montura y vaina de acero pulido.	Hoja de 32 mm de ancho — **Empuñadura** de **cuero** — montura y vaina de acero pulido.
Mark 21.50	**Mark 20.—**	**Mark 18.—**	**Mark 21.50**

Mannschafts-Säbel. | Sabres de troupe. | Trooper's sabres. | Sables de tropa.

7077 † Mankana	7078 † Manwist	7079 † Mandenk	7080 † Manrufa	7081 † Manlung	7082 † Manherz
Klinge 25 mm breit, Stahlscheide einfach poliert, **Ledergriff,** Montur in **Messing.**	Klinge 25 mm breit, Ledergriff, Montur in **Stahl,** einfach poliert mit einfach polierter Stahlscheide.	Wie 7078 **Scheide brüniert.**	Wie 7078 **Scheide schwarz emailliert.**	Klinge 28 mm breit, **Ledergriff,** Stahlscheide einfach poliert, **Montur in Eisenguss** einfach poliert.	Klinge 28 mm breit, **Ledergriff,** Stahlscheide einfach poliert, **Montur in Messing.**
Lame large de 25 mm. Fourreau d'acier poli — **poignée de cuir** — monture de laiton.	Lame large de **25 mm. Poignée** de cuir — monture et fourreau **d'acier** poli.	Comme le 7078 **fourreau bruni.**	Comme le 7078 **fourreau noir émaillé.**	Lame large de **28 mm. Poignée de cuir** — fourreau d'acier poli — **monture fer fondu** poli.	Lame large de 28 mm — **poignée de cuir** — fourreau d'acier poli — **monture laiton.**
Blade **25 mm** broad, steel scabbard, plainly polished, **leather grip,** brass mounting.	Blade 25 mm broad, leather grip, steel mounting, plainly polished, with plainly polished **steel** scabbard.	Like 7078 **burnished scabbard.**	Like 7078 **black enamelled scabbard.**	Blade 28 mm broad, **leather grip,** steel scabbard plainly polished, **cast iron mounting** plainly polished.	Blade 28 mm broad, **leather grip,** steel scabbard plainly polished, **brass mounting.**
Hoja de **25 mm** de ancho — Vaina de acero pulido — **Empuñadura de cuero** — montura de latón.	Hoja de **25 mm** de ancho — Empuñadura de cuero — montura y vaina de acero pulido.	Como 7078 **vaina bruñida.**	Como 7078 **vaina negra esmaltada.**	Hoja de **28 mm** de ancho — **Empuñadura de cuero** — vaina de acero pulido — **montura de hierro fundido pulido.**	Hoja de **28 mm** de ancho — **Empuñadura de cuero** — vaina de acero pulido — **montura de laton.**
Mark 16.50	**Mark 15.50**	**Mark 17.10**	**Mark 17.10**	**Mark 14.—**	**Mark 21.50**

7077

7078 7079 7080

7081

7082

266/267
539

Mannschafts-Säbel | Sabres de troupe | Trooper's sabres | Sables de tropa

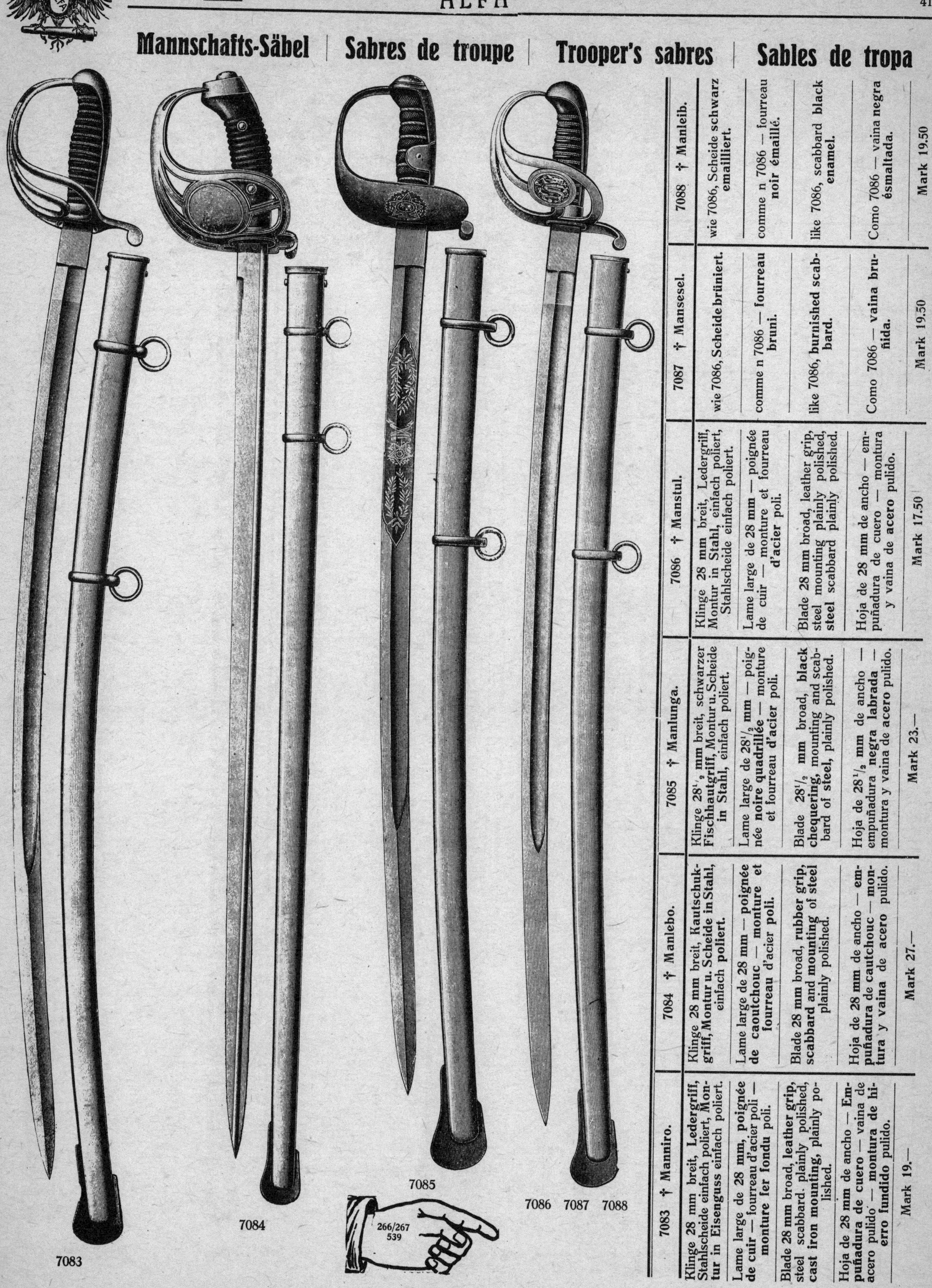

7083 † Manniro.	7084 † Manlebo.	7085 † Manlunga.	7086 † Manstul.	7087 † Mansesel.	7088 † Manleib.
Klinge 28 mm breit, **Ledergriff, Stahlscheide** einfach poliert, **Montur in Eisenguss** einfach poliert.	Klinge 28 mm breit, **Kautschukgriff, Montur u. Scheide in Stahl,** einfach **poliert.**	Klinge 28½ mm breit, schwarzer **Fischhautgriff,** Montur u. Scheide **in Stahl,** einfach poliert.	Klinge 28 mm breit, Ledergriff, Montur in Stahl, einfach poliert, Stahlscheide einfach poliert.	wie 7086, **Scheide brüniert.**	wie 7086, Scheide schwarz **emailliert.**
Lame large de 28 mm, **poignée de cuir** — fourreau d'acier poli — **monture fer fondu** poli.	Lame large de 28 mm — **poignée de caoutchouc — monture et fourreau** d'acier **poli.**	Lame large de 28½ mm — poignée **noire quadrillée** — monture et fourreau **d'acier** poli.	Lame large de 28 mm — poignée de cuir — monture et fourreau **d'acier** poli.	comme n 7086 — **fourreau bruni.**	comme n 7086 — fourreau **noir émaillé.**
Blade 28 mm broad, **leather grip,** steel scabbard, plainly polished, **cast iron mounting,** plainly polished.	Blade 28 mm broad, **rubber grip, scabbard** and **mounting** of steel plainly polished.	Blade 28½ mm broad, **black chequering,** mounting and scabbard of **steel,** plainly polished.	Blade 28 mm broad, leather grip, steel mounting plainly polished, **steel** scabbard plainly polished.	like 7086, **burnished scabbard.**	like 7086, scabbard **black enamel.**
Hoja de 28 mm de ancho — **Empuñadura de cuero** — vaina de acero pulido — **montura de hierro fundido** pulido.	Hoja de 28 mm de ancho — **empuñadura de cautchouc — montura y vaina** de **acero** pulido.	Hoja de 28½ mm de ancho — empuñadura **negra labrada** — montura y vaina de **acero** pulido.	Hoja de 28 mm de ancho — empuñadura de cuero — montura y vaina de **acero** pulido.	Como 7086 — **vaina bruñida.**	Como 7086 — vaina **negra ésmaltada.**
Mark 19.—	Mark 27.—	Mark 23.—	Mark 17.50	Mark 19.50	Mark 19.50

Mannschafts-Säbel | Sabres de troupe | Troopers sabres | Sables de tropa

7089 † Mankind.	7090 † Manfran.	7091 † Manmaxe.	7092 † Manfritz.	7093 † Mandolf.	7094 † Manaugo.	7095 † Mangrest.	7096 † Manfeit.
Klinge 25 mm breit, Ledergriff, Montur in **Eisenguss**, einfach poliert, Stahlscheide einfach poliert.	wie 7089, **Scheide brüniert.**	wie 7089, **Scheide schwarz emailliert.**	Klinge 28 mm breit, Kautschukgriff, Montur **in Stahl**, einfach poliert, Scheide einfach poliert.	wie 7092 Scheide in Stahl, **schwarz emailliert.**	Klinge 28 mm breit, Kautschukgriff,, Montur in **Stahl**, einfach poliert mit einfach polierter Stahlscheide.	wie 7094, **Scheide brüniert.**	wie 7094, **Scheide schwarz emailliert.**
Lame large de 25 mm, poignée de cuir — monture **fer fondu** poli — fourreau d'acier poli.	comme 7089 **fourreau bruni.**	comme 7089, **fourreau noir émaillé**	Lame large de 28 mm, poignée de caoutchouc — monture **d'acier** poli — fourreau poli.	comme 7092, fourreau acier **noir émaillè.**	Lame large de 28 mm, poignée caoutchouc — monture et fourreau d'acier poli.	comme 7094, **fourreau bruni.**	comme 7094, **fourreau noir émailló.**
Blade 25 mm broad, leather grip, **cast iron** mounting, plainly polished, steel scabbard plainly polished.	like 7089, **burnished scabbard.**	like 7089, **scabbard black enamel.**	Blade 28 mm broad, **rubber grip, steel** mounting, plainly polished, scabbard plainly polished.	like 7092, steel scabbard, **black enamelled.**	Blade 28 mm broad, rubber grip, steel mounting, plainly polished with plainly polished steel scabbard.	like 7094, **burnished scabbard.**	like 7094, **scabbard black enamel.**
Hoja de 25 mm de ancho — empuñadura de cuero — montura de **hierro fundido** pulido — vaina de acero pulido.	Como 7089 — **vaina brunida.**	Como 7089, **vaina negra esmaltada.**	Hoja de 28 mm de ancho — **Empuñadura** de **cautchuc** — montura **de acero** pulido — vaina **pulida.**	Como 7092, vaina de acero **negro esmaltado.**	Hoja de 28 mm de ancho — empuñadura de cautchouc — montura y vaina de **acero** pulido.	Como 7094, **vaina bruñida.**	Como 7094, **vaina negra esmaltada.**
Mark 15.50	Mark 17.—	Mark 17.—	Mark 26.—	Mark 27.50	Mark 22.—	Mark 23.50	Mark 23.50

266/267 540

7089 7090 7091

7092 7093

7094] 7095] 7096

Hof- und Logendegen | Epées de Cour ou de Loges | Court and masonic swords | Espadas para Corte y Logias.

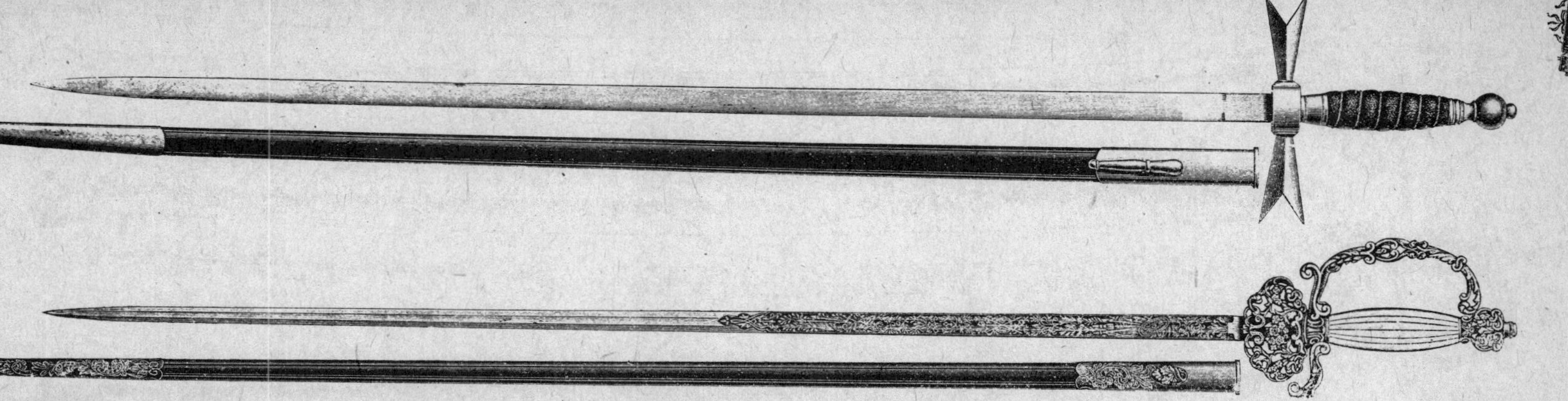

7097

7098

Offiziers-Säbel und -Degen Marke „Alfa“ | Sabres et épées d'offiziers marque „Alfa“ | Officers Swords and Sabres Brand „Alfa“ | Espadas y sables de Official marca „Alfa“

Wir bringen nur die gängigsten Säbel etc. Wir liefern aber auch alle anderen **vorkommenden** Arten und bitten **Spezialofferte** einzuholen.

Nous ne reproduisons ici que les **sabres les plus courants**, mais nous livrous aussi **tous les antres genres**, pour les quels nous faisons volontiers **offre spéciale**.

We only mention the **most saleable swords** etc., but supply also all other kinds. Please **apply for special offer.**

No reproducimos aquí nadamás que los **sables etc., más corrientes**: Pero provemos tambiénlas otras clases existentes, y rogamos **nos pidan oferta especial** acerca de esto.

7099

7100

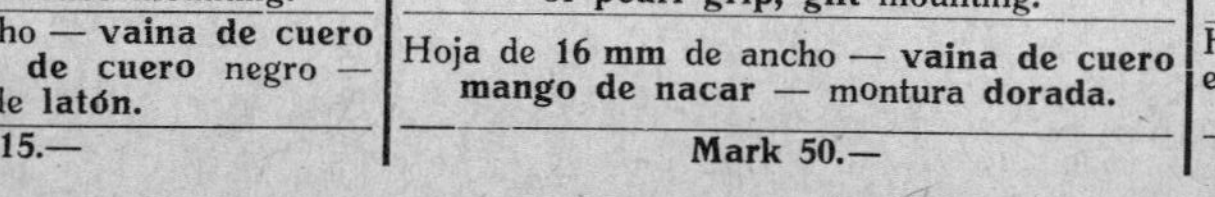

7097 † Hofloge.	7098 † Logehof.	7099 † Offbru.	7100 † Offwasi.
Klinge **20 mm** breit, schwarze **Lederscheide, schwarzer Ledergriff**, Montur in **Messing.**	Klinge **16 mm** breit, **Lederscheide, Perlmuttergriff**, Montur **vergoldet.**	Klinge **23 mm** breit, Scheide **vernickelt**, schwarzer **Fischhautgriff**, Montur **vergoldet.**	Klinge **vernickelt, 28 mm** breit, **Ebenholzgriff**, Montur und Scheide in Stahl **vernickelt.**
Lame large de **20 mm, fourreau de cuir noir — poignée de cuir** noir — monture **laiton.**	Lame large de **16 mm, fourreau de cuir — mauche de nacre** — monture **dorée.**	Lame large de **23 mm.** Fourreau **nickelé** — poignée noire quadrillée — monture **dorée.**	Lame **nickelée** large de **28 mm, poignée ébène,** monture et fourreau d'acier **nickelé.**
Blade **20 mm** broad, black **leather** sheath, black **leather grip, brass** mounting.	Blade **16 mm** broad, **leather sheath, mother of pearl grip, gilt** mounting.	Blade **23 mm** broad, **nickeled** scabbard, black chequered grip, **gilt** mounting.	**Nickeled** blade, **28 mm** broad, **ebony grip**, mounting and scabbard **nickeled** steel.
Hoja de **20 mm** de ancho — **vaina de cuero negro — Empuñadura de cuero** negro — montura de **latón.**	Hoja de **16 mm** de ancho — **vaina de cuero mango de nacar** — montura **dorada.**	Hoja de **23 mm** de ancho—Vaina **niquelada**— empuñadura negra labrada — montura **dorada.**	Hoja **niquelada** de **28 mm** de largo — **Empuñadura ebano** — montura y vaina de acero **niquelado.**
Mark 15.—	**Mark 50.—**	**Mark 32.—**	**Mark 40.—**

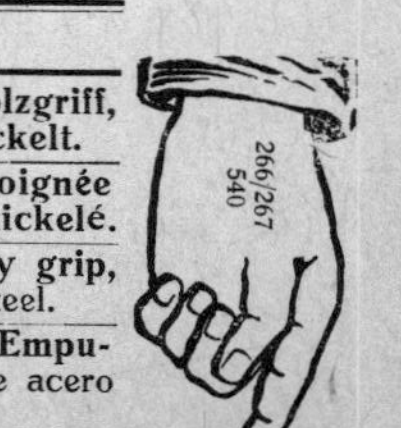

Offiziers-Säbel und -Degen Marke „Alfa". | Sabres et epées d'offiziers, marque „Alfa". | Officers Swords and Sabres Brand „Alfa". | Espadas y sables de Official marca „Alfa".

266/267 539

7101 † Offeura.	7102 † Offpoli.	7103 † Offeldwe.	7104 † Offuntro.	7105 † Offobro.
Klinge 23 mm breit, Scheide vernickelt, schwarzer Fischhautgriff, Montur vergoldet.	wie 7101, Montur in Neusilber vernickelt.	Klinge vernickelt, 22 mm breit, Scheide vernickelt, Horngriff, Montur in Neusilber vernickelt.	Klinge vernickelt 23 mm breit, Scheide vernickelt, Horngriff, Montur in Neusilber vernickelt.	Klinge vernickelt, 25 mm breit, Scheide vernickelt, Horngriff, Montur vergoldet.
Lame large de 23 mm, fourreau nickelée — poignée noire quadrillée — monture dorée.	comme 7101 — monture vieil argent nickelé.	Lame nickelée large de 22 mm — fourreau nickelée, poignée de corne monture vieil argent nickelée.	Lame nickelée large de 23 mm — fourreau nickelée, poignée de corne — monture vieil argent nickelé.	Lame nickelée large de 25 mm — fourreau, nickelé — poignée corne — monture dorée.
Blade 23 mm broad, nickeled scabbard, black chequered grip, gilt mounting.	like 7101, mounting with German silver nickel plated.	Nickeled blade, 22 mm broad, nickeled sheath, horn grip, mounting with German silver nickel plated.	Nickeled blade 23 mm broad, nickeled scabbard, horn grip, mounting with German silver nickel plated.	Nickeled blade, 25 mm broad, nickeled scabbard, horn grip, gilt mounting.
Hoja de 23 mm de ancho — vaina niquelada — empuñadura negra labrada — montura dorada.	Como 7101 — montura de plata nueva niquelada.	Hoja niquelada de 22 mm de ancho — vaina niquelada — empuñadura de cuerno — montura de plata nueva niquelada.	Hoja niquelada de 23 mm de ancho — vaina niquelada — empuñadura de cuerno — montura de plata nueva niquelada.	Hoja niquelada de 25 mm de ancho — vaina niquelada — empuñadura de cuerno — montura dorada.
Mark 34.—	Mark 32.—	Mark 30.—	Mark 32.—	Mark 39.—

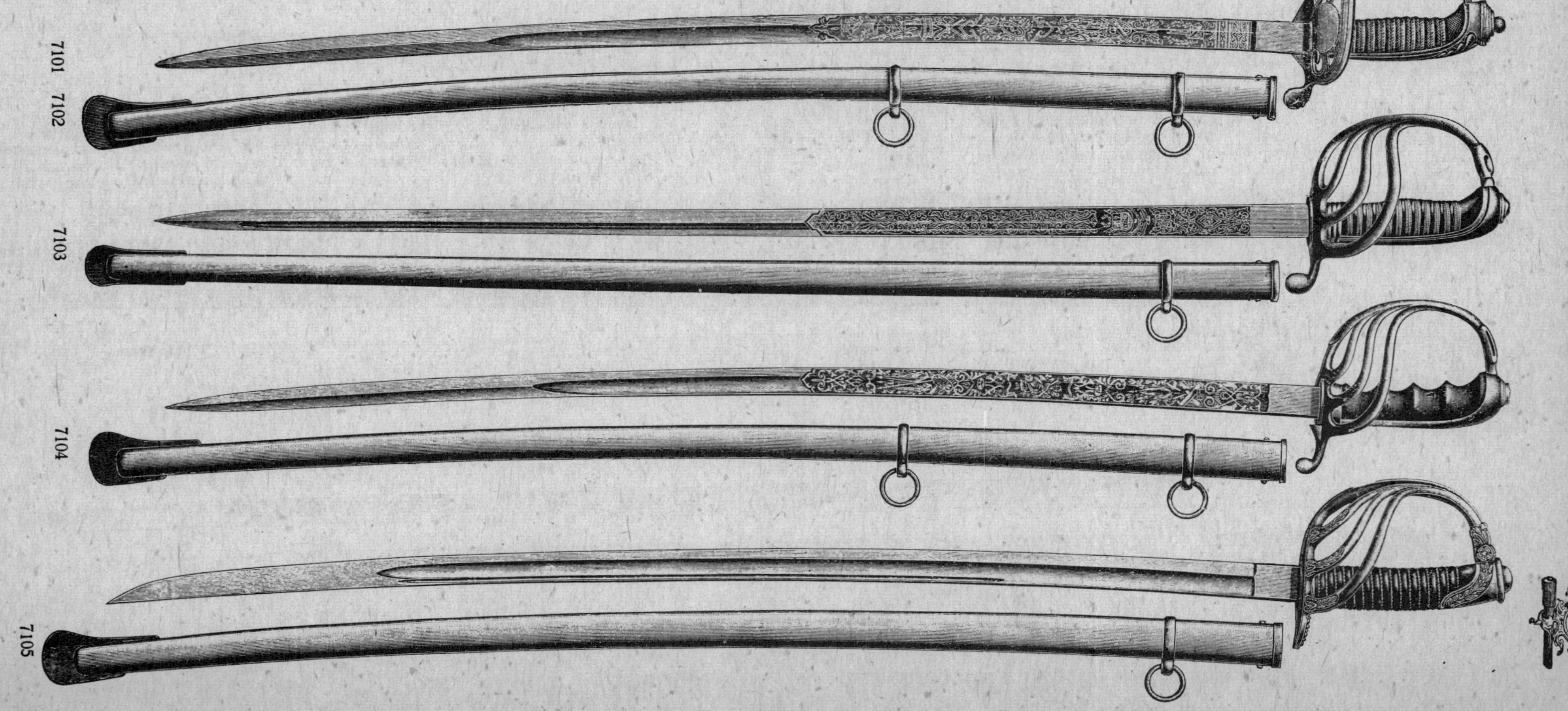

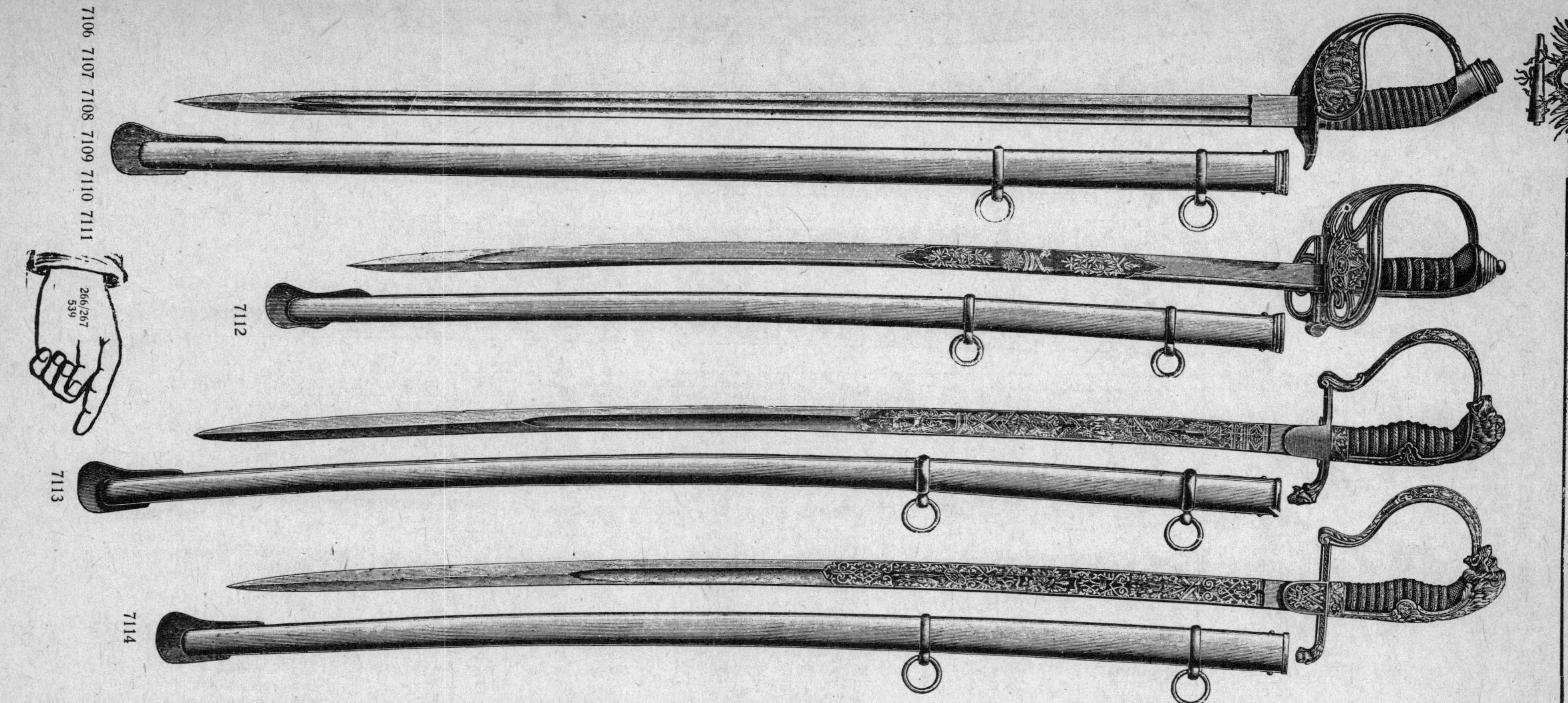

Offiziers-Säbel und Degen. | Sabres et épées d'officiers. | Officers sabres and swords. | Sables y espadas de officiales.

7106 † Offzene	7107 † Offhaupe	7108 † Offleut	7109 † Offreit	7110 † Offreku	7111 † Offclass	7112 † Offsexta	7113 † Offkinta	7114 † Offterta
Klinge **vernickelt, 25 mm** breit, schwarzer **Fischhautgriff,** Montur in **Tombak mit schwarz emaillierter** Scheide.	Wie 7106 **Scheide brüniert.**	Wie 7106 **Scheide vernickelt.**	Wie 7106 **Montur vergoldet.**	Wie 7109 **Scheide brüniert.**	Wie 7109 **Scheide vernickelt.**	Klinge **21 mm** breit, Scheide in **Neusilber,** schwarzer Fischhautgriff, Montur mit **Charnier versilbert.**	Klinge **23 mm** breit, Scheide **vernickelt,** schwarzer Fischhautgriff, Montur in **Neusilber vernickelt.**	Klinge **23 mm** breit, Scheide **vernickelt,** schwarzer Fischhautgriff, Montur **feuervergoldet.**
Lame **nickelée,** large de **25 mm** — poignée noire **quadrillée** — monture en **tombac** avec fourreau **noir emaillé.**	Comme 7106 **fourreau bruni.**	Comme 7106 **fourreau nickelé.**	Comme 7106 **monture dorée.**	Comme 7109 **fourreau bruni.**	Comme 7109 **fourreau nickelé.**	Lame large de **21 mm** — fourreau **vieil argent** — poignée noire quadrillée — monture et **charnières argentées.**	Lame large de **23 mm** — fourreau **nickelé** — poignée noire quadrillée — monture **vieil argent nickelé.**	Lame large de **23 mm** — fourreau **nickelé** — poignée noire quadrillée — monture **doré au feu.**
Nickeled blade, **25 mm** broad, black **chequered grip, tombac** mounting **with black enamel sheath.**	Like 7106 **burnished scabbard.**	Like 7106 **nickeled scabbard.**	Like 7106 **gilt mounting.**	Like 7109 **burnished scabbard.**	Like 7109 **nickeled scabbard.**	Blade **21 mm** broad, **German silver** scabbard, black chequered grip, mounting with silver inlaid.	Blade **23 mm** broad, **nickeled** sheath, black chequered grip, **mounting** with **German silver nickel plated.**	Blade **23 mm** broad, **nickeled** scabbard, black chequered grip, **fire-gilt** mounting.
Hoja niquelada de **25 mm** de ancho — empuñadura **negra labrada** — montura de **tombac** — con **vaina negra esmaltada.**	Como 7106 **vaina bruñida.**	Como 7106 **vaina niquelada.**	Como 7106 **montura dorada.**	Como 7109 **vaina bruñida.**	Como 7109 **vaina niquelada.**	Hoja de **21 mm** de ancho — vaina de **plata nueva** — empuñadura negra labrada — montura y bisagra plateadas.	Hoja de **23 mm** de ancho — vaina **niquelada** — empuñadura negra labrada — montura **niquelada de plata nueva.**	Hoja de **23 mm** de ancho — vaina **niquelada** — empuñadura negra labrada — montura **dorada al fuego.**
Mark 29,50	Mark 30,—	Mark 30,50	Mark 34,—	Mark 36,—	Mark 37,—	Mark 38,—	Mark 32,—	Mark 40,—

Offiziers-Säbel und -Degen. | Sabres et épées d'offiziers. | Officers sabres and swords. | Sables y espadas de oficiales.

7115 † Offkarta	7116 † Offprima	7117 † Offsekun	7118 † Offordi	7119 † Offreli	7120 † Offnatur	7121 † Offgeot	7122 † Offvorde	7123 † Offcenta	7124 † Offmila	7125 † Offdecim
Klinge 23 mm breit, Scheide **vernickelt**, schwarzer Fischhautgriff, Montur in **Neusilber vernickelt.**	Klinge **vernickelt**, 23 mm breit, schwarz. **Fischhautgriff**, Montur in **Tombak** mit **schwarzer, emaillierter Scheide.**	Wie 7116 **Scheide brüniert.**	Wie 7116 **Scheide vernickelt.**	Wie 7116 **Montur vergoldet.**	Wie 7119 **Scheide brüniert.**	Wie 7119 **Scheide vernickelt.**	Klinge **vernickelt**, 23 mm breit, **Scheide vernickelt** mit **vergoldetem** Beschlag, Horngriff, Montur vergoldet.	Wie 7122 aber Beschlag etc. **feuervergoldet.**	Klinge 23 mm breit, **Lederscheide** mit **Tombak-Beschlag**, schwarzer Fischhautgriff, **Montur in Tombak.**	Wie 7124 Beschlag und Montur **vergoldet.**
Lame large de **23 mm** — fourreau **nickelé** — manche noir quadrillé — monture **vieil argent nickelé.**	Lame **nickelée**, large de **23 mm** — poignée noire **quadrillée** — monture en **tombac** — **fourreau noir émaillé.**	Comme 7116 **fourreau bruni.**	Comme 7116 **fourreau nickelé.**	Comme 7116 **monture dorée.**	Comme 7119 **fourreau bruni.**	Comme 7119 **fourreau nickelé.**	Lame **nickelée**, large de 23 mm — **fourreau nickelé** avec garniture **dorée** — poignée de corne — monture dorée.	Comme 7122 avec garniture etc. **dorées au feu.**	Lame large de **23 mm** — **fourreau de cuer** avic **garnitures tombac** — poignée noire quadrillée — **monture tombac.**	Comme 7124 garniture et monture **dorées.**
Blade **23 mm** broad, **nickeled** scabbard, black chequered grip, mounting with **German silver nickel plated.**	**Nickeled** blade, **23 mm** broad, black **chequered** grip, tombac mounting with **black enamel scabbard.**	Like 7116 **burnished scabbard.**	Like 7116 **nickeled scabbard.**	Like 7116 **gilt mounting.**	Like 7119 **burnished scabbard.**	Like 7119 **nickeled scabbard.**	**Nickeled** blade, **23 mm** broad, **nickeled scabbard** with gilt fittings, horn grip, **gilt** mounting.	Like 7122 but mounting etc. **fire-gilt.**	Blade **23 mm** broad, **leather sheath** with **tombac fittings**, black chequered grip, **tombac mountings.**	Like 7124 mountings and fittings **gilt.**
Hoja de 23 mm de ancho — vaina **niquelada** — mango negro labrado — montura niquelada de **plata nueva.**	Hoja **niquelada** de **23 mm** de ancho — empuñadura negra **labrada** — montura de **tombac vaina negra esmaltada.**	Como 7116 **vaina bruñida.**	Como 7116 **vaina niquelada.**	Como 7116 **montura dorada.**	Como 7119 **vaina bruñida.**	Como 7119 **vaina niquelada.**	Hoja **niquelada** ancha de **23 mm** — **vaina niquelada** con guarnición **dorada** — empuñadura de cuerno — montura dorada.	Como 7122 con guarniciones etc. **doradora al fuego.**	Hoja ancha de **23 mm** — vaina de **cuero** con **guarnición tombac** — empuñadura negra labrada — **montura tombac.**	Como 7124 guarnición y montura **doradas.**
Mark 29,—	**Mark 25,—**	**Mark 26,—**	**Mark 26,—**	**Mark 31,—**	**Mark 32,—**	**Mark 32,—**	**Mark 60,—**	**Mark 100,—**	**Mark 33,—**	**Mark 42,—**

7115

7116 7117 7118 7119
7120 7121

7122 7123

7124 7125

266/267
540

Offiziers-Degen und Säbel. | Epées et sabres d'offiziers. | Officers' swords and sabres. | Espadas y sables de oficiales.

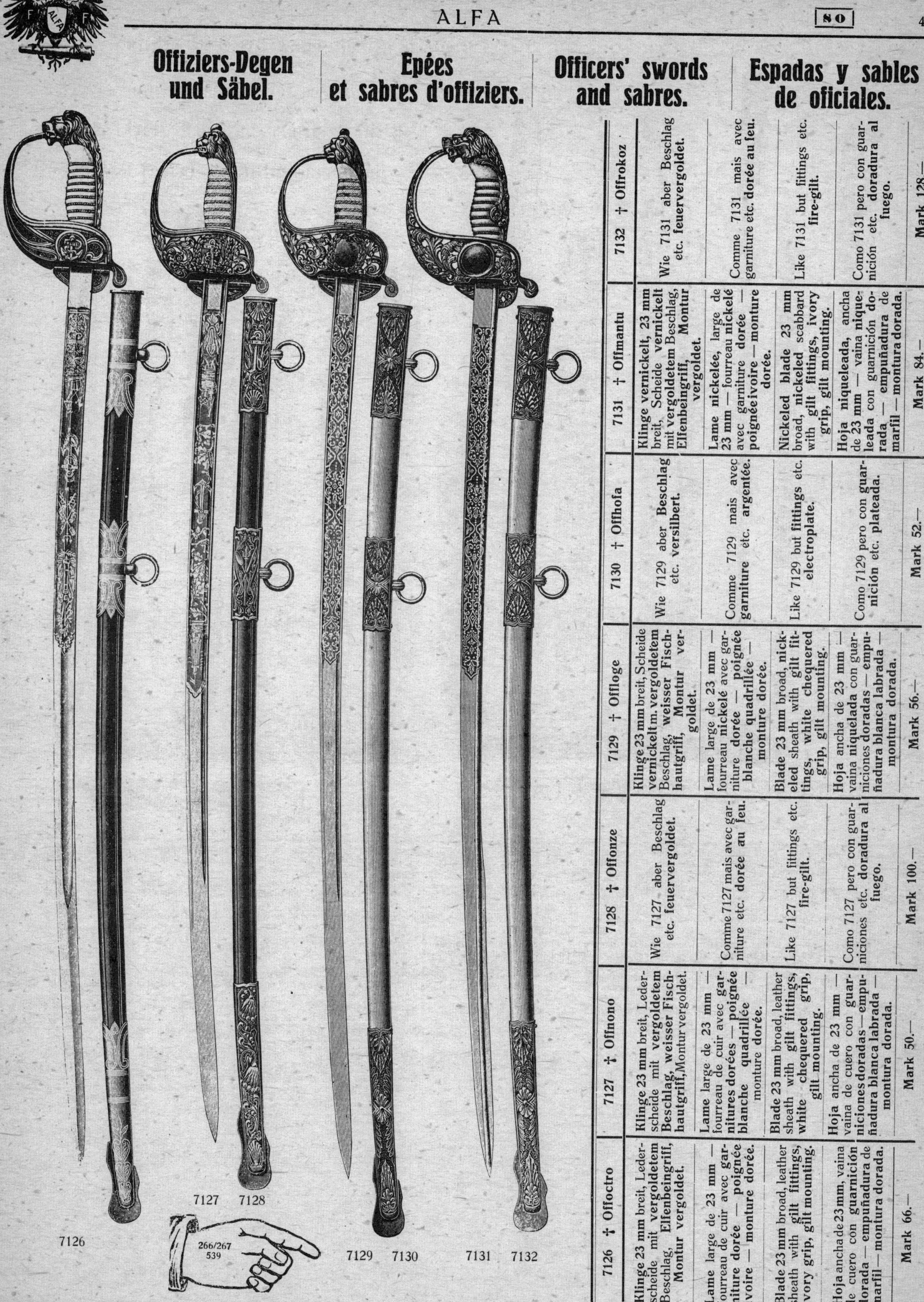

7126 7127 7128 7129 7130 7131 7132

7126 † Offoctro	7127 † Offnono	7128 † Offonze	7129 † Offloge	7130 † Offhofa	7131 † Offmantu	7132 † Offrokoz
Klinge 23 mm breit, Lederscheide mit **vergoldetem** Beschlag, **Elfenbeingriff, Montur vergoldet.**	**Klinge 23 mm** breit, Lederscheide mit **vergoldetem Beschlag, weisser Fischhautgriff,** Montur vergoldet.	Wie 7127 aber Beschlag etc. **feuervergoldet.**	**Klinge** 23 mm breit, Scheide **vernickelt** m. **vergoldetem** Beschlag, **weisser Fischhautgriff, Montur vergoldet.**	Wie 7129 aber **Beschlag** etc. **versilbert.**	**Klinge vernickelt, 23 mm** breit, Scheide **vernickelt** mit **vergoldetem** Beschlag, **Elfenbeingriff, Montur vergoldet.**	Wie 7131 aber Beschlag etc. **feuervergoldet.**
Lame large de 23 mm — fourreau de cuir avec **garniture dorée — poignée ivoire — monture dorée.**	**Lame** large de 23 mm — fourreau de cuir avec **garnitures dorées — poignée blanche quadrillée** — monture **dorée.**	Comme 7127 mais avec garniture etc. **dorée au feu.**	**Lame** large de 23 mm — fourreau **nickelé** avec garniture **dorée — poignée blanche quadrillée — monture dorée.**	Comme 7129 mais avec **garniture** etc. **argentée.**	**Lame nickelée,** large de **23 mm** — fourreau **nickelé** avec garniture **dorée — poignée ivoire — monture dorée.**	Comme 7131 mais avec garniture etc. **dorée au feu.**
Blade 23 mm broad, leather sheath with **gilt fittings, ivory grip, gilt mounting.**	**Blade 23 mm** broad, leather sheath with **gilt fittings, white chequered grip, gilt mounting.**	Like 7127 but fittings etc. **fire-gilt.**	**Blade 23 mm** broad, nickeled sheath with **gilt fittings, white chequered grip, gilt mounting.**	Like 7129 but **fittings** etc. **electroplate.**	**Nickeled blade 23 mm** broad, **nickeled scabbard** with **gilt fittings, ivory grip, gilt mounting.**	Like 7131 but fittings etc. **fire-gilt.**
Hoja ancha de **23 mm**, vaina de cuero con **guarnición dorada — empuñadura** de **marfil — montura dorada.**	**Hoja** ancha de **23 mm** — vaina de cuero con **guarniciones doradas — empuñadura blanca labrada — montura dorada.**	Como 7127 pero con guarniciones etc. **doradura al fuego.**	**Hoja** ancha de 23 mm — vaina **niquelada** con guarniciones **doradas — empuñadura blanca labrada — montura dorada.**	Como 7129 pero con **guarnición** etc. **plateada.**	**Hoja niqueleada,** ancha de **23 mm — vaina niqueleada** con guarnición **dorada — empuñadura** de **marfil — montura dorada.**	Como 7131 pero con guarnición etc. **doradura al fuego.**
Mark 66.—	**Mark 50.—**	**Mark 100.—**	**Mark 56.—**	**Mark 52.—**	**Mark 84.—**	**Mark 128.—**

Regierungs-Seitengewehre Marke „Alfa“.

Neue Fabrikation.

Bayonettes militaires marque „Alfa“.

de fabrication récente.

Military Sword bayonets Mark „Alfa“.

new make.

Bayonetas militares marca „Alfa“,

de fabricación reciente.

7019. 7020. 7021. 7022. 7023. 7024. 7025. 7026. 7060 a. 7061 a. 7062 a.

7027 7028

7019	**Seitengewehr**, Kopf und Parierstange aus **Eisen**, Holzschalen, **Lederscheide** mit brünierter Stahlgarnitur.	**Bayonette** — Tête et garde de fer — plaquettes de bois — fourreau de cuir avec garniture d'acier bruni.	**Sword bayonet**, handle and cross guard of iron and wood, leather scabbard with burnished steel fittings.	**Bayoneta.** Cabeza y guardia de hierro chapitas de madera, vaina de cuero con montura de acero bruñido.
7020	**Seitengewehr**, Kopf und Parierstange aus **Eisen, Holzschalen, brünierte** Stahlscheide.	**Bayonette** — Tête et garde de fer — plaquettes de bois — fourreau d'acier bruni.	**Sword bayonet**, handle and cross guard of iron and wood, burnished steel scabbard.	**Bayoneta**. Cabeza y guardia de hierro, chapitas de madera y vaina de acero bruñido.
7021	**Seitengewehr**, wie No. 7020, aber **Lederscheide** mit **Stahlbeschlag.**	**Bayonette** — Comme n. 7020, mais fourreau de cuir avec garniture d'acier.	**Sword bayonet**, same as No. 7020, but with leather scabbard with steel mountings.	**Bayoneta**. Como el n. 7020, pero vaina de cuero con montura de acero.
7022	**Seitengewehr, Messinggriff** aus einem Stück, **Lederscheide** mit **Messingbeschlag.**	**Bayonette** — Poignée laiton d'une seule pièque, fourreau de cuir avec garniture d'acier.	**Sword bayonet**, brass handle in one piece leather scabbard with brass mountings.	**Bayoneta**. Empuñadura de latón de una sola pieza, vaina de cuero con montura de acero.
7023	**Seitengewehr**, Kopf und Parierstange aus **Eisen, Holzschalen, brünierte Stahlscheide.**	**Bayonette** — Tête et garde de fer — plaquettes de bois — fourreau d'acier bruni.	**Sword bayonet**, handle and cross guard of iron and wood, burnished steel scabbard.	**Bayoneta**. Cabeza y guardia de hierro, chapitas de madera y vaina de acero bruñido.
7024	**Seitengewehr**, wie No. 7023, aber **Lederscheide** mit **Stahlbeschlag.**	**Bayonette** — Comme n. 7023 mais fourreau de cuir avec garniture acier.	**Sword bayonet**, like No. 7023, but with steel mounted leather scabbard.	**Bayoneta** igual al No. 7023, pero con vaina de cuero montada de acero.
7025	**Seitengewehr**, wie No. 7024, mit **Lederscheide.**	**Bayonette** — Comme n. 7024, avec fourreau de cuir.	**Sword bayonet**, like No. 7024, but with leather scabbard.	**Bayoneta** igual al No. 7024 pero con vaina de cuero.
7026	**Seitengewehr**, wie No. 7024, aber **ohne** Scheide.	**Bayonette** — Comme n. 7024 mais sans fourreau.	**Sword bayonet**, as No. 7024, but without scabbard.	**Bayoneta** igual al No. 7024, pero sin vaina.
7027	**Seitengewehr**, Kopf und Parierstange aus **Eisen, Aluminiumschalen, brünierte Stahlscheide.**	**Bayonette** — Tête et garde de fer — plaquettes d'aluminium — fourreau d'acier bruni.	**Sword bayonet**, iron handle and cross guard with aluminium grip, browned steel scabbard.	**Bayoneta** cabeza y guardia de hierro con chapitas de aluminio, vaina de acero bruñido.
7028	**Seitengewehr**, wie No. 7024, **Lederschalen, Lederscheide** mit **Stahlbeschlag.**	**Bayonette** — Comme n. 7024 — plaquettes de cuir — fourreau de cuir avec garniture d'acier.	**Sword bayonet**, as No. 7024, but leather grip, steel, mounted leather scabbard.	**Bayoneta.** Como el n. 7024, con chapitas de cuero, y vaina de cuero con montura de acero.
7060a	**Deutsches Infanterieseitengewehr**, Mod. 98 stahlpoliert, **Lederscheide.**	**Bayonette d'Infanterie allemande Mod. 98**, d'acier poli — fourreau de **cuir.**	**German infantry sword bayonet mod. 98**, polished steel, **leather** scabbard.	**Bayoneta de infantería alemana Mod. 98,** de acero bruñido — vaina de cuero.
7061a	wie 7060 aber **vernickelt.**	comme n. 7060, mais **nickelé.**	like 7060 but **nickeled.**	Como 7060, pero **niquelado.**
7062a	wie 7061a aber **besonders fein**, sogenanntes **Extraseitengewehr.**	comme 7061, mais **particulièrement soigné**, dit: **Extraseitengewehr.** (bayonette fantaisie)	like 7061 but **extra special.**	Como 7061 pero **particularmente cuidado**, elamado: **„Extraseitengewehr“.**
	Obige Seitengewehre werden bis auf No. 7022, 7023 und 7027 nur in grossen Quantitäten geliefert.	Les bayonettes ci-dessus, à l'exception des no 7022, 7023 und 7027, ne peuvent être livrées que par fortes quantités.	The above side-arms are only supplied when large quantities are ordered with the exception of Nos. 7022, 7023 and 7027.	Las armas blancas mencionadas, fuera de los No. 7022, 7023 y 7027 se proveen solamente tratándose de pedidos de importancia.

No.	7019	7020	7021	7022	7023	7024	7025	7026	7027	7028	7060a	7061a	7062a
†	Blaspham	Blastani	Blateze	Blazony	Bleache	Blemisho	Blesso	Blight	Blisto	Blobate	Blikgen	Blikseba	Blikmex
Mark	13.—	16.—	15.—	13.50	8.40	9.60	14.50	16.50	16.—	16.—	14.—	15.—	15.—

Regierungsseitengewehre Marke „Alfa“ neue Fabrikation.	Baionnettes militaires marque „Alfa“ de fabrication récente.	Military Sword Bayonets Mark „Alfa“ new make.	Bayonetas militares, marca „Alfa“, de fabricación reciente.

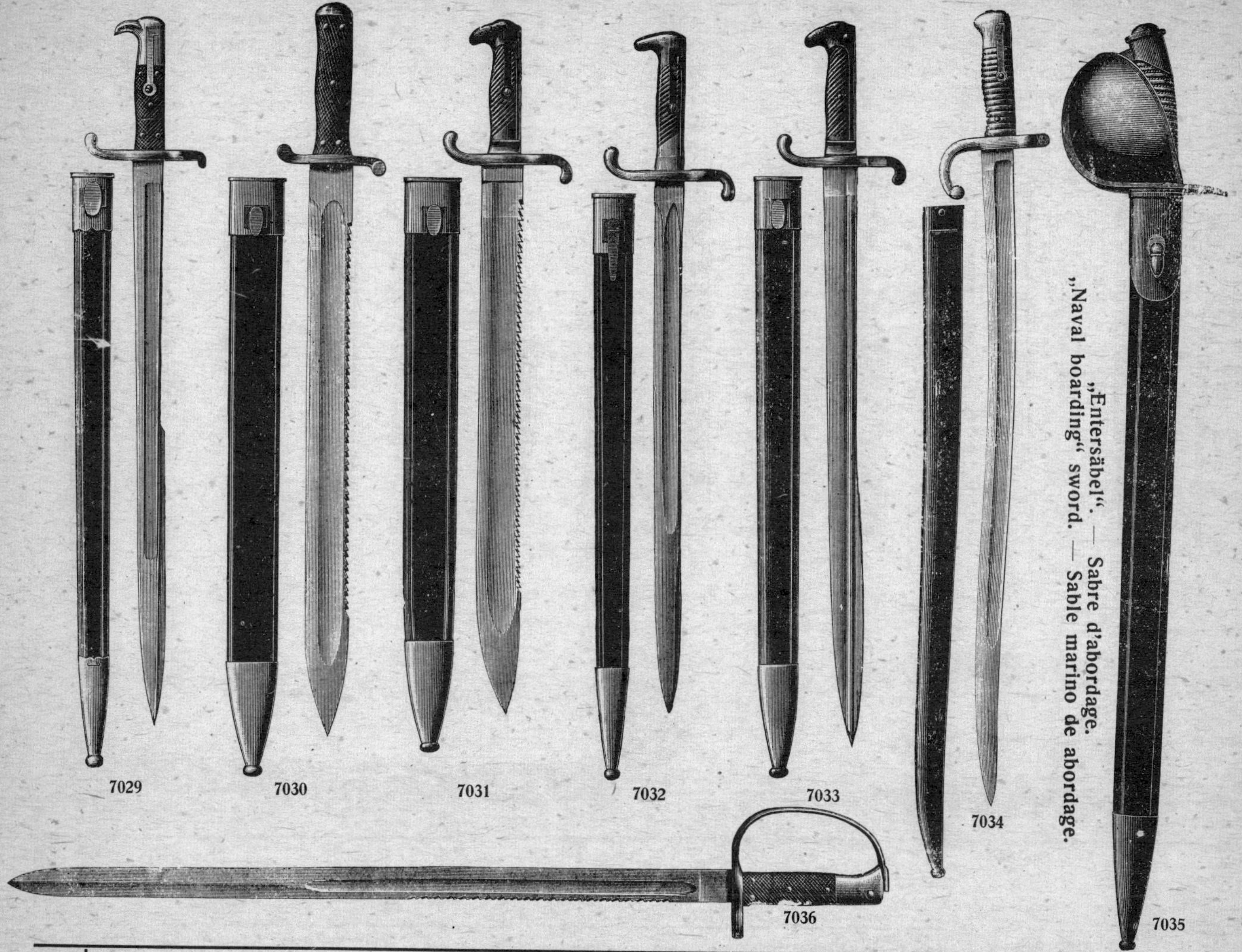

7029 7030 7031 7032 7033 7034 7036 7035

„Entersäbel“. — Sabre d'abordage. „Naval boarding“ sword. — Sable marino de abordage.

No.				
7029	Kopf- und Parierstangen aus Eisen, Lederschalen, Lederscheide mit Stahlbeschlag.	Tête et garde de fer, plaquettes de cuir, fourreau de cuir avec garniture d' acier.	Handle and cross guard of iron with leather grip, steelmounted leather scabbard.	Empuñadura y guardia de hierro con pomo de cuero, vaina de cuero con guarnición de acero.
7030	Kopf und Parierstange aus Messing, Lederschalen, Lederscheide mit Messingbeschlag.	Tête et garde de laiton, plaquettes de cuir, fourreau de cuir avec garniture de laiton.	Handle and cross guard of brass with leather grip, brass mounted leather scabbard.	Puño y guardia de latón con pomo de cuero, vaina de cuero, guarnición de latón.
7031	Kopf und Parierstange aus Eisen, Messingschalen, Lederscheide mit Messingbeschlag.	Tête et garde de fer, plaquettes de laiton, fourreau de cuir avec garniture de laiton.	Iron handle and cross guard, brass grip, leather scabbard with brass mounts.	Puño y guardia de hierro, chapas de latón, vaina de cuero con guarnición de latón.
7032	Parierstange aus Eisen, Messinggriff aus einem Stück, Lederscheide mit Messingbeschlag.	Garde de fer, manche de laiton d' une seule pièce, fourreau de cuir avec garniture de laiton.	Iron cross bar, brass handle in one piece, leather scabbard with brass mounts.	Guardia de hierro puño de latón en una pieza, vaina de cuero con guarnición de latón.
7033	Ausführung genau wie No. 7032.	Même exécution que le No. 7032.	Make same as No. 7032.	Ejecución como No. 7032.
7034	Ausführung genau wie No. 7032, aber fein brünierte Stahlscheide.	Même exécution que le No. 7032, mais avec fourreau extra en acier poli.	Details just as No. 7032, but with finely burnished steel scabbard.	Ejecución igual al No. 7032, qero con vaina de acero bruñido fino.
7035	Marine-Entersäbel, Eisen schwarz lackiert, Ledergriff, schwere Klinge, Lederscheide, schwarz lackierte Garnitur.	Sabre naval d' abordage, fer noir verni, poignée de cuir, forte lame, fourreau de cuir, garniture noire vernie.	Naval boarding sword, black lacquered leather handle, heavy blade, leather scabbard with black lacquer mounts.	Sable marino de abordar, empuñadura de cuero, hoja pesada, vaina de cuero, guarnición negra barnizada.
7036	Kopf und Parierstange aus Eisen, ohne Scheide.	Tête et garde de fer, sans fourreau.	Iron handle and guard, no scabbard.	Empuñadura y guardia de hierro, sin vaina.

Bis auf No. 7035 werden obige Seitengewehre nur bei Abnahme grosser Quantitäten geliefert.	Sauf le No. 7035, toutes les armes blanches ci dessus ne sont livrées que par fortes quantités.	The above side-arms, with the exception of No. 7035 are only supplied in large quantities.	Las armas blancas arriba mencionadas, a excepción del No. 7035, se provéen solo tratándose de cantidades de importancia

No.	7029	7030	7031	7032	7033	7034	7035	7036
†	Blokave	Blodisch	Blotom	Blowi	Bluedo	Blundare	Blukero	Blurma
Mark	18.—	24.—	24.—	14.—	17.—	16.—	29.—	29.—

Seitengewehre und Bajonette aus Kriegsbeständen. Vorrat ca. 280 000.

Armes blanches et baïonnettes provenant des dépôts de matériel de guerre.
Approvisionnement environ 280 000.

Side-arms and bayonets from war supplies of about 280 000.

Armas blancas y bayonetas procedentes de los depósitos de material de guerra.
Existencia aproximadamente 280 000.

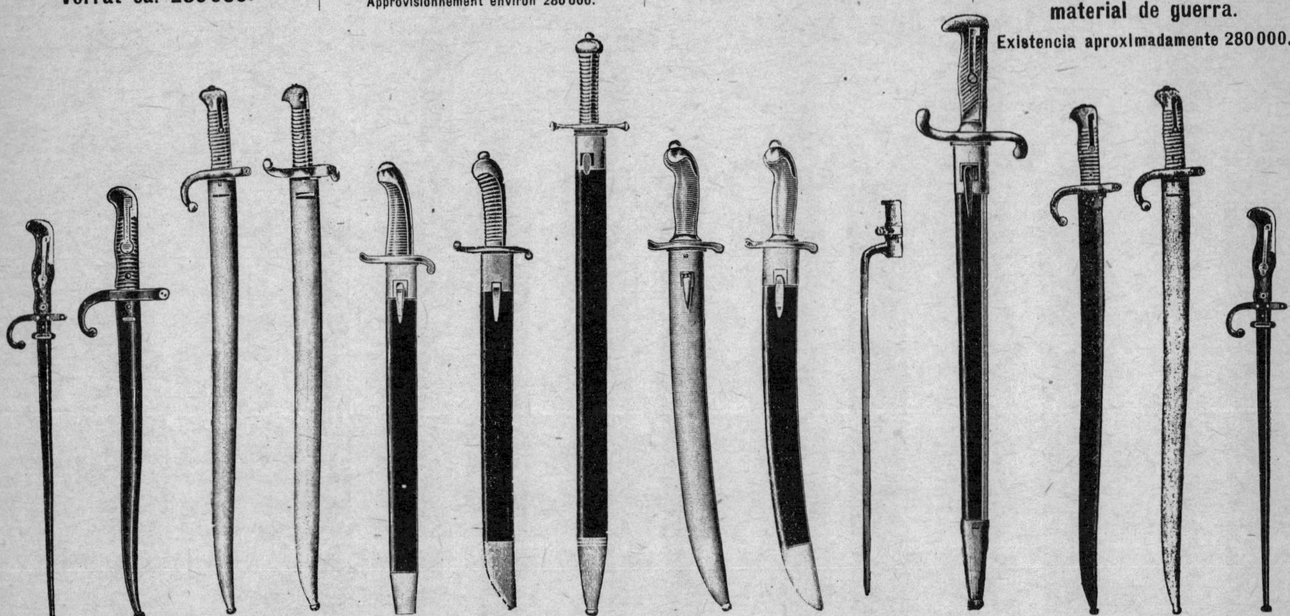

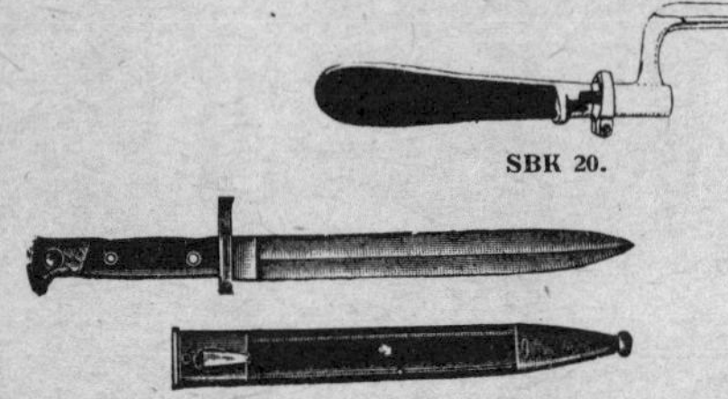
SBK 20.
SBK 19.

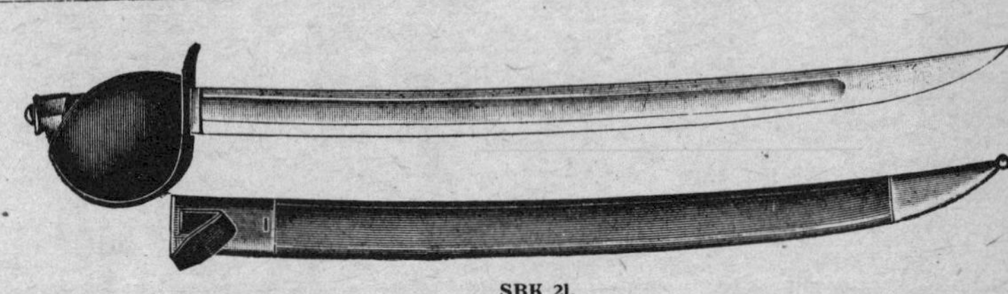
SBK 21.

No.	SBK 1.	SBK 2.	SBK 3.	SBK 4.	SBK 5.	SBK 6.	SBK 7.	SBK 8.	SBK 9.
†	Netsel	Obel	Obsten	Ohau	Obler	Obschenk	Obiette	Obkel	Ocalur
Vorrat: Stück Approvisionnement on stock — Existenzia	30000	65000	2400	3200	3600	2100	4500	5800	1900
Beschreibung	Grasbajonnette, Stahlscheide 66 cm lang	Chassepot-Bajonnette, weisse Stahlscheide, Messinggriff, 71 cm lang	Wie SBK 2, aber 72 cm lang	Wie SBK 3, Modell Tabatière	Pionier, Messinggriff, Lederscheide 52 cm lang	Ausführung und Masse wie SBK 5	Artillerie, 81 cm lang, Messinggriff, Lederscheide	Artillerie, 65 cm lang, Messinggriff, Stahlscheide	Artillerie, 70 cm Messinggriff, Lederscheide
Description	Baïonnette Gras fourreau d'acier 66 cm de long	Baïonette chassepot fourreau d' acier blanc, poignée de laiton 71 cm de long	Comme SBK 2, mais long de 72 cm	Comme SBK 3 Modéele Tabatière	Pionnier, Poignée laiton, fourreau de cuir long de 52 cm	Mêmes exécutión et dimensions que SBK 5	Artillerie, long de 81 cm, Poignée de laiton, fourreau de cuir,	Artillerie, long de 65 cm, Poignée de laiton, fourreau d' acier	Artillerie, 70 cm Poignée de laiton, fourreau de cuir
Description	„Gras" bayonet, steel sheath 66 cm long	Chassepot bayonet with steel sheath, brass grip 71 cm fong	Like SBK 2, but 72 cm long	Like SBK 3, Model Tabatière.	Pioneer, brass grip, leather sheath 52 cm long	Execution and measurements like SBK 5	Artillery, 81 cm long, brass grip, leather sheath	Artillery, 65 cm long, brass grip, steel sheath	Artillery, 70 cm, brass grip, leather sheath
Descripción	Bayoneta „Gras" vaina de acero 66 cm de largo	Bayoneta Chassepotvaina de acero blanco empuñadura de latón 71 cm de largo	Como SBK 2, pero largo de 72 cm	Como SBK 3, Modelo Tabatière	Pionieros, Empuñadura latón, vaina de cuero, largo de 52 cm	Las mismas ejecución y dimensiones que SBK 5	Artilleria, 81 cm de largo, Empuñadura de latón, vaina de cuero	Artilleria, 65 cm de largo, Empuñadura de latón, vaina de acero	Artilleria, 70 cm Empuñadura de latón vaina de cuero
Mark	1.20	1.50	1.80	2.60	2.60	2.40	4.40	4.40	4.40

No.	SBK 10	SBK 15	SBK 16	SBK 17	SBK 18	SBK 19	SBK 20	SBK 21
†	Ofela	Obscarl	Obsmax	Obsfred	Obsiul	Obshedi	Obsmart	Obsloti
Vorrat: Stück Approvisionnement on stock — Existencia	85000	6000	11200	1400	3200	4000	1950	950
Beschreibung	Vierkantiges Stichbajonette aus Stahl	Mauser Mod. 71 Messinggarnitur Lederscheide	wie SBK 2, aber mit schwarzer Scheide	Wie SBK 2 aber transformiert für Mauser 71	Wie SBK 1 aber transformiert für Mauser Mod. 71	Mauser Modell 74/88 nagelneu mit Stahlscheide 38½ cm	Waterloo Stichbajonnette mit poliertem Holzgriff	Marine-Seitengewehr Entersäbel Lederscheide
Description	Baïonnette aiguë quadrau gulaire en acier	Mauser Mod. 71 Garniture en laiton fourreau de cuir	Comme SBK 2 mais avec fourreau noir	Comme SBK 2 mais transformé pour Mauser 71	Comme SBK 1 mais transformé pour Mauser 71	Mauser Mod. 74/88 frappant neuf avec fourreau d'acier 38½ cm	Baïonette aiguill Waterloo avec poignée de bois poli	sabre d'abordage naval fourreau de cuir
Description	Four edged thrust bayonet of steel	Mauser Mod. 71 brass mounting, leather sheath	Like SBK 2 but with black sheath	Like SBK 2 but transformed for Mauser 71	Like SBK 1 but transformed for Mauser Mod. 71	Mauser model 74/88 quite new with steel sheath 38½ cm	Waterloo thrust bayonet with polished wooden handle	naval side-arms cutlass leather sheath
Descripción	Bayoneta aguda cuadrangular de acero	Mauser Mod. 71 guarnición de latón vaina de cuero	Como SBK 2 pero con vaina negra	Como SBK 2 pero transformado á Mauser 71	Como SBK 1 pero transformado á Mauser 71	Mauser mod. 74/88 enteramente nuevo con vaina de acero 38½ cm	Bayoneta aguda Waterloo con empuñadura de madera pulida	sable marino de abordar vaina de cuero
Mark	0.30	2.60	2.—	3.—	2.—	6.—	0.80	4.50

Säbel aus Kriegsbeständen gut erhalten.

Sabres des dépôts de matériel de guerre-bien conservés.

Sabres from war supplies well kept.

Sables de los depósitos de material de guerra bien conservados.

539

S B K 11 S B K 12 S B K 13 S B K 14 S B K 22 S B K 23 S B K 24 S B K 25

S B K 11	S B K 12	S B K 13	S B K 14	S B K 22	S B K 23	S B K 24	S B K 25
† Otant	† Ofabed	† Office	† Oftel	† Otomax	† Otocarl	† Otohein	† Ottowill
Napoleon Reitersäbel Länge 98 cm Gewicht 1,780 kg Vorrat: 800	**Blücher Reitersäbel,** Länge 96 cm Gewicht 2,270 kg Vorrat: 2400	**Französischer Cavalleriesäbel** mit 4 spangigem Messingkorb. Läng. 115 cm Gew. 2,200 kg Vor.: 6000	**Amerikanischer Cavalleriesäbel** Länge 105 cm Gewicht 1,495 kg. Vorrat: 4000	**Cavalleriesäbel, schweres Modell** mit Messinggriff, Länge 98 cm, Gewicht 1,780 kg. Vorrat: 3200	**Schwerster Cavalleriesäbel** mit Eisengriff. Länge 96 cm Gewicht 2,270 kg. Vorrat: 1600	**Oesterreichischer leichter Cavalleriesäbel,** Länge 98 cm Gewicht 1,000 kg. Vorrat: 2000	**Oesterreichischer Unteroffiziersäb. m. Lederscheide** Länge 80 cm Gewicht 0,800 kg Vorrat: 1800
Sabre de Cavalerie Napoleon Longueur: 98 cm Poids: 1 k 780 approvisionnement 800 pièces	**Sabre de Cavalerie Blücher** Longueur: 96 cm poids: 2 k 270 approvisionnement 2,400 pièces	**Sabre de Cavalerie française,** garde à 4 branches de laiton. Longueur: 1 m 15 Poids 2 k 200 approvisionnement 6000 pièces	**Sabre de cavalerie américaine,** Longueur: 105 cm poids 1 k 495 approvisionnement 4000 pièces	**Sabre de Cavalerie Modèle fort-** poignée laiton-longueur: 98 cm. Poids 1 k 780 approvisionnement 3200 pièces.	**Sabre de Cavalrie pesant,** avec poignée de fer longueur: 96 cm poids 2 k 270 approvisionnement 1600	**Sabre de légère cavalerie autrichienne** longueur :98 cm poids: 1 k, approvisionnement 2000	**Sabre de sous officier autrichien,** avec **fourreau** de **cuir**-longueur 80 cm poids 0 k800 approvisionnement 1800 pièces
Napoleon cavalry-sabre length 98 cm. weight 1,780 kg. stock: 800	**Blucher cavalry sabre,** length 96 cm. weight 2,270 kg. stock: 2400	**French cavalry sabre,** with 4 branch brass basket. Length 1, 15 cm weight 2,200 kg. stock: 6000	**American cavalry sabre,** length 105 cm weight 1,495 kg stock: 4000	**Cavalry sabre, heavy model** with brass hilt, length 98 cm, weight 1,780 kg. stock 3200	**Heaviest cavalry sabre** with iron hilt Length 96 cm weight 2,270 kg stock: 1600	**Light Austrian cavalry sabre** length 98 cm, weight 1,000 kg stock: 2000	**Austrian non-commissioned officer's sabre with leather sheath** length 80 cm weight 0,800kg. stock: 1800
Sable de caballeria Napoleon Longitud: 98 cm Peso: 1,780 k Existencia: 800 piezas.	**Sable de caballeria Blücher** Longitud: 96 cm Peso: 2,270 kg Existencia: 2,400 piezas	**Sable de caballeria francesa,** guardia de 4 ramos de latón. Longitud: 1 m 15 Peso: 2,200 Existencia: 6000	**Sable de caballeria americana,** Longitud: 1 m 05 Peso: 1,495 k. Existencia: 4000 piezas	**Sable de caballeria Modelo fuerte** empuñadura de latón — Longitud: 98 cm Peso: 1,78 klg. Existencia: 3200	**Sable pesado de caballeria,** con empuñadura de hierro — Longitud: 96 cm Peso: 2,270 k Existencia: 1600	**Sable ligero de caballeria austriaca** — Longitud: 98 cm Peso: 1 k Existencia: 2000	**Sable de oficial subalterno austriaco, con vaina de cuero** — longitud 80 cm peso: 0 k 800 Existencia: 1800
Mark 6.60	Mark 5.50	Mark 12.50	Mark 10.—	Mark 8.—	Mark 8.—	Mark 8.—	Mark 5.—

Dekorations-Waffen gut erhalten.

Armes bien conservées, pour panoplies et décorations.

Arms for decoration well kept.

Armas bien conservadas, para panoplias y decoraciones.

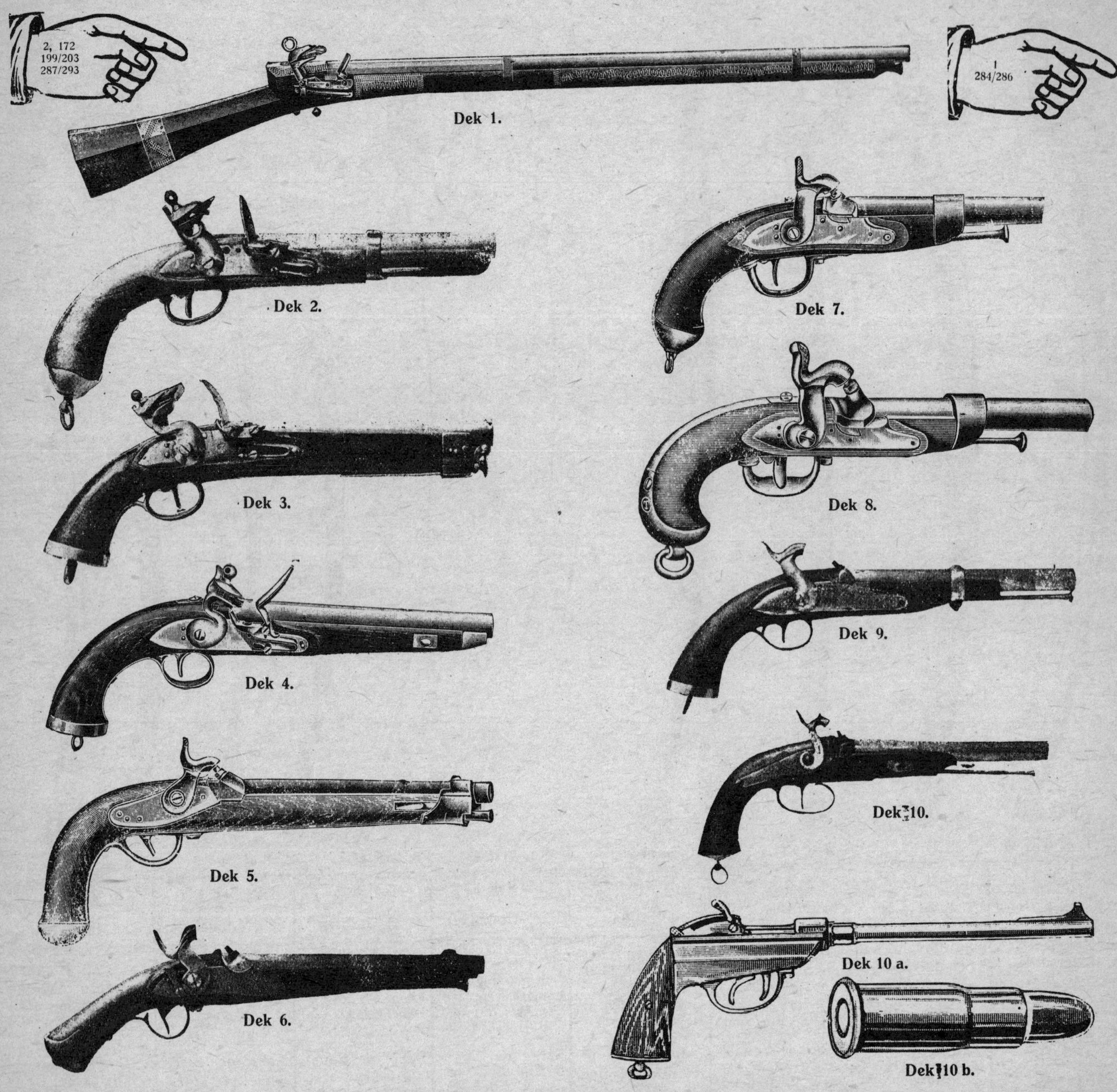

Dek 1	Dek 2	Dek 3	Dek 4	Dek 5	Dek 6	Dek 7	Dek 8	Dek 9	Dek 10	Dek 10 a	Dek 10 b
† Dekrab	† Dekenge	† Dekbala	† Dekfrank	† Deknorwe	† Dekdani	† Dekbelgi	† Dekturko	† Dekwerne	† Dekitali	† Dekwerder	† Dekwepa
Arabisches Steinschloss-gewehr.	Englische Steinschloss-pistole.	Steinschloss-pistole à balancier.	Französische Steinschloss-pistole.	Norwegische Kavallerie-pistole.	Dänische Kavallerie-pistole.	Belgische Kavallerie-pistole.	Türkische Kavallerie-pistole.	Französisch. Kavallerie-pistole.	Italienische Kavallerie-pistole.	Werder Central-feuer-pistole	Patronen zu Dek 10a per 100
Fusil arabe à silex.	Pistolet anglais à silex.	Pistolet à silex à balancier.	Pistolet français à silex.	Pistolet de cavalerie norvégienne	Pistolet de cavalerie danoise.	Pistolet de cavalerie belge.	Pistolet de cavalerie turque.	Pistolet de cavalerie française.	Pistolet de cavalerie italienne.	Pistolet Werder à feu central	Cartouches pour Dek 10a par 100
Arabian flint-muskets.	English flint-lock pistols.	Flint lock pistols with balance.	French flint lock pistols.	Norwegian cavalry pistol.	Danish cavalry pistol.	Belgian cavalry pistol.	Turkish cavalry pistol.	French cavalry pistol.	Italian cavalry pistol.	Werder centerfire pistol.	Cartridges for Dek 10a per 100
Fusil eslabón con piedra árabe.	Pistola eslabón con piedra inglesa.	Pistola eslabón con piedra de balanza.	Pistola eslabón con piedra francesa.	Pistola de caballeria noruega.	Pistola de caballeria danesa.	Pistola de caballeria belga.	Pistola de caballeria turca.	Pistola de caballeria francesa.	Pistola de caballeria italiana.	Pistola Werder de fuego central	Cartuchos para Dek 10a por 100
Mark 25.—	Mark 13.—	Mark 14.—	Mark 12.—	Mark 13.—	Mark 12.-	Mark 12.—	Mark 12.—	Mark 12.--	Mark 12.—	M. 12.—	M. 17.—

Gebrauchte Militär-Effekten für Dekorations-Zwecke.
Gut erhalten.

Effets militaires usagés, pour décorations.
Bien conservés.

Used military-effects for decorating-purposes.
Well kept.

Efectos militares usados, para decoraciones.
Bien conservados.

Dek 17.

Dek 16.

Dek 15.

Dek 11. Dek 12.

Dek 14. Dek 13.

Dek 11	Dek 12	Dek 13	Dek 14	Dek 15	Dek 16	Dek 17
† Dekulan	† Dekhusar	† Dekkuras	† Dekpanz	† Dekbrand	† Dektotos	† Deksnad
Original belgische Reiterlanze Mod. 1835 ohne Fahne.	Orig. französischer Stahl-Kürass Mod. 1835-1840 bestehend aus Brust und Rückenstück	Orig. französische Marinelanze Model 1829 ohne Fahne.	Preußischer Kürass mit Vorder- und Rückenblatt schwarz.	Original preußisch. Stahl-Kürassierhelm mit Adler und Inschrift: Hohenfriedberg 4. Juni 1745.	Orig. französischer Kürassierhelm mit langem, schwarzem Roßschweif und rotem Federbusch.	Original preußisch. Kürassier-Helm Stahl vernickelt.
Lance de cavalerie originale belge, Mod. 1835 sans oriflamme.	Cuirasse d'acier, Originale francaise Mod. 1835-1840, se composant de couvre poitrine et dos.	Lance de Marine, originale française Mod. 1829 sans oriflamme.	Cuirasse prussienne avec garniture de poitrine et de dos, bronzée.	Casque de cuirassier prussien original, acier avec aigle et inscription: Hohenfriedberg 7. Juni 1745.	Casque de cuirassier français Original avec longue crinierè noire et plumet rouge.	Casque de cuirassier prussien original, acier nickelé.
Original Belgian cavalry-lance mod. 1835, without flag.	Original French steel cuirass mod. 1835-1840 consisting of breast and backplate.	Original French marine lance model 1829 without flag.	Prussian cuirass with breast and backplate, black.	Original Prussian cuirassier's steel helmet with eagle and inscription Hohenfriedberg 4th June 1745.	Original French cuirassiers helmet with long black horse hair and red plume.	Original Prussian cuirassiers helmet steel nickeled.
Lanzade caballeria original belga, mod. 1835 sin oriflama.	Corazas de acero originales francesas mod. 1835-1840, compuestas de guarniciones de pecho y de espalda.	Lanza de marina, original francesa Mod. 1829 sin oriflama.	Corazas prusianas con guarnición de pecho y de espalda froncéa das.	Casco de coracero prusiano, original, acero con águila é inscripción: Hohenfriedberg 4. Juni 1745.	Casco de coracero frances Original, con melena larga negra plumaje rojo.	Casco de coracero prusiano original acero niquelado.
Mark 6.—	Mark 30.—	Mark 5.—	Mark 30.—	Mark 56.—	Mark 40.—	Mark 9.—

Gebrauchte Militär-Effekten für Dekorations-Zwecke.
Gut erhalten.

Effets militaires usagés, pour décorations.
Bien conservés.

Used military-effects for decorating-purposes.
Well kept.

Efectos militares usados, para decoraciones.
Bien conservados.

Dek 18.

Dek 19.

Dek 20.

Dek 21.

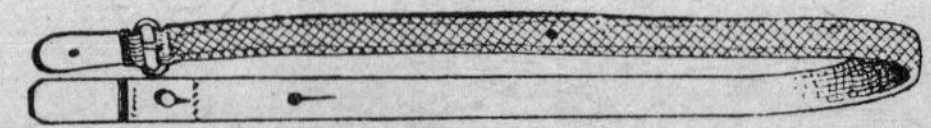

Dek 22.

SO Dek 24.

Dek 23.

SO Dek 25.

Dek 18	Dek 19	Dek 20	Dek 21	Dek 22	Dek 23	Dek 24	Dek 25
† Dekbairo	† Deksaid	† Dekpolz	† Dekbero	† Dekgard	† Dekjapan	† Dekfinn	† Dekamen
Original preußischer Artilleriehelm Leder mit Messingmontur.	**Original Sächsischer Artilleriehelm** mit Schuppenketten, Leder.	Original **Grenadierhelm,** Leder mit Messingmontur.	**Original Infanteriehelm** Leder mit Ledersturmband, Messingmontur.	Juchtener **Gewehrriemen Mod. 71/84. neu** mit Schnalle Vorrat 8000.	Schwarze **Koppel mit Schloss** und Säbeltasche aus Leder gut erhalten. Vorrat 15000.	Original **Militärpatronentasche Modell** 71. Gut erhalten. Vorrat 10000.	Original **Militärpatronentasche Modell** 88 gut erhalten. Vorrat 14000.
Casque d' artillerie prussienne original, cuir et monture de laiton.	**Casque d' artillerie saxonne original,** avec jugulaire, en cuir.	**Casque de grenadier orig.,** cuir avec monture de laiton.	**Casque d' Infanterie Orig.,** cuir avec jugulaire de cuir, monture de laiton.	**Courroie de fusil en** sorte de cuir de Russie, **Mod. 71/84, neuf,** avec boucle, approvisionnement 8000 pièces.	**Ceinturon noir, avec boucle et** porte sabre, en cuir bien conservé, approvisionnement 15000 pièces.	**Cartouchière** militaire originale **Mod. 71,** bien conservée approvisionnement 10000 pièces.	**Cartouchière** militaire originale **Mod. 88** bien conservée, approvisionnement 14000 pièces.
Orig. Prussian artillery-helmet, leather with brass-mounting	**Original Saxon artillery-helmet,** with helmet-strap leather.	**Original grenadier-helmet,** leather with brass mounting.	Original **infantry helmet,** leather with leather chinstrap, brass mounting.	**Shoulder strap of Russian** leather, **mod. 71/84 new,** with buckle, 8000 on stock.	**Black belt with lock** and sabre tash of leather, well kept, 15000 on stock.	Original military **cartridge box, model 71,** well kept, 10000 on stock.	Original military **cartridge box, model 88,** well kept, 14000 on stock.
Casco de artilleria prusiana original cuero y montura de latón.	**Casco de artilleria sajona original** con carrilleras, de cuero.	**Casco de granadero original,** cuero con montura de latón.	**Casco de infanteria** original cuero con carrillera de cuero, montura de latón.	**Correa de arma** especiede piel de Rusia **Mod. 71/84 nuevo** con hebilla Existencia 8000 piezas.	**Cinturón negro** con hebilla y porta sable de cuero bien conservado. Existencia 15000 piezas.	**Cartuchera** militar original **Mod. 71** bien conservada. Existencia 10000 piezas.	**Cartuchera** militar original **Mod. 88.** bien conservada. Existencia 14000 piezas.
Mark 3.—	Mark 3.—	Mark 3.—	Mark 3.—	Mark 1.50	Mark 2.50	Mark —.80	Mark 1.—

Komplette Militär-Equipierungen
Marke „Alfa“.

Equipements militaires complets
Marke „Alfa“.

Complete military equipments
Marke „Alfa“.

Equipos militares completos
Marke „Alfa“.

Wir halten uns in nachfolgender Uebersicht an **Form** und **Qualität** der Militär-Ausrüstungsstücke, wie die **deutsche Heeresverwaltung** sie vorschreibt. Die **Preise** sind **Schwankungen** unterworfen und richten sich ganz nach **Quantum.** Auch können wir eine sogen. **zweite Qualität** bedeutend **billiger** liefern und bitten, für jeden Fall **Spezialofferte** einzuholen, wobei stets **Farbe, Qualitätsanforderung, Art der Knöpfe etc.** aufzugeben ist.

Uniformen, Stiefel etc. bieten wir nur mit Spezialofferten von Fall zu Fall an.

Nos équipements s'entendent dans la **forme** et la **qualité** prescrites par **l'administration militaire allemande. Les prix sont sujets à variations** et en rapport avec la **quantité.** Nous pouvons également livrer, à bien **meilleur marché, en seconde qualité** et nous prions instamment, dans n'importe quel cas, de nous demander **offres spéciales,** en nous indiquant toujours **couleur, qualité, genre des boutons etc.** désirés.

Nous proposons toujours les uniformes, bottes etc. par offres spéciales, de cas à cas.

The **form** and **quality** of our military equipments, as illustrated hereunder, is in accordance with that prescribed by **the German military authorities. The prices** are **subject** to **fluctuations** and depend entirely upon the **quantity.** We supply also a so-called **second quality** at a **much cheaper** rate. Please apply in every case for a **special offer** always indicating the **colour, quality,** style of **buttons** desired etc.

Uniforms, boots etc. we offer only from case to case when making special quotations.

Nuestros equipose se entienden en la **forma** y la **calidad** exigidas por la **administración militar alemana.** Los precios están **sujetos á variaciones** y están en relación con la **cantidad.** Podemos igualmente proveer más **barato en segunda calidad,** y rogamos encarecidamente, sea en el caso que sea, pedirnos **ofertas especiales** ind, icandonos siempre, **color, calidad,** género de los **botones** etc deseados.

Uniformes, botas etc. ofrecemos solamente por ofertas especiales, de caso á caso.

Militär-Effekten, neu. | Effets militaires, neufs. | Military effects, new. | Efectos militares, nuevos.

Helme für alle Staaten. — Casques pour tous états. — Helmets for all countries. — Cascos para todos los estados.

MEN 1.
Infanterie. — Infanterie.
Infantry. — Infantería.

MEN 1a.

MEN 1b.

MEN 1c.

MEN 2.
Artillerie. — Artillerie.
Artillery. — Artilleria,

53/54
686

MEN 3.
Jäger. — Chasseurs.
Light Infantry. — Cazadores.

BEN 4.
Husaren. — Hussards.
Hussars. — Húsares.

MEN 5.
Kavallerie. — Cavalerie.
Cavalry. — Caballería.

MEN 6.
Ulanen. — Lanciers.
Lancers. — Lanceros.

MEN 6a.

MEN 6b.

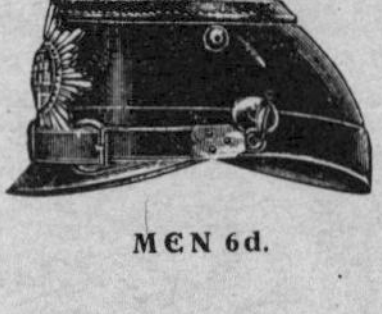

MEN 6d.

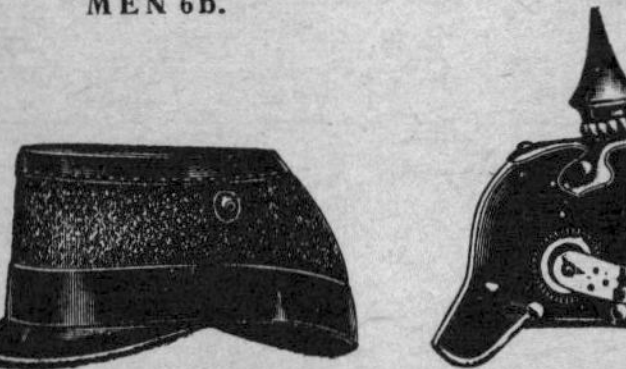

MEN 6c.

MEN 6e.

MEN 6f.

MEN 7.
Kürassier. — Cuirassiers.
Curassiers. — Coraceros.

MEN 7a.

MEN 1	MEN 1a	MEN 1b	MEN 1c	MEN 2	MEN 3	MEN 4	MEN 5	MEN 6
† Mureng	† Murfro	† Murado	† Murali	† Medein	† Meiler	† Mineido	† Mungert	† Meifrag
Infanterie mit Schuppenketten weisser oder gelber Beschlag	Wie MEN 1 **ohne** Schuppenketten Mod. 95	Wie MEN 1a, vollkommen **nackt** ohne Beschlag	Wie MEN 1a, sogenanntes **leichtes China-Modell**	**Artilleriehelm** Ausführung wie MEN 1	**Tschako** für Jäger	**Pelzmütze** für Husaren	für **berittene Truppen** mit eckigem Vorderschirm	**Tchapka** für Ulanen
Infanterie avec chaîne, jugulaire, garniture blanche ou jaune	Comme MEN 1 **sans** chaîne, jugulaire Mod. 95	Comme MEN 1a complètement **nu,** sans garniture	Comme MEN 1a, appelé **modèle léger de Chine**	**Casque d'artillerie** même exécution que MEN 1	**Schako** pour chasseurs	**Coiffure de fourrure** pour hussards	Pour **troupes à cheval** à visière angulaire	**Schako** pour uhlans
Infantry with scale chains, white or yellow mounting	Like MEN 1 **without** scale chains Mod. 95.	Like MEN 1a quite **plain,** without mounting	Like MEN 1a, so called **light China model**	**Artillery helmet,** execution like MEN 1	**Helmet for light Infantry**	**fur caps** for hussars	for **mounted troopers** with cornered front peak	**helmet** for lancers
Infanteria con cadena yugular guarnicion blanca o amarilla	Como MEN 1 **sin** cadena yugular Mod. 95	Como MEN 1a completamente des **nudo** sin guarnición	Como MEN 1a llamado **modelo ligero de China**	**Casco de artilleria** la misma ejecución que MEN 1	**Gorro para cazadores**	**Gorro de piel** para húsares	Para **tropas de á caballo** de visera angular	**Casco** para lanceros
Mark **17.—**	Mark **17.—**	Mark **11.—**	Mark **11.—**	Mark **18.—**	Mark **19.—**	Mark **21.—**	Mark **21.—**	Mark **21.—**

MEN 6a	MEN 6b	MEN 6c	MEN 6d	MEN 6e	MEN 6f	MEN 7	MEN 7a
† Melhose	† Melveste	† Meitrag	† Meistrub	† Melkorse	† Meifilte	† Maleng	† Masprik
Schweizer Modell	**Schwedisches Käppi**	Gängiges **internationales** Export-Modell, leicht	Wie 6c aber **schwer**	**Infanterie Haiti**	Helm **Argentinien**	**Metallhelm** mit glatter Spitze oder Paradeaufsatz	**Helmüberzug** aus Stoff
Modèle suisse	**Modèle suédois**	Modèle **international,** très courant, pour l'exportation léger	Comme 6c, mais **massif**	**Infanterie d'Haïti**	Modèle **d'Argentine**	**Casque de métal** avec pointe unie ou ornement de parade	**Capote** d'étoffe pour casque
Swiss model	**Swedish cap.**	saleable **international** export model, light.	like 6c but **heavy**	**Infantry Haiti**	helmet **Argentine**	**metal helmet** with smooth peak or extra top for reviews.	**helmet** cloth **cover**
Modelo suizo	**Modelo sueco**	Modelo **internacionol** muy corriente para la exportacion ligera	Como 6c, pero **macizo**	**Infanteria de Haïti**	Modelo de la **Argentina**	**Casco de metal** con punta unida ó ornamento para parada	**Capota** de tela para **casco**
Mark **8.—**	Mark **8.—**	Mark **7.—**	Mark **8.—**	Mark **11.—**	Mark **20.—**	Mark **80.—**	Mark **1.—**

Militär-Effekten. Effets militaires. Military Effects. Efectos Militares.

Neu. Neufs. New. Nuevos.

Militär-Mützen — Coiffures militaires — Military caps — Gorras militares.

Bodendurchmesser — diamètre de la partie supérieure
diameter of crown — Diámetro de la parte superior

Ganze Höhe
hauteur totale
total height
Altura total

Bodenbiese — soutache de la partie supérieure
border of crown — extremidad de la parte superior

Randbiese — extrêmité du tour
border of brim — extremidad de la vuelta

Biese — extrêmité du bord
border — extremidad del borde

Vorstoss — Rebord
edging — Rebord

filets de garniture
ribbon
adornos de guarnición

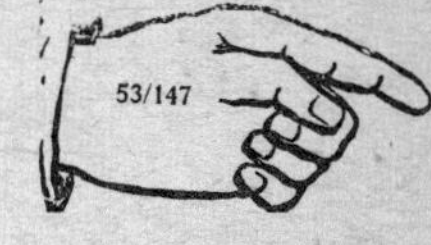

Bei **Bestellung** von Mützen sind **folgende Angaben** nötig (siehe nebenstehende Figur):

1. **Grundfarbe** (die Farbe vom Boden und Seitenteil nennt man Grundfarbe)
2. **Kopfweite,**
3. **Bodendurchmesser,**
4. **Seitenteilhöhe,**
5. **Randhöhe,**
6. **Sattelform** od. **aufstehende** Fasson,
7. **Schirm** klein oder gross,
8. **Abzeichen.**

Il ya lieu de **joindre** à chaque **commande** en coiffures militaires les **indications ci-dessous** (voir figure ci-contre)

1. **couleur** de la partie supérieure et des tour de la coiffure.
2. **largeur** de la tête.
3. **diamètre de la partie supérieure.**
4. **hauteur du tour.**
5. **hauteur du bord.**
6. **forme** en **selle** ou **droite.**
7. grande ou petite **visière.**
8. **signe** distinctif.

When **ordering** caps please **give** the following **specifications** (see sketch at side)

1. **Principal colour** i. e. the colour of the crown and side part.
2. **width of head**
3. **diameter of crown.**
4. **Height of side part.**
5. **Height of border.**
6. **Saddle** shape or **straight** form.
7. **Peak** small or large.
8. **distinctive mark.**

Es necesario hacer las **indicaciones** siguientes cuando se hacen **pedidos,** de gorras militares (Vease la figura de al lado).

1. **Color** de la parte superior y de la vuelta de la gorra.
2. **anchura de la cabeza.**
3. **diametro de la parte superior.**
4. **altura de la vuelta.**
5. **altura del borde.**
6. **forma** de **silla** ó **derecho.**
7. grande ó pequeña **visera.**
8. **signo** distintivo.

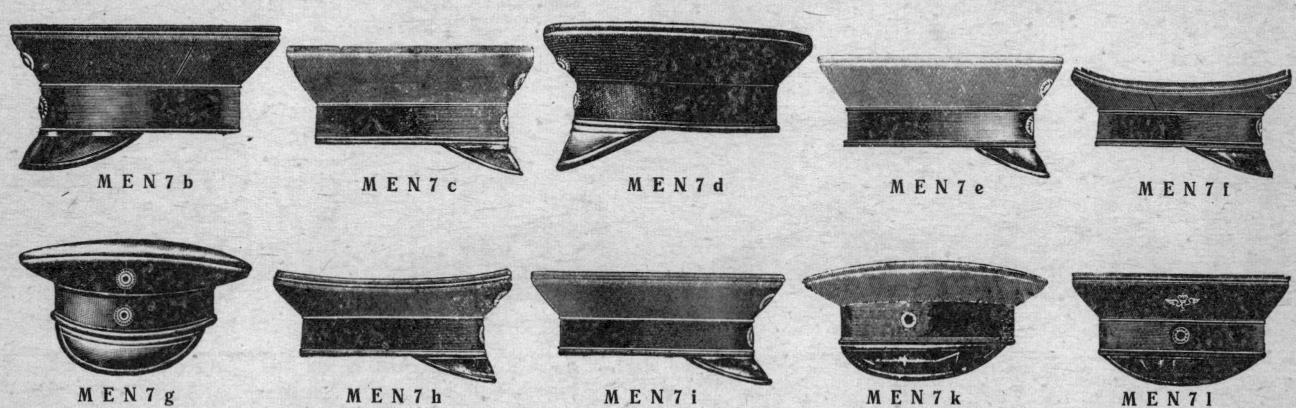

MEN7b — MEN7c — MEN7d — MEN7e — MEN7f — MEN7g — MEN7h — MEN7i — MEN7k — MEN7l

Die im Katalog angegebene Proportion gilt stets für **die Kopfweite 56.** B. heisst **Bodendurchmesser,** S.-T. **Seitenteil,** R.-H. **Randhöhe,** Masse in **centimeter.**

La proportion gardée dans ce catalogue est basée sur un **tour de tête de 56.** B. signifie: **diamètre de la partie supérieure,** ST.: **tour,** RH. **hauteur du bord** — Indications en **centimètres.**

The dimensions given always apply to **width of head 56.** B. signifies **diameter of crown,** S. T. **side part,** R. H. **Height of border.**

La proporción guardada en este catalogo está basada sobre una **vuelta de cabeza de 56.** B. significa: **diametro de la parte superior.** ST.: **Vuelta** RH.: **Altura del borde.** — Indicaciones en **centimetros.**

MEN7b	MEN7c	MEN7d	MEN7e	MEN7f	MEN7g	MEN7h	MEN7i	MEN7k	MEN7l
† **Mutzcon**	† **Mutzdrek**	† **Mutztier**	† **Mutzsolt**	† **Mutzfeld**	† **Mutzwald**	† **Mutzriese**	† **Mutzblei**	† **Mutztint**	† **Mutzfede**
Moderne Fasson	**Moderne Fasson**	**Moderne Fasson**	**Moderne Fasson**	**Sattelform niedrig**	**Sattelform halbhoch**	**Sattelform hoch**	**Hochstehend mit 4 Stützen halbbreit**	wie MEN 7 i **breit niedrig**	wie MEN 7 i, **Spezial-Modell**
Modern style	**Modern style**	**Modern style**	**Modern style**	**Forme en selle, basse**	**Forme en selle, mi-haute**	**Forme en selle, haute**	**Forme droite avec 4 supports, mi-large**	comme MEN 7 i, **large et basse**	comme MEN 7 i — **Modèle spécial**
Modern style	**Modern style**	**Modern style**	**Modern style**	**Saddle shape low**	**Saddle shape middle-height**	**Saddle shape high**	**Elevated with 4 supports medium width**	like MEN 7 i, **wide low**	like MEN 7 i, **special model**
Estilo moderno	**Estilo moderno**	**Estilo moderno**	**Estilo moderno**	**Forma en silla baja**	**Forma en silla medio** alta	**Forma en silla alta**	**Forma derecha con 4 apoyos medio** anchos.	Como MEN 7 i, **ancha y baja**	Como MEN 7 i, **modelo especial**
B 25 S. T. 5,5 R. H. 4,5	B 25 S. T. 5,2 R. H. 4,2	B. $25\frac{1}{4}$ S. T. 5 R. H. 4	B. $24\frac{3}{4}$ S. T. 4,7 R. H. 3,8	B. $24\frac{3}{4}$ S. T. 4,2 R. H. 3,3	B. 25 S. T. 4,4 R. H. 3,5	B. 25 S. T. 4,6 R. H. 3,7	B. $24\frac{3}{4}$ S. T. 4,5 R. H. 3,5	B. 25 S. T. 4,2 R. H. 3,3	B. $24\frac{1}{4}$ S. T. 4,3 R. H. 3,3
Mark 4.20	**Mark 5.—**	**Mark 5.—**	**Mark 6.—**	**Mark 5.—**	**Mark 5.—**	**Mark 5.50**	**Mark 5.—**	**Mark 5.20**	**Mark 5.—**

Militär-Effekten, neu. | Effets militaires, neufs. | Military Effects, new. | Efectos Militares, nuevos.

Gewehrriemen — Courroies de fusils — Rifle slings — Correas de armas.

M E N 12a.

M E N 12 e.

M E N 12 d.

M E N 12 g.

M E N 12 f.

M E N 12h.

M E N 12c.

M E N 12b.

Patronentaschen — Cartouchières — Cartridge boxes — Cartucheras.

M E N 13
M E N 13 a

M E N 14

M E N 15

M E N 16

M E N 17

M E N 20 a

M E N 17 a

M E N 17 b

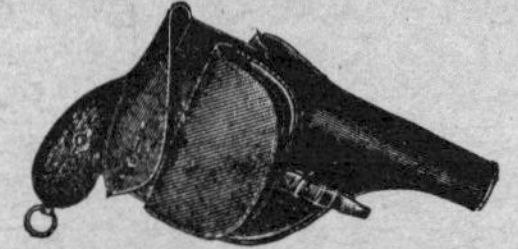

M E N 18

M E N 19

M E N 20

M E N 12 a	M E N 12 b	M E N 12 c	M E N 12 d	M E N 12 e	M E N 12 f	M E N 12 g	M E N 12 h	M E N 13	M E N 13 a	M E N 14
† **Mirkox**	† **Mirrud**	† **Mirrole**	† **Mirtur**	† **Mirswit**	† **Mirtaul**	† **Mirsping**	† **Mirbrex**	† **Mausbel**	† **Menont**	† **Klukos**
Leibriemen mit Säbeltasche und 8 Patronentaschen, Modell **China**	Roter juchtenlederner Gewehrriemen **Mod. 71/84**	Leibriemen mit 3 Patronentaschen, **Exportmodell**	Lederner Gewehrriemen **Mod. 71**	Gewehrriemen **ohne Klammern**	Gewehrriemen für Karabiner **Mod. 88**	Gewehrriemen **Modell 98** komplet	**Faustriemen** für Degen und Säbel	**für Infanterie mit** Stahlblecheinsatz für 30 Patronen	wie M E N 13, **ohne** Stahlblecheinsatz	wie M E N 13, zu **45 Patronen**
Ceinturon avec porte sabre et 8 cartouchières modèle de **chine**	Courroie de cuir rouge de Russie Mod. 71/84	Ceinturon avec 3 cartouchières **Modèle d'Exportation**	Courroie de cuir pour fusil **mod. 71**	Courroie de fusil **sans crochets**	Courroie pour carabines **Mod. 88**	Courroie de fusil **mod. 98** complet	**Dragonne** pour épée ou sabre	Pour **infanterie avec** garniture de fer blanc aciéré pour 30 cartouches	comme M E N 13, **sans** garniture de fer blanc aciére	comme M E N 13, **pour 45 cartouches**
Belt with sabretache and 8 cartridge boxes, **China** model	Rifle sling of red Russian leather, mod. 71/84	Belts with 3 cartridge boxes, **export model**	Leather rifle slings **mod. 71**	Rifle slings **without clasps**	Rifle slings for carbine **mod. 88**	Rifle sling **mod. 98**, complete	**sword knot** for swords and sabres	**For infantry with** steel plate insertion for 30 cartridges	like M E N 13, **without** steel plate insertion	like M E N 13, **for 45 cartridges**
Cinturón con porta-sable y 8 cartucheras Modelo de **China**	Correa de cuero roya de Rusia Mod. 71/84	Cinturón con 3 cartucheras **modelo de Exportación**	Correa de fusil **modelo 71**	Correa de fusil **sin corchete**	Correa para carabina **Mod. 88**	Correa de fusil **mod. 98** completo	**Dragona** para espada ó sable	Para **infanteria con** guarnicion de hierro blanco, templado al acero para 30 cartuchos	Como M E N 13, **sin** guarnición de acero	Como M E N 13, **para 45 cartuchos**
Mark 24.–	**Mark 1.50**	**Mark 10.–**	**Mark 2.80**	**Mark 1.80**	**Mark 2.40**	**Mark 2.80**	**Mark 1.10**	**Mark 6.–**	**Mark 4.80**	**Mark 6.–**

M E N 15	M E N 16	M E N 17	M E N 17 a	M E N 17 b	M E N 18	M E N 19	M E N 20	M E N 20 a
† **Kebrusa**	† **Knabkos**	† **Kendoki**	† **Kendosu**	† **Kendora**	† **Kandasse**	† **Kofolium**	† **Kwaleros**	† **Kwalstra**
Längliche Form **Mod. 71 für einzelne** Patronen	Für **Karabiner-Munition** für **Berittene** am **Bandolier** zu tragen.	Für **Revolvermunition** für Berittene inclusive Bandolier	**Offiziers-** Kartentasche	**Sanitätstasche** am Leibriemen zu tragen	**Armeerevolvertasche** für Unberittene	wie M E N 18 für **Berittene**	wie M E N 19, am **Sattel** zu tragen	**Revolverriemen**
Forme longue **Mod. 71, pour cartouches séparées**	Pour **munitions de carabines** pour **troupes á cheval à** porter en **bandouillère**	Pour **munition de revolver** pour troupe à cheval avec courroie bandoullière	Poche à cartes pour **officier**	**Poche sanitaire** se portant au ceinturon	**Etui de revolver d'ordonance** pour troupes nonmontées	Comme M E N 18, pour troupes **montées**	Comme M E N 19, se plaçant à la **selle**	**Courroie de revolver**
Long form, **mod. 71, for single** cartridges	For **carbine-cartridges** for **horseman** to carry **on shoulder straps**	For **revolver-cartridges** for **horseman** including **shoulder strap**	**Officers** card-case	**sanitary-box** for carrying on belt	**Army revolvercase** for unmounted troops	like M E N 18 for **mounted troops**	like M E N 19, for carrying **at saddle**	**revolver straps**
De forma larga **mod. 71**, para cartuchos **separados**	Para **municiones de carabinas** para **tropa de á caballo**, llevan dose en la **bandolera**	Para **municiones de revolver**, para tropas de à caballo con correa bandolera	**Bolsillo mapas** para oficial	**Bolsillo sanitario** llevadero en un cinturon	**Estuche de revolver de ordenanza** para tropa no montada	Como M E N 18, para **tropa montada**	Como M E N 19, co locándose **en la silla**	**correa de revolver**
Mark 7.20	**Mark 12.–**	**Mark 11.60**	**Mark 10.–**	**Mark 9.–**	**Mark 8.–**	**Mark 6.60**	**Mark 7.60**	**Mark 2.40**

184

Militär-Effekten, neu | Effets militaires, neufs | Military effects, new | Efectos militares, nuevos

Militär-Feldflaschen | Bidons militaires | Military field-flasks | Jarros militares

Armeemodelle aus Aluminium | Modèles militaires en aluminium | Army models of aluminium | Modelos militares de aluminio

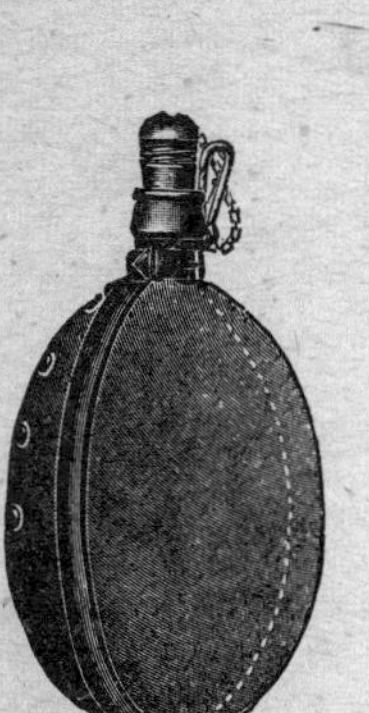

M E F 1, M E F 2, M E F 3, M E F 4, M E F 5

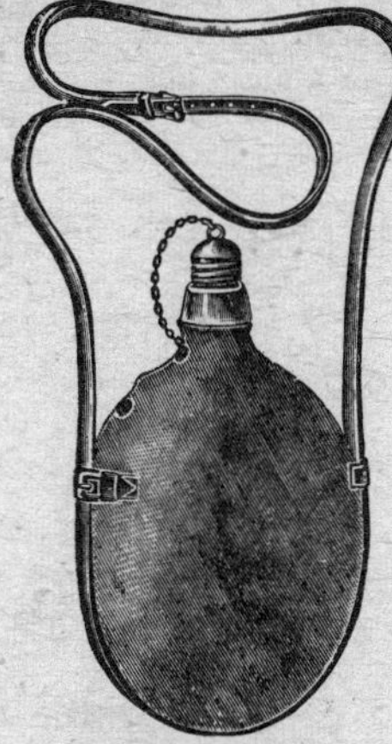

M E F 6, M E F 7, M E F 8, M E F 9, M E F 10

M E F 11

M E F 12

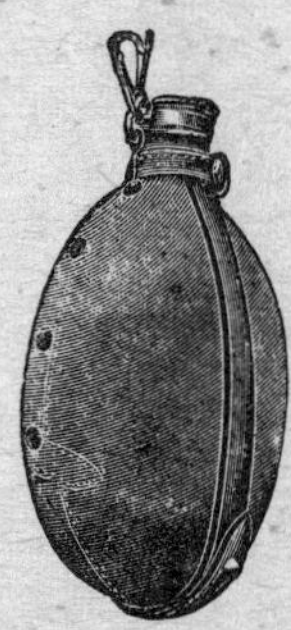

M E F 13, M E F 14, M E F 15, M E F 16. M E F 17

M E F 18. M E F 19, M E F 20, M E F 21, M E F 22

Labeflasche

M E F 23

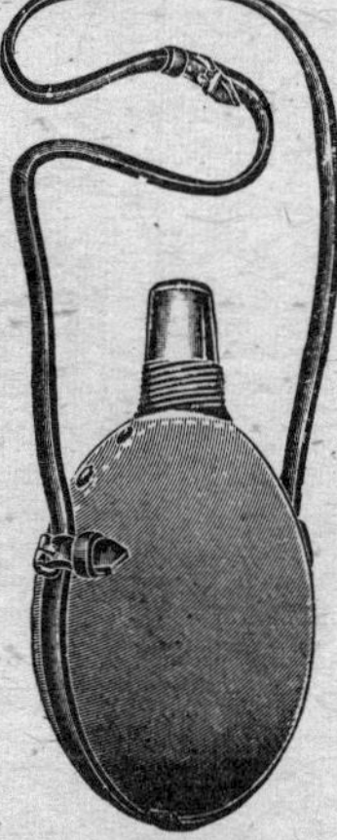

M E F 24

M E F 25, M E F 26, M E F 27, M E F 28, M E F 29

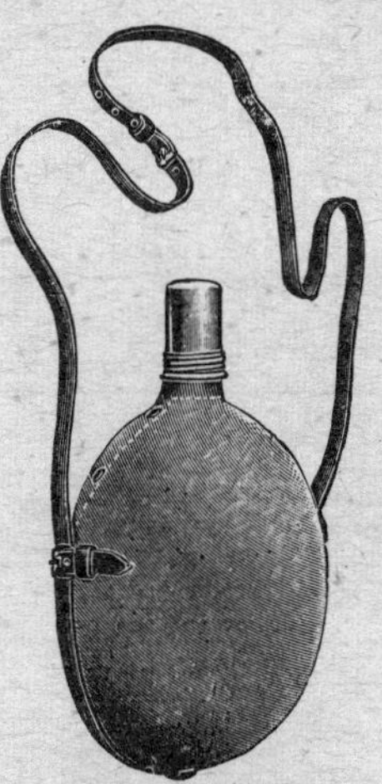

M E F 30, M E F 31, M E F 32, M E F 33, M E F 34

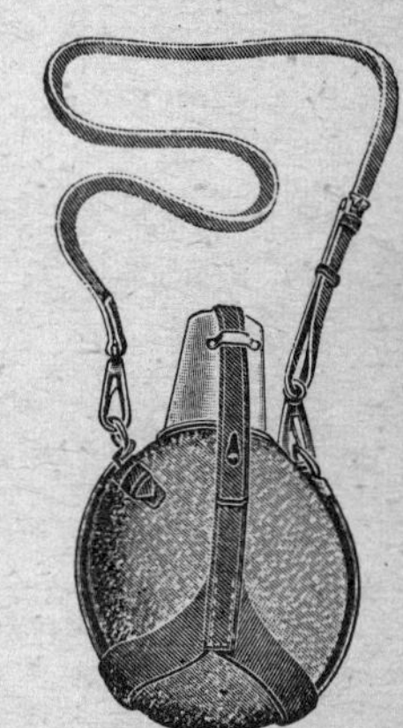

M E F 35

	M E F 1 / 2 / 3 / 4 / 5	M E F 6 / 7 / 8 / 9 / 10	M E F 11	M E F 12	M E F 13 / 14 / 15 / 16 / 17	M E F 18 / 19 / 20 / 21 / 22	M E F 23	M E F 24	M E F 25 / 26 / 27 / 28 / 29	M E F 30 / 31 / 32 / 33 / 34	M E F 35
÷	Mefflax / Mefklos / Mefbrubo / Meffleso / Meffland	Mefpurgo / Mefwago / Mefwino / Mefredo / Mefsweig	Meflaut	Mefleise	Mefforte / Mefplan / Meflente / Mefduco / Meftinte	Mefsupe / Mefsalz / Mefafel / Mefbirne / Mefapri	Mefsoce	Mefliga	Mefkrone / Mefzepte / Mefrein / Mefelbe / Mefdonat	Mefsprei / Meftitus / Mefcaesi / Mefroma / Mefveron	Mefvendi
lit.	1/2 / 3/4 / 1 / 1 1/4 / 1 3/4	1/2 / 3/4 / 1 / 1 1/4 / 1 3/4	3/4	3/4	1/2 / 3/4 / 1 / 1 1/4 / 1 3/4	1/2 / 3/4 / 1 / 1 1/4 / 1 3/4	3/4	3/4	1/2 / 3/4 / 1 / 1 1/4 / 1 3/4	1/2 / 3/4 / 1 / 1 1/4 / 1 3/4	1 Liter
	Militärflasche mit Filzüberzug und mit Kork	Militärfeldflasche mit Kork, Filzüberzug und Riemen.	wie Bild, mit Schraubverschluss	wie M E F 11, mit Riemen	Mit Schraubverschluss, Filzüberzug und Haken	wie vorher, aber mit Schraubverschluss und Becher	mit Kork und Schraubbecher	wie M E F 23, mit Riemen	Mit Schraubverschluss und Riemen	Mit Schraubverschluss, Riemen und Becher	Spezialmodell mit Kork und Becher
	Bidons militaires avec garniture de feutre et avec bouchon	Bidons militaires avec bouchon, garniture de feutre et courroie	comme l'illustration avec fermeture à Vis	comme M E F 11, avec courroie	Avec fermeture à vis, garniture de feutre et crochet	Comme les précédents, mais avec fermeture à vis et gobelet	avec bouchon et gobelet à vis	comme M E F 23, avec courroie	Avec fermeture à vis et courroie	Avec fermeture à vis, courroie et gobelet	Modèle spécial avec bouchon et gobelet
	Military flask with felt cover and with cork	Military field-flask with cork, felt cover and strap	like picture, with screw top	like M E F 11, with strap	with screw top, felt cover and hook	like the others but with screw top and mug	with cork and screw top mug	like M E F 23, with strap	with screw top and strap	with screw top, strap and mug	Special model with cork and mug
	Jarros militares con guarnición de fieltro y tapón	Jarros militares con tapón, guarnición de fieltro y correa	Como la ilustración con cierre de tornillo	Como MEF11 con correa	Con cierre de tornillo, guarnición de fieltro y ganzua	Como los precedentes, pero con cierre de tornillo y cubilete	Con tapón y cubilete atornillado	Como MEF23 con correa	Con cierre de tornillo y correa	Con cierre de tornillo, correa y cubilete	Modelo especial con tapón y cubilete
Mark	4.20 / 5. / 5.50 / 6.50 / 9.—	5.50 / 6.— / 7.— / 7.50 / 9.50	7.—	9.—	5.50 / 6.20 / 6.70 / 8.— / 8.50	5.— / 5.50 / 6.50 / 7.20 / 9.40	6.50	7.50	7.— / 7.50 / 8.— / 9.— / 10.—	6.— / 6.50 / 7.50 / 8.— / 10.50	13.—

Militär-Effekten, neu | Effets militaires, neufs | Military effects, new | Efectos militares, nuevos

Militär-Feldflaschen | Bidons militaires | Military field-flasks | Jarros militares

Armeemodelle aus Aluminium | Modèles militaires en aluminium | Army models of aluminium | Modelos militares de aluminio

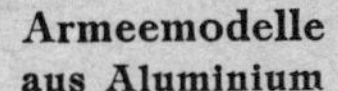

661/673

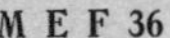

M E F 36

M E F 37

M E F 38

M E F 39

M E F 40

M E F 36	M E F 37	M E F 38	M E F 39	M E F 40
† Mefhiler	† Mefknabe	† Mefkind	† Meflikes	† Mefadole
1 Liter	3/4 Liter	1/4 Liter	3/4 Liter	3/4 Liter
mit Korkverschluss und grossem Unterbecher	wie M E F 36, aber mit aufschraubbarem Becher	Aluminiumtrinkbecher mit Henkel	aus Glas mit Lederbezug, Ober- und Unterbecher aus Blech	wie M E F 39, ohne Oberbecher
Avec fermeture à bouchon avec gros gobelet en bas	comme M E F 36, mais avec gobelet à vis	Gobelet d'aluminium à anse	En verre avec garniture de cuier et gobelets en haut et en bas, de fer blanc	comme M E F 36, sans gobelet en haut
with cork stopper and large mug underneath	like M E E 36, but with mug for screwing on	aluminium mug with handle	of glass with leather cover, tin mugs at top and underneath	like M E F 39, without mug on top
Con cierre de tapón y cubilete grueso abajo	Como M E F 36, pero con cubilete de tornillo	Cubilete de aluminio de asa	Devidrio con guarnición de cuero y cubiletes arriba y abajo de hierro blanco	Como M E F 39, sin cubilete arriba
Mark 8.—	Mark 8.50	Mark 1.20	Mark 7.—	Mark 4.80

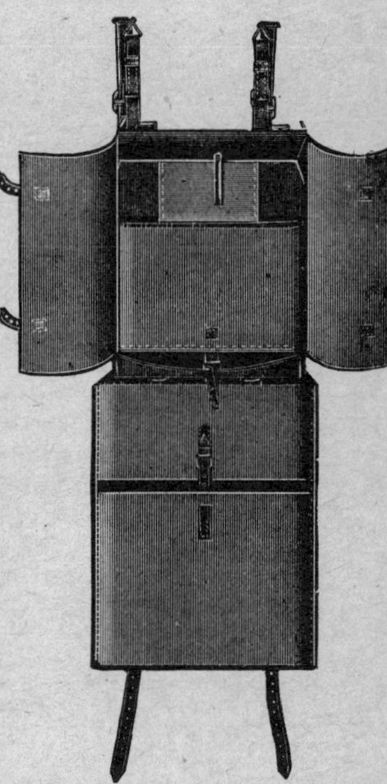

M E N 21 und M E N 21a
Innenansicht
vue intérieure
interior view
Vista interior

Tornister — Havresacs — Knapsacks — mochila

M E N 21

M E N 21a

M E N 22, M E N 22a

M E N 23

M E N 21	M E N 21a	M E N 22	M E N 22a	M E N 23
† Kluwako	† Klavingo	† Knapissa	† Kronegon	† Kisabela
für Infanterie aus braunharigem Kalbfell, mit Vorrichtung zum Tragen von Kochgeschirr und Mantel	wie M E N 21, aber aus wasserdichtem Stoff	wie M E N 21, aber ohne Tragevorrichtungen	wie M E N 22, aus wasserdichtem Stoff	aus Dachsfell, für Jäger
pour Infanterie peau de veau à poils bruns avec arrangément pour port d'accessoires de cuisine et manteau	Comme M E N 21, mais d'étoffe impermeable	comme M E N 21, mais non arrangé pour le port d'autres objets	comme M E N 22, en etoffe impermeable	En peau de blaireau pour chasseurs.
for infantry of brown haired calf-skin with arrangement for carrying of cooking utensils and mantle	like M E N 21, but of waterproof material	like M E N 21, but without carrying arrangement	like M E N 22, but waterproof	of badger skin for hunters
Para Infanteria-piel de becerro de piaelos castaños arreglado para llevar accesorios de cocina y capa	Como M E N 21, pero de tela impermeable	Como M E N 21, pero no arreglado llevar otros objetos	Como M E N 22, pero de paratela impermeable	De piel de tejón para cazadores
Mark 39.—	Mark 29.—	Mark 30.—	Mark 20.—	Mark 48.—

Militär-Effekten, neu | Effets militaires neufs | Military Effects new | Efectos militares nuevos

Tornister — Havresacs — Knapsacks — mochila

Rückansicht | Vue de derrière | back view | Vista trasera

Vorderansicht | vue de devant | front view | Vista delantera

M E N 23 a

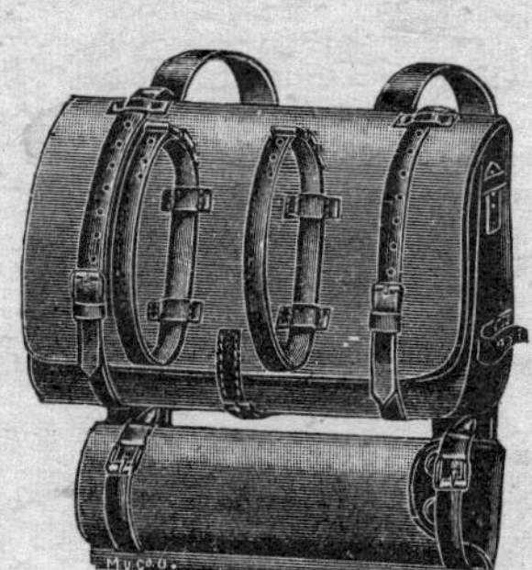

M E N 23 a

M E N 24

M E N 24 a, M E N 24 b

M E N 24 c

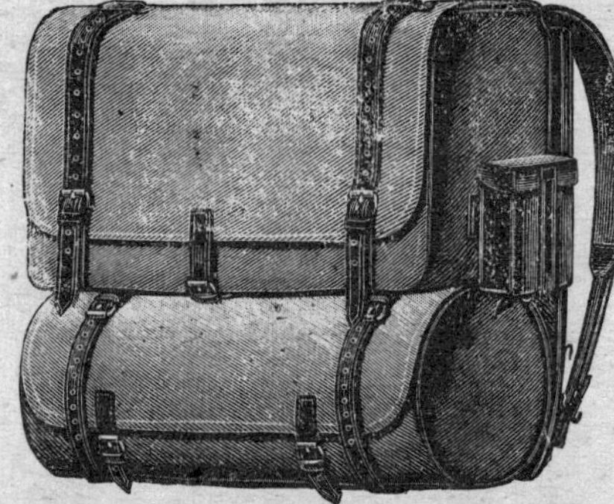

M E N 25

M E N 25 a

M E N 25 c

Tragriemen

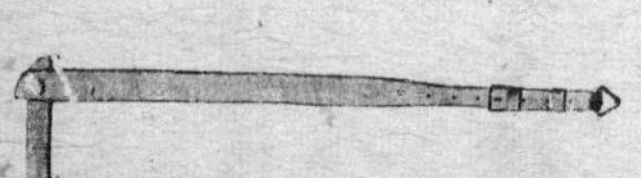

M E N 25 d

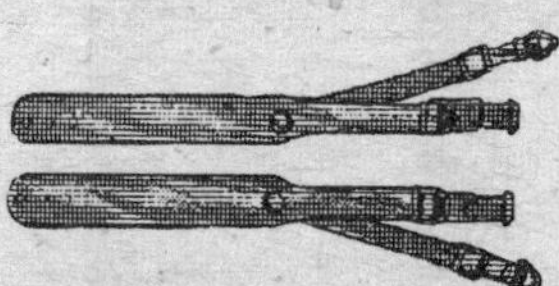

M E N 25 e

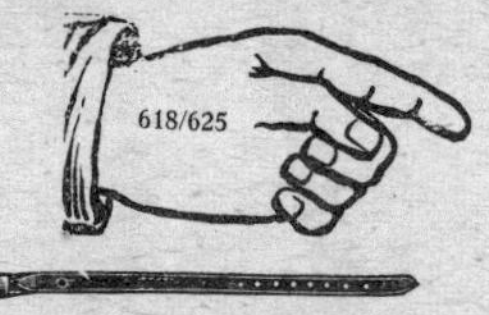

M E N 25 f

M E N 25 b

M E N 23a	M E N 24	M E N 24a	M E N 24b	M E N 24c	M E N 25	M E N 25a	M E N 25b	M E N 25c	M E N 25d	M E N 25e	M E N 25f
† Kisanıala	† Keiserri	† Kurpelef	† Kurpezei	† Kurpetro	† Kurofe	† Kurslosi	† Kurlanti	† Kurleisi	† Kurledri	† Kurstofi	† Kurpelzi
Infanterie, Modell 1900, für Tropen, Chinamodell'	Gepäcksack mit versteiftem Tragegestell und Riemen	Aus bestem deutschen vorschriftsmässigen braunem Militärsegeltuchstoff angefertigt. Tornisterrucksack, wie bei der deutschen Radfahrermilitärtruppe in Gebrauch mit Trageriemen aus naturfarbenem Leder	Genau wie vorher, nur m. Tragriemen aus starkem, braunem Gurtband	Brotbeutel mit Trageband	zweiteiliger Stoffgepäcktornister mit Schnall- und Trageriemen	Sanitätstornister, leicht, für Tropen, Modell 95	wie MEN 25a, aber kleineres Modell	Zeltbeutel zum Aufschnallen auf Tornister	Tornister-Trageriemen für Artillerie, pro Paar	wie MEN 25d für Infanterie pro Paar	Mantelriemen, pro Paar
Infanterie, Mod. 1900, Type pour les tropiques, „Modèle de chine"	sac-paquetage avec garnitures et courroies durcies	Havresac fait de la toile extra qui est adoptée par l'armée allemande. Cet havresac est semblable à celui en usage dans les troupes cyclistes allemandes et il est muni de courroies de cuir de couleur nature	le même modèle mais avec courroie de toile	musette avec courroie de toile	Paquetage d'étoffe en 2 parties avec boucles et courroies	Paquetage sanitaire, léger, pour tropiques, Modèle 95	comme MEN 25a, mais modèle plus petit	Paquet contenant accessoires de tente, à fixer sur un paquetage	courroies de paquetage pour artillerie, La paire	comme MEN 25d pour Infanterie La paire	courroies pour manteau La paire
infantry, mod. 1900, for tropics, China model	portmanteau with stiffened back bands and strap	Made of the best German brown military waterproof canvas. knapsacks, as used by the military cyclists of the German army with straps of brown leather	exactly as before but with fixed straps of very strong brown material	bread-bags with strap of brown material	knapsack in two parts with buckle strap and back bands	sanitary knapsack light for tropics model 95	like MEN 25a, but smaller model	tent-bag for buckling on to knapsack	knapsack straps for artillery, a pair	like MEN 25d for infantry, a pair	mantle-straps, a pair
Infanteria, mod. 1900, Tipo para las trópicos Modelo de China	Saco de empaque con guarniciónes y correas endurecidas	De la mejor tela militar, que se emplea en el ejercito aleman Sacos, usados por las tropas ciclistas de Alemania, con correas de cuero, color natural, con hebillas	Mismo modelo que antes solamente con correas de cinta	Saquillo para pan con correas de cinta	Empaque de tela en dos partes con hebillas y correas	Empaque sanitario ligero para trópicos modelo 95	Como MEN 25a, pero modelo máspequeño	Paqete conteniendo accesorios de tienda de campaña, à fijar sobre un empaque	Correas de empaques pora artilleria El par	Como MEN 25d para Infanteria El par	Correas para capas El par
Mk. 50.—	Mk. 22.—	Mk. 7.—	Mk. 5.—	Mk. 2.50	Mk. 45.—	Mk. 40.—	Mk. 10.—	Mk. 1.30	Mk. 4.20	Mk. 7. —	Mk. 0.90

Militär-Effekten, neu. | Effets militaires, neufs. | Military effects, new. | Efectos militares, nuevos.

Schanzzeug. — Outils de retranchement. — Intrenching tools. — Utiles de atrincheramiento.

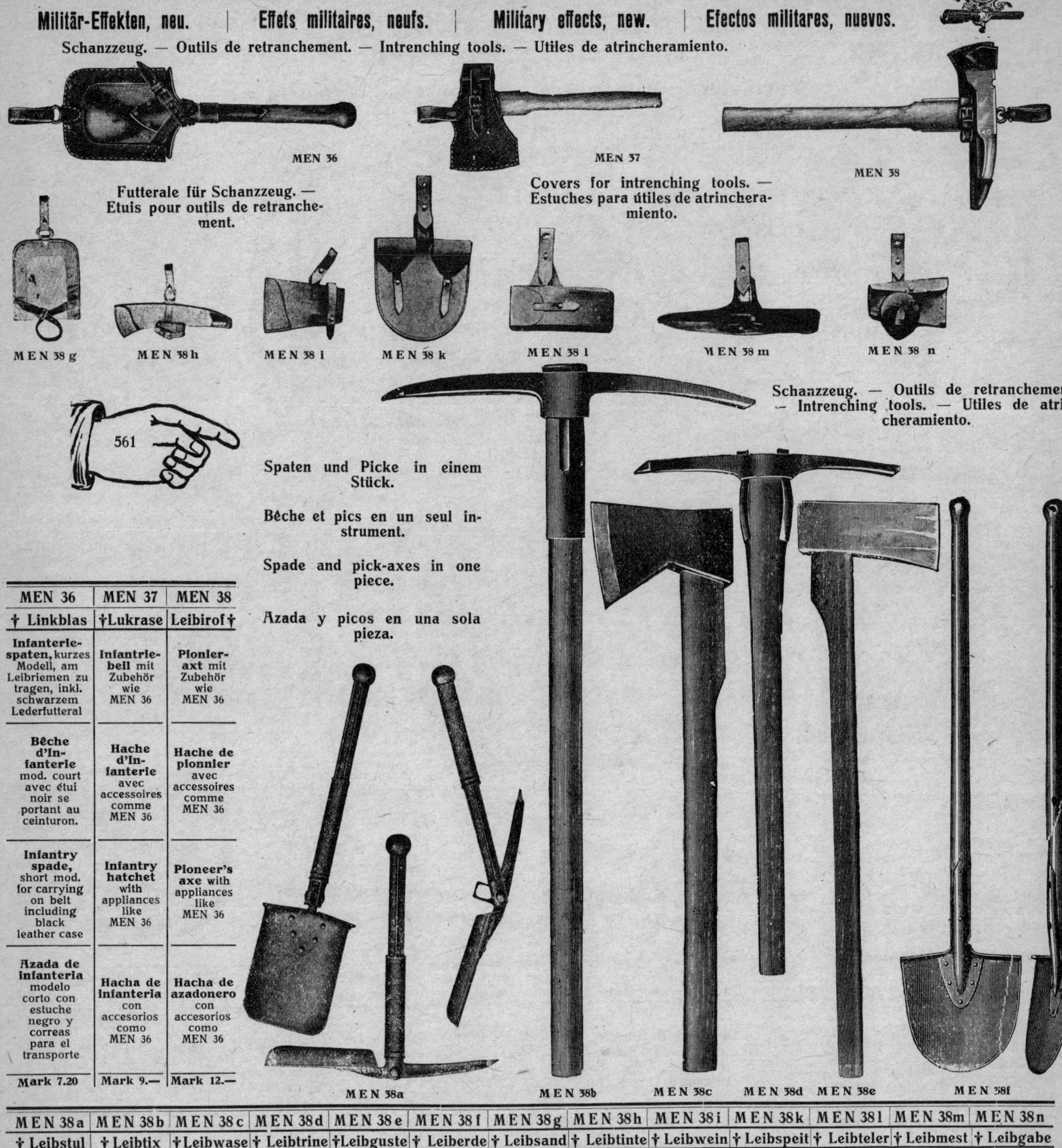

MEN 36 MEN 37 MEN 38

Futterale für Schanzzeug. — Etuis pour outils de retranchement.

Covers for intrenching tools. — Estuches para útiles de atrincheramiento.

MEN 38 g MEN 38 h MEN 38 i MEN 38 k MEN 38 l MEN 38 m MEN 38 n

561

Schanzzeug. — Outils de retranchemen — Intrenching tools. — Utiles de atrincheramiento.

Spaten und Picke in einem Stück.

Bêche et pics en un seul instrument.

Spade and pick-axes in one piece.

Azada y picos en una sola pieza.

MEN 38a MEN 38b MEN 38c MEN 38d MEN 38e MEN 38f

MEN 36	MEN 37	MEN 38
† Linkblas	†Lukrase	Leibirof †
Infanterie-spaten, kurzes Modell, am Leibriemen zu tragen, inkl. schwarzem Lederfutteral	**Infantriebeil** mit Zubehör wie MEN 36	**Pionier-axt** mit Zubehör wie MEN 36
Bêche d'Infanterie mod. court avec étui noir se portant au ceinturon.	**Hache d'Infanterie** avec accessoires comme MEN 36	**Hache de pionnier** avec accessoires comme MEN 36
Infantry spade, short mod. for carrying on belt including black leather case	**Infantry hatchet** with appliances like MEN 36	**Pioneer's axe** with appliances like MEN 36
Azada de infanteria modelo corto con estuche negro y correas para el transporte	**Hacha de infanteria** con accesorios como MEN 36	**Hacha de azadonero** con accesorios como MEN 36
Mark 7.20	Mark 9.—	Mark 12.—

MEN 38a	MEN 38b	MEN 38c	MEN 38d	MEN 38e	MEN 38f	MEN 38g	MEN 38h	MEN 38i	MEN 38k	MEN 38l	MEN 38m	MEN 38n
† Leibstul	† Leibtix	†Leibwase	† Leibtrine	†Leibguste	† Leiberde	† Leibsand	† Leibtinte	† Leibwein	† Leibspeit	† Leibteler	† Leibmest	† Leibgabe
Neuestes Patent-Werkzeug, als Spaten und Picke verwendbar	Grosse Hacke für Train	Grosse Axt für Artillerie	Grosse Hacke für Artillerie	Grosse Axt für Train	Grosser Spaten für Train und Artillerie	Spaten-futteral für Infanterie	Picken-futteral für Infanterie	Beil-futteral für Infanterie	Spaten-futteral für Pioniere	Axtfutteral für Pioniere	Kreuz-hacken-futteral für Pioniere	Beilfutteral für Pioniere
Nouvel outil patenté, utilisable comme bêche et pic.	Grosse pioche pour le Train	Grosse hache pour artillerie	Grosse pioche pour artillerie	Grosse hache pour le train	Grosse bêche pour le train et l'artillerie	Etui pour bêche d'infanterie	Etui pour pic d'infanterie	Etui de hache pour infanterie	Etui de bêche pour pioniers	Etui pour hache de pionniers	Etui pour pioche de pionniers	Etui pour hache de pionniers
Latest patent tool, can be used as spade and pick-axe.	Large pick-axe for military train	Large axe for artillery	Large pick-axe for artillery	Large axe for military train	Large spade for military train and artillery	Spade-covers for infantry	Pick-axe covers for infantry	Hatchet-covers for infantry	Spade-covers for pioneers	Axe-covers for pioneers	Pick-axe covers for pioneers.	Hatchet-covers for pioneers
Nueva herramienta patentada, utilizable como azada y pico.	Azadón grande para el tren	Hacha grande para artilleria	Azadón grande para artilleria	Hacha grande para el tren	Azada grande para el tren y artilleria	Estuche para azada de infanteria	Estuche para pico de infanteria	Estuche de hacha para infanteria	Estuche hacha para azadoneros	Estuche para hacha de azadoneros	Estuche para azadón de azadoneros	Estuche para hacha de azadoneros
Mark 6.—	Mark 6.75	Mark 9.—	Mark 6.50	Mark 8.—	Mark 3.50	Mark 4.—	Mark 4.40	Mark 4.—	Mark 7.—	Mark 6.40	Mark 7.20	Mark 6.—

Militär-Effekten, neu. | Effets militaires, neufs. | Military effects, new. | Efectos militares, nuevos.

Kochkiste
Modell 1909.

Die **Kochkiste** besteht aus einem **Nickelkessel** für **26 Liter**, durch **Sicherheitsventil** luftdicht verschliessbar. Aus der Isolierkiste herausgenommen, steht der Kessel auf einem **Stahlblechunterteil**, der als **Feuerherd** dient. Nach **25 Minuten** siedet der Inhalt des Kochkessels und wird dann geschlossen in die Kiste gesetzt. **Die Kiste kann dann beliebig befördert** werden, und ist die **Speise** im **Kessel** nach **Ablauf** von $2^1/_2$ **Stunden gar** gekocht. **Der gekochte Inhalt bleibt 20 bis 24 Stunden** bei **60 bis 70 Grad** Celsius **warm. Eine** Kiste genügt für **25 Mann**, wiegt nur **21 Kilo** und **ersetzt Fahrküchen** besonders in Geländen, wo der **Transport** solcher **Schwierigkeiten bietet.**

MENKK † Kichkosa Mark: 480.—

Cooking chest
model 1909.

The **cooking chest** consists of a **nickel kettle** holding **26 liters,** which can be hermetically closed, and is provided with a safetyvalve. When taken out of the isolating chest the kettle stands on a **steel plate bottom,** which serves as a **fire-place.** After heating for 25 minutes with the valve open — the contents of the kettle boil and are then placed with the safety valve shut unopened into the chest. The latter **can then be transported** according **to desire,** the **food in** the interior of **the kettle** being **done** to a turn in $2^1/_2$ **hours.** The boiled **contents keep warm** for **20 till 24 hours** at a temperature of **60 till 70 degrees** Celsius. **One chest sufficing** for **25 men,** weighs **21 Kilos only** and is a **substitute for ambulatory kitchens,** particularly in **districts** where it would be **diffitcul** to **transport** the latter.

Caisse-cuisine, modèle 1909.

La **caisse-cuisine** consiste en une **chaudière** de **nickel** de **26 litres,** se fermant hermétiquement et munie d'une **soupape de sûreté.** Sortie de la caisse isolatrice, la chaudière se trouve montée sur un **support de tôle** d'acier, qui **sert de foyer.** Après avoir chauffé 25 minutes — soupape ouverte — le contenu de la chaudière bout et celle-ci est placée — soupape fermée — dans la caisse isolatrice. Cette caisse peut alors **être transportée comme on veut** et la **nourriture** contenue dans la dite chaudière est parfaitement **cuite sans feu** en **2 heures** $^1/_2$. **Pendant 20 ou 24 heures,** les aliments **demeurent chauds** de **60 à 70 dégrès** Celsius. Une seule **caisse suffit** pour **25 hommes, pèse** seulement **21 kilo** et **remplace** avantageusement les **cuisines roulantes,** particulièrement dans les **régions** où le **transport** de celles-ci **offrirait** des **difficultés.**

Caja-cocina, modelo 1909.

La **caja cocina** consiste en una **caldera de niquel** de **26 litros** que puede cerrarse herméticamente y esta provista de una **valvula de seguridad.** Salida de la caja aisladora, la caldera se halla montada sobre **un pedestal de hierro** blanco templado de acero que sirve de **fogón.** En **25 minutos** el contenido de la caldera, hierve y esta se coloca (valvula cerrada) en la caja aisladora. Esta caja se puede **transportar** entonces **como se desee,** y **el alimento** contenido **en dicha caldera** está perfectamente **cocido en 2 horas y** $^1/_2$ sin mas fuego. Durante **20 ó 24 horas permanece caliente de 60 á 70 grados** Celsius. Una sola caja es **suficiente** para **25 hombres,** pesa solamente **21 Kilos,** y **reemplaza** ventajosamente **las cocinas movibles,** particularmente en las **regiones** donde el **transporte** de las mismas ofrece **dificultades.**

Küchen.

Mannschaftsküchen, fahrbare **Küchen, eiserne Kochkessel,** sowie **Feldküchen** liefern wir in allen vorkommenden Arten und Grössen. Wir bitten von Fall zu Fall **Spezial-Offerte** einzuholen.

Cocinas movibles.

Proveemos igualmente en todas clases y dimensiones de **cocinas movibles** de tropa, de cocinas de **campamento** etc. Rogamos á nuestros clientes que nos pidan de caso en caso **ofertas especiales.**

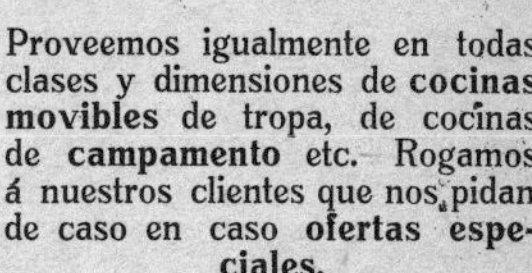

Cuisines roulantes.

Nous livrons également, dans tous genres et dimensions, des **cuisines roulantes** de troupe, des **cuisines** de **campement** etc. Nous prions nos clients de nous demander, de cas à cas, **offres spéciales.**

Ambulatory kitchens.

All kinds of military and ambulatory kitchens, **iron saucepans** and **camping kitchens** supplied in any size. Please apply for **special offer** in every case.

Militär-Effekten, neu. | Effets militaires, neufs. | Military effects, new. | Efectos nuevos militares.

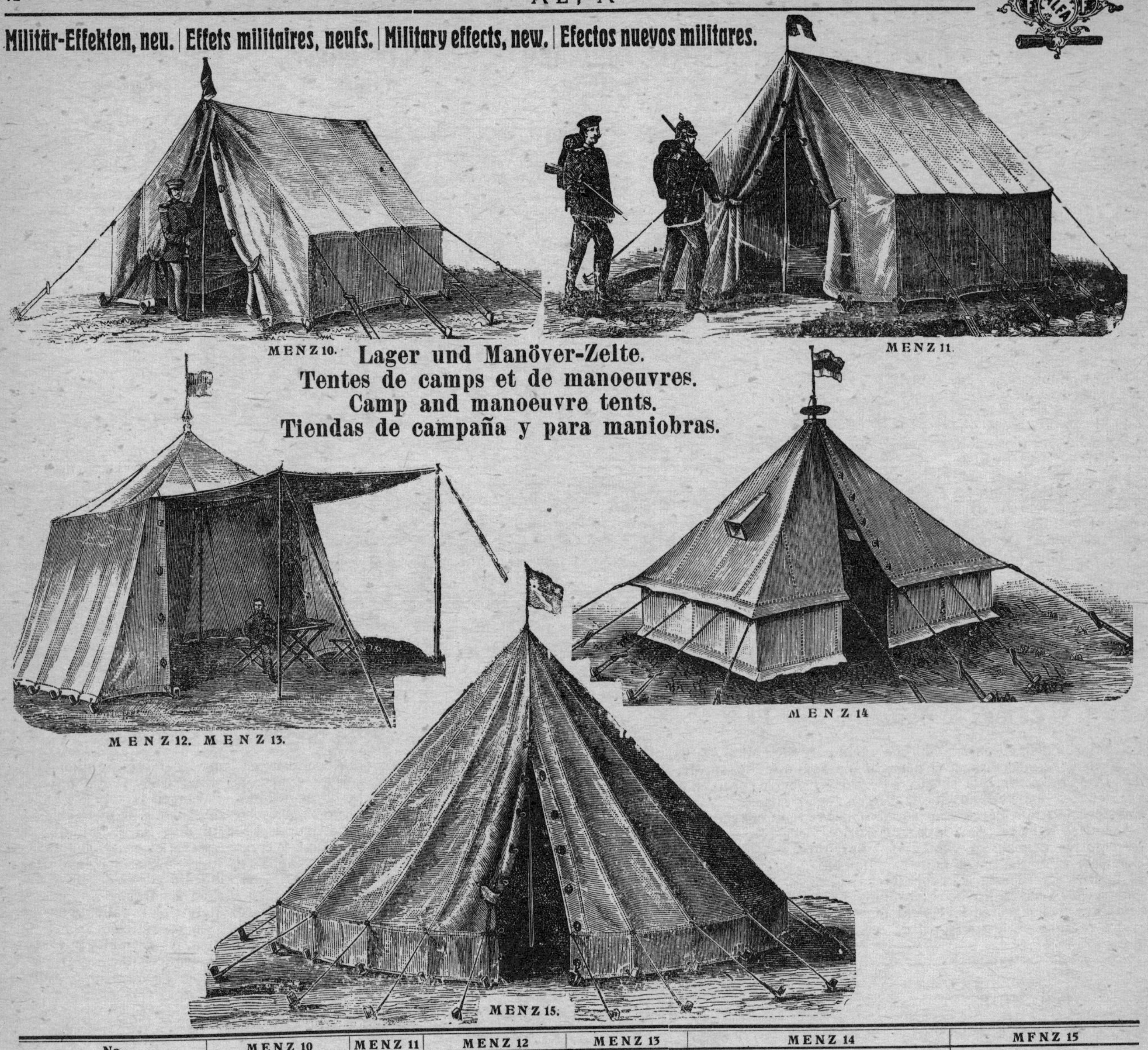

MENZ 10. MENZ 11.

Lager und Manöver-Zelte.
Tentes de camps et de manoeuvres.
Camp and manoeuvre tents.
Tiendas de campaña y para maniobras.

MENZ 12. MENZ 13. MENZ 14

MENZ 15.

No.	MENZ 10	MENZ 11	MENZ 12	MENZ 13	MENZ 14	MFNZ 15
†	Menzball	Menzslage	Menznetz	Menzpfal	Menzstang	Menzspitz
Zubehör;	2 Stangen, 1 Querstange mit Oesen, 20 Pflöcke	Wie MENZ 10	Gestell aus 4 Stäben mit Dachkreuz, Zeltknopf mit Fahne	Wie MENZ 12, mit Eisenbeschlag	1 teilbare Mittelstange aus Holz mit 2 Kleiderhaken, 4 Eisenpflöcke, 13 grosse, 17 kleine Holzpflöcke, 1 Stange mit Fahne	1 teilbarer Mittelstab aus Holz mit 20 Holzpflöcken
Accessoires:	à 2 piquets et 1 traverse avec systèmes de fermeture, 20 chevilles	Comme MENZ 10	à 4 piquets, avec toit en croix, oriflamme montée sur pommeau	Comme MENZ 12, avec garniture de fer	1 piquet de bois central, démontable, avec 2 crochets à habits, 4 chevilles de fer, 13 grosses chevilles de bois, 17 petites — 1 piquet avec oriflamme	1 piquet central, en bois, démontable, avec 20 chevilles de bois.
Accessories:	2 poles, 1 cross-bar with ears, 20 pegs	Like MENZ 10	Frame of 4 staves and cross-roof tent, knob with flag	Like MENZ 12, with iron mounting	1 divisible wooden center-bar with 2 hooks for clothes, 4 iron pegs, 13 large 17 small wooden pegs, 1 pole with flag.	1 divisible center-bar of wood with 20 wooden pegs
Accesorios:	De dos estacas y 1 travesaño con sistemas de cierre — 20 clavijas	Como MENZ 10	De 4 estacas, con tejado de cruz-oriflama montada sobre pomo	Como MENZ 12, con guarnición de hierro	1 estaca de madera central, desmontable, con 2 ganchos de ropa — 4 clavijas de hierro, 13 clavijas gruesas de madera, 17 pequeñas — 1 estaca con oriflama.	1 estaca de madera central, desmontable, con 20 clavijas de madera
Länge in Meter. — Longueur en mètres. — Length in meters. Longitud en metros.	2,50	2,65	3,50	4,20	4,10	4,50
Breite zwischen den Stäben in Meter. — Distance en mètres d'un piquet à l'autre. — Breadth between the bars in meters. — Distancia en metros de una estaca á otra.	2,50	3,35	3,50	4,20	4,10	4,50
Höhe in Meter. — Hauteur en mètres. — Height in meters. — Altura en metros.	2,40	2,75	2,65	2,80	3,35	3,60
Bedeckte Bodenfläche in Meter. Etendue en mètres du sol couvert. — Space of ground covered in meters. — Espacio del suelo cubierto en metros.	6,50 □	8,90 □	12,30 □	17,64 □	16,80 □	15,90 □
Gewicht circa Kilo. — Poids approximatif Kilo. — Weight about Kilos. — Peso aproximadamente, Kilos.	24	33	60	70	65—75	30
Mark	192.—	220.—	300.—	340.—	450.—	350.—

Militär-Effekten, neu. | Effets militaires neufs. | Military effects new | Efectos militares nuevos.

Schlafsack, wasserdicht. | Sac à dormir, imperméable. | Sleeping sack, waterproof. | Saco impermeable de dormir.

Wasserdichte Gummi-Lagerdecken. | Couvertures de campement en caoutchouc, imperméables. | Rubber blankets, waterproof. | Cubiertas de cautchuc para campamento, impermeables.

2544
2545
2546
2546a

MEGM 10, MEGM 11 MEGM 12

2544	2545	2546	2546a	MEGM 10	MEGM 11	MEGM 12
† Pedrusca	† Peloton	† Pavona	† Perima	† Gummineit	† Gummibix	† Gummikoki
Schlafsack aus weichem schmiegsamen Stoff, **wasserdicht bezogen**, der untere Teil **mit Luft aufblasbar** wie **Luftkissen. Kapuzenartiger**, umlegbarer **Windschirm** für den **Kopf** als Dach, inklusive Plaidriemen zum Tragen in der Hand für 170 cm-Figur	wie 2544 aber **grösser**, für **Figur 190 cm**	**Ledertuch-futteral** für den Schlafsack	wie 2544 aber **ohne Aufblas-vorrichtung**, sogenanntes Armeemodell	Wasserdichte **Feld- und Lagerdecke** aus schwarz gummiertem Köper	wie MEGM 10 aber aus **Nessel** mit **Baykafutter** und Tasche	**Luftkissen** zu MEGM 10 und 11 aus kariertem Köper, Grösse 30 × 40 cm
Sac à dormir en étoffe souple **imperméable** — partie postérieure **se gonflant à l'air comme un oreiller à air, capuchon** genre capucin **rabattable et préservant la tête**, avec courroies de transport à main, grandeur: 170 cm	Comme 2544 mais **plus grand 1 m 90**	**Etui de cuir** pour le sac à dormir	Comme 2544 mais **sans partie posté-rieure** gonfleable-appelé modèle militaire	**Couverture imper-méable** de **campement** en croisé noir caoutchouté	Comme MEGM 10 mais en étoffe avec doublure „Bayka" et poche	Oreiller se gonflant à l'air pour MEGM 10 et 11 — en croisé quadrillé, Dimensions 30×40 cm
Sleeping sack of soft pliable material, waterproof covering. The lower part **can be inflated with air** like an **air cushion. A screen in form of a cape** can be fixed up as **roof** for the protection of the head. Straps intended for carrying in the hands. Size 1700 cm	like 2544 but **larger size** 190 cm	**leather cover** for sleeping sack	like 2544 but **without arrangement for inflating**	**Waterproof Field and camp blanket** of black gummed tweel	like MEGM 10 but of nettle material with „Bayka" lining and pocket	air cushion to MEGM 10 and 11 of checked tweel, size 30 × 40 cm
Saco para dormir, de tela impermeable. La parte posterior se infla de aire como una almohada de aire, capuchón genero de capuchino rebajable preserva la cabeza, con correas de transporte en mano. Dimension 170 cm	Como 2544 pero **más grande 1 m 90**	**Estuche de cuero** para el saco de dormir	Como 2544 pero **la porte posterior nose pinfla** elamado mod. militar.	**Cubierta imper-meable de campamento de cautchuc negro**	Como MEGM 10 pero en tela „Nessel" con dobladillo „Bayka" y bolsillo	Almohada que se hinfla de aire para MEGM 10, cruzada, labrada dimensiones 30 × 40 cm
Mark 55.—	Mark 59.—	Mark 8.—	Mark 48.—	Mark 28.—	Mark 40.—	Mark 7.—

Schlafsack auf dem Rücken. | Sac à dormir, sur le dos. | Sleeping sack on back. | Saco para dormir, sobre la espalda.

Militär-Effekten, neu. | Effets militaires, neufs. | Military effects, new. | Efectos militares, nuevos.

MENF 3 MENF 4

MENF 3 † Mifarini	MENF 4 † Mifarko
Wie MENF 1, aber mit grosser lederner Transporttasche und Gewehrtragevorrichtung.	Wie MENF 2, aber mit grosser Transporttasche und Gewehrtragevorrichtung.
Comme MENF 1. mais avec grande pochette de cuir et dispositif pour transport d'un fusil.	Comme MENF 2, mais avec grande pochette de cuir et dispositif pour transport d'un fusil.
Like MENF 1, but with large leather transport-bag and arrangement for carrying rifle.	Like MENF 2, but with large transport-bag and arrangement for carrying rifle.
Como MENF 1, pero con bolsillito de cuero, grande y disposición para transporte de un fusil.	Como MENF 2, pero con bolsillito de cuero grande y disposición para transporte de un fusil.
Mark 185.—	Mark 210.—

Zusammenlegbares Militärfahrrad, klein zerlegt, bequem auf dem Rücken zu tragen, Soldat ohne abzusteigen schussbereit.

Bicyclette militaire démontable et repliable, pouvant se porter commodément sur le dos, permet de faire feu sans descendre de l'appareil.

Collapsible military cycle. Easy to carry on back when in pieces. Soldier ready for shot, without alighting.

Bicicleta militar desmontable pudiéndore llevar cómodamente sobre la espalda. Permite tirar sin bajar del aparato.

List

MENF 5

MENF 5 † Mifarzus

Verstellbarer, für jede Grösse passender Rahmen. Räderdurchmesser 65 cm, grosses Kettenrad = 23 Zähne, Nabenkranz = 9 Zähne, Uebersetzung 5,50 m, Kette 4 mm breit, Teilung 25,4 mm, Korkgriffe, Zackenpedale, Michelin Pneumatik.

Preis inklusive Tragriemen

Cadre mobile extensible en toutes grandeurs. Diamètre des roues: 65 cm — pédalier principal à 23 dents — pédalier de derrière à 9 dents — développement 5,50 m — chaîne de 4 mm de large — poignées en liège — pédales à emboîtement — pneumatics Michelin.

Prix y compris courroies

Adjustable frame, suitable for all sizes. Diameter of wheels 65 cm, large chain-wheel with 23 cogs, rim of the center 9 cogs, gear 5,50 m, chain 4 mm broad, division 25,4 mm, cork grips, notched pedals, Michelin Pneumatic.

Price including carrying strap

Cuadro movible, ajustándose por cualquier tamaño. De diámetro de las ruedas 65 cm — pedal principal de 23 dientes — pedal de atrás de 9 dientes — desarrollo 5,50 m — cadena de 4 mm de ancho — empuñaduras de corcho — pedales de juntura — neumáticos Michelin.

Precio inclusive correas

Mark 400.—

Orchester-Instrumente für Militärmusik.	Instruments d'orchestre pour musique militaire.	Orchestra Instruments for military music.	Instrumentos de orquesta para musicas militares.

Orchester-Instrumente für Militärmusik.

Wichtig:

Genau **anzugeben** ist bei jeder **Bestellung**, ob die Instrumente in der **neuen tiefen Normalstimmung** (International, Continental, New Philharmonic Pitch; diapason nouveau; diapason moderno) zu 870 einfachen Schwingungen des Normal-A, oder in der **alten hohen Stimmung** (high pitch, diapason ancien, diapason antiguo) zu 888 einfachen Schwingungen des Normal-A zu liefern sind.

Erklärung der Marken:

C. Solid gearbeitete Orchesterinstrumente einfacher Art, mit **Neusilber-Mundstück** und **Noten-Halter.**

B. Fein gearbeitete Orchesterinstrumente nach bewährten Modellen, mit **starken** Zwingen, Kappen, Kämmen und Ringen, mit **feingearbeiteten** Ventilen, Neusilber - Mundstück und Notenhalter. **Die Gebrauchsinstrumente des guten Militärorchesters.**

A. Feinste Soloinstrumente mit **reicher Neusilbergarnitur** und Präzisionsventilen, **innere Ventilzüge** aus **Neusilber**, starke Garnitur wie B, kurzer Ventildruck, **weiche Aktion, Neusilber - Mundstück**, Ventilknöpfe mit **Perlmuttereinlage**, Notenhalter.

Instruments d'orchestre pour musique militaire.

Avis important:

Prière d'**indiquer** exactement dans chaque **commande** si les instruments doivent être livrés dans la **nouvelle tonalité basse** (International Continental, New Philharmonic Pitch; diapason moderno) à 870 vibrations simples du A-Normal ou dans **l'ancienne tonalité élevée** (high pitch, diapason ancien, diapason antiguo) à 888 vibrations simples du A-Normal.

Explication des marques.

C. Instruments d'Orchestre solidement fabriqués, genre simple, avec **embouchoir** et porte notes en **vieil argent.**

B. Instruments d'Orchestre élégamment fabriqués, d'après modèles ayant fait leurs preuves, garniture **renforcée** et viroles arrondies, mécanisme de classe supérieure, embouchoir et portenotes, vieil argent. **Ce sont les instruments en usage dans les meilleurs orchestres militaires.**

A. Elégants instruments de solistes avec **riche garniture en vieil argent** et pistons (cylindres) de précision, **tubes de coulisses intérieurs en vieil argent,** garniture solide comme la marque B, courte pression à donner sur les touches, **action facile,** embouchoir en **vieil argent,** boutons de piston avec **garniture** de **nacre,** porte-notes.

Orchestra Instruments for military music.

Important:

In every **order** it must be clearly **stated** whether the instruments are to be supplied with the International, Continental, New Philharmonic **Pitch** with 870 simple vibrations of the normal A or with the **old high pitch** with 888 single vibrations of the normal A.

Explanation of the marks:

C. Solid orchestra instruments of simple make with **German silver mouth-piece** and **music stand.**

B. Finely worked orchestra instruments according to approved models with **strong** mountings, rings and ferrules with **superior valves** German silver mouth-piece and music stand. **The instruments used by the good military orchestras.**

A. The finest soloists' instruments with rich German silver mounting and perfected light action valves, **inward tubing of German silver,** strong mounting like B, short valve pressure, **soft action, German silver mouth-piece,** valve buttons **inlaid** with **mother of pearl,** music-stand.

Instrumentos de orquesta para musicas militares.

Aviso importante:

Se ruega **indiquen** exactamente en cada **pedido** si los instrumentos deben ser enviados en la **meva vibración baja** (International, Continental, New Philharmonic Pitch; diapason nouveau; diapason moderno de 870 vibraciones simples del A - Normal, ó en la **antigua vibración (high pitch), diapason** ancien, diapason antiguo) de 888 del A-Normal.

Explicación de las marcas:

C. Instrumentos de orquesta, **sólidamente fabricados,** género simple, **con boca porta notas de plata nuerva**

B. Instrumentos de orquesta elegantemente fabricados, de modelos aprobados, guarnición **reeforzada** y virolas redondeadas. Mecanismo de clase superior. Boca de plata nuevo y porta notas. Estos **instrumentos se usan con preferencia** en las **mejores orquestas militares.**

A. Instrumentos elegantes con **rica guarnición** de **plata nueva** y pistones, (cilindros) de precisión, **tubos** de **correderas interiores de plata nueva.** Guarnición sólida como la muestra B, corta presión hay que dar sobre las teclas, **acción facil,** boca de plata nueva, botones de pistones de nacar, porta notas.

Blechblasinstrumente mit französischen Pumpenventilen: | **Instruments à vent avec pistons français.** | **Wind instruments with French piston valves.** | **Instrumentos de viento y de pistones franceses.**

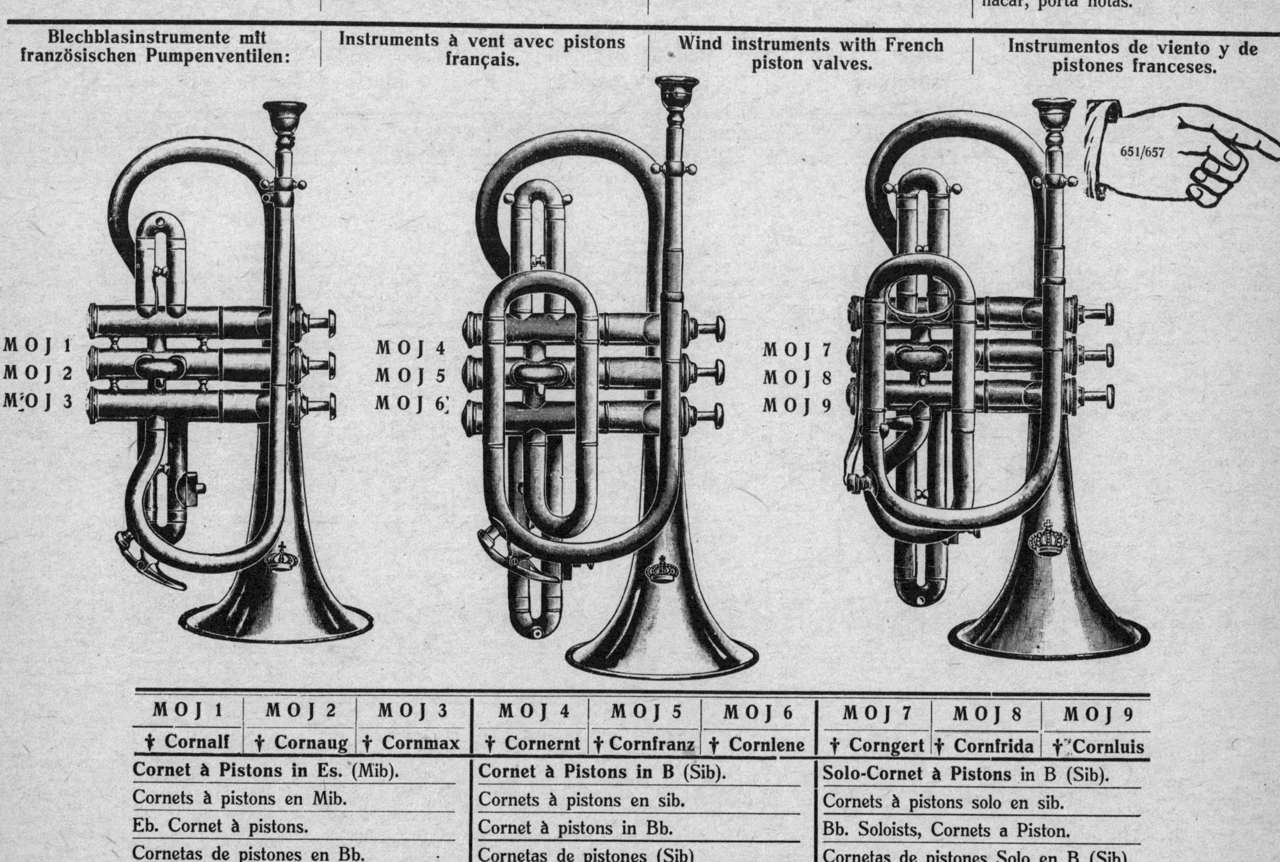

MOJ 1	MOJ 2	MOJ 3	MOJ 4	MOJ 5	MOJ 6	MOJ 7	MOJ 8	MOJ 9
† Cornalf	† Cornaug	† Cornmax	† Cornernt	† Cornfranz	† Cornlene	† Corngert	† Cornfrida	† Cornluis
Cornet à Pistons in Es. (Mib).			Cornet à Pistons in B (Sib).			Solo-Cornet à Pistons in B (Sib).		
Cornets à pistons en Mib.			Cornets à pistons en sib.			Cornets à pistons solo en sib.		
Eb. Cornet à pistons.			Cornet à pistons in Bb.			Bb. Soloists, Cornets a Piston.		
Cornetas de pistones en Bb.			Cornetas de pistones (Sib)			Cornetas de pistones Solo en B (Sib).		
C	B	A	C	B	A	C	B	A
Mark 34.—	44.—	62.—	38.—	48.—	70.—	46.—	60.—	92.—

Orchester-Instrumente für Militär-Musik. | Instruments d'orchestre pour musiques militaires. | Orchestra Instruments for military music. | Instrumentos de orquesta para músicas militares.

Grosse Trommeln und Kesselpauken. | Grosses Caisses et timbales d'orchestre. | Bass-drums and kettle-drums. | Bombos y Timbales.

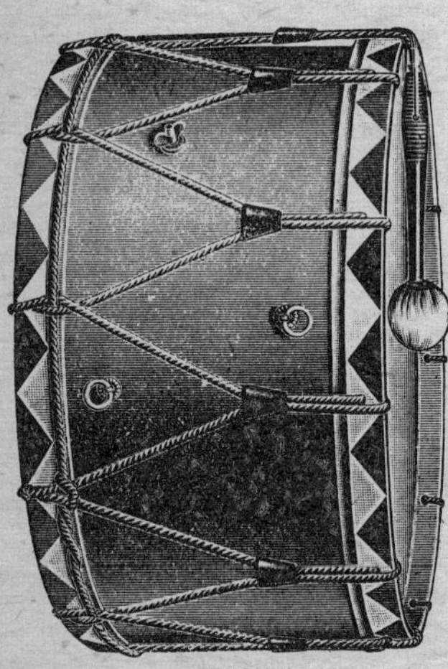

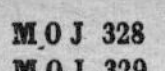

M O J 328
M O J 329

M O J 330
M O J 331

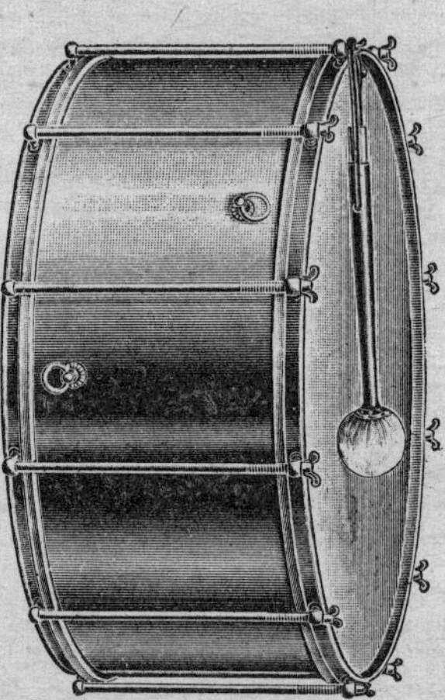

M O J 332
M O J 333
M O J 334

M O J 335
M O J 336
M O J 337
M O J 338

Felle und alle Zubehörteile zu Original-Fabrikpreisen. **S O**

Peaux et autres accessoires aux prix originaux des fabriques. **S O**

Vollum heads and all fittings supplied at original factory prices. **S O**

Parches y otros accessorios á los precios originales de fábricas. **S O**

M O J 328	M O J 329	M O J 330	M O J 331	M O J 332	M O J 333	M O J 334	M O J 336	M O J 336	M O J 337	M O J 338	M O J 339	M O J 340	M O J 341	M O J 342
† Paukist	Paukfru	Paukund	Paukson	Pauktok	Paukvat	Paukmer	Pauktel	Paukhil	Paukfex	Paukfer	Pauklis	Paukruh	Pauhwilt	Paukbild
							Kesselpauken. Preis pro Paar mit Gestell und Schlägeln				**Kesselpauken fürs Pferd** PreisinklusiveSchläge			
Grosse Trommel 70 cm Durchm. **Buchenholzkessel** Holzreifen mit Leinenspannung	**Grosse Trommel** 70 cm Durchmesser polierter **Buchenholzkessel** polierte Holzreifen **vernickelte Metallteile** weisse Lederschlaufen feinste Art mit Leinenspannung	**Grosse Trommel** 70cmDurchmesser **Buchenholzkessel** Holzreifen 8 Eisenschrauben	**Grosse Trommel** 70cmDurchmesser **Messingkessel** 10 Eisenschrauben Buchenholzreifen	**Grosse Trommel** 70 cm Durchm. **Ganz aus Messing** 12 Messingschrauben	**Grosse Trommel** 70 cm Durchm. wie MOJ 332 das Ganze **fein** und **stark vernickelt**	**Grosse Trommel** 69 cm Durchm. ganz aus **Aluminium** mit 10 Schrauben **leicht**	**Aluminium-Kessel** 48 und 53 cm Durchm. leicht **einfache** Art	Wie MOJ 335 **stark** mit Flügelschraub. **gute** Art	Durchm. 54 u. 60 cm mit geschmiedeten **Kupferkesseln**	Wie MOJ 337Durchmesser **63** u. **66** cm **feinste** Ausführung Ia. Ia. Qualität	**54 u. 60 cm** Durchm. **Armee-Modell**	wie MOJ 339 **feinste** Ausführung fein **vernickelt**	1 Satz **vollständiger Riemen** zum Befestigen der Pauken am Pferde	1 Paar **Behänge** für Pauken zu Pferd **feinste Stickerei** je nach Ausführung
							per Paar							
							Timbales d'orchestre. Prix par paire avec pieds démontables et baguettes				**Timbales de cavalerie** Prix avec baguettes			
Grosse caisse, Diamètre **70 cm,** fût et cercles de **hêtre** avec cordage et tirants	**Grosse caisse,** diamètre 70 cm, fût en hêtre et cercles de bois polis, parties de **métal nickelées,** tirants en cuir blanc, genre très fin, avec cordage	**Grosse caisse,** diamètre 70 cm, fût et cercles de hêtre, 8 vis de fer	**Grosse caisse,** diamètre 70 cm, fût de cuivre, 10 tringles de fer, cercles en hêtre	**Grosse caisse,** diamètre 70 cm, **tout en cuivre,** 12 tringles de cuivre	**Grosse caisse,** diamètre 70 cm, comme MOJ 332, le **tout très élégant** et **solidement nickelé**	**Grosse caisse,** diamètre 69 cm, tout en **aluminium,** avec 10 vis, très **léger**	**Fût d'aluminium,** diam. 49 et 53cm, très léger, genre bon marché	Comme MOJ 335, avec vis à ailes, genre fort	Diamètre **54 et 60** cm avec fût de cuivre forgé	Comme MOJ 337 diamètre **63 et 66,** exécution extra élégante, qualité surfine	Diamètre **54 ou 60 cm, modèle de l'Armée**	comme MOJ 339 mais solidement **nickelé**	1 jeu complet de courroies et attaches pour une paire de Timbales de cavalerie, adaptées à l'usage équestre	1 Paire de tentures pour timbales pour usage équestre, broderie très élégante
							par paire							
							Kettle drums. Price per pair with stands and sticks.				**Kettle drums for cavalry** Price incl. sticks			
Bass drum 70 cm diameter, **beech shell,** wooden hoops with cord and braces	**Bass drum** diameter **70 cm** polished **beech** shell and hoops, nickeled metal parts with extrafine white brather braces, with cords	**Bass drum** diameter 70 cm **beech shell,** wooden hoops 8 iron screws	**Bass drum** diameter 70 cm **brass shell,** 10 iron screws beech wood hoops	**Bass drum** diameter 70 cm all of **brass** 12 brass screws	Bass drum diameter 70 cm same as MOJ 332 all ports finely and strongly nickle plated	**Bass drum** diameter 69 cm all of **aluminium** with 10 screws **very light**	**Aluminium kettle** 48 and 53 cm in diameter light simple kind	same as MOJ 335 **strong** with winged screws **good** kind	Diámeter **54** and **60** cm with **forged copper kettles**	like MOJ 337 diámeter **63** and **66** cm **finest** make extra special quality	Diameter **54** and **60** cm, **model Regulation**	same as MOJ 339 strongly but nickel plated extrafing quality	1 complete set of leather slings for one pair of Kettle Drums for Cavalry for equestryan use	One pair of ornaments for **kettle drums** equestrian use, richly embroidered according to quality and ambroidery, Regulation
							per pair							
							Timbales para orquesta. Precio por par con palillor				**Timbales de cabelleria** Precios con palillor			
Bombo, diámetro 70 cm, **fuste de haya,** cercos de madera con cuerdas	**Bombo,** diámetro 70 cm, **fuste de haya** pulida, cercos de madera pulidos, parter de metal **niquelados** atados de cuero blanco elegantes con cuerdas	**Bombo,** diámetro 70 cm, caja de cercos de madera, 8 tornillos de hierro	**Bombo,** diámetro 70 cm, **fuste de latón,** 10 tornillos de hierro, cercos de haya	**Bombo,** diámetro 70 cm, **todo de latón,** 12 tornillos de latón	Bombo, diámetro 70 cm, como MOJ 332, el todo muy elegante y fuertemente niquelado	**Bombo,** diámetro 69 cm, todo de **aluminio,** con 10 tornillos, muy ligero	**Bombo de aluminio,** diámetro 48 y 53 cm m., ligero y **simple**	Como MOJ 335, tipo **fuerte,** con tornillos de alas, **buen** trabajo	Diámetro **54y60**cm, con **caja** de **bronce forjado**	Como MOJ 337, diámetro **63y66**cm, ejecución **extraelegante,** calidad de primer orden	Diámetro **54 o 60** cm, modelo militar	Como MOJ 339, ejecucion **extra** elegante **niquelada**	1 juego completo de correas para un par do Timbales de caballeria, para uso á caballo	Un par de ornomentos para Timbales para uso á caballo **elegante bordado** qualità y bordadura
							por par							
Mark 66.—	108.—	74.—	95.—	146.—	190.—	204.—	150.—	200.—	280.—	420.—	330.—	640.—	84.—	80—300

Automatische Rückstosslader-Waffen.

Armes automatiques se chargeant par la force du recul

Automatic Recoil-loading arms

Armas automaticas que se cargan por la fuerza del retroceso

Pistolen — Pistolets — Pistols — Pistolas.

Rückstosslader, welche durch den Rückstoss der Gase alle sonst nötigen mechanischen **Handgriffe** selbsttätig **automatisch** ausführen, so dass **nur** das **Abdrücken des Abzugs** nötig wird. Die **leere Hülse** wird stets **von selbst** herausgeworfen und die **neue Patrone von selbst** in den Lauf gebracht. **Verschluss, Schloss** und **Mechanismus** arbeiten durch den **Rückstoss** als treibende Kraft selbsttätig.

Pistolet automatique, chez qui la pression des gaz **produit automatiquement** tout le **travail** qui autrement devrait être fait à **la main**, de sorte qu'il ne **reste** au tireur qu'à **presser sur la détente.** La **douille** vide est toujours **rejetée automatiquement** et la **nouvelle cartouche plaçée d'ellemême** dans le canon. Tout le mécanisme fonctionne automatiquement **par la force du recul.**

Recoil-loader, the pressure of the gases, produced by the discharge, sets the necessary mechanism in motion for effecting spontaneonsly and **automatically** all those **movements,** which would otherwise have to be done by hand, so that it is **only** necessary **to pull the trigger.** Owing to this pressure of the gases **spent cartridges** are always **ejected** and **replaced after every shot.** The force of the **recoil** thus **couverts the lock** and **mechanism** into self-**acting appliances.**

Carga por retroceso, la presión de los gases producidos al disparar es la fuerza motriz desarollando los **movimientos** espontaneos y **automaticos** necesarios que de otro modo debrían hacerce manualmente. **No queda** pues más **que oprimir** el **disparador.** Por medio de esta presión e **cartucho** es **arrojado vacio** y otro **nuevo cargado,** pues la **fuerza del retroceso** convierte el cerrojo y mecanismo en funcionamiento **automático.**

126/129

Käufer verpflichten sich durch Unterschrift der Fabrik-Bedingungen, dieselben bei Verkauf der Browning-Waffen streng einzuhalten.

Purchasers bind themselves by their signatures to keep strictly to the conditions of the factory when selling the Browning arms.

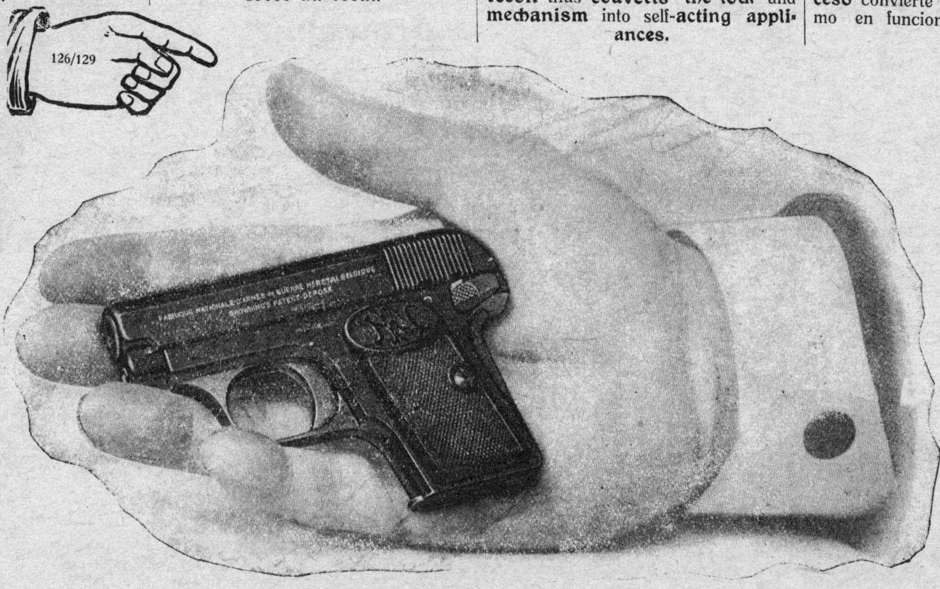

Browning

Les acheteurs s'engagent par la signature des conditions de la fabrique, à observer strictement ces conditions dans la vente par eux des armes Browning.

Browning

Los compradores se comprometen por medio de firma de las condiciones de la fabrica, á observar estrictamente estas condiciones en sus ventas de las armas Browning.

Dreifache automatische Sicherung — Triple sûreté automatique — Triple automatic safety — Triple automática seguridad.

Baby

Kaliber: 6,35
Länge: 11,4 cm
Gewicht: 350 gr
Anzahl der Schüsse: 7
Zubehör: 1 Magazin Exerzierpatronen, 1 Putzstock 1 Pappkarton.

Ohne Werkzeug mit einigen Griffen zu zerlegen.

Dreifache Sicherung.

Calibre: 6,35
Longueur 11 cm 4
Poids 350 grammes
Nombre de coups 7
Accessoires 1 chargeur — cartouches d'exercice — 1 brosse — 1 carton.

Démontable sans outils en quel ques instants.

Triple sûreté.

Caliber: 6,35
Length: 11,4 cm
Weight: 350 gr
Number of shots: 7
Accessories: 1 magazine cartridges for practice, 1 cleaning rod, 1 cardboard box.

Can be quickly taken to pieces without tools.

Triple safety.

Calibre: 6,35
Longitud: 11 cm 4
Peso: 350 gramos
Número de tiros: 7
accesorios: 1 cargardor-cartuchos de ejercicio, 1 cepillo, 1 carton.

Desmontable sin útiles en algunos instantes.

Triple seguridad. Cal.

328—328 e.

	328 † Baby	328 a † Babynik	328 b † Babyperl	328 c † Babynipe	328 d † Babygrav	328 e † Babygrani	328 f † Babzin
	schwarz brüniert mit **Kautschukgriff**	**vernickelt** mit Kautschukgriff	wie 328, aber mit **Perlmuttergriff**	wie 328 a, aber mit **Perlmuttergriff**	wie 328, aber **graviert und Perlmuttergriff**	wie 328 a, aber **graviert und Perlmuttergriff**	Einzelne **Reservemagazine** für 328—328 e
	poli noir, crosse caoutchouc	**nickelé,** avec crosse caoutchouc	comme 328, mais avec **crosse de nacre**	comme 238 a, mais avec **crosse de nacre**	comme 328, mais **gravé,** avec **crosse de nacre**	comme 328 a, mais **gravé,** avec **crosse de nacre**	chargeurs de réserve pour 328—328 e
	black burnished with rubber handle	**nickeled** with rubber grip	like 328, but with **mother of pearl grip**	like 328 a, but with **mother of pearl grip**	like 328, but **engraved** and **mother of pearl grip**	like 328 a, but **engraved** and **mother of pearl grip**	**single reserve magazines** for 328—328 e
	brunido negro — culata de **cautchuc**	**niquelado** con culata de cautchuc	Como 328, pero con **culata de nácar**	Como 328 a pero con **culata de nácar**	Como 328, pero **grabado con culata de nácar**	Como 328 a, pero **grabado con culata de nácar**	Cargadores de cambio por 328—328 e
	Mark	**Mark**	**Mark**	**Mark**	**Mark**	**Mark**	**Mark**
1— 24	53.20	55.53	76.—	78.33	91.20	93.53	2.—
25— 99	51.80	54.07	74.—	76.27	88.80	91.07	
100—249	50.40	52.61	72.—	74.21	86.40	88,61	
250	49.—	51.15	70.—	72.15	84.—	86.15	

Automatische Rückstoßlader-Waffen.	Armes automatiques se chargeant par la force du recul.	Automatic recoil loading arms.	Armas automáticas que se cargan por la fuerza del retroceso.

Pistolen.	Pistolets.	Pistols.	Pistolas.

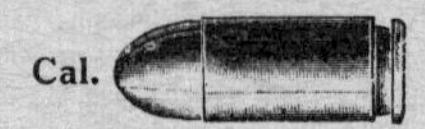

Cal. 7,65 mm

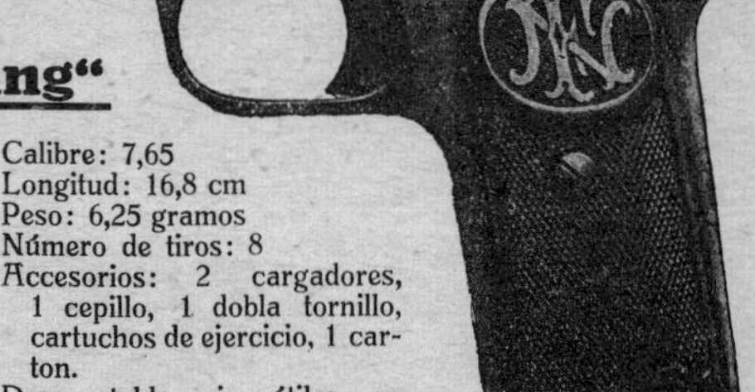

327
327e

„Browning“

Caliber: 7,65
Länge: 16,8 cm
Gewicht: 625 gr
Anzahl der Schüsse: 8
Zubehör: 2 Magazine, 1 Putzstock, Exerzierpatronen, 1 Schraubenzieher, 1 Pappkarton.
Ohne Werkzeug mit einigen Griffen zu zerlegen.

Calibre: 7,65
Longueur: 16 cm 8
Poids: 625 grammes
Nombre de coups: 8
Accessories: 2 chargeurs, 1 brosse, 1 tourne vis, cartouches d'excercice, 1 carton.
Démontable sans outils en quelques instants

Caliber: 7,65
Length: 16,8 cm
Weight: 625 gr
Number of shots: 8
Accessoires: 2 magazines, 1 cleaning rod, practice cartridges, 1 screw driver, 1 cardboard box.
Can easily be taken to pieces without tools

Calibre: 7,65
Longitud: 16,8 cm
Peso: 6,25 gramos
Número de tiros: 8
Accesorios: 2 cargadores, 1 cepillo, 1 dobla tornillo, cartuchos de ejercicio, 1 carton.
Desmontable sin útiles en algunos instantes

„Browning“

327 i

„Browning“

Cal. 9 mm

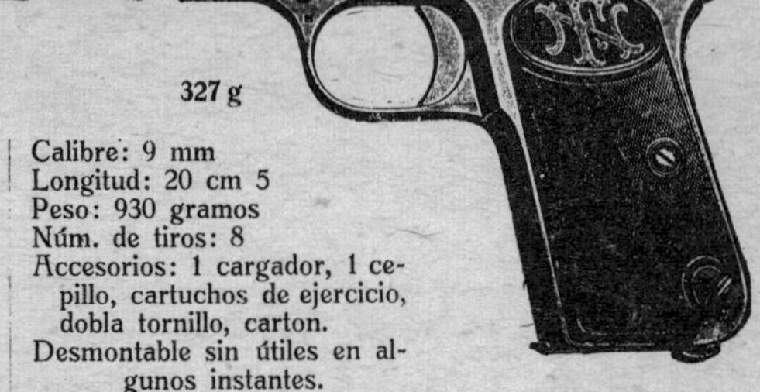

327 g

Caliber: 9 mm
Länge: 20,5 cm
Gewicht: 930 gr
Anzahl der Schüsse: 8
Zubehör: 1 Magazin, 1 Putzstock, Exerzierpatronen, Schraubenzieher, Pappkarton.
Ohne Werkzeug mit einigen Griffen zu zerlegen.

Calibre: 9 mm
Longueur: 20 cm 5
Poids: 930 grammes
Nombre de coups 8:
Access.: 1 chargeur, 1 brosse, cartouches exercice, tourne vis, carton.
Démontable sans outils en quelques instants.

Caliber: 9 mm
Length: 20,5 cm
Weight: 930 gr
Number of shots: 8
Accessories: 1 magazine, cleaning rod, practice cartridges, screw driver, cardboard box.
Can easily be taken to pieces without tools.

Calibre: 9 mm
Longitud: 20 cm 5
Peso: 930 gramos
Núm. de tiros: 8
Accesorios: 1 cargador, 1 cepillo, cartuchos de ejercicio, dobla tornillo, carton.
Desmontable sin útiles en algunos instantes.

	327	327a	327b	327c	327d	327e	327f	327g	327h	327i
	† Brown	† Brownik	† Browmul	† Browgra	† Browgerl	† Browgelf	† Browzin	† Browneun	† Brownezin	† Browneled
	schwarz brüniert, Sicherung am Griff, **Kautschukgriff.** Auf Wunsch werden die Pistolen mit den **alten Griffschalen** mit **abgebildeter Pistole** geliefert.	wie 327 aber **vernickelt**	wie 327 aber mit **Perlmutter-griffschalen**	wie 327 aber mit **Perl-muttergriff-schalen** und **hochfein graviert**	wie 327a aber mit **Perlmutter-griffschalen**	wie 327d aber **hochfein graviert**	**Magazine** zu 327—327e	schwarz **brüniert** mit Sicherung und **Kaut-schukgriff**	**Magazine** zu 327g	wie 327g aber **mit Holz-anschlag-tasche, die auch als Etui dient**
	noir sûreté à la crosse, **poignée caoutchouc**, sur demande ces pistolets seront délivrés avec **ancienne plaquette représentant** le **pistolet.**	Comme 327 mais **nickelé**	Comme 327 mais avec **plaquettes** de **crosse en nacre**	C. 327 mais avec **plaquettes de crosse en nacre** et **élégamment gravé**	Comme 327a mais avec **plaquettes** de **crosse en nacre**	Comme 327d mais **élégamment gravé**	**chargeur** pour 327—327e	**noir poli** avec **sûreté** et **crosse de caoutchouc**	**chargeur** pour 327g	Comme 327 g mais avec **crosse etui** en bois pouvant servir de crosse aussi bien que d'étui
	Burnish black, safety on handle, **rubber grip.** If desired the pistols are supplied with the **old grip plates on which the pistol is represented.**	like 327a but **nickeled**	like 327 but **grip with mother of pearl**	like 327 but **grip with mother of pearl and very finely engraved**	like 327a but **grip with mother of pearl**	like 327d but **very finely engraved**	**magazine** to 327—327e	**black burnished with safety and rubber grip**	**magazine** to 327g	like 327g but **with wood stock case which serves also as holster**
	Seguridad en la culata, **empuñadura negra de cautchuc.** Sobre pedido so provéen es tas pistolas con **plaquetas viejas representando la pistola**	Como 327 pero **niquelado**	Como 327 pero **con plaquetas de culata de nacár**	Como 327 pero **con plaquetas de culata de nácar finamente grabado**	Como 327a pero con **plaquetans de culata de nácar**	C. 327d pero **finamente grabado**	**Cargador** para 327—327e	**negro bruñido** con **seguridad y culata de cautchuc**	**Cargador** para 327g	Como 327g pero **funda de pistola de madera**
	Mark	Mark	Mark	Mark	Mark	Mark	Mark	Mark	Mark	Mark
1—25	**60.80**	**63.13**	**91.20**	**106.40**	**93.53**	**108.73**		**98.80**		**114.—**
25—99	**59.20**	**61.47**	**88.80**	**103.60**	**91.07**	**105.87**	**2.—**	**96.20**	**4.80**	**111.—**
100—249	**57.60**	**59.81**	**86.40**	**100.80**	**88.61**	**103.—**		**93,60**		**108.—**
250—....	**56.—**	**58.15**	**84.—**	**98.—**	**86.15**	**100.15**		**91.—**		**105.—**

Automatische Rückstoßlader-Waffen.

Armes automatiques se chargeant par la force de recul.

Automatic recoil loading arms.

Armas automáticas que se cargan por la fuerza del retroceso.

Pistolen. | Pistolets. | Pistols. | Pistolas.

Clément.

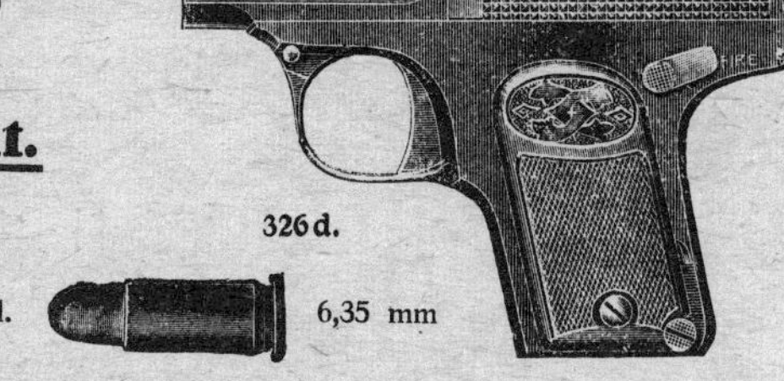

326 d.

Cal. 6,35 mm

Art des Auseinandernehmens.
Manière de démonter.
act of dismounting.
Modo de desmontar.

Clément.

Caliber 6,35 mm.
Länge: 11,5 cm.
Gewicht: 350 Gramm.
Anzahl der Schüsse: 7.
Zubehör: Putzstock, 1 Magazin im Pappkarton, mit Exerzierpatronen.
Ohne Werkzeug mit einigen Griffen zu zerlegen.

Calibre: 6,35 mm.
Longueur: 11,5 cm.
Poids: 350 grammes.
Nombre de coups: 7.
Accessoires: brosse, 1 chargeur, cartouches d'exercice — en carton.
Démontable sans outils en quelques instants.

Caliber: 6,35 mm.
Length: 11,5 cm.
Weight: 350 gr.
Number of shots: 7.
Accessories: cleaning-rod, 1 magazine in cardboardbox with practice-cartridges.
Can easily be taken to pieces without tools.

Calibre: 6,35 mm.
Longitud: 11,5 cm.
Peso: 350 gramos.
Num. de tiros: 7.
accesorios: 1 cepillo, 1 cargador, con cartuchos de ejercicio de cartón.
Desmontable sin útiles en algunos instantes.

Clément.

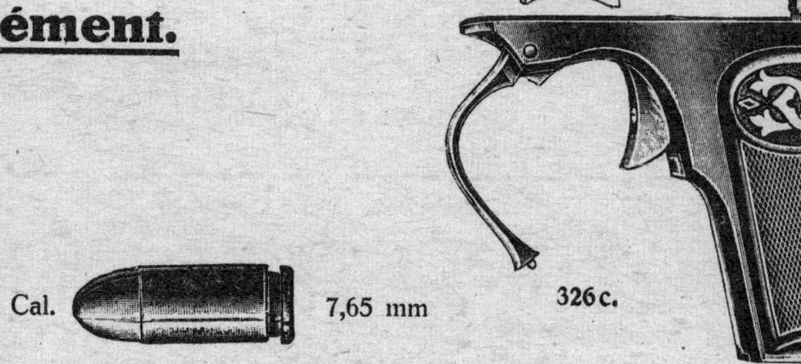

326 c.

Cal. 7,65 mm

Clément.

Caliber: 7,65 mm.
Länge: 15 cm.
Gewicht: 600 Gramm.
Anzahl der Schüsse: 7.
Zubehör: Putzstock, 2 Magazine im Pappkarton, mit Exerzierpatronen.
Ohne Werkzeug mit einigen Griffen zu zerlegen.

Calibre: 7,65.
Longueur: 15 cm.
Poids: 600 grammes.
Nombre de coups: 7.
Accessoires: brosse, 2 chargeurs, cartouches d' exercice — en carton.
Démontable sans outils en quelques instants.

Caliber: 7,65.
Length: 15 cm.
Weight: 600 gr.
Number of shots: 7.
Accessories: cleaning-rod, 2 magazines in cardboardbox with practice-cartridges.
Can easily be taken to pieces without tools.

Calibre: 7,65 mm.
Longitud: 15 cm.
Peso: 600 gramos.
Num. de tiros: 7.
Accesorios: cepillo, 2 cargadores, con cartuchos de ejercicio de cartón.
Desmontable sin útiles en algunos instantes.

Die Clementpistolen besitzen Treffsicherheit bis 150 m, sind leicht, zuverlässig, erstklassig in Arbeit und Konstruktion und haben sich vorzüglich bewährt.

Les Pistolets Clement portent avec une grande précision à 150 mètres, sont légers, d'emploi sûr, de premier ordre comme travail et construction et ont fait brillamment leurs preuves.

The Clement pistols fire accurately up to 150 meters, are light, reliable, first-class in action and construction and are well proved.

Las pistolas Clement alcanzan con precisión hasta 150 metros, son de peso ligero, de uso seguro, de primer, órden como trabajo y construcción y han hecho brillantemente sus pruebas.

326 d	326 e	326 f	326 g	326 h	326 c	326 i	326 k	326 l	326 m
† Cleman	† Clekind	† Clefrau	† Cleson	† Cletok	† Clemars	† Clejuno	† Clepolo	† Clejupi	† Cledian
Cal. 6,35 schwarz-brüniert, Kautschuk-griff	wie 326d vernickelt	wie 326d, Perlmutter-Griffschalen	wie 326e, Perlmutter-Griffschalen	Magazin zu 326d—326g	Cal. 7,65, schwarz-brüniert, Kautschuk-griff	wie 326c, vernickelt,	wie 326c, mit Perlmutter-Griffschalen	wie 326i, mit Perlmutter-Griffschalen	Magazin zu 326c—326l
Cal. 6,35, poli noir, crosse caoutchouc	Comme 326d, nickelé	Comme 326d, avec plaquettes de crosse en nacre	Comme 326e, avec plaquettes de crosse en nacre	Chargeur pour 326d—326g	Cal. 7,65, poli noir, crosse caoutchouc	Comme 326c, nickelé	Comme 326c, avec plaquettes de crosse en nacre	Comme 326i, avec plaquettes de crosse en nacre	Chargeur pour 326c—326l
Cal. 6,35, black burnished rubber grip	like 326d, nickeled	like 326d, grip with mother of pearl	like 326e, grip with mother of pearl	magazine to 326d—326g	cal. 7,65, black, burnished, rubber grip	like 326c, nickeled	like 326c, with mother of pearl grip	like 326i, with mother of pearl grip	magazine to 326c—326l
Cal. 6,35, bruñilo negro, culata de cautchuc	Como 326d, niquelado	Como 326d, con plaquetas de culata de nácar	Como 326e, con plaquetas de culata de nácar	Cargador para 326d—326g	Cal. 7,65, bruñito negro, culata de cautchuc	Como 326c, niquelado	Como 326c, con plaquetas de culata de nácar	Como 326i, con plaquetas de culata de nácar	Cargador para 326c—326l
Mk. 53.20	Mk. 55.60	Mk. 65.20	Mk. 67.60	Mk. 2.40	Mk. 60.80	Mk. 63.20	Mk. 76.80	Mk. 79.20	Mk. 2.40

Automatische Rückstosslader-Waffen.	Armes automatiques se chargeant par la force du recul.	Automatic recoil-loading arms.	Armas automáticas que se cargan por la fuerza del retroceso.

126/129

Pistolen. | Pistolets. | Pistols. | Pistolas.

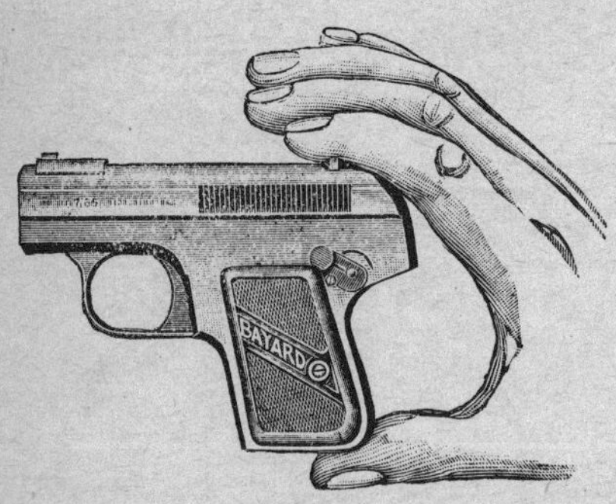

Bayard

Taschen-Modelle.	Modèles de poche.	Pocket models.	Modelos de bolsillo
Grosses Kaliber **Geringes Gewicht** **Kleiner Umfang**	**Fort calibre** **Poids réduit** **Petites dimensions**	**Large caliber** **Light weight** **Small size**	**Calibre fuerte** **Peso reducido** **Pequeñas dimensiones**
6 oder 8 schüssig je nach Grösse des Magazins	à 6 ou 8 coups selon la graudeur du chargeur	6 or 8 shots according to dimensions of magazine	de 6 ó 8 tiros según la dimensión del cargador

Cal. 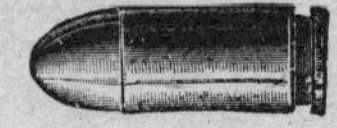 7,65 mm — 340 a / 340 g — Cal. 9 mm

Caliber 7,65 Länge 12 cm Gewicht 450 gr Anz. d. Schüsse 6 oder 8 je nach Magazin Zubehör: Putzstock und Exerzierpatronen im Pappkarton 1 Magazin Ohne Werkzeug mit einigen Griffen zu zerlegen	Calibre 7,65 Longueur 12 cm Poids 450 grammes Nombre de coups 6 ou 8 selon le chargeur Accessoires: brosse, cartouches d'exercice, en carton, 1 chargeur Démontable sans outils en quelques instants	Caliber 7,65 Length 12 cm Weight 450 grammes Number of shots: 6 or 8 according to magazine Accessories: cleaning rod practice cartridges in cardboard box 1 magazine Can easily be taken to pieces without tools	Calibre 7,65 Longitud 12 cm Peso 450 gramos Núm de tiros 6 ú 8 según la cinta metal Accesorios: cepillo-cartuchos de ejercicio de cartón 1 cinta metal Desmontable sin útiles en algunos instantes
Caliber 9 mm (Colt 380) Länge 12 cm Gewicht 450 gr Anz. d. Schüsse 6 oder 8 je nach Magazin Zubehör: Putzstock und Exerzierpatronen im Pappkarton 1 Magazin Ohne Werkzeug mit einigen Griffen zu zerlegen	Calibre 9 mm (Colt 380) Longueur 12 cm Poids 450 grammes Nombre de coups 6 ou 8 selon chargeur Accessoires: brosse, cartouches d'exercice, en carton, 1 chargeur Démontable sans outils en quelques instants	Caliber 9 mm (Colt 380) Length 12 cm Weight 450 grammes Number of shots 6 or 8 according to magazine Accessories: cleaning rod and practice cartridges in cardboard box 1 magazine Can easily be taken to pieces without tools	Calibre 9 mm (colt 380) Longitud 12 cm Peso 450 gramos Núm de tiros 6 ú 8 según cinta metal Assesorios: cepillo-cartuchos de ejercicio de cartón 1 cinta metal Desmontable sin útiles en algunos instantes
Bei **geringem** Umfang und **kleinstem** Gewicht **grösstes** Caliber, **klein** und **bequem** in der Tasche, aber **grösste Wirkung** bei Gefahr.	Tout en étant de poids et de dimensions très réduits et très commodément portable dans la poche, ce pistolet est d' un fort calibre et donne, en cas de danger, des résultats fondroyant.	**Small** size and **lightest** weight yet **largest** caliber, **small** and **comfortable** in the pocket but **of greatest effect** in cases of danger.	Con pequeñas dimensiones y un pequeño peso calibre fuerte pequeño y cómodo en el bolsillo gran potencia en caso de peligro.

		340 a	340 b	340 c	340 d	340 e	340 f	340 g	340 h	340 i	340 k	340 l	340 m
		† Baicarl	† Baimax	† Baifred	† Baianna	† Baimagt	† Baiknex	† Baiotto	† Baierns	† Baigumi	† Baiswam	† Baibai	† Baineun
		Cal. 7,65 **schwarz brüniert Kautschukgriff.**	Wie 340 a **vernickelt.**	Wie 340 a **mit Perlmutter-griff.**	Wie 340 b **mit Perlmutter-griff.**	**Magazin** für **6 Schuss** zu 340 a — 340 d	**Magazin** für **8 Schuss** zu 340 a — 340 d	Cal. **9 mm** (380 Colt) **schwarz brüniert Kautschukgriff.**	Wie 340 g **vernickelt.**	Wie 340 g **Perlmutter-griff.**	Wie 340 h **Perlmutter-griff.**	**Magazin** für **6 Schuss** 340 g — 340 k.	**Magazin** für **8 Schuss** 340 g — 340 k.
		Cal. 7,65 **poli noir crosse de caoutchouc.**	Comme 340 a **nickelé.**	Comme 340 a avec **crosse nacre.**	Comme 340 b avec **crosse. nacre.**	**Chargeur** pour **6 coups** pour 340 a 340 d.	**Chargeur** pour **8 coups** pour 340 a - 340 d.	Cal. 9 mm (380 Colt) **poli noir-crosse caoutchouc.**	Comme 340 g **nickelé.**	Comme 340 g **crosse nacre.**	Comme 340 h **crosse uacre.**	**Chargeur** pour **6 coups** pour 340 g — 340 k.	**Chargeur** pour **8 coups** pour 340 g — 340 k.
		Black burnished, rubber grip cal. 7,65.	Like 340 a **nickeled.**	Like 340 a with **mother of pearl grip.**	Like 340 b with **mother of pearl grip.**	**Magazine** for **6 shots** for 340 a — 340 d.	**Magazine** for **8 shots** for 340 a — 340 d.	Cal. 9 mm (380 colt) **black burnished rubber grip.**	Like 340 g **nickeled.**	Like 340 g mother of **pearl grip.**	Like 340 h mother of **pearl grip.**	**Magazine** for **8 shots** for 340 g — 340 k.	**Magazine** for **6 shots** for 340 g — 340 k.
		Cal. 7,65 bruñido **negro-culata** de **cautchuc.**	Como 340 a **niquelado.**	Como 340 a con **culata** de **nácar.**	Como 340 b con **culata** de **nácar.**	**Cargador** para **6 tiros** para 340 a — 340 d.	**Cargador** para **8 tiros** para 340 a — 340 d.	Cal. 9 mm (380 colt) bruñido **negro-culata** de **cautchuc.**	Como 340 g **niquelado.**	Como 340 g **culata** de **nácar.**	Como 340 h **culata** de **nácar.**	**Cargador** de **6 tiros** para 340 g — 340 k.	**Cargador** de **8 tiros** para 340 g — 340 k.
Bei Abnahme von Stück	12	**56.40**	**58.80**	**70.40**	**72.80**	**2.40**	**2.50**	**56.40**	**58.80**	**70.40**	**72.80**	**2.40**	**2.50**
	25	**56.—**	**58.40**	**70.—**	**72.40**			**56.—**	**58.40**	**70.—**	**72.40**		
Pour achat de	50	**55.20**	**57.60**	**69.20**	**71,60**			**55.20**	**57.60**	**69.20**	**71.60**		
In quantity of	100	**54.80**	**57.20**	**68.80**	**71.20**			**54.80**	**57.20**	**68.80**	**71.20**		
Cantidades aqui citades	250- . . .	**53.20**	**55.60**	**67.20**	**69.60**			**53.20**	**55.60**	**67.20**	**69.60**		

Automatische Rückstosslader-Waffen.	Armes automatiques, se chargeant par la force du recul.	Automatic recoil loading arms.	Armas automáticas que se cargan por la fuerza del retroceso.

Pistolen. — Pistolets. — Pistols. — Pistolas.

Dreyse. **Dreyse.**

339 a

Cal. 6,35 mm

Caliber: 6,35
Länge: 115 cm
Gewicht: 350 Gramm
Anzahl der Schüsse: 7
Zubehör: Putzstock, Schraubenzieher, Exerzierpatronen, 1 Magazin in Pappkarton
Ohne Werkzeug mit einigen Griffen zu zerlegen

Calibre: 6,35
Longueur: 115 cm
Poids: 350 grammes
Nombre de coups: 7
Accessoires: brosse, tourne-vis, cartouches d'exercice, 1 chargeur, en carton
Démontable sans outils en quelques instants

Caliber: 6,35
Length: 115 cm
Weight: 350 grammes
Number of shots: 7
Accessories: cleaning rod, screw-driver, practice-cartridges, 1 magazine in cardboard box
Can easily be taken to pieces without tools

Calibre: 6,35
Longitud: 115 cm
Peso: 350 gramos
Núm de tiros: 7
Accesorios: cepillo, dobla tornillo, cartuchos de ejercicio, 1 cinta metal en cartón
Desmontable sin útiles en algunos instantes

Dreyse.

So öffnet man die Dreyse-Pistole zum Reinigen.	Pour nettoyer les pistoles Dreyse, on les ouvre comme ci-dessus illustré.	The Dreyse pistols are opened as above for cleaning.	Para limpiar las pistolas Dreyse, se abren asi.

Polizeimodell.
Modèle de police.
Police model
Modelo para policia.

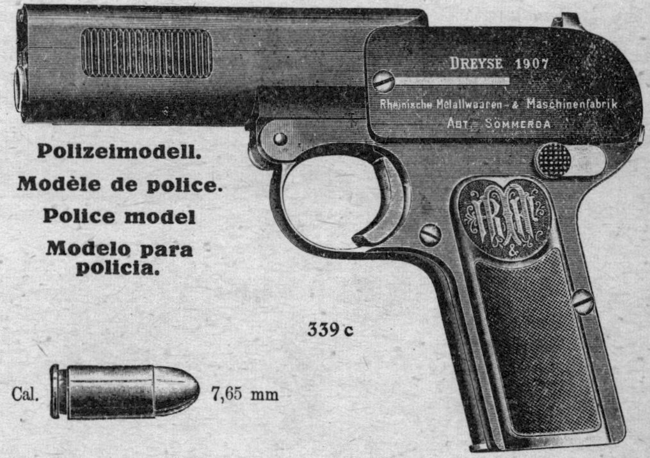

339 c

Cal. 7,65 mm

Caliber: 7,65
Länge: 16 cm
Gewicht: 550 Gramm
Anzahl der Schüsse: 8
Zubehör: Putzstock, Schraubenzieher, Exerzierpatronen, 2 Magazine, Pappkarton
Ohne Werkzeug mit einigen Griffen zu zerlegen

Calibre: 7,65
Longueur: 16 cm
Poids: 550 grammes
Nombre de coups: 8
Accessoires: brosse, tourne-vis, cartouches d'exercice, 2 chargeurs, en 1 carton
Démontacle sans outils en quelques instants

Caliber: 7,65
Length: 16 cm
Weight: 550 grammes
Number of shots: 8
Accessories: cleaning-rod, screw-driver, practice-cartridges, 2 magazines and cardboard-box.
Can easily be taken to pieces without tools

Calibre: 7,65
Longitud: 16 cm
Peso: 550 gramos
Núm de tiros: 8
Accesorios: cepillo, dobla tornillo, cartuchos de ejercicio, 2 cintas metal, cartón
Desmontable sin útiles en algunos instantes

339 a	339 b	339 c	339 d
† Dreypol	† Dreymak	† Dreyliko	† Dreynima
Schwarz brüniert, Kautschukgriffe, Cal. 6,35, zum Aufklappen.	**Magazin** zu 339 a	**schwarz brüniert,** Cal. 7,65, **Kautschukgriff,** zum Aufklappen.	**Magazin** zu 339 c
bruni noir, crosse caoutchouc, Cal. 6,35, canon basculant	**Chargeur** pour 339 a	**brunissure noire,** cal. 7,65, **crosse de caoutchouc,** canon basculant	**Chargeur** pour 339 c
black burnished, rubber grip, cal. 6,35, drop barrel	**magazine** for 339 a	**black burnished,** cal. 7,65, **rubber grip,** drop-barrel	**magazine** for 339 c
bruñido negro, culata de cautchuc, cal. 6,35, se abre por arriba	**Cargador** para 339 a	**bruñido negro,** cal. 7,65, **culata de cautchuc,** se abre por arriba	**Cargador** para 339 c
Mark 52.—	**Mark 2,40**	**Mark 60.—**	**Mark 2.40**

Automatische Rückstosslader-Waffen.	Armes automatiques se chargeant par la force du recul.	Automatic recoil loading arms.	Armas automáticas se cargan por la fuerza del retroceso.
Pistolen.	**Pistolets.**	**Pistols.**	**Pistolas.**

339 e

126/129

Dreyse

Dreyse

Cal.  9 mm

Caliber 9 mm
Länge 200 mm
Gewicht 0,980 kg
Anz. d. Schüsse 8
Zubehör: Putzstock, Schraubenzieher, Exerzierpatronen, 1 Magazin im Pappkarton
Ohne Werkzeug mit einigen Griffen zu zerlegen

Calibre 9 mm
Longueur 200 mm
Poids 0,980 kg
Nombre de coups 8
Accessoires: brosse tourne vis cartouches d'exercice, 1 chargeur en 1 carton
Démontable sans outils en quelques instants.

Caliber 9 mm
Length 200 mm
Weight 0,980 kg
Number of shots 8
Accessories: cleaning rod screwdriver practice- cartridges 1 magazine in cardboard box.
Can easily be taken to pieces without tools.

Calibre 9 mm
Longitud 200 mm
Peso 0,980 kg
Núm de tiros 8
Accesorios: cepillo-dobla tornillo-cartuchos de ejercicio 1 cinta metal en cartón
Desmontable sin útiles en algunos instantes.

Frommer

Cal. 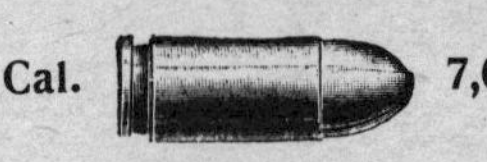 7,65 mm

339 n

Caliber: 7,65 mm
Länge: 18,5 cm
Gewicht: 640 gr
Anzahl der Schüsse: 9
Zubehör: Putzstock, Exercierpatronen, 1 Magazin im Pappkarton
Ohne Werkzeug mit einigen Griffen zu zerlegen

Calibre: 7.65 mm
Longueur: 18,5 cm
Poids: 640 gr
Nombre de coups: 9
Accessoires: brosse cartouches d'exercice, 1 chargeur, en 1 carton
Démontable sans outils en quelgues instants

Caliber: 7,65 mm
Length: 18,5 cm
Weight: 640 gr
Num de shots: 9
Accessories: cleaning rod practice- cartridges, 1 magazine in cardboard box
Can easily be taken to pieces without tools

Calibre:
Longitud:
Peso:
Núm de tiros:
Accesorios: cepillo-dobla cartuchos de ejercicio, 1 cinta metal en carton
Desmontable sin útiles en algunos instantes

339 e	339 f	339 n	339 o
† Dreygros	† Dreynuko	† Fromneu	† Fromnezi
Schwarz brüniert Cal. 9 mm Spezial-Verschluss, **Kautschukgriff**	**Magazin** zu **339 e**	Schwarz brüniert Cal. 7,65 mm Spezial-Verschluss, Holzgriff, automatische Sicherung	Magazin zu 339 n
Bruni noir cal. 9 mm, fermeture spéciale, **crosse caoutchouc**	**Chargeur** pour **339 e**	Bruni noir, poignée de bois, cal. 7,65 mm fermeture spéciale, sûreté automatique	Chargeur pour 339 n
Burnished black cal. 9 mm, special bolt, **rubber grip**	**Magazine** to **339 e**	Burnished black, special bolt, cal. 7,65 mm wooden grip, automatic safety	Magazine for 339 n
Bruñito negro cal. 9 mm, cierre especial, culata de cautchuc	**Cargador** para **339 e**	Brunido negro empuñadura de madera cal. 7,65 mm seguridad automàtica, cierre especial	Cargador para 339 n
Mark **108.—**	Mark **7.—**	Mark **80.—**	Mark **5.—**

Automatische Rückstosslader-Waffen. | Armes automatiques se chargeant par la force du recul. | Automatic recoil loading arms. | Armas automáticas que se cargan por la fuerza del retroceso.

Pistolen. | Pistolets. | Pistols. | Pistolas.

341c

Webley & Scott

Cal. 6,35 mm

Caliber: 6.35 mm.
Länge: 11,4 cm.
Gewicht: 334 Gramm.
Anzahl der Schüsse: 7.
Zubehör: Putzstock, Exerzierpatronen, 1 Magazin, Pappkarton.
Ohne Werkzeug mit einigen Griffen zu zerlegen.

Calibre: 6,35 mm.
Longueur: 11,4 cm.
Poids: 334 grammes.
Nombre de coups: 7.
Accessoires: brosse, cartouches d'exercice, 1 chargeur, en 1 carton.
Démontable sans outils en quelques instants.

Caliber: 6,35 mm.
Length: 11,4 cm.
Weight: 334 grammes.
Number of shots: 7.
Accessories: cleaning-rod, practice-cartridges, 1 magazine, cardboard box.
Can easily be taken to pieces without tools.

Calibre: 6,35 mm.
Longitud: 11,4 cm.
Peso: 334 gramos.
Núm. de tiros: 7.
Accesorios: cepillo, cartuchos de ejercicio, 1 cinta metal, en cartón.
Desmontable sin útiles en algunos instantes.

Webley & Scott

Caliber: 7,65 mm.
Länge: 15,9 cm.
Gewicht: 567 Gramm.
Anzahl der Schüsse: 9.
Zubehör: Putzstock, Exerzierpatronen, 2 Magazine, Pappkarton.
Ohne Werkzeug mit einigen Griffen zu zerlegen.

Calibre: 7,65 mm.
Longueur: 15,9 cm.
Poids: 567 grammes.
Nombre de coups: 9.
Accessoires: brosse, cartouches d'exercice, 2 chargeurs, en 1 carton.
Démontable sans outils en quelques instants.

Caliber: 7,65 mm.
Length: 15,9 cm.
Weight: 567 grammes.
Number of shots: 9.
Accessories: cleaning-rod, practice-cartridges, 2 magazines, in cardboard box.
Can easily be taken to pieces without tools.

Calibre: 7,65 mm.
Longitud: 15,9 cm.
Peso: 567 gramos.
Núm de tiros: 9.
Accesorios: cepillo, cartuchos de ejercicio, 2 cintas metal, en cartón.
Desmontable sin útiles en algunos instantes.

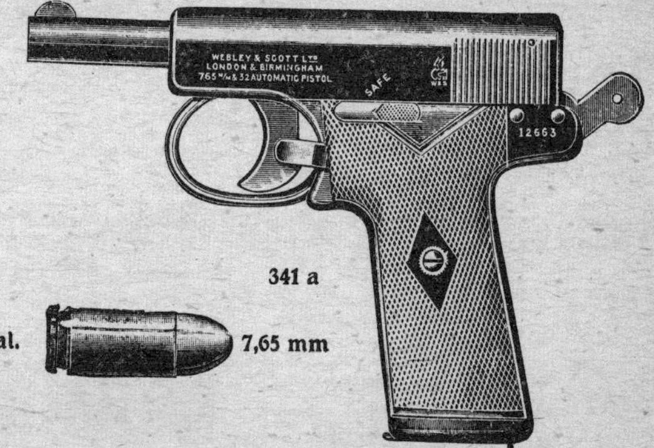

341 a

Cal. 7,65 mm

Webley & Scott

Caliber: 9 mm (38 Colt).
Länge: 20,3 cm.
Gewicht: 935 Gramm.
Anzahl der Schüsse: 9.
Zubehör: Putzstock, Exerzierpatronen, 1 Magazin, Pappkarton.
Ohne Werkzeug mit einigen Griffen zu zerlegen.

Calibre: 9 mm (38 Colt).
Longueur: 20,3 cm.
Poids: 935 grammes.
Nombre de coups: 9.
Accessoires: brosse, cartouche d'exercice, 1 chargeur, en 1 carton.
Démontable sans outils en quelques instants.

Caliber: 9 mm (38 Colt).
Length: 20,3 cm.
Weight: 935 grammes.
Number of shots: 9.
Accessories: cleaning-rod, practice-cartridges, 1 magazine, in card-board-box.
Can easily be taken to pieces, without tools.

Calibre: 9 mm (38 Colt).
Longitud: 20,3 cm.
Peso: 935 gramos.
Núm. de tiros: 9.
Accesorios: cepillo, cartuchos de ejercicio, cinta metal, en cartón.
Desmontable sin útiles en algunos instantes.

341 e

Cal. .38 AUTOMATIC COLT 9 mm

341 c	341 d	341 a	341 b	341 e	341 f
† Webkots	† Wekozin	† Webley	† Weblozin	† Websko	† Webskin
Schwarz brüniert, Sicherung, **Kautschukgriff**, Cal. 6,35	**Magazin** zu 341 c	**Schwarz brüniert**, Sicherung, **Kautschukgriff**, Cal. 7,65	**Magazin** zu 341 a	**Schwarz brüniert, Kautschukgriff**, Sicherung im Griff, Cal. 38 (9 mm)	**Magazin** zu 341 e
Bruni noir, sûreté, crosse de caoutchouc, Cal. 6,35	**Chargeur** pour 341 c	**Bruni noir, sûreté, crosse de caoutchouc**, Cal. 7,65	**Chargeur** pour 541 a	**Bruni noir, crosse de caoutchouc**, sûreté à la poignée, Cal. 38 (9 mm)	**Chargeur** pour 341 e
Burnished black, safety, **rubber grip**, Cal. 6,35	**Magazine** like 341c	**Burnished black**, safety, **rubber grip**, Cal. 7,65	**Magazine** for 341 a	**Burnished black, rubber grip**, safety in grip, Cal. 38 (9 mm)	**Magazine** for 341 e
Bruñido negro, seguridad, culata de **cautchuc**, Cal. 6,35	**Cargador** para 341c	**Bruñido negro**, seguridad, **culata de cautchuc**, Cal. 7,65	**Cargador** para 341 a	**Bruñido negro**, seguridad en la empuñadura, **culata de cautchuc**, Cal. 38 (9 mm)	**Cargador** para 341 e
Mark 53.—	**Mark** 2.—	**Mark** 58.—	**Mark** 2.—	**Mark** 104.—	**Mark** 3.60

Automatische Rückstoßlader-Waffen.	Armes automatiques se chargeant par la force du recul.	Automatic recoil loading arms.	Armas automáticas que se cargan por le fuerza del retroceso Pistolas.
Pistolen.	**Pistolets.**	**Pistols.**	**Pistolas.**

Mit Kipplauf.
Avec canon basculant.
With drop barrel.
Con cañon de báscula.

Steyr.

337 a

Steyr.

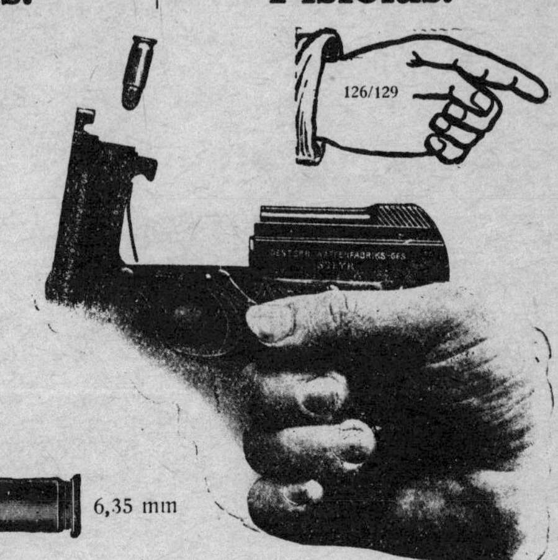

Cal. 6,35 mm

337 a

Caliber 6,35.
Länge 11,5 cm.
Gewicht 330 Gramm.
Anzahl der Schüsse: 7.
Zubehör: Putzstock, 1 Magazin, Exerzierpatronen im Pappkarton.
Ohne Werkzeug mit einigen Griffen zu zerlegen.
Auch als Einzellader zu brauchen.

Calibre 6,35.
Longueur 11 cm 5.
Poids 330 grammes.
Nombre des coups: 7.
Accessoires: Brosse, 1 chargeur, cartouches d'exercite en carton.
Démontable sans outils en quelques instants.
Employable également comme arme à un coup.

Caliber 6,35.
Length 11,5 cm.
Weight 330 grammes.
Number of shots: 7.
Accessories: Cleaning-rod, 1 magazine, practice cartridges in cardboard box.
Can easily be taken to pieces without tools.
May also be used as single loader.

Calibre 6,35.
Longitud 11 cm 5.
Peso 330 gramos.
Número de tiros: 7.
Accesorios: Cepillo, 1 cinta metal, cartuchos de ejercicio en carton.
Desmontable sin útiles en algunos instantes.
Empleable igualmente como arma de un tiro.

Mit Kipplauf.
Avec canon basculant.
With drop barrel.
Con cañon de báscula.

Steyr.

Steyr.

Cal. 7,65 mm

337 c

Caliber 7,65.
Länge 16 cm.
Gewicht 605 Gramm.
Anzahl der Schüsse: 8.
Zubehör: Putzstock, 2 Magazine, Exerzierpatronen im Pappkarton.
Ohne Werkzeug mit einigen Griffen zu zerlegen.
Auch als Einzellader zu brauchen.

Calibre 7,65.
Longueur 16 cm.
Poids 605 grammes.
Nombre de coups: 8.
Accessoires: Brosse, 2 chargeurs, cartouches d'exercice en carton.
Démontable sans outils en quelques instants.
Employable aussi comme arme à un coup.

Caliber 7,65.
Length 16 cm.
Weight 605 grammes.
Number of shots: 8.
Accessories: Cleaning-rod, 2 magazines, practice cartridges in cardboard box.
Can easily be taken to pieces without tools.
May also be used as single loader.

Calibre 7,65.
Longitud 16 cm.
Peso 605 gramos.
Número de tiros: 8.
Accesorios: Cepillo, 2 cintas metal, cartuchos de ejercicio en cartón.
Desmontable sin útiles en algunos instantes.
Empleable tambien como arma de un tiro.

337a	337b	337c	337d
† Steyrein	† Steyrmag	† Steyrzwei	† Steyrizi
schwarz brüniert, Sicherung, Kautschukgriff, Cal 6,35	Magazin zu 337a	schwarz brüniert, Sicherung, Kautschukgriff, Caliber 7,65	Magazin zu 337c
bruni noir, sûreté, crosse de caoutchouc, Cal. 6,35	Chargeur pour 337a	bruni noir, sûreté, crosse de caoutchouc, cal. 7,65	Chargeur pour 337c
black burnished, safety, rubber grip, cal. 6,35	magazine for 337a	black burnished, safety, rubber grip, caliber 7,65	magazine for 337c
bruñido negro, seguridad, culata de cautchuc, cal. 6,35	Cargador para 337a	bruñido negro, seguridad, culata de cautchuc, cal. 7,65	Cargador para 337c
Mark 53,20	Mark 2.—	Mark 60.—	Mark 2.20

Automatische Rückstosslader-Waffen. | Armes automatiques se chargeant par la force du recul. | Automatic recoil loading arms. | Armas automáticas que se cargan per la fuerza del retroceso.

Pistolen. | Pistolets. | Pistols. | Pistolas.

Roth Sauer.

Caliber: 7,65 mm Sp. Länge: 16,8 cm. Gewicht: 650 Gramm. Anzahl der Schüsse: 7. Zubehör: Putzstock, Ladestreifen, Exerzierpatronen in Pappkarton. Ohne Werkzeug mit einigen Griffen zu zerlegen.

Calibre: 7,65 mm Sp. Longueur: 16 8 cm. Poids: 650 grammes. Nombre de coups: 7. Accessoires: brosse-chargeur, cartouches d'exercice, en carton. Démontable sans outils en quelques instants.

Caliber: 7.65 mm Sp. Length: 16,8 cm. Weight: 650 grammes. Number of shots: 7. Accessories: cleaning-rod, clip, practice-cartridges in card-board box. Can easily be taken to pieces without tools.

Calibre: 7,65 mm Sp. Longitud: 16,8 cm. Peso: 650 gramos. Núm de tiros: 7. Accesorios: cepillo-cinta, metal, cartuchos de ejercicio en cartón. Desmontable sin útiles en algunos instantes.

No. 329.

Cal. 7,65 mm Sp.

Schwarzlose.

Caliber: 7,65 mm. Länge: 14 cm. Gewicht: 530 Gramm. Anzahl der Schüsse: 8. Zubehör: Putzstock, 2 Magazine, Exerzierpatronen in Pappkarton. Ohne Werkzeug mit einigen Griffen zu zerlegen.

Calibre: 7,65 mm. Longueur: 14 cm. Poids: 530 grammes. Nombre de coups: 8. Accessoires: brosse, 2 chargeurs, cartouches d'exercice, en carton. Démontable sans outils en quelques instants.

Caliber: 7,65 mm. Length: 14 cm. Weight: 530 grammes. Number of shots: 8. Accessories: cleaning-rod, 2 magazines, practice-cartridges in carboard box. Can easily be taken to pieces without tools.

Calibre: 7,65 mm. Longitud: 14 cm. Peso: 530 gramos. Núm de tiros: 8. Accesorios: cepillo, 2 cintas metal, cartuchos de ejercicio en cartón. Desmontable sin útiles en algunos instantes.

329 b

Cal. 7,65 mm

Walther.

Caliber: 6,35 mm. Länge: 11 cm. Gewicht: 320 Gramm. Anzahl der Schüsse: 6. Zubehör: Putzstock, Exerzierpatronen, 1 Magazin in Pappkarton. Ohne Werkzeug mit einigen Griffen zu zerlegen.

Calibre: 6,35 mm. Longueur: 11 cm. Poids: 320 grammes. Nombre de coups: 6. Accessoires: brosse, cartouches d'exercice, 1 chargeur, en 1 carton. Démontable sans outils en quelques instants.

Caliber: 6,35 mm. Length: 11 cm. Weight: 320 grammes. Number of shots: 6. Accesories: cleaning-rod, practice-cartridges, 1 magazine in cardboard-box. Can easily be taken to pie.es without tools.

Calibre: 6,35 mm. Longitud: 11 cm. Peso: 320 gramos. Núm de tiros: 6. Accesorios: cepillo, cartuchos de ejercicio, 1 cinta metal en cartón. Desmontable sin útiles en algunos instantes.

Cal. 6,35 mm

329 d

329	329 a	329 b	329 c	329 d	329 e
† Sau	† Sauzin	† Swarzlos	† Swarzing	† Waltrios	† Waltzin
Cal. 7.65 Sp., **schwarz brüniert,** Sicherung, **Kautschukgriff**	**Lade-streifen** zu 329	Cal. 7,65. **schwarz brüniert,** Sicherung, **Kautschukgriff**	**Reserve-magazin** zu 329	Cal. 6,35, **schwarz brüniert,** Sicherung, **Kautschukgriff.**	**Magazin** zu 329
Cal. 7,65 Sp., **bruni noir,** sûreté, **crosse caoutchouc**	**chargeur** pour 329	Cal. 7,65. **bruni noir,** sûreté, **crosse de caoutchouc.**	**chargeur de reserve** pour 329	Cal 6,35, **bruni noir,** sûreté, **crosse de caoutchouc**	**chargeur** pour 329
Cal. 7,65 Sp., **black burnished,** safety, **rubber-grip**	**clip** for 329	Cal. 7,65, **black burnished,** safety, **rubber grip.**	**reserve magazine** for 329	Cal. 6,35, **black burnished,** safety, **rubber grip**	**magazine** for 329
Cal. 7,65 Sp., **bruñido negro,** seguridad, **culata de cautchuc.**	**Cargador** para 329	Cal. 7,65, **bruñido negro,** seguridad, **culata de cautchuc.**	**Cargador de reserva** para 329	Cal. 6,35, **bruñdio negro,** seguridad, **culata de cautchuc**	**Cargador** para 329
Mark 58.—	**Mark 2.40**	**Mark 50.—**	**Mark 2.50**	**Mark 45.—**	**Mark 2.40**

Automatische Rückstosslader-Waffen.	Armes automatiques se chargeant par la force du recul.	Automatic recoil-loading-arms.	Armas automáticas que se cargan por la fuerza del retroceso.

Pistolen.	Pistolets.	Pistols.	Pistolas.

N. Pieper

— 1909. —

335 b

Cal. 6,35 mm

N. Pieper

— 1909. —

Caliber 6,35
Länge 11,5 cm
Gewicht 310 Gramm
Anzahl der Schüsse 6
Zubehör: Putzstock, Exerzierpatronen, 1 Magazin im Pappkarton
Ohne Werkzeug mit einigen Griffen zu zerlegen.

Calibre 6,35
Longueur 11 cm 5
Poids 310 grammes
Nombre de coups 6
Accessoires brosse — cartouches d'exercice — 1 chargeur — en 1 carton
Démontable sans outils en quelques instants.

Caliber 6,35
Length 11,5 cm
Weight 310 grammes
Number of shots 6
Accessories cleaning-rod, practice-cartridges, 1 magazine in cardboard box.
Can easily be taken to pieces without tools.

Calibre 6,35
Longitud 11 cm 5
Peso 310 gramos
Núm de tiros 6
accesorios cepillo-cartuchos de ejercicio — 1 cinta metal — en cartón
Desmontable sin útiles en algunos instantes.

N. Pieper

— 1909. —

335 d

Cal. 7,65 mm

N. Pieper

— 1909. —

Caliber 7,65
Länge 15 cm
Gewicht 600 Gramm
Anzahl der Schüsse 7
Zubehör: Putzstock, Exerzierpatronen, 2 Magazine im Pappkarton
Ohne Werkzeug mit einigen Griffen zu zerlegen.

Calibre 7,65
Longueur 15 cm
Poids 600 grammes
Nombre de coups 7
Accessoires brosse — cartouches d'exercice — 2 chargeurs — en 1 carton
Démontable sans outils en quelques instants.

Caliber 7,65
Length 15 cm
Weight 600 grammes
Number of shots 7
Accessories cleaning-rod practice-cartridges, 2 magazines in cardboard box
Can easily be taken to pieces without tools.

Calibre 7,35
Longitud 15 cm
Peso 600 gramas
Núm de tiros 7
accesorios cepillo-cartuchos de ejercicio — 2 cintas metal — en cartón
Desmontable sin útiles en algunos instantes.

335 b	335 c	335 d	335 e
† Niepiepe	† Niemag	† Niepigo	† Niegoma
schwarz brüniert, Kautschukgriff, Sicherung, durch Drehen eines kleinen Hebels in 2 Teile zerlegbar, Cal. 6,35	**Magazin** zu 335 b	**schwarz brüniert, Kautschukgriff,** Sicherung, durch Drehen eines kleinen Hebels in 2 Teile zerlegbar, Cal. 7,65	**Magazin** zu 335 d
bruni noir — crosse de caoutchouc — sûreté — se démonte en deux pièces par pression sur un petit levier, Cal. 6,35	**chargeur** pour 335 b	**brun noir — crosse de caoutchouc** — sûreté — se démonte en 2 pièces par pression sur un petit levier, Cal. 7,65	**chargeur** pour 335 d
black burnished, rubber grip, safety, can be dismounted into 2 parts, by turning of a small lever	**magazine** for 335 b	**black burnished, rubber grip,** safety, can be dismounted into 2 parts, by turning of a small lever	**magazine** for 335 d
bruñido negro — culata de cautchuc — seguridad — se desmonta en dos piezas moviendo una pequeña palanca	**Cargador** para 335 b	**bruñido negro — culata de cautchuc** — seguridad — se desmonta en dos piezas moviendo una pequeña palanca	**Cargador** para 335 d
Mark 45.—	**Mark 2.—**	**Mark 52.—**	**Mark 2.—**

Automatische Rückstosslader-Waffen.	Armes automatiques se chargeant par la force du recul.	Automatic recoil-loading-arms.	Armas automáticas que se cargan por la fuerza del retroceso.

Pistolen.	**Pistolets.**	**Pistols.**	**Pistolas.**

Jieffeco

336 a

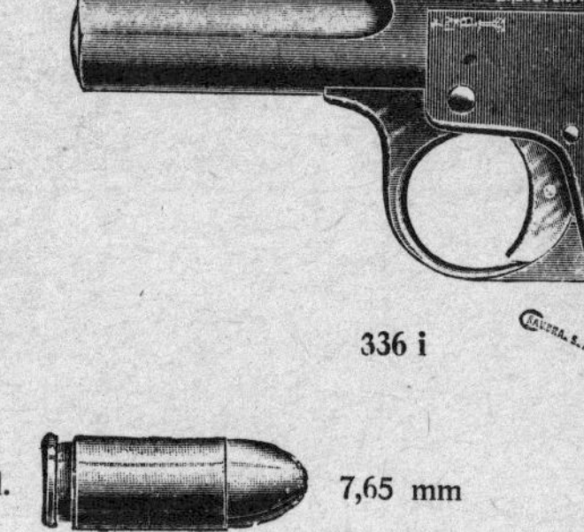

336 i

Jieffeco

Cal. 6,35 mm

Cal. 7,65 mm

336 a	336 i
Caliber: 6,35	7,65
Länge: 11 cm	16,1 cm
Gewicht: 400 Gramm	650 Gramm
Anzahl der Schüsse: 6	8
Zubehör: Putzstock, Exerzierpatronen, 1 Magazin, Pappkarton.	wie 6,35, mit 2 Magazinen.

Ohne Werkzeug mit einigen Griffen zu zerlegen.

336 a	336 i
Calibre: 6,35	7.65
Longueur: 11 cm	16 cm 1
Poids: 400 grammes	650 grammes
Nombre de coups: 6	8
Accessoires: brosse, cartouches d'exercice, 1 chargeur en 1 carton.	comme 6,35, avec 2 chargeurs.

Démontable sans outils en quelques instants.

336 a	336 i
Caliber: 6,35	7,65
Length: 11 cm	16 cm 1
Weight: 400 grammes	650 grammes
Number of shots: 6	8
Accessories: cleaningrod, practice-cartridges, 1 magazine, in cardboard box.	like 6,35 with 2 magazines.

Can easily be taken to pieses without tools.

336 a	336 i
Calibre: 6,35	7,65
Longitud: 11 cm	16 cm 1
Peso: 400 gramos	650 gramos
Num. de tiros: 6	8
Accesserios: cepillo-cartuchos de ejercicio — 1 cinta metal en carton.	como 6,35 con 2 cintas metal.

Desmontable sin útiles en algunos instantes.

Cal. 6,35 mm

Royal

Cal. 7,65 mm

336 c
336 d

Royal

336 c	336 d
Caliber: 6,35	7,65
Länge: 11,2 cm	15,4 cm
Gewicht: 350 gramm	535 gramm
Anzahl der Schüsse: 8	8

Zubehör: Putzstock, Exerzierpatronen, 1 Magazin im Pappkarton.
Ohne Werkzeug mit einigen Griffen zu zerlegen.

336c	336 d
Calibre: 6,35	7,65
Longueur: 11 cm 2	11 cm 2
Poids: 345 grammes	535 grammes
Nombre de coups: 8	8

Accessoires: brosse, cartouches d'exercice, 1 chargeur, en 1 carton.
Démontable sans outils en quelques instants.

336 c	336 d
Caliber: 6,35	7,65
Length: 11,2 cm	15.4 cm
Weight: 345 grammes	535 grammes
Number of shots: 8	8

Accessories: cleaning-rod, practice-cartridges, 1 magazine in cardboard-box.
Can easily be taken to pieces without tools.

336 c	336 d
Calibre: 6,35	7,65
Longitud: 11 cm 2	15 cm 4
Peso: 345 gramos	345 gramos
Num. de tiros: 8	8

Accesorios: cepillo, cartuchos de ejercicio, 1 cinta metal en carton.
Desmontable sin útiles en algunos instantes.

336 a	336 b	336 i	336 k	336 c	336 e	336 d	336 f
† Jieffeco	† Jieffzin	† Jieffesie	† Jieffsiez	† Royalina	† Royexin	† Royalex	† Royacin
Cal. 6,35, schwarz brüniert, Sicherung, Kautschukgriff	**Magazin** zu 336 a	Cal. 7,65, **schwarz brüniert**, Sicherung, **Kautschukgriff**	**Magazin** zu 336 i	Cal. 6,35, **schwarz brüniert**, Sicherung, **Kautschukgriff**	**Magazin** zu 336 c	wie 336 c, aber **Cal. 7,65** (siehe Beschreibung)	**Magazin** zu 336 d
Cal. 6,35, bruni noir, sûreté, crosse de caoutchouc	**chargeur** pour 336 a	Cal. 7,65, **bruni noir**, sûreté, **cross de caoutchouc**	**chargeur** pour 336 i	Cal. 6,35 **bruni noir**, sûreté, **crosse caoutchouc**	**chargeur** pour 336 c	comme 336 c, mais **Cal. 7,65** (voir description)	**chargeur** pour 336 d
Cal. 6,35, black burnished, safety, rubber grip	**magazine** for 336 a	Cal. 7,65, **burnished, black** safety, **rubber, grip**	**magazine** for 336 i	Cal. 6,35, **burnished, black** safety, **rubber grip**	**magazine** for 336 c	like 336 c, but **Cal. 7,65** (see description)	**magazine** for 336 d
Cal.6,35, **bruñido negro** seguridad culata de cautchuc	**Cargador** para 336 a	Cal. 7,65 **bruñido negro**, seguridad, **culata de cautchuc**	**cargador** para 336 i	Cal. 6,35, **bruñido negro**, seguridad, **culata de cautchuc**	**cargador** para 336 c	Como 336 c, pero **Cal. 7,65** (ver descripcion)	**Cargador** para 336 d
Mark **46.**—	Mark **2.**—	Mark **54.**—	Mark **2.**—	Mark **40.**—	Mark **2.**—	Mark **48.**—	Mark **2.**—

Automatische Rückstosslader-Waffen.	Armes automatiques se chargeant par la force du recul.	Automatic recoil-loading arms.	Armas automáticas que se cargan por la fuerza del retroceso.

Pistolen. — Pistolets. — Pistols. — Pistolas.

Express.

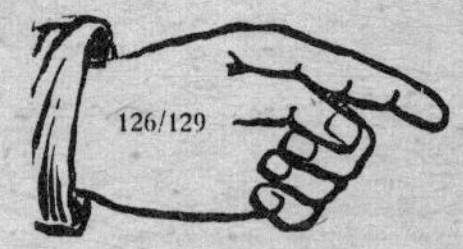

336 g
336 l

Cal.  6,35 mm

Cal. 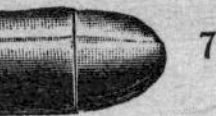 7,65 mm

336 g	336 l
Caliber: 6,35	7,65
Länge: 13,5 cm	17 cm
Gewicht: 465 gramm	720 gr
Anzahl der Schüsse: 9	9

Zubehör: Putzstock, Exerzierpatronen, 1 Magazin im Pappkarton.
Ohne Werkzeug mit einigen Griffen zu zerlegen.

336 g	336 l
Calibre: 6,35	7,65
Longueur: 13 cm 5 mm	17 cm
Poids: 465 grammes	720 gr
Nombre de coups: 9	9

Accessoires: brosse, cartouches d'exercice, 1 chargeur en 1 carton.
Démontable sans outils en quelques instants.

336 h	336 l
Caliber: 6,35	7,65
Length: 13,5 cm	17 cm
Weight: 465 grammes	720 gr
Number of shots: 9	9

Accessories: cleaning-rod, practice-cartridges, 1 magazine in cardbord-box.
Can easily be taken to pieces without tools.

336 g	336 l
Calibre: 6,35	7,65
Longitud: 13 cm 5 mm	17 cm
Peso: 465 gramos	720 gr
Núm. de tiros: 9	9

Accesorios: cepillo, cartuchos de ejercicio, 1 cinta metal en cartón.
Desmontable sin utiles en algunos instantes.

Walman

Cal.  6,35 mm

342 g

Caliber: 6,35
Länge: 11,5 cm
Gewicht: 290 gramm
Anzahl der Schüsse: 6
Zubehör: Putzstock, Exerzierpatronen, 1 Magazin im Pappkarton.
Ohne Werkzeug mit einigen Griffen zu zerlegen.

Calibre: 6,35
Longueur: 11,5 cm
Poids: 290 grammes
Nombre de coups: 6
Accessoires: brosse cartouches d'exercice, 1 chargeur en carton.
Démontable sans outils en quelques instants.

Caliber: 6,35
Length: 11,5 cm
Weight: 290 grammes;
Number of shots: 6
Accessories: cleaning-rod, practice-cartridges, 1 magazine in cardboard-box.
Can easily be taken to pieces without tools.

Calibre: 6,35
Longitud: 11,5 cm
Peso: 290 gramos
Num. de tiros: 6
Accesorios: cepillo, cartuchos de ejercicio, 1 cinta metal en carton.
Desmontable sin útiles en algunos instantes.

336 g	336 h	336 l	336 m	342 g	342 h
† Expreko	† Exprecin	Expregro	† Ezpremak	† Walman	† Walmzin
schwarz brüniert, Cal. 6,35, Sicherung, Kautschukgriff	Magazin zu 336 g	Wie 336 g in Cal. 7,65 mm	Magazin zu 336 l	schwarz brüniert, Sicherung, Kautschukgriff, Cal. 6,35	Magazin zu 342 g
bruni noir, Cal. 6,35, sûreté, crosse caoutchouc	chargeur pour 336 g	Comme 336 g mais Cal. 7,25 mm	Chargeur pour 336 l	bruni noir, crosse de caoutchouc, sûreté, Cal. 6,35	chargeur pour 342 g
burnished black, Cal. 6,35, safety, rubber grip	magazine for 336 g	Like 336 g but Cal. 7,25 mm	Magazine for 336 l	burinshed black, safety, rubber grip, Cal. 6,35	magazine for 342 g
brunido negro, Cal. 6,35, seguridad, culata de cautchuc	cargador para 336 g	Como 336 g pero de Cal. 7.25 mm	Cargador para 336 l	bruñido negro, seguridad, culata de cautchuc, Cal. 6,35	cargardor para 342 g
Mark 38.—	Mark 2.—	Mark 50.—	Mark 2.—	Mark 42.—	Mark 2.—

Automatische Rückstosslader-Waffen.	Armes automatiques se chargeant par la force du recul.	Automatic recoil-loading arms.	Armas automáticas que se cargan por la fuerza del retroceso.

Pistolen. — Pistolets. — Pistols. — Pistolas.

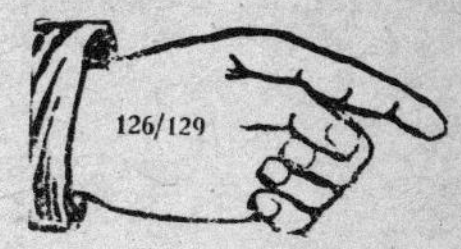

Star.

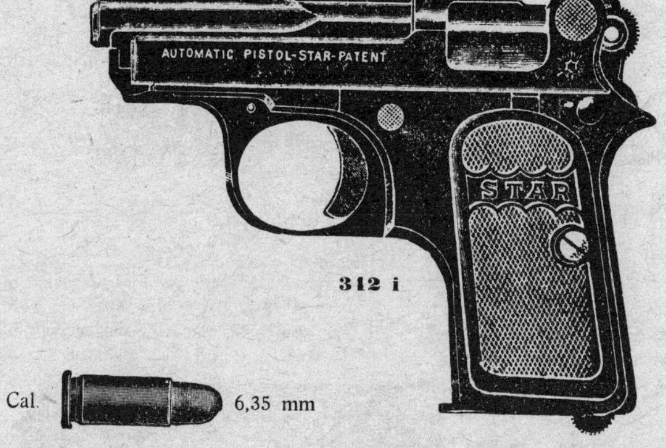

342 i

Cal. 6,35 mm

Caliber: 6,35 Länge: 11,35 cm Gewicht: 350 Gramm Anzahl der Schüsse: 7 Zubehör: Putzstock, Exerzierpatronen, 1 Magazin im Pappkarton Ohne Werkzeug mit einigen Griffen zu zerlegen.	Calibre: 6,35 Longueur: 11 cm 35 Poids: 350 grammes Nombre de coups: 7 Accessoires: brosse, cartouches d'exercice, 1 chargeur en 1 carton Démontable sans outils en quelques instants.	Caliber: 6,35 Length: 11,35 cm Weight: 350 grammes Number of shots: 7 Accessories: cleaning-rod, practice-cartridges, 1 magazine in card-board box Can easily be taken to pieces without tools.	Calibre: 6,35 Longitud: 11 cm 35 Peso: 350 gramos Núm. de tiros: 7 Accesorios: cepillo, cartuchos de ejercicio — 1 cinta metal-cartón Desmontable sin útiles en algunos instantes.

Alfa Patent.

342 l

Cal. 6,35 mm

Caliber: 6,35 Länge: 11 cm Gewicht: 400 Gramm Anzahl der Schüsse: 6 Zubehör: Putzstock, Exerzierpatronen, 1 Magazin im Pappkarton Ohne Werkzeug mit einigen Griffen zu zerlegen.	Calibre: 6,35 Longueur: 11 cm Poids: 400 grammes Nombre de coups: 6 Accessoires: brosse, cartouches d'exercice, 1 chargeur en 1 carton Démontable sans outils en quelques instants.	Caliber: 6,35 Length: 11 cm Weight: 400 grammes Number of shots: 6 Accessories: cleaning-rod, practice-cartridges, 1 magazine in card-board box Can easily be taken to pieces without tools.	Calibre: 6,35 Longitud: 11 cm Peso: 400 gramos Núm. de tiros: 6 Accesorios: cepillo, cartuchos de ejercicio — 1 cinta metal-cartón Demontable sin útiles en algunos instantes.

342 i	342 k	342 l	342 m
† Starfex	† Starzin	† Patentbaf	† Patenzin
Schwarz brüniert, Sicherung, **Kautschukgriff,** Cal. 6,35	**Magazin** zu 342 i	**Schwarz brüniert,** Sicherung, **Kautschukgriff,** Cal. 6,35	**Magazin** zu 342 l
Brunissure noire, sûreté — **crosse de caoutchouc,** Cal. 6,35	**Chargeur** pour 342 i	**Brunissure noire,** sûreté — **crosse de caoutchouc,** Cal. 6,35	**Chargeur** pour 342 l
Black polished, safety, **rubber grip,** Cal. 6,35	**Magazine** for 342 i	**Black polished,** safety, **rubber grip,** Cal. 6,35	**Magazine** for 342 l
Bruñido negro — seguridad — **culata de cautchuc,** Cal. 6,35	**Cargador** para 342 i	**Bruñido negro** — seguridad — **culata de cautchuc,** Cal. 6,35	**Cargador** para 342 l
Mark **44.**—	Mark **2.**—	Mark **45.**—	Mark **2.**—

Automatische Rückstosslader-Waffen.

Armes automatiques, se chargeant par la force du recul.

Automatic recoil-loading-arms.

Armas automáticas que se cargan por la fuerza del retroceso.

Pistolen. | Pistolets. | Pistols. | Pistolas.

Taschen-Modell. | Modèle de poche. | pocket-model. | Modelo para bolsillo.

Colt.

Colt.

338 d.

Cal. 6,35.

Caliber: 25 Colt (6,35)
Länge: 11 $^1/_2$ cm
Gewicht: 370 gramm
Anzahl der Schüsse: 7
Zubehör: Putzstock, 1 Magazin im Pappkarton.
Ohne Werkzeug mit einigen Griffen zu zerlegen.

Calibre: 25 Colt (6,35)
Longueur: 11 cm $^1/_2$
Poids: 370 grammes
Nombre de coups: 7
Accessoires: brosse, 1 chargeur en 1 carton.
Démontable sans outils en quelquels instants.

Caliber: 25 Colt (6,35)
Length: 11 $^1/_2$ cm
Weight: 370 grammes
Number of shots: 7
Accessories: cleaning-rod, 1 magazine in cardboard-box.
Can easily be taken to pieces without tools.

Calibre: 25 colt (6.35)
Longitud: 11 cm $^1/_2$
Peso: 370 gramos.
Núm de tiros: 7
Accesorios: cepillo, 1 cinta metal en carton.
Desmontable sin útiles en algunos instantes.

Taschen-Modell. | Modèle de poche. | pocket model. | Modelo para bolsillo.

Colt.

Colt.

339.

Cal. 7,65.

Caliber: 32 Colt (7,65)
Länge: 10 cm
Gewicht: 640 gramm
Anzahl der Schüsse: 9
Zubehör: Putzstock, 1 Magazin im Pappkarton.
Ohne Werkzeug mit einigen Griffen zu zerlegen.

Calibre: 32 Colt (7,65)
Longueur: 10 cm
Poids: 640 grammes
Nombre de coups: 9
Accessoires: brosse, 1 chargeur en 1 carton.
Démontable sans outils en quelques instants.

Caliber: 32 Colt (7.65)
Length: 10 cm
Weight: 640 grammes
Number of shots: 9
Accessories: cleaning-rod, 1 magazine in cardboard-box.
Can easily be taken to pieces without tools.

Calibre: 32 colt (7,65)
Longitud: 10 cm
Peso: 640 gramos
Núm de tiros: 9
Accesorios: cepillo, 1 cinta metal en cartón.
Desmontable sin útiles en algunos instantes.

Colt.

Colt.

Taschen-Modell. | Modèle de poche. | pocket-model. | Modelo para bolsillo.

338 g.

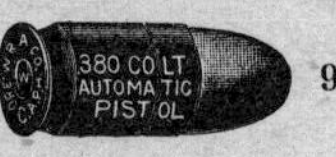

Cal. 9 mm.

Caliber; 380 Colt (9 mm)
Länge: 17 cm
Gewicht: 640 gramm
Anzahl der Schüsse: 8
Zubehör: Putzstock, 1 Magazin im Pappkarton.
Ohne Werkzeug mit einigen Griffen zu zerlegen.

Calibre: 380 Colt (9 m)
Longueur: 17 cm
Poids: 640 grammes
Nombre de coups: 8
Accessoirse: brosse, 1 chargeur en 1 carton.
Démontable sans outils en quelques instants.

Caliber: 380 Colt (9 mm)
Length: 17 cm
Weight: 640 grammes
Number of shots: 8
Accessories: cleaning-rod, 1 magazine in cardboard-box.
Can easily be taken to pieces without tools.

Calibre: 380 colt (9 mm)
Longitud: 17 cm
Peso: 640 gramos
Número de tiros: 8
Accesorios: cepillo, 1 cinta metal-cartón.
Desmontable sin útiles en algunos instantes.

338 d † Potklei	338 e † Potklezin	339 † Potox	338 f † Potoxin	338 g † Potmiti	338 h † Potmizin
Schwarzblau amerikanisch brüniert Cal. 6,35, Kautschukgriff Sicherung	Magazin zu 338 d	Schwarzblau amerikanisch brüniert Cal. 7,65 Kautschukgriff Sicherung	Magazin zu 339	Schwarzblau amerikanisch brüniert. Cal. 380 Colt Kautschukgriff Sicherung	Magazin zu 338 g
Bruni-bleu, américan, cal. 6,35, crosse caoutchouc, sûreté	chargeur pour 338 d	Bruni-bleu américain Cal. 7,65 crosse de caoutchouc, sûreté	chargeur pour 339	Bruni-bleu américain, Cal. 380 Colt crosse caoutchouc, sûreté	chargeur pour 338 g
black-blue burnished Americain style cal. 6,35, rubber grip, safety	magazine for 338 d	black blue, burnished American style cal. 7,65, rubber grip, safety	magazine for 339	black blue burnished American style cal. 380 Colt rubber grip safety	magazine for 338 g
Bruñido Azul de guerra americano, cal. 6,35 culata de cautchuc seguridad	Cargador para 338 d	Bruñido Azul de guerra americano cal. 7,65 culata de cautchuc seguridad.	Cargador para 339	Bruñido Azul de guerra americano cal 380 Colt culata de cautchuc seguridad	Cargador para 338 g
Mark 89.20	Mark 3.50	Mark 1'6.—	Mark 4.50	Mark 133.90	Mark 5.20

Automatische Rückstosslader-Waffen.	Armes automatiques se chargeant par la force du recul.	Automatic recoil-loading arms.	Armas automáticas que se cargan por la fuerza del retroceso.
Pistolen.	**Pistolets.**	**Pistols.**	**Pistolas.**

Taschen-Modell. | **Modèle de poche.** | **pocket-model.** | **Modelo para bolsillo.**

Colt. 340. **Colt.**

Cal. .38 AUTOMATIC COLT 9 mm.

Caliber: 38 Colt (9 mm) Länge: 18¹/₂ cm Gewicht: 900 Gramm Anzahl der Schüsse: 8 Zubehör: Putzstock, 1 Magazin im Pappkarton. Ohne Werkzeug mit einigen Griffen zu zerlegen.	Calibre: 38 Colt (9 m) Longueur: 18 cm ¹/₂ Poids: 900 grammes Nombre de coups: 8 Accessoires: brosse, 1 chargeur, en 1 carton. Démontable sans outils en quelques instants.	Caliber: 38 Colt (9 mm) Length: 18¹/₂ cm Weight: 900 grammes Number of shots: 8 Accessories: cleaning-rod, 1 magazine in cardboard-box. Can easily be taken to pieces without-tools.	Calibre: 38 Colt (9 m) Longitud: 18 cm ¹/₂ Peso: 900 gramos Número de tiros: 8 Accesorios: 1 cepillo, 1 cargador, 1 cartón. Desmontable sin útiles en algunos instantes.

Militär-Modell. | **Modèle militaire.** | **military model.** | **Modelo militar.**

Colt. 340 n. **Colt.**

Cal. .38 COLT AUTOMATIC 9 mm.

Caliber: 38 Colt (9 mm) Länge: 22¹/₂ cm Gewicht: 1200 gramm Anzahl der Schüsse: 9 Zubehör: Putzstock, 1 Magazin im Pappkarton. Ohne Werkzeug mit einigen Griffen zu zerlegen.	Calibre: 38 Colt (9 mm) Longueur: 22 cm ¹/₂ Poids: 1200 grammes Nombre de coups: 9 Accessoires: brosse, 1 chargeur, en 1 carton. Démontable sans outils en quelques instants.	Caliber: 38 Colt (9 mm) Length: 22¹/₂ cm Weight: 1200 grammes Number of shots: 9 Accessories: cleaning-rod, 1 magazine in cardboard-box. Can easily be taken to pieces without toots.	Calibre: 38 Colt (9 mm) Longitud: 22 cm ¹/₂ Peso: 1200 gramos Núm. de tiros: 9 Accesorios: 1 cepillo, 1 cargador, 1 cartón. Desmontable sin útiles en algunos instantes.

340 † Bum	3381 † Bumzin	340 n † Coltmilti	340 o † Coltmizin
Schwarzblau amerikanisch brüniert, Cal. 9 mm, **Kautschukgriff,** Sicherung.	**Magazin** zu 340.	**Schwarzblau amerikanisch brüniert, Cal. 9 mm,** Sicherung, **Kautschukgriff.**	**Magazin zu** 340 n.
Bruni bleu américain, Cal. 9 mm, crosse de **caoutchouc,** sûreté.	**Chargeur** pour 340.	**Bruni bleu américain,** cal. 9 mm, sûreté, **crosse de caoutchouc.**	**Chargeur** pour 340 n.
black blue, burnished American style, Cal. 9 mm. rubber grip, safety.	**magazine** for 340.	**black blue, burnished American** style cal. 9 mm, safety, **rubber grip.**	**magazine** like 340 n.
Bruñido azul americano, cal. 9 mm, culata de cautchuc, seguridad.	**Cargador** para 340.	**Bruñido azul americano,** cal. 9 mm, seguridad, **culata** de **cautchuc.**	**Cargador** para 340 n.
Mark **151.70**	Mark **5.80**	Mark **160.—**	Mark **5.80**

Automatische Rückstosslade-Waffen. | Armes automatiques, se chargeant par la force de recul. | Automatic recoil-loading arms. | Armas automáticas que se cargan por la fuerza del retroceso

Pistolen. | Pistolets. | Pistols. | Pistolas.

Militär-Modell. | **Modèle militaire.** | **Military model.** | **Modelo militar.**

126/129

Colt.

341.

Cal. .45 AUTOMATIC COLT **11 mm**

341 b.

Colt.

Caliber: 45 Colt (11 mm)
Länge: 21 cm.
Gewicht: 900 gramm.
Anzahl der Schüsse: 8.
Zubehör: Putzstock, 1 Magazin im Pappkarton.
Ohne Werkzeug mit einigen Griffen zu zerlegen.

Calibre: 45 Colt (11 mm).
Longueur: 21 cm.
Poids: 900 grammes.
Nombre de coups: 8.
Accessoires: brosse, 1 chargeur, en 1 carton.
Démontable sans outils en quelques instants

Caliber: 45 Colt (11 mm).
Length: 21 cm.
Weight: 900 grammes.
Number of shots: 8.
Accessories: cleaning-rod, 1 magazine, in cardboard-box.
Can easily be taken to pieces without tools.

Calibre: 45 Colt (11 mm).
Longitud: 21 cm.
Peso: 900 gramos.
Núm de tiros: 8
Accesorios: cepillo, 1 cargador, 1 cartón.
Desmontable sin útiles en algunos instantes.

Savage.

341 i.

Savage.

Taschen-Modell. | **Modèle de poche.** | **pocket model.** | **Modelo para bolsillo.**

Cal.

7,65

Caliber: 32 Colt (7,65).
Länge: $16^1/_2$ cm.
Gewicht: 550 gramm.
Anzahl der Schüsse: 11.
Zubehör: Putzstock, 1 Magazin im Pappkarton.
Ohne Werkzeug mit einigen Griffen zu zerlegen.

Calibre: 32 colt (7,65).
Longueur: 16 cm $^1/_2$.
Poids: 550 grammes.
Nombre de coups: 11.
Accessoires: brosse, 1 chargeur, en 1 carton.
Démontable sans outils en quelques instants.

Caliber: 32 Colt (7,65).
Length: $16^1/_2$ cm.
Weight: 550 grammes.
Number of shots: 11.
Accessories: cleaning-rod, 1 magazine in cardboard-box.
Can easily be taken to pieces without tools.

Calibre: 32 colt (7,65).
Longitud: 16 cm $^1/_2$.
Peso: 550 gramos.
Núm. de tiros: 11.
Accesorios: cepillo, 1 cargador, 1 cartón.
D smontable sin útiles en algunos instantes.

341 † Wall.	341 g † Wallzin.	341 h † Wallslag.	341 i † Savhaus.	341 k † Savhazin.
Schwarzblau amerikanisch brüniert, Cal. **45 Colt, Holzgriff,** Sicherung durch Hahn.	**Magazin** zu 341.	Wie 341 aber mit **Anschlagtasche** aus steifem schwarzen Leder, gleichzeitig Etui für die Pistole.	**Schwarzblau amerikanisch brüniert,** Cal. 7,65, Sicherung, **Kautschukgriff.**	**Magazin** zu 341 i.
bleu américain. cal. 45 Colt, crosse de bois, sûreté au moyen du chien.	**Chargeur** pour 341.	Comme 341 mais avec **étui-crosse** en cuir noir rigide, servant de crosse et d'étui au pistolet.	**Bruni bleu américain,** Cal. 7,65, sûreté, **crosse de caoutchouc.**	**chargeur** pour 341 i.
black blue, burnished American style, cal. **45 Colt,** wooden grip, safety by trigger.	**magazine** for 341.	like 341 but with **stock case** of stiff black leather, which serves also as holster for the pistol.	**black blue, burnished American style,** cal. 7,65, safety, **rubber grip.**	**magazine** for 341 i.
Azul americano, Cal. 45 Colt, **culata de madera,** seguridad por medio del gatillo.	**Cargador** para 341.	Como 341 pero con **estuche-culata** de cuero negro tieso, sirviendo de culata y de estuche.	**Bruñido azul de guerra americano,** Cal. 7,65, seguridad, **culata de cautchuc.**	**Cargador** para 341 i.
Mark **164.—**	Mark **6.60**	Mark **222.—**	Mark **90.—**	Mark **7.20**

Automatische Rückstoßlader-Waffen.	Armes automatiques se chargeant par la force de recul.	Automatic recoil-loading arms.	Armas automáticas que se cargan por la fuerza del retroceso.
Pistolen.	**Pistolets.**	**Pistols.**	**Pistolas.**

Mannlicher. **Mannlicher.**

Cal. 7,65 mm

333, 333b.

333b	333	333b	333	333b	333	333b	333
Caliber: 7,65	7,65.	Calibre: 7,65	765	Caliber: 7,65	7,65	Calibre: 7,65	7,65
Länge: 24,2 cm	24,5 cm	Longueur: 24,2 cm	24,5 cm	Length: 24,2 cm	24,2 cm	Longitud: 24,2 cm	24,5 cm
Gewicht: 880 Gramm	920 Gramm	Poids: 880 grammes	920 grammes	Weight: 880 grammes	920 grammes	Pesa: 880 gramos	920 gramos
Anzahl der Schüsse: 8	10	Nombre de coups: 8	10	Number of shots: 8	10	Núm. de tiros: 8	10
Zubehör: 1 Streifen mit Exerzierpatronen.		Accessoires: 1 chargeur, avec cartouches d'exercice.		Accessories: 1 clip with practice-cartridges.		Accesorios: 1 cinta metal con cartuchos.	
Ohne Werkzeug mit einigen Griffen zu zerlegen.		Démontablè sans outils, en quelques instants.		Can easily be taken to pieces without tools.		Desmontable sin útiles en algunos instantes.	

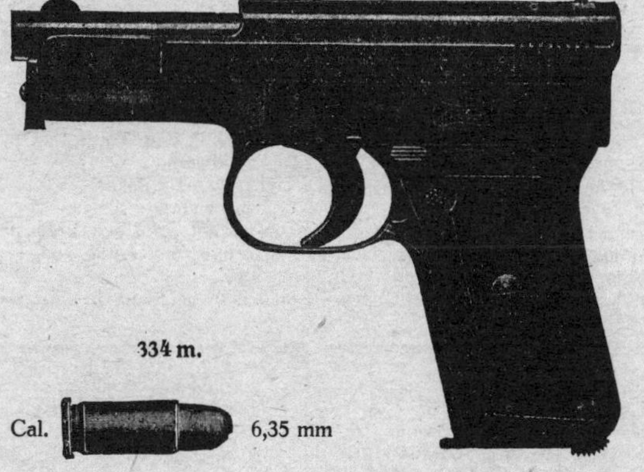

10 Schuss.
10 coups.
10 shots.
10 culpos.

Mauser Mod. 1910. **Mauser Mod. 1910.**

334 m.

Cal. 6,35 mm

Caliber: 6,35 mm	Calibre: 6,35 mm	Caliber: 6,35 mm	Calibre: 6,35 mm
Länge: 13,5 cm	Longueur: 13,5 cm	Length: 13,5 cm	Longitud: 13,5 cm
Gewicht: 425 Gramm	Poids: 425 gr	Weight: 425 gr	Peso: 425 gr
Anzahl der Schüsse: 10	Nombre de coups: 10	Number of shots: 10	Núm. de tiros: 10
Zubehör: 1 Magazin, 1 Putzstock.	Accessoires: 1 chargeur, 1 baguette a nettoyer.	Accessories: 1 magazine, 1 cleaning rod.	Accesorios: 1 cargador, 1 vaquetilla para limpiar.
Ohne Werkzeug mit einigen Griffen zu zerlegen.	— Démontable sans outils en quelque instants.	Can easily be taken to pieces without tools.	— Demontable sin útiles en algunos instantes.

333	333b	334m	334n
† Mendze	† Mendach	† Mandklein	† Mandklezi
In der argentinischen Armee eingeführt, wird auf Wunsch auch mit kürzerem Lauf geliefert. Teile schwarz brüniert, Holzgriff, Sicherung, 10 schüssig	wie 333, aber achtschüssig	hervorragend im Schuss, vorzügliche Sicherung, schwarze Stahlteile, Nussholzgriff	Magazin zu 334m
Introduit dans l'Armée de la République Argentine, est délivré sur demande avec canon plus court, pièces brunies noires, poignée de bois, sûreté, à 10 coups.	comme 333, mais à huit coups	Tir excellent. Sûreté extra. Pièces d'acier noires, crosse en noyer	chargeur pour No. 334m
Adopted in the army of the Argentine Republic, on application supplied also with shorter barrel. Parts burnished black. Wooden grip, Safety, 10 shots	like 333, but 8 shots	Excellent shooting, first class safety, steel parts black, walnut handle.	Magazines for No. 334m
Introducido en el ejército de la República Argentina, se provee sobre pedido con cañon más corto, piezas bruñidas negras, empuñadura de madera, seguridad, de io tiros.	Como 333, pero de ocho tiros	Tiro esmeradisimo, Seguridad extra. Piezas de acero negros puño de nogal	Cargadores para No. 334m
Mark 112.—	Mark 112.—	Mark 59.—	Mark 2.50

Automatische Rückstoßlader-Waffen.	Armes automatiques se chargeant par la force du recul.	Automatic recoil-loading arms.	Armas automáticas que se cargan por la fuerza del retroceso.
Pistolen.	**Pistolets.**	**Pistols.**	**Pistolas.**

126/129

Mauser.

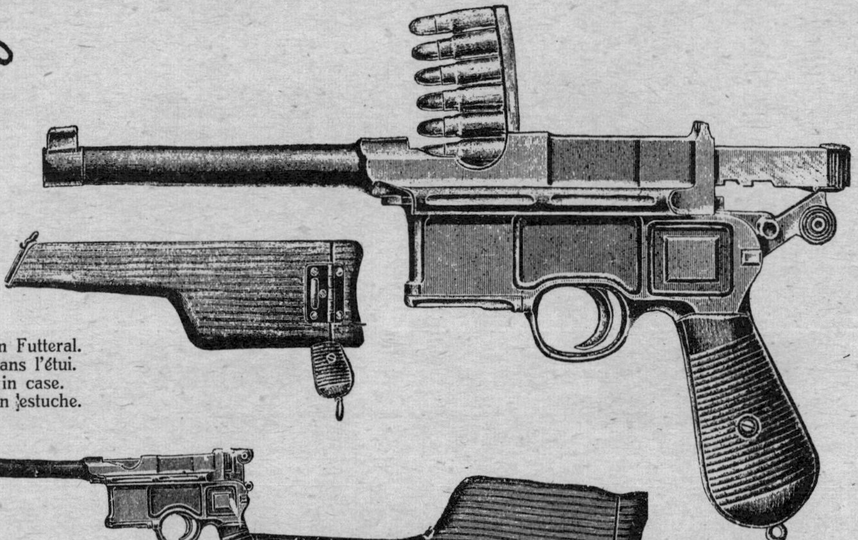

Im Futteral.
dans l'étui.
in case.
En estuche.

Mauser.

334 a
334 b

Cal. 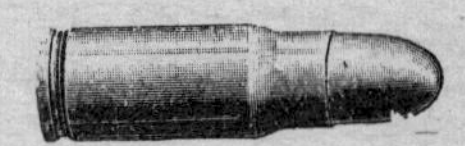 7,63 mm 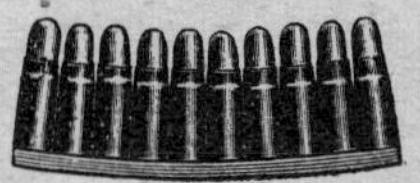 Cal.  9 mm

334 a und 334 b	334 a und 334 b	334 a. und 334 b	334 a und 334
Caliber: 7,63 und 9 mm. Länge: 29 cm. Gewicht: 1,090 Kilo. Anzahl der Schüsse: 10. Zubehör: Anschlagkolben aus Eichenholz, 1 Ladestreifen Exerzierpatronen, 1 Putzstock, 1 Reservefeder. Ohne Werkzeug mit einigen Griffen zu zerlegen.	Calibre: 7,63 et 9 mm. Longueur: 29 cm. Poids: 1,090 Kilo. Nombre de coups: 10. Accessoires: étui-crosse en chêne, 1 chargeur, avec cartouches d'exercice, 1 brosse, 1 ressort de réserve. Démontable sans outils en quelques instants.	Caliber: 7,63 and 9 mm. Length: 29 cm. Weight: 1,090 Kilos. Number of shots: 10. Accessories: oak stock, 1 clip, practice-cartridges, 1 cleaning rod, 1 reserve spring. Can easily be taken to pieces without tools.	Calibre: 7,63 y 9 mm. Longitud: 29 cm. Peso: 1,090 Kilo. Núm. de tiros: 10. Accesorios: estuche, culata de encina, 1 cinta metal con cartuchos de ejercicio, 1 cepillo, 1 resorte de reserva. Desmontable sin útiles en algunos instantes.

334a	334b	334c
† Mand	† Mandneu	† Mandkolb
5 Schuss in der Sekunde, bis 50 Schuss in der Minute, das Geschoss durchschlägt auf **300 Meter** noch einen **menschlichen Arm,** trägt aber **bis auf 1000 Meter.** Der **Anschlagkolben** ist durch Druck auf eine Feder schnell **ansetzbar** und **abnehmbar.** Teile **schwarz brüniert,** Sicherung, **Holzgriff** mit Ring. Cal. 7,63 mm.	wie 334a, aber **Cal. 9 mm**	**Reserveanschlagkolben** aus Holz zu 334a
5 coups à la seconde, jusqu'à 50 coups à la minute, la balle traverse encore un bras humain à **300 mètres** et porte jusqu'à **1000 mètres.** La **crosse, étui** peut être **rapidément fixée** à la crosse du pistolet ou en être **défaiti,** par pression sur un ressort. **Pièces noires, sûreté, crosse de bois** avec anneau, cal. 7,63.	comme 334a, mais **cal. 9 mm**	**crosse étui** de **réserve, en bois,** pour 334a
5 shots a second, up to **50 shots a minute.** At **300 meters** the bullet will still go through a mans arm. It also carries up to **1000 meters,** the **stock** can be **quickly attached** and **taken off** by the pressure of a spring. **Parts burnished black,** safety, **wooden grip** with ring, cal. 7,63.	like 334a, but **cal. 9 mm**	**reserve stock of wood** for 334a
5 tiros por **segundo** hasta **50 tiros** por **minuto** la bala atraviesa el brazo de un hombre à **300 metros.** También alcanza á los **1000 metros.** El mango se puede fijar y desprender oprimiendo un muelle. **Piezas negras,** seguridad, **culata de madera** con anillo, cal. 7,63.	Como 334a, pero **cal. 9 mm**	**culata estuche de madera,** de **reserva,** para 334a
Mark 120.—	**Mark 120.—**	**Mark 20.—**

Automatische Rückstosslader-Waffen	Armes automatiques se chargeant par la force du recul.	Automatic recoil-loading arms.	Armes automáticas que se cargan por la fuerza del retroceso.
Pistolen	**Pistolets**	**Pistols**	**Pistolas**

Parabellum

335

Cal. 7,65 mm

Parabellum

335 a

Cal. 9 mm

335	335 a
Caliber: 7,65 mm	9 mm
Länge: 23½ cm	21,7 cm
Gewicht: 835 Gramm	835 Gramm
Anzahl der Schüsse: 9	9
Zubehör: 1 Magazin	1 Magazin
Ohne Werkzeug mit einigen Griffen zu zerlegen.	

335	335 a
Calibre: 7,65 mm	9 mm
Longueur: 23½ cm	21,7 cm
Poids: 835 grammes	835 grammes
Nombre de coups: 9	9
Accessoires: 1 chargeur.	1 chargeur
Démontable sans outils en quelques instants.	

335	335 a
Caliber: 7,65 mm	9 mm
Length: 23½ cm	21,7 cm
Weight: 835 grammes	835 grammes
Number of shots: 9	9
Accessories: 1 magazine.	1 magazine
Can easily be taken to pieces without tools.	

335	335 a
Calibre: 7,65 mm	9 mm
Longitud: 23½ cm	21,7 cm
Peso: 835 gramos	835 gramos
Número de tiros: 9	9
Accesorios: 1 cinta metal.	1 cinta metal
Desmontable sin útiles en algunos instantes.	

Armeepistole Modell 1908.	Pistolet de l'armée allemande Mod. 1908.	Armypistol, mod. 1908.	Pistola delejército aleman mod. 1908.

Parabellum

335 k

Cal. 9 mm

Cal. 9 mm.

Marine-Modell.	Modèle de la Marine allemande	Navy-Model.	Modelo de la marina alemana

Parabellum

No. 335 f.

335 k	335 f
Caliber: 9 mm	9 mm
Länge: 21,7 cm	26½ cm
Gewicht: 835 Gramm	915 Gramm
Anzahl der Schüsse: 9	9
Zubehör; 1 Magazin	Anschlagkolben mit Riemen, 1 Magazin.
Ohne Werkzeug mit einigen Griffen zu zerlegen.	

335 k	335 f
Calibre: 9 mm	9 mm
Longueur: 21,7 cm	26½ cm
Poids: 835 grammes	915 grammes
Nombre de coups: 9	9
Accessoires: 1 chargeur.	Etui-crosse avec courroie, 1 chargeur.
Démontable sans outils en quelques instants.	

335 k	335 f
Caliber: 9 mm	9 mm
Length: 21,7 cm	26½ cm
Weight: 835 grammes	915 grammes
Number of shots: 9	9
Accessories: 1 magazine	stock with strap, 1 magazine
Can easily be taken to pieces without tools.	

335 k	335 f
Calibre: 9 mm	9 mm
Longitud: 21,7 cm	26½ cm
Peso: 835 gramos	915 gramos
Num de tiros: 9	9
Accasorios: 1 cinta metal	Estuche — en lata con correa — 1 cinta metal
Desmontable sin útiles en algunos instantes.	

335 † Prall	335 a † Prallneun	335k † Prallarm	335 f † Prallmari	335 g † Prallres	335 h † Prallput
Ordonnanzwaffe der schweizerischen Armee. Sehr einfache Handhabung und Konstruktion, **hervorragende Schussleistung.** Der Verschluss ist ein **Kniehebelverschluss,** der dem Schützen grösste Sicherheit bietet. Die Pistole hat eine **automatische Sicherung** im Griff wie No. 328 und eine **Drehhebelsicherung** an der Seite. Spezialbroschüre wird jeder Waffe beigegeben. **Teile schwarz brüniert, Holzgriff, Cal. 7,65 mm.**	Wie 335 aber in Cal. 9 mm.	Modell 1908 vorschriftsmässiges deutsches Armeemodell Cal. 9 mm ohne Drucksicherung im Griff, sonst wie 335a.	Cal. 9 mm mit Anschlagtasche aus Leder und Holz mit Tragriemen, Ausführung wie 335a. in der deutschen Marine eingeführtes Modell.	Magazin passend zu 335, 335a, 335f, 335k.	1 Satz Zubehör, bestehend aus Putzstock, Durchschlag-Schraubenzieher
Arme d'ordonnance de l'armée suisse. Maniement très simple — construktion et **tir excellents. Fermeture à genouillère,** donnant une sécurité absolue au tireur. **Sûreté** automatique à la **crosse** comme au No. 328 et sûreté à levier **au côté** — Brochure spéciale est jointe à chaque pistolet. **Pièces brunies noires** — crosse bois, **Cal. 7,65 mm.** —	Come 335 mais en Cal. 9 mm.	Modèle 1908 — Type réglementaire de l'armée allemande Cal. 9 mm — sans sûreté à pression à la crosse, pour le reste comme le 335a.	Cal. 9 mm avec étui-crosse en cuir et bois, muni de courroie — même exécution que le 335a — Modèle en usage dans la Marine allemande.	chargeur convenant aux 335, 335a, 335f, 335k.	Assortiment d'accessoires comprenant brosse, poinçon, tourne-vis.
Adopted by the Swiss Army. Very simple handling and construction and **excellent shooting qualities.** The locking mechanism by means of a **lever lock** insures absolute safety to the shooter. The pistol has an **automatic safety** on **the handle** like No. 328 as well as **a turn lever at the side.** Special description with every weapon. **Black burnished parts, wooden grip, Cal. 7,65 mm.**	Like 335 but in cal. 9 mm.	Model 1908 as prescribed for the German army, cal. 9 mm. Without press safety in grip, otherwise like 335a.	Cal. 9 mm with stock-case of leather and wood with shoulder strap finish like 335a adopted in the German navy.	magazine suitable for 335, 335a, 335f, 335k.	1 set of implements consisting of cleaning—rod, puncheon, serew-driver.
Adaptado por el **ejercito suizo,** manejo facilísimo, **mecanismo** y **construcción excellentes.** El mecanismo del cierre gracias á una **palanca cerrojo** proporciona una seguridad absoluta al tirador. La pistola tiene un **seguro automático en el mango** como No. 328 como también una **palanca tornillo á un lado.** Descripción con cada arma. **Piezas bruñidas negras-culata de madera. Cal. 7,65 mm.**	Como 335 pero en cal. 9 mm.	Mod. 1908 — **Tipo reglamentario del ejercito allemán** - cal. 9 mm — sin seguridad de presion en la culata, de otromodo como il n. 335a.	Cal. 9 mm con estuche — culata de cuero y madera, provista de correas — la misma ejecucion que el 835a - Modelo introducido en la marina alemana.	Cargador adecuado para los 335, 335a, 335f, 335k.	Surtido de útiles comprendiendo cepillo, punzón, dobla tornillo.

Bei Abnahme von Stück: / Pour achat des quantités ci-contre: / In quantities of: / Por compra de las cantidades aqui citadas:		335	335 a	335 k	335 f	335 g	335 h
	1—5	Mark 122.—	122.—	122.—	150.—	4.50	4.—
	6—24	Mark 118.95	118.95	118.95	146.24		
	25—49	Mark 115.85	115.85	115.85	142.50		
	50—99	Mark 112.80	112.80	112.80	138.70		
	100	Mark 109.80	109.80	109.80	135.—		

Automatische Rückstosslader-Waffen.	Armes automatiques se chargeant par la force du recul.	Automatic recoil loading arms.	Armas automáticas que se cargan por la fuerza del retroceso.
Pistolen	Pistolets	Pistols	Pistolas

Anschlagtasche | Crosse étui | Stock case | Caja-Estuche

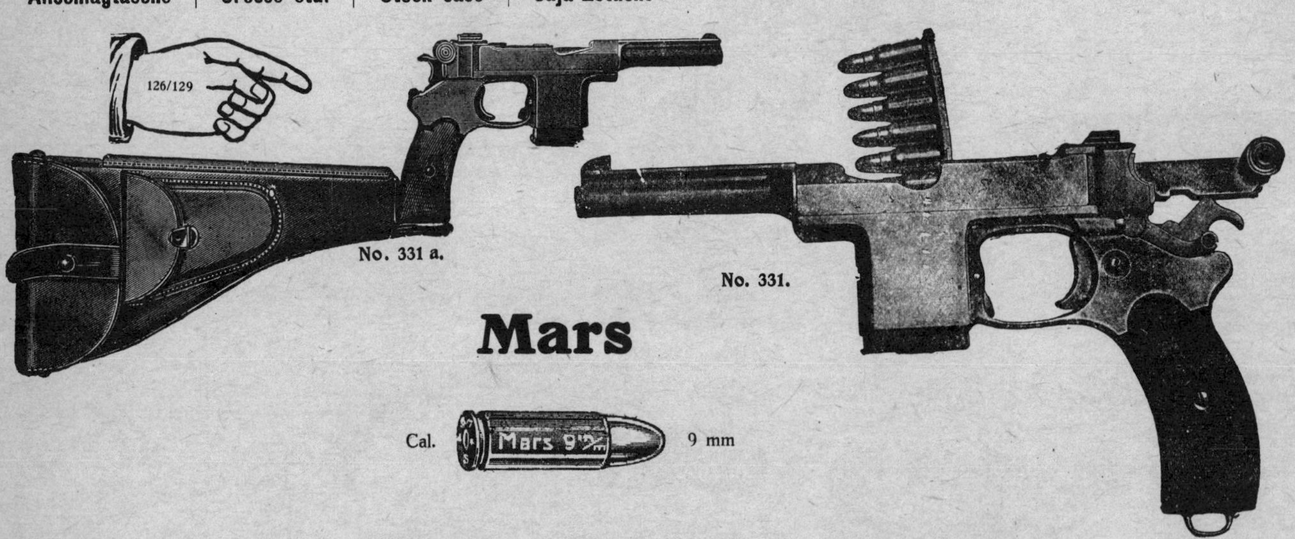

No. 331 a.

No. 331.

Mars

Cal. 9 mm

Caliber: 9 mm Länge: 25 cm Gewicht: 915 Gramm Anzahl der Schüsse: 6 und 10 Zubehör: Putzstock und 2 Magazine. Ohne Werkzeug mit einigen Griffen zu zerlegen.	Calibre: 9 mm Longueur: 25 cm Poids: 915 grammes Nombre de coups: 6 et 10 Accessoires: brosse et 2 chargeurs. Démontable sans outils en quelques instants.	Caliber: 9 mm Length: 25 cm Weight: 915 grammes Number of shots: 6 and 10 Accessories: cleaning rod and 2 magazines. Can easily be taken to pieces without tools.	Calibre: 9 mm Longitud: 25 cm Peso: 915 gramos Núm de tiros: 6 y 10 accesorios: cepillo y 2 cintas metal. Desmontable sin útiles en algunos instantes.

331 † Mars	331 a † Mersi	331 b † Marzin
Die Pistole wird, da durch Modell 331c ersetzt, nur noch solange geliefert, wie der Vorrat reicht. Schwarz brüniert, Sicherung, Cal. 9 mm, **Holzgriff,** nach Verwendung der Magazine 6- oder 10schüssig.	Wie 331, aber mit **steifer Lederanschlagtasche,** die als Etui dient.	**Magazine 6 schüssig** oder **10 schüssig**
Ce pistolet étant remplacé par le Modèle 331a il ne sera délivré qu'aussi longtemps que derera l'approvisionnement — bruni sûreté — cal. 9 mm crosse de bois - suivant l'emploi de tel ou tel chargeur, le pistolet est à 6 ou à 10 coups.	Comme No. 331, mais avec **étui-crosse** de cuir **rigide,** qui sert d'étui et de crosse.	**Chargeur à 6** ou **à 10 coups.**
This pistol having been replaced by model 331a will only be supplied whilst **on stock.** Burnished black, safety, **cal. 9 mm, wooden grip,** 6 or 10 shots according to magazine used.	Like 331 but with **stiff leather stock case,** which serves as holster.	**Magazine 6 shots** or **10 shots.**
Esta pistola es faudo reemplazada por el modelo 331a, será entregada tanto tiempo come **dure la existencia — bruñido negro** — seguridad — **cal. 9 mm culata de madera** — Siguiendo el empleo de tal ó tal cinta metal, la pistola es de 6 ó 10 tiros.	Como 331 pero con **estuche-culata** de cuero **tieso,** sirviendo de culata y de estuche.	**Cargador** para **6 ó 10 tiros.**
Mark 90.—	Mark 104.—	Mark 2,-

Automatische Rückstosslader-Waffen.	Armes automatiques se chargeant par la force de recul.	Automatic recoil loading arms.	Armas automáticas que se cargan por la fuerza del retroceso.
Pistolen	**Pistolets**	**Pistols**	**Pistolas**

Modell 1908.

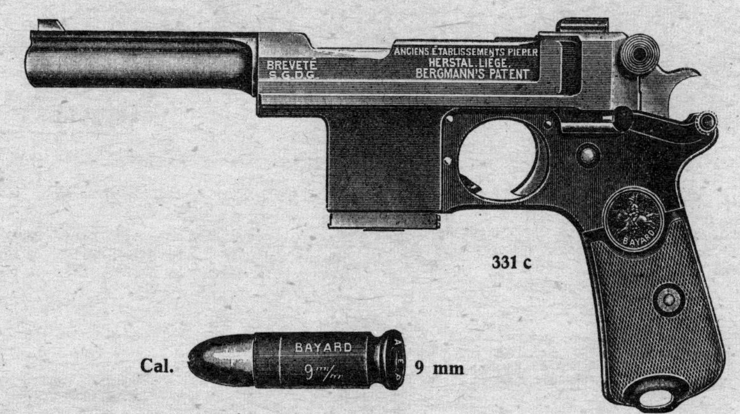

331 c

Cal. 9 mm

Bayard.

Modell 1908.

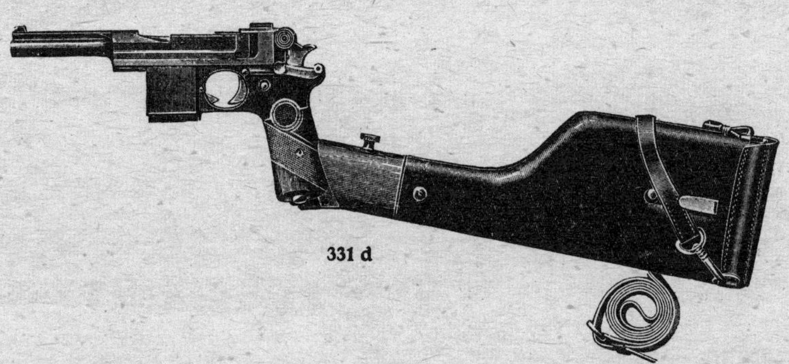

331 d

Caliber: 9 mm.
Länge: 25 cm.
Gewicht: 1000 Gramm.
Anzahl der Schüsse: 6.
Zubehör: 2 Magazine mit Putzstock im Carton.
Ohne Werkzeug mit einigen Griffen zu zerlegen.

Calibre: 9 mm.
Longueur: 25 cm.
Poids: 1000 grammes.
Nombre de coups; 6.
Accessoires: 2 chargeurs avec brosse-dans 1 carton.
Démontable sans outils en quelques instants.

Caliber: 9 mm.
Length: 25 cm.
Weight: 1000 grammes.
Number of shots: 6.
Accessories: 2 magazines and cleaning-rod in cardboard-box.
Can easily be taken to pieces without tools.

Calibre: 9 mm.
Longitud: 25 cm.
Peso: 1000 gramos.
Núm de tiros: 6.
Accesorios: 2 cintas metal y cepillo en 1 caitón.
Desmontable sin útiles en algunos instantes.

331 c † Marbaid.	331 d † Marbaita.	331 e † Marbaizi.
Von Spanien als Ordonnanzwaffe acceptiert. Ia. schwarz brüniert, Kautschukgriff, Sicherung, Cal. 9 mm.	Wie 331 c mit **Anschlagtasche** aus schwarzem, steifem Leder mit Holzfutter und Riemen, gleichzeitig als Etui dienend.	**Magazin** zu 331 c und 331 d.
Adopté par l'Espagne comme arme d'Ordonnance — noir extra, crosse de coutchouc, sûreté — Cal. 9 mm.	Comme 331 c, **avec crosse-étui** en cuir noir rigide munie d'une garniture intérieure de bois et d'une courroie et servant de crosse et d'étui.	**chargeur** pour 331 c & 331 d.
Adopted by the Spanish army. A[1] burnished black, rubber grip. safety, cal. 9 mm.	Like 331 c **with stock case** of stiff black leather, with wooden lining and strap, which serves also as holster.	**magazine** for 331 c & 331 d.
Adoptado por España como arma de reglamento — bruñido negro extra — culata de cautchuk — seguridad — cal. 9 mm.	Como 331c, con **culatas-estuche** de cuero negro tieso con guarnición interior de madera y correa — sirviendo de culata y estuche.	**cargador** para 331 c & 331 d.

		331 c	331 d	331 e
Bei Abnahme von Stück	1–5	Mark 96.—	116.—	**4.50**
Pour achat de	6—24	Mark 93.60	113.60	
In quantities of	25—49	Mark 91.20	111.20	
Por cantidades de	50—99	Mark 88.80	108.80	
	100	Mark 86.40	106.40	

Automatische Rückstosslader-Waffen | Armes automatique se chargeant par la force du recul | Automatic recoil-loading arms | Armas automáticas que se cargan por la fuerza del retroceso

Carabiner. | Carabines. | Carbines. | Carabinas.

Mauser.

Cal. 9 mm

No. 336.

Cal. 7,63

126/129

Mauser.

Caliber: 7,63 mm — 9 mm.
Länge: 65 cm.
Gewicht: 2,250 kg.
Anzahl der Schüsse: 10.
Zubehör: Putzstock, 1 Ladestreifen mit Exerzierpatrone, 1 Reservefeder.
Ohne Werkzeug mit einigen Griffen zu zerlegen.

Calibre: 7,63 — 9 mm.
Longueur: 65 cm.
Poids: 2 k. 250.
Nombre de coups: 10.
Accessoires: brosse 1 chargeur avec cartouches d'exercice, 1 ressort de rechange.
Démontable sans outils en quelques instants.

Caliber: 7,63 mm — 9 mm.
Length: 65 cm.
Weight: 2,250 kg.
Number of shots: 10.
Accessories: cleaning rod, 1 clip, with practice cartridges, 1 reservespring.
Can easily be taken te pieces without tools.

Calibre: 7,63 mm — 9 mm.
Longitud: 65 cm.
Peso: 2 k. 250.
Núm. de tiros: 10.
Accesorios: cepillo, 1 cinta metal con cartuchos de ejercicio, 1 resorte de recambio
Desmontable sin útiles en olgunos instantes.

Parabellum.

Cal. 7,65 mm

No. 337.

Parabellum.

Caliber: 7,65.
Länge 74 cm.
Gewicht: 1,700 kg.
Anzahl d. Schüsse: 9.
Zubehör: 1 Magazin.
Ohne Werkzeug mit einigen Griffen zu zerlegen.

Calibre: 7,65.
Longueur: 74 cm.
Poids: 1 k. 700.
Nombre de coups: 9.
Accessoires: 1 chargeur.
Démontable sans outils en quelques instants.

Caliber: 7,65.
Length: 74 cm.
Weight: 1,700 kg.
Number of shots: 9.
Accessories: 1 magazine.
Can easily be taken to pieces without tools.

Calibre: 7,65.
Longitud: 74 cm.
Peso: 1 k. 700.
Núm. de tiros: 9.
Accesorios: 1 cinta metal.
Desmontable sin útiles en olungos instantes.

Mannlicher.

No. 334.

Cal. 7,65 mm

Mannlicher.

Caliber: 7,65.
Länge: 73,5 cm.
Gewicht: 1,775 kg.
Anzahl d. Schüsse: 6.
Zubehör: 2 Magazine.
Ohne Werkzeug m. einig. Griffen z. zerlegen

Calibre. 7,65.
Longueur: 73 cm 5.
Poids: 1 k. 775.
Nombre de coups; 6.
Accessoires: 2 chargeurs.
Démontable sans outils en quelques instants

Caliber: 7,65.
Length: 73,5 cm.
Weight: 1,775 kg.
Number of shots: 6.
Accessories: 2 magazines.
Can easily be taken to pieces without tools.

Calibre 7,65.
Longitud 73 cm 5.
Peso: 1 k. 775.
Núm. de tiros: 6.
Accesorios: 2 cintas metal.
Desmontable sin útiles en olgunos instantes.

336 (7,63)	336 l (9 mm)	337	337 e	337 f	334	334 d
† Maus	† Mausses	† Bell	† Bellzin	† Bellzub	† Mond	† Mondzin
Abnehmbarer Holzschaft, Teile und Lauf **schwarz brüniert** Schiene mattiert Sicherung, Konstruktion wie bei der Pistole **Hornkappe.**		**Abnehmbarer Holzschaft,** Pistolengriff u. Vorderschaft mit Fischhaut, Teile **schwarz brüniert,** Konstruktion w. bei d. Pistole Hornkappe.	**Magazin** zu 337.	**Zubehör** nämlich **Putzstock, Durchschlag** und **Schraubenzieher.**	**In 2 Teile zerlegbar,** Konstruktion **mit Ladestreifen** und auch **Magazin** zu laden, Schaft m. Backe und mit Fischhaut versehenem Pistolengriff, Hornkappe.	**Magazin** zu 334.
Crosse de bois détachable, pièces et canon **brunis noirs,** bande mate, même construction que celle du pistolet, calotte de corne.		**Crosse de bois détachable,** crosse de pistolet et devant quadrillés, **pièces brunies noires,** même construction que celle du pistolet, calotte de corne.	**chargeur** pour 337.	**Accessoires: brosse, tourne vis-poinçon.**	**Démontable en 2 parties,** construction **permettant de charger avec lames-chargeurs et avec magasin** crosse à joue, crosse pistolet quadrillée, calotte de corne.	**chargeur** pour 334.
Detachable wooden stock, parts and barrel **burnished black,** matted rib, safety, construction same as in pistol horn cap.		**Detachable wooden stock,** pistol grip and fore-end, chequered, parts **burnished black,** construction same as in pistol, horn cap.	**magazine** for 337.	**Accessories** viz: **cleaning-rod screw-drever puncheon.**	**Detachable in 2 pieces** constructed for **loading with clip** and also **with magazine,** stock with cheek, chequered pistol grip, horn cap.	**magazine** for 334.
Culata de madera desmontable, piezas y canón **bruñido negros** cinta mate construcción como la de la pistola casco de cuerno.		**Culata de madera desmontable** culata de pistola y trasera labrados **piecas bruñido negras** construcción como la de la pistola casco de cuerno.	**almacen** para 337.	**accesorios: cepillo, do bla tornillo, punzón.**	**Desmontable en 2 partes,** funcionando con almacen y **cintas metal,** culata de juego, culata pistola labrada, casco de cuerno.	**Almacen** para 334.
Mark 240.—		Mark 180.—	Mark 4.50	Mark 4.—	Mark 110.—	Mark 4.50.—

Automatische Rückstosslader-Waffen. | Armes automatiques se chargent par la force du recul. | Automatic recoil-loading arms. | Armas automáticas que se cargan por la fuerza del retroceso.

Carabiner. | Carabines. | Carbines. | Carabinas.

Dreyse

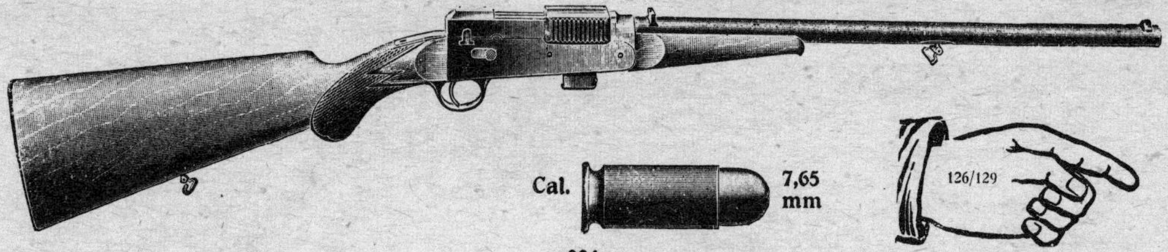

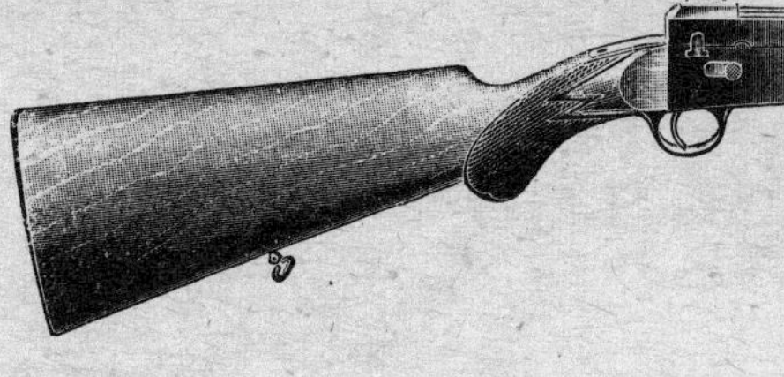

Cal. 7,65 mm

334e

126/129

Caliber: 7,65
Länge: 95 cm
Gewicht: 2,240 kg.
Anzahl der Schüsse: 6
Zubehör: 2 Magazine

Ohne Werkzeug mit einigen Griffen zu zerlegen.

Calibre: 7,65
Longueur: 95 cm
Poids: 2,240 kg
Nombre de coups: 6
Accessoires: 2 chargeurs

Démontable sans outils, en quelques instants.

Caliber: 7,65
Length: 95 cm
Weight: 2,240 kg
Number of shots: 6
Accessories: 2 magazines

Can easily be taken to pieces without tools.

Calibre: 7,65
Longitud: 95 cm
Peso: 2,240 kg
Num. de tiros: 6
Accesorios: 2 cintas metal

Desmontable sin útiles en algunos instantes.

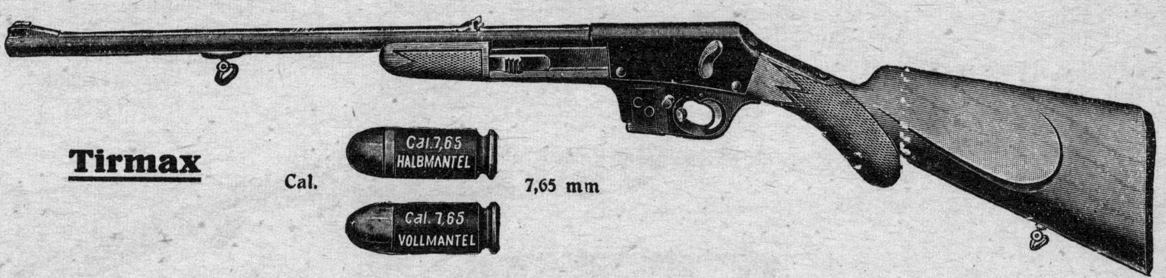

Tirmax

Cal. 7,65 mm

334g

Caliber: 7,65
Länge: 104 cm
Gewicht: 2,750 kg
Anzahl der Schüsse: 6
Zubehör: 1 Magazin

Ohne Werkzeug mit einigen Griffen zu zerlegen.

Calibre: 7,65
Longueur: 104 cm
Poids: 2,750 kg
Nombre de coups: 6
Accessoires: 1 chargeur

Démontable sans outils en quelques instants.

Caliber: 7,65
Length: 104 cm
Weight: 2,750 kg
Number of shots: 6
Accessories: 1 magazine

Can easily be taken to pieces without tools.

Calibre: 7,65
Longitud; 104 cm
Peso: 2,750 kg
Num. de tiros: 6
Accesorios: 1 cinta metal

Desmontable sin útiles en algunos instantes.

334e	334f	334g	334h
† Dreicarab	† Dreicazin	† Tirmaxib	† Tirmazin
Alle Teile und Lauf **schwarz brüniert,** Hornkappe, Sicherung, Signalstift, Schaft mit Backe und mit Fischhaut versehenem Pistolengriff	Magazin zu 334e	**Runder** flacher **Stahllauf** mit flacher mattierter Schiene, Teile und Lauf **schwarz brüniert,** Knopfsicherung, Backe und mit Fischhaut versehener Pistolengriff, Hornkappe, Cal. 7,65	Magazin zu 334g
Pièces et canon **brunis noirs,** calotte de corne, sûreté, crosse à joue et crosse pistolet quadrillée, pointe d'avertissement	Chargeur pour 334e	**Canon acier rond** avec bande plate et mate, pièces et canon **brunis noirs,** sûreté à bouton, à joue, crosse pistolet quadrillée, calotte corne, Cal. 7,65	Chargeur pour 334g
All parts and barrel **burnished black,** horn cap, safety, signal pin, stock with cheek, chequered pistol grip.	Magazine for 334e	**Round,** flat **steel barrel** with flat matted rib, parts and barrel **burnished black,** safety by button, cheek and chequered pistol-grip, horn cap, Cal. 7,65	Magazine for 334g
Piezas y cañón **bruñido negros,** casco de cuerno, seguridad, punto de advertimiento, culata de carrillo y culata de pistola labrada.	Almacén para 334e	**Cañón redondo,** de **acero,** con banda plana y mate piezas y **cañón bruñido negros,** seguridad, de botón, culata de carrillo y culata pistola labrada, casco de cuerno	Almacén para 334g
Mark 100.—	Mark 2.50	Mark 104.—	Mark 3.—

Automatische Rückstosslader-Waffen.	Armes automatiques se chargeant par la force du recul.	Automatic recoil-loading arms.	Armas automáticas que se cargan por la fuerza del retroceso.
Karabiner.	**Carabines.**	**Carbines.**	**Carabinas.**

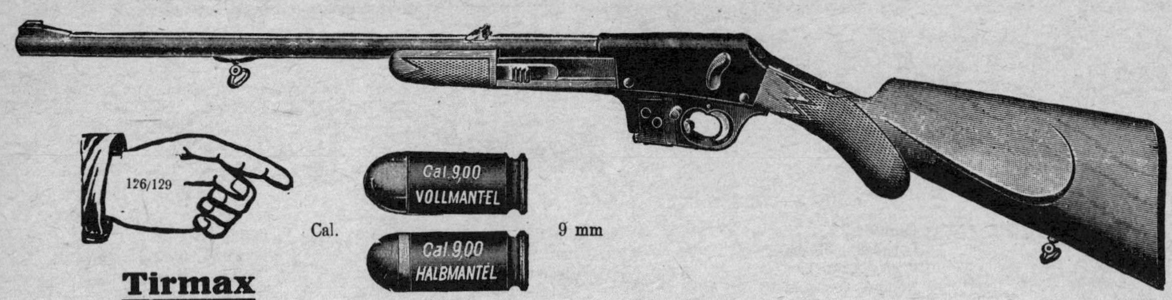

Tirmax

334 i

Caliber: 9 mm
Länge: 104 cm
Gewicht: 2,750 kg
Anzahl der Schüsse: 6
Zubehör: 1 Magazin
Ohne Werkzeug mit einigen Griffen zu zerlegen.

Calibre: 9 mm
Longueur: 104 cm
Poids: 2 kg 750
Nombre de coups: 6
Accessories: 1 chargeur
Démontable sans outils en quelques instants.

Caliber: 9 mm
Length: 104 cm
Weigth: 2,750 kg
Number of shots: 6
Accessories: 1 magazine
Can easily be taken to pieces without tools.

Calibre: 9 mm
Longitud: 104 cm
Peso: 2 k 750
Num. de tiros: 6
Accesorios: 1 cinta metal
Desmontable sin útiles en algunos instantes.

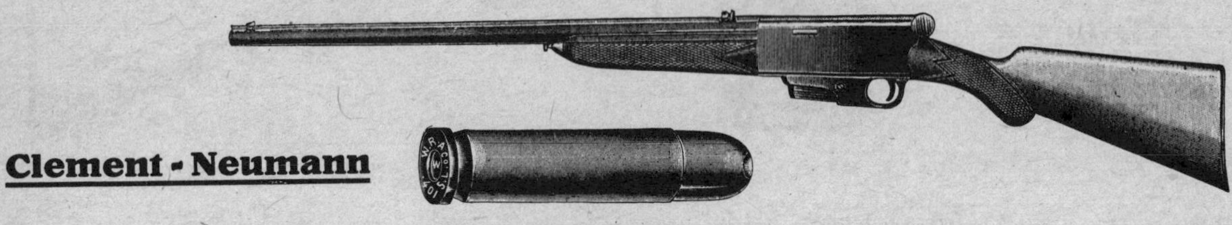

Clement - Neumann

Cal. 401 Auto
334 l

Caliber: 401 Winchester (10 mm)
Ganze Länge: 1,08 m
Lauflänge: 0,60 m
Schusszahl: 5
Zubehör: 1 Streifen Exerzierpatronen.

Calibre: 401 Winchester (10 mm)
Longueur totale: 1 m 08
Longueur du canon: 0 m 60
Nombre de coups: 5
Accessories: 1 lame-chargeur, avec cartouches d'exercice.

Caliber: 401 Winchester (10 mm)
Entire length: 1,08 m
Length of barrel: 0,60 m
Number of shots: 5
Accessories: 1 clip of practice-cartridges.

Calibre: 401 Winchester (10 mm)
Longitud total: 1 m 08
Longifud del canon: 0 m 60
Numero de tiros: 5
Accesorios: 1 cargadar con cartuchos de ejercicio.

334 i	334 k	334 l
† Tirmaxneu	† Tirmenzon	† Cleneuman
Runder flacher **Stahllauf** mit flacher mattierter Schiene Teile und Lauf **schwarz brüniert**, Knopfsicherung, Backe und mit Fischhaut versehener Pistolengriff, Hornkappe **Cal. 9 mm**	**Magazin** zu 334 i	Nussholzschaft mit **Pistolengriff und Backe**, Fischhaut, Hornkappe, Lauf und Garnitur **schwarz brüniert**, mattierte Schiene
Canon acier rond avec bande plate et mate pièces et canon **brunis noirs**, sûreté à bouton, à joue, crosse pistolet quadrillée, calotte corne, **Cal. 9 mm**	**chargeur** pour 334 i	bois noyer, **crosse pistolet** et **à joue**, quadrillée calotte corné, canon et **garniture noirs**, bande mate.
round, flat **steel barrel** with flat matted rib, parts and barrel, **burnished black**, safety by button, cheek and checkered pistol grip, horn cap, **Cal. 9 mm**	**magazine** for 334 i	walnut stock with **pistol grip** and **cheek**, chequered horn cap, barrel and mounting burnished black, matted rib.
Cañón redondo de acero, con banda plana y mate, piezas y **cañon bruñido negro** seguridad, de botón culata de carnillo y culata pistola labrada, casco de cuerno.	**Almacén** para 334 i	**culata de nogal con mango pistola** y **carrillo** labrado, culata de cuerno, cañón y **montura negros** cinta mate.
Mark 104.—	**Mark 3.50**	**Mark 228.—**

Automatische Rückstosslader-Waffen. | Armes automatiques se chargeant par la force du recul. | Automatic recoil-loading arms. | Armas automáticas que se cargan por la fuerza del retroceso.

Büchsen. | Carabines. | Carbines. | Carabinas.

Winchester.

No. 338.

Cal. 22 Auto

126/129

Caliber: 22 Auto
Länge: 91,2 cm
Gewicht: 2,600 kg
Anzahl der Schüsse: 10
Zubehör: im Carton mit Drahtputzstock
Ohne Werkzeug mit einigen Griffen zu zerlegen

Calibre: 22 Auto
Longueur: 91,2 cm
Poids: 2,600 kg
Nombre de coups: 10
Accessoires: en 1 carton baguette à nettoyer en fil de fer
Démontable sans outils en quelques instants

Caliber: 22 Auto
Length: 91,2 cm
Weight: 2,600 kg
Number of shots: 10
Accessories: in cardboard box with wive cleaning-rod
Can easily be taken to pieces without tools

Calibre: 22 auto
Longitud: 91,2 cm
Peso: 2,600 kg
Núm de tiros: 10
Accesorios: en cartón con varilla de limpiar de alambre
Desmontable sin útiles en algunos instantes

Winchester.

No. 338 a. No. 338 l.

Cal. 32 Auto

Cal. 35 Auto

No. 338 a	No. 338 l
Caliber: 32 Auto	35 Auto
Länge: 96,2 cm	96,2 cm
Gewicht: 3,4 kg	3,4 kg
Anzahl der Schüsse: 6	6

Zubehör: 1 Magazin und Putzstock
Ohne Werkzeug mit einigen Griffen zu zerlegen

No. 338 a	No. 338 l
Calibre: 32 Auto	35 Auto
Longueur: 96,2 cm	96,2 cm
Poids: 3,4 kg	3,4 kg
Nombre de coups: 6	6

Accessoires: 1 chargeur et 1 brosse
Démontable sans outils en quelques instants

No. 338 a	No. 338 l
Caliber: 32 Auto	35 Auto
Length: 96,2 cm	96,2 cm
Weight: 3,4 kg	3,4 kg
Number of shots: 6	6

Accessories: 1 magazine and cleaning-rod
Can easily be taken to pieces without tools.

No. 338 a	No. 338 l
Calibre: 32 Auto	35 Auto
Longitud: 96,2 cm	96,2 cm
Peso: 3,4 kg	3,4 kg
Núm de tiros: 6	6

Accesorios: 1 cinta metal y cepillo
Desmontable sin útiles en algunos instantes

Winchester.

No. 338 b.

Cal. 351 Auto

Caliber: 351 Auto
Länge: 91,2 cm
Gewicht: 3,5 kg
Anzahl der Schüsse: 6
Zubehör: 1 Magazin und Putzstock
Ohne Werkzeug mit einigen Griffen zu zerlegen

Calibre: 351 Auto
Longueur: 91,2 cm
Poids: 3,5 kg
Nombre de coups: 6
Accessoires 1 chargeur et 1 brosse
Démontable sans outils en quelques instants

Caliber: 351 Auto
Length: 91,2 cm
Weight: 3,5 kg
Number of shots: 6
Accessories: 1 magazine and cleaning-rod
Can easily be taken to pieces without tools

Calibre: 351 Auto
Longitud: 91,2 cm
Peso: 3,5 kg
Núm de tiros: 6
Accesorios: 1 cinta metal y 1 cepillo
Desmontable sin útiles en algunos instantes

338	338 a	338 K	338 l	338 m	338 b	338 n
† Giwense	† Gowene	† Gowezin	† Gowegros	† Gogrozin	† Hebarer	† Hebazin
Modell 1903, **abnehmbarer Lauf**, Teile und Lauf **amerikanisch blauschwarz**, Nussbaumschaft, Sicherung	Modell 1905, **Cal. 32 auto, abnehmbarer Lauf**, Sicherung, Hornkappe, Nussbaumschaft, Teile und Lauf **amerikanisch schwarzblau**	**Magazin** zu 338a	Wie 338a aber in **Cal. 35 auto**	**Magazin** zu 338 l	**Modell 1907** mit Pistolengriff, Ausführung wie 338a, Cal. 351 Auto	**Magazin** zu 338b
Modèle 1903, canon détachable, pièces et **canon bleu américain**, crosse en noyer, sûreté	**Modèle 1905, Cal. 32 auto, canon d'étachable**, sûreté, calotte de corne, crosse de noyer, pièces et canon **bleu américain**	**Chargeur** pour 338a	Comme 338a mail en Cal. **35 auto**	**Chargeur** pour 338 l	**Modèle 1907** avec crosse pistolet, même exécution que 338a, Cal. 351 Auto	**Chargeur** pour 338b
Model 1903, detachable barrel, parts and barrel **blue black American style**, walnut stock, safety	**Model 1905, Cal. 32 auto, detachable barrel**, safety, horn cap, walnut stock, parts and barrel **black blue American style**	**Magazine** for 338a	Like 338a but in **Cal. 35 auto**	**Magazine** for 338l	**Model 1907** with pistol grip, make like 338a, Cal. 351 Auto	**Magazine** for 338b
Modelo 1903, cañon desmontable, piezas y cañon **negro azul americano**, cebata de nogal, seguridad	**Modelo 1905, Cal. 32 auto, cañón desmontable**, seguridad, casco de cuerno, culata de nogal, piezas y cañon **negro azul americano**	**Almacén** para 338a	Como 338a pero en **Cal. 35 auto**	**Almacén** para 338 l	**Modelo 1907** con culata pistola, la misma ejecucion que 338a, Cal. 351 Auto	**Almacén** para 338b
Mark: 130.—	156.—	8.—	156.—	8.—	168.—	8.—

Automatische Rückstoßlader-Waffen.

Büchsen.

Armes automatiques se chargeant par la force du recul.

Carabines.

Automatic recoil-loading arms.

Carbines.

Armas automáticas que se cargan por la fuerza del retroceso.

Carabinas.

Winchester. Mod. 1910.

338 o.

Cal. 401

Caliber 401 auto. Länge 91,2 cm. Gewicht 3,7 kg. Anzahl der Schüsse: 5. Zubehör: 1 Magazin, Putzstock. Ohne Werkzeug mit einigen Griffen zu zerlegen.	Calibre 401 auto. Longueur 91 cm 2. Poids 3 K. 7. Nombre de coups: 5. Accessoires: 1 chargeur et 1 brosse. Démontable sans outils en quelques instants.	Caliber 401 auto. Length 91,2 cm. Weight 3,7 kg. Number of shots: 5. Accessories: 1 magazine, cleaning-rod. Can easily be taken to pieces without tools.	Calibre 401 auto. Longitud 91,2 cm. Peso 3 K. 7. Núm. de tiros. Accesorios: 1 cargador y 1 cepillo. Desmontable sin útiles en algunos instantes.

Standard. Mod. G.

339 k.
339 l.
339 m.

Cal. 35

Cal. 30—30

Cal. .25—35

No.:	339 k	339 l	339 m
Caliber	35 auto	30-30 auto	25-35 auto
Länge	99,5 cm	99,5 cm	99,5 cm
Gewicht	3,5 kg	3,5 kg	3,5 kg
Anzahl der Schüsse:	5	6	6

Zubehör: Putzstrick mit Entnickelbürste, 1 Schraubenzieher in Patronenhülse. Ohne Werkzeug mit einigen Griffen zu zerlegen.

No.:	339 k	339 l	339 m
Calibre	35 auto	30-30 auto	25-35 auto
Longueur	99,5 cm	99,5 cm	99,5 cm
Poids	3,5 K.	3,5 K.	3,5 K.
Nombre de coups:	5	6	6

Accessoires: grattoir muni d'une brosse nickel, 1 tourne-vis dans une douille. Démontable sans outils en quelques instants.

No.:	339 k	339 l	339 m
Caliber	35 auto	30-30 auto	25-35 auto
Length	99,5 cm	99,5 cm	99,5 cm
Weight	3,5 kg	3,5 kg	3,5 kg
Number of shots:	5	6	6

Accessories: cleaning string with brush, 1 screw-driver in cartridge-shell. Can easily be taken to pieces without tools.

No.:	339 k	339 l	339 m
Calibre	35 auto	30-30 auto	25-35 auto
Longitud	99,5 cm	99,5 cm	99,5 cm
Peso	3,5 K.	3,5 K.	3,5 K.
Número de tiros:	5	6	6

Accesorios: varilla, cepillo, 1 dobla tornillo en un cartucho vacio. Desmontable sin útiles en algunos instantes.

338 o	338 p	339 k	339 l	339 m
† Winzevir	† Winzezin	† Statoda	† Stadomit	† Statoklei
in **2 Teile zerlegbar,** Nußbaumschaft, Teile und Lauf **amerikanisch blauschwarz,** Sicherung im Abzugsbügel, Hornkappe	Magazin zu 338 o	in **2 Teile zerlegbar,** Nußbaumschaft, Sicherung, Lauf und Teile **amerikanisch schwarzblau,** Cal. 35 auto	Wie 339 k aber **Cal. 30—30** auto	Wie 339 k aber **Cal. 25—35** auto
Démontable en **2 parties,** crosse en noyer, **pièces et canon bleu américain,** sûreté à la sous garde de détente, calotte en corne	chargeur pour 338 o	**Démontable** en **2 pièces,** crosse de noyer, sûreté, canon et pièces **bleu américain,** cal. 35 auto	comme 339 k mais **cal. 30—30** auto	Comme 339 k mais **cal. 25—35** auto
detachable in **2 pieces,** walnut stock, parts and barrel **blue black American style,** safety in trigger-guard, horn cap	Magazine for 338 o	**detachable** in **2 pieces,** walnut stock, safety, barrel and **parts blue black, American style,** cal. 35 auto	like 339 k but **cal. 30—30** auto	like 339 k but **cal. 25—35** auto
Desmontable en **2 partes,** culata de nogal, **piezas y cañon azul americano** seguridad cerca de la salva guardia del g	Cargador para 338 o	**Desmontable** en **2 piezas,** culata de nogal, seguridad, cañon y **piezas azul americano**	Como 339 k pero **cal. 30—30** auto	Como 339 g pero **cal. 25—35** auto
Mark 180.—	**Mark 7.80**	**Mark 240.—**	**Mark 240.—**	**Mark 240.—**

Automatische Rückstosslader-Waffen. | Armes automatiques se chargeant par la force du recul. | Automaticrecoil-loading arms. | Armas automáticas que se cargan por la fuerza del retroceso.

Automatische Büchse System „Browning“ | Carabine automatique système Browning. | Automatic rifle, system „Browning“ | Carabina automática sistema „Browning“

Browning. **Browning.**

335 i.

Cal. 9 mm

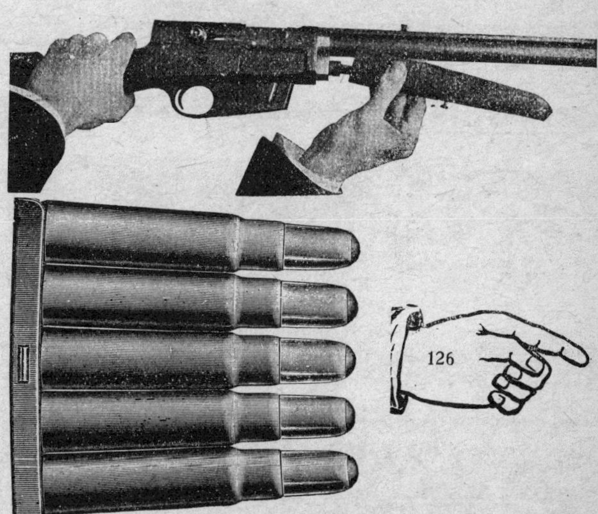

Auf 50 Meter aufgelegt geschossen.

Diamètre de la cible 20 cm. Tiré à 50 mètres de distance.

diameter of target 20 cm. fired from a distance of 50 meters.

Diámetro del blanco 20 cm. Tirado à una distancia de 50 metros.

Durchmesser der Scheibe

20 %m

335i. † Anbubro.

Caliber 9 mm Länge 105 cm Gewicht 3,750 kg Anzahl der Schüsse 5 Zubehör 2 Ladestreifen. Ohne Werkzeug mit einigen Griffen zu zerlegen.	Calibre 9 mm Longueur 105 cm Poids 3 Kg 750 Nombre de coups 5 Accessoires 2 lames chargeurs. Démontable sans outils en quel ques instants.	Caliber 9 mm Length 105 cm Weight 3,750 kg Number of shots 5 Accessories 2 clips. Cau easily be taken to pieces without tools.	Calibre 9 mm Longitud 105 cm Peso 3 K. 750 Núm de tiros 5 accesorios 2 cintás metal. Desmontable sin útiles en algunos instantes·

Erstklassige Präzisionswaffe, wie alle Fabrikate, welche die Fabrique Nationale erzeugt. Das Geschoss durchschlägt auf 25 m 188 mm Tannenholz, resp. eine Stahlplatte von 3½ mm und dahinter 109 mm Tannenholz. Funktion und Schussleistung sind erstklassig. Die Büchse ist schnell in 2 Teile zu zerlegen, die Arbeit und Konstruktion wie beim Militärgewehr. Der Mechanismus ist in einem vollständig geschlossenen Gehäuse untergebracht. Das Visier hat 2 Kimmen. Der Schaft ist mit Backe und Pistolengriff versehen, letzterer sowie Holzvorderschaft mit Fischhaut. Das Mantelgeschoss hat eine Anfangsgeschwindigkeit von 663 m pro Sekunde, ist also ballistisch unerreicht und genügt in seiner Wirkung für die schwersten, bekannten Wildgattungen.
Voll-Teilmantel- und Lochgeschoss.

Arme de précision de premier ordre, comme toutes celles manufacturées par la Fabrique Nationale. La balle traverse, à 25 mètres, 188 millimètres de sapin ou une plaque d'acier de 3 millimètres 1/2 et ensuite 109 millimètres de sapin. Le fonctionnement et le tir sont tout à fait supérieurs. La carabine est rapidement démontable en deux parties-travail et construction comme pour les armes de guerre. Le mécanisme se trouve enclavé une carapace fermant complètement. La hausse possède, en raison de son clapet, deux crans de mire différents. La crosse est à joue et à crosse pistolet, celle-ci ainsi que le devant de bois sont quadrillés. La balle blindée a une vitesse initiale de 663 mètres à la seconde. Elle est parconséquent d'une valeur ballistique non encore réalisée à ce jour et est largement suffisante pour la chasse aux animaux de plus forte taille connus. — Balles blindées, semi-blindées et Dum-Dum.

First class arm of great precision like all articles produced by the Fabrique Nationale. At a distance of 25 m the bullet penetrates 188 mm of pine-wood or a steel plate 3½ mm thick with 109 mm of pine-wood behind. First class action and shooting qualities. The rifle can easily be divided into two parts, make and construction as in a military rifle. The mechanism is contained in a completely closed case. The sight has 2 notches. The stock is provided with cheek and pistol-grip the latter as well as the wooden fore-end being checkered. The mantled bullet has at the commencement a velocity of 663 m a second and is consequently unrivalled in its ballistic qualities. The rifle may be used for the largest kinds of game known.
Metal patched-soft nosed and Dum-Dum Bullet.

Arma de precisión de primer órden, como todas las manufacturadas por la Fabrique Nationale. La balla atraviesa á una distancia de 25 metros, 188 milimetros de abeto ó una placa de acero de 3 milimetros ½ y enseguida 109 milimetros de abeto. El funcionamento y el tiro son de primer orden. La carobina es rápidamente desmontable en 2 partes, trabajo y construcción cuerno para las armas de guerra. El mecanismo se encuentra en un carapacho cerrando completamente. El punto de mira está en 2 cortadas. Culata de carrillo juego y culatál de pistola; esta lo mismo que el de antero de madera son labrados. La bala blindada tiene una velocidad inicial de 663 metros por segundo. Por consiguiente es de un valor incomparable, y es muy suficiénte para la caza de animales de mas fuerte talla conocidos.
Balas blindadas y Dum-Dum.

Bei Abnahme von Stück	1— 9	Mark 240.—
Pour achat de	10—49	„ 234.—
In quantities of	50—99	„ 228.—
Por compra de	100— . . .	„ 216.—

Automatische Rückstoßlader-Waffen. | Armes automatiques se chargeant par la force du recul. | Automatic recoil loading-arms. | Armas automáticas que se cargan por la fuerza de retroceso.

Flinten. | Fusils. | Guns. | Fusiles.

Browning

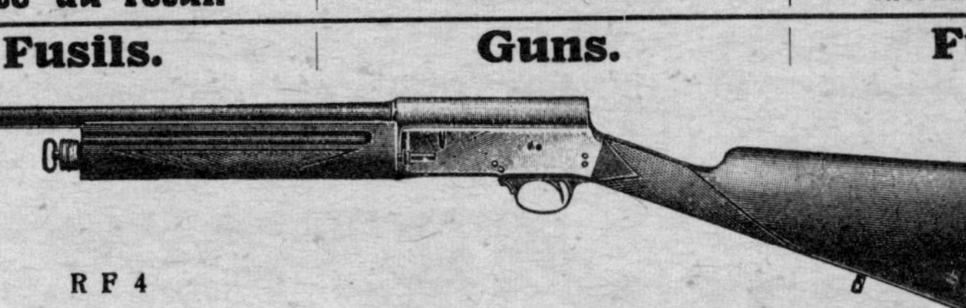

Browning

R F 4
R F 4a

R F 4	R F 4a	R F 4	R F 4a	R F 4	R F 4a	R F 4	R F 4a
Caliber: 12	16	Calibre: 12	16	Caliber: 12	16	Calibre: 12	16
Länge: 114 cm	114 cm	Longueur: 114 cm	114 cm	Length: 114 cm	114 cm	Longitud: 114 cm	114 cm
Gewicht: 3,560 kg	3,228 kg	Poids: 3 K 560	3 K 228	Weight: 3,560 kg	3,228 kg	Peso: 3 K 560	3 K 228
Anzahl der Schüsse: 5	5	Nombre de coups: 5	5	Number of shots: 5	5	Núm. de tiros: 5	5

Wird auf Wunsch mit **längerem** oder **kürzerem** Lauf, 65 oder 70 cm, **mit** oder **ohne** Choke-Bohrung geliefert.

Sur demande, est livré avec canon plus long ou plus court que 65 ou 70 cm, avec ou sans choke.

Upon application supplied also with longer or shorter barrel 65 or 70 cm with or without choke bore.

Sobre demanda se proveén con cañón mas largo ó mas corto de 65 ó 70 cm, con ó sin choke

Browning.

R F 5
R F 5a

R F 5	R F 5a	R F 5	R F 5a	R F 5	R F 5a	R F 5	R F 5a
Caliber: 12	16	Calibre: 12	16	Caliber: 12	16	Calibre: 12	16
Länge: 114 cm	114 cm	Longueur: 114 cm	114 cm	Length: 114 cm	114 cm	Longitud: 114 cm	114 cm
Gewicht: 3,560 kg	3,228 kg	Poids: 3 K 560	3 K 228	Weight: 3,560 kg	3,228 kg	Peso: 3 K 560	3 K 228
Anzahl der Schüsse: 5	5	Nombre de coups: 5	5	Number of shots: 5	5	Núm. de tiros: 5	5

Lauflänge siehe R F 4/4a.

Pour la longueur du canon voir R F 4 4a

Length of barrel see R F 4/4a.

Para la longitud del cañón véase R F 4/4a.

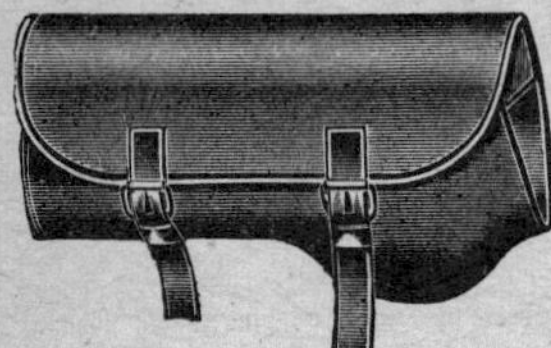

821 ×

R F 4L
R F 4M

R F 4P
R F 4O

Ersatzlauf für R F 4—R F 5a passend, **Länge** und **Choke nach Wunsch.** Wird zum Auswechseln von Cylinder- und Chokebohrung, von lang und kurz gekauft.

Canon de rechange pour R F 4—R F 5a longueur et choke selon demande — Est acheté comme substitution à d'autres canons, cylindriques ou choke, longs ou courts.

Extra barrel suitable for R F 4—R F 5a length and choke according to desire. Is purchased for the changing of cylinder and choke bore from long to short.

Cañón de recambio para R F 4—R F 5a — longitud y choke según pedido — Es comprado como substitución de otros cañones, cilíndricos ó choke, largos ó cortos.

		R F 4	R F 4a	R F 5	R F 5a	R F 4L	R F 4M	821 X	R F 4P	R F 4O
		† Belehn	† Belesex	† Betery	† Betersex	† Cabarte	† Cabartexo	† Broslosu	† Calbode	† Calbotex
		In 2 Teile zerlegbar, Sicherung im Abzugsbügel, Nussbaumschaft, englische Schäftung mit Fischhaut, Teile und Lauf schwarz brüniert, Cal. 12	wie R F 4, Cal. 16	wie R F 4, aber mit **Pistolengriff** und **Backe,** Cal. 12	wie R F 5, Cal. 16	**Ersatzlauf Choke** oder **Cylinder,** Länge 65 oder 70 cm, Cal. 12	wie R F 4L, **aber cal. 16**	**Browning-Schloss-Schutz-Kappe** auf kaffeebraunem Blankleder	wie R F 4L, **Cal. 12,** aber **„Paradox"**, angesetzte Züge für **Kugel**	wie R F P4, aber **Cal. 16**
		Démontable en 2 pièces, sûreté à la sous-garde de détente, crosse anglaise en noyer quadrillée, pièces et canon brunis noirs, Cal. 12	Comme R F 4, cal. 16	Comme R F 4, mais avec **crosse pistolet et à joue,** Cal. 12	Comme R F 5, Cal. 16	**Canon** de **rechange, cylindrique** ou choke, Longueur: 65 ou 70 cm, Cal. 12	Comme R F 4L, mais **Cal. 16**	**Fourreau** de cuir poli, couleur café, pour **préserver** le **systeme** des fusils	Comme R F 4L, **Cal. 12,** mais **„Paradox"**, rayé pour **balle**	Comme R F 4L, mais **cal. 16**
		detachable in 2 pieces, safety in trigger guard, walnut stock English shape and chequered parts and barrel burnished black	like R F 4, cal. 16	like R F 4, but with **pistol grip** and **cheek,** Cal. 12	like R F 5, cal. 16	extra barrel choke or cylinder length 65 or 70 cm, cal. 12	like R F 4L, but cal. 16	**Browning-Sheath** for protecting **locks** of **Browning arms,** coffeebrown leather	like R F 4L, cal. 12 but **„Paradox"**, rifled for **ball**	like R F 4P, but **cal. 16**
		Demontable en 2 piecas, seguridad en el guardia monte culata de nogal inglesa labrada piezas y cañón negros	Como R F 4, Cal. 16	Como R F 4, pero con **culata pistola** y carrillo, cal. 12	Como R F 5, cal. 16	**Cañón de recambio,** cilíndrico ó choke — Longitud: 65 ó 70 cal. 12	Como R F 4 L, pero **cal. 16**	**Forrage** protestador para **cierres** de armas **Browning** en cuero barnizato color café	Como R F 4L, **cal. 12,** pero **„Paradox"**, rayado para **bala**	Como RF4P, pero **cal. 16**
bei Abnahme von Stück	1—9	240.—	240.—	240.—	240.—	72.—	72.—	4.50	80.—	80.—
Pour achat de	10—49	234.—	234.—	234.—	234.—	70.20	70.20		78.20	78.20
In quantities of	50—99	228.—	228.—	228.—	228.—	68.40	68.40		76.40	76.40
Cantidades aquí citades	100	216.—	216.—	216.—	216.—	64.80	64.80		72.80	72.80

Automatische Rückstosslader-Waffen.	Armes automatiques se chargeant por la force du recul.	Automatic recoil loading-arms.	Armas automáticas que se cargan por la fuerza de retrocesión.

Flinten.	Fusils.	Guns.	Fusiles.

List | S O

Sjögren

R F 6,
R F 6a

Sjögren

Caliber: 12 Länge: 124 cm Gewicht: 3,350 kg Anzahl der Schüsse: 5	Calibre: 12 Longueur: 124 cm Poids: 3 K 350 Nombre de coups: 5	Caliber. 12 Length: 124 cm Weight: 3,350 kg Number of shots: 5	Calibre: 12 Longitud. 124 cm Peso: 3 K 350 Núm. de tiros. 5

Tesco.

Tesco.

R F 7

Visierschiene, mit welcher auf Wunsch jede automatische Schrotflinte geliefert werden kann.	Bande avec laquelle, sur demande, tout fusil à plombs automatique peut être délivré.	Sighting rib, which if desired can be supplied with any automatic shot gun.	Cinta con la cual puede ser provisto todo fusil de perdigones automático, sobre pedido.

R F 6, † Sjogren	R F 6a, † Sjobak	R F 7, † Tescola
In 2 Teile zerlegbar, Sicherung, engl. SchäftungTeileu.Laufschwarzbrüniert	wie R F 6 mit **Pistolengriff und Backe**	**Anbringen der flachen Tesco-Laufschiene**
Démontable en 2 pièces, crosse anglaise, pièces et canon noirs	Comme R F 6 avec crosse pistolet et joue	**Apposition de la bande plate Tesco**
Detachable in 2 parts, safety, English stock, parts and barrel burnished black	like R F 6 with pistol grip and cheek	**Application of flat Tesco extension rib**
Desmontable en 2 piezas, culata inglesa, piezas y cañon negros	Como R F 6 con **culata pistola y carrillo**	**Aplicación de la cinta plata Tesco**
Mark 234.—	**244.—**	**30.—**

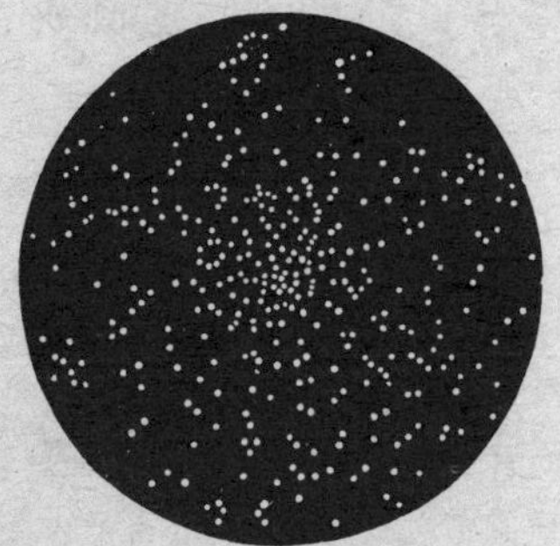

Express.

Mod. 1911.

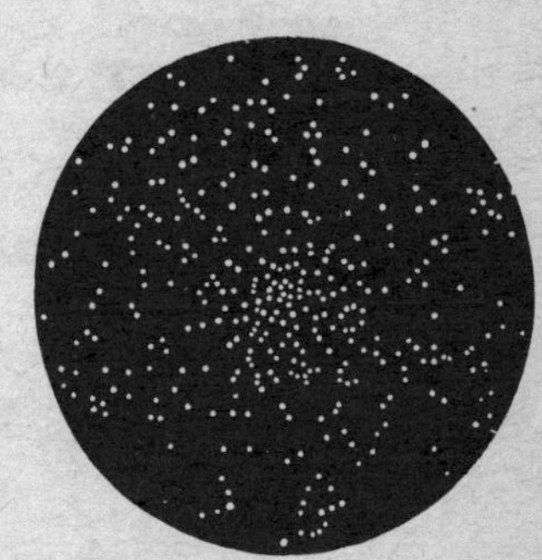

Die beste rauchlose Patrone, Spezial-Munition für Browning- und Sjögreenflinte. Unerreicht im Schuss! Preis Seite: 425	La meilleure cartouche sans fumée, munition spéciale pour fusil Browning et sjögreen. Tir incomparable. Voir prix page: 425	The best smokeless Cartridge, Special-Ammunition for Browning- and Sjögreen-Gun. First class shooting. Price page: 425	Es el mejor cartucho sin humo. Munición especial par escopetas Browning y sjögreen. Tiro incomparable. Ver el precio á la pagina: 425

Spezial-Patronen für automatische Repetierwaffen. | Cartouches spéciales pour armes automatiques à répétition. | Spezial Cartridges for automatic repeating arms. | Cartuchos especiales para pistolas automáticas de repetición.

Rauchloses Pulver- und Mantelgeschoss. | **Poudre sans fumée et balles blindées.** | **Smokeless Powder and Mantled Bullet.** | **Polvora sin húmo y balas blindadas.**

Teilmantel zum gleichen Preis. | **Balles à revêtement partiel au même prix.** | **Partly mantled at the same price.** | **Balas de revestimiento parcial al mismo precio.**

Caliber		Passend für unsere automatischen Waffen. / convenant à nos armes automatiques. / suitable for our automatic arms. / á propósito para nuestras armas automáticas.
6,35 mm (25)	R 29	Browning, Clement, Dreyse, Webley Scott, Steyr, Walman, Walther, N. Pieper, Jieffeco, Royal Express, Star, Patent, Colt.
	Fabrikat / Fabrication / Make / Fabricación	FN
7,65 mm (32)	R 30	Browning, Clement, Bayard, Dreyse, Webley Scott, Steyr, Schwarzlose, N. Pieper, Royal, Frommer, Colt, Dreyse Car., Tirmax Car.
	Fabrikat / Fabrication / Make / Fabricación	FN
9 mm (38)	R 30 a	Browning, Dreyse, Webley Scott, Tirmax Car.
	Fabrikat / Fabrication / Make / Fabricación	FN
8 mm	R 28	**Roth-Sauer**
25 (6,35)	R 37 b	**Colt**
32 (7,65)	R 37	**Colt**
380	R 37 a	**Colt-Bayard**
38 (9 mm)	R 38	**Colt**

174/183 247/248

Caliber		Passend für unsere automatischen Waffen. / convenant à nos armes automatiques. / suitable for our automatic arms. / á propósito para nuestras armas automáticas.
45	R 39	**Colt**
7,63	R 36	**Mauser, Mauser Car.**
	R 35	Mauser auf Ladestreifen. Cartouches Mauser sur lame-chargeur. Mauser on clip. Mauser en cinta metal.
	R 35 a	Ladestreifen für Mauser. lame chargeur pour Mauser. clip for Mauser. Çintas metal pora Mauser.
9 mm	R 36 a	**Mauser**
	R 36 b	
	R 36 c	Ladestreifen für Mauser. lame-chargeur pour Mauser. clip for Mauser. Cintas metal para Mauser.
7,65 mm	R 33	**Mannlicher**
	R 33 a	Mannlicher auf Ladestreifen cartouches Mannlicher sur lame-chargeur. Mannlicher on clip. Mannlicher en cinta metal.
	R 33 b	Ladestreifen für Mannlicher. lame chargeur pour Mannlicher. clip for Mannlicher. Cintas metal pora Mannlicher.
7,65 mm	R 25	**Parabellum Parabellum Car.**
9 mm	R 26	**Parabellum Parabellum Car.**

No.	R 29 F N	R 30 F N	R 30 a F N	R 28	R 37 b	R 37	R 37 a	R 38	R 39	R 36	R 35	R 35 a	R 36 a	R 36 b	R 36 c	R 33	R 33 a	R 33 b	R 25	R 26
†	pobel	pubel	paubel	pibel	pumel	coltow	palto	coltex	coltis	maula	maul	putarb	palos	pami	panir	maner	pante	pasbel	baspe	pabel
Mk. pro 1000	72.—	79.20	114.—	88.—	76.—	84.—	96.—	118.—	140.—	96.—	104.—	80.—	106.—	114.—	80.—	104.—	116.—	90.—	96.—	106.—

Spezial-Patronen für automatische Repetierwaffen.

Cartouches spéciales pour armes automatiques à répétition.

Spezial Cartridges for automatic repeating arms.

Cartuchos especiales para pistolas automáticas de repetición.

Rauchloses Pulver- und Mantelgeschoss. Teilmantel zum gleichen Preis.

Poudre sans fumée et balles blindées. Balles à revêtement partiel au même prix.

Smokeles powder and mantled bullet. Partly mantled at the same price.

Polvora sin húmo y balas blindadas. Balas de revestimiento parcial al mismo precio.

Caliber	Passend für unsere automatischen Waffen. / convenant à nos armes automatiques. / suitable for our automatic arms. / á propósito para nuestras armas automáticas.
9 mm	**Mars** — R 26 a
7,65 mm	**Mannlicher Car.** — R 34
	Lose Streifen. Lames chargeur snidis. loose strips. Cintas metal vacias. — R 34 b
	Mannlicher auf Streifen. cartouches Mannlicher sur lame chargeur. Mannlicher on clip. Mannlicher en cinta metal. — R 34 a
9 mm	**Bayard** — R 34 c
	Bayard-Ladestreifen. lame chargeur. Bayard cartr. clip. Cintas metal vacias. — R 34 e
	Bayard auf Streifen. cartouches Bayard, sur lames-chargeurs. Bayard cartridges in clips cartuchos Bayard sobre cargadores. — R 34 d
22 aut	**Winchester Car.** — R 20
32 aut	**Winchester Car.** — R 19
35 aut	**Winchester Car.** — R 18
351 aut	**Winchester Car.** — R 19 a
410 aut (200 gr)	**Winchester Car.** — R 19 b
410 aut (250 gr)	**Winchester Car.** — R 19 c
25/35 aut	**Standard Car.** — R 20 a
30–30	**Standard Car.** — R 20 b
35 Rem aut	**Standard Car.** — R 20 c
9 mm	**Browning** — R 20 d
	Lose Ladestreifen. lames chargeurs vides. loose clips. Cintas metal vacias. — R 20 e

Nachfolgende Patronen gehören zu Rückstossladern alter Konstruktion, die nicht mehr gefertigt werden.

Les cartouches suivantes appartiennent à des armes automatiques d'ancienne construction, qui ne sont plus fabriquées.

The cartridges following belong to recoil loading arms of older construction, which are no longer supplied.

Los cartuchos siguientes pertenecen á las armas automáticas de antigua construcción, que no se fabrican más.

Bergmann

R 21 (5 mm)

R 22 (6,5 mm)

R 23 (7,65 mm)

Simplex

R 24 (8 mm)

Lueger u. Borchardt

R 27 (7,65 mm)

Clement

R 31 (5 mm)

No.	R 26 a	R 34	R 34 a	R 34 b	R 34 c	R 34 d	R 34 e	R 20	R 19	R 18	R 19 a	R 19 b	R 19 c	R 20 a	R 20 b	R 20 c	R 20 d	R 20 e	R 21	R 22	R 23	R 24	R 27	R 31
†	pario	menar	liftibols	Kramort	Cayuse	Bronco	pinto	witom	Wisep	Wisai	Wegnex	Steberx	Liptux	Totros	Haperx	Smilox	Kimdes	Streltos	Baspi	Baspo	Baspa	Baspu	Pebelar	Claut
Mk. pro 1000	130.–	116.–	136.–	110.–	130.–	146.–	100.–	33.–	164.–	170.–	196.–	240.–	240.–	196.–	240.–	260.–	224.–	180.–	90.–	116.–	126.–	96.–	96.–	104.–

Futterale für Rückstoßlader-Pistolen. | Etuis pour Pistolets automatiques. | Cases for recoil-loading pistols. | Estuches para pistolas automáticas.

Cal. 6,35

530 a

Cal. 6,35

530 b

Cal. 7,65

530 b

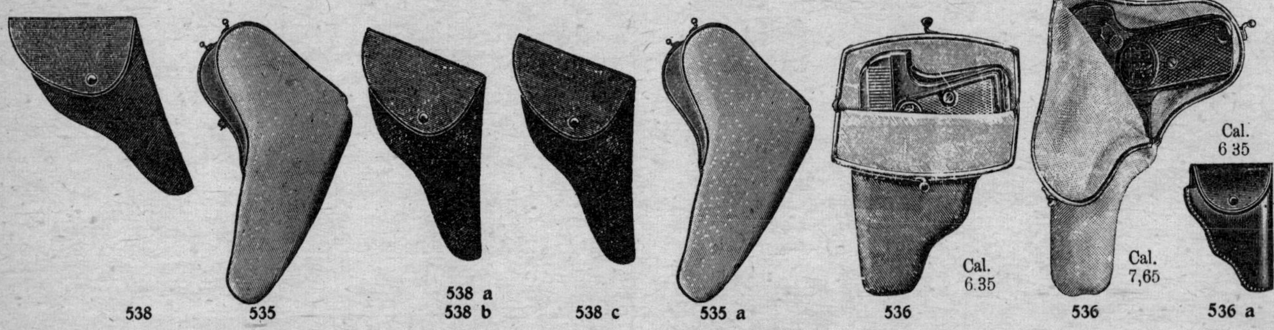

538 — 535 — 538 a / 538 b — 538 c — 535 a — Cal. 6.35 536 — Cal. 7,65 536 — Cal. 6 35 536 a

Wir liefern obige Futterale für alle von uns in den Handel gebrachten automatischen Pistolen und fertigen auch solche nach Zeichnung für andere Systeme. Bei Bestellung genau angeben: **Namen** der Waffe und **Caliber!**

Nous livrons les étuis ci-dessus pour tous les pistolets automatiques que nous vendons et en faisons sur demande et selon dessin pour tout autre système de pistolet. Prière d'indiquer exactement sur les commandes le nom de l'arme et le calibre.

We supply the above cases for all automatic pistols sold by us and we also manufacture cases for other systems according to drawings. Upon giving order kindly specify: the name of the arm and caliber.

Provéemos los estuches aqui indicados para todas las pistolas que vendemos, lo mismo que sobre pedido para todo otro sistema de pistola. Se ruega indiquen exacto en sus pedidos el nombre del arma y el calibre.

no:	530 a	530 b	538	535	538 a	538 b	538 c	535 a	536	536 a
†	Masing	Masreit	Refil	Regrun	Masterbo	Malebros	Restubl	Rekanne	Regrau	Regramm
Qualität und Ausführung	**Runde Form Luxusetui** Cal. 6,35, mit grünem Sammet und Seide ausgelegt	wie 530a aber **eckige Form**	**grüner Filzstoff** mit **Druckknopf**	wie 538 mit **Bügel**	wie 538 aus **Rind-Leder** braun	wie 538a mit **Schlaufe** und **Leibriemen**	wie 538 aus **grauem sämischen Leder**	aus **braunem Rindleder** mit **Bügel**	aus **grauem sämischen Leder** mit **Bügel**	Wie 536 aber mit **Druckknopf**
Qualité et exécution	**Forme arrondie, Etui de luxe,** avec garniture intérieure de velours vert et soie Cal. 6,35	Comme 530 a mais à **angles**	**Etoffe feutre verte** avec bouton à pression	Comme 538 avec **monture métallique**	Comme 538 en **Vachette brune**	Comme 538a avec **patte** par derrière et ceinturon	Comme 538 de **cuir gris chamoisé**	En **vachette, brune** avec **monture** métallique	**Cuir gris chamoisé,** avec **monture métallique**	Comme 536 mais avec **bouton à pression**
Quality and make	**round form fancy-case** cal. 6,35, lined with green velvet and silk	like 530 a but **cornered shape**	**green felt stuff** with press button	like 538 **with clasp**	like 538 **of cow's leather brown**	like 538 a with **loop and belt**	like 538 of **grey chamois leather**	of **brown cow's leather** with **clasp**	of **grey chamois leather** with **clasp**	Like 536 but with **press button**
Calidad y ejecución	**Forma redondeada, Estuche de lujo,** con guarnición de terciopelo verde y seda	Como 530 a pero de **ángulos**	**tela fieltro verde** con botón de presión	Como 538 con **arco metálico**	Como 538 de **vaqueta oscura**	Como 538 a con **lazo y cinturon**	Como 538 **de cuero gris agamuzado**	En **vaqueta oscura** con **arco metálico**	**Cuero gris agamuzado** con **arco metálico**	**Lo mismo** como 536 pero con **botón de presión**
pro	10	10	10	10	10	10	10	10	10	10
Cal. 6,35	25 —	24.—	6.—	11.—	15.60	25.—	12.40	12.40	12.—	12.40
Cal. 7,65	—	35.—	7.20	13.40	21.—	30.—	15.60	15.60	15.—	—
Cal. 9 mm 380	—	55.—	8.—	15.60	25.—	33.—	18.—	18.—	18.—	—

Futterale für Rückstoßlader-Pistolen. | Etuis pour Pistolets automatiques. | Cases for recoil-loading pistols. | Estuches para pistolas automáticas.

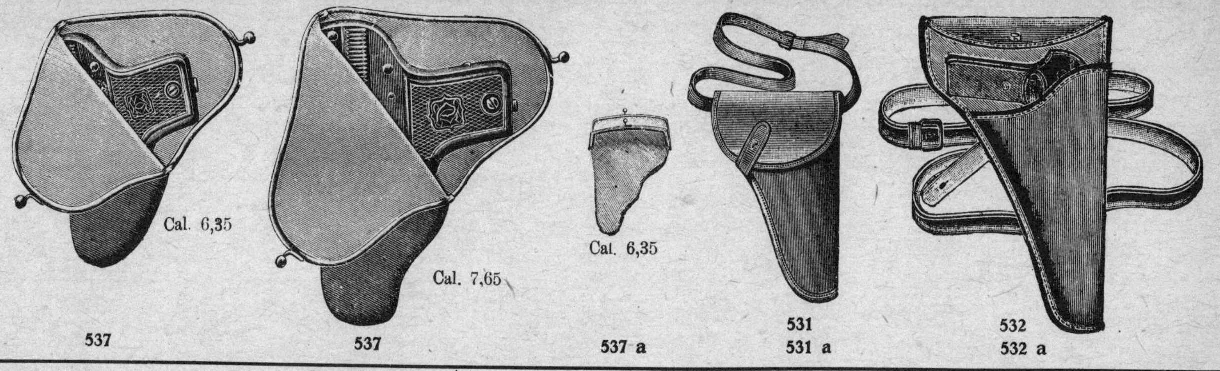

Cal. 6,35 — Cal. 7,65 — Cal. 6,35

537 — 537 — 537 a — 531, 531 a — 532, 532 a

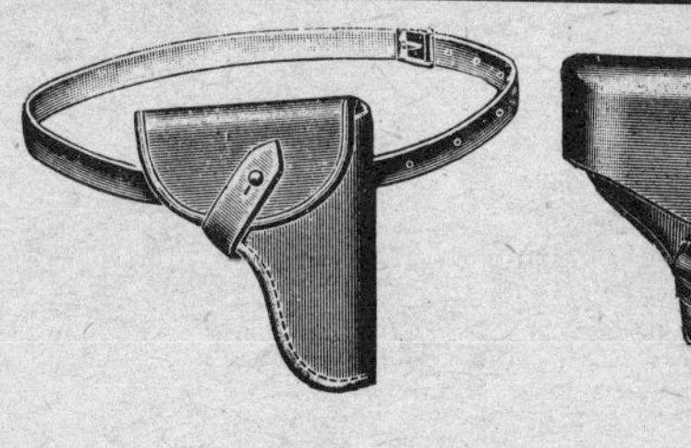

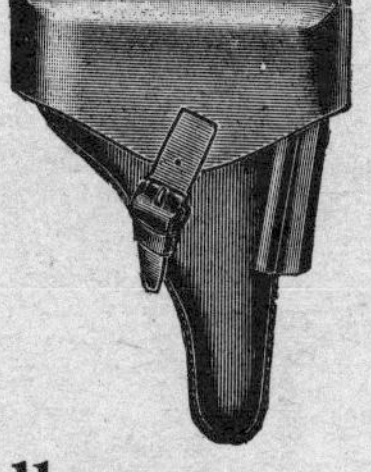

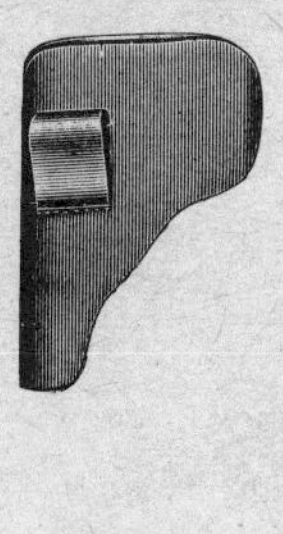

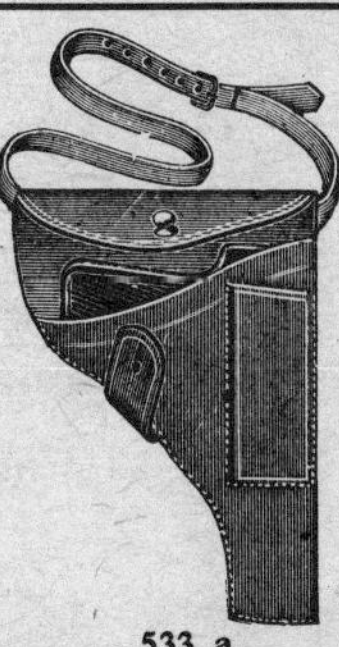

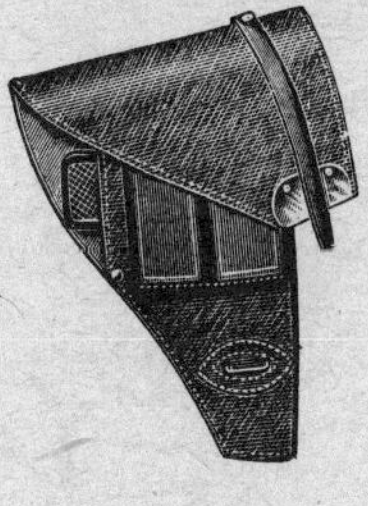

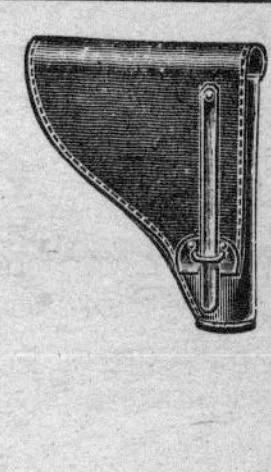

Parabellum

540 a, 540 b — 540 c — 539 — 533 a — 533 — 534

no:	537	537 a	531	531 a	532	532 a	540 a
†	**Refut**	**Refuten**	**Rebros**	**Rekarf**	**Rebrur**	**Reburste**	**Reparfun**
Qualität und Ausführung	wie 536 aber mit **hellem Leder gefüttert**	aus chokoladenbraunem leichten **Rindleder** mit **Bügel**	**schwarzes Chagrinleder** mit **Leibriemen**	wie 531 **ohne Riemen**	wie 531 aus **chokoladenbraunem Rindsvachette**	wie 532 aber **ohne Riemen**	für **Parabellum** aus **steifem** gelben Leder mit **Leibriemen**
Qualité et exécution	Comme 536 mais **doublé** de **cuir clair**	En **vachette** légère, couleur chocolat, avec **monture métallique**	En **chagrin noir,** avec **ceinturon**	Comme 531 **sans courroie**	Comme 531 **en vachette couleur chocolat**	Comme 532 mais **sans courroie**	Pour **Parabellum, cuir** jaune **rigide** avec **ceinturon**
Quality and make	like 536 but **lined** with **light leather**	of light **cow's leather,** chocolate brown with **clasp**	**black shagreen with belt**	like 531 **without belt**	like 531 of **chocolate colored neat's leather**	like 532 but **without strap**	for **Parabellum** of **stiff** yellow **leather** with **belt**
Calidad y ejecución	Como 536 **pero forrado** de **cuero claro**	En **vaqueta** ligera, **color chocolate** con **arco metálico**	**En cuero negro con cinturón**	Como 531 **sin correa**	Como 531 en **vaqueta color chocolate**	Como 532 pero **sin correa**	Para **Parabellum,** en cuero **rigido amarillo,** con cinturón
pro	10	10	10	10	10	10	10
Cal. 6,35	**Mark: 17.—**	12.40	27.—	18.—	29.—	20.—	—
Cal. 7,65	**Mark: 22.—**	—	36.—	27.—	40.—	31.—	100.—
Cal. 9 mm (380)	**Mark: 25.—**	—	42.—	33.—	47.—	34.—	100.—

no:	540 b	540 c	539	533 a	533	534	541
†	**Repufar**	**Redparab**	**Reber**	**Retortli**	**Redrop**	**Reglat**	**Leiri**
Qualität und Ausführung	wie 540 a aber mit **Tasche für 2 Magazine** am Riemen zu tragen	Vorschriftsmässiges **Ordonnanzfutteral** für **Armeemodell 1908** aus naturfarbigem Ia. Rindsleder steif gewalkt mit verstärkter Rückenwand mit Taschen für Rahmen, Putzstock, Schraubenzieher und Schlagbolzen ohne Leibriemen	braunes gefettetes Rindleder **oben offen** zum schnellen Fassen	wie 532 aber mit **aufgenähter Magazintasche**	Ia. schw. **Rindslack-Vachette** m. Nickelschloss u. Leibriemen 2 aufgen. Magazintasch.	wie 533 aber aus **glatter dunkler Naturrindsvachette**	**Leibriemen** zu Lederfutteralen
Qualité et exécution	Comme 540 a avec **poche pour 2 chargeurs,** à porter à la courroie	**Etui d'ordonnance réglementaire,** pour **Modèle 1908** de l'armée allemande, couleur nature, vachette rigide extra, dos renforcé, pochette pour chargeur, baguette, tourne-vis et percuteur, sans ceinturon	Vachette brune graissée avec ouverture haut permettant de saisir très rapidement l'arme	Comme 532 **mais avec poche à chargeurs cousue**	Vachette extra, vernie noir, **fermeture nickel,** ceinturon, 2 poches à chargeurs cousues	Comme 533 mais en vachette nature lisse et foncée	**Ceinturon** pour étuis de cuir
Quality and make	like 540 a but with pocket for 2 magazines for carrying on strap.	**Military case prescribed** for **army, model 1908** of prime natural colored neat's leather, stiffly worked with strengthened border at back, for clip cleaning rod, screw-driver and striker, without belt	brown greased neat's leather without flap, to facilitate quick drawing	like 532 but with magazine **pocket sewed on**	prime black cow leather with nickel **lock** and **belt** 2 magazine pockets sewed on	like 533 but of smooth dark natural cow-hide	belt for **leather cases**
Calidad y ejecución	Como 540 con bolsillo para 2 cajas carga doras, para llevar en la correa	Estuche de ordenanza reglamentaria, para Mod. 1908 del ejército alemán, color natural, cuero vaca tieso de primera, espalda reforzada, bolsillito para cargador, varilla, destornillador y percutor, sin cinturón	Cuero de vaca oscuro engrasado con abertura arriba permitiendo coger el arma rapidésimamente	Como 532, pero con bolsillo cosido de cajas cargadoras	Cuero de vaca de primera, barnizado negro, cierre de níquel, cinturón, 2 bolsillos cosidos de cajas cargadoras	Como 533, pero de cuero de vaca natural liso y oscuro	Cinturón para estuches de cuero
pro	10	10	10	10	10	10	10
Cal. 7,65	**Mk. 145.—**	150.—	25.—	42.—	60.—	66.—	10.—

Mechanische Taschen-Repetier-Pistolen	Pistolets à répéticion de poche	Mechanical Pocket Repeating Pistols	Pistolas de repetición para bolsillo

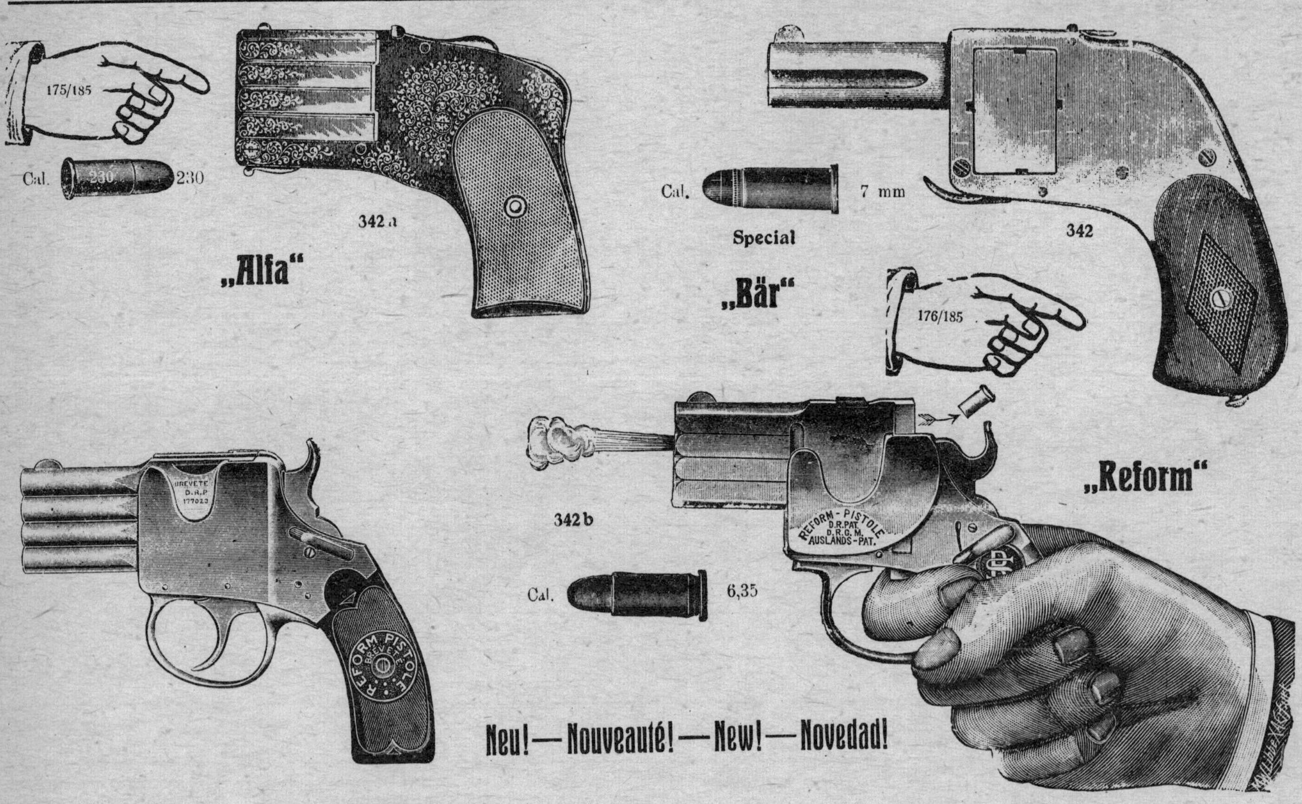

342a † Metarepa	342 † Baer	342b † Metarere
Alfa-Taschenpistole. Vier übereinanderliegende **Läufe, flach** wie ein **Notizbuch.** Cal. 230 Zentralfeuer (5mm) schwarz brüniert, ff. graviert, Holzgriff mit Fischhaut. Hammerless.	**Bär Cavalier Taschen-Pistole.** Cal. **7 mm** Ctrf. (Spezialpatrone) 2 Läufe, vierschüssig, flach wie ein Notizbuch, **umwendbare Patronenkammer schwarz bronziert,** Holzgriff mit Verzierung und Entladestock. Die Kammer wird nach Abgabe von 2 Schuss jedesmal schnell umgedreht. **Blauschwarz. Hammerless. 350 Gramm.**	**Reform-Taschen-Pistole mit Hahn** mit **vier Läufen,** 4 Schuss schnell hintereinander. Mit einem Griff in 2 Teile zerlegbar, leicht, Sicherung. **Gummigriff. Cal. 6,35 (Browningpatrone).** Der Laufkasten steigt nach jedem Schuss in die Höhe, schwarz brüniert.
Pistolet de poche „Alfa“ à 4 canons superposés, **forme plate** comme un **carnet de poche.** Cal. 230, à feu central (5 mm) bruni noir, élégamment gravé, crosse de bois quadrillée, Hammerless.	**Pistolet de poche „Bär“** pour **cavaliers. Cal. 7,** à feu central, (cartouche spéciale), à 2 canons, 4 coups, **forme** aussi **plate** qu'un **carnet de poche, chambre à cartouches** se **mouvant de côté,** noir, crosse de bois avec ornement et baguette à décharger. Après chaque tir de 2 cartouches, il faut mouvoir de côté la chambre à munitions. **Bleu-noir, Hammerless, 350 grammes.**	**Pistolet de poche „Reform“ avec chien, à 4 canons** et à 4 coups pouvant se suivre avec la plus grande rapidité, crosse démontable en 2 pièces, léger, à sûreté. **crosse caoutchouc,** Cal. **6,35 (cartouche Browning).** Les canons montent petit à petit après chaque coup, bruni noir.
Pocket pistol „Alfa“ 4 barrels on top of each other, **flat** like a **pocket-book** cal 230 center-fire (5 mm) polished black very finely engraved, chequered wooden grip, Hammerless.	**Gentlemens pocket pistol „Bär“** cal. **7mm** center-fire (special cartridge) 2 barrels, 4 shots **flat like** a **pocket book, turning** cartridge **magazine,** wooden grip burnished black, with decoration and ramrod for unloading. After discharging 2 shots the magazine is always turned round quickly. **Blue black, Hammerless, 350 grammes.**	**Reform-Pocket-Pistol with hammer,** with **4 barrels** firing quickly 4 shots one after another, can easily be divided into 2 pieces, light, safety, rubber grip, cal. **6,35 (Browning cartridge).** The case of barrels rises after every shot, burnished black.
Pistolas de bolsillo „Alfa“ de 4 cañones sobrequestos, **forma plana,** como un **librito de notas** de bolsillo. Cal. 230, de fuego central (5 mm), bruñido negro, elegantemente grabado, culata de madera labrada, Hammerless.	**Pistola de bolsillo „Bär“ para** caballeros **Calibre 7, de fuego central,** (cartucho espec.) de 2 cañonee, se 4 tiros, **forma plana, como** un libro de notas de **bolsillo,** recipiente de cartuchos moviendose del ladonegro, culata de madera con ornamento y varillo de descargar. Despues de cada tiro de 2 cartuchos hay que moverel	**Pistola de bolsillo „Reform“ con gatillo,** de **4 cañones** y de 4 tiros, pudiendo seguir con la mayor rapidez, culata desmontable en 2 piezas, ligero, seguridad, culata de cautchuc. Cal. **6,35 (cartucho Browning)** Les cañones suben poco à poco depués de cada tiro, bruñido negro.
Mark 30.—	**Mark 48.—**	**Mark 22.—**

Mechanische Taschen-Repetier-Pistolen. | Pistolets à répétition de poche. | Mechanical Pocket Repeating Pistols. | Pistolas de repetición de bolsillo.

Merveilleux.

343b. 343c. 343d.

Cal.  6 mm

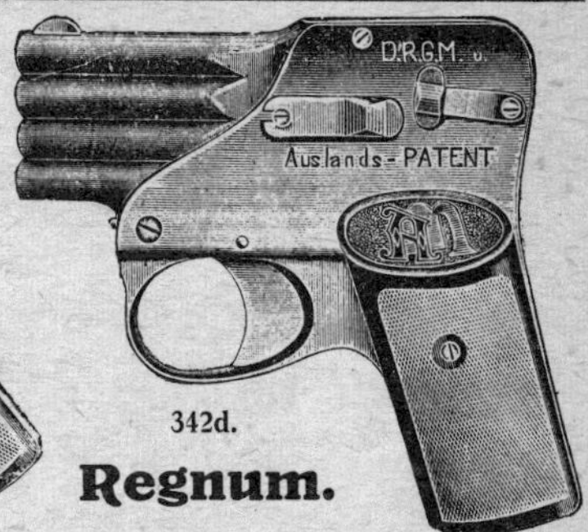

342d.

Regnum.

Cal.  6,35 mm

174/185

Innen beim Schuss. | L'intérieur au moment du tir.

Interior when shooting. | El interior en el momento de disparar.

Unique.

Cal. 22 sh.

(342 e)

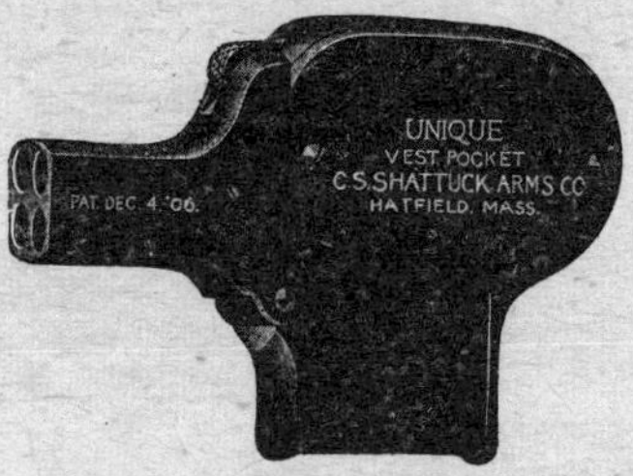

342 e. — 343 f

Unique.

Cal. 32 sh ff.

(342 f)

Taschen-Mitrailleuse „Gaulois". 5 Schuss. | Mitrailleuse de poche „Gaulois". 5 coups. | Pocket Mitrailleuse „Gaulois". 5 shot. | Ametralladora de bolsillo „Gaulois". 5 tiros.

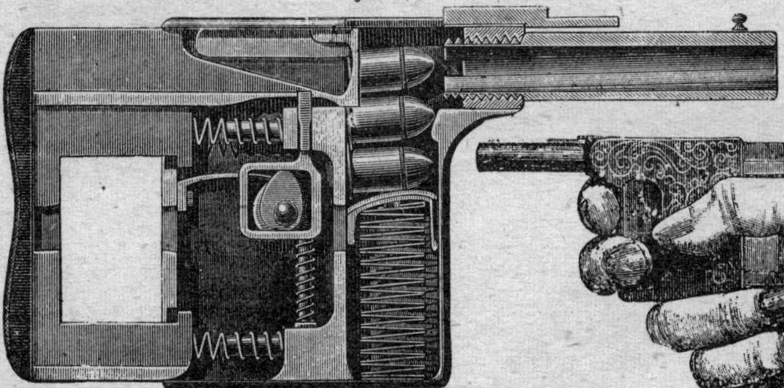

343. 343a.

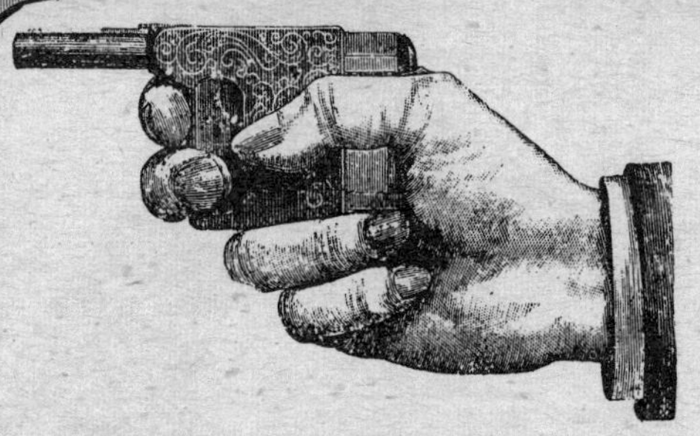

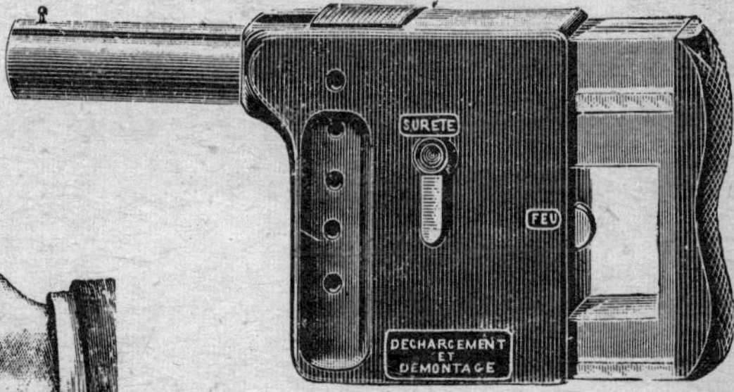

Schuss-fertig. | prêt au feu. | Ready to fire. | Dispuesta á disparar.

176/185

im Gebrauch, | en usage. | in use. | en uso.

Cal.  8 mm Spezial.

343b. † Utran	343c † Atrun	343d † Etrin	342 d † Regnumet	342e † Unikkla	342 f † Unikgros	343 † Gaul	343 a † Gaulois
Merveilleux-Taschen-Pistole 6 Schuss, Cal. 6 mm Spezialpatrone. Die Pistole funktioniert durch **Zusammendrücken in der Hand. Vernickelt, graviert, Ebenholzgriff.**	wie 343b aber in **Cal. 8 mm,** (Spezialpatrone) für **5 Schuss.**	wie 343b aber schwarz brüniert	**RegnumTaschen-Pistole,4Schuss Cal. 6,35 Browningpatrone,** Sicherung, schnelles Laden u. Entladen, automatisch.Ejector, Kipplaufsystem,Gummigriff, ganz flach, Grösse 10½ × 10½ cm Gewicht 360gr.schwarz brün.,Hammerless	**Unique Westentasche-Pist. Cal. 22 short, 4 Schuss** Mechanismus wird durch Druck des Kastens betätigt, **ff vernickelt,** ganz klein, Gewicht 200 g amer. Fabrikat. **Hammerless.**	Wie 342e aber **Cal. 32 short Randfeuer** Gewicht **350 gramm**	**Gaulois-Taschen-Mitrailleuse, Cal. 8 mm,** Spezialpatrone **5 Schuss,** Sicherung doppelt, Mechanismus betätigt sich durch Zusammendrücken d. schussfertigen Hand. ff poliert, **Hartgummigriff** sehr sauber gearb. Hammerless.	Wie 343 aber **ff.vernick.** und **graviert.**
Pistolet de poche Merveilleux, à 6 coups, Cal. 6 mm cartouche spéciale. On fait fonctionner le pistolet en le **pressant dans la main. Nickelé. gravé, poignée d'ébène.**	Comme 343b mais en **cal. 8** (cartouche spéciale) **à 5 coups.**	Comme 343b **mais poli-noir**	**Pistolet de pocheRegnum,** à 4 coups **Cal. 6,35 mm, cartouche Browning,** à sûreté, chargement et déchargement rapides,éjecteur automatique,canon basculant,crosse caoutchouc, forme extrêmement plate, dimensions 10½ × 10½ cm poids 360 gr, **poli noir, Hammerless.**	**Pistolet de gilet Unique, Cal. 22** short, à 4 coups, on met le mécanisme en mouvement en pressant sur la boîte, **élégamment nickelé,** très petit poids 200 gr fabricat. amér Hammerless	Comme 342e mais **Cal. 32 short,** à percussion, annulaire, poids 350 gr.	**Mitrailleuse de poche Gaulois Cal. 8 mm,** Cartouche spéciale, **à 5 coups,** sûreté double, on met le mécanisme en mouvement en pressant avec la main sur la partie arrière du pistolet élégamment poli, poignée **caoutchouc** durci, très bien travaillé. Hammerless.	Comme 343 mais **élégamment nickelé et gravé.**
Merveilleux pocket pistol 6 shots, cal. 6 mm special cartridge. The pistol acts through the **pressure of the hand. Nickeled, engraved, ebony grip.**	like 343b but in **cal. 8 mm** (Special cartridge) **for 5 shots.**	like 343b but **burnished black.**	**Regnum Pocket-Pistol, 4 shots cal. 6,35 Browning cartridge,** safety quick loading and unloading automatic ejector drop barrel, rubber grip, quite flat, size 10½ × 10½ cm. weight 360 gr **burnished black, Hammerless.**	**Waistcoat pocket pistol Unique Cal. 22 short,** 4 shots the mechanism works by means of pressure upon case, **finely nickeled** quite small, weight 200 gr American make. **Hammerless.**	like 342 e but **cal. 32** short rim fire, **weight 350 gr.**	**Pocket-Mitrailleuse Gaulois, cal 8 mm.** special cartridge **5 shots,** double safety, the mechànism works by means of hand pressure when firing, **finely polished, vulcanite grip** very neat make **Hammerless.**	like 343 **but finely nickeled** and **engraved.**
Pistolla de bolsilla merveilleux de 6 tiros, Cal. 6 mm cartucho especial. Se have funcionar la pistola **oprimiéndola en la mano, niquelada, grabada, empuñadura de ébano.**	Como 343 b pero en **cal. 8 mm,** (cartucho especial) **de 5 tiros**	Como 343b **pero negro bruñido.**	**Pistolas de bolsillo Regnum de 4 tiros. Cal.6,35 Cartucho Browning** seguridad carga y descarga rápidas èjector automático cañón colgantero culata de cautchuc forma extremadamente plana dimensiones 10½ × 10½ cm peso 360 gr. bruñido negro - Hammerless.	**Pistola para chaleco Unique Cal. 22 short, de 5 tiros.** Se pone el mecanismo en movimiento oprimiento la caja de metal **elegantemente niquelado** muy pequeño peso 200 gr fabricación americana **Hammerless.**	Como 342 e pero **cal. 32** short de percusión anular Peso 350 gramos.	**Ametralladora de bolsillo Gaulois Cal. 8 mm,** Cartucho especial **de 5 tiros,** seguridad doble. El mecanismo se pone en movimiento apretando sobre la parte trasera de la pistola elegantemente pulida **empuñadura de cautchuc endurecida,** muy bien trabajado. **Hammerless.**	Como 343 pero **elegantemente niquelada y grabada.**
Mark 33.—	Mark 33.—	M. 32.—	Mark 29.—	Mark 29.—	M. 35.—	Mark 53.—	M. 60.—

Revolver. System Lefaucheux. | Revolvers. Système Lefaucheux. | Revolvers. System Lefaucheux. | Revólveres. Sistema Lefaucheux.

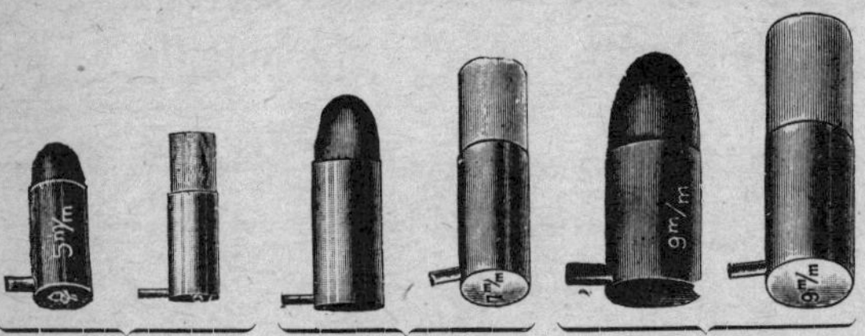

5 mm 7 mm 9 mm

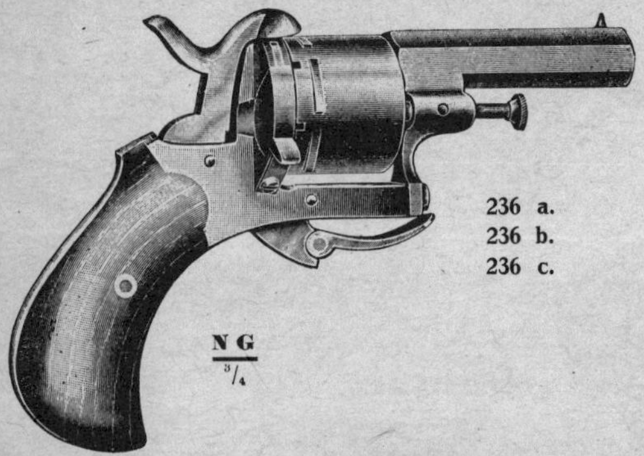

238.
238 a.
238 b.

236 a.
236 b.
236 c.

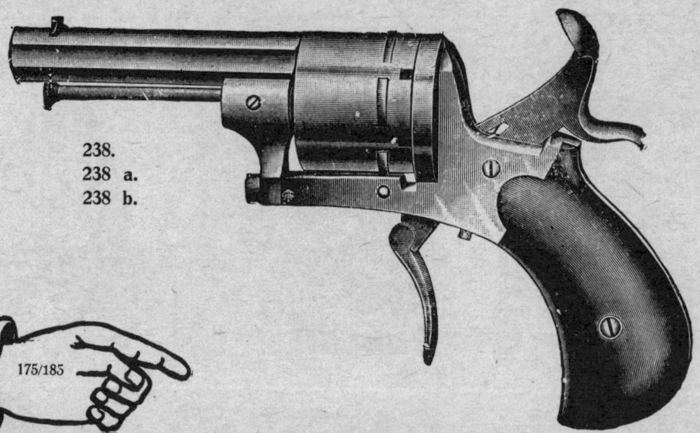

175/185

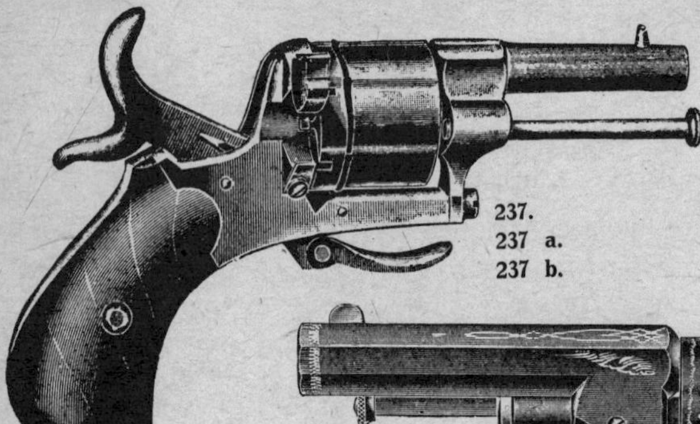

N G $^{3}/_{4}$

239.
239 a.

237.
237 a.
237 b.

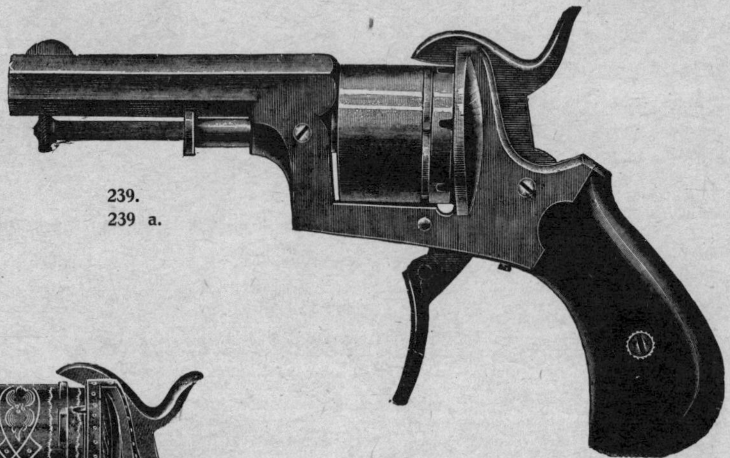

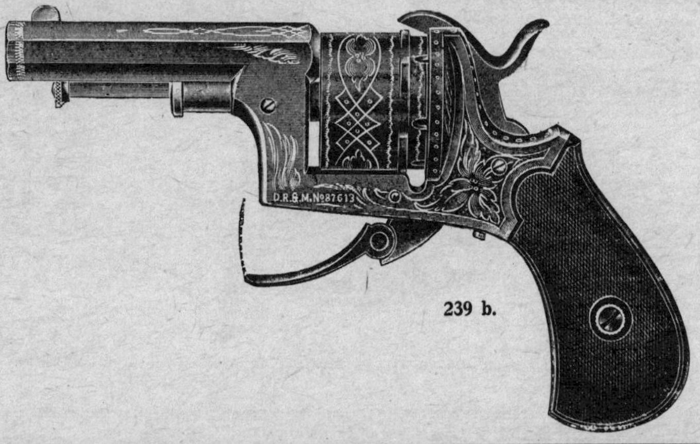

239 b.

	236 a	236 b	236 c	237	237 a	237 b	238	238 a	238 b	239	239 a	239 b
	† Zehloxe	† Zehlonu	† Zehlogro	† Russ	† Russtex	† Russnof	† Ajax	† Axaxcon	† Ajaxlib	† Play	† Playa	† Playgrav
	Kleinstes Modell, kantiger Lauf, blank polierter Holzgriff.			Wie 236 a, grösser, **runder** Lauf.	Wie 237, **nickel.**	Wie 237, **schwarz.**	Nussbaumgriff, kantiger Lauf, grosses Modell, **blank poliert.**			**Blank poliert,** kant. Lauf, Kasten **u. Lauf aus 1 Stck.**	Wie 239, **ver-nickelt.**	Wie 239, aber **hochfein vernick. Kautschukgriff.**
	Modèle réduit, canon cannelé, blanc, crosse de bois, poli.			Comme 236 a, Modèle plus fort, **canon rond.**	Comme 237, **nickelé.**	Comme 237, **noir.**	Crosse noyer, canon cannelé, fort modèle, **blanc poli.**			**Blanc poli,** canon cannelé, corps et canon d'une seule pièce.	Comme 239, **nickelé**	Comme 239 mais **élégamment nickelé, crosse caoutchouc.**
	smallest model, angular barrel, brightly polished, wooden grip.			like 236 a but larger, **round barrel.**	like 237 **nickeled**	like 237, **black**	walnut grip, octagon barrel, large **brightly polished.**			brightly polished edged **barrel, frame and barrel** of **one piece.**	like 239, **nickeled**	like 239, but very **finely nickeled, rubber grip.**
	Modelo reducido, cañon angular, blanco pulido, culata de madera.			Como 236 a, Modelo más, fuerte, cañon **redondo.**	Como 237 **nique-lado.**	Como 237 **negro.**	Culata de nogal, cañón estriado, modelo fuerte, **blanco pulido.**			Blanco, pulido, **cañon angular, culata y cañón** de **una sola pieza.**	Como 239, **nique-lado.**	Como 239, pero **elegantemente niquelado, culata** de **cautchuc.**
Cal..	5 mm	7 mm	9 mm	7 mm	7 mm	7 mm	5 mm	7 mm	9 mm	7 mm	7 mm	7 mm
Mark	5.30	4.50	7.—	4.60	4.80	4.80	5.50	4.50	6.90	5.70	6.20	6.90

Revolver. System Lefaucheux.	Revolvers. Systemè Lefaucheux.	Revolvers. System Lefaucheux.	Revólveres. Sistema Lefaucheux.

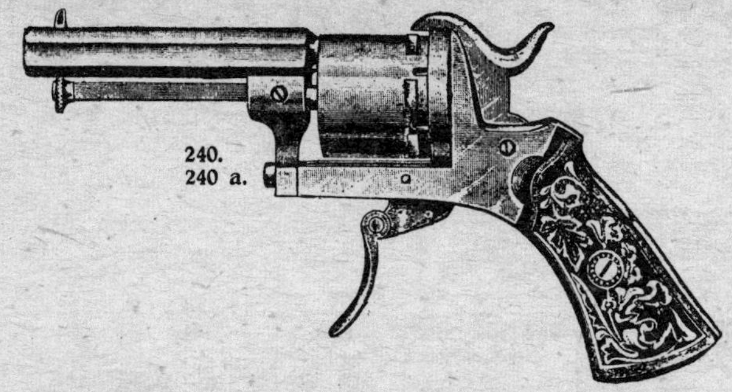

240.
240 a.

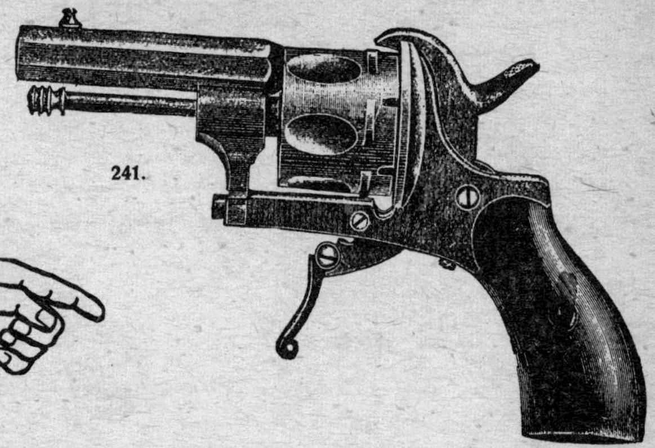

241.

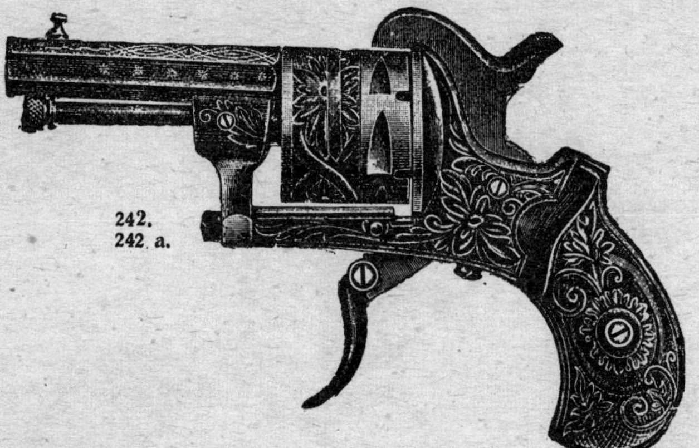

175/185

242.
242 a.

243.

244.
244 a.

	240	240a	241	242	242a	243	244	244a.
	† Long	† Longu	† Fin	† Cruz	† Cruza	† Cycle	† Lady	† Ladya
	Vernickelt Patentverschluss, fein verzierter **Kautschukgriff, gezogen.**		**Bulldogg** reduciert Nussholzgriff, kannellierte Walze **vernickelt.**	**Vernickelt, erhaben graviert, gezogen, verzierter Kautschukgriff.**		**Blank poliert,** runder Lauf **Abzugsring,** Nussbaumschaft.	**Vernickelt graviert,** verzierter **Kautschukgriff.**	Wie 244 **ohne Gravur,** Nussholzgriff **vernickelt.**
	Nickelé, fermeture brevetée **crosse** de **caoutchouc** élégamment orné, rayé.		**Bulldog** réduit, crosse noyer, barillet cannelé, **nickelé.**	**Nickelé, gravé en relief, rayé, crosse en caoutchouc orné.**		**Blanc poli,** canon rond, **anneau** de détente, crosse de noyer.	**Nickelé gravé,** crosse de **caoutchouc orné.**	Comme 244, **sans gravure,** crosse de noyer, **nickelé.**
	nickeled, patent lock, finely decorated, **vulcanite grip,** rifled.		**Bulldog** reduced, walnut grip, cannulated cylinder, **nickeled.**	**nickeled, raised engraving, rifled, decorated vulcanite grip.**		**brightly polished,** round barrel, **trigger ring,** walnut grip.	**nickeled engraved,** decorated, **vulcanite grip.**	like 244, **without engraving,** walnut grip, **nickeled.**
	Niquel, sistema privilegiado, **culata de cautchuc,** elegantemente adornado, rayado.		**Bulldog** reducido, culata de nogal, barrilete estriado, **niquelado.**	**Niquelado, grabado en relieve, rayado, culata de cautchuc adornado.**		**Blanco pulido-cañon redondo, anillo de escape,** culata de nogal.	**Niquelado, grabado, culata** de **cautchuc adornado.**	Como 244, **sin grabado,** culata de nogal, **niquelado.**
Cal.:	7 mm	9 mm	7 mm	7 mm	9 mm	5 mm	5 mm	5 mm
Mark:	**5.80**	**7.20**	**5.80**	**6.50**	**8.20**	**6,40**	**7.20**	**6.20**

Kleine Randfeuer-Revolver. | Petits revolvers à percussion annulaire. | Small rim-fire revolvers. | Pequeños revólveres de percusión anular.

No.	245	246	247	248	249	250	251	251a	251b	251c	251d
†	Pierre	Charles	Strik	Cyclon	Child	Boy	Auto	Autokipt	Autojum	Autonast	Autoklir
	Blank poliert 6 Schuss, polierter Nussholzschaft	Vernickelt, 6 Schuss, fein polierter Horngriff	Vernickelt, 6 Schuss Kautschukgriff	Vernickelt, **10 Schuß,** kannellierte Walze, Kautschukgriff	Vernickelt, 6 Schuss, Hartgummigriff	Vernickelt, **9 Schuss,** Ebenholzgriff	Vernickelt, 6 Schuss, kannelierte Walze, Hartgummigriff, Abzug mit Ring	Hammerless-Randfeuer für 22 short und long, Sicherung, kannelierte Walze, schwarz Gummigriff	Wie 251 a, aber Nickel	Wie 251 a, aber lange Walze, auch ausser 22 short und long die abgebildete Patrone schießend	Wie 251c, aber vernickelt
	Blanc poli, 6 coups, crosse noyer poli	Nickelé, 6 coups, crosse en corne, élégamment polie	Nickelé, 6 coups, crosse caoutchouc	Nickelé, **à 10 coups,** barillet cannelé, crosse caoutchouc	Nickelé, à 6 coups, crosse en caoutchouc durci	Nickelé, à **9 coups,** crosse d'ébène	Nickelé, à 6 coups, barillet cannelé, crosse en caoutschouc durci, détente à anneau	Hammerless, à feu annulaire pour 22 short et long, sûreté, barillet cannelé, crosse caoutchouc noir	Comme 251a, mais nickelé	Comme 251 a, mais barillet long, tirant en dehors des cartouches 22 short et long la cartouche illustrée ci contre	Comme 251c, mais nickelé
	Brightly polished, 6 shots, polished walnut stock	Nickeled, 6 shots, finely polished horn grip	Nickeled, 6 shots, rubber grip	Nickeled, **10 shots,** cannulated cylinder, rubber grip	Nickeled, 6 shots, vulcanite grip	Nickeled, **9 shots,** ebony grip	Nickeled, 6 shots, cannulated cylinder, vulcanite grip, trigger with ring	Hammerless rim fire for 22 short and long, safety, cannulated cylinder, black rubber grip	Like 251a but nickeled	Like 251a, but long cylinder, shooting also the cartridgedepicted above besides 22 short and long	Like 251c, but nickeled
	Blanco pulido 6 tiros, culata de nogal pulida	Niquelado, 6 tiros, culata de cuerno, elegantemente pulida	Niquelado, 6 tiros, culata de cautchuc	Niquelado, de **10 tiros,** barrilete estriado, culata de cautchuc	Niquelado, de 6 tiros, culata de cautchuc endurecida	Niquelado, de **9 tiros,** culata de ébano	Niquelado, de 6 tiros, barrilete estriado, culata de cautchuc endurecida, escape de anillo	Hammerless, de fuego anular para 22 short y long, seguridad, barrilete estriado, culata de cautschuc negro	Como 251a, pero niquelado	Como 251a, pero barrilete largo, tirado fuera de los cartuchos 22 short y largo el cartucho ilustrado	Como 251 c, pero niquelado
Cal.	6 mm (22 short)	6 mm (22 short)	6 mm (22 short)	6 mm (22 short)	6 mm (22 short)	6 mm (Flobert)	6 mm (22 short)	6 mm (22 short) (22 long)	6 mm (22 short) (22 long)	6 mm 22 short 22 long 22 longue portée	6 mm 22 short 22 long 22 longue portée
Mark	6.–	8.20	6.80	11.20	9.–	9.50	8.–	19.20	19.20	20.40	20.40

Kleine Randfeuer-Revolver. | Petits revolvers à percussion annulaire. | Small rim-fire revolvers. | Pequeños revólveres de percusion á bordes.

174/185

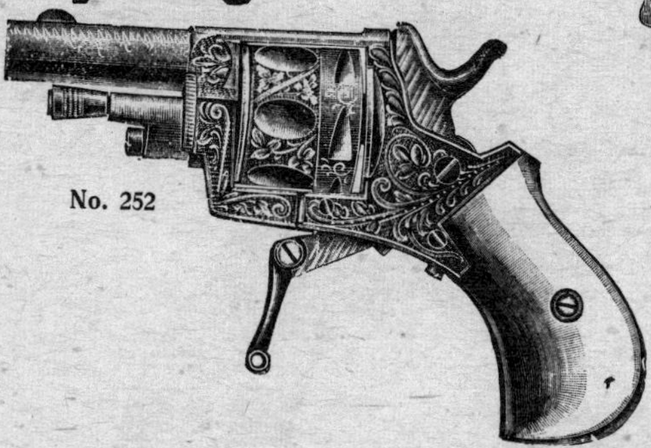

No. 252

No. 253
253 a

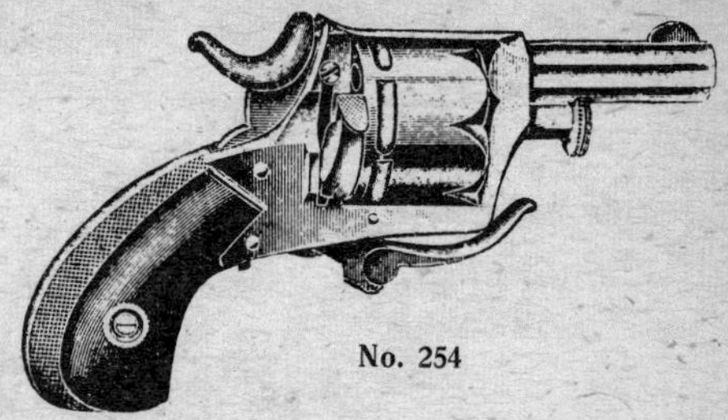

No. 254

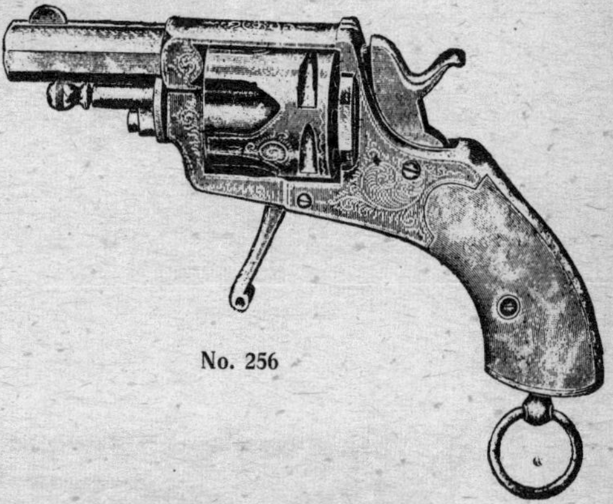

No. 256

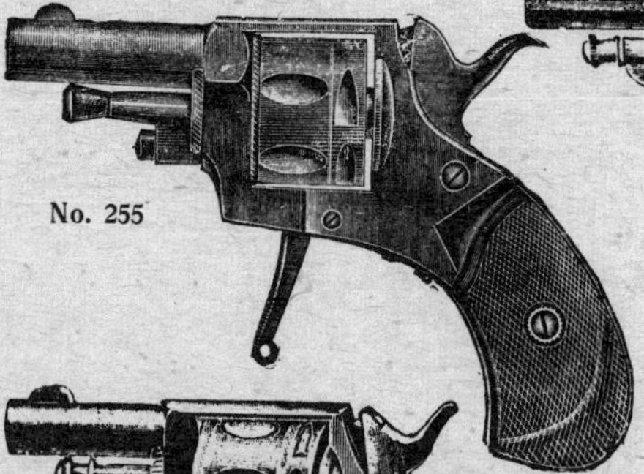

No. 255

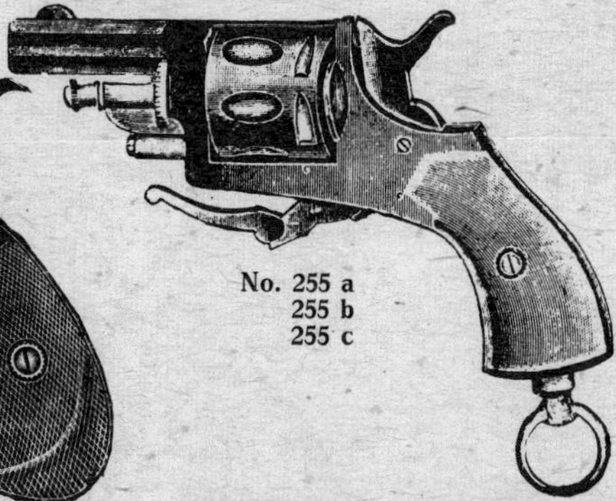

No. 255 a
255 b
255 c

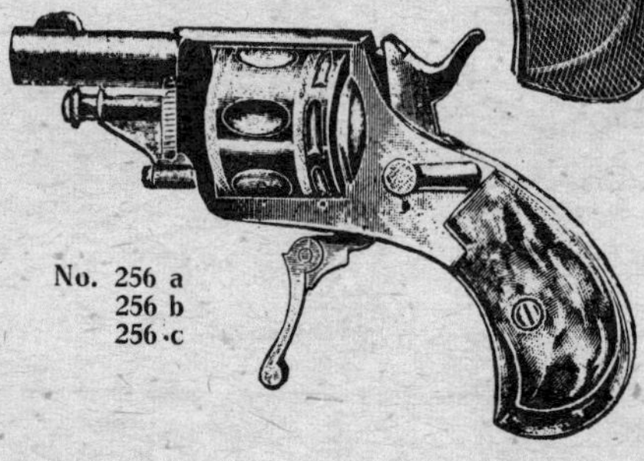

No. 256 a
256 b
256 c

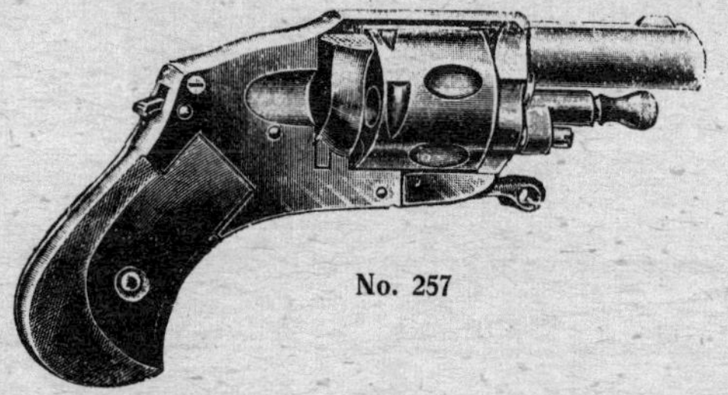

No. 257

No. 258

252	253	253 a	254	255	255 a	255 b	255 c	256	256 a	256 b	256 c	257	258
† France	† Amer	† Amerswa	† Gent	† Pigi	† Piginant	† Pigimar	† Pigijos	† Fashion	† Fashiros	† Fashigul	† Fashinof	† Pock	† Safe
6 Schuss **vernickelt** erhaben **graviert Elfenbein-griff**	**Jver-Johnson 5 Schuss vernickelt Gummigriff**	Wie 235 aber **amer blau-schwarz**	6 Schuss **vernickelt u.Ebenholz-griff** mit Fischhaut-rücken	**6 Schuss** vernickelt Gummigriff **kleinstes Modell**	**6 Schuss gezogen vernickelt** oder **schwarz** Nussbaum-griff	Wie 255 a mit **Elfenbein-griff**	Wie 255 a mit **Perl-mutter-griff**	I a Qualität vernickelt englisch **graviert** 6 Schuss **Perl-mutter-griff**	6 Schuss **vernickelt** oder **schwarz** Sicherung Nussbaum-griff	Wie 256 a mit **Elfenbein-griff**	Wie 256 a mit **Perl-mutter-griff**	6 Schuss hahnlos **vernickelt Gummigriff**	6 Schuss schwarz mit Sicherung **Holzgriff**
6 coups **nickelé gravé** en **relief, crosse ivoire**	**Jver-Johnson, 5 coups, nickelé, crosse caoutchouc**	Comme 253 mais **bleu américain**	6 coups, **nickelé, crosse, d'ébène** à dos quadrillé	**6 coups,** nickelé, crosse caoutchouc, **modèle très réduit**	**6 coups, rayé, nickelé ou noir,** crosse noyer	Comme 255a avec **crosse ivoire**	Comme 255a avec **crosse nacre**	Ia Qualité, nickelé, **gra-vure** anglai-se, 6 coups, **crosse nacre**	6 coups **nickelé** ou noir, sûreté, crosse noyer	Comme 256 a avec **crosse ivoire**	Comme 256 a avec **crosse nacre**	6 coups, sans chien, **nickelé, crosse caoutchouc**	6 coups, noir, avec sûreté, **crosse de bois**
6 shots **nickeled raised en-graving, ivory grip**	**Jver-Johnson 5 shots nickeled rubber-grip**	Like 253 **but blue black American style**	6 shots **nickeled ivory grip** chequered	**6 shots** nickeled rubber-grip **smallest model**	**6 shots** rifled **nickeled** or **black** walnut grip	Like 255 a with **ivory grip**	Like 255 a with **mother of pearl grip**	Prime quality nickeled English **engraving** 6 shots **mother of pearl grip**	6 shots **nickeled** or black safety walnut grip	Like 256 a with **ivory grip**	Like 256 a with **mother of pearl grip**	6 shots hammerless **nickeled rubber grip**	6 shots black with safety **wooden grip**
6 tiros **niquelado grabado** en **relieve culata de marfil**	**Jver-Johnson 5 tiros niguela do culata de cautchuc**	Como 253 pero **asul americano**	6 tiros **niquelado culata** de **ébano** de espalda labrada	**6 tiros** niquelado culata de cautchuc **modelo minúsculo**	**6 tiros rayado niquelado** ó **negro** culata de nogal	Como 255 a con **culata de marfil**	Como 255 a **con culata de nácar**	Ia calidad niquelado **grabado** inglés 6 tiros **culata de nácar**	6 tiros **niquelado** ó negro seguridad culata de nogal	Como 256 a con **culata de marfil**	Como 256 a con **culata de nacar**	6 tiros sin gatillo **niquela do culata de cautchuc**	6 tiros negro con seguridad **culata de madera**
Cal. 6 mm (22 short)	Cal. 6 mm (22 short)	Cal. 6 mm (22 short)	Cal. 6 mm (22 short)	Cal. 6 mm (22 short)	Cal. 6 mm (22 short)	Cal. 6 mm (22 short)	Cal. 6 mm (22 short)	Cal. 6 mm (22 short)	Cal. 6 mm (22 short)	Cal. 6 mm (22 short)	Cal. 6 mm (22 short)	Cal. 6 mm (22 short)	Cal. 6 mm (22 short)
Mark **13.50**	Mark **15.—**	Mark **17. –**	Mark **9.80**	Mark **10.50**	Mark **10. –**	Mark **11.60**	Mark **17.50**	Mark **21.50**	Mark **11.20**	Mark **12.40**	Mark **18.20**	Mark **17.–**	Mark **10.80**

Centralfeuer-Revolver. | Revolvers à feu central. | Center fire Revolvers. | Revólveres, fuego central.

261	261 a	262	262 a	262 b	262 c	262 d	263
† Bull	† Bulla	† Orent	† Orentos	† Orentbal	† Orentsil	† Orentgro	† White
Schwarz, runder Lauf, gerippter Nussbaumgriff		Gezogen, Kautschukgriff, erhaben graviert, vernickelt		Form wie 262 aber nur **blank poliert** mit Holzgriff			Blank poliert, gezogener Lauf Nussbaumgriff
Noir, canon rond, crosse noyer quadrillé		Rayé, crosse de caoutchouc, gravé en relief, nickelé		Même forme que 262 mais seulement **blanc poli**, avec crosse de bois			Blanc poli, canon rayé, crosse noyer
Black, round barrel, ribbed walnut grip		Rifled, vulcanite grip, raised engraving, nickeled		Form like 262 but only **brightly polished** with wooden grip			Brightly polished, rifled barrel, walnut-grip
Negro, cañón redondo, culata de nogal labrada		Rayado, culata de cautchuc, grabada en relieve niquelado		La misma forma que el 262 pero solamente **blanco pulido** con culata de madera			Blanco pulido, cañón rayado, culata de nogal
Cal.: 320	380	320	380	320	380	450	320
Mark: 7.—	7.40	8.20	9.20	7.—	7.90	8.50	5.80

263 a	263 b	263 c	268	268 a	268 b	268 c
† Whital	† Whitbel	† Whitbau	† Salut	† Saluta	† Salutans	† Salutaro
Wie 263, vernickelt	Wie 263, aber schwarz	Wie 263a mit Gummigriff	Gezogener Lauf, vernickelt, Gummigriff		Wie 268, aber schwarz oder Nickel mit Drehsicherung	
Comme 263, nickelé	Comme 263, mais noir	Comme 263a avec crosse de caoutchouc	Canon rayé, crosse de caoutchouc, nickelé		Comme 268, mais noir ou nickelé avec sûreté en cercle	
Like 263, nickeled	Like 263, but black	Like 263a with rubber grip	Rifled barrel nickeled, rubber grip		Like 268, but black or nickeled with turning safety	
Como 263, niquelado	Como 263, pero negro	Como 263 a con culata de cautchuc	Cañón rayado, culata de cautchuc niquelado		Como 268, pero negro o niquelado con seguridad en cerco	
Cal.: 320	320	320	320	380	320	380
Mark: 6.—	6.—	6.50	7.80	8.50	8.80	10.—

Central-feuer-Revolver. | Revolvers à feu central. | Center fire Revolvers. | Revólveres, fuego central.

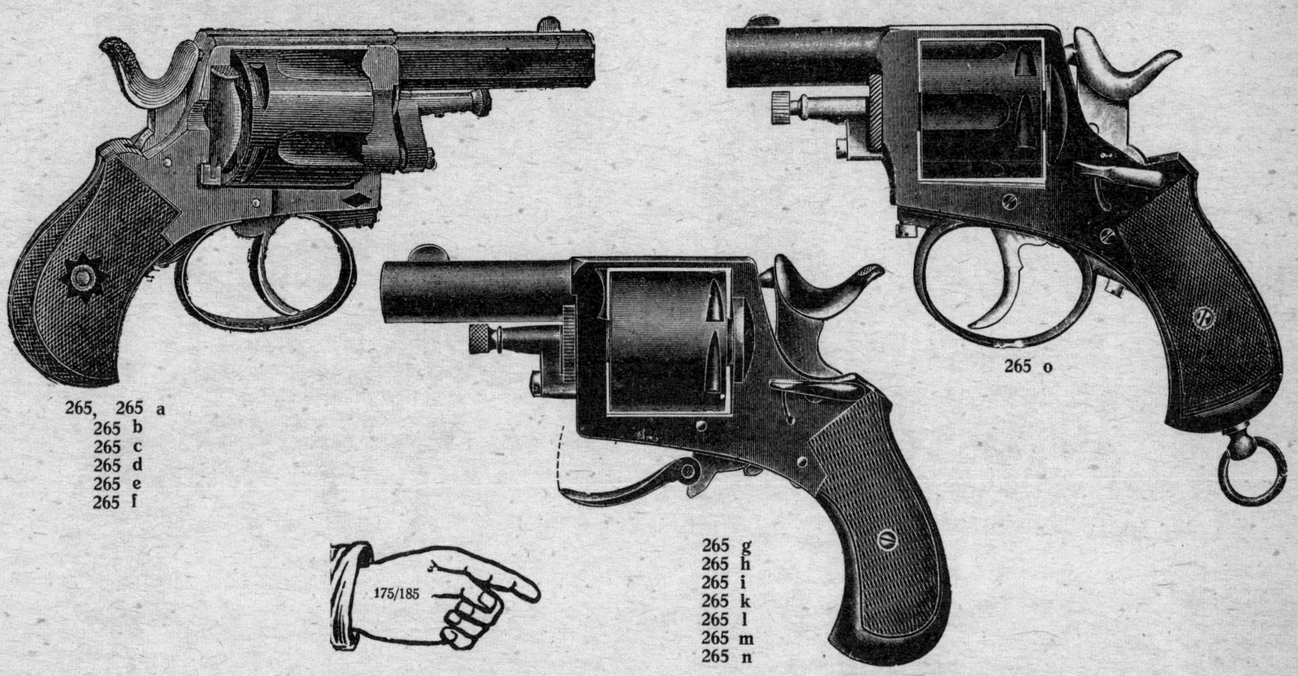

265	265 a	265 b	265 c	265 d	265 e	265 f
† Lion	† Liona	† Loin	† Lionbel	† Lionatu	† Loinbel	† Hoinax
Bulldog, gewöhnlichste Sorte, glatter runder Lauf, Holzgriff, **vernickelt**			Wie 265, aber schwarz			Wie 265 mit **Gummigriff**
Bulldog, type le plus courant, canon rond et lisse, crosse de bois, **nickelé**			Comme 265, mais **noir**			Comme 265 avec **crosse caoutchouc**
Bulldog, ordinary kind, smooth round barrel, wooden grip, **nickeled**			Like 265, but **black**			Like 265 with **rubber grip**
Bulldog, tipo más corriente, cañón redondo y liso, culata de madera, **niquelado**			Como 265, pero **negro**			Como 265 con **culata de cautchuc**
Cal.: 320	380	450	320	380	450	320
Mark: 6.60	6.90	7.20	6.60	6.90	7.20	7.20

265 g	265 h	265 i	265 k	265 l	265 m	265 n	265 o
† Heitefru	† Heitebra	† Heitesup	† Heitemin	† Heitetuf	† Heitesol	† Heisotel	† Heiselto
Blank poliert, glatter runder Lauf, Nussbaumschaft, ohne Sicherung		Wie 265 g, aber **schwarz** mit gerripptem Nussholzgriff		Wie 265 i mit **Visierschiene** und **Drehsicherung**		Wie 265 l, mit **gezogenem Lauf**, Ia. Qualität	Wie 265 n, aber mit **Abzugsbügel**
Blanc poli, canon rond et lisse, crosse noyer, sans sûreté		Comme 265 g, mais **noir** avec crosse de noyer quadrillé		Comme 265 i avec **bande** et **sûreté en cercle**		Comme 265 l, **canon rayé, Ia qualité**	Comme 265 n, mais **avec sous-garde**
Brightly polished, smooth round barrel, walnut grip, without safety		Like 265 g, but **black** with ribbed walnut grip		Like 265 i with sighting rib and **turning safety**		Like 265 l with **rifled barrel, prime** quality	Like 265 n, but with **trigger guard**
Blanco pulido, cañón redondo y liso, culata de nogal, sin seguridad		Como 265 g, pero **negro** con culata de nogal labrada		Como 265 i con **banda** y **seguridad en cerco**		Como 265 l, **cañón rayado, Ia cualidad**	Como 265 n, con **salva guardia**
Cal.: 320	380	320	380	320	380	320	320
Mark: 6.80	7.40	7.40	8.—	8.40	8.90	9.40	9.90

Zentralfeuer-Revolver. | Revolvers à feu central | Center-fire Revolvers. | Revólveres de fuego central.

267	267 a	267 b	276	269	269 a	264	264 a	279	279 a	279 b
Tanger	Tengar	Tanz	† Arab	† Ring	† Rigal	† Dog	† Dogal	† Pross	† Lenovox	† Lenovolt
Gummigriff, erhaben **graviert, vernickelt**			**Vernickelt,graviert** mit **bunten Arabesken,** imitierter **Elfenbeingriff**	**Vernickelt,** cannellierte Walze, **Gummigriff, Ringabzug**	wie 269, aber mit **Drehsicherung**	**Schwarz,** eingeschraubter fein **gezogener Stahllauf,** Nussholzgriff, beste Qualität als Bulldog		**Schwarz,** seitliche Druckknopfsicherung Gummigriff. Ia Qualität	Patent **Messinggriff** zum **Zusammenklappen, schwarz**	wie 279 a, **vernickelt**
Crosse de caoutchouc, gravé en relief, **nickelé.**			**Nickelé, gravé,** avec **arabesques de couleur, crosse** imitation **ivoire**	**Nickelé,** Barilet cannelé, **crosse caoutchouc, détente à anneau**	comme 269, mais avec **sûreté en cercle**	**Noir, canon d'acier,** visse et soigneusement **rayé,** crosse noyer première qualité de Bulldog		**Noir,** sûreté à pression sur le côté, crosse de caoutchouc, 1 Qualité	Déposé, **crosse laiton se repliant,** noir	comme 279 a **nickelé**
Rubber grip, raised engraving, **nickeled**			**Nickeled engraved,** with **colored arabesque,** imitation **ivory-grip**	**Nickeled,** with cannulated cylinder, **Rubber grip, ring trigger**	like 269, but with **revolving safety**	**Black screwed** on **steel barrel,** finely rifled, walnut grip, best quality bull-dog		**black,** press button safety at side, rubber grip, Ia quality	Patent **brass grip** for **clasping, black**	like 279 a **nickeled**
Culata de cautchuc, grabado en relieve, **niquelado**			**Niquelado, grabado,** con **arabescos** de **colores variados, culata** imitatión **marfil**	**Niquelado,** Barrilete estriado, **culata de cautchuc, escape de anillo**	Como 269, pero con **seguridad en cerco**	**Negro, cañón de acero** atornillado, y **rayado exactamente** Bulldog de primera cualidad		Negro, seguridad de presión sobre el costado, culata de cautchuc 1a cualidad	**Patente culatà delatón pudiéndose doblar, negro**	Como 279 a **niquelado**
Cal. 320	380	450	320	320	320	320	380	320	320	320
M. 7.60	**8.20**	**8.60**	**9.50**	**9. –**	**10.–**	**9. –**	**9.60**	**8.80**	**39.–**	**39.50**

Centralfeuer-Revolver. | Revolvers à feu central. | Center-fire Revolvers. | Revólveres de fuego central.

Kleine Taschen-Modelle. | Petits modèles de poche. | Small pocket models. | Pequeños modelos de bolsillo.

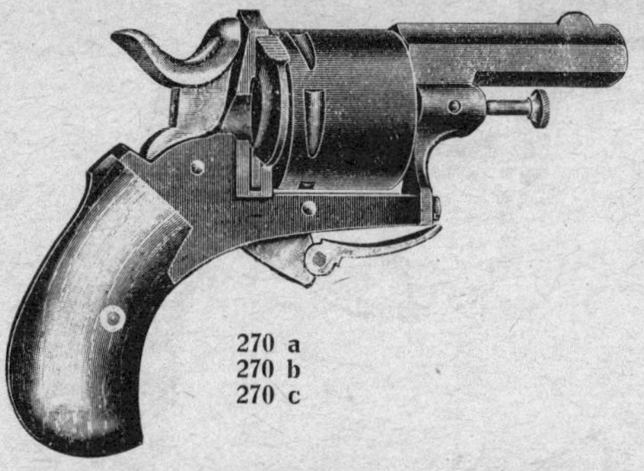

270 a
270 b
270 c

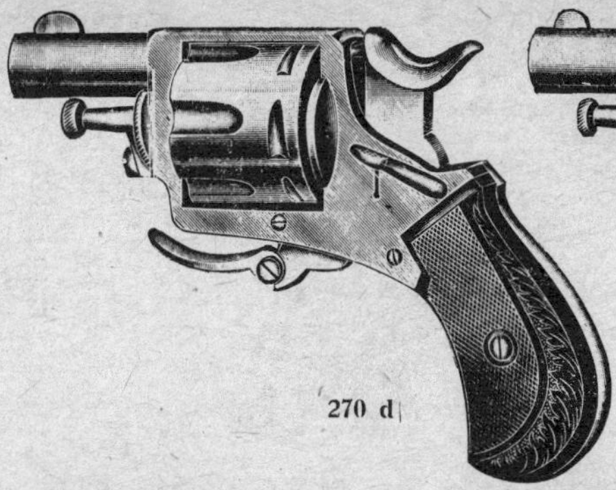

270 d

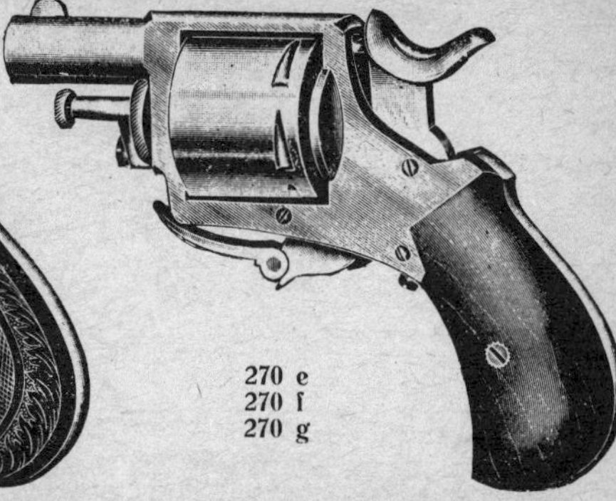

270 e
270 f
270 g

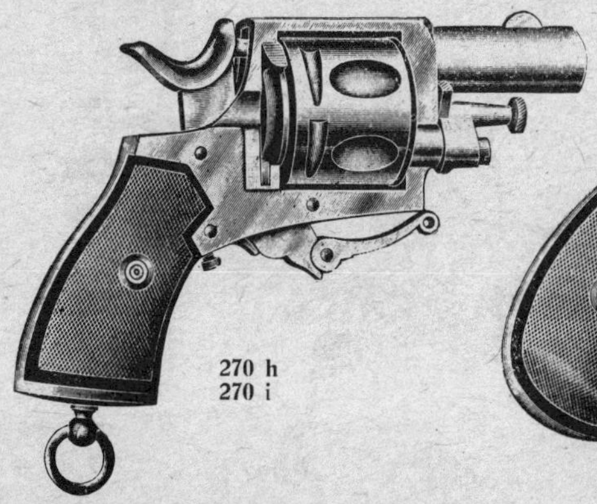

270 h
270 i

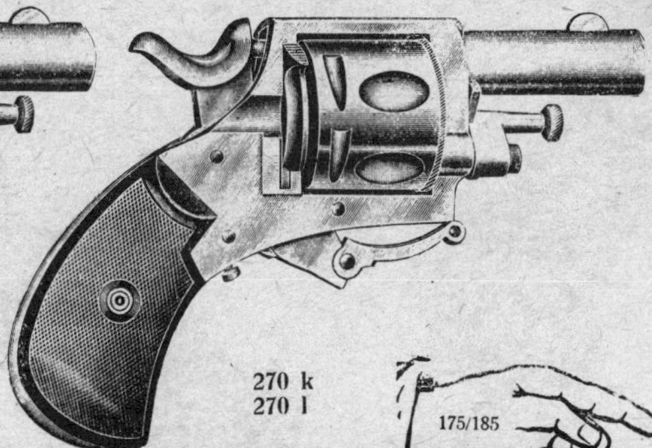

270 k
270 l

175/185

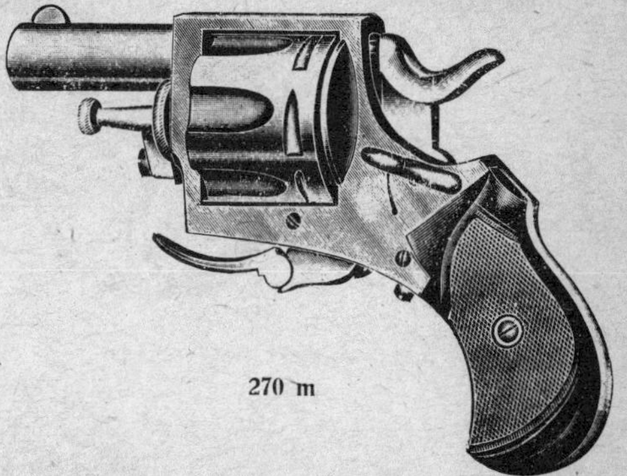

270 m

270 n
270 o

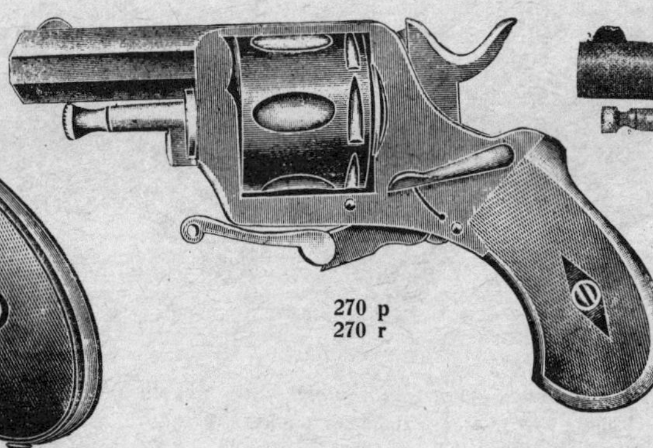

270 p
270 r

270 s
270 t

	270 a	270 b	270 c	270 d	270 e	270 f	270 g	270 h	270 i
	† Lilikla	† Lilimu	† Lilitef	† Lilinet	† Lilipus	† Lilisut	† Lilibra	† Liliflei	† Lilikon
	blank poliert Nussholzgriff	wie 270a vernickelt	wie 270a **schwarz**	**vernickelt,** Sicherung, **Gummigriff**	**blank poliert,** Nussholzgriff	wie 270c, **vernickelt**	wie 270c, **schwarz**	cannellierte Walze, **Gummigriff, vernickelt**	wie 270h, **schwarz**
	blanc poli, crosse noyer	comme 270a nickelé	comme 270a **noir**	**Nickelé,** sûreté, **crosse** caoutchouc	**blanc poli,** crosse noyer	comme 270c, **nickelé**	comme 270c, **noir**	barrilet cannelé, **crosse caoutchouc, nickelé**	comme 270h, **noir**
	brightly polished, walnut grip	like 270a nickeled	like 270a **black**	**nickeled,** safety, **rubber-grip**	**brightly polished,** walnut-grip	like 270c, **nickeled**	like 270c **black**	cannulated cylinder, **rubber-grip, nickeled**	like 270h, **black**
	blanco pulido, culata de nogal	como 270a niquelado	como 270a **negro**	**Niquelado,** seguridad, **culata de cautchuc**	**blanco pulido,** culata de nogal	como 270c **niquelado**	como 270c, **negro**	barrilete estriado, culata de cautchuc, niquelado	como 270h, **negro**
Cal.	320	320	320	320	320	320	320	320	320
Mk.	5.80	6.10	6.10	9.50	7.60	8.—	8.—	9.40	9.40

	270 k	270 l	270 m	270 n	270 o	270 p	270 r	270 s	270 t
	† Lilibrei	† Lilipude	† Lilisieb	† Liliglas	† Lilifens	† Lilithur	† Liliskir	† Lilituch	† Lilifisk
	cannellierte Walze, **Gummigriff, vernickelt**	wie 270k **schwarz**	**vernickelt,** cannellierte Walze, Sicherung, **Gummigriff**	cannellierte Walze Druckknopfsich., vernickelt, Gummigriff	wie 270n, **schwarz**	kantig. Lauf, cannellierte Walze, Sicherung, **Gummigriff, vernick.**	wie 270p, **schwarz**	cannell. Walze, **Patenthahn m. Sicherung,** Holzgriff, **vernick.**	wie 270s, **schwarz**
	barrillet cannelé, **crosse caoutchouc, nickelé**	comme 270k, **noir**	nickelé, barilet cannelé, sûreté, **crosse caoutchouc**	barrilet cannelé, **sûreté à pression,** nickelé, crosse caoutchouc	comme 270n, **noir**	canon et barilet cannelés, **sûreté, crosse caoutchouc, nickelé**	comme 270p, **noir**	barrilet cannelé, **chien patenté à sûreté,** crosse en bois, **nickelé**	comme 270s, **noir**
	cannulated cylinder, **rubber-grip, nickeled**	like 270k, **black**	**nickeled,** cannulated cylinder, safety, **rubber-grip**	cannulated cylinder, **safety by press button, nickeled, rubber-grip**	like 270n, **black**	**octagon barrel,** cannulated cylinder, safety, **rubber-grip, nickeled**	like 270p, **black**	cannulated cylinder, patent hammer with safety, wooden grip, **nickeled**	like 270s, **black**
	barrilete estriado, **culata de cautchuc, nipuelado**	como 270k, **negro**	**niquelado,** barrilete estriado, seguridad, culata de cautchuc	barrilete estriado, **seguridad de presión, niquelado, culata de cautchuc**	como 270n, **negro**	cañon y barriletes triados, **seguridad, culata de cautchuc niquelado**	como 270p, **negro**	barrilete estriado, gattilo patentado, **de seguridad, culata de madera, niquel.**	como 270s, **negro**
Cal.	320	320	320	320	320	320	320	320	320
Mk.	9.60	9.60	10.—	10.50	10.50	8.80	8.80	12.50	12.50

Centralfeuer-Revolver. | Revolvers à feu central. | Center-fire Revolvers. | Revólveres de fuego central.

Kleines Modell für Westentasche. | Petit Modèle de poche de gilet. | Small model for waist-coat pocket. | Modelo pequeño para bolsillo de chaleco.

	266 a	266 b	266 c	266 d	273	273 a	273 b	273 c	273 d	273 e	266	275	275 a	275 b	275 c	280	281
	† Zehweiro	† Zehknabi	† Zehmagdo	† Zehphisto	† Free	† Freela	† Fred	† Freeblau	† Freelade	† Fredsau	† Cross	† Clic	† Clac	† Claca	† Clice	† Pocket	† Small
	Runder Lauf, **vernickelt, Gummigriff,** Ring.	Wie 266 a aber **schwarz.**	Wie 266 a aber mit **glatter Walze.**	Wie 266 b, aber mit **glatter Walze.**	**vernickelt**, Nussholzgriff, Sicherung.			Wie 273, aber **schwarz.**			**Schwarz,** m. Sicherung, Ring, Nussholzgriff, **cann. Walze.**	**Schwarz,** Nussbaumpatentgriff.	Wie 275, aber **vernickelt.**	Wie 275, aber mit **Drehsicherung.**	Wie 275a aber mit **Drehsicherung.**	Schwarz **Ebenholzgriff, klein. Modell S & W**	**Buldoggriff,** Nussholz, schwarz, kleines Modell.
	Canon rond **nickelé crosse caoutchouc** anneau.	Comme 266 a mais **noir.**	Comme 266 a, mais avec **barillet lisse.**	Comme 266 b mais avec **barillet lisse**	**Nickelé** Crosse noyer sûreté.			Comme 273, mais **noir.**			**Noir** avec sûreté anneau crosse noyer barillet cannelé.	**Noir** crosse noyer patentée.	Comme 275 mais **nickelé.**	Comme 275 mais avec **sûreté en cercle.**	Comme 275 a mais avec **sûreté en cercle**	Noir **crosse d'ébène petit** modèle S & W.	**Crosse Buldog** en noyer noir petit modèle.
	round barrel, **nickeled rubber grip,** ring.	like 266 a but **black**	like 266 a but with **smooth cylinder**	like 266 b but with **smooth cylinder.**	**nickeled** walnut grip safety.			like 273 but **black**			**black** with safety ring walnut grip cannulated cylinder.	**black** walnut patent grip.	like 275 but **nickeled.**	like 275 but with **turning safety.**	like 275 a but with **turning safety.**	**black ebony** grip **small** Model S & W	**bulldog grip** of walnut, black, small model.
	Cañón redondo **niquelado culata** de **cautchuc anillo.**	Como 266 a pero **negro.**	Como 266 a pero con **barrilete liso.**	Como 266 b pero con **barrilete liso.**	**Niquelado** culata de nogal seguridad.			Como 273 **pero negro.**			**Negro** con seguridad anillo culata de nogal barrilete estriado	**Negro** culata de nogal patentada.	Como 275 pero **niquelado.**	Como 275 pero con **seguridad en cerco.**	Como 275 a pero con **seguridad en cerco.**	Negro **culata** de **ébano** modelo **peqeño** S & W	**Culata Buldog** de nogal negro modelo pequeño.
Cal.	320	320	320	320	320	380	450	320	380	450	320	320	320	320	320	320	320
Mark	9.50	9.50	9.30	9.30	7.50	8.10	9.10	7.50	8.10	9.10	8.—	18.—	18.—	18.60	18.60	24.—	14.50

Zentralfeuer-Revolver. | Revolvers à feu central. | Center fire Revolvers. | Revólveres fuego-central.

270

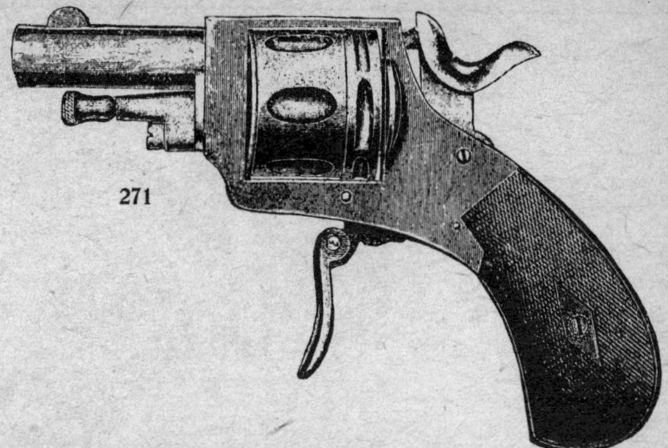

271

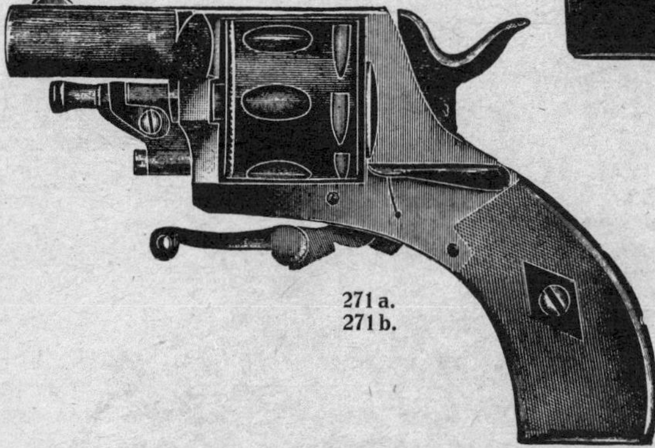

271 a.
271 b.

272.
272 a.

175/185

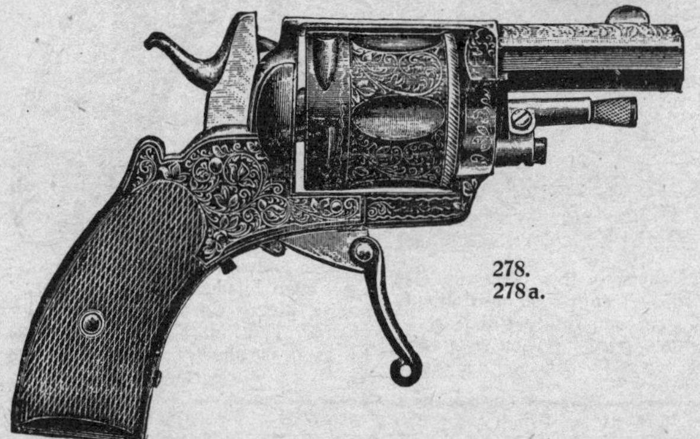

278.
278 a.

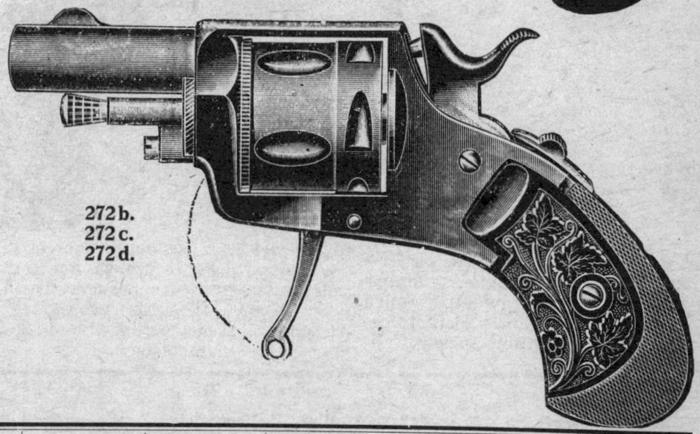

272 b.
272 c.
272 d.

270	271	271 a	271 b	272	272 a	278	278 a	272 b	272 c	272 d
† Freda	† Linc	† Linclid	† Lincdill	† Tom	† Tomy	† Pers	† Persa	† Spabege	† Spabero	† Spabeli
Schwarz, fünf Schuß, kannellierte Walze, Nußbaumgriff	Schwarz, fünf Schuss, kannellierte Walze, Ebenholzgriff echt	fünfschüssig, vernickelt, Gummigriff, Sicherung	Wie 271 a, aber schwarz	Schwarz oder vernickelt, fünfschüssig, kannellierte Walze, Gummigriff		Blättergravierung, Elfenbeingriff, Teile vergoldet		Trommel und Lauf schwarz, Teile marmoriert u. gehärtet, Sicherung, Gummigriff	Wie 272 b aber ohne Sicherung	Wie 272 b, aber ganz schwarz, Lauf und Kasten aus einem Stück
Noir, à 5 coups, barillet cannelé, crosse noyer	Noir, à 5 coups, barillet cannelé, crosse en ébène véritable	à 5 coups, nickelé, crosse caoutchouc, sûreté	Comme 271 a mais noir	Noir ou nickelé, à 5 coups, barillet cannelé, crosse caoutchouc		Gravure à feuilles, crosse ivoire, pièces dorées		Barillet et canon noirs, pièces jaspées, et trempées à sûreté, crosse caoutchouc	Comme 272 b mais sans sûreté	Comme 272 b mais tout noir, canon et corps d'une seule pièce
black, five shots, cannulated cylinder, walnut grip	black, five shots, cannulated cylinder, real ebony grip	five shots, nickeled, rubber grip, safety	like 271 a but black	black or nickeled, five shots, cannulated cylinder, rubber grip		Leaf engraving, ivory grip, gilded parts		black cylinder and barrel, parts marbled and hardened, safety, rubber grip	like 272 b but without safety	like 272 b but quite black, barrel and frame of one piece
Negro, de 5 tiros, barrilete estriado, culata de nogal	Negro, de 5 tiros, barrilete estriado, culata de ébano verdadero	De 5 tiros, niquelado, culata de cautchuc, seguridad	Como 271 a pero negro	Negro ó niquelado, de 5 tiros, barrilete estriado, culata de cautchuc		Grabado de hojas, culata de marfil, piezas doradas		Barrilete y cañón negros, piezas jaspeadas y templadas, seguridad, culata de cautchuc	Como 272 b pero sin seguridad	Como 272 b pero todo negro, cañón y cuerpo en una sola pieza
Cal. 320	Cal. 320	Cal. 320	Cal. 320	Cal. 320	Cal. 380	Cal. 320	Cal. 380	Cal. 320	Cal. 320	Cal. 320
Mark 9.50	Mark 9.30	Mark 9.50	Mark 9.50	Mark 12.50	Mark 13.40	Mark 18.50	Mark 19.80	Mark 16.50	Mark 14.50	Mark 12.40

Zentralfeuer-Revolver. | Revolvers à feu central. | Center-fire revolvers. | Revólveres de fuego central.

Notizbuch-Format „Alfa“. | Format carnet de poche „Alfa“. | Note book form „Alfa“. | Tamaño cartera de bolsillo „Alfa“.

276 a
276 b

276 c
276 d

„Hammerless“ 276 e
276 f
276 g
276 h

175/185

276 i
276 k
276 l
276 m

Die Revolver dieser Seite werden auch geliefert mit **Gravur-Perlmuttergriff und fein vergoldeten Teilen.** Mehrpreis pro Stück Mark **15.—** † beim Telegrammwort anhängen: **po**

Les Revolvers de cette page sont aussi livrés avec **gravure crosse nacre et pièces dorées** moyennant augmentation de Mark **15.—** par revolver † Dans ce cas ajouter **po** au mot télégraphique

The revolvers on this page are also supplied with **engraved mother of pearl grip and finely gilt parts.** Additional price for each revolver Mark 15—. † To codeword add: **po.**

Los revólveres de esta página se entregan también con: **grabador, nacar, piezas doradas,** mediante aumentación de Mark **15.—** por pieza. En este caso añadir: † **po** á la palabra telegráficia.

Nr.	276 a	276 b	276 c	276 d	276 e	276 f	276 g	276 h	276 i	276 k	276 l	276 m
†	Wafipist	Wafipiro	Wafipile	Wafipinu	Wafipini	Wafipita	Wafipins	Wafiplon	Wafipief	Wafiplar	Wafipüx	Wafippo
	5 Schuss, **schwarz, amer. Fasson,** Grösse 145×90 mm, Gewicht ca. 305 gr, **Gummigriff, Sicherung**	wie 276 a **vernickelt**	wie 276 a, **deutsche Fasson,** mit Patronenausstosser, **schwarz**	wie 276 c **nickel**	wie 276 a, **Abzugsbügel,** Grösse 170×100 mm Gew. ca. 425 gr, **schwarz**	wie 276 e, **nickel**	wie 276 a, **deutsche Fasson,** mit Patronenausstosser, **schwarz**	wie 276 g, **nickel**	wie 276 e, aber **Hammerless,** Gewicht 455 gr, **schwarz**	wie 276 i, **nickel**	wie 276 e, aber **deutsch. Fasson,** mit Patronenausstosser, **schwarz**	wie 276 e, **nickel**
	à 5 coups, **noir, façon americaine,** Longueur 145×90 mm, Poids 350 gr environ, **crosse caoutchouc** sûreté	comme 276 a **nickelé**	comme 276 a **Façon allemande,** avec extracteur **noir**	comme 276 c **nickelé**	comme 276 a **sous-garde,** Longueur 170×100 mm Poids 425 gr environ, **noir**	comme 276 e, **nickelé**	comme 276 a **façon allemande** avec extracteur, **noir**	comme 276 g, **nickelé**	comme 276 e, mais **Hammerless,** Poids 455 gr, **noir**	comme 276 i, **nickelé**	comme 276 e, mais **façon allemande** avec extracteur **noir**	comme 276 e, **nickelé**
	5 shots, **black, American shape,** size 145×90 mm, weight about 305 gr., **rubber grip,** safety	like 276 a **nickeled**	like 276 a **German shape,** with cartridge ejector, **black**	like 276 c **nickeled**	like 276 a, **triggerguard** size 170×100 mm, weight about 425 gr, **black**	like 276 e, **nickeled**	like 276 a, **German shape,** with cartridge ejector, **black**	like 276 g, **nickeled**	like 276 e, but **Hammerless,** weight 455 gr **black**	like 276 i, **nickeled**	like 276 e, but **German shape,** with cartridge ejector, **black**	like 276 e, **nickeled**
	De 5 tiros, negro, **forma americana,** Longitud 145×90 mm, Peso 305 gr aproximadamente. **Culata de cautchuc** seguridad.	como 276 a **niquelado**	como 276 a, **Forma alemana** con extractor, **negro**	como 276 c, **niquelado**	como 276 a, **salva guardia,** Longitud 170×100 mm Peso 425 gr aproximadamente, **negro**	como 276e **niquelado**	como 276 a **Forma alemana,** con extractor, **negro**	como 276 g, **niquelado**	como 276 e, pero **Hammerless,** Peso 455 gr **negro**	como 276i **nipuelado**	como 276 e, pero **forma alemana,** con extractor **negro**	como 276 e, **niquelado**
Cal.	320	320	320	320	380	380	380	380	380	380	380	380
Mark	**19.—**	**19.—**	**22.—**	**22.—**	**24.—**	**24.—**	**27.—**	**27.—**	**24.—**	**24.—**	**27.—**	**27.—**

Central-feuer-Revolver.	Revolvers à feu central.	Center-fire Revolvers.	Revólveres de fuego central.
Hammerless.	**Hammerless.**	**Hammerless.**	**Hammerless.**
Notizbuch-Format „Alfa":	Format carnet de poche „Alfa":	Note-book form „Alfa":	Tamaño cartera de bolsillo „Alfa":

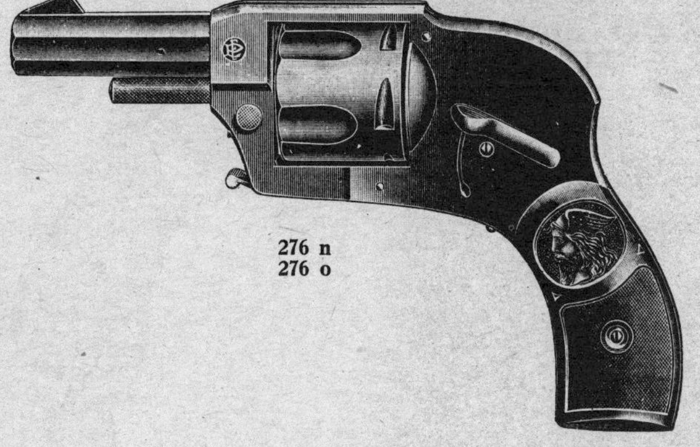

276 n
276 o

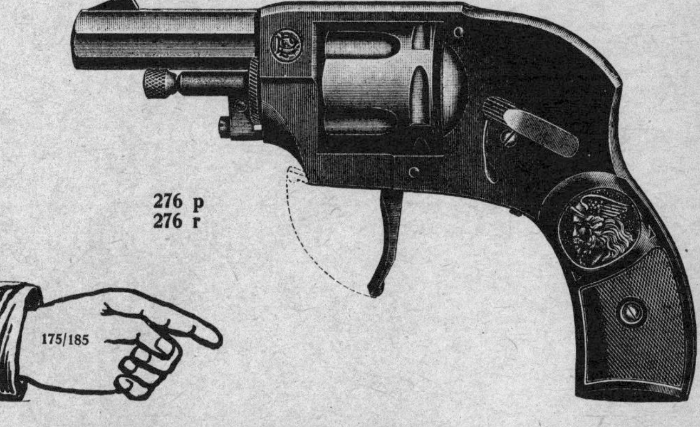

276 p
276 r

175/185

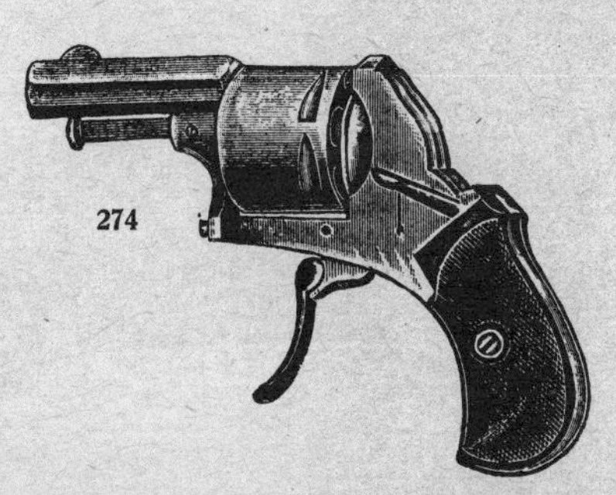

274

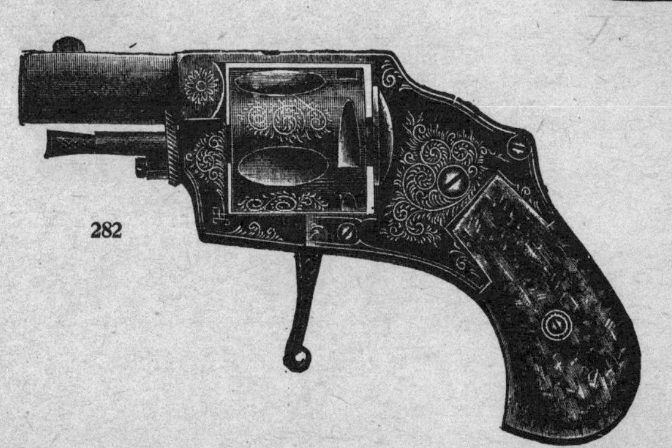

282

Die Revolver dieser Seite werden auch geliefert mit Gravur-Perlmuttergriff und fein vergoldeten Teilen.

Mehrpreis pro Stück Mark 15.—.

† Beim Telegrammwort anhängen: po.

Les revolvers de cette page sont aussi livrés avec gravure crosse nacres et pièces dorées, moyennant augmentation de Mark 15.— par revolver.

† Dans ce cas ajouter: po au mot télégraphique.

The revolvers on this page are also supplied with engraved mother of pearl grips and finely gilt parts. Additional price for each revolver Mark 15.—.

† To code-word add: po.

Los revólveres de esta página se entregan también con grabado, nácar, piezas doradas, mediante aumentación de Mark 15.— por pieza.

† En este caso añadir: po á la palabra telegráfica.

No.	276 n	276 o	276 p	276 r	274	282
†	Wafiffo	Wafimri	Wafissu	Wafitte	Forl	Prima
	Hammerless, Sicherung, **amerik.** Fasson, Grösse 145×99 cm, Gewicht ca. 315 gr, Gummigriff, **schwarz**	Wie 276 n, aber **Nickel**	Wie 276 n, aber **deutsche Fasson** mit Patronen-Ausstosser	Wie 276 p, aber **Nickel**	**Verdeckter Hahn, vernickelt,** 5 Schuss, **Gummigriff,** Sicherung	**Vernickelt,** fünf Schuss, **Perlmuttergriff** graviert, Druckknopfsicherung
	Hammerless, sûreté, **façon américaine,** Longueur 145×99 cm, Poids 315 gr environ, crosse caoutchouc, **noir**	Comme 276 n, mais **nickelé**	Comme 276 n, mais **façon allemande** avec extracteur	Comme 276 p, mais **nickelé**	**Chien caché, nickelé,** à 5 coups, **crosse** en **caoutchouc,** sûreté	**Nickelé,** à 5 coups, **crosse en nacre,** gravé, sûreté à pression
	Hammerless, safety, **American shape,** size 145×99 cm, weight about 315 gr, rubber grip, **black**	Like 276 n, but **nickeled**	Like 276 n, but **German shape** with cartridge-ejector	Like 276 p, but **nickeled**	**Covered hammer, nickeled,** five shots, **rubber grip,** safety	**Nickeled,** 5 shots **mother** of **pearl grip,** engraved, press-button safety
	Hammerless, seguridad, forma americana, Longitud 145×99 cm, Peso 315 gr aproximadamente, **culata de cautchuc, negro**	Como 276 n, pero **niquelado**	Como 276 n, pero **forma alemana** con extractor	Como 276 p, pero **niquelado**	**Gatillo escondido, niquelado,** de 5 tiros, **culata** de **cautchuc,** seguridad	**Niquelado,** de 5 tiros, **culata de nácar,** grabado, seguridad de presión
Cal.	320	320	320	320	320	320
Mark	19.—	19.—	22.—	22.—	7.70	24.—

Centralfeuer-Revolver.	Revolvers à feu central.	Center-fire Revolvers.	Revólveres de fuego central.
Hammerless.	**Hammerless.**	**Hammerless.**	**Hammerless.**

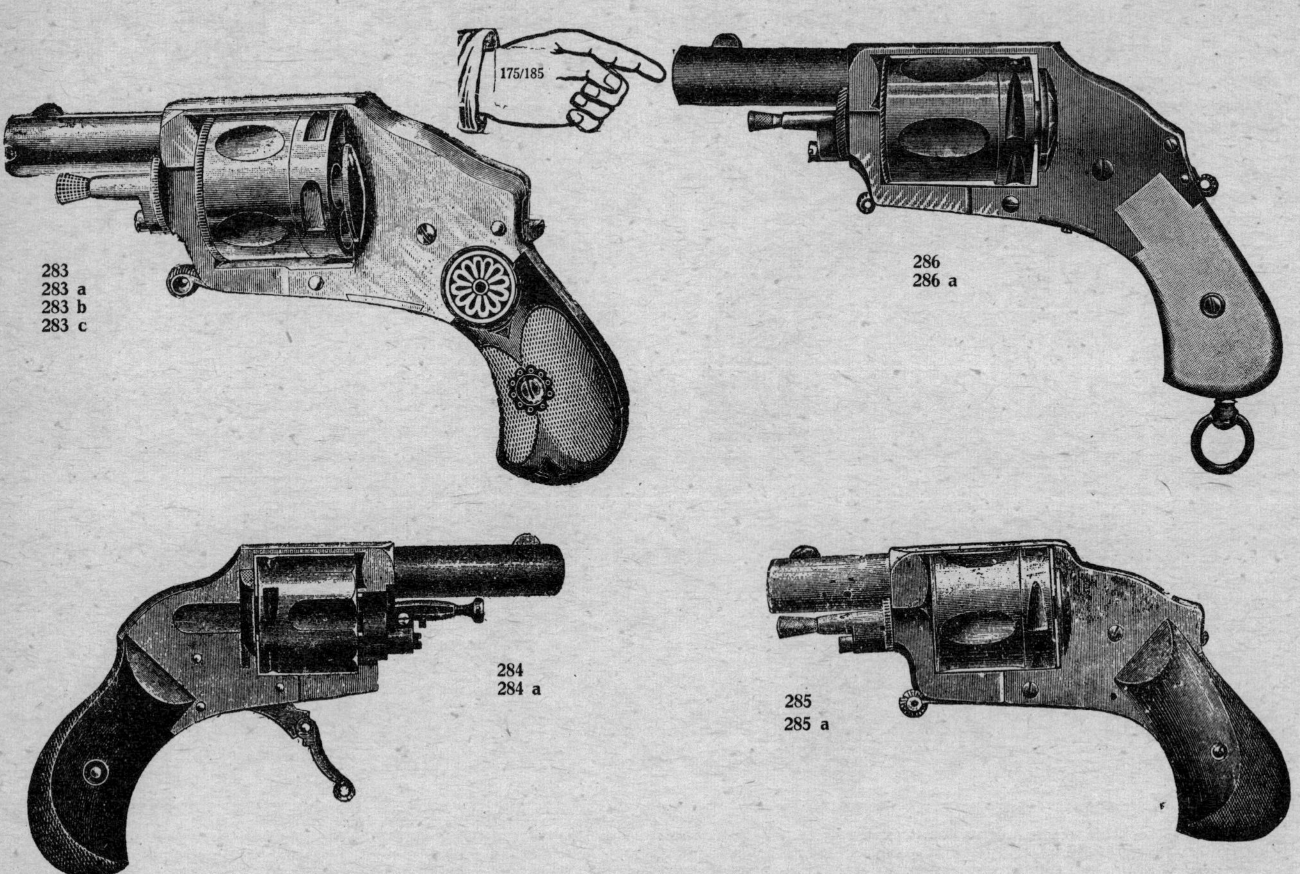

No.	283	283 a	283 b	283 c	286	286 a	284	284 a	285	285 a
†	Cavallo	Caval	Cavalwa	Cavalgro	Pik	Pikos	Gas	Gassu	Cover	Covernik
	Vernickelt, kannelierte Walze, Sicherung, **Gummigriff**		Wie 283, **schwarz**		**Vernickelt,** kannelierte Walze, **Elfenbeingriff,** Sicherung	Wie 286, aber **Ebenholzgriff** gerippt	**Vernickelt Ebenholzgriff** mit Fischhaut-rücken, kannelierte Walze		Kannelierte Walze, **schwarzer Holzgriff** mit Fischhautrücken, Sicherung, **vernickelt**	Wie 285, aber **schwarz**
	Nickelé, barillet cannelé, sûreté, crosse caoutchouc		Comme 283, **noir**		**Nickelé,** barillet cannelé, **crosse ivoire,** sûreté	Comme 286, mais **crosse en ébène,** cannelé	**Nickelé crosse d'ébène** à dos quadrillé, barillet cannelé		Barillet cannelé, **crosse noire** en bois à dos quadrillé, sûreté. **nickelé**	Comme 285, **mais noir**
	Nickeled, cannulated cylinder, safety, rubber grip		Like 283, **black**		**Nickeled,** cannulated cylinder, **ivory grip,** safety	Like 286, but ribbed **ebony grip**	**Nickeled,** chequered **ebony grip,** cannulated cylinder		Cannulated cylinder, **black wooden grip** chequered, safety **nickeled**	Like 285, **but black**
	Niquelado, barrilete estriado, seguridad, culata de cautchuc		Como 283, **negro**		**Niquelado,** barrilete estriado, **culata de marfil,** seguridad	Como 286, pero **culata de ébano** labrado	**Niquelado, culata de ébano** con espalda labrada, barrilete estriado		Barrilete estriado, **culata negra** de **madera** de espalda labrada, seguridad, **niquelado**	Como 285, **pero negro**
Cal.	320	380	320	380	320	320	320	380	320	320
Mark	13.—	13.—	13.30	13.30	18.—	16.—	15.20	15.80	13.	13.—

Velodog-Revolver. | Revolvers Velodog. | Velodog-Revolvers. | Revólveres „Velodog“.

VELO-DOG

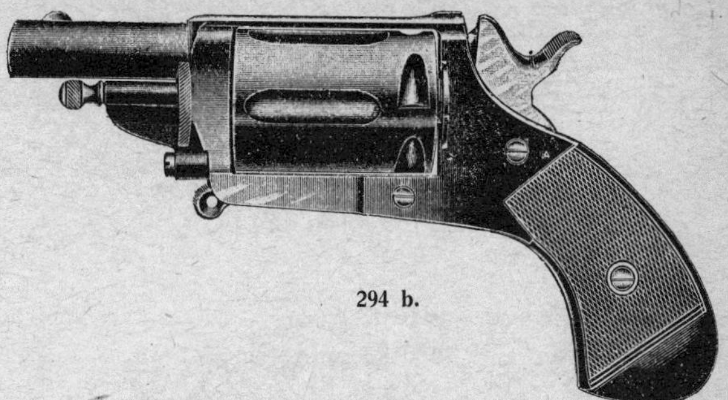

294 b.

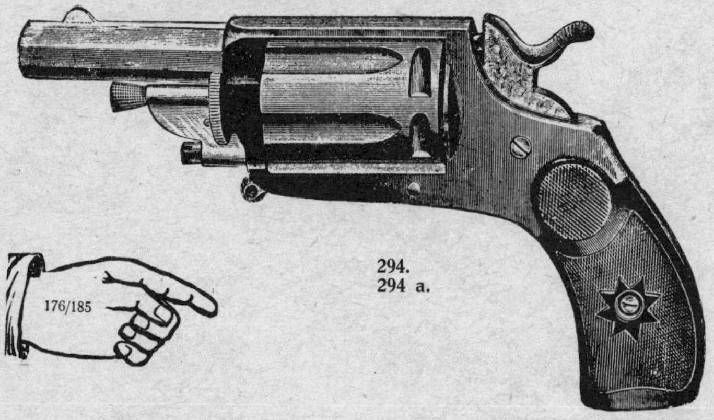

294.
294 a.

176/185

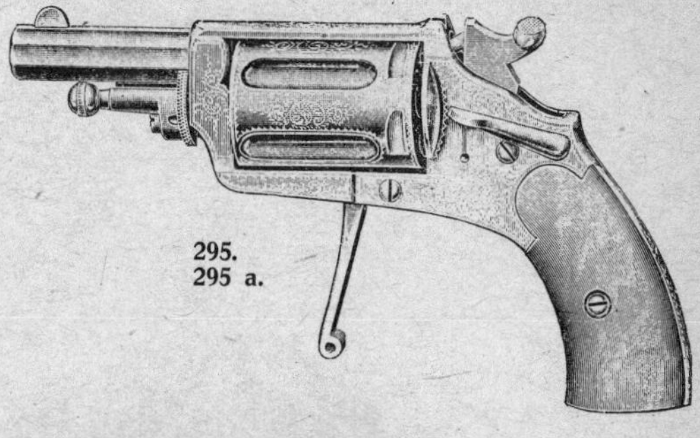

295.
295 a.

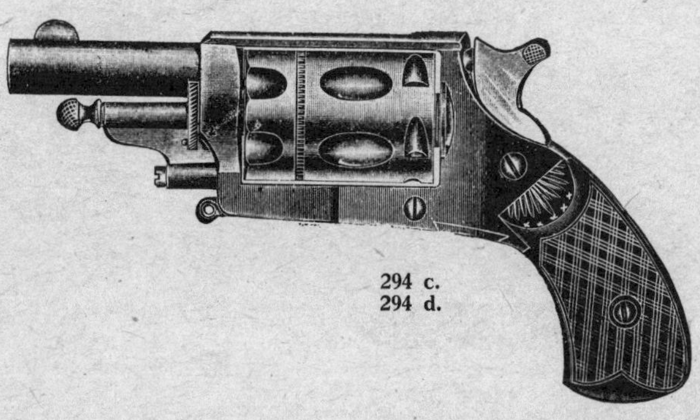

294 c.
294 d.

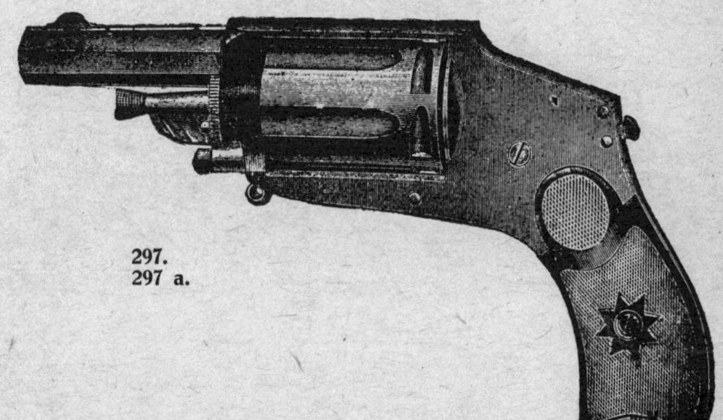

297.
297 a.

Mit Perlmuttergriff kosten obige Revolver mehr Mark: 10.— † Telegrammwort „zu“ anhängen.

La crosse de nacre côute, pour les revolvers ci-dessus, M.: 10.—en plus. † ajouter: „zu“ au mot télégraphique.

With mother of pearl grip above revolvers cost additional M.: 10.— † add to code-word "zu".

Con culata de nácar, para los revólveres arriba indicados aumento de Marcos: 10 † añadir: „zu“ á la palabra telegráfica.

294	294 a	294 b	294 c	294 d	295	295 a	297	297 a
† Well	† Welldock	† Wellmunk	† Wellserf	† Welltrib	† Spurt	† Spurtball	† Finis	† Finistof
schwarz, Gummigriff, 5 Schuss	wie 294, **vernickelt**	5 Schuß, schwarz, Kobold, **Gummigriff,** 205 Gramm	**schwarz,** Ia Stahl, Gummigriff, 210 Gramm	Wie 294c, **bunt, gehärtet, marmoriert**	Wie 294, **graviert,** mit Sicherung, **schwarz**	Wie 295, **vernickelt**	5 Schuß, **Hammerless,** Sicherung, **Gummigriff, schwarz**	Wie 297, **vernickelt**
noir, crosse caoutchouc, 5 coups	comme 294, **nickelé**	5 coups, noir, crosse **de caoutchouc,** "Kobold", 205 grammes	**noir,** acier extra, crosse caoutchouc, 210 grammes	comme 294 c, **trempé, jaspé,**	comme 294, **gravé,** avec sûreté, **noir**	comme 295, **nickelé**	5 coups, **Hammerless,** sûreté, crosse **caoutchouc, noir**	comme 297, **nickelé**
black, rubber grip, 5 shots	like 294, **nickeled**	5 shots, black, "Kobold", **rubber grip,** 205 grammes	**black,** prime steel, rubber grip, 210 grammes	like 294 c, **case hardened and marbled**	like 294, **engraved** with safety, **black**	like 295, **nickeled**	5 shots, **Hammerless, safety, rubber grip, black**	like 297, **nickeled**
negro, culata de cautchuc, 5 tiros	como 294, **niquelado**	5 tiros, negro, "Kobold", **culata de cautchuc,** 205 gramos	**negro,** acero extra, culata de cautchuc, 210 gramos	como 294 c, **templado y jaspeado**	como 294, **grabado,** con seguridad, **negro**	como 295, **niquelado**	5 tiros, **Hammerless,** seguridad, **culata de cautchuc, negro**	como 297, **niquelado**
Mark 13.—	**Mark 13.—**	**Mark 16.—**	**Mark 17.—**	**Mark 17.50**	**Mark 17.—**	**Mark 17.—**	**Mark 13.50**	**Mark 13.50**

Velodog-Revolver. | Revolvers Velodog. | Velodog-Revolvers. | Revólveres "Velodog".

Mit Perlmuttergriff kosten obige Revolver mehr Mark: 10.—
† Telegrammwort „zu" anhängen.

Avec crosse de nacre augmentation de Marcs: 10.—
† ajouter: „zu" au mot télégraphique.

With mother of pearl grip above revolvers cost additional M.: 10.—
† add to code-word „zu".

Con culata de nácar, aumento de Marcos: 10.—
† añadir: „zu" á la palabra telegráfica.

297 b	297 c	297 d	297 e	297 f	297 g	298	299
† Finiskal	† Finisbur	† Finistal	† Finisrot	† Finiswei	† Finissex	† Cent	† Ted
6 Schuß, Stahllauf, **Gummigriff, schwarz,** 285 Gramm	Wie 297 b, **bunt, gehärtet und marmoriert**	6 Schuß, Stahllauf, Gummigriff, **schwarz,** 310 Gramm	Wie 297 d, **bunt, gehärtet und marmoriert**	5 Schuß, Stahllauf, **Gummigriff,** schwarz, 260 Gramm	Wie 297 f, **bunt, gehärtet und marmoriert**	Schwarz, Ebenholzgriff, Ejector, System Smith & Wesson, mit Sicherung	Wie 298, aber **Hammerless**
6 coups, canon d'acier, crosse **caoutchouc, noir,** 285 grammes	Comme 297 b, **trempé, jaspé**	6 coups, canon acier, crosse caoutchouc, **noir,** 310 grammes	Comme 297 d, **trempé, jaspé**	5 coups, canon acier, **crosse caoutchouc, noir,** 260 grammes	Comme 297 f, **trempé, jaspé**	**noir, crosse ébène, éjecteur,** système Smith & Wesson, avec sûreté	Comme 298, mais **Hammerless**
6 shots, steel barrel, **rubber grip, black,** 285 grammes	like 297 b, **case hardened and marbled**	6 shots, steel barrel, rubber grip, **black,** 310 grammes	like 287 d, **case hardened and marbled**	5 shots, steel barrel, **rubber grip, black,** 260 grammes	like 297 f, **case hardened and marbled**	**black, ebony grip, ejector,** system Smith & Wesson, with safety	like 298, but **Hammerless**
6 tiros, cañón de acero, culata **de cautchuc, negro,** 285 gramos	Como 297 b, **templado y jaspeado**	6 tiros, cañón de acero, culata de cautchuc, **negro,** 310 gramos	Como 297 d, **templado y jaspeado**	5 tiros, cañón de acero, **culata de cautchuc, negro,** 260 gramos	Como 297 f, **templado y jaspeado**	**negro, culata de ébano, eyector,** sistema Smith & Wesson, con seguridad	Como 298, pero **Hammerless**
Mark 28.—	**Mark 28.80**	**Mark 17.50**	**Mark 18.—**	**Mark 15.50**	**Mark 15.50**	**Mark 32.—**	**Mark 28.—**

Velodog-Revolver. | Revolvers Velodog. | Velodog-Revolvers. | Revólveres Velodog.

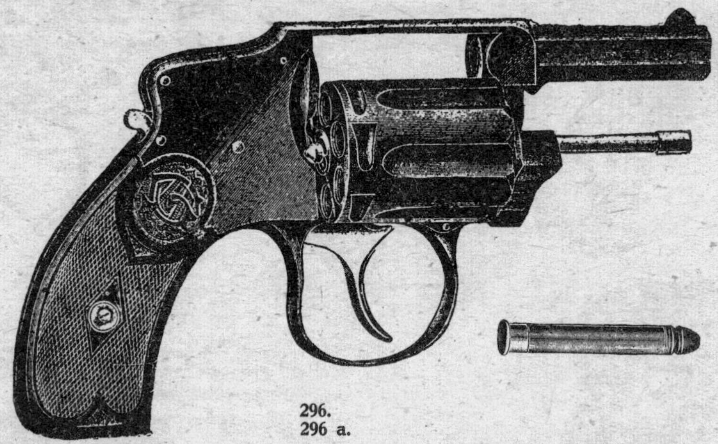

296.
296 a.

176/185

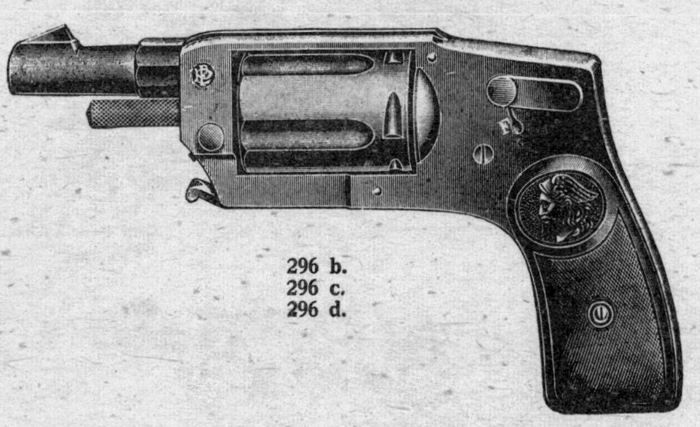

296 b.
296 c.
296 d.

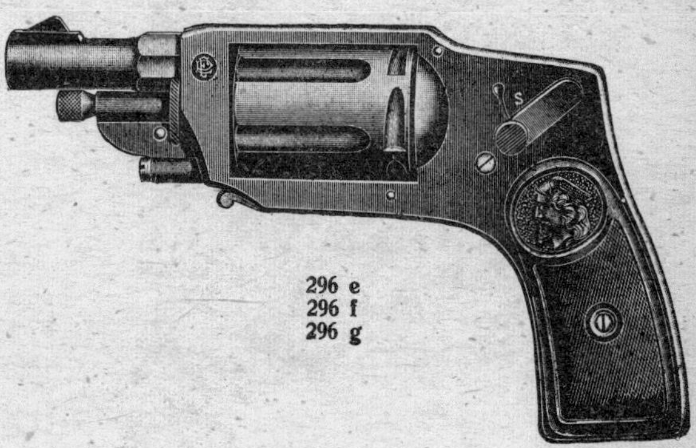

296 e
296 f
296 g

296	296 a	296 b	296 c	296 d	296 e	296 f	296 g
† Salta	† Saltafi	† Saltana	† Saltafe	† Saltako	† Saltasu	† Saltast	† Saltarf
Hammerless, Sicherung, **Colt-Ejector, Gummigriff, schwarz**	Wie 296, aber **vernickelt**	5 Schuß, schwarz, **Gummigriff,** Sicherung, **amerik.** Modell	Wie 296 b, **vernickelt**	Wie 296 c, **ff. graviert,** Teile **vergoldet, Perlmuttergriff**	Wie 296 b, aber mit Ausstoßer, **deutsches** Modell	Wie 296 c, **vernickelt**	Wie 296 f, **ff. graviert, Teile vergoldet, Perlmuttergriff**
Hammerless, sûreté, **éjecteur Colt, crosse caoutchouc, noir**	Comme 296, mais **nickelé**	5 coups, noir, **crosse caoutchouc,** sûreté, modèle **américain**	Comme 296 b, **nickelé**	Comme 296 c, soigneusement **gravé,** pièces **dorées, crosse nacre**	Comme 296 b, mais avec baguette d'extraction, **modèle allemand**	Comme 296 c, **nickelé**	Comme 296 f, **soigneusement gravé,** pièces dorées, crosse nacre
Hammerless, safety, **Colt ejector, rubber grip, black**	like 296, but **nickeled**	5 shots, black, **rubber grip,** safety, **American** model	like 296 b, **nickeled**	like 296 c, **very finely engraved, gilt parts, mother of pearl grip**	like 296 b, but with extracting rod, **German model**	like 296 c, **nickeled**	like 296 f, **finely engraved,** gilt parts, mother of pearl grip
Hammerless, seguridad, **eyector Colt, culata de cautchuc, negro**	Como 296, pero **niquelado**	5 tiros, negro, **culata de cautchuc,** seguridad, modelo **americano**	Como 296 b, **niquelado**	Como 296 c, **grabado finamente,** piezas **doradas, culata de nácar**	Como 296 b, pero con varilla de extracción, **modelo alemán**	Como 296 c, **niquelado**	Como 296 f, **grabado finamente,** piezas doradas, **culata de nácar**
Mark 24.—	**Mark 24.—**	**Mark 23.—**	**Mark 23.—**	**Mark 39.—**	**Mark 25.—**	**Mark 25.—**	**Mark 41.—**

Revolver für Browning-Patronen, Cal. 6,35. | Revolvers pour cartouche Browning, Cal. 6,35. | Revolvers for Browning-cartridges, Cal. 6,35. | Revólveres para cartucho „Browning", Cal. 6,35.

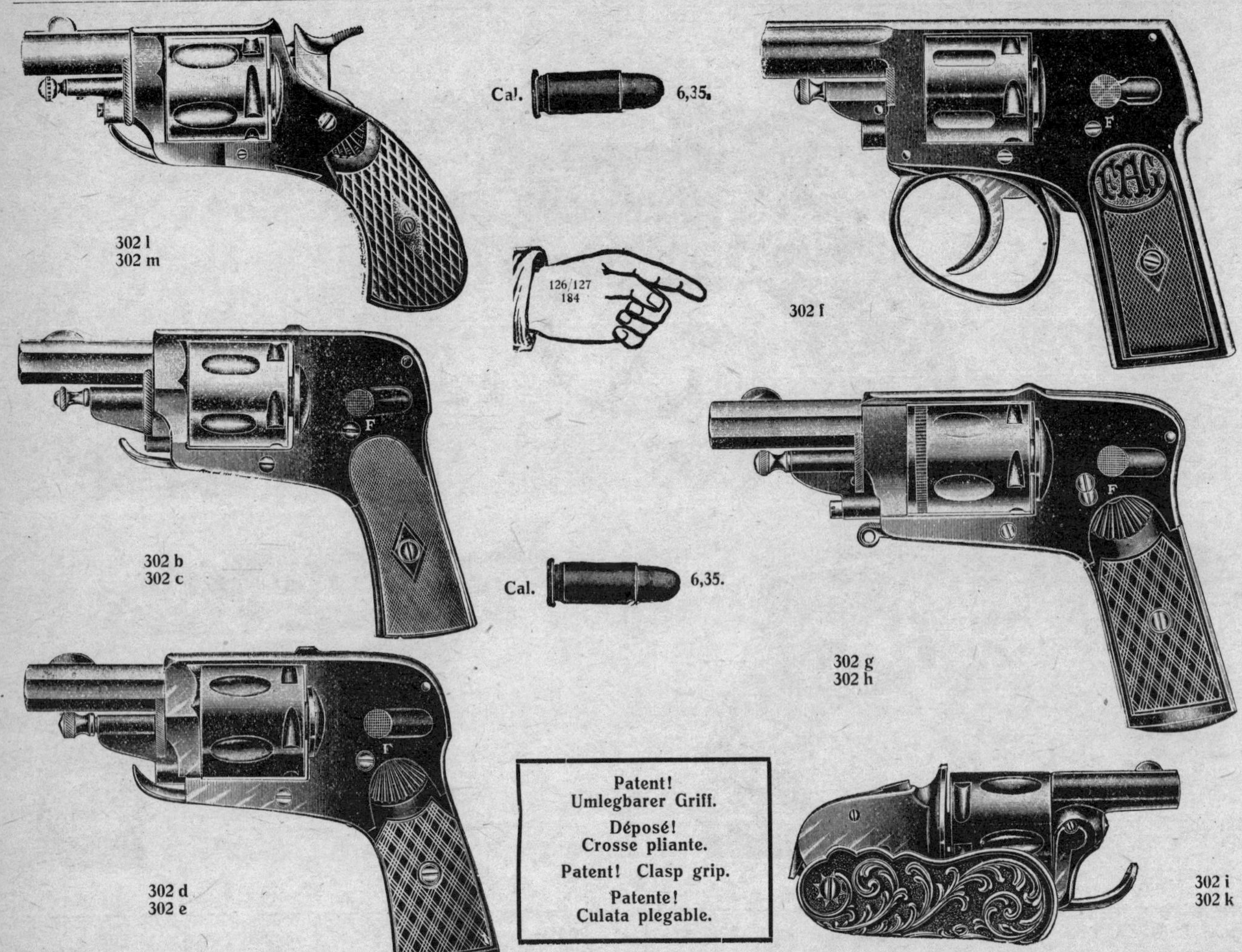

Mit Perlmuttergriff kosten obige Revolver mehr **Mark 10.—**
† Telegrammwort **„zu"** anhängen.

Avec crosse de nacre augmentation de **Marcs 10.—**
† Ajouter: **„zu"** au mot télégraphique.

With mother of pearl grip the above revolvers cost additional **Mark 10.—**
† Add **„zu"** to code-word.

Culatas de nácar cuestan extra **Marcos 10.—**
Añadir **„zu"** á la palabra telegráfica.

302 l	302 m	302 b	302 c	302 d	302 e
† Hahams	**† Hahari**	**† Hahano**	**† Hahaha**	**† Hahate**	**† Hahafu**
5 Schuss, Stahllauf, **Gummigriff schwarz,** 170 Gramm.	Wie 302 l, aber **bunt gehärtet** und **marmoriert.**	5 Schuss, Sicherung, **Gummigriff, schwarz,** 200 Gramm.	Wie 302 b, aber **vernickelt.**	5 Schuss, Stahllauf, **Gummigriff,** Sicherung, **schwarz,** 200 Gramm.	Wie 302 d, aber **bunt gehärtet** und **marmoriert.**
5 coups, canon d'acier, **crosse caoutchouc, noir,** 170 grammes.	Comme 302 l mais **trempé, jaspé.**	5 coups, sûreté, **crosse caoutchouc, noir,** 200 grammes,	Comme 302 b mais **nickelé.**	5 coups, canon d'acier, **crosse caoutchouc,** sûreté, **noir,** 200 grammes.	Comme 302 d mais **trempé, jaspé.**
5 shots, steel barrel, **rubber-grip, black,** 170 grammes.	Like 302 l but **case, hardened** and **marbled.**	5 shots, safety, **rubber-grip, black,** 200 grammes.	Like 302 b but **nickeled.**	5 shots, steel barrel, **rubber-grip,** safety, **black,** 200 grammes,	Like 302 d but **case, hardened** and **marbled.**
5 tiros, cañón de acero, **culata de cautchuc, negro,** 170 gramos.	Como 302 l pero **templado, jaspeado**	5 tiros, seguridad, **culata de cautchuc, negro,** 200 gramos.	Como 302 b pero **niquelado.**	5 tiros, cañón de acero, **culata de cautchuc,** seguridad, **negro,** 200 gramos.	Como 302 d pero **templado, jaspeado**
Mark 16.—	**Mark 16.50**	**Mark 16.80**	**Mark 17.—**	**Mark 18.60**	**Mark 19.—**

302 f	302 g	302 h	302 i	302 k
† Haharst	**† Hahanki**	**† Hahalla**	**† Hahaffo**	**† Hahassu**
5 Schuss, **Gummigriff, schwarz,** Sicherung, 270 Gramm.	5 Schuss, Stahllauf, **Gummigriff, Sicherung, schwarz,** 250 Gramm.	Wie 302 g, aber **bunt gehärtet** und **marmoriert.**	5 Schuss, **abnehmbarer Lauf, Messinggriff, Stahllauf, schwarz.**	Wie 302 i, aber **bunt gehärtet** und **marmoriert.**
5 coups, **crosse caoutchouc, noir,** sûreté, 270 grammes.	5 coups, canon d'acier, **crosse caoutchouc, sûreté, noir,** 250 grammes.	Comme 302 g mais **trempé, jaspé.**	5 coups, **canon enlevable, crosse laiton, canon acier, noir.**	Comme 302 i mais **trempé et jaspé.**
5 shots, **rubber-grip, black,** safety, 270 grammes.	5 shots, steel barrel, **rubber-grip, safety, black,** 250 grammes	Like 302 g but **case, hartened** and **marbled.**	5 shots, **detachable barrel, brass-grip, steel barrel, black.**	Like 302 i but **case, hardened** and **marbled.**
5 tiros, **culata de cautchuc, negro,** seguridad, 270 gramos.	5 tiros, cañón de acero, **culata de cautchuc, seguridad, negro,** 250 gramos.	Como 302 g pero **templado, jaspeado**	5 tiros, **cañón levantable, culata de latón, cañón acero, negro.**	Como 302 i pero **templado** y **jaspeado.**
Mark 19.—	**Mark 15.50**	**Mark 15.50**	**Mark 39.—**	**Mark 39.50**

Revolver für Browning Patronen Cal. 6,35

Revolvers pour cartouches Browning Cal. 6,35.

Revolvers for Browning-cartridges. Cal. 6,35

Revólveres para cartuchos Browning. Cal. 6,35

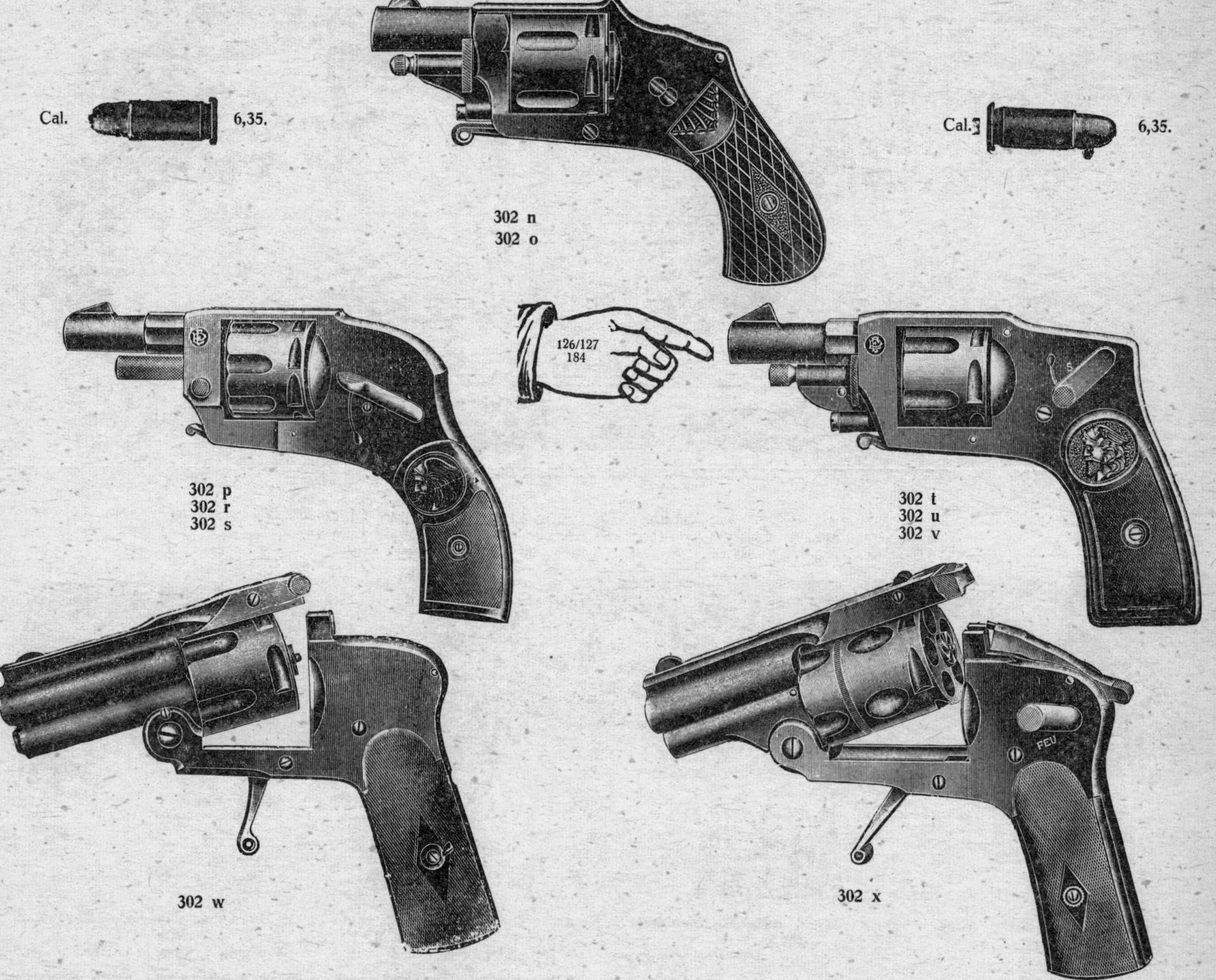

Obige Revolver kosten mit Perlmuttergriff mehr **Mk. 10,—**
† Telegrammwort „zu" anhängen.

Pour crosse nacre augmentation de **Marcs 10,—**
† Ajouter: „zu" au mot télégraphique.

With mother of pearl grip the above revolvers cost additional Mark 10,—.
† add to code-word „zu".

Para culata de nácar aumento de **Marcos 10,—.**
† Añadir „zu" á la palabra telegráfica

302 n	302 o	302 p	302 r	302 s	302 t	302 u	302 v	302 w	302 x
† Browlest	† Browmost	† Browfind	† Browkent	† Browland	† Browstos	† Browsimp	† Browmart	† Browkall	† Browmetz
5 Schuss Stahllauf **Gummigriff** 190 gramm.	Wie 302 n aber **bunt gehärtet und marmorirt.**	5 Schuss, Ia. Stahl, Sicherung, **Gummigriff, schwarz amer. Modell.** 250 gr.	Wie 302 p aber **vernickelt.**	Wie 302 r aber ff. **graviert, Teile vergoldet Perlmuttergriff.**	Wie 302 p mit Ausstoss. **deutsches Modell.**	Wie 302 r mit Ausstosser **deutsches Modell.**	Wie 302 s mit Ausstosser, **deutsches Model.**	5 Schuss Systèm **S & W reduciert,** Knopfsicherung, **Gummigriff, schwarz.**	Wie 302 w mit **Öffnungshebel und seitlicher Sicherung-**
5 coups, canon d'acier, **crosse caoutchouc,** 190 grammes.	Comme 302 n mais **trempé, jaspé.**	5 coups, acier extra, sûreté, **crossé de caoutchouc, noir, mod. américain.** 250 gr.	Comme 302 p mais **nickelé.**	Comme 302 r mais soigneusement **gravé, pièces dorées, crosse nacre.**	Comme 302 p mais avec baguette **d' extraction, mod. allemand.**	Comme 302 r avec baguette d'extraction, **Modèle allemand.**	Comme 302 s avec **baguette d' extraction, Mod. allemand**	5 coups **Systeme S & W réduit,** bouton de sûreté à pression **crosse caoutchouc, noir.**	Comme 302 w **avec levier d' ouverture et sûreté de côté.**
5 shots steel barrel **rubber, grip** 190 grammes.	like 302 n **but case hardened and marbled.**	5 shots, prime steel, sáfety, **rubber grip, black, American** modél 250 gr.	like 302 p but **nickeled.**	like 302 r but finely engraved, gilt parts, mother of **pearl grip.**	like 302 p with ejector **German model.**	like 302 r with ejector, **German model.**	like 302 s with **ejector, German model.**	5 shots, **system S & W reduced,** safety by button, **rubber grip black.**	like 302 w **with opening lever and safety at side.**
5 tiros, cañón de acero,**culata de cautchuc,** 190 gramos.	Como 302 n pero **templado y jaspeado**	5 tiros, acero extra, seguridad, **culata de cautchuc, negro, modelo americano** 250 gr.	Como 302 p pero **niquelado.**	Como 302 r pero grabádo finamente,piezas doradas, culata de nácar.	Como 302 p pero con varilla de extracción, **modelo alemán.**	Como 302 r con varilla de extracción **modelo alemán.**	Como 302 s con varilla de **extracción, modelo alemán.**	5 tiros **sistema S & W reducido,** botón de seguridad **culata de cautchuc, negro.**	Como 302 w con palanca de **abertura y seguridad de costado.**
Mk. 17.--	**Mk. 17.50**	**Mk. 22.—**	**Mk. 22.—**	**Mk. 36.60**	**Mk. 24.—**	**Mk. 24.—**	**Mk. 39.—**	**Mk. 31.—**	**Mk. 31.—**

Revolver für Browning-Patronen Cal. 6,35 u. 7,65	Revolvers pour cartouches Browning Cal. 6,35 et 7,65	Revolvers for Browning Cal. 6,35 and 7,65	Revólveres para cartuchos Browning Cal. 6,35 y 7,65

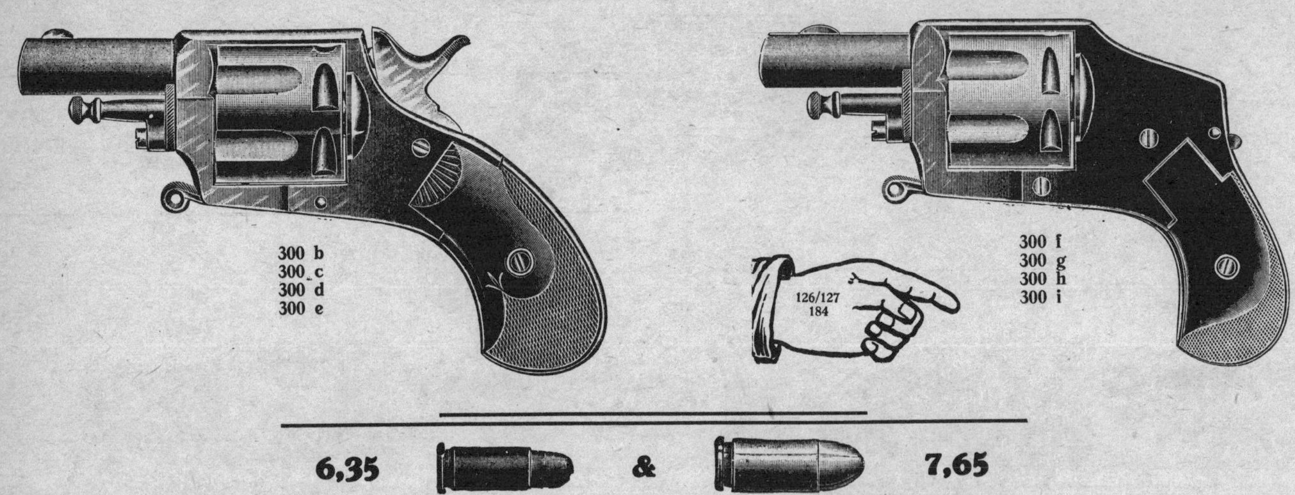

Neuheit! Reservemagazin im Griff.	Nouveauté. Chargeur de réserve dans la crosse.	Novelty! reserve magazine in grip.	Novedad. Cinta de metal de reserva en la culata.

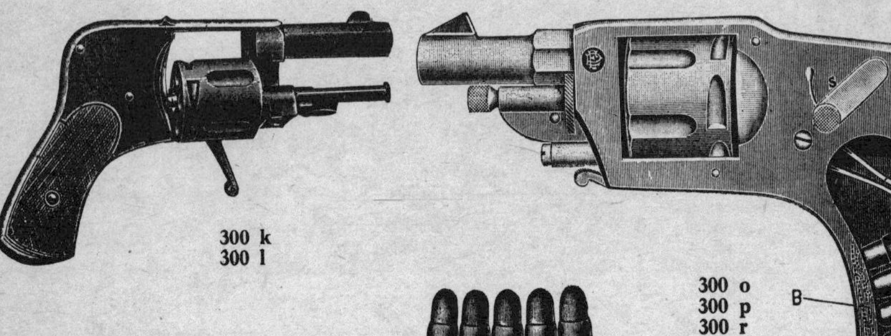

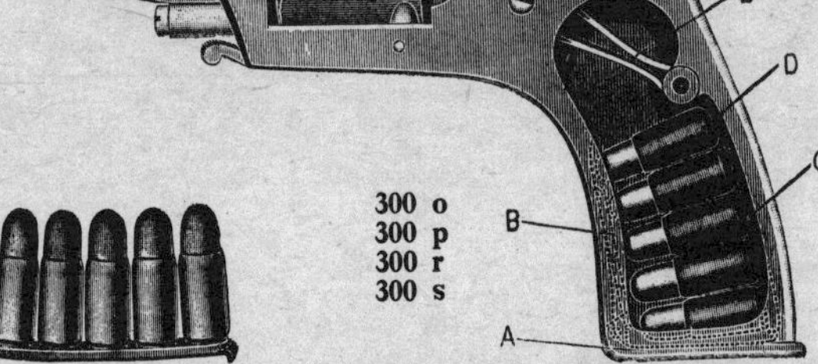

Mit Perlmuttergriff kosten obige Revolver mehr Mark 10,— † Telegrammwort „zu" anhängen	Pour crosse de nacre, augmentation de Marcs 10,— † ajouter „zu" an mot télégraphique	With mother of pearl grip above revolvers cost additional M. 10,— † add to code-word „zu"	Para culata de nácar aumento de Marcos 10,— † añadir „zu" á la palabra telegráfica

	300 b	300 c	300 d	300 e	300 f	300 g	300 h	300 i	300 k	300 l	300 m	300 n	300 o	300 p	300 r	300 s
	† Dardest	† Dardebl	† Dardera	† Dardete	† Dardefi	† Dardeko	† Dardelu	† Dartust	† Dartubl	† Dartura	† Dartute	† Dartufi	† Dartuko	† Dartulu	† Dartumk	† Dartunf
	6 Schuss **schwarz Gummigriff** 250 gramm		Wie 300 b mit Stahllauf **bunt gehärtet und marmoriert**		6 Schuss **schwarz Gummigriff** 250 gramm Sicherung		Wie 300 f Stahllauf **bunt gehärtet und marmoriert**		6 Schuss **Ebenholzgriff** m. Fischhaut **Colt-Ejector** Sicherung **schwarz**		**Browningformat Ebenholzgriff** mit Fischhaut imit. Patronenmagazin im Griff, **schwarz**		5 Schuss Ia Stahl Sicherung **Gummigriff** Patronenmagazin m. Patronenstreifen im Griff **schwarz** 250 gramm	deutsche Form 360 gramm	Wie 300 o/p aber **vernickelt**	
	6 coups, **noir, crosse caoutchouc**, 250 grammes		Comme 300 b, avec canon d'acier **trempé, jaspé**		6 coups, **noir, crosse caoutchouc**, 250 grammes, sûreté		Comme 300 f canon d' acier **trempé, jaspé**		6 coups, **crosse d'ébène** quadrillée, **éjecteur Colt**, sûreté, **noir**		Format **Browning**, crosse d'ébène quadrillée, chargeur imité à cartouches dans la crosse, **noir**		5 coups, acier extra, sûreté, **crosse caoutchouc**, magazin à cartouches avec lame-chargeur à cartouches dans la crosse, **noir**, 250 grammes	forme allemande, 360 grammes	Comme 300 o/p mais **nickelé**	
	6 shots, **black, rubber grip**, 250 grammes		Like 300 b with steel barrel, **case hardened and marbled**		6 shots **black, rubber grip**, 250 grammes, safety		Like 300 f steel barrel, **case hardened and marbled**		6 shots, chequered **ebony grip, colt-ejector**, safety **black**		**Browning** shape, chequered, ebony grip, false cartridge magazine in grip, **black**		5 shots, a¹ steel, safety, **rubber grip**, cartridge magazine with cartridge clip in grip, **black**, 250 grammes	German shape 360 grammes	Like 300 o-p but **nickeled**	
	6 tiros, **negro, culata de cautchuc**, 250 gramos		Como 300 b con cañon de acero, **templado jaspeado**		6 tiros, **negro culata de cautchuc**, 250 gramos, seguridad		Como 300 f cañon de **acero, templado jaspeado**		6 tiros, **culata de ébano** labrada, **eyector Colt**, seguridad, **negro**		Tomaño **Browning**, **culata de ébano** labrada, imitación de cargador para cartuchos en la culata, **negro**		5 tiros, acero extra, seguridad, **culata de cautchuc**, cinta para cartuchos en la culata, **negro**, 250 gramos	forma alemana 360 gramos	Como 300 o-p pero **niquelado**	
Cal.:	6,35	7,65	6,35	7,65	6,35	7,65	6,35	7,65	6,35	7,65	6,35	7,65	6,35	7,65	6,35	7,65
Mk.:	14.—	14.50	15.—	15.50	15.—	15.50	16.—	16.50	38.—	38.50	24.—	24.50	24.—	26.50	24.—	26.50

Revolver für Browning-Patronen, Cal. 7,65. | Revolvers pour cartouches Browning, cal. 7,65. | Revolvers for Browning Cartridges, cal. 7,65. | Revólveres para cartuchos „Browning", Cal. 7,65.

300.
300 a.

Cal. 6,75

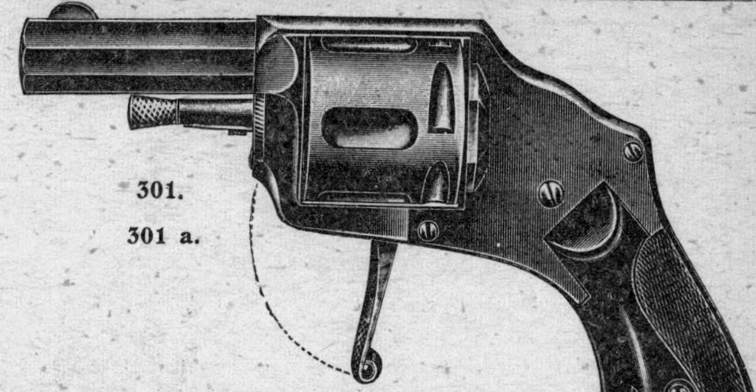

301.
301 a.

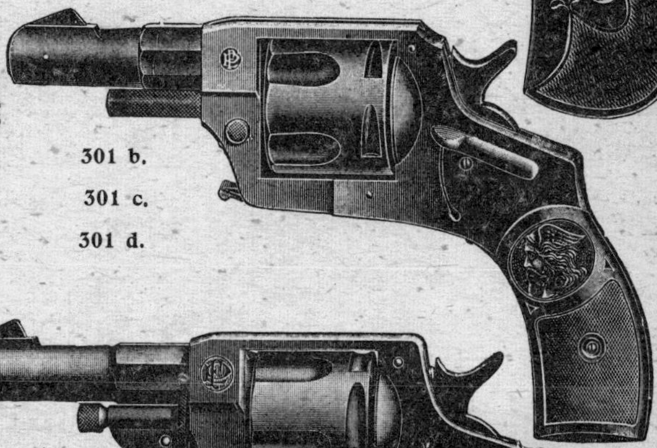

301 b.
301 c.
301 d.

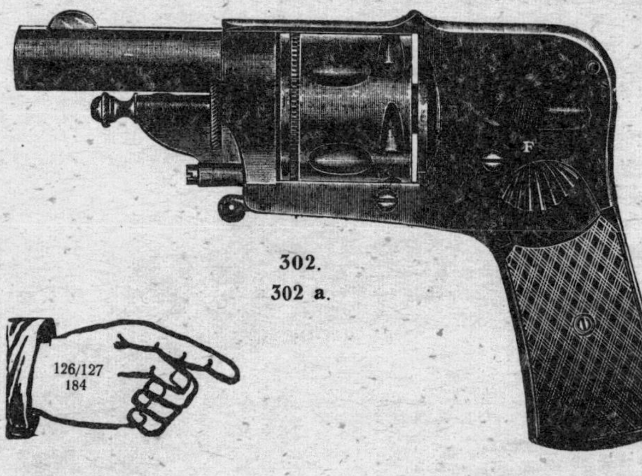

302.
302 a.

126/127
184

301 e.
301 f.
301 g.

Mit Perlmuttergriff kosten obige Revolver mehr M. 10.—
† Telegrammwort „zu" anhängen.

Crosse nacre coûte pour les revolvers ci-dessus M. 10.—
† ajouter: „zu" au mot en plus télégraphique.

With mother of pearl grip above revolvers cost additional M. 10.—
† add to code-word „zu".

Culata de nacar cuesta Marcos 10.— extra.
† Anadir „zu" á. la palabra telegráfica.

300	300 a.	301	301 a.	302.	302 a.	301 b.	301 c.	301 d.	301 e.	301 f.	301 g.
† Revolt.	† Revoltsa.	† Smart.	† Revoltrl.	† Hand.	† Revoltne.	† Handcalb.	† Handrust	† Handblak.	† Handcorn.	† Handblel.	† Handrels.
Sechsschüssig, eingeschraubter Stahllauf Sicherung **Nussholzgriff, schwarz.**	Wie 300 **vernickelt.**	5 Schuss **Ebenholzgriff,** eingeschraubter Stahllauf, Hammerless, **schwarz.**	Wie 301 **vernickelt.**	5 Schuss Stahllauf, **Gummigriff,** Sicherung **schwarz.**	Wie 302 aber **bunt gehärtet** und **marmoriert.**	5 Schuss, Sicherung, **Gummigriff,** amerik. Modell **schwarz,** 315 gramm.	Wie 301 b **Nickel.**	Wie 301 b **bunt gehärtet, marmoriert.**	5 Schuss, Sicherung, **Gummigriff, schwarz,** Deutsch. Mod., 335 gramm.	Wie 301 **Nickel.**	Wie 301 e **bunt gehärtet, marmoriert.**
à 6 coups, canon d'acier vissé, sûreté, **crosse noyer, noir.**	comme 300, **nickelé.**	à 5 coups, **crosse-ébène,** canon d'acier vissé, Hammerless, **noir.**	comme 301, **nickelé.**	5 coups, canon acier, **crosse caoutchouc,** sûreté, **noir.**	Comme 302 mais **trempé jaspé.**	5 coups, **sûreté, crosse, caoutchouc,** modèle américain, noir, 315 grammes.	comme 301 b **nickelé.**	Comme 301 b **trempé jaspé.**	5 coups. sûreté, **crosse caoutchouc, noir,** modèle allemand, 335 grammes.	comme 301 e, **nickelé.**	comme 301 e **trempé, jaspé.**
six shots, steel barrel screwed on, safety, **walnut-grip, black.**	like 300, **nickeled.**	5 shots, **ebony-grip,** steel barrel screwed on, Hammerless, **black.**	like 301, **nickeled.**	5 shots, steel barrel, **rubber-grip,** safety, black.	like 302 but **casehardened** and **marbled.**	5 shots, safety, **rubber-grip,** American model, **black,** 315 grammes.	like 301 b **nickeled.**	like 301 b **casehardened, marbled.**	5 shots, safety, **rubber-grip, black,** German model. 335 grammes.	like 301 e **nickeled.**	like 301 e **casehardened, marbled.**
de 6 tiros, cañon de acero atornillado, seguridad, **culata** de **nogal, negro.**	Como 300 **niquelado.**	de 5 tiros, **culata de ébano,** cañón de acero atornillado, Hammerless, **negro.**	Como 301, **niquelado.**	5 tiros, cañón de acero, **culata de cautchuc,** seguridad, **negro.**	Como 302 **pero templado jaspeado.**	5 tiros, seguridad, **culata** de **cautchuc,** modelo americano, **negro,** 315 gramos.	Como 301 b **niquelado.**	Como 301 b **templado jaspeado.**	5 tiros, seguridad, **culata de cautchuc, negro,** modelo alemán, 335 gramos.	Como 301 e, **niquelado.**	Como 301 e **templado jaspeado.**
Mark 11.50	Mark 11.50	Mark 18.—	Mark 18.—	Mark 16.—	Mark 17.50	Mark 24.—	Mark 24.--	Mark 24.—	Mark 26.50	Mark 26.50	Mark 26.50

Revolver für Browning-Patronen, Cal. 7,65.	Revolvers pour cartouches Browning, cal. 7,65.	Revolvers for Browning Cartridges, cal. 7,65.	Revólveres para cartuchos „Browning", Cal. 7,65.

Revolver für Patronen Lebel und Nagant.	Revolvers pour cartouches Lebel et Nagant.	Revolvers for cartridges Lebel and Nagant.	Revólveres para cartuchos Lebel y Nagant.

Obige Revolver kosten mit Perlmuttergriff mehr M. **10.**—
† Telegrammwort „zu" anhängen.

Les revolvers ci-dessus coûtent avec crosse nacre Marcs **10.**— en plus.
† ajouter „zu" au mot télégraphique.

With mother of pearl grip above revolvers cost additional M. **10.**—
† add to code-word „zu".

Los revólveres arriba indicados sufren con culata de nácar un aumento de M. **10.**—
† Añadir „zu" á la palabra telegráfica.

Browning 7,65

No.	301 h	301 i.	301 k.	301 l.	301 m.	301 n.
†	Handflei.	Handsulp.	Handrupf.	Handperl.	Handkram.	Handserg.
	Hammerless, 5 Schuss, Sicherung, Gummigriff, amer. Modell, schwarz, 305 gramm.	Wie 301 h vernickelt.	Wie 301 h, bunt gehärtet, marmoriert.	Hammerless, 5 Schuss, Sicherung, Gummigriff, Deutsches Modell, schwarz, 365 gramm.	Wie 301 e Nickel.	Wie 301 e bunt gehärtet, marmoriert.
	Hammerless, 5 coups, sûreté, crosse caoutchouc, modèle américain, noir, 305 grammes	Comme 301 h nickelé.	Comme 301 h, trempé et jaspé	Hammerless, 5 coups, sûreté, crosse caoutchouc, Modèle allemand, noir, 365 grammes.	Comme 301 e nickelé.	Comme 301 e trempé et jaspé
	Hammerless, 5 shots, safety, rubber grip, American model, black, 305 grammes.	like 301 h nickeled.	like 301 h, case hardened marbled.	Hammerless, 5 shots, safety, rubber grip, German model, black, 365 grammes.	like 301 e nickeled.	like 301 e, case hardened.
	Hammerless, 5 tiros, seguridad, culata de cautchuc, modelo americano, negro, 305 gramos.	Como 301 h niquelado.	Como 301 h templado, jaspeado	Hammerless, 5 tiros, seguridad, culata de cautchuc, modelo alemán, negro, 365 gramos.	Como 301 e niquelado.	Como 301 e templado, jaspeado
Cal.	7,65	7,65	7,65	7,65	7,65	7,65
Mk.	22,—	22,—	22,—	26.50	26,50	26,50

Lebel — Nagant

No.	303.	303 a.	303 b.	303 c.	303 d.	303 e.	303 f.	303 g.	303 h.	303 i.
†	Terero.	Tererli.	Tererme.	Terernu.	Tererta.	Terrake.	Terralo.	Terrami	Terrana.	Terrast.
	5 Schuss schwarz Gummigriff.	Wie 303 Perlmuttergriff.	Wie 303 Nickel.	Wie 303 b Perlmuttergriff.	5 Schuss, Stahllauf, Gummigriff schwarz, 355 gramm.		Wie 303 d bunt gehärtet, marmoriert.		5 Schuss, Sicherung, Gummigriff, schwarz.	Wie 303 h vernickelt.
	5 coups, noir, crosse caoutchouc.	Comme 303 crosse nacre.	Comme 303 nickelé.	Comme 303 b crosse nacre.	5 coups, canon d'acier, crosse caoutchouc, noir, 355 grammes.		Comme 303 d trempé et jaspé		5 coups, sûreté, crosse caoutchouc, noir.	Comme 303 h nickelé.
	5 shots black, rubber grip.	like 303 mother of pearl grip.	like 303 nickeled.	like 303 b mother of pearl grip.	5 shots, steel barrel, rubber grip, black, 355 grammes.		like 303 d case hardened, marbled.		5 shots, safety, rubber grip, black.	like 303 h nickeled.
	5 tiros, negro, culata de cautchuc.	Como 303 culata de nácar.	Como 303 niquelado.	Como 303 b culata de nácar.	5 tiros, cañón de acero, culata de cautchuc, negro, 355 gramos.		Como 303 d templado, jaspeado		5 tiros, seguridad culata de cautchu, negro.	Como 303 h niquelado.
Cal.	Lebel	Lebel	Lebel	Lebel	Lebel	Nagant	Lebel	Nagant	Lebel	Lebel
Mk.	12.50	22,50	12,50	22,50	17,50	17,50	18,—	18,—	17,50	17,50

Revolver für Patronen Lebel und Nagant.	Revolvers pour cartouches Lebel et Nagant.	Revolvers for cartridges Lebel and Nagant.	Revólveres para cartuchos Lebel y Nagant.

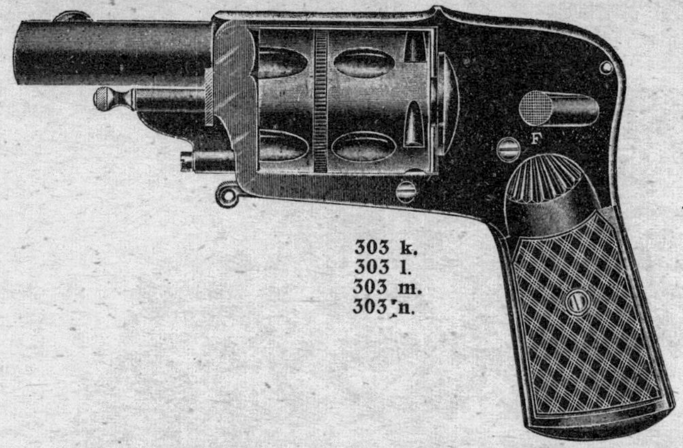

303 k.
303 l.
303 m.
303 n.

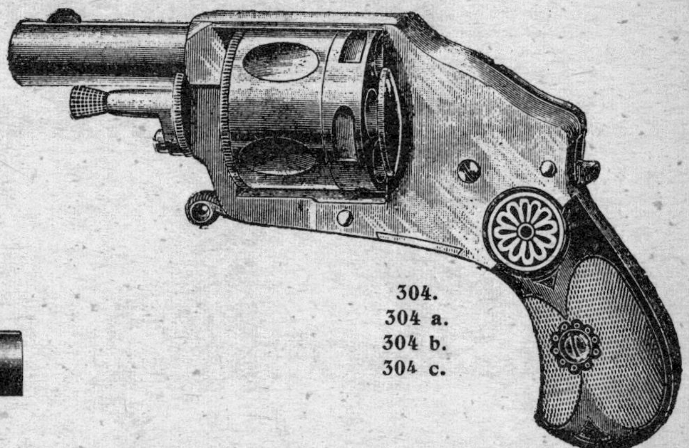

304.
304 a.
304 b.
304 c.

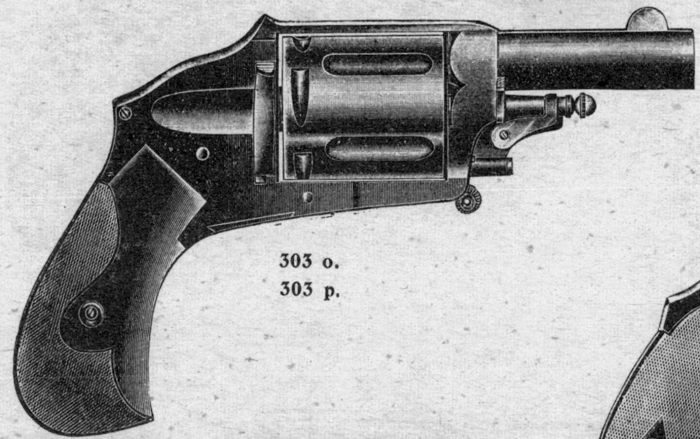

303 o.
303 p.

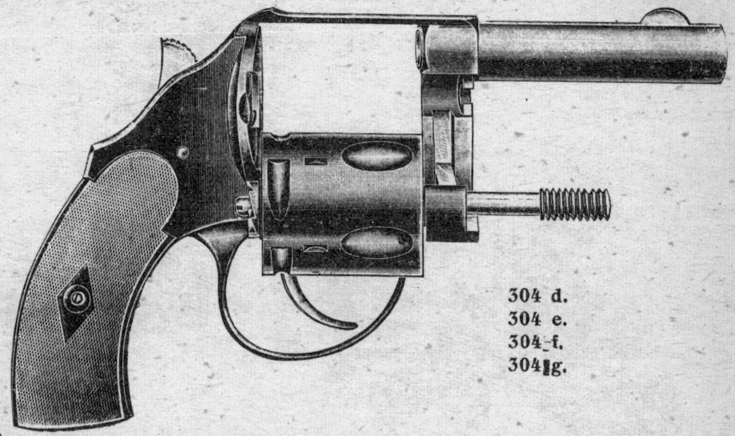

304 d.
304 e.
304 f.
304 g.

304 h.
304 i.
304 k.
304 l.

Obige Revolver kosten mit Perlmuttergriff mehr M. 10.— † Telegrammwort „zu" anhängen.

Les revolvers ci-dessus coûtent avec crosse nacre M. 10.— de plus. † ajouter „zu" au mot télegraphique.

With mother of pearl grip above revolvers cost additional M. 10.— † add „zu" to code-word.

Los revólveres arriba indicados sufren con culata de nácar un aumento de M. 10.— † Añadir „zu" á la palabra telegráfica.

No.	303 k	303 l	303 m	303 n	303 o	303 p	304	304 a	304 b	304 c	304 d	304 e	304 f	304 g	304 h	304 i	304 k	304 l
†	Terraxu	Terranf	Terralk	Terrafur	Terrakix	Terrasun	Seel	Seelerz	Seelung	Seelfust	Seelfing	Seeldaum	Seelange	Seelnixe	Seeldarm	Seelnabe	Seelmund	Seelnase
	5 Schuss, Sicherung, Stahllauf, Gummigriff, schwarz, 360 gramm.		Wie 303 k bunt gehärtet, marmoriert.		5 Schuss, Stahllauf, Gummigriff, schwarz, 360 gramm.	Wie 303 o bunt gehärtet, marmoriert.	5 Schuss, Gummigriff, schwarz, Sicherung	Wie 304 mit Perlmuttergriff.	Wie 304 Nickel.	Wie304b Perlmuttergriff.	5 Schuss Colt, Ejector, Stahllauf, Horngriff, schwarz, 440 gramm.		Wie 304 d bunt gehärtet, marmoriert, Trommel gebläut.		5 Schuss, Stahllauf, Sicherung, Gummigriff schwarz, 390 gramm.		Wie 304 h bunt gehärtet, gebläut.	
	5 coups, sûreté, canon d'acier, crosse caoutchouc, noir, 360 grammes.		Comme 303 k trempé jaspé.		5 coups, canon acier, crosse caoutchouc, noir, 360 grammes	Comme 303o trempé jaspé	5 coups, crosse caoutchouc, noir, sûreté.	Comme 304 avec crosse nacre.	Comme 304, nickelé.	Comme 304 b crosse de nacre.	5 coups, éjecteur Colt, canon acier, crosse corne, noir, 440 grammes.		Comme 304 a trempé, jaspé, barillet bleui.		5 coups, canon acier, sûreté, crosse caoutchouc, noir, 390 grammes.		Comme 304 h trempé, jaspé et bleui.	
	5 shots, safety, steel barrel, rubber grip, black, 360 grammes.		like 303 k case hardened, marbled.		5 shots, steel barrel rubber grip, black, 360 grammes	like 303 o case hardened marbled.	5 shots, rubber grip, black, safety.	like 304 with mother of pearl grip.	like 304 nickel.	like 304b mother of pearl grip.	5 shots Colt ejector, steel barrel, horn grip, black, 440 grammes.		like 304 d case hardened, marbled, blued cylinder.		5 shots, steel barrel safety, rubber grip, black, 390 grammes.		like 304 h case hardened, blued.	
	5 tiros, seguridad cañón de acero, culata de cautchuc, negro, 360 gramos.		Como 303 k templado jaspeado.		5 tiros, cañón de acero, culata de cautchuc, negro, 360 gramos.	Como 303 o templado jaspeado.	5 tiros, culata de cautchuc, negro, seguridad.	Como 304 pero culata de nácar.	Como 304, niquelado.	Como 304 b, culata de nácar	5 tiros, eyector Colt, cañón acero, culata de cuerno, negro, 440 gramos.		Como 304 d templado, jaspeado barrilete azulado.		5 tiros, cañón de acero seguridad, culata de cautchuc, negro, 390 gramos.		Como 304 h templado, jaspeado y azulado.	
Cal.	Lebel	Nagant	Lebel	Nagant	Lebel	Lebel	Lebel	Lebel	Lebel	Lebel	Lebel	Nagant	Lebel	Nagant	Lebel	Nagant	Lebel	Nagant
Mk.	15.50	15.50	15.50	15.50	18.50	19.—	13.50	23.50	13.50	23.50	31.—	31.—	31.50	31.50	18.—	18.—	18.50	18.50

Revolver für Patronen Lebel und Nagant. | Revolvers pour cartouches Lebel et Nagant. | Revolvers for Lebel and Nagant cartridges | Revólveres para cartuchos Lebel y Nagant.

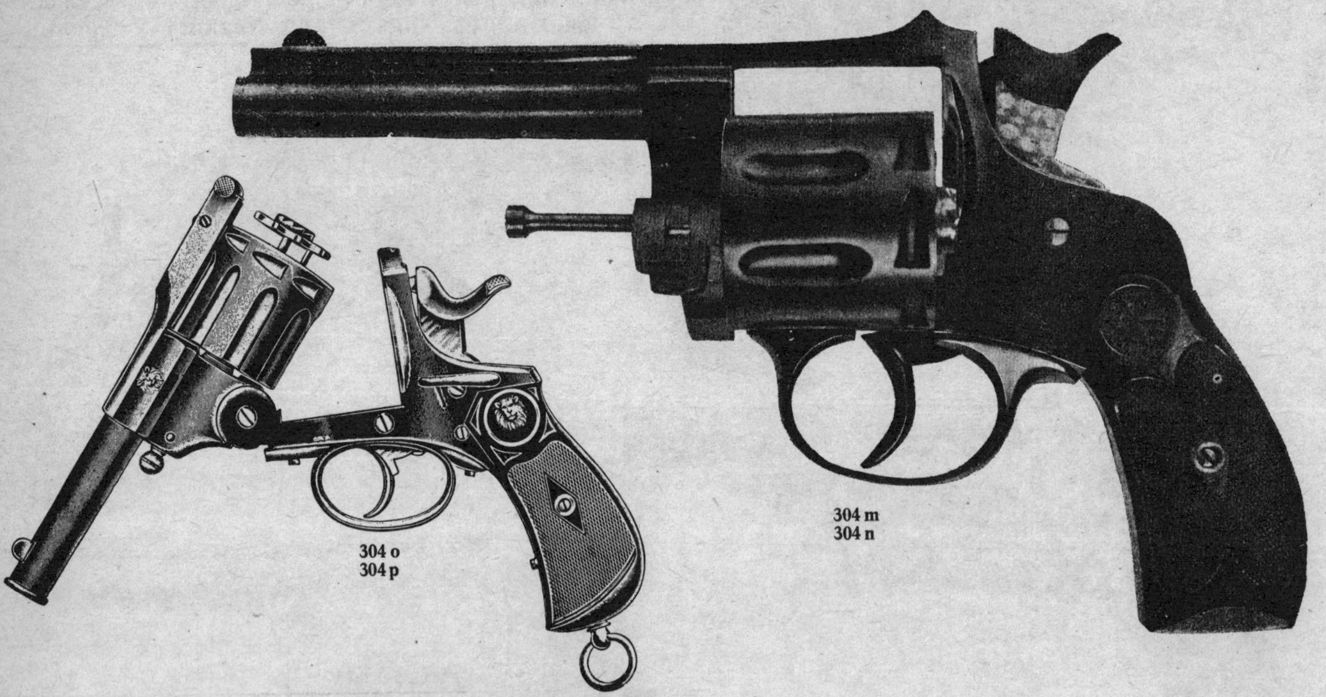

304 m
304 n

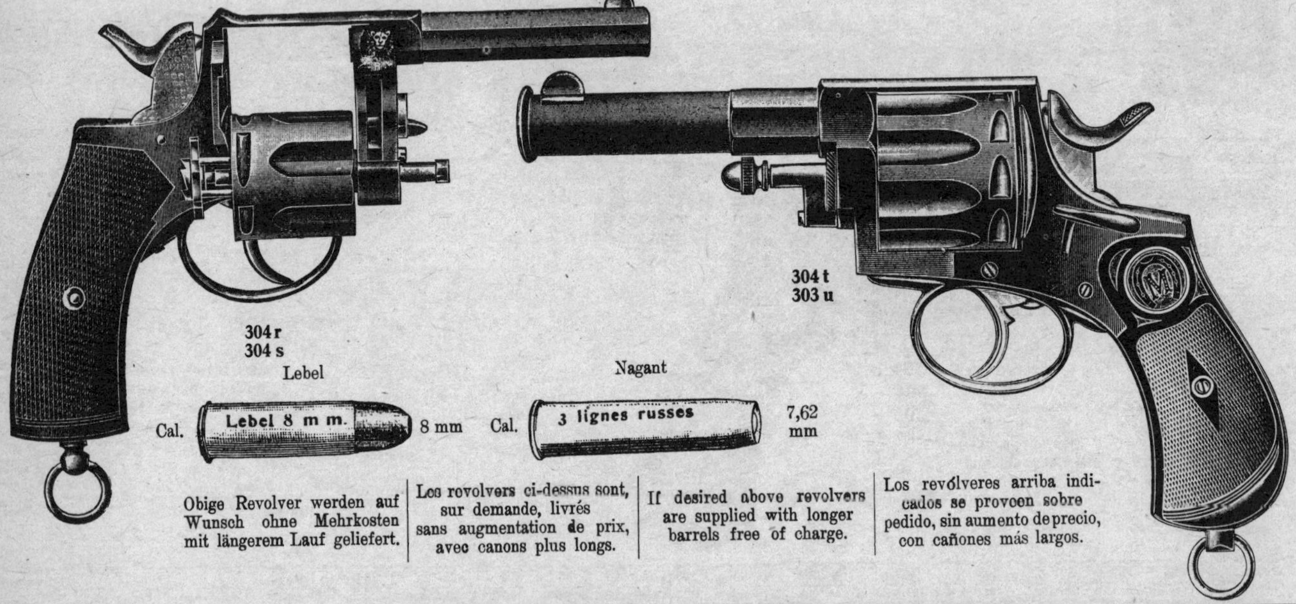

304 o
304 p

304 r
304 s

304 t
303 u

Lebel

Cal. Lebel 8 m m. 8 mm

Nagant

Cal. 3 lignes russes 7,62 mm

Obige Revolver werden auf Wunsch ohne Mehrkosten mit längerem Lauf geliefert.

Les revolvers ci-dessus sont, sur demande, livrés sans augmentation de prix, avec canons plus longs.

If desired above revolvers are supplied with longer barrels free of charge.

Los revólveres arriba indicados se proveen sobre pedido, sin aumento de precio, con cañones más largos.

304 m	304 n	304 o	304 p	304 r	304 s	304 t	304 u
Pisunde	Pisunlo	Pisunsa	Pisuntu	Pisunki	Pisarde	Pisarlo	Pisarsa
7 Schuss schweres Modell, **schwarzblau Gummigriff Colt Ejector** Marke „Alfa".		**9 Schuss**, Sicherung, Stahllauf, Ia. Arbeit, **Gummigriff, fein gezogen, Auswerfer S & W**, fein **gebläut**, ganz maschinell hergestellt.		**6 Schuss, Colt Ejector**, Stahllauf, Teile gehärtet und gesprenkelt, Nussholzgriff **tiefschwarz.**		9 **Schuss**, Stahllauf, **Sicherung**, Ring **tiefschwarz**, Ordonnanz-Modell.	
à 7 coups, fort modèle, bleu-noir, crosse caoutchouc, éjecteur Colt, Marque „Alfa".		**à 9 coups**, sûreté, canon d'acier, travail extra, **crosse caoutchouc, soigneusement rayé, extracteur S & W**, élégamment **bleui**, entièrement fabriqué à la machine.		**6 coups, éjecteur Colt**, canon d'acier, pièces trempées et mouchetées, crosse noyer, **noir foncé.**		**à 9 coups**, canon d'acier, crosse de caoutchouc, sûreté, anneau, **noir foncé**, Modèle d'ordonnance.	
7 shots heavy model **blue black rubber grip Colt-ejector**, Brand „Alfa".		**9 shots**, safety, steel-barrel, prime work, **rubber grip, finely rifled, ejector S & W**, finely **blued**, machine make.		**6 shots Colt ejector**, steel barrel, parts hardened and spotted, walnut grip, **deep black.**		9 **shots**, steel barrel, rubber grip, safety ring **deep black**, Army Model.	
De 7 tiros, modelo fuerte, **azul-negro Culata de cautchuc, eyector Colt**, marca „Alfa".		De 9 tiros, seguridad, cañón de acero, trabajo extra, **culata de cautchuc, cuidaduosamente rayado**, extractor S & W, elegantemente **azulado**, hecho mecanicamente.		**6 tiros, eyector Colt**, cañon de acero, piezas templadas y mosqueteadas, culata de nogal, **negro oscuro.**		De 9 tiros, cañón de acero, culata de cautchuc, seguridad, anillo, negro oscuro, modelo de ordenanza.	
Lebel	Nagant	Lebel	Nagant	Lebel	Nagant	Lebel	Nagant
Mark 26.—	26.—	32.—	32.50	31.—	32.—	16.50	16.50

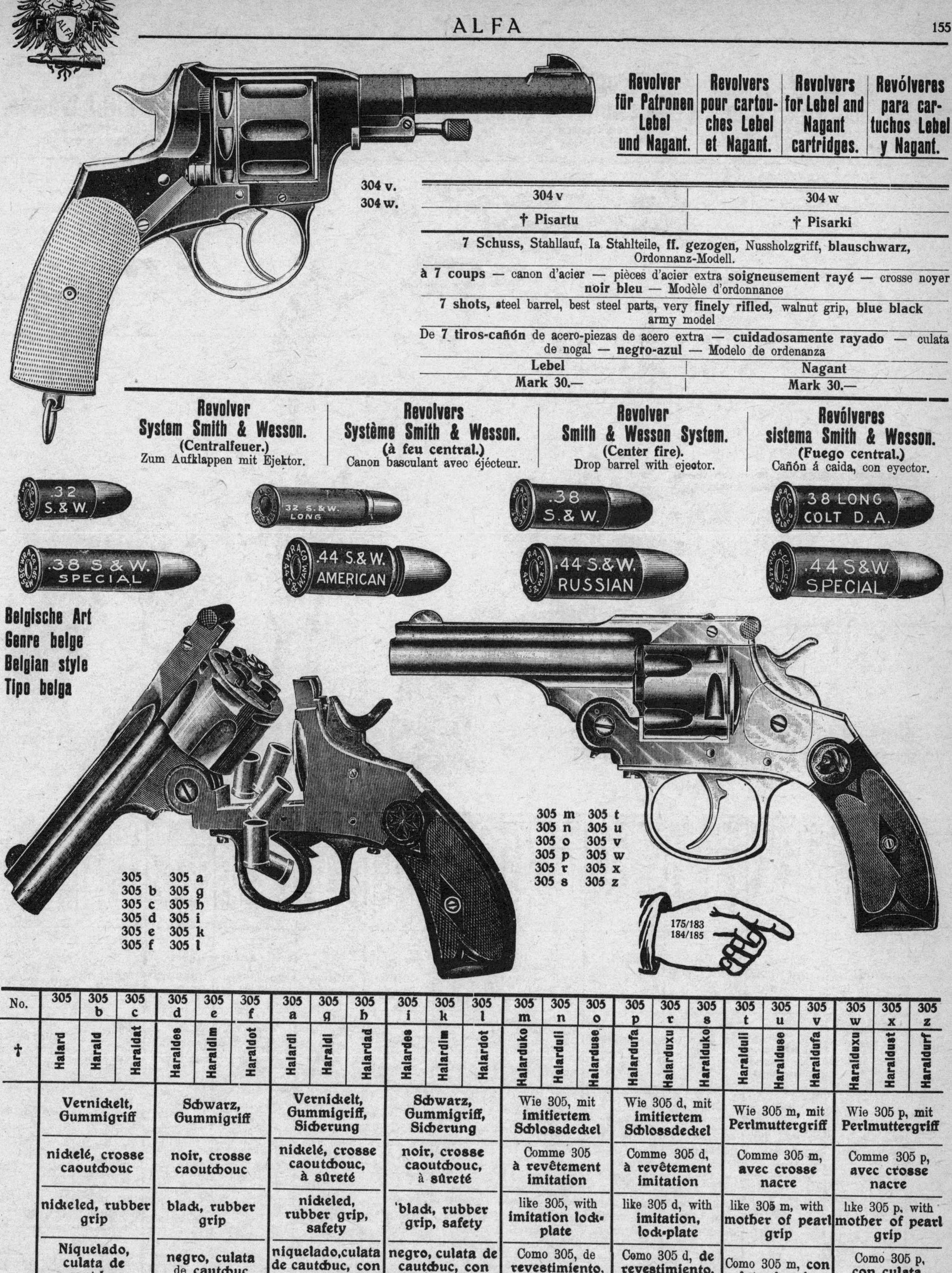

Revolver für Patronen Lebel und Nagant.	Revolvers pour cartouches Lebel et Nagant.	Revolvers for Lebel and Nagant cartridges.	Revólveres para cartuchos Lebel y Nagant.

304 v.
304 w.

304 v	304 w
† Pisartu	† Pisarki
7 Schuss, Stahllauf, Ia Stahlteile, ff. gezogen, Nussholzgriff, blauschwarz, Ordonnanz-Modell.	
à 7 coups — canon d'acier — pièces d'acier extra soigneusement rayé — crosse noyer noir bleu — Modèle d'ordonnance	
7 shots, steel barrel, best steel parts, very finely rifled, walnut grip, blue black army model	
De 7 tiros-cañón de acero-piezas de acero extra — cuidadosamente rayado — culata de nogal — negro-azul — Modelo de ordenanza	
Lebel	Nagant
Mark 30.—	Mark 30.—

Revolver System Smith & Wesson. (Centralfeuer.) Zum Aufklappen mit Ejektor.	Revolvers Système Smith & Wesson. (à feu central.) Canon basculant avec éjécteur.	Revolver Smith & Wesson System. (Center fire). Drop barrel with ejector.	Revólveres sistema Smith & Wesson. (Fuego central.) Cañón á caida, con eyector.

Belgische Art
Genre belge
Belgian style
Tipo belga

305 — 305 a
305 b — 305 g
305 c — 305 h
305 d — 305 i
305 e — 305 k
305 f — 305 l

305 m — 305 t
305 n — 305 u
305 o — 305 v
305 p — 305 w
305 r — 305 x
305 s — 305 z

No.	305	305 b	305 c	305 d	305 e	305 f	305 a	305 g	305 h	305 i	305 k	305 l	305 m	305 n	305 o	305 p	305 r	305 s	305 t	305 u	305 v	305 w	305 x	305 z
†	Halard	Harald	Haraldat	Haraldes	Haraldim	Haraldot	Halardi	Haraldi	Halardad	Halardes	Halardim	Halardot	Halarduko	Halarduli	Halarduse	Halardufa	Halarduxu	Haralduko	Haralduli	Haralduse	Haraldufa	Haralduxu	Haraldust	Haraldurf
	Vernickelt, Gummigriff			Schwarz, Gummigriff			Vernickelt, Gummigriff, Sicherung			Schwarz, Gummigriff, Sicherung			Wie 305, mit imitiertem Schlossdeckel			Wie 305 d, mit imitiertem Schlossdeckel			Wie 305 m, mit Perlmuttergriff			Wie 305 p, mit Perlmuttergriff		
	nickelé, crosse caoutchouc			noir, crosse caoutchouc			nickelé, crosse caoutchouc, à sûreté			noir, crosse caoutchouc, à sûreté			Comme 305 à revêtement imitation			Comme 305 d, à revêtement imitation			Comme 305 m, avec crosse nacre			Comme 305 p, avec crosse nacre		
	nickeled, rubber grip			black, rubber grip			nickeled, rubber grip, safety			'black, rubber grip, safety			like 305, with imitation lock-plate			like 305 d, with imitation, lock-plate			like 305 m, with mother of pearl grip			like 305 p, with mother of pearl grip		
	Niquelado, culata de cautchuc			negro, culata de cautchuc			niquelado,culata de cautchuc, con seguridad			negro, culata de cautchuc, con seguridad			Como 305, de revestimiento, imitación			Como 305 d, de revestimiento, imitación			Como 305 m, con culata de nácar			Como 305 p, con culata de nácar		
Caliber	32	38	44	32	38	44	32	38	44	32	38	44	32	38	44	32	38	44	32	38	44	32	38	44
Mark	11.—	11.—	15.—	11.50	11.50	15.50	12.50	12.50	16.50	13.—	13.—	17.—	14.—	14.—	18.—	14.50	14.50	18.50	24.—	24.—	28.—	24.50	24.50	28.50

Revolver System Smith & Wesson.	**Revolvers Système Smith & Wesson**	**Revolver Smith & Wesson System.**	**Revolver systema Smith & Wesson.**
(Centralfeuer.)	**(à feu Central.)**	**(Center Fire.)**	**(Fuego central.)**
Zum Aufklappen mit Ejektor.	(Canon basculant avec éjecteur.	Drop barrel with ejector.	Cañón á caida, con eyector.

No.	308	308 b	308 c	308 d	308 e	308 f	308 a	308 g	308 h
	Orino	Orini	Orinopos	Orinopal	Orinopit	Orinopef	Orinon	Oriniu	Orinouka
	Vernickelt, **Gummigriff** und **Ring**			Schwarz, **Gummigriff** und **Ring**			Wie 308, mit **Perlmuttergriff**		
	Nickelé, **crosse caoutchouc, avec anneau**			Noir, **crosse caoutchouc** et **anneau**			Comme 308, avec **crosse nacre**		
	nickeled, **rubber grip with ring**			black, **rubber grip** and **ring**			like 308, with **mother of pearl grip**		
	Niquelado, **culata de cautchuc, con anillo**			Negro, **culata de cautchuc y anillo**			Como 308, **con culata de nácar**		
Cal.	32	38	44	32	38	44	32	38	44
Mark	11.20	11.20	16.—	11.70	11.70	16.50	21.20	21.20	26.—

No.	308 i	308 k	308 l	307	307 b	307 c	307 d	307 e	307 f
	Orinoule	Orinoumi	Orinounu	Tiflis	Tiefas	Tiflister	Tiflisbus	Tifliskar	Tiflismuf
	Wie 308 d, mit **Perlmuttergriff**			**Vernickelt, Gummigriff,** I a Qualität, **schwarzer amerikanischer** Bügel			Wie 307, **blauschwarz,** amerikanisch		
	Comme 308 d, avec **crosse nacre**			**Nickelé, crosse caoutchouc,** I a Qualité, **couleur sous-garde américaine noire**			Comme 307, **bleu-noir, américain**		
	like 308 d, with **mother of pearl grip**			**nickeled, rubber-grip,** prime quality, **black American guard**			like 307, **blue-black American style**		
	Como 308 d, con **culata de nácar**			**Niquelado, culata de cautchuc,** I a cualidad, **Salva-guardia** americana y negra			Como 307, **azul-negro, americano**		
Cal.	32	38	44	32	38	44	32	38	44
Mark	21.70	21.70	26.50	13.—	13.—	18.—	13.50	13.50	18.50

No.	307 a	307 g	307 h	307 i	307 k	307 l	306	306 b	306 c
	Tiflisu	Tiefasu	Tiflisust	Tiflisura	Tiflisumo	Tiflisuxe	Sun	Sundu	Sunsun
	Wie 307, **Perlmuttergriff**			Wie 307 a, **Perlmuttergriff**			Wie 307, mit **echter Schlossdecke,** I a Qualität, nickel		
	Comme 307, **crosse nacre**			Comme 307 a, **crosse nacre**			Comme 307, **à revêtement véritable,** I a Qualité, nickelé		
	like 307, **mother of pearl grip**			like 307 a, **mother of pearl grip**			like 307, with **genuine lock-plate** a 1 quality nickel		
	Como 307, **culata** de **nácar**			Como 307 a, **culata** de **nácar**			Como 307, de **revestimiento verdadero,** I a cualidad, niquelado		
Cal.	32	38	44	32	38	44	32	38	44
Mark	23.—	23.—	28.—	23.50	23.50	28.50	17.50	17.50	22.50

No.	306 d	306 e	306 f	306 a	306 g	306 h	306 i	306 k	306 l
	Sunsem	Sunsat	Sunspil	Sunu	Sundun	Sunukon	Sunober	Sunoris	Sunorin
	Wie 306, **schwarz**			Wie 306, mit **Perlmuttergriff**			Wie 306 **d,** mit **Perlmuttergriff**		
	Comme 306, **noir**			Comme 306 avec **crosse nacre**			Comme 306 **d,** avec **crosse nacre**		
	like 306, **black**			like 306, with **mother of pearl grip**			like 306 **d,** with **mother of pearl grip**		
	Como 306, **negro**			Como 306, con **culata de nácar**			Como 306 **d, con culata de nácar**		
Cal.	32	38	44	32	38	44	32	38	44
Mark	18.—	18.—	23.—	27.50	27.50	32.50	28.—	28.—	33.—

Central-feuer-Revolver
System Smith & Wesson

Revolvers à feu central
Système Smith & Wesson

Center-fire Revolvers
System Smith & Wesson

Revólveres de fuego central
Sistema Smith & Wesson

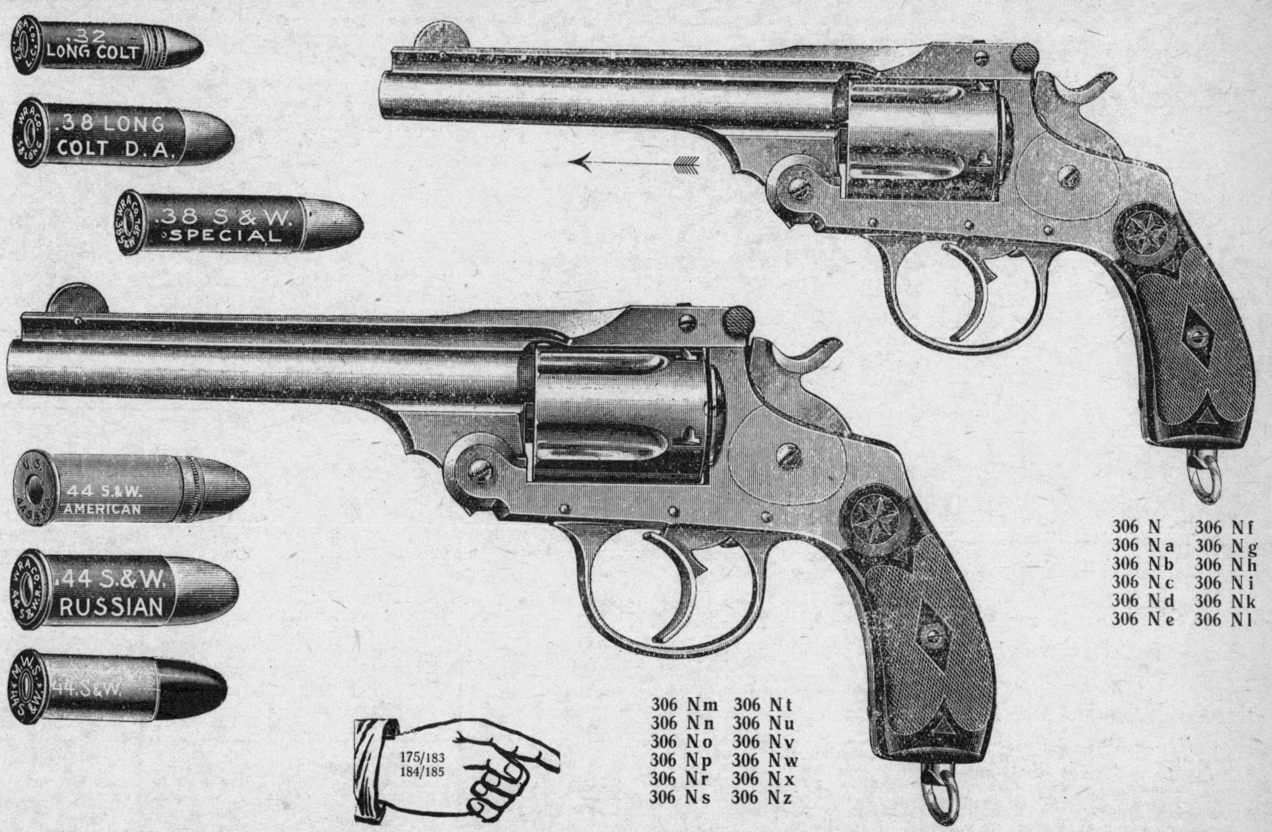

Die Revolver dieser Seite werden in jeder gewünschten Lauflänge ohne Mehrkosten geliefert.

Les revolvers de cette page sont livrés, sans augmentation de prix, avec canons de n'importe quelle longueur.

The revolvers on this page are supplied with barrels of any length desired, without additional charge.

Los revólveres de esta página se provéen en la longitud deseada sin tener que pagar suplemento.

306 N	306 N a	306 N b	306 N c	306 N d	306 N e	306 N f	306 N g	306 N h	306 N i	306 N k	306 N l	306 N m	306 N n	306 N o	306 N p	306 N r	306 N s	306 N t	306 N u	306 N v	306 N w	306 N x	306 N z
✝ Caspave	Caspamu	Caspali	Casparo	Castavi	Castamu	Castani	Castaxo	Castars	Tintono	Tintora	Tintolu	Tintost	Tintoxes	Tintofis	Tintifus	Tintexos	Tintulos	Tintrevi	Tintpist	Tintbuxe	Tintflint	Tintpatro	Tintpulve
15 cm Lauflänge, **echte Schlossdecke,** amerikanischer Bügel, **vernick. Gummigriff,** orient. Modell →			wie 306 N, aber **amerikanisch schwarz-blau**			wie 306 N, mit **Perlmuttergriff**			wie 306 Nc, mit **Perlmuttergriff**			wie 306 N, **schweres Modell, 12 1/2 cm** Lauflänge			wie 306 Nm, aber **amerikanisch schwarz-blau**			wie 306 Np, aber mit **Perlmuttergriff**			wie 306 Nm, aber mit **Perlmuttergriff**		
longueur du canon 15 cm, à revêtement véritable, sous-garde américaine, **nickelé, crosse caoutchouc** modèle d'Oriente →			comme 306 N, mais **bleu-noir américain**			comme 306 N, avec **crosse nacre**			comme 306 Nc, avec **crosse nacre**			comme 306 N, **modèle fort,** longueur du canon **12 1/2 cm**			comme 306 Nm, mais **bleu-noir américain**			comme 306 Np, mais avec **crosse nacre**			comme 306 Nm, mais avec **crosse nacre**		
length of barrel 15 cm, genuine lock plate, American guard, **nickeled, rubbergrip,** oriental model →			like 306 N, but **American black-blue**			like 306 N, with **mother of pearl grip**			like 306 Nc, with **mother of pearl grip**			like 306 N, **heavy model,** barrel **12 1/2 cm** long			like 306 Nm, but **blue-black American style**			like 306 Np, but with **mother of pearl grip**			like 306 Nm, but with **mother of pearl grip**		
longitud del cañón 15 cm, de revestimiento verdadero, salvaguardia americana, niquelado, culata de cautchuc, modelo de Oriente →			como 306 N, pero **azul americano**			como 306 N, con **culata de nácar**			como 306 Nc, pero con **culata de nácar**			como 306 N, **modelo fuerte,** longitud del **cañón 12 1/2 cm**			como 306 Nm, pero **azul negro americano**			como 306 Np, pero con **culata de nácar**			como 306 Nm, pero con **culata de nácar**		
Cal. 32 l	38 l	38 Sp	32 l	38 l	38 Sp	32	32 l	38 Sp	32 l	38 l	38 Sp	44 A	44 R	44 Sp	44 A	44 R	44 Sp	44 A	44 R	44 Sp	44 A	44 R	44 Sp
Mk. 17	17	17	18	18	18	27	27	27	28	28	28	22	22	22	23	23	23	32	32	32	33	33	33

Centralfeuer-Revolver — System Smith & Wesson.
Revolvers à feu central — Système Smith & Wesson.
Center-fire Revolvers — System Smith & Wesson.
Revólveres de fuego central — Sistema Smith & Wesson.

309 m 309 t
309 n 309 u
309 o 309 v
309 p 309 w
309 r 309 x
309 s 309 z

184/185
175/183

309 309 a
309 b 309 g
309 c 309 h
309 d 309 i
309 e 309 k
309 f 309 l

Die Revolver 309 m bis 309 l werden in jeder gewünschten Lauflänge ohne Mehrkosten geliefert.

Les revolvers 309 m 309 l sont livrés, sans augmentation de prix, avec canons de n'importe quelle longueur.

The revolvers 309 m 309 l are supplied with barrels of any length desired, without additional charge.

Los revólveres 309 m 309 l se provéen en la longitud deseada sin tener que pagar suplemento.

Nr.	309 m	309 n	309 o	309 p	309 r	309 s	309 t	309 u	309 v	309 w	309 x	309 z
†	Tintstriko	Tintkalb	Tintint	Tintglas	Tintkerz	Tintstrox	Tintlinaf	Tintuhr	Tintsteve	Tintweite	Tintgrade	Tintnikis
	Hammerless, Drucksicherung im Griff, Gummigriff, vernickelt			wie 309 m, aber amerikanisch blauschwarz			wie 309 m mit Perlmuttergriff			wie 309 p mit Perlmuttergriff		
	Hammerless, sûreté à pression sur la crosse, crosse caoutchouc, nickelé			comme 309 m mais bleu-noir américain			comme 309 m avec crosse nacre			comme 309 p avec crosse nacre		
	Hammerless, press-safety in grip, rubber-grip, nickeled			like 309 m but blue-back American style			like 309 m with mother of pearl grip			like 309 p with mother of pearl grip		
	Hammerless, seguridad de presión sobre la culata, puño de cautchuc, niquelado			como 309 m pero azul-negro americano			como 309 m con culata de nácar			como 309 p con culata de nácar		
Cal.	32	38	44 A	32	38	44 A	32	38	44 A	32	38	44 A
Mk.	27.50	27.50	33.50	28.50	28.50	34.50	37.50	37,50	43.50	38.50	38.50	44.50

Nr.	309	309 b	309 c	309 d	309 e	309 f	309 a	309 g	309 h	309 i	309 k	309 l
†	Derby	Derbol	Derbvier	Derbdrei	Derbacht	Derbzix	Derbyn	Derbolo	Derboloxe	Derbolosi	Derboloti	Derbolofa
	wie 309 m, feinste amerikan. Imitation mit echter Schlossdecke, vernickelt			wie 309 amerikanisch blauschwarz			wie 309 mit Perlmuttergriff			wie 309 d mit Perlmuttergriff		
	comme 309 m, imitation américaine extra, avec revêtement véritable, nickelé			comme 309 bleu-noir Américain			comme 309 avec crosse nacre			comme 309 d avec crosse nacre		
	like 309 m, finest American imitation with genuine lock plate			like 309 blue-back American style			like 309 with mother of pearl grip			like 309 d with mother of pearl grip		
	como 309 m, imitación americana extra, con revestimiento verdadero, niquelado			como 309 azul-negro americano			como 309 con culata de nácar			como 309 d con culata de nácar		
Cal.	32	38	44 A	32	38	44 A	32	38	44 A	32	38	44 A
Mk.	26.—	26.—	31.—	27.—	27.—	32.—	36.—	36.—	41.—	37.—	37.—	42.—

Polizei-Revolver

Revolvers de police — Police Revolvers — Revólveres de policía

289	289 a
† Krimin	† Krima

Eingeschraubter Stahllauf, Gummigriff, schwarz mit Sicherung

Canon d'acier vissé, crosse de caoutchouc, noir, avec sûreté

Screwed on steel barrel, rubber-grip, black with safety

Cañón de acero atornillado, culata de cautchuc, negro, con seguridad

Cal.	320	380
Mark	11.—	11.80

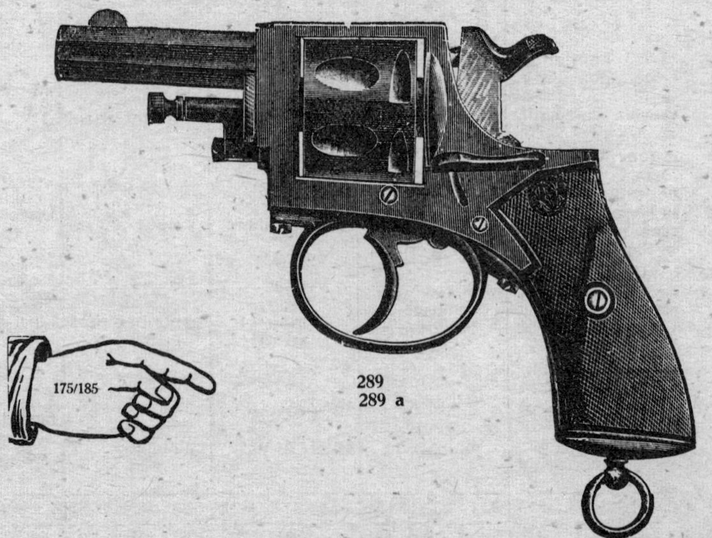

289
289 a

Polizei-Revolver. | Revolvers de police. | Police Revolvers. | Revlveres de policía.

287	288	290	290 a
† Police	† Berlin	† Gendarm	† Gendex
Eingeschraubter Stahllauf, tadellos eingeschossen, Holzgriff aus einem Stück, Ia. Qualität, alle Teile gehärtet, schwarz mit Sicherung, Handarbeit	Aehnlich 287, Holzgriff aus 2 Teilen, Ring, gute Qualität, Maschinenarbeit	Eingeschraubter Stahllauf. Sicherung, Teile gebläut, Ia. Arbeit, Nussholzgriff, schwarz glasiert	
Canon d'acier vissé, éprouvé au tir d'une manière toute particulière, crosse de bois en une seule pièce, qualité extra, toutes pièces trempées noir, avec sûreté, travail à la main	Semblable au No. 287, crosse de bois en deux pièces, anneau, bonne qualité, travail mécanique	Canon d'acier vissé, sûreté, pièces bleuies, travail extra, crosse noyer, noir glacé	
Screwed on steel barrel, thoroughly tested, wooden grip of one piece, prime quality, all parts hardened, black with safety, hand made	Like 287, wooden grip of 2 parts, ring, good quality, machine-work	Steel barrel screwed on safety, blued parts, best make, walnut grip, glazed black	
Cañon de acero atornillado, probado al tiro de una manera muy particular, culata de madera en una sola pieza, todas las piezas templadas, negro, con seguridad, trabajo á mano	Parecido al 287, culata de madera en dos piezas, anillo, buena cualidad, trabajo mecánico	Cañon de acero atornillado, seguridad, piezas azuladas, trabajo extra, culata de nogal, negro glaseado	
Cal.: 380	380	320	380
Mark: 19.—	16.—	15.50	16.—

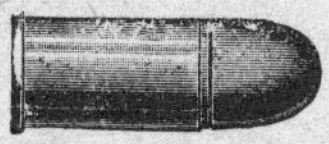

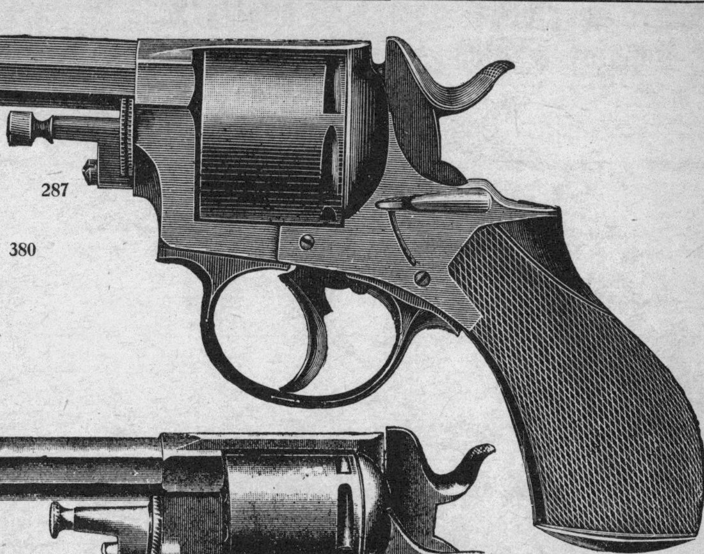

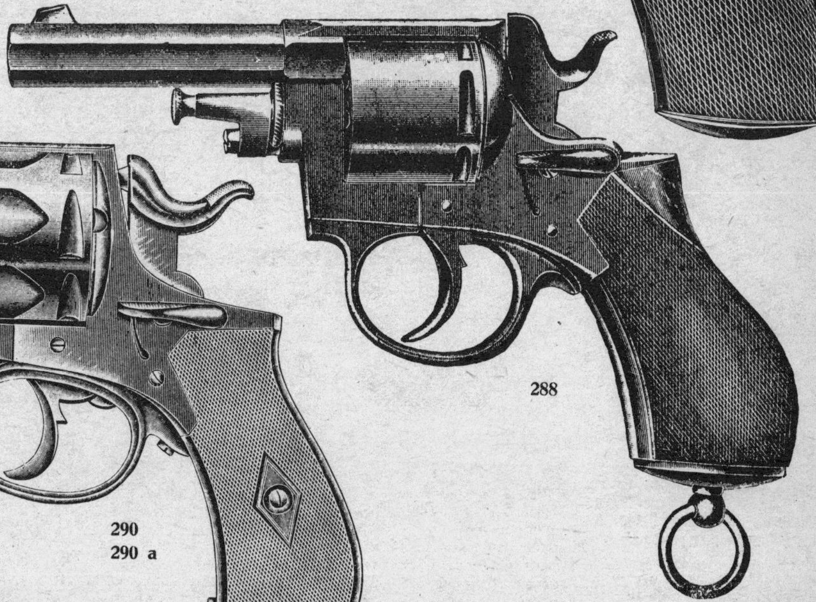

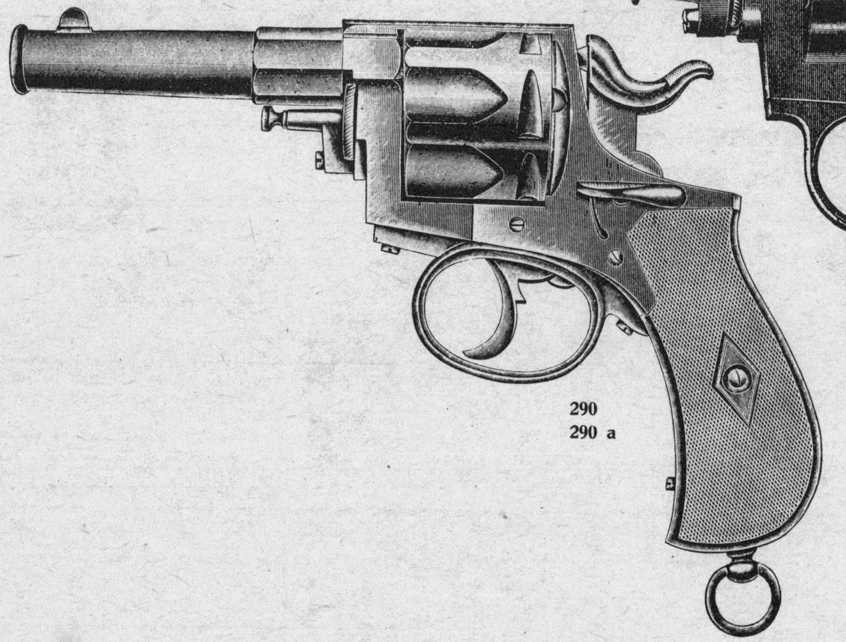

Original Amerikanische Revolver Hopkins & Allen. | Revolvers américains originaux Hopkins & Allen. | Original American revolvers Hopkins & Allen. | Revólveres americanos originales Hopkins & Allen.

Die H. & A.-Revolver werden **bis zu 6 Zoll Lauflänge** geliefert. Jeder Zoll länger als vorgesehen kostet mehr **M. 2.50** pro Zoll. Perlmuttergriff kostet mehr M. **10.—** pro Revolver. † Telegrammwort hierfür ein **„zu"** an das Codewort setzen.

Les revolvers H. & A. sont livrés avec canons mesurant jusqu'à 6 pouces. Toute longueur supérieure à celle la entraîne une augmentation de **M. 2.50** par pouce. La crosse en nacre coûte extra **M. 10.—** par revolver. † Si on veut avoir avec crosse nacre, ajouter „zu" au mot télégraphique.

Revolvers H. & A. are supplied with barrels up to 6 inches long. Each additional inch costs about M, 2.50 more. Mother of pearl grip costs M. 10.— more per revolver. † For cabling add „zu" to the code-word.

Los revólveres H. & A. se proveén con cañones que tienen hasta 6 pulgadas de largo. Toda longitud que sea mayor que esta tiene una aumentacion de **M. 2.50** por pulgada-Culata de nácar cuesta extra **M. 10.—** por revolver. † Para obtenerlo hay que añadir „zu" á la palabra telegráfica.

No.	322	322 a	322 b	322 c	322 d	322 e	322 f	322 g	322 h	322 i	322 k	322 l	323	323 a	323 b	323 c	323 d	323 e	323 f	323 g	323 h	323 i	325	325 a	325 b	325 c
†	Hop	Hopklei	Hopmid	Hopgro	Hopkleist	Hopmidos	Hopgroste	Hopklein	Hopmilo	Hopgroffe	Hopklast	Hopmitte	Kingtel	King	Kingna	Kingblei	Kingeise	Kingstal	Kingerze	Kingpulo	Kingsuffe	Kingsling	Allen	Alel	Allengebe	Allenroba
	2½ Zoll Lauflänge, **Nickel, Gummigriff,** automatische Hahnsicherung			wie 322, **schwarzblau** amerikanisch			4½ Zoll Lauflänge, **Nussholzgriff** mit Ladeklappe, autom. Hahnsicherung, **vernickelt**			wie 322f, aber **amerikanisch schwarzblau**			**2 Zoll Lauflänge, Gummigriff,** aut. Hahnsicherung, System S&W, **vernickelt**			wie 323, aber **amerikanisch schwarzblau**			Lauf 4 Zoll, **Nussholzgriff,** sonst wie 323, **vernickelt**		wie 323f, aber **amerikanisch schwarzblau**		Sicherheits-**Hammerless** mit Trommelhaltebolzen und Polizei-Laufsicherung, 2 Z. Lauflänge **Gummigriff vernick.**		wie 325, aber **amerikanisch schwarzblau**	
	Longueur du canon: 2 pouces ½ **nickelé,** crosse **caoutchouc,** sûreté automatique du chien			comme 322, **bleu-noir américain**			Longueur du canon 4 pouces ½, **crosse noyer,** avec clapet pour le chargement sûreté automatique du chien, **nickelé**			comme 322f mais **bleu-noir américain**			**Longueur du canon: 2 pouces,** crosse de caoutchouc, sûreté automatique du chien, Syst. S & W, **nickélé**			comme 323 mais **bleu-noir américain**			Canon de 4 pouces, **crosse noyer,** pour le reste comme 323, **nickelé**		comme 323f, mais **bleu-noir américain**		**Hammerless** de sûreté, avec tige retenant le barillet et sûreté du canon type Policier, canon de 2 pouces, **crosse caoutchouc, nickelé**		comme 325 mais **bleu-noir américain**	
	length of barrel 2½ inches, **nickel rubber-grip,** automatic safety hammer			like 322 **black blue American style**			barrel 4½ inches long **walnut-grip,** with clap for loading automatic safety hammer, nickeled			like 322f **but black blue American style**			**length of barrel 2 inches,** automatic safety hammer, system S. & W., **nickeled**			like 323, but **black blue, American style**			4 inch barrel, wainut grip, otherwise like 323, **nickeled**		like 323f, but **blue black American style**		safety **hammerless** with bolt for holding cylinder and barrel safety police pattern, length of barrel 2 inches, **rubber grip nickeled**		like 325 but **blue black American style**	
	Longitud del cañon 2 pulgadas ½, **niquelado, culata** de **cautchuc,** seguridad automática del gatillo			Como 322 pero **azul-negro americano**			Longitud del cañon 4 pulgadas ½, culata de nogal con chapa para el cargamento, seguridad automática del gatillo, niquelado			Como 322f **pero azul-negro americano**			Longitud del cañón 2 pulgadas, culata de cautchuc, seguridad automática del gatillo, sistema S. & W., niquelado			Como 323 **pero azul-negro americano**			Cañón de 4 pulgadas, **culata de nogal,** para el resto como 323, **niquelado**		Como 323f, pero **negro-azul americano**		Hammerles de seguridad, con tronco reteniendo el barrilete y seguridad del cañon tip policiaco cañon de 2 pulgadas, culata de cautchuc, niquelado		Como 325 pero **negro-azul americano**	
Cal.	22 sh	32	38	22 sh	32	38	22 sh	32	38	22 sh	32	38	22 sh	32	38	22 sh	32	38	32	38	32	38	32	38	32	38
Mk.	15.50	17.50	17.50	17.50	19.50	19.50	25	25	25	27	27	27	31.50	31.50	31.50	33	33	33	42	42	44	44	35	35	37	37

Original Jver-Johnson Revolver

mit automatischer Abzugssicherung.

Revolver original Jver-Johnson

avec sûreté automatique de la détente.

Original revolver Jver-Johnson

with automatic trigger safety.

Revólveres original Jver-Johnson

con seguridad automática del escape.

4 Zoll Lauf kostet mehr Mark 2.—
† Telegrammwort „za“ anhängen.
5 Zoll Lauf kostet mehr Mark 4.—
† Telegrammwort „ze“ anhängen.
6 Zoll Lauf kostet mehr Mark 6.—
† Telegrammwort „zi“ anhängen.
Perlmuttergriff kostet mehr Mark 10.—
† Telegrammwort „zu“ anhängen.

Canon de 4 pouces coûte extra Mark 2.—
† Ajouter, au mot télégraphique, „za“.
Canon de 5 pouces coûte extra Mark 4.—
† Ajouter, au mot télégraphique, „ze“.
Canon de 6 pouces coûte extra Mark 6.—
† Ajouter, au mot télégraphique, „zi“.
Crosse nacre coûte extra Mark 10.—
† Ajouter, au mot télégraphique, „zu“.

4 inch barrel costs Mark 2.— more
† Add to code-word „za“.
5 inch barrel costs Mark 4.— more
† Add to code-word „ze“.
6 inch barrel costs Mark 6.— more
† Add to code-word „zi“.
Mother of pearl grip costs Mark 10.— more
† Add to code-word „zu“.

Cañon de 4 pulgadas cuesta M. 2.— más.
† Añadir „za“ á la palabra telegráfica.
Cañon de 5 pulgadas cuesta M. 4 — más.
† Añadir „ze“ á la palabra telegráfica.
Cañon de 6 pulgadas cuesta M. 6.— más.
† Añadir „zi“ á la palabra telegráfica.
Culata de nácar cuesta M. 10 — más.
† Añadir „zu“ á la palabra telegráfica.

No.	310 f	310 g	310 h	310 i	311 f	311 g	311 h	311 i	253 b	253 c	253 d	253 e
†	Jveltos	Jveltum	Jveltaf	Jveltex	Jveltik	Jvenkos	Jvenkum	Jventaf	Jvenkex	Jvenkik	Jvebdos	Jvebdum
	3 Zoll langer Lauf, Gummigriff, **vernickelt,** System S. & W., Marke U. S.		Wie 310 f, aber **amerikanisch schwarzblau**		Wie 310 f, Hammerless, **Nickel,** Marke U. S.		Wie 311 f, Hammerless, **schwarzblau**		2½ Zoll Lauflänge, Gummigriff, **vernickelt**		Wie 253 b, aber **amerikanisch schwarzblau**	
	Canon de 3 pouces, crosse caoutchouc, **nickelé,** système S. & W., marque U. S.		Comme 310 f, mais **bleu-noir américain**		Comme 310 f, Hammerless, **nickelé,** marque U. S.		Comme 311 f, Hammerless, **bleu-noir**		Canon: 2 pouces ½, crosse caoutchouc, **nickelé**		Comme 253 b, mais **bleu-noir, américain**	
	Barrel 3 inches long, rubber grip, **nickeled,** system S. & W., brand U. S.		Like 310 f, but **black blue American style**		Like 310 f, Hammerless, **nickel,** brand U. S.		Like 311 f, Hammerless, **black blue**		Length of barrel 2½ inches, rubber grip, **nickeled**		Like 253 b, but **black blue American style**	
	Cañón de 3 pulgadas, culata de cautchuc, **niquelado,** sistema S. & W., marca U. S.		Como 310 f, pero **azul negro americano**		Como 310 f, Hammerless, **niquelado,** marca U. S.		Como 311 f, Hammerless, **azul negro**		Cañon: 2 pulgadas ½, culata de cautchuc, **niquelado**		Como 253 b, pero **azul-negro americano**	
Cal.	32	38	32	38	32	38	32	38	32	38	32	38
Mark	22.80	22.80	25.—	25.—	27.—	27.—	29.—	29.—	15.50	15.50	17.30	17.30

Original Iver-Johnson Revolver	Revolver original Iver-Johnson	Original revolver Iver-Johnson	Revolver original Iver-Johnson
mit automatischer Abzugssicherung	avec sûreté automatique de la détente	with automatic trigger guard	con seguridad automatica del escape

4½ Zoll Lauf kostet mehr Mark 2,—
† Telegrammwort „za“ anhängen.
5 Zoll Lauf kostet mehr Mark 4,—
† Telegrammwort „ze“ anhängen.
6 Zoll Lauf kostet mehr Mark 6,—
† Telegrammwort „zi“ anhängen.
Perlmuttergriff kostet mehr Mark 10,—
† Telegrammwort „zu“ anhängen.

Canon de 4 pouces coûte extra Mk. 2,—
† Ajouter, au mot télégraphique „za“.
Canon de 5 pouces coûte extra Mk. 4,—
† Ajouter, au mot télégraphique „ze“.
Canon de 6 pouces coûte extra Mk. 6,—
† Ajouter, au mot télégraphique „zi“.
Crosse nacre coûte extra Mk. 10,—
† Ajouter, au mot télégraphique „zu“.

4 inch barrel costs Mk. 2,— more
† Add to code-word „za“.
5 inch barrel costs Mk. 4,— more
† Add to code-word „ze“.
6 inch barrel costs Mk. 6,— more
† Add to code-word „zi“.
Mother of pearl grip costs Mk. 10,— more
† Add to code-word „zu“.

Cañon de 4 pulgadas tiene una aumentación de **Marcos 2,—**
† Añadir „**za**“ á ia palabra telegráfica.
Cañon de 5 pulgadas tiene una aumentación de **Marcos 4,—**
† Añadir „**ze**“ á la palabra telegráfica.
Cañon de 6 pulgadas tiene una aumentación de **Marcos 6,—**
† Añadir „**zi**“ á la palabra telegráfica.
Culata de nácar tiene una aumentación de **Marcos 10,—**
† Añadir „**zu**“ á la palabra telegráfica.

No.	310	310 a	310 b	310 c	310 d	310 e	311	311 a	311 b	311 c	311 d	311 e	312	312 a	312 b	312 c	312 d	312 e	312 f	312 g	312 h	312 i	312 k	312 l
†	Jver	Jrev	Jrvex	Jvera	Jreva	Jrvexa	Jvebdaf	Jonson	Josno	Jvebdex	Jvebdik	Jversto	Jversgi	Love	Lovebim	Loverum	Lovesuk	Lovetal	Lovereo	Lovetur	Lovefed	Lovesak	Loverex	Loverie
	3 Zoll Lauf, Gummigriff Ia Qualität Marke „Eule“ vernickelt System S & W			Wie 310 aber amerikanisch **schwarzblau**			Wie 310 aber Hammerless **vernickelt**			Wie 311 amerikanisch **schwarzblau**			Wie 310 aber nur 2 Zoll langer Lauf „Bycicle-Modell“ **vernickelt**			Wie 312 aber amerikanisch **schwarzblau**			Wie 311 aber nur 2 Zoll langer Lauf „Bycicle-Modell“ **vernickelt**			Wie 312 f aber amerikanisch **schwarzblau**		
	Canon de 3 pouces, crosse caoutchouc, Ia qualité marque ‚Hibou‘, **nickelé** système S & W			Comme 310 mais **bleu-noir** américain			Comme 310 mais hammerless **nickelé**			Comme 311 mais bleu-noir **américain**			Comme 310 mais canon de seulement 2 pouces modèle „Bycicle“, **nickelé**			Comme 312 mais bleu-noir **américain**			Comme 311 mais canon de seulement 2 pouces, modèle „Bycicle“, **nickelé**			Comme 312 f mais bleu noir **américain**		
	3 inch barrel, rubber grip a₁ quality „Owl“ brand **nickeled** system S & W			Like 310 but black blue american style			Like 310 but hammerless **nickeled**			Like 311 but black blue American style			Like 310 but barrel only 2 inches long „Bycicle model“ **nickeled**			Like 312 but black blue American style			Like 311 but barrel only 2 inches long „Bycicle model“ nickeled			Like 312 f but black blue American style		
	Cañón de 3 pulgadas, culata de cautchuc, Ia calidad, marca „Buho“, niquelado, sistema S & W			Como 310 pero azul-negro Americano			Como 310 pero hammerless niquelado			Como 311 pero negro azul **americano**			Como 310 pero cañon de 2 pulgadas solamente, modelo „Bycicle“ **niquelado**			Como 312 pero negro azul americano			Como 311 pero cañon de 2 pulgadas solamente, modelo „Bycicle“ niquelado			Como 312 f pero azul-negro americano		
Cal.:	22	32	38	22	32	38	22	32	38	22	32	38	22	32	38	22	32	38	22	32	38	22	32	38
Mk.:	32	32	32	34	34	34	36	36	36	38	38	38	32	32	32	34	34	34	36	36	36	38	38	38

Original Amerikan. Smith & Wesson Revolver. | Revolvers américains originaux Smith & Wesson. | S.&W. Trade-mark. | Original American Smith & Wesson revolvers. | Revólveres americanos originales Smith & Wesson.

Längere Läufe werden **ohne** Mehrpreis geliefert. **Perlmuttergriff** kostet mehr Mk. 10,—. Telegrammwort „zu" anhängen.

Les longueurs extra de canons sont gratis. La crosse de nacre coûte extra Mk. 10.—. Pour crosse de nacre ajouter „zu" au mot télégraphique.

Longer barrels supplied without extra charge. Mother of pearl grip costs additional Mk. 10.—. — Add to code word „zu".

Las longitudes extra del cañón son gratis. La culata de nácar cuesta Mk. 10.— más. Para culata de nácar añadir „zu" á la palabra telegráfica.

	313	313 a	313 b	313 c	313 d	313 e
	† Chica	† Chicaste	† Chicafti	† Chicas	† Chicastro	† Chicanbe
	Fünf Schuss, $3^{1}/_{4}$ Zoll Lauflänge, Gummigriff, **vernickelt, Einzelspanner**			Wie 313, aber amer. **blauschwarz.**		
	à 5 coups, canon de 3 pouces $^{1}/_{4}$, crosse caoutchouc, **nickelé, à simple action.**			Comme 313, mais **bleu-noir américain.**		
	five shots, length of barrel $3^{1}/_{4}$ inches, rubber grip, **nickeled, single action.**			like 313, but **blue black, American style.**		
	de 5 tiros, cañón de 3 pulgadas $^{1}/_{4}$, culata de cautchuc, niquelado, de simple acción.			Como 313, pero **negro-azul americano.**		
Cal.	38	44 R	44 WCF	38	44 R	44 WCF
Mk.	102	120	120	102	120	120

	314	314 a	314 b	314 c	314 d	314 e
	† Kalif	† Kalifist	† Kaliffer	† Kalifa	† Kalifkon	† Kalifsur
	Fünf Schuss, $3^{1}/_{4}$ Zoll Lauflänge, **Gummigriff, vernickelt, Einzelspanner**			Wie 314, aber **amer. blauschwarz.**		
	à 5 coups, canon, de 3 pouces $^{1}/_{4}$, **crosse caoutchouc, nickelé, à simple action.**			Comme 314 mais **bleu-noir américain.**		
	five shots, length of barrel $3^{1}/_{4}$ inches, **rubber grip, nickeled, single action.**			like 314, but **blue black, American style.**		
	de 5 tiros, cañón de 3 pulgadas $^{1}/_{4}$, **culata de cautchuc, niquelado, de simple acción.**			Como 314, pero negro-**azul americano.**		
Cal.	38	44 R	44 WCF	38	44 R	44 WCF
Mk.	102	S O		102	S O	

	315	315 a	315 b	315 c	315 d	315 e	315 g	315 h	315 i	315 k
	† York	† Yorkes	† Yorkestu	† Yorkesla	† Yorkesco	† Yorka	† Yorkesa	† Yorkamo	† Yorkani	† Yorkafe
	$3^{1}/_{2}$—4 Zoll langer Lauf, Repetier-Abzug, 5 Schuss, Gummigriff, **vernickelt.**					Wie 315, aber amer. **schwarzblau.**				
	Canon de 3 pouces $^{1}/_{2}$ à 4, pouces, détente à répétition, **5coups,** crosse caoutchouc, **nickelé.**					Comme 315, mais **bleu-noir américain.**				
	barrel $3^{1}/_{2}$—4 inches long, repeating trigger, **5 shots,** rubber grip, **nickeled.**					like 315, **but blue black, Amercan style.**				
	Cañón de $3^{1}/_{2}$ à 4 pulgadas, escape de repetición, **5 tiros,** culata **de cautchuc, niquelado.**					Como 315, **pero negro-azul americano.**				
Cal.	32	38	44 R	38/40 WCF	44 WCF	32	38	44 A	38/40 WCF	44 WCF
Mk.	102	111	128	128	128	102	111	128	128	128

	315 m	315 s	316	317	316 a	317 a
	† Yorkalu	† Yorksib	† Pascha	† Sultan	† Pasches	† Sultex
	$3^{1}/_{4}$ Zoll Lauflänge, Rahmen u. Abzugbügel aus einem Stück, **doppelter Verschluss,** Spiralfedern, 5 Schuss, Gummigriff, **vernickelt.**	Wie 315 e, aber amer. **schwarzblau.**	2—3 Zoll Lauflänge, **Hammerless, Sicherung** im Griff, 5 Schuss, **Gummigriff, vernickelt.**		Wie 316, aber **amerikan. schwarzblau.**	
	Longueur du canon: 3 pouces $^{1}/_{4}$, corps et sous-garde d'une seule piece, à **double fermeture,** ressorts en spirale, à 5 coups, crosse caoutchouc, **nickelé.**	Comme 315 e, mais **bleu américain.**	Canon de 2 à 3 pouces, Hammerless, sûreté à la crosse, à 5 coups, **crosse caoutchouc, nickelé.**		Comme 316, mais **bleu-noir, américain.**	
	barrel $3^{1}/_{4}$ inches long frame and trigger guard of one piece **double bolt,** spiral spring 5 shots, rubber grip, **nickeled.**	like 315 e, but blue **black American style.**	length of barrel 2—3 inches, „Hammerless" safety in grip 5 shots, rubber grip, **nickeled.**		like 316, but **blue black, American style.**	
	Longitud del cañon: 3 pulgadas $^{1}/_{4}$, culata y monte-guarda de una sola pieza, de **doble cierre,** resortes en espiral, de 5 tiros, culata de cautchuc, niquelado.	Como 315 e, **pero negroazul americano.**	Cañón de 2 á 3 pulgadas Hammerless, seguridad en la culata, de 5 tiros, culata de cautchuc, **niquelado.**		Como 316, **pero negro azul americano.**	
Cal.	38	38	32	38	32	38
Mk.	111.—	111.—	111.—	120.—	111.—	120.—

Original Amerikan. Smith & Wesson Revolver.	Revolvers américains originaux Smith & Wesson.	S. & W. Trade-mark	Original American Smith & Wesson revolvers.	Revólveres americanos originales Smith & Wesson.

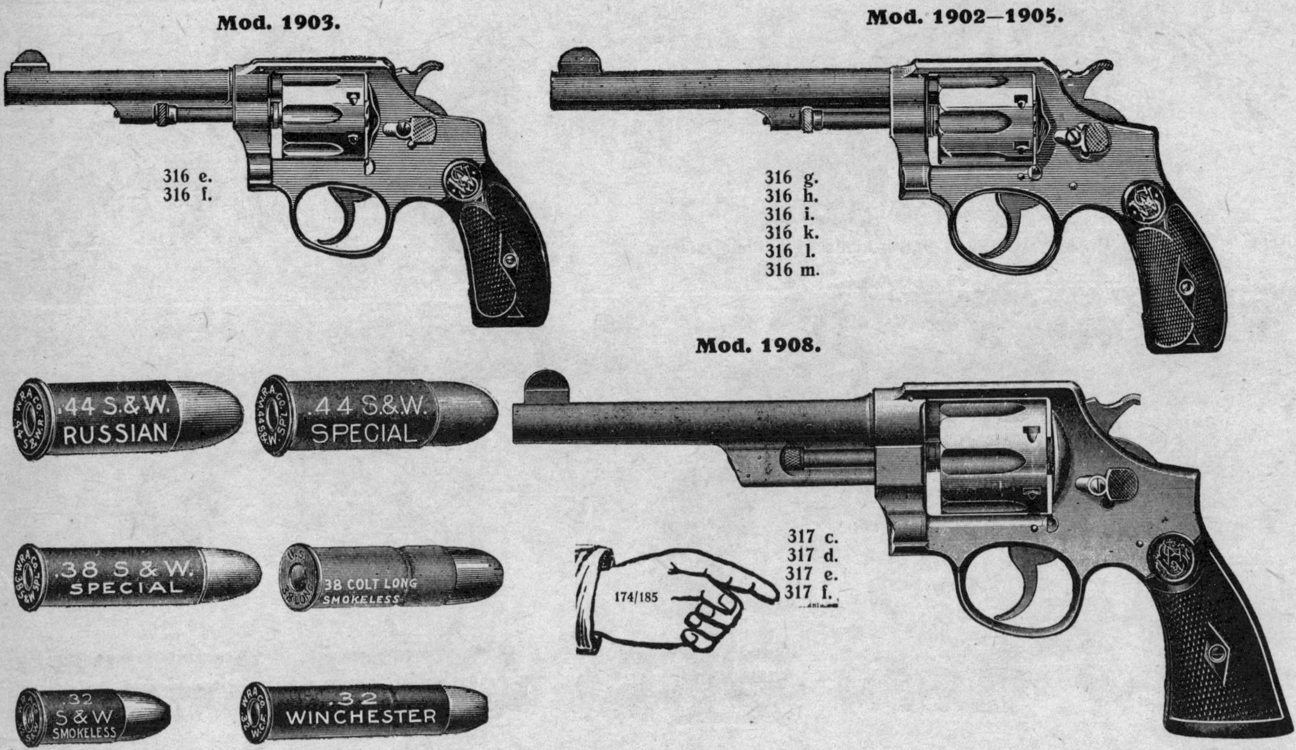

Längere Läufe werden **ohne** Mehrpreis geliefert. **Perlmuttergriff** kostet mehr Mk. 10,—. Telegrammwort „zu" anhängen.

Les longueurs extra de canons sont gratis. La crosse de nacre coûte extra Mk. 10.—. Pour crosse de nacre ajouter „zu" au mot télégraphique.

Longer barrels supplied without extra charge. Mother of pearl grip costs additional Mk. 10,—. — Add to code word „zu".

Las longitudes extra del cañón son gratis. La culata de nácar cuesta Mk. 10.— más. Para culata de nácar añadir „zu" á la palabra telegráfica.

	317 c	317 d	317 e	317 f	316 e	† 316 f	316 g	316 h	316 i	316 k	316 l	316 m
	† Sultexfe	† Sultexku	† Sultexri	† Sultexta	† Sultixne	† Sultixli	† Sultixor	† Sultixhi	† Sultixst	† Sultixga	† Sultixxe	† Sulthexe
	Lauflänge 4,5 oder 6 1/2 Zoll. **Seitlicher Auswerfer, Nussholzgriff, Armeemodell, vernickelt.**		Wie 317 c, blau.	Wie 317 d, blau.	3 1/4 Zoll Lauflänge, sonst wie 317 e, **vernickelt.**	Wie 316 e, aber amerik. **schwarzblau.**	6—7 Zoll Lauflänge, **seitlicher Ejektor,** Gummigriff, **vernickelt. Militärmodell.**			Wie 316 g, aber amerik. **schwarzblau.**		
	Longueur du canon 4,5 ou 6 pouces 1/2. **Ejecteur latéral,** crosse noyer, **modèle militaire, nickelé.**		Comme 317 c, bleu.	Comme 317 d, bleu.	canon de 3 pouces 1/4, pour le reste comme 317 e, **nickelé.**	Comme 316 e, mais **bleu américain.**	Canon de 6 à 7 pouces, **ejecteur de côté,** crosse caoutchouc, **nickelé. Modèle militaire.**			Comme 316 g, mais **bleu américain.**		
	length of barrel 4,5 or 6 1/2 inches, hand-ejector, walnut stock, **military model, nickeled.**		same as 317 c, blued.	same as 317 d, blued.	3 1/4 inch barrel otherwise like 317 e, **nickeled.**	like 316 e, but **blue black American style.**	barrel 6—7 inches long, **hand-ejector,** rubber grip, **nickeled, military model.**			like 316 g, but **blue black, American style.**		
	Cañón de 4,5 ó 6 1/2 pulgadas, **eyector al costado,** culata de nogal, **niquelado, modelo militar.**		como 317 c, peru azul.	como 317 d, pero azul.	Cañón de 3 pulgadas 1/4, para el resto como 317 e, **niquelado.**	Como 316 e, pero **azul americano.**	Cañón de 6 á 7 pulgadas, **eyector al costado,** culata de cautchuc, **niquelado, modelo militar.**			Como 316 g **pero** negro **azul americano.**		
Cal.	44 S. W. R.	44 S. W. Spez.	44 S. W. R.	44 S. W. Spez.	32 e	32 e	32 W C F	38 Spl.	38 L	32 W C F	38 Spl.	38 I.
Mark	**170.—**	**170.—**	**170.—**	**170.—**	**111.—**	**111.—**	**128.—**	**128.—**	**128.—**	**128.—**	**128.—**	**128.—**

Schutzmarke. — Marque déposée. Trade mark. — Marca registrada.

Original Colt-Revolver, amerikanisch.

Revolvers „Colt“ Originaux, fabrication américaine.

Original American „Colt“ Revolvers.

Revólveres „Colt“ originales, Fabricación americana.

.32 S&W. LONG

321
321 a

174/185

.32 S.&W. LONG SMOKELESS

319
319 a

320 d, 320 e, 320 f, 320 g

.41 LONG COLT D.A.

38 S.&W. SPECIAL SMOKELESS

320, 320 a,
320 b, 320 c

.38 S&W. SPECIAL

.32 WINCHESTER

Besondere Lauflängen werden extra berechnet.

8 0

Perlmuttergriff kostet mehr Mk.: 10,—.

†Telegrammwort „zu“ anhängen.

Les longueurs de canon extra seront facturées en plus

8 0

La crosse de nacre coûte en plus Mk.: 10,—.

† Pour crosse nacre ajouter au mot télégraphique „zu“

Extra charge for barrels in special lengths.

8 0

Mother of pearl grip cost additional Mk.: 10,—.

† Add to code word „zu“.

Las longitudes de cañón extra se cuentan á parte.

8 0

La culata de nácar cuesta Mk.: 10,— más.

† Para culata de nácar añadir „zu“ á la palabra telegráfica

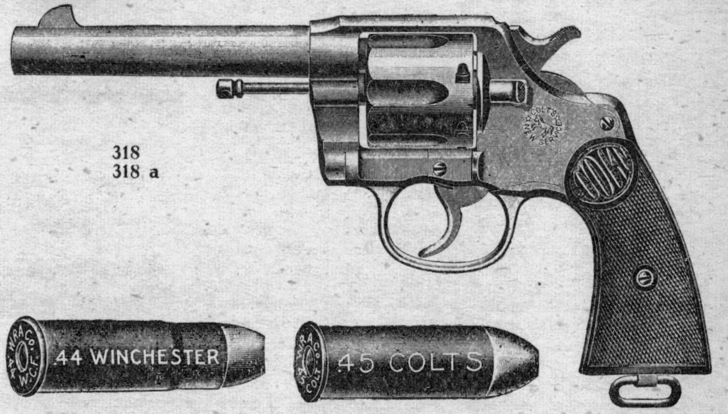

318
318 a

.44 WINCHESTER

.45 COLTS

No.	321	321 a	319	319 a	320	320 a	320 b	320 c	320 d	320 e	320 f	320 g	318	318 a
†	Frank	Frankke	Firlo	Firlosex	Firlosie	Firloax	Firloneu	Firlozen	Firloelf	Firlozwi	Firloxal	Firloxus	Firloxem	Figul
	$2\frac{1}{2}$—$3\frac{1}{2}$ Zoll langer Lauf, Gummigriff, ff. vernickelt	wie 321, aber amerikanisch, blauschwarz	$2\frac{1}{2}$ Zoll langer Lauf, Gummigriff, ff. vernickelt	wie 319, aber amerikanisch, blauschwarz	4 Zoll langer Lauf, Gummigriff, ff. vernickelt		wie 320, aber amerikanisch, blauschwarz		$4\frac{1}{2}$—6 Zoll langer Lauf, Gummigriff, ff. vernickelt		wie 320 d, aber amerikanisch, blauschwarz		$5\frac{1}{2}$ Zoll langer Lauf, Gummigriff, amerikanisch, blauschwarz	
	Canon de 2 pouces $\frac{1}{2}$ à $3\frac{1}{2}$, crosse caoutchouc, soigneusement nickelé	Comme 321 mais bleu noir américain	Canon de 2 pouces $\frac{1}{2}$, crosse caoutchouc, soigneusement nickelé	Comme 319, mais bleu noir américain	Canon de 4 pouces, crosse de caoutchouc, nickelé		Comme 320, mais bleu noir américain		Canon de 4 pouces $\frac{1}{2}$ à 6 pouces, crosse caoutchouc, soigneusement nickelé		Comme 320 d, mais bleu noir américain		Canon de 5 pouces $\frac{1}{2}$, crosse caoutchouc, bleu noir américain	
	length of barrel $2\frac{1}{2}$—$3\frac{1}{2}$ inches, rubber grip, very finely nickeled	like 321 but blue black American style	barrel $2\frac{1}{2}$ inches long, rubber grip finely nickeled	like 319, but blue black American style	barrel 4 inches long, rubber grip, finely nickeled		like 320, but blue black, American style		length of barrel $4\frac{1}{2}$—6 inches, rubber grip finely nickeled		like 320 d but blue black American style		barrel $5\frac{1}{2}$ inches long, rubber grip, blue black American style	
	Cañón de 2 pulgadas y $\frac{1}{2}$ à 3 y $\frac{1}{2}$, culata de cautchuc, niquelado	Como 321 pero azul-negro americano	Cañón de 2 pulgadas y $\frac{1}{2}$, culata de cautchuc, niquelado	Como 319, pero azul-negro americano	Cañón de 4 pulgadas, culata de cautchuc, niquelado		Como 320, pero azul-negro americano		Cañón de 4 pulgadas $\frac{1}{2}$ á 6 pulgadas, culata de cautchuc, niquelado		Como 320 d, pero negro-azul americano		Cañón de 5 pulgadas $\frac{1}{2}$, culata de cautchuc, negro-azul americano	
Cal.	32 ong	32 long	32 long	32 long	32 Winch	38 Sp.	32 Winch	38 Spec	38 Sp.	41 L C D A	38 Sp.	41 L C D A	44 Winch	45 Colt
Mk.	98,—	98.—	106,—	106,—	106,—	106,—	106,—	106,—	116,—	116,—	116,—	116,—	128,—	128,—

Original Colt-Revolver, amerikanisch.
Revolvers Colt, originaux, fabrication américaine.
Original American Colt Revolvers.
Revólveres „Colt“ originales, fabricación americana.

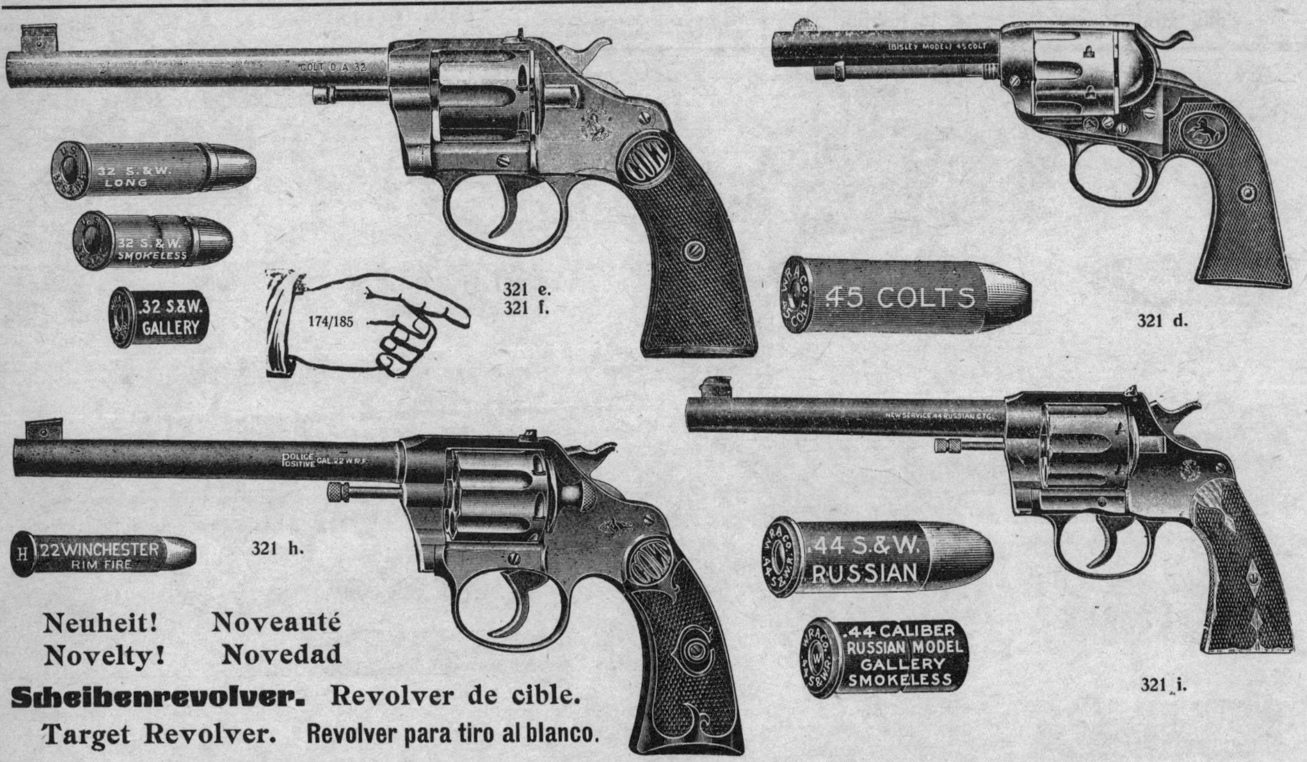

321 e. 321 f.

321 d.

321 h.

321 i.

Neuheit! Noveauté
Novelty! Novedad

Scheibenrevolver. Revolver de cible.
Target Revolver. Revolver para tiro al blanco.

Besondere Lauflängen werden extra berechnet.	Les longueurs de canon extra seront facturées en plus.	Extra charge for special length barrel.	Las longitudes del cañón extra se provéen con aumento.
SO	SO	SO	SO
Perlmuttergriff kostet mehr M. 10.—	La crosse nacre coûte en blus M. 10.—	Mother of pearl grip costs additional M. 10.—	Culata de nácar cuesta M. 10.— más.
†Telegrammwort „zu“ anhängen.	Pour crosse † nacre on ajoute, au mot télégraphique: „zu“.	†Add to codeword „zu“.	Para culata de nácar, añadir † „zu“ á la palabra telegráfica.

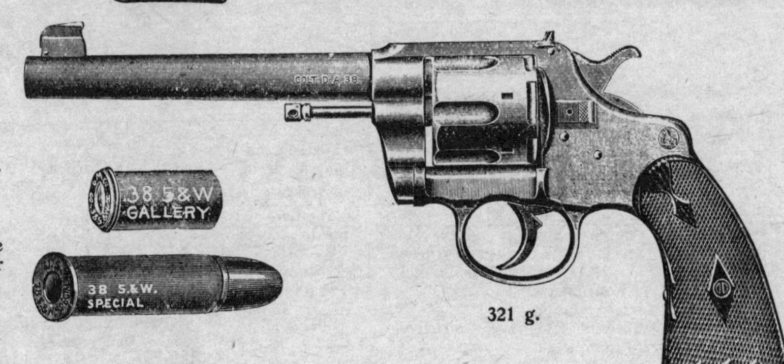

321 g.

321 d	321 e	321 f	321 g	321 h	321 i
† Figulimi	† Figulono	† Figulusu	† Figulast	† Figulerm	† Figulins
6 Schuss, Gummigriff, amer. schwarzblau, einfache Bewegung. $4^3/_4$ Zoll Lauflänge	6 Zoll-Lauf, verstellbares Scheibenvisier, Gummigriff, 6 Schuß, amerikanisch schwarzblau		$7^1/_2$ Zoll-Lauf, verstellbares Korn und Scheibenvisier, Holzgriff, 6 Schuß, amerikanisch schwarzblau	**Scheibenrevolver.** 6 Zoll-Lauf, Gummigriff, 7 Schuß, amerikanisch schwarzblau	$7^1/_2$ Zoll langer Lauf, 6 Schuß, Holzgriff, amerikanisch schwarzblau
à 6 coups, crosse caoutchouc, bleu américain, à simple action canon de 4 pouces $^3/_4$	Canon de 6 pouces, point de mire pour cible ajustable, crosse caoutchouc, à 6 coups, bleu américain		Canon de 7 pouces $^1/_2$, point de mire et hausse de cible ajustables, crosse de bois, 6 coups, bleu américain	**Revolver de cible.** Canon de 6 pouces, crosse caoutchouc, à 7 coups, bleu américain	Canon de 7 pouces $^1/_2$, 6 coups, crosse de bois bleu américain
Blue black, american style, 6 shots, single action. Length of barrel $4^3/_4$ inches	length of barrel 6 inches, adjustable target sight, rubber grip, blue black, American style		barrel $7^1/_2$ inches long, adjustable target sight, walnut grip, 6 shots, blue black, American style	**Target-Revolvers.** 6 inch barrel, rubber grip, 7 shots, blue black, American style	$7^1/_2$ inch barrel, 6 shots, walnut grip, blue black, American style
De 6 tiros, caja de cautchuc, azul americano, de simplé acción cañón de 4 pulgadas $^3/_4$	Cañón de 6 pulgadas, punto de mira para blanco ajustable, culata de cautchuc, de 6 tiros, azul americano		Cañón de 7 pulgadas y $^1/_2$, punto de mira ajustable, culata de madera, de 6 tiros, negro azul americano	Revolver de tiro al blanco. Cañón de 6 pulgadas, culata de cautchuc, de 7 tiros, negro azul americano	Cañón de 7 pulgadas y $^1/_2$, de 6 tiros, culata de madera, negro-azul americano
Cal. 45 Colt	Cal. 32	Cal. 32 L	Cal. 38 Spezial	Cal. 22 Winchester R F	Cal. 44 R
Mark 118.—	Mark 118.—	Mark 118.—	Mark 146.—	Mark 118.—	Mark 208.—

Für deutsche Armee-Revolver-Patrone, Mod. 79/83.
Pour la cartouche du revolver d'ordonnance allemand mod. 79/83.
for German military revolver cartridge mod. 79/83.
Para el cartucho del revólver de ordenanza alemán Mod. 79/83.

M 83

175/178
184/185

291.
291 a.

Armee-Revolver.
Revolvers militaires.
Military Revolvers.
Revólveres militares.

292.
292 a.

293.

291 † Solda	291a † Soldava	292 † Serga	292a † Sergassa
Umgesetzer Stahllauf, **Nussholzgriff,** Sicherung, Ring, **schwarz.**	Wie 291, einfacher gearbeitet, **ohne Sicherung.**	Eingeschraubter Stahllauf, **Nussholzgriff,** Sicherung, Ring, Teile gebläut und gehärtet, **schwarz glasiert.**	Wie 292, aber **einfacher, schwarz.**
Canon d'acier apposé, **crosse de noyer,** sûreté anneau, **noir.**	Comme 291, travaillé plus simplement **sans sûreté.**	Canon d'acier vissé, **crosse noyer,** sûreté, anneau, pièces bleuies et trempées, **noir glacé**	Comme 292, mais plus **simple, noir.**
changed steel barrel **walnut grip,** safety, ring, **black**	like 291, simple make **without safety.**	steel barrel screwed on, **walnut grip,** safety, ring, blue parts and hardened, **glazed black.**	like 292, but **simple,** make **black.**
Cañon de acero interealado **culata de nogal,** seguridad, anillo, **negro.**	Como 291, modelo trabajado mas sencillo, **sin seguridad.**	Cañón de acero atornillado, **culata de nogal,** seguridad, anillo, piezas azuladas y templadas, **negro glaseado.**	Como 292, pero mas **simple, negro.**
Mark 18.—	14.—	30.—	28.—

293 † Offic
Wie 292, aber **beste,** vorschriftsmässige deutsche **Regierungs-**Qualität. Teile gelb angelassen, glas**hart, schwarz glasiert.**
Comme 292, mais de la **meilleure qualité** type réglementaire **allemand,** pièces jaunes, **noir glacé** très **résistant.**
like 292, but **best quality** as prescribed for **German army,** yellow parts, very hard, **glazed black.**
Como 292, pero de la **mejor calidad** tipo reglementario **alemán,** piezas amorillas, **negro glaseado** muy resistente.
60.—

Armee-Revolver. | Revolvers militaires. | Military Revolvers. | Revólveres militares.

Bei entsprechenden Aufträgen werden obige Revolver auch in anderen Lauflängen und Calibern geliefert.

S'il s'agissait de commandes suffisantes, les revolvers ci-dessus pourraient être livrés dans d'autres longueurs de canon et dans d'autres calibres.

If the orders are adequate the above revolvers are supplied also with barrels of different length and in other calibers.

Si se trata de pedidos importantes, se pueden proveér los revólveres aqué indicados con cañon de otras longitudes y en otros calibres.

175/177

291 b † Lerusbel	291 c † Leruspol	291 d † Narudrei	291 e † Naruvier	291 f † Narukax
Russischer Polizei-Revolver Hammerless, sechs Schuss, fein **schwarz,** kleine Teile gelb angelassen, **Nussholzgriff** gerippt.		**Ordonnanz-Revolver** Mod. 83, zerlegbar, Holzgriff, Sicherung, Ring, **englisch schwarz**	**Russischer Polizei-Revolver** mit Hahn, Ausstattung **ähnlich** 291 b	
Revolver de police russe Hammerless, à 6 coups, **noir** élégant, petites pièces jaunes, **crosse noyer** quadrillée		Revolver d'**ordonnance mod. 1883,** démontable, crosse de bois, sûreté, anneau, **noir anglais**	**Revolver de police russe** avec chien, type **similaire** au 291 b	
Russian police-revolver Hammerless, six shots, fine **black** colour, small parts yellow, **walnut grip** ribbed.		**Military** revolver, **mod. 1883,** can be taken to pieces, safety ring, **English black**	**Russian police-revolver** with hammer, equipment **similar** to 291 b	
Revólveres de policia rusa Hammerless, de 6 tiros, **negro** elegante, pequeñas piezas amarillas, **culata de nogal** labrada.		Revolver de **ordonanza, modelo 1883,** desmontable, culata de madera, seguridad anillo, **negro inglés**	**Revolver de policia rusa** con gatillo, tipo **similar** al 291 b	

Cal.	Nagant	Lebel	M. 83	Nagant	Lebel
Mark	26.—	26.—	53.—	25.50	25.50

Armee-Revolver. | Revolvers militaires. | Military Revolvers. | Revólveres militares.

175/178
184/185

Modell 92.

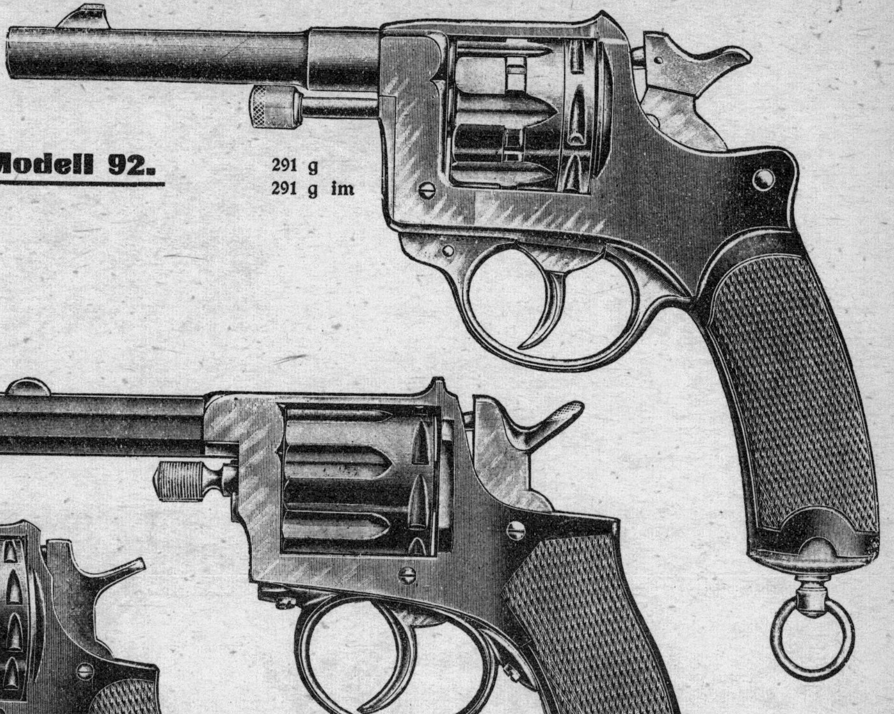

291 g
291 g im

291 k
291 l
291 m
291 n

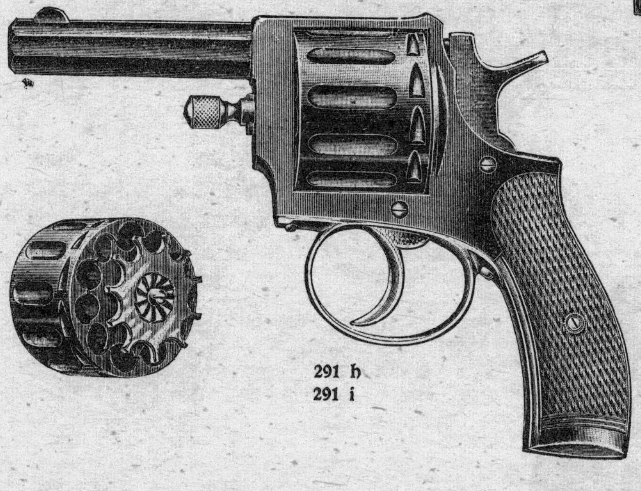

291 h
291 i

Bei entsprechenden Aufträgen werden obige Revolver auch in anderen Lauflängen und Calibern geliefert.

S'il s'agissait de commandes suffisantes les revolvers ci-dessus pour raient être livrés avec canon d'autres longueurs ou dans d'autres calibres.

If the orders are adequate the above revolvers are supplied also with barrels of different length and in other calibers.

Si se trata de pedidos importantes, se pueden proveer los revólveres aqui indicados con cañon de otras longitudes y en otros calibres.

	201 g	291 g im	291 h	291 i	291 k	291 l	291 m	291 n
	† Narufunf	† Narufuim	† Narusexo	† Narumu	† Narusieb	† Naruzwol	† Naruzehn	† Narubox
	Original Französischer Ordonnanz-Lebel-Revolver Modell 1892, zerlegbar, 6 Schuss, Teile gelb angelassen, **Nussholzgriff** gerippt, **fein schwarz**	wie 291 g, **nicht zerlegbar,** solide und gute Imitation	**Polizei-Revolver** „Bulldog", **japanisches** Modell, zerlegbar, **11** Schuss, Abzug und Hahn gebläut, englisch **schwarz, Nussholzgriff**		**Französischer Ordonnanz- und Polizei-Revolver, 7 Schuss,** eingeschraubter Stahllauf, schwarze Walze, Kasten bunt gehärtet, Hahn und Abzug **blau, Nussholzgriff gerippt**		wie 291 k, aber **zerlegbar**	
	Revolver d'Ordonnance Français Original Lebel Mod. 1892, démontable, à 6 coups, pièces jaunes, **crosse noyer** à côtes, **noir élégant**	comme 291 g, **non-démontable,** solide et bonne imitation	**Revolver de police** „Bulldog", modèle **Japonais, démontable,** à **11** coups, détente et chien bleuis, **noir** anglais, **crosse noyer**		**Revolver d'ordonnance et de police français, à 7 coups,** canon d'acier vissé, barillet noir, culasse trempée jaspée chien et détente **bleus, crosse noyer à côtes**		comme 291 k, mais **démontable**	
	Original French military Lebel-revolver, model 1892, can be taken to pieces, 6 shots, yellow parts, **walnut grip** ribbed, **fine black** colour	like 291 g, can **not be taken to pieces,** good and solid imitation.	**Police revolver** „Bulldog", **Japanese** model, can be taken to pieces, **11** shots, trigger and hammer, **blued, English black, walnut grip**		**French military and police revolver, 7 shots,** steel barrel screwed on black cylinder, case coloured hardened, hammer and trigger **blue, walnut grip ribbed**		like 291 k, but for **taking to pieces**	
	Revólver de ordonanza francés, original Lebel, Modelo 1892, desmontable, de 6 tiros, piezas amarillos **culata de nogal** labrada, **negro elegante**	como 291 g, **no desmontable,** solido y buena imitatión	**Revólver de policia** „Bulldog", modelo **japanés, desmontable,** de **11** tiros, escape y gatillo **azulados, negro inglés, culata de nogal**		**Revólver de ordonanza y de policia francesa, de 7 tiros,** cañon de acero atornillado, cilindro negro, armazon templado y jaspeada, gatillo y escape **azules culata de nogal labrada**		como 291 k, pero **desmontable**	
Cal.	Lebel	Lebel	Nagant	Lebel	Nagant	Lebel	Nagant	Lebel
Mark	52.—	42.—	33.—	33.—	25.—	25.—	30.—	30.—

Armee-Revolver. | Revolvers militaires. | Military revolvers. | Revólveres militares.

Mauser.

Cal.  8 mm (Lebel Mod. 92)

Cal.  7,62 (3 lignes russes)

126/127
175/185

291 r
291 s

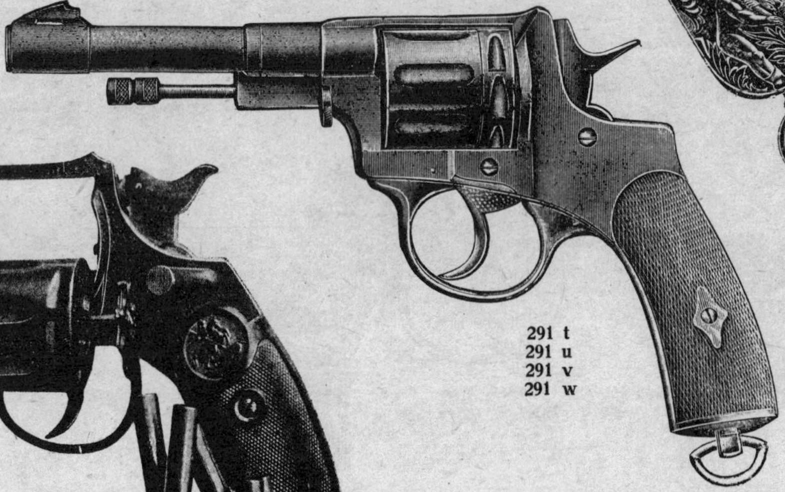

291 t
291 u
291 v
291 w

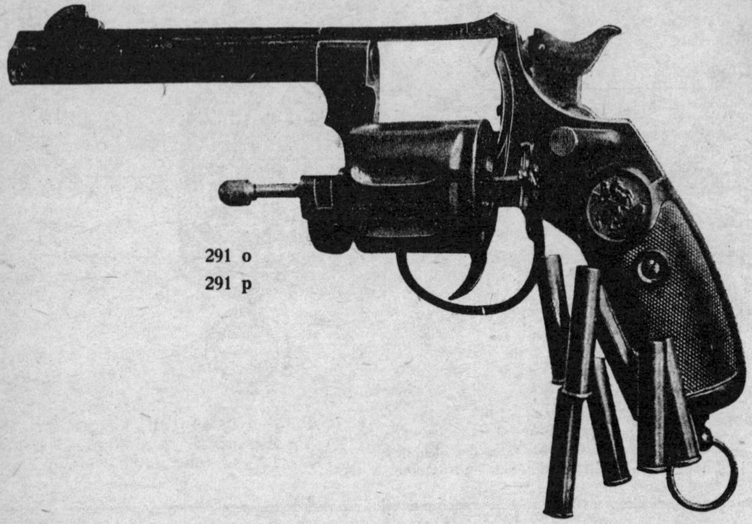

291 o
291 p

291 o	291 p
† Stendein	† Stendzwei

Original Chinesischer Offiziers-Revolver Grah, **Colt Ejector**, Gewicht 855 g **Gummigriff**, Ia. Stahllauf mit Spezialzügen, Hahn und Teile **blau**, sonst **tiefschwarz, 7 Schuss.**

Revolver d'officier, chinois, original Grah, éjecteur Colt, poids 855 grammes, crosse caoutchouc, canon acier extra, á rayures spéciales, chien et pièces **bleus**, pour le reste **noir foncé, à 7 coups.**

Original Chinese officer's Revolver ‚Grah' rubber grip, **Colt ejector**, weight 855 grammes, prime steel barrel, specially rifled, hammer and parts **blue**, otherwise **deep black, 7 shots.**

Révolver chino por oficiales, original ‚Grah', ejector Colt, peso 855 gramos, mango cautchuc, cañón acero extra, rayado especialmente, gatillo y piezas **azules**, por el resto a **negro oscuro, de 7 tiros.**

Cal.	Lebel	Nagant
Mk.	40.—	40.—

291 r	291 s
Stendtrei	† Stendvier

Original Mauser Armeerevolver, Gummigriff, alle Teile **blau-schwarz**, Ia. Arbeit, Sicherung, Ring.

Revolver militaire allemand Original Mauser, crosse caoutchouc, toutes les pièces bleues-noires, travail extra, sûreté, anneau.

Original military revolver Mauser rubber grip, all parts blue black, prime make, safety, ring.

Revólver militar alemán original Mauser, mango de cautchuc, todas las piezas con azules negras, trabajo extra, seguridad, anillo.

Mauser 10,6 mm	Mauser 9 mm
60.—	60.—

291 t	291 u	291 v	291 w
† Stendfinf	† Stendsexo	† Stendsieb	† Stendach

Russischer Ordonnanzrevolver, englisch schwarz, Hahn und kleine Teile gebläut, Nussholzgriff gerippt.

7 Schuss. | **9 Schuss.**

Revolver d'ordonnance Russe, noir anglais, chien et petites pièces bleuis, crosse noyer á côtes.

à 7 coups. | **à 9 coups**

Russian military rifle, English black, hammer and small parts blue, ribbed walnut grip.

7 shots. | **9 shots.**

Revolver militar ruso, negro inglés, gatillo y piezas pequeñas azules, culata de nogal labráda.

de 7 tiros. | **de 9 tiros.**

Nagant	Lebel	Nagant	Lebel
27.—	27.—	28.—	28.—

Armee-Revolver. | Revolvers militaires. | Military revolvers. | Revólveres militares.

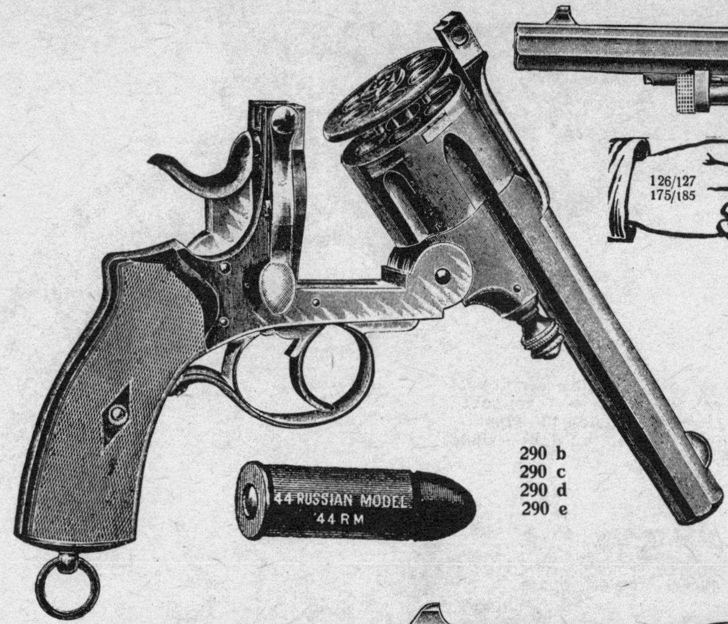

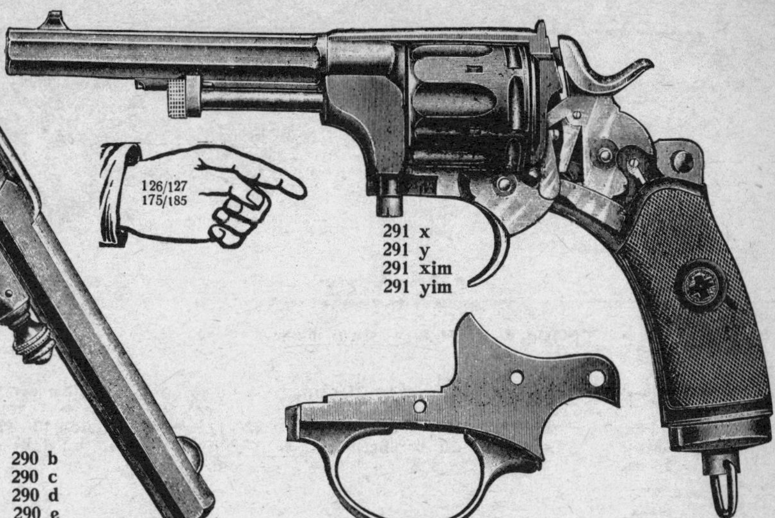

126/127
175/185

291 x
291 y
291 xim
291 yim

44 RUSSIAN MODEL
44 R M

290 b
290 c
290 d
290 e

Gasser.

Cal.  450 450

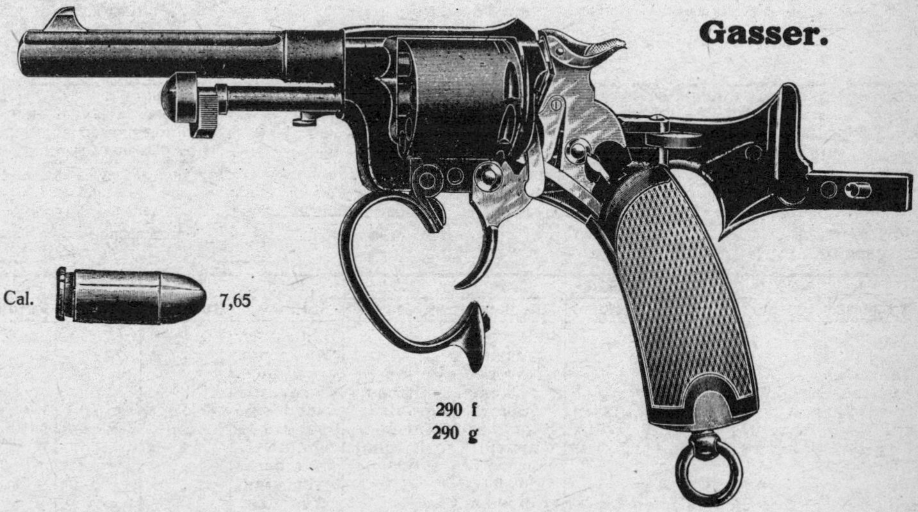

Cal.  GASSER 8 m/m 8 mm

Cal. 7,65

290 f
290 g

291 x	291 y	291 xim	291 yim	290 b	290 c	290 d	290 e	290 f	290 g
† Stendneun	† Stendzehn	† Stendelfe	† Stendzwol	† Stendaun	† Stendzwua	† Stendtrio	† Stendoure	† Stendfixto	† Stendsuxa
Original Schweizer Ordonnanz Revolver Mod. 1882, **Zerlegbar** 6 Schuss, Hahn und Teile gelbblau angelassen, **Gummigriff** mit Bundeskreuz **schwarz** brüniert.		Wie 291 x gute solide Imitation **nicht** zerlegbar.		**Warnant**-Revolver 6 Schuss, Nussholzgriff gerippt, Ring, **Warnant-Ejector, schwarz.**		Wie 290 b **vernickelt.**		**Oesterr. Offiziers-Revolver** Gasser **8 Schuss** zerlegbar, Nussholzgriff gerippt, Teile angelassen fein **schwarz.**	
Revolver d'ordonnance suisse Original Mod. 1882, démontable, à 6 coups, chien et pièces bleus de la jaunes crosse caoutchouc avec croix de la Federation suisse, **bruni noir**		Comme 291 x bonne et solide imitation **non** démontable.		**Revolver Warnant, à 6** coups crosse noyer à côtes anneau, **éjecteur Warnant,** noir.		Comme 290 b **nickelé.**		**Revolver d'officier autrichien Gasser,** à 8 coups, démontable, crosse noyer à côtes, pièces d'un noir élégant.	
Orig. Swiss military rifle mod. 1882, can be taken to pieces, 6 shots hammer and parts yellow, blue rubber grip with federal cross **polished black.**		Like 291 x good solid imitation **cannot be taken** to **pieces.**		**Warnant Revolver,** 6 shots, walnut grip, ribbed ring, **Warnant ejector** black.		like 290 b **nickeled.**		**Austrian officer's revolver** Gasser, 8 shots, can be taken to pieces, walnut grip, fine **black** parts.	
Revólver militar suizo original Mod. 1882, desmontable de 6 tiros, gatillo y piezas pequeñas azules amarillas mango de cautchuc con cruz de la federación suiza **bruñido negro.**		Como 291 x buena y sólida imitation **no desmontable.**		**Revólver Warnant, de 6 tiros,** mango de nogal labrado, anillo, **eyector Warnant,** negro.		Como 290 b **niquelado.**		**Revólver de oficial Austriaco Gasser,** de 8 tiros, desmontable, mango de nogal labrado, piezas de un **negro** elegante.	
Cal. Nagant	Lebel	Nagant	Lebel	44 R	45 O	44 R	45 O	Gasser 8	Brown. 7,65
Mk. 41.—	41.—	27.—	27.—	19. –	18.50	19.—	18.50	58.—	58-—

Revolver à Piston. | Revolvers à piston. | Piston revolvers. | Revólveres de pistón.

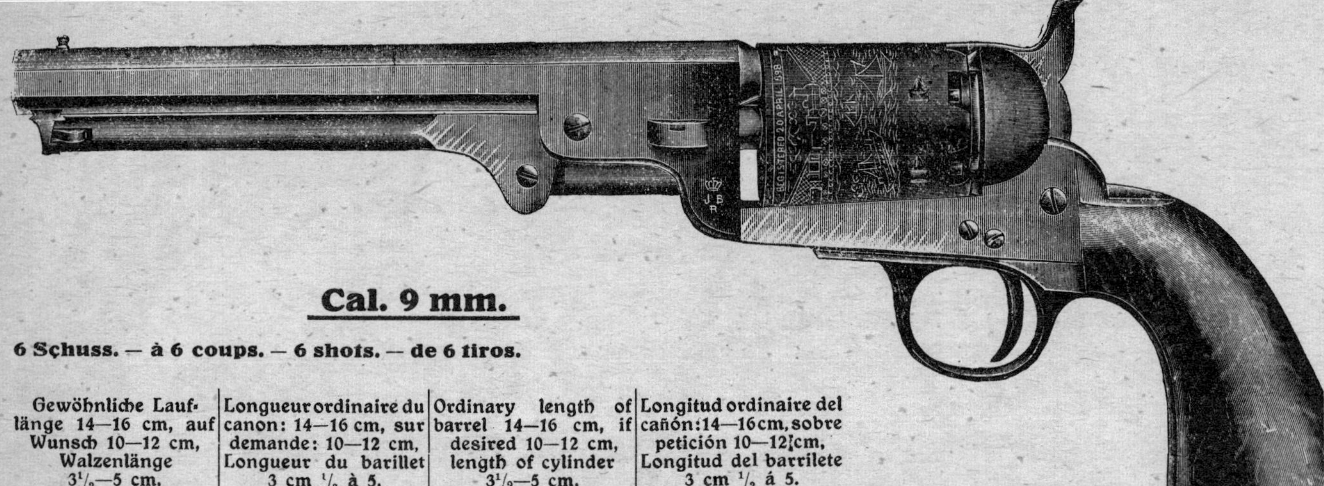

Cal. 9 mm.

6 Schuss. — à 6 coups. — 6 shots. — de 6 tiros.

Gewöhnliche Lauflänge 14—16 cm, auf Wunsch 10—12 cm, Walzenlänge $3^1/_2$—5 cm.	Longueur ordinaire du canon: 14—16 cm, sur demande: 10—12 cm, Longueur du barillet 3 cm $^1/_2$ à 5.	Ordinary length of barrel 14—16 cm, if desired 10—12 cm, length of cylinder $3^1/_2$—5 cm.	Longitud ordinaire del cañón: 14—16 cm, sobre petición 10—12 cm, Longitud del barrilete 3 cm $^1/_2$ á 5.

2
199/203
287/293

Cal. 9 mm.

5 Schuss. — à 5 coups. — 5 shots. — de 5 tiros.

Nussholzgriff aus einem Stück kostet mehr Mk. 2.— † Telegrammwort „nu" anhängen	Crosse de noyer d'une seule pièce coûte en plus Marcs 2.— † ajouter: „nu" au mot télégraphique	Walnut grip in one piece costs additional M. 2.— † add to code-word „nu"	Culata de nogal de una sola piesa cuesta Marcos: 2.— † más añadir „nu" à la palabra telegráfica.
Caliber, Lauflänge, Name und Stempel nach Wunsch ohne Mehrkosten	Calibres, longueurs du canon, et marques selon demande, sans augmentation de prix	Caliber lengths of barrel name and stamp according to desire without additional charge	Calibres, longitudes del cañon y sellos según piedido sin aumento de precio.
Für Messinggarnitur **S O**	Pour garniture de laiton **S O**	For brass mounting **S O**	Para montura de latón **S O**

293 a	293 b	293 c	293 d	293 e	293 f	293 g	293 h	293 i	293 k	293 l	293 m	293 n	293 o
† Stefosam	Stefoker	Stefocon	Stefosal	Stefosmi	Stefostra	Rumisor	Rumitan	Rumilik	Rumines	Rumipul	Rumixet	Rumifar	Rumilog
Ohne Gravur, blau, glatt, Nussholzgriff, 6 Schuss	wie 293 a, vernickelt, 6 Schuss	wie 293 a, Knochengriff, 6 Schuss	wie 293 b, Knochengriff, 6 Schuss	Kasten bunt gehärtet, Trommel mit Schiffsgravur, Bügel vernickelt, Nussholzgriff, 6 Schuss	Vernickelt, erhaben, graviert, Knochengriff, glatt, 6 Schuss	Ganz blau, Walze mit Schiffsgravur, Kasten und Lauf silberpunktiert, Knochengriff, glatt, 6 Schuss	wie 293 a, 5 Schuss	wie 293 b, 5 Schuss	wie 293 c, 5 Schuss	wie 293 d, 5 Schuss	wie 293 e, 5 Schuss	wie 293 f, 5 Schuss	wie 293 g, 5 Schuss
sans gravure, bleu, uni, crosse noyer, à 6 coups	comme 293 a, nickelé, à 6 coups	comme 293 a, crosse os, à 6 coups	Comme 293 b, crosse os, à 6 coups	Corps bleu trempé, jaspé barillet avec vaisseaux gravés, sous-garde nickelée, crosse noyer, à 6 coups	Nickelé, gravure à fonds creux, crosse os unie, à 6 coups	Entièrement bleu, barillet avec vaisseaux gravés, corps et canon mouchetés argent, crosse os unie, à 6 coups	comme 293 a, à 5 coups	comme 293 b, à 5 coups	comme 293 c, à 5 coups	comme 293 d, à 5 coups	comme 293 e, à 5 coups	comme 293 f, à 5 coups	comme 293 g, à 5 coups
without engraving, blue, smooth, walnut grip, 6 shots	like 293 a, nickeled, 6 shots	like 293 a, bone grip, 6 shots	like 293 b, bone grip, 6 shots	case hardened, cylinder with ship engraved, nickled guard, walnut grip, 6 shots	nickeled, raised, engraving, smooth bone grip, 6 shots	quite blue, cylinder with ship engraved, case and barrel with silver spots, smooth bone grip, 6 shots	like 293 a, 5 shots	like 293 b, 5 shots	like 293 c, 5 shots	like 293 d, 5 shots	like 293 e, 5 shots	like 293 f, 5 shots	like 293 g, 5 shots
sin grabado, azul, unido, culata de nogal, de 6 tiros	Como 293 a, niquelado, de 6 tiros.	Como 293 a, culata de hueso, de 6 tiros	Como 293 b, culata de hueso, de 6 tiros	Cuerpo azul templado, cilindro con barcos grabados, salva-guardia niquelada, culata de nogal, de 6 tiros	Niquelado, grabado de fondos, huecos, culata de hueso unida, de 6 tiros	Todo azul, cilindro con barcos grabados, de 6 tiros culata de hueso unida	Como 293 a, de 5 tiros	Como 293 b, de 5 tiros	Como 293 c, de 5 tiros	Como 293 d, de 5 tiros	Como 293 e, de 5 tiros	Como 293 f, de 5 tiros	Como 293 g, de 5 tiros
Mk. 28.50	Mk. 30.—	Mk. 31.—	Mk. 32.—	Mk. 29.—	Mk. 30.—	Mk. 31.—	Mk. 27.50	Mk. 29.—	Mk. 30.—	Mk. 31.—	Mk. 28.—	Mk. 29.—	Mk. 30.—

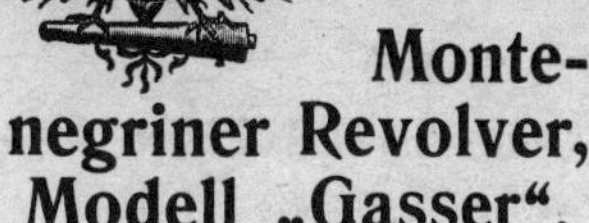

Montenegriner Revolver, Modell „Gasser".	Revolvers monténégrins, modèle „Gasser".	Montenegro revolvers, model „Gasser".	Revólveres montenegrinos, modelo „Gasser".
Belgisches Fabrikat!	**Fabrication belgé**	**Made in Belgium!**	**Fabricación belga**
5 Schuss	**à 5 coups**	**5 shots**	**de 5 tiros**

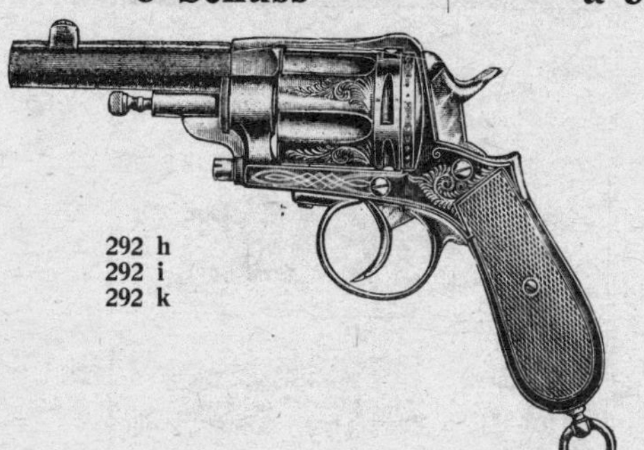

292 h
292 i
292 k

„Montenegro" Gasser.

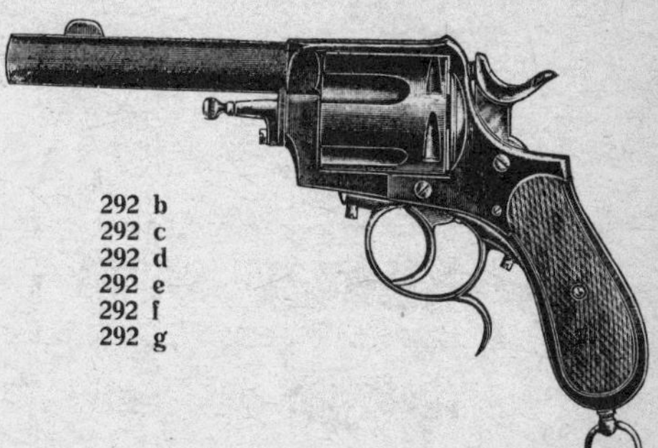

292 b
292 c
292 d
292 e
292 f
292 g

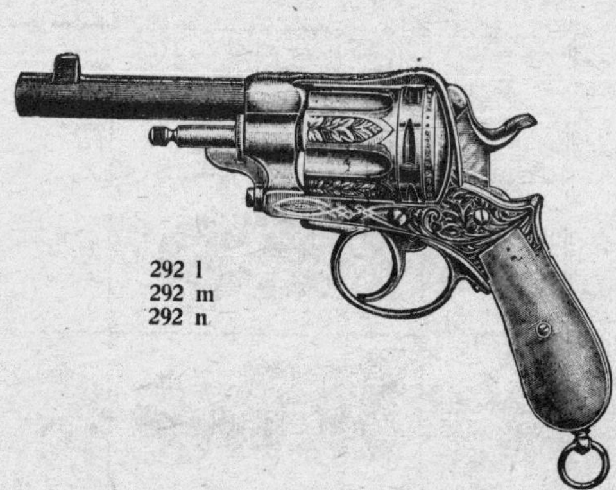

292 l
292 m
292 n

292 o
292 p
292 r
292 s

292 t
292 u

Lauflänge 12 cm oder länger resp. kürzer, ganz nach Wunsch ohne Mehrkosten. Für andere Ausführungen: S O

Longueur du canon 12 cm ces revolvers sont livrés avec canons plus longs ou plus courts, selon demande, sans augmentation de prix. Pour autres exécutions: S O

Length of barrel 12 cm, but also supplied longer or shorter according to desire without extra charge. For other makes: S O

Longitud del cañón 12 cm, Estos revólveres se provéen tambien con cañónes más largos o más cortos, según pedido y sin aumento. Para otras ejecuciones: S O

292 b	292 c	292 d	292 e	292 f	292 g	292 h	292 i	292 k	292 l	292 m	292 n	292 o	292 p	292 r	292 s	292 t	292 u
† **Gasseral**	† Gasseres	† Gasserit	† **Gasserof**	† Gasserux	† Gassirst	† **Gassirla**	† Gassirte	† Gassirti	† **Gassirfe**	† Gassirxu	† Gastoral	† **Gastores**	† **Gastorit**	† **Gastorof**	† Gastorux	† **Gastorst**	† **Gastorfl**
vernickelt, Holzgriff	wie 292 b, grau	wie 292 b, schwarz	vernickelt, Knochengriff	wie 292 e, grau	wie 292 e, schwarz	vernickelt, graviert, Holzgriff	wie 292 h, grau	wie 292 h, schwarz	vernickelt, Knochengriff, graviert	wie 292 l, grau	wie 292 l, schwarz	mit Handejector vernickelt, Holzgriff	mit Handejector, Holzgriff, schwarz	mit Handejector, Knochengriff, vernickelt	wie 292 r, schwarz	mit Handejector, vernickelt, graviert, Holzgriff	wie 292 t, aber noch mit vergoldeten Gravurteilen
nickelé, crosse de bois	Comme 292 b, gris	Comme 292 b, noir	Nickelé, crosse os	Comme 292 e, gris	Comme 292 e, noir	Nickelé, gravé, crosse bois	Comme 292 h, gris	Comme 292 h, noir	Nickelé, crosse os, gravé	Comme 292 l, gris	Comme 292 l, noir	avec éjecteur à main, nickelé, crosse de bois	avec éjecteur á main, crosse de bois, noir	avec éjecteur á main, crosse d'os, nickelé	Comme 292 r, noir	avec éjecteur à main, nickelé, gravé, crosse de bois	Comme 292 t, mais en plus avec pièces gravées et dorées
nickeled, wooden grip	like 292 b, grey	like 292 b, black	nickeled bone grip	like 292 e, grey	like 292 e, black	nickeled, engraved wooden grip	like 292 h, grey	like 292 h, black	nickeled bone grip engraved	like 292 l, grey	like 292 l, black	with hand-ejector, nickeled, wooden grip	with hand-ejector, wooden grip black	with hand-ejector, bone grip nickeled	like 292 r, black	with hand-ejector, nickeled engraved wooden grip	like 292 t, but with gilt engraved parts
Niquelado culata de madera	Como 292 b, gris	Como 292 b, negro	Niquelado, culata de hueso	Como 292 e, gris	Como 292 e, negro	Niquelado, grabado, culata de madera	Como 292 h. gris	Como 292 h, negro	Niquelado, culata de hueso, grabado	Como 292 l, gris	Como 292 l, negro	Con eyector á mano, niquelado, culata de madera	Con eyector á mano, culata de madera, negro	Con eyector á mano, culata de hueso niquelado	Como 292 r, negro	Con eyector á mano, niquelado, grabado, culata de madera	Como 292 t, pero aún con piezas grabadas y dorados
M. 12.80	12.80	12.80	13.80	13.80	13.80	13.40	13.40	13.40	14.50	14.50	14.50	22.40	22.40	23.50	23.50	23.—	24.50

Spezial-Randfeuer-Revolver-Patronen.	Cartouches spéciales à percussion annulaire, pour revolvers.	Special rim fire Revolver cartridges.	Cartuchos especiales de bordes, para revólver.
Deutsches Fabrikat.	Fabrication allemande.	German make.	Fabricación alemana.

Cal.	No.
6 mm	A 1, A 1a
22 short (5,7 mm)	A 7, A 7a A 7b
22 long (5,7 mm)	A 8, A 8a A 8b
22 long (5,7 mm)	A 14
22 extra long (5,7 mm)	A 9, A 9a
22 long rifle (5,7 mm)	A 9b, A 9c
22 longue Porteé (5,8 mm)	A 11
6 mm Merveilleux	A 11a
297 (7,5 mm)	E 3, E 3a E 3b

Cal.	No.
178/183 247/248 249	
30 (7,8 mm)	E 4, E 4a E 4b
320 extra short (8,05 mm)	E 2
320 short (8,05 mm)	E 5, E 5a E 5b
320 long (8,05 mm)	E 6, E 6a E 6b
340 (8,75 mm)	E 7, E 7a E 7b

Cal.	No.
8 mm Merveilleux	E 7d
380 long (9,6 mm)	E 9, E 9a E 9b
380 short (9,6 mm)	E 8, E 8a E 8b
410 short (10,2 mm)	E 10 E 10a E 10b
442 (11,3 mm)	E 13 E 13a E 13b
440 (11,1 mm)	E 12 E 12a E 12b
44 Winchester (11,2 mm)	E 11 E 11a E 11b

No.						Mark per Mille
A 1	† Pat	Kugel	à balle	ball	de bala	7.76
A 1a	† Patx	Platz	à blanc	blank	de blanco	7.44
A 7	† Pate	Kugel Schwarzpulver	à balle et à poudre noire	ball black powder	de bala y pol-vora negra	17.28
A 7a	† Patez	Kugel rauchlos	à balle, poudre sans fumée	ball smokeless	de bala polvo-ra sin humo	18.40
A 7b	† Patezx	Platz	à blanc	blank	de blanco	14.40
A 8	† Pati	Kugel Schwarzpulver	à balle et à poudre noire	ball black powder	de bala y polvora negra	20.80
A 8a	† Patiz	Kugel rauchlos	à balle et sans fumée	ball smokeless	de bala y sin humo	22.08
A 8b	† Patizx	Platz	à blanc	blank	de blanco	16.80
A 14	† Patu	Schrot	à plombs	shot	de perdigones	26.—
A 9	† Pato	Kugel Schwarzpulver	à balle, poudre noire	ball black powder	de bala polvora negra	32.—
A 9a	† Patoz	Kugel rauchlos	à balle et sans fumée	ball smokeless	de bala y sin humo	34.—
A 9b	† Patozx	Kugel Schwarzpulver	à balle et à poudre noire	ball black powder	de bala y polvora negra	21.40
A 9c	†Patozxo	Kugel rauchlos	à balle et sans fumée	ball smokeless	de bala y sin humo	22.50
A 11	† Peta	Kugel	à balle	ball	de bala	55.—
A 11a	† Petaz	Kugel	à balle	ball	de bala	40.—
E 3	† Eb	Platz	à blanc	blank	de blanco	34.90
E 3a	† Ebax	Kugel	à balle	ball	de bala	39.60
E 3b	† Ebex	Schrot	à plombs	shot	de perdigones	63.40
E 4	† Eba	Platz	à blanc	blank	de blanco	34.90
E 4a	† Ebal	Kugel	à balle	ball	de bala	39.60
E 4b	† Ebap	Schrot	à plombs	shot	de perdigones	63.40
E 2	† Eko	Kugel	à balle	ball	de bala	39.60
E 5	† Ebe	Platz	à blanc	blank	de blanco	34.90
E 5a	† Ebel	Kugel	à balle	ball	de bala	39.60
E 5b	† Ebep	Schrot	à plombs	shot	de perdigones	63.40
E 6	† Ebi	Platz	à blanc	blank	de blanco	38.90
E 6a	† Ebil	Kugel	à balle	ball	de bala	43.60
E 6b	† Ebip	Schrot	à plombs	shot	de perdigones	67.40
E 7	† Ebo	Platz	à blanc	blank	de blanco	39.60
E 7a	† Ebol	Kugel	à balle	ball	de bala	45.50
E 7b	† Ebop	Schrot	à balle	shot	de perdigones	47.40
E 7d	† Ebopzx	Kugel	à balle	ball	de bala	48.—
E 9	† Ed	Platz	à blanc	blank	de blanco	44.—
E 9a	† Edax	Kugel	à balle	ball	de bala	50.—
E 9b	† Edex	Schrot	à plombs	shot	de perdigones	78.—
E 8	† Ebu	Platz	à blanc	blank	de blanco	39.60
E 8a	† Ebul	Kugel	à balle	ball	de bala	45.50
E 8b	† Ebup	Schrot	à plombs	shot	de perdigones	75.20
E 10	† Eda	Platz	à blanc	blank	de blanco	39.60
E 10a	† Edal	Kugel	à balle	ball	de bala	45.50
E 10b	† Edap	Schrot	à plombs	shot	de perdigones	75.20
E 13	† Edo	Platz	à blanc	blank	de blanco	57.40
E 13a	† Edol	Kugel	à balle	ball	de bala	63.40
E 13b	† Edop	Schrot	à plombs	shot	de perdigones	95.—
E 12	† Edi	Platz	à blanc	blank	de blanco	57.40
E 12a	† Edil	Kugel	à balle	ball	de bala	63.40
E 12b	† Edip	Schrot	à plombs	shot	de perdigones	95.—
E 11	† Ede	Platz	à blanc	blank	de blanco	73.40
E 11a	† Edel	Kugel	à balle	ball	de bala	79.20
E 11b	† Edep	Schrot	à plombs	shot	de perdigones	111.—

Revolver-Patronen gängig.	Cartouches de revolvers courantes.	Revolver cartridges saleable.	Cartuchos de revólveres corrientes.
Ia Deutsches Fabrikat.	Fabrication allemande de 1ère qualité.	Prime German make.	Fabricación alemana de primera calidad.

Lefaucheux

Cal.	No.	Cal.	No.
5 mm	L 1	9 mm	L 5
5 mm	L 1 a	9 mm	L 5 a
5 mm	L 2	9 mm	L 6
7 mm	L 3	12 mm	L 7
7 mm	L 3 a	12 mm	L 7 a
7 mm	L 4	12 mm	L 8

Cal. 15 mm  No. L 9 — L 9 a — L 9 b.

Centralfeuer. | à feu central. | Center-fire. | De fuego central.

Cal.	No.	Cal.	No.	Cal.	No.
230 (5,7 mm)	M 1	320 (8,05 mm)	M 5	380 (9 mm)	M 9
230 (5,7 mm)	M 2	320 long (8,05 mm)	M 6	380 (9,6 mm)	M 10
230 (5,7 mm)	M 3	320 (8,05 mm)	M 7	380 long (9,6 mm)	M 11
320 (7 mm)	M 4	340 (8,75 mm)	M 8	380 (9,6 mm)	M 12

No.	L 1	L 1 a	L 2	L 3	L 3 a	L 4	L 5	L 5 a	L 6	L 7	L 7 a	L 8	L 9	L 9 a
†	Rax	Raxv	Rex	Rix	Rixv	Rox	Rux	Ruxv	Raxa	Raxe	Raxez	Raxi	Raxo	Raxoz
	Kugel	Platz	Schrot	Kugel	Platz	Schrot	Kugel	Platz	Schrot	Kugel	Platz	Schrot	Kugel	Platz
	à balle	à blanc	à plombs	à balle	à blanc	à plombs	à balle	à blanc	à plombs	à balle	à blanc	à plombs	à balle	à blanc
	ball	blank	shot	ball	blank	shot	ball	blank	shot	ball	blank	shot	ball	blank
	de bala	de blanco	de perdigones	de bala	de blanco	de perdigones	de bala	de blanco	de perdigones	de bala	de blanco	de perdigones	de bala	de blanco
Mk. pro 1000	25.50	25.50	46.60	25.50	25.50	46.60	34.60	34.60	56.20	43.20	43.20	75.40	77.30	77.30

No.	L 9 b	M 1	M 2	M 3	M 4	M 5	M 6	M 7	M 8	M 9	M 10	M 11	M 12
†	Raxozo	Cal	Cel	Cil	Col	Cul	Cala	Cale	Cali	Calo	Calu	Calax	Calex
	Schrot	Platz	Kugel	Schrot	Platz	Kugel	Kugel	Schrot	Kugel	Platz	Kugel	Kugel	Schrot
	à plombs	à blanc	à balle	à plombs	à blanc	à balle	à balle	à plombs	à balle	à blanc	à balle	à balle	à plombs
	shot	blank	ball	shot	blank	ball	ball	shot	ball	blank	ball	ball	shot
	de perdigones	de blanco	de bala	de perdigones	de blanco	de bala	de bala	de perdigones	de bala	de blanco	de bala	de bala	de perdigones
Mk. pro 1000	110.40	33.60	33.60	54.90	33.60	33.60	39.80	54.90	42.30	42.30	42.30	62.30	63.40

Centralfeuer. | à feu central. | Center-fire. | De fuego central.

Cal.	No.	Cal.	No.	Cal.	No.
442 (11,3 mm)	M 13	M 83 (11,5 mm) Reichsrevolver, schwer / Qualité extra, pour revolver militaire allemand. / Heavyfor military revolver. / Pesado, para revolver militar alemán.	M 17	S & W 32 (8,5 mm)	S W 1 S W 1 a S W 1 b
450 (12,05mm)	M 14	M 83 (11,5 mm) Reichsrevolver / Pour revolver militaire alemán / For military revolver / Para revolver militar alemán	M 17 a	S & W 38 (9,7 mm)	S W 2 S W 2 a S W 2 b
450 (12,05mm)	M 15	M 83 (11,5 mm) Reichsrevolver / Pour revolver militaire allemand / For military revolver / Para revolver militar alemán	M 17 b	S & W 44 Amer. (11,2 mm)	S W 3 S W 3 a S W 3 b
4.0 (12,05mm)	M 16	M 83 (11 5 mm) Reichsrevolver, leicht / Pour revolver militaire allemand, qualité courante / For military revolver / Para revolver militar, calidad corriente	M 18	S & W 44 Russ. (11,55mm)	S W 4 S W 4 a S W 4 b

Centralfeuer-Spezial-Revolver-Patronen. | Cartouchos à feu central spéciales, pour revolvers. | Special center-fire Revolver cartridges. | Cartuchos de fuego central especiales, para revólveres.

Deutsches Fabrikat. | Fabrication allemande. | German make. | Fabricación alemana.

Cal.	No.
5 mm Bergmann	M 19 R 21
230 long (5,7 mm)	M 20
Velodog (5,75 mm)	M 21 M 22
Bär (7 mm)	M 23
7 mm französ. Rand / à bord français / French rim / de borde francés	E 18 E 18 a E 18 b
297 (7,5 mm)	E 27 E 27 a E 27 b

[Pl] [loh] [SO] [·]

126/127
448/449

Cal.	No.
Schweden (7,5 mm)	E 32
Morris 297/230 (7,5 mm)	M 24
Morris 297/230 (7,5 mm)	M 25
300 (7,8 mm)	E 21 E 21 a E 21 b

Cal.	No.
Nagant (7,62 mm) — 3 lignes russes	M 26 M 27
8 mm Gaulois	E 7c
32 S & W long (8,5 mm)	E 22 E 22 a
32 S & W Special (8 5 mm)	M 28 M 29
Gasser (8 mm)	M 30
32 Winchester Mod. 73 (8 5 mm)	T 5
Lebel M. 92 (8 mm)	M 31 M 31 a M 32 M 33

No.	†					Mark pr. 1000
M 13	Rar	Kugel	à balle	ball	de bala	51.90
M 14	Rer	Platz	à blanc	blank	de blanco	51.90
M 15	Rir	Kugel	à balle	ball	de bala	51.90
M 16	Ror	Schrot	à plombs	shot	de perdigones	86.40
M 17	Rur	Kugel schwer	à balle qualité extra	ball heavy quality	de bala de calidad superior	115.20
M 17 a	Rurz	Platz	à blanc	blank	de blanco	115.20
M 17 b	Rurx	Schrot	à plombs	shot	de perdigones	120.—
M 18	Rura	Kugel leichte Qual.	à balle, qualité courante	ball light quality	de bala, calidad corriente	80.—
S W 1	Saw	Kugel	à balle	ball	de bala	38.40
S W 1 a	Sawz	Platz	à blanc	blank	de blanco	38.40
S W 1 b	Sawx	Schrot	à plombs	shot	de perdigones	54.90
S W 2	Sew	Kugel	à balle	ball	de bala	49.—
S W 2 a	Sewx	Platz	à blanc	blank	de blanco	49.—
S W 2 b	Sewz	Schrot	à plombs	shot	de perdigones	63.40
S W 3	Siw	Kugel	à balle	ball	de bala	64.50
S W 3 a	Siwx	Platz	à blanc	blank	de blanco	64.50
S W 3 b	Siwxa	Schrot	à plombs	shot	de perdigones	86.40
S W 4	Siwxo	Kugel	à balle	ball	de bala	64.50
S W 4 a	Siwxu	Platz	à blanc	blank	de blanco	64.50
S W 4 b	Siwxi	Schrot	à plombs	shot	de perdigones	86.40
M 19	Berm	Kugel	à balle	ball	de bala	90.—
M 20	Bermz	Kugel	à balle	ball	de bala	53.20
M 21	Veldog	Kupfer-Kugel	à balle de cuivre	copper ball	de bala de cobre	85.—
M 22	Veldogz	Nickel-Kugel	à balle nickel	nickel ball	de bala de niquel	85.—
M 23	Boran	Kugel	à balle	balle	de bala	55.—
E 18	Ez	Platz	à blanc	blank	de blanco	54.—
E 18 a	Ezaz	Kugel	à balle	ball	de bala	54.—
E 18 b	Ezez	Schrot	à plombs	shot	de perdigones	71.50
E 27	Evo	Platz	à blanc	blank	de blanco	49.30
E 27 a	Evol	Kugel	à balle	ball	de bala	49.30
E 27 b	Evox	Schrot	à plombs	shot	de perdigones	75.20
E 32	Eyo	Kugel	à balle	ball	de bala	96.—
M 24	Evoxti	Kugel	à balle	ball	de bala	62.10
M 25	Evoxtu	Kugel	à balle	ball	de bala	74.—
E 21	Ezi	Platz	à blanc	blank	de blanco	52.—
E 21 a	Ezil	Kugel	à balle	ball	de bala	60.—
E 21 b	Ezix	Schrot	à plombs	shot	de perdigones	85.—
M 26	Nagantz	Kupfer-Kugel	à balle de cuivre	copper ball	de bala de cobre	96.—
M 27	Naganx	Nickel-Kugel	à balle nickel	nickel ball	de bala de niquel	96.—
E 7 c	Ebopz	Kugel	à balle	ball	de bala	80.—
E 22	Ezol	Kugel Schwarzpulver	à balle, poudre noire	ball, black powder	de bala, pólvora negra	39.60
E 22 a	Ezox	Kugel rauchlos	à balle, sans fumée	ball, smokeless	de bala, sin humo	45.60
M 28	Ezolst	Kugel Schwarzpulver	à balle, poudre noire	ball, black powder	de bala de pólvora negra	39.60
M 29	Ezolxz	Kugel rauchlos	à balle, sans fumée	ball, smokeless	de bala, sin humo	45.60
M 30	Ezollt	Kugel	à balle	ball	de bala	134.—
T 5	Mart	Kugel	à balle	ball	de bala	96.—
M 31	Lebb	Nickel-Kugel Schwarzpulver	à balle nickel, poudre noire	nickel ball, black powder	de bala de niquel, pólvora negra	87.—
M 31 a	Lebbn	Kupfer-Kugel Schwarzpulver	à balle de cuivre, poudre noire	copper ball, black powder	de bala de cobre, pólvora negra	87.—
M 32	Lebbr	Nickel-Kugel rauchlos	à balle de nickel, sans fumée	nickel ball, smokeless	de bala de niquel, sin humo	90.—
M 33	Lebbz	Kupfer-Kugel rauchlos	à balle de cuivre sans fumée	copper ball, smokeless	de bala de cobre, sin humo	90.—

Centralfeuer-Spezial-Revolver-Patronen.
Deutsches Fabrikat.

Cartouches à feu central speciales, pour revolvers.
Fabrication allemande.

Special center-fire revolver cartridges.
German make.

Cartuchos de fuego central especiales, para revólveres.
Fabricación alemana.

Cal.	No.	Cal.	No.	Cal.	No.
Schweiz. Ord. Ordonnance suisse Swiss army Ejercito suizo (7.7 mm)	M 34	Mauser (10,6 mm)	M 40	Montenegro schwer qualité extra heavy extra (11.75 mm)	M 47 M 48
360 No. 5 (9 mm)	E 42 E 42 a E 42 b	410 (10,2 mm)	E 37 E 37 a E 37 b	Montenegro leicht qualité courante light corriente (11,75 mm)	M 49 M 50
(9 mm) französ. Rand à bord francais French rim de borde francés	E 19 E 19 a E 19 b	410 Extra long (10.2 mm)	E 38	44 Winchester Mod. 73 (11,55 mm)	T 7
380 Holland (9.6 mm)	E 33	430 (11,35 mm)	E 30 E 30 a E 30 b	450 long (12,05 mm)	E 23
Mauser (9 mm)	M 35	430 long (11,35 mm)	M 41	455 (12,05 mm)	E 35 E 35 a E 35 b
S & W 38 long (9,7 mm)	M 36 M 37	44 short (11,2 mm)	M 42	12 mm französ. Rand à bord français French rim de borde francés	E 20 E 20 a E 20 b
S & W 38 Special (9,7 mm)	M 38 M 39	S & W 44 long (11,2 mm)	M 43 M 44	500 (13,15 mm)	E 31 E 31 a E 31 b
38 Winchester Mod. 73 (9,7 mm)	T 6	S & W 44 Special (11,2 mm)	M 45 M 46	577 (15 mm)	E 24 E 24 a E 24 b

No.	†					Mark pr.1000
M 34	Sordei	Kugel	à balle	ball	de bala	90.—
E 42	Ety	Platz	à blanc	blank	de blanco	84.—
E 42 a	Etyl	Kugel	à balle	ball	de bala	93.—
E 42 b	Etyx	Schrot	à plombs	shot	de perdigones	120.—
E 19	Eze	Platz	à blanc	blank	de blanco	59.20
E 19 a	Ezel	Kugel	à balle	ball	de bala	59.20
E 19 b	Ezex	Schrot	à plombs	shot	de perdigones	87.—
E 33	Eyol	Kugel	à balle	ball	de bala	116.—
M 35	Eyolst	Kugel	à balle	ball	de bala	105.—
M 36	Eyolxa	Kugel Schwarzpulver	à balle, poudre noire	ball black powder	de bala, pólvora negra	62.30
M 37	Eyolxu	Kugel rauchlos	à balle, sans fumée	ball, smokeless	de bala, sin humo	68.30
M 38	Eyolza	Kugel Schwarzpulver	à balle, poudre noire	ball black powder	de bala, pólvora negra	62.30
M 39	Eyolzu	Kugel rauchlos	à balle, sans fumée	ball smokeless	de bala, sin humo	68.30
T 6	Marf	Kugel	à balle	ball	de bala	105.—
M 40	Marfz	Kugel	à balle	ball	de bala	110.—
E 37	Ete	Platz	à blanc	blank	de blanco	51.90
E 37 a	Etel	Kugel	à balle	ball	de bala	51.90
E 37 b	Etex	Schrot	à plombs	shot	de perdigones	86.40
E 38	Etil	Kugel	à balle	ball	de bala	94.—
E 30	Eye	Platz	à blanc	blank	de blanco	51.90
E 30 a	Eyel	Kugel	à balle	ball	de bala	51.90
E 30 b	Eyex	Schrot	à plombs	shot	de perdigones	86.40
M 41	Eyext	Kugel	à balle	ball	de bala	77.—
M 42	Eto	Kugel	à balle	ball	de bala	64.—
M 43	Etoz	Kugel Schwarzpulver	à balle, poudre noire	ball black powder	de bala, pólvora negra	82.60
M 44	Etozt	Kugel rauchlos	à balle, sans fumée	ball smokeless	de bala, sin humo	88.60
M 45	Etozte	Kugel Schwarzpulver	à balle, poudre noire	ball black powder	de bala, pólvora negra	82.60
M 46	Etoztu	Kugel rauchlos	à balle, sans fumée	ball smokeless	de bala, sin humo	88.60
M 47	Eyor	Blei-Kugel	balle de plomb	lead bullet	bala de plomo	104.—
M 48	Eyorz	Nickel- oder Kupfer-Kugel	balle de nickel ou de cuivre	nickel or copper ball	bala niquel ó cobre	124.—
M 49	Eyorx	Blei-Kugel	balle de plomb	leaden ball	bala de plomo	85.—
M 50	Eyorzt	Nickel- oder Kupfer-Kugel	balle de nickel ou de cuivre	nickel or copper ball	bala niquel ó cobre	105.—
T 7	Marn	Kugel	à balle	ball	de bala	112.—
E 23	Ezul	Kugel	à balle	ball	de bala	82.60
E 35	Eyu	Platz	à blanc	blank	de blanco	128.—
E 35 a	Eyul	Kugel	à balle	ball	de bala	128.—
E 35 b	Eyux	Schrot	à plombs	shot	de perdigones	180.—
E 20	Eza	Platz	à blanc	blank	de blanco	70.—
E 20 a	Ezal	Kugel	à balle	ball	de bala	70.—
E 20 b	Ezax	Schrot	à plombs	shot	de perdigones	86.40
E 31	Eyi	Platz	à blanc	blank	de blanco	128.—
E 31 a	Eyil	Kugel	à balle	ball	de bala	128.—
E 31 b	Eyix	Schrot	à plombs	shot	de perdigones	140.—
E 24	Eva	Platz	à blanc	blank	de blanco	142.—
E 24 a	Evai	Kugel	à balle	ball	de bala	150.—
E 24 b	Evail	Schrot	à plombs	shot	de perdigones	158.—

Original Amerikanische Revolver-Patronen mit Kugel.

Cartouches originales américaines, à balle, pour revolvers.

Original American cartridges with ball for revolvers.

Cartuchos originales americanos, de bala, para revólveres.

Marke: Marque: Mark: Marca:

Union Metallic Cartridges Co.

Randfeuer. | à feu annulaire. | Rim fire. | De fuego anular.

Cal.	No.	Cal.	No.
B B	U M C 1×	22 Winchester R F	U M C 18 U M C 19×
C B	U M C 2 U M C 3×	22 Automatic	U M C 20
22 short	U M C 4 U M C 5×	25 Stevens short	U M C 21
22 short H P	U M C 6 U M C 7×	25 Stevens short H P	U M C 22
22 long	U M C 8 U M C 9×	25 Stevens	U M C 23
22 long H P	U M C 10 U M C 11×	25 Stevens H P	U M C 24
22 long rifle	U M C 12 U M C 13×	25 Stevens Magazine	U M C 25
22 long rifle H P	U M C 14 U M C 15×	30 short	U M C 26
22 S & W long	U M C 16	32 extra short	U M C 27
22 extra long	U M C 17	32 short	U M C 28

Die Patronen sind mit Schwarzpulver und Bleigeschoss geladen. Die mit × bezeichneten Nummern sind mit rauchlosem Pulver geladen. Packung in Kartons à 50 Stück ab New-York inclusive Emballage 4% billiger. Untenstehende Preise pro Mille franko Hamburg inclusive Emballage.

Ces cartouches sont à poudre noire et à balle de plomb. Les types marqués du signe × sont à poudre **sans fumée.** Emballage en cartons de 50 cartouches. La marchandise prise fob New-York franco d'emballage est 4% meilleur marché. Les prix ci-dessous s'entendent par mille, franco Hambourg y compris l'emballage.

The cartridges are charged with black powder and leaden bullet. The numbers marked × are loaded with smokeless powder. Packed 50 in cardboard box **fob. New-York including** package 4% cheaper. The undermentioned prices apply per 1000.

Estos cartuchos son de pólvora negra y de bala de plomo. Los tipos marcados con una × son de pólvora sin humo. Embalaje en cartones de 50 cartuchos. Los precios siguentes se entienden por mil franco Hamburgo incluido embalaje. La mercancia tomada fr. Nueva-York franco de embalaje es 4% más barata.

No.	UMC 1×	UMC 2	UMC 3×	UMC 4	UMC 5×	UMC 6	UMC 7×	UMC 8	UMC 9×	UMC 10	UMC 11×	UMC 12	UMC 13×	UMC 14
†	Huttek	Huttak	Hutuk	Hutok	Hutik	Hutek	Hutak	Hutur	Hutor	Hutir	Huter	Hutar	Hutul	Hutol
Mk. pro 1000	9.80	14.30	14.30	13.	14.30	14.30	15.50	15.60	17,20	17.—	18.40	15.70	17.20	17.—

No.	UMC 15×	UMC 16	UMC 17	UMC 18	UMC 19×	UMC 20	UMC 21	UMC 22	UMC 23	UMC 24	UMC 25	UMC 26	UMC 27	UMC 28
†	Hutil	Hutel	Hutal	Huttus	Huttos	Huttis	Huttes	Huttas	Hutus	Hutos	Hutis	Hutes	Hutas	Huttu
Mk. pro 1000	18.40	19.60	29.30	29.30	30.70	28.60	32.50	34.20	45.60	47.20	45.60	29,40	32.60	32.60

Original Amerikanische Revolver-Patronen mit Kugel. | Cartouches originales américanies, à balle, pour revolvers. | Original American cartridges with ball for revolvers. | Cartuchos originales americanos, de bala, para revólveres.

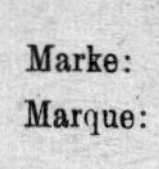

Marke:
Marque:

Mark:
Marca:

Union Metallic Cartridges Co.

Randfeuer. | à feu annulaire. | Rim fire. | De fuego anular.

Cal.	No.
32 long	U M C 29
38 short	U M C 30
38 long	U M C 31
41 short	U M C 32
41 long	U M C 33
44 short	U M C 34
44 long	U M C 35
44 Henry Flat Mod. 1866	U M C 36
56—50 Spencer	U M C 37
56—52 Spencer	U M C 38

Cal.	No.
56—56 Spencer O.M.	U M C 39
41 Swiss	U M C 40 ×

Centralfeuer. | à feu central. | Central fire. | De fuego central.

Cal.	No.
22 Winchester Single shot	U M C 41 U M C 42 ×
25—20 Winchester single shot	U M C 43
25—20 Winchester & Marlin	U M C 44 U M C 45 ×
25 Automatic Colt	U M C 46 O
30 Borchardt	U M C 47 O
30 Mauser	U M C 48 O
30 Luger	U M C 49 O
30 Luger	U M C 50 O

Die Patronen sind mit Schwarzpulver und Bleigeschoss geladen. Die mit × bezeichneten Nummern sind mit rauchlosem Pulver geladen. Die mit O bezeichneten Nummern sind mit rauchlosem Pulver und Nickelmantel-Geschoss geladen. Preise pro Mille franko Hamburg incl. Emballage. Bei Bezug ab New-York 4% billiger.

Ces cartouches sont à poudre noire et à balle de plomb. Les types marqués du signe × sont à poudre sans fumée. Ceux marqués d'un O **sont à poudre** sans fumée et à balle à revêtement nickel. Les prix ci-dessous s'entendent franco Hambourg y compris **l'emballage.** La marchandise prise fob. New-York est 4% meilleur marché.

The cartridges are charged with black powder and leaden bullet. The numbers marked × are charged with smokeless powder. **The numbers marked** O are charged with smokeless powder and nickel mantled bullet. Prices apply per 1000 free Hamburg including **packing, fob. New-York** 4% cheaper.

Estos cartuchos son de pólvora negra y de bala de plomo. Los tipos marcados con una × son de pólvora sin humo. Los marcados con **una** O **son de polvora sin humo** y de bala de revestimiento de niquel. Los precios aqui indicados se entienden franco Hamburgo incluido embalaje. La mercancia tomada fr. Nueva York es 4 % más barata.

No.	UMC 29	UMC 30	UMC 31	UMC 32	UMC 33	UMC 34	UMC 35	UMC 36	UMC 37	UMC 38	UMC 39
†	Hutto	Hutti	Hutte	Hutta	Hutu	Huto	Huti	Hute	Huta	Huttekst	Huvasch
Mark pro 1000	37,60	52,20	58,60	49,—	57,20	75,—	81,60	78,20	130,—	130,—	130,—

No.	UMC 40 ×	UMC 41	UMC 42 ×	UMC 43	UMC 44	UMC 45 ×	UMC 46 O	UMC 47 O	UMC 48 O	UMC 49 O	UMC 50 O
†	Huvarlt	Huvarz	Huvast	Huvaz	Huvax	Huvaw	Huvav	Huvau	Huvat	Huvas	Huvar
Mark pro 1000	98,—	77,40	83,40	88,—	78,80	93,—	72,80	115,—	115,—	115,—	115,—

Original Amerikanische Revolver-Patronen mit Kugel.

Cartouches originales américaines, à balle, pour revolvers.

Original American cartridges with ball for revolvers.

Cartuchos originales americanos de bala, para revólveres.

Marke: Marque:

Mark: Marca:

Union Metallic Cartridges Co.

Centralfeuer. | à feu central. | Center fire. | De fuego central.

Cal.		No.
9 mm Luger	9 M/M LUGER METAL CASED SMOKELESS	U M C 51○
32 S & W	.32 S.&W. INSIDE LUBRICATED	U M C 52 U M C 53×
32 S & W Gallery	.32 S&W. GALLERY	U M C 54 U M C 55×
32 S & W long	.32 S.&W. LONG INSIDE LUBRICATED	U M C 56 U M C 57×
32 S & W long Gallery	.32 S&W LONG GALLERY	U M C 58
32—44 Gallery	.32-44 S&W. GALLERY	U M C 59 U M C 60×
32 short Colt	.32 SHORT COLT	U M C 61 U M C 62×
32 long Colt	.32 LONG COLT INSIDE LUBRICATED	U M C 63 U M C 64×
32 Colt New Police	.32 COLT NEW POLICE INSIDE LUBRICATED	U M C 65 U M C 66×
32 Colt New Police Gallery	.32 COLT'S NEW POLICE GALLERY INSIDE LUBRICATED	U M C 67

Cal.		No.
32 Colt Automatic	.32 AUTOMATIC COLT METAL CASED	U M C 68○
7.65 Browning	.32 BROWNING METAL CASED	U M C 69○
32 Winchester	U.M.C. .32 WINCHESTER	U M C 70 U M C 71×
32—20—100 Marlin	.32-20-100 MARLIN SAFETY	U M C 72 U M C 73×
38 S & W	.38 S.&W. INSIDE LUBRICATED	U M C 74 U M C 75×
38 S & W Spezial	.38 S.&W. SPECIAL INSIDE LUBRICATED	U M C 76 U M C 77×
38 S & W Spezial Mid-Range	.38 S.&W. SPECIAL MID-RANGE	U M C 78×
38 S & W Spezial Mid-Range	.38 S.&W. SPECIAL MID RANGE SHARP SHOULDER BULLET	U M C 79×
38 Colt Police	.38 COLT NEW POLICE	U M C 80 U M C 81×
38 short Colt	.38 SHORT COLT	U M C 82 U M C 83×

Die Patronen sind mit Schwarzpulver und Bleigeschoss geladen. Die mit × bezeichneten Nummern sind mit rauchlosem Pulver geladen. Die mit ○ bezeichneten Nummern sind mit rauchlosem Pulver und Nickelmantel-Geschoss geladen. Preise pro Mille franko Hamburg incl. Emballage. Bei Bezug ab New-York 4% billiger.

Ces cartouches sont à poudre noire et à balle de plomb. Les types marqués du signe × sont à poudre sans fumée. Ceux marqués d'un ○ sont à poudre sans fumée et à balle à revêtement nickel. Les prix ci-dessous s'entendent franco Hambourg y compris l'emballage. La marchandise prise fob. New-York est 4% meilleur marché.

The cartridges are charged with black powder and leaden bullet. The numbers marked × are charged with smokeless powder. The numbers marked ○ are charged with smokeless powder and nickel mantlet bullet. Prices apply per 1000 free Hamburg including packing, fob. New-York 4% cheaper.

Estos cartuchos son de pólvora negra y de bala de plomo. Los tipos marcados con una × son de pólvora sin humo. Los marcados con una ○ son de pólvora sin humo y de bala de revestimiento de niquel. Los precios aqui indicados se entienden franco Hamburgo incluido embalaje. La mercancia tomada fr. Nueva-York es 4% más barata.

No.	UMC 51○	UMC 52	UMC 53×	RMC 54	UMC 55×	UMC 56	UMC 57×	UMC 58	UMC 59	UMC 60×	UMC 61	UMC 62×	UMC 63	UMC 64×	UMC 65	UMC 66×	UMC 67
†	Huvap	Huvao	Huvan	Huvam	Huval	Huvak	Huvai	Huvah	Huvag	Huvaf.	Huvae	Huvad	Huvab	Zafaz	Zafax	Zafaw	Zafau
Mark pro 1000	120.—	59.70	58.60	49.—	53.80	58.60	66.—	58.60	88.—	99.—	59.70	58.60	58.60	66.—	58.60	66.—	58.60

No.	UMC 68○	UMC 69○	UMC 70	UMC 71×	UMC 72	UMC 73×	UMC 74	UMC 75×	UMC 76	UMC 77×	UMC 78×	UMC 79×	UMC 80	UMC 81×	UMC 82	UMC 83×
†	Zafat	Zafas	Zafar	Zafap	Zafao	Zafan	Zafam	Zafal	Zafak	Zafae	Zafai	Zafah	Zafag	Zafaf	Zafad	Zafab
Mark pro 1000	79.80	79.80	78.80	98.—	78.80	98.—	66.—	74.50	81.—	91.—	79.—	79.—	66.—	76.—	66.—	74.50

Original Amerikan. Revolver-Patronen mit Kugel.	Cartouches originales américaines à balle, pour revolvers.	Original American cartridges with ball for revolvers.	Cartuchos originales americanos de bala para revólveres.

Marke: Marque: 

Mark: Marca:

The Union Metallic Cartridges Co.

Centralfeuer	à feu central		Center fire	De fuego central	
Cal.		No.	Cal.		No.
38 long Colt		U M C 84 U M C 85×	44 S & W American		U M C 100
38 long Colt M R		U M C 86×	44 S. & W. Russian		U M C 101 U M C 102×
38 Colt Special		U M C 87 U M C 88×	44 S. & W. Russian M. R.		U M C 103×
38 Automatic Colt		U M C 89○	44 S. & W. Russian M. R.		U M C 104×
380 Automatic Colt		U M C 90○	44 S. & W. Special		U M C 105 U M C 106×
38 Winchester		U M C 91 U M C 92×	44 S. & W. Special M. R.		U M C 107×
38–40–180 Marlin		U M C 93 U M C 94×	44 S. & W. Spezial M. R.		U M C 108×
41 short Colt		U M C 95	44 Colt		U M C 109
41 short Colt's D. A.		U M C 96 U M C 97×	44 Winchester		U M C 110 U M C 111×
41 long Colt's D. A.		U M C 98 U M C 99×	44–40–200 Marlin		U M C 112 U M C 113×

Die Patronen sind mit Schwarzpulver und Bleigeschoss geladen. Die mit × bezeichneten Nummern sind mit rauchlosem Pulver, die mit ○ bezeichneten mit rauchlosem Pulver und Nickelmantel-Geschoss geladen. Preise per mille franko Hamburg inclusive Emballage, ab New-York 4% billiger.

Ces cartouches sont à poudre noire et à balle de plomb. Les types marqués du signe: × sont à poudre sans fumée. Ceux marqués d'un ○ sont à poudre sans fumée et à balle à revêtement nickel. Les prix ci-dessous s'entendent franco Hambourg y compris l'emballage. La marchandise prise fob. New-York est 4% meilleur marché.

The cartridges are charged with black powden and leaden bullet. The numbers marked × are charged with smokeless powder, those marked ○ with smokeless powder and nickel mantled bullet. Prices apply per 1000 free Hamburg including packing, Fob. New-York 4% cheaper.

Estos cartuchos son de pólvora negra y de bala de plomo. Los tipos marcados con una × son de pólvora sin humo. Los marcados con ○ son de pólvora sin humo y bala de revestimiento de niquel. Los precios aqui indicados se entienden franco Hamburgo y embalaje incluido. La mercancia tomada fr. Nueva York es 4% más barata.

No.		Mark pr. 1000
UMC 84	Zilazt	71,20
UMC 85×	Zilaz	81,—
UMC 86×	Zilax	68,80
UMC 87	Zilaw	81,—
UMC 88×	Zilav	91,—
UMC 89○	Zilau	115,—
UMC 90○	Zilat	110,—
UMC 91	Zilas	93,—
UMC 92×	Zilar	117,—
UMC 93	Zilap	93,—
UMC 94×	Zilao	116,40
UMC 95	Zilan	73,40
UMC 96	Zilam	73,40
UMC 97×	Zilal	84,—
UMC 98	Zilak	85,50
UMC 99×	Zilai	98,50
UMC 100	Zilah	93,10
UMC 101	Zilay	98,50
UMC 102×	Zilaf	107,40
UMC 103×	Zilae	98,50
UMC 104×	Zilad	98,50
UMC 105	Zilab	107,40
UMC 106×	Libaz	116,40
UMC 107×	Libax	107,40
UMC 108×	Libaw	107,40
UMC 109	Libav	98,50
UMC 110	Libau	93,10
UMC 111×	Libat	116,40
UMC 112	Libas	93,10
UMC 113×	Libar	116,40

Original Amerikan. Revolver-Patronen mit Kugel.

Cartouches originales américaines à balle pour revolvers.

Original American cartridges with ball for revolvers.

Cartuchos originales americanos de bala para revólvers.

Marke: Marque:  Mark: Marca:

The Union Metallic Cartridges Co.

126/127 475/477

Centralfeuer	à feu central		Center fire	De fuego central	
Cal.		No.	Cal.		No.
44 Marble Game Getter		U M C 114 U M C 115×	45 Colt		U M C 121 U M C 122×
44 Evans N. M.		U M C 116	45 Automatic Colt		U M C 123○
44 Webley		U M C 117	450 Revolver		U M C 124× U M C 125×
44 Bull Dog		U M C 118	455 Revolver		U M C 126×
45 Webley		U M C 119			
45 S & W		U M C 120	50 Rem Navy Pistol		U M C 127

Die Patronen sind mit Schwarzpulver und Bleigeschoss geladen. Die mit × bezeichneten Nummern sind mit rauchlosem Pulver, die mit ○ bezeichneten mit rauchlosem Pulver und Nickelmantel-Geschoss geladen. Preise per mille franko Hamburg inclusive Emballage, ab New-York 4% billiger.

Ces cartouches sont à poudre noire et à balle de plomb. Les types marqués du signe × sont à poudre sans fumée. Ceux marqués d'un ○ sont à poudre sans fumée et à balle à revêtement nickel. Les prix ci-dessous s'entendent franco Hamburg y compris l'emballage. La marchandise prise fob. New-York est 4 % meilleur marché.

The cartridges are charged with black powder and leaden bullet. The numbers marked × are charged with smokeless powder, those marked ○ with smokeless powder and nickel mantled bullet. Prices apply per 1000 free Hamburg including packing, fob. New-York 4% cheaper.

Estos cartuchos son de pólvora negra y de bala de plomo. Los tipos marcados con una × son de pólvora sín humo. Los marcados de ○ son de pólvora sín humo y bala de revistimiento de niquel. Los precios arriba indicados se entienden franco Hamburgo y embalaje incluido. La mercancia tomada fr. Nueva Jork es 4% más barata.

No.	U M C 114	U M C 115×	U M C 116	U M C 117	U M C 118	U M C 119	U M C 120	U M C 121	U M C 122×	U M C 123○	U M C 124×	U M C 125×	U M C 126×	U M C 127
†	Libap	Libao	Liban	Libam	Libal	Libak	Libai	Libah	Libag	Libaf	Libad	Libae	Libab	Zyglach
Pro 1000 Mk.	93.—	107.40	127.—	81.—	71.20	98.50	122.50	107.40	120.40	131.50	73.40	85.50	117.40	134.80

Original Amerikanische Revolver-Patronen mit Schrotladung.

Cartouches originals américaines à ploms pour revolvers.

Original American cartridges with shot for revolvers.

Cartuchos originales americanos de plomos para revólvers.

Randfeuer	à percussion annulaire		rim fire	de percusión anular	
Cal.		No.	Cal.		No.
B. B.		U M C 128	38 short		U M C 131
22 long		U M C 129	55—60 Spencer		U M C 132
32 long		U M C 130	32 S & W	Centralfeuer à feu central Center fire De fuego central	U M C 133

Die Patronen sind geladen mit Schwarzpulver, No. U M C 128 — U M C 147 mit Schrot. Die mit × bezeichneten Nummern sind mit rauchlosem Pulver geladen. Die Preise verstehen sich per mille franko Hamburg, inclusive Emballage, ab New-York 4% billiger.

Ces cartouches sont à poudre noire No. U M C 128 à 147 sont à plombs. Les types marqués du signe × sont à poudre sans fumée. Les prix s'entendent par mille franco Hambourg y compris l'emballage — franco New-York ils seráient de 4% meilleur marché.

The cartridges are charged with black powder No. U M C 128—U M C 147 with shot. The numbers marked × are loaded with smokeless powder. The prices apply per 1000 free Hamburg including packing, fob. New-York 4% cheaper.

Estos cartuchos son de pólvora negra. Los Nos. UMC 128 hasta 147 son de perdigones, Los tipos marcados con × son de pólvora sín humo. Los precios se entienden por mil franco Hamburgo y embalaje incluido — franco Nueva York seria 4% más baratos.

No.	U M C 128	U M C 129	U M C 130	U M C 131	U M C 132	U M C 133
†	Fapab	Fapac	Fapae	Fabaf	Fabag	Fabah
Pro 1000 Mark	26.40	34.—	67.60	92.—	137.—	55.70

Original-Amerikanische Revolver-Patronen mit Schrotladung. | Cartouches originales américaines à plombs, pour revolvers. | Original american-cartridges with shot for revolvers. | Cartuchos originales americanos de plomos para revólveres.

Marke: Marque: 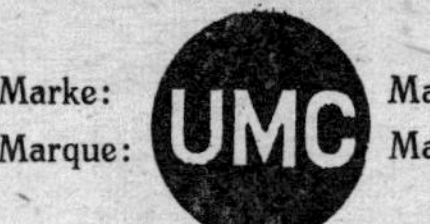

Mark: Marca:

The Union Metallic Cartridges Co.

Centralfeuer	à feu central		Center fire	De fuego central	
32 long Colt		U M C 134	41 long Colt C F		U M C 142
32 Winchester		U M C 135 U M C 136 ×	44 S & W Russian		U M C 143
38 S & W		U M C 137	44 Winchester		U M C 144 U M C 145 ×
38 long Colt		U M C 138 U M C 139 ×	44—44 Long shell		U M C 146
38 Winchester		U M C 140 U M C 141 ×	44 × L		U M C 147

Original Amerikanische Revolver-Patronen mit Pulverladung, Platzpatronen. | Cartouches à blanc pour revolvers, originales américaines, à chargement de poudre. | Original American cartridges loaded with powder for revolvers, blank cartridges. | Cartuchos de blanco para revólveres, originales americanos, de carga de pólvora.

Randfeuer	à percussion annulaire		rim fire	De percusión anular	
22 short		U M C 148	44 short R F		U M C 152
			Centralfeuer	**à feu central** / **Center fire**	**De fuego central**
32 short		U M C 149	32 S & W		U M C 153
38 short		U M C 150	38 S & W		U M C 154
41 short R F		U M C 151	44 Winchester		U M C 155

Die Patronen sind geladen mit Schwarzpulver, Nr. U M C 134 bis U M C 147 mit Schrot. Die mit × bezeichneten Nummern sind mit rauchlosem Pulver geladen. Die Preise verstehen sich per mille franko Hamburg inklusive Emballage, fob Newyork 4 % billiger.

Ces cartouches sont à poudre noire, No. U M C 134 à 147 sont à plombs. Les types marqués du signe: × sont à poudre sans fumée. Les prix s'entendent par mille franco Hambourg y compris emballage, franco New-York ils seraient de 4 % meilleur marché.

The cartridges are charged with black powder, No. U M C 134—U M C 147 with shot. The numbers marked × are loaded with smokeless powder. The prices apply per 1000 free Hamburg including packing, fob New-York 4 % cheaper.

Estos cartuchos son de pólvora negra. Los Nos. U M C 134 hasta 147 son de perdigones. Los tipos marcados con × son de pólvora sin húmo. Los precios se entienden por mil franco Hamburgo y embalaje incluido. Franco Nueva York serian 4 % más baratos.

Nr.	U M C 134	U M C 135	U M C 136 ×	U M C 137	U M C 138	U M C 139 ×	U M C 140	U M C 141 ×	U M C 142	U M C 143	U M C 144
†	Fepal	Fepak	Fepal	Fepam	Fepan	Fepao	Fepap	Fepar	Fepas	Fepat	Fepau
M. pro 1000	61,—	79,10	92,60	67,70	72,—	85,40	92,60	111,30	92,60	111,30	92,60

Nr.	U M C 145 ×	U M C 146	U M C 147	U M C 148	U M C 149	U M C 150	U M C 151	U M C 152	U M C 153	U M C 154	U M C 155
†	Fepav	Fepaw	Fepax	Fepaz	Rufenb	Rufeno	Rufenl	Rufena	Rufene	Rufenu	Rufenk
M. pro 1000	111,30	92,60	100,—	11,—	20,50	47,60	44,—	68,—	40,50	52,—	84,—

Revolver-Futterale.	Etuis de revolvers.	Holsters and cases for revolvers.	Estuches para revolvers.

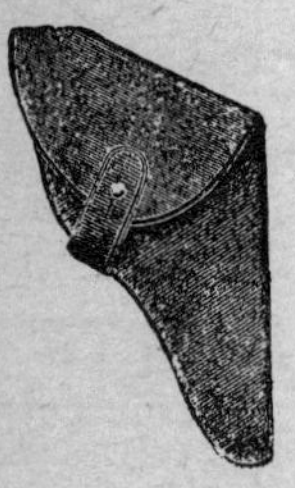

520.

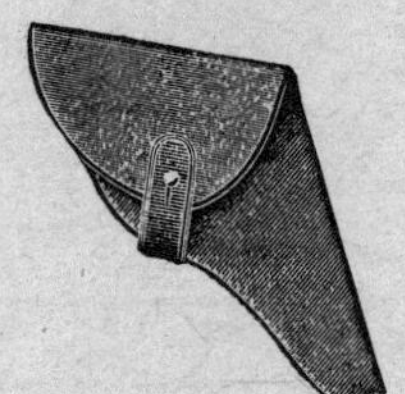

520. 521.
522. 523.

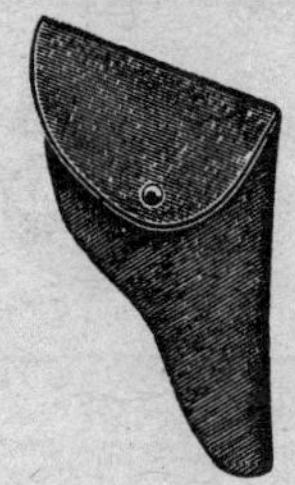

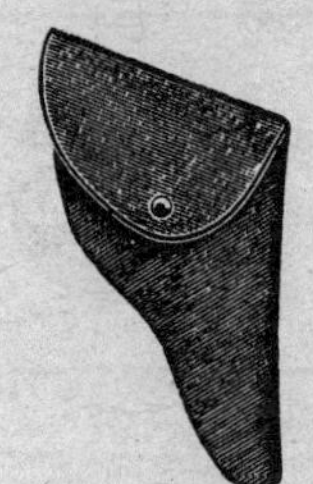

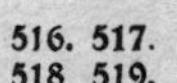

516. 517.
518. 519.

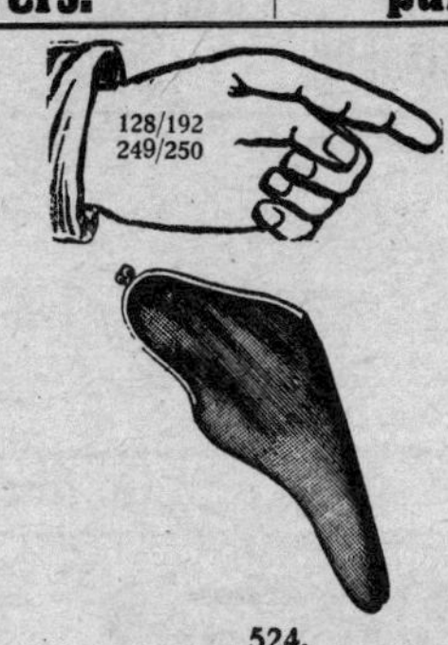

524.

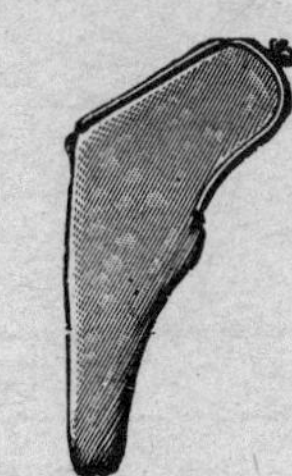

525. 526.

	516	516 a	517	518	519	520
	Mausil	**Char**	**Kluk**	**Flun**	**Fluna**	**Kabra**
Die Nummern b — h sind zur Bezeichnung der Caliber den Grundnummern anzuhängen und auch dem Telegrammwort. (530/9 mm heisst also: 530 c = † Arfleic)	Aus mausgrauem Ia. **Filzstoff** mit **Druckknopf** 5 mm	Aus schwarzem **Chagrinrindleder** mit **Druckknopf** 5 mm	Wie 516 a Klappe mit **Ledereinfassung** und **Druckknopf** 5 mm	Wie 516 a mit **grünem Flanell gefüttert** und **Druckknopf** 5 mm	Wie 518, aber Klappe mit **Ledereinfassung** und **Druckknopf** 5 mm	Aus kaffeebraunem leichten **Rindleder** mit **Schlaufe** u. **Messingknopf** 5 mm
Les lettres b à h ajoutées aux numéros ou aux mots télégraphiques marquent le calibre. (Ainsi 530 9 mm se dira: 530 c = † Arfleic)	En **étoffe-feutre** de 1. qualité, couleur souris, avec bouton à pression, 5 mm	En **chagrin** noir, avec **bouton à pression** 5 mm	Comme 516 a avec rabat bordé de **cuir** et **bouton à pression** 5 mm	Comme 516a, **doublé de flanelle verte,** avec bouton à pression, 5 mm	Comme 518 mais avec rabat bordé de **cuir** et **bouton** à **pression,** 5 mm	En vachette légère, couleur café, **avec platte et bouton** de **cuivre** 5 mm
The letters b — h are added to the numbers and also to the code-word in order to express the caliber. (Thus 5309 mm is: 530 c = † Arfleic)	of prime mouse **grey felt** material with **press-button** 5 mm	of black **shagreen** cow-hide with **press-button** 5 mm	like 516a **flap with leather border** and **press-button** 5 mm	like 516a **lined** with **green flannel** and **press-button** 5 mm	like 518 but flap with **leather border** and **press-button** 5 mm	of light brown **cowhide** with **loop** and **brass button** 5 mm
Las letras b — h añadidas á los números ó á las palabras telegráficas marcan el calibre. (Asi que, 530 9 mm se dira: 530 c = † Arfleic)	De **telafieltro** de 1 a calidad, color ratón, con botón de presión 5 mm	De **cuero negro,** con **botón de presión,** 5 mm	Como 516 a, **con tapa orladura de cuero** y **botón** de **presión** 5 mm	Como 516a **forrado** de **flanela verde,** con botón de presión, 5 mm	Como 518 pero **con** tapa **orladura** de **cuero** y **botón** de **presión** 5 mm	De **cuero** ligero, color café, con **pata** y **botón** de **cobre** 5 mm
Mark:	5.20	7.50	7.80	10.—	10.20	7.80
b = 7 mm **Mark:**	6.—	8 40	8.80	11.—	11.—	9.40
c = 9 mm **Mark:**	6.60	10.—	10.20	12.20	12.60	11.—
d = 12 mm **Mark:**	7 80	11.—	11.60	14.—	14.40	12.40
e = Bulldog 320 **Mark:**	5.60	7.80	8.40	10.40	11.—	8.40
f = Bulldog 380 **Mark:**	6.—	8.40	9.40	11.—	11.60	9 40
g = Crimin 320 **Mark:**	5.60	7.80	8.40	10.40	11.—	8.40
h = Crimin 380 **Mark:**	6.—	8.40	9.40	11.—	11.60	9.40

per 10 Stück | par 10 pièces | in quantites of 10 | par 10 piezas

	521	522	523	524	525	526
	Kebru	**Mopf**	**Mopfu**	**Mophu**	**Mopsa**	**Mople**
Die Nummern b — h sind zur Bezeichnung der Caliber den Grundnummern anzuhängen und auch dem Telegrammwort. (530/9 mm heisst also: 530 c = † Arfleic)	Wie 520 aber Klappe mit **Ledereinfassung** 5 mm	Wie 520 mit **grünem Flanellfutter** 5 mm	Wie 522 Klappe mit **Ledereinfassung** 5 mm	Mit Bugel aus Ia. **lederfarbenem Filzstoff** 5 mm	Mit **Bügel** aus **grauem sämisch Leder** mit **Lederfutter** 5 mm	Wie 525 **ohne** Futter 5 mm
Les lettres b à h ajoutées aux numéros ou aux mots télégraphiques marquent le calibre (Ainsi 530 9 mm se dira: 530 c = † Arfleic)	Comme 520 mais rabat à **bordure de cuir** 5 mm	Comme 520 **doublé** de **flanelle verte** 5 mm	Comme 522 avec rabat à **bordure de cuir** 5 mm	avec cerceau de fermeture, en étoffe de 1. qualité, couleur cuir, 5 mm	Avec **cerceau de fermeture,** en cuir gris **chamoisé,** avec **doublure de cuir** 5 mm	Comme 525 **sans** doublure 5 mm
The letters b — h are added to the numbers and also to the code-word in order to express the caliber. (Thus 5309 mm is: 530 c = † Arfleic)	like 520 but flap with **leather border** 5 mm	like 520 with **green flannel lining** 5 mm	like 522 flap **with leather lining** 5 mm	with hoop of prime leather colored felt material 5 mm	with **hoop,** of grey **chamois leather** with **leather lining** 5 mm	like 525 **without lining** 5 mm
Las letras b — h añadidas á los números ó á las palabras telegráficas marcan el calibre. (Asi que, 530 9 mm se dira: 530 c = † Arfleic)	Como 520 pero **con tapa orladura** de **cuero** 5 mm	Como 520 **forrado de flanela verde** 5 mm	Como 522 con **tapa orladura de cuero** 5 mm	Con cerco de cierre tela de 1 a. calidad, color cuero 5 mm	Con cerco de cierre, en cuero gris agamuzado, con forro de cuero, 5 mm	Como 525, **sin** forro 5 mm
Mark:	8 —	10.40	10.40	10.40	15.—	11.—
b = 7 mm **Mark:**	9.60	11.60	11.60	12.40	19.20	14.40
c = 9 mm **Mark:**	11.—	13.20	13.20	14.—	22.60	17.60
d = 12 mm **Mark:**	12.20	15.—	15.—	—	—	—
e = Bulldog 320 **Mark:**	8.80	11.40	11.—	11.—	17.60	11.—
f = Bulldog 380 **Mark:**	9.80	11.80	11.60	12.20	20.40	15.40
g = Crimin 320 **Mark:**	9.—	11.60	11.—	11.—	17.60	11.—
h = Crimin 380 **Mark:**	10.—	11.80	11.60	12.20	20.40	15.40

per 10 Stück | par 10 pièces | in quantities of 10 | par 10 piezas.

Revolver-Futterale. | Etuis de revolvers. | Holsters and cases for revolvers. | Estuches para revolvers.

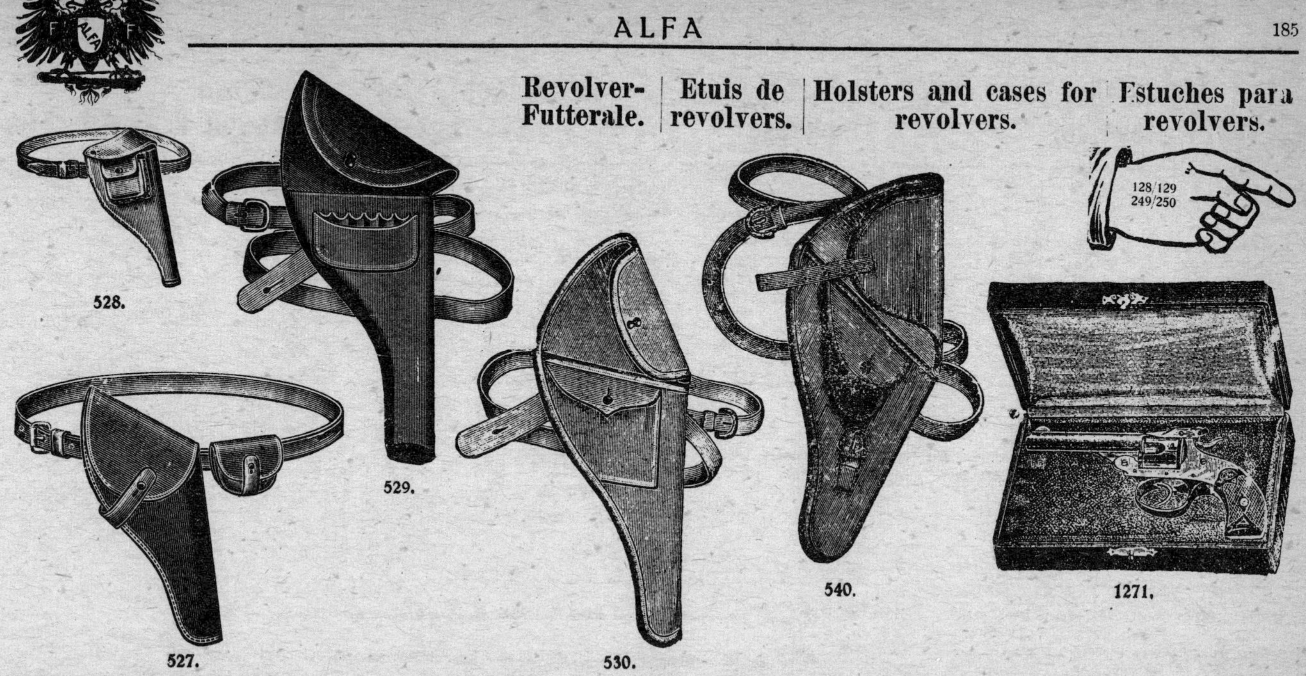

Die Nummern b — h sind zur Bezeichnung der Caliber den Grundnummern anzuhängen und auch dem Telegrammwort. (530/9 mm heisst also: 530 c = † Arfleic)	527 Mopon	528 Mifuge	529 Arfusa	530 Arflei	540 Orflan	541 Leiri	1271 Schurke
	Mit Gürtel und separater Patronentasche Ia. braunes Rindleder	Militär-Revolverfutteral aus starkem engl. gelben Ia. Rindleder mit Patronentasche und Leibriemen	Armee-Revolverfutteral aus starkem schwarzen glatten Rindlederm. Patronentasche mit Leibriemen	Armee-Revolverfutteral wie 529 mit Leibriemen engl. Façon	Ordonnanzfutteral Chagrinleder, Flanellfutter	Leibriemen aus Leder in braun oder schwarz	Luxusetui mit grünem Sammet und grüner Seide ausgeschlagen guter Verschluss aussen schwarz Cal. 5 mm
Les lettres b à h ajoutées aux numéros ou aux mots télégraphiques marquent le calibre. (Ainsi 530/9 mm se dira: 530 c = † Arfleic)	Avec courroie et pochette à balles séparée, vachette brune de 1. Qualité	Etui militaire pour revolver, en forte vachette jaune anglaise, de 1. Qualité, avec pochette pour cartouches et ceinturon	Etui militaire pour revolver, en forte vachette noire et unie, avec pochette à cartouches et ceinturon	Etui militaire pour revolver, comme 529 avec ceinturon façon anglaise	Etui d'ordonnance, en chagrin doublure de flanelle	Courroie en cuir brun ou noir	Etui de luxe avec garniture de velours vert et desoie verte, bonne fermeture, extérieur noir, Cal. 5 mm
The letters b — h are added to the numbers and also to the code-word in order to express the caliber. (Thus 530/9 mm is: 530 c = † Arfleic)	with belt and separate cartridgebox, prime brown cowhide	military revolver holster of prime quality, strong. English cowhide with cartridge box and belt	military revolver holster of strong, smooth black cow-hide, with cartridge box and belt	military revolver holster like 529 with belt English style	military holster shagreen leather flannel lining	belt of brown or black leather	fancy-case lined with green velvet and green silk, good lock, black outside Cal. 5 mm
Las letras b—h añadidas á los números ó á las palabras telegraficas marcan el calibre. (Asi que, 530/9 mm sé dira: 530 c = † Arfleic)	Con correa y bolsillito para ballas, separado-vaqueta morena de 1a calidad	Estuche militar para revólver, de vaqueta inglesa amarilla fuerte, de 1a calidad, con bolsillito para cartuchos y cinturón	Estuche militar para revolver, de Vaqueta fuerte negra y unida, con bolsillito de cartuchos y cinturon	Estuche militar para revolver, como 529, con cinturón forma inglesa	Estuche de ordenanza, de cuero, forro de flanela	Cinturon de cuero moreno ó negro	Estuche de lujo con guarnición de terciopelos verdes y de seda verde, buen ciere, exterior negro, Cal. 5 mm
Mark:	—	—	—	—	—	10.—	24.—
b = 7 mm Mark:	36,30	—	—	—	—	—	24.—
c = 9 mm Mark:	39.60	88.—	38.50	42.90	41.80	—	31.20
d = 12 mm Mark:	44.—	88.—	38.50	42.90	41.80	—	31.20
e = Bulldog 320 Mark:	—	—	—	—	—	—	28.80
f = Bulldog 380 Mark:	—	—	—	—	—	—	31.20
g = Crimin 320 Mark:	—	—	—	—	—	—	28.80
h = Crimin 380 Mark:	—	—	—	—	—	—	31.20

per 10 Stück. | par 10 pièces. | in quantities of 10. | par 10 piezas.

Ständer für Revolver aus Eisen bronziert | Porte-revolvers, en fer bronzé

Stands for revolvers iron bronzed | Porta-revólveres, de hierro bronceado

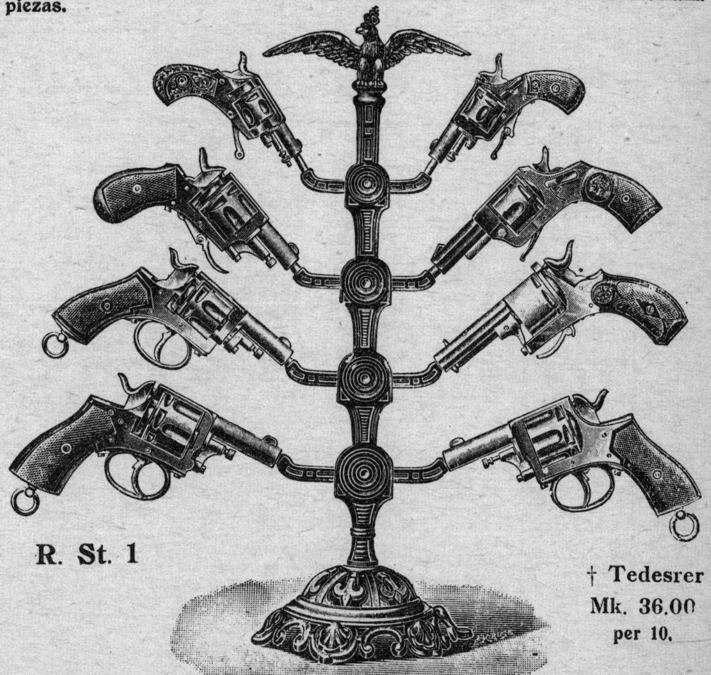

R. St. 1

† Tedesrer
Mk. 36.00
per 10.

Zubehör für Revolver. | Accessoires pour revolvers. | Implements for revolvers. | Accesorios para revólveres.

Zündhütchen für Revolverpatronen | Capsules pour cartouches de revolver | Caps for revolver-cartridges | Cápsulas para cartuchos de revólver

Deutsch — allemand / German — aleman: Z 25, Z 26

Amerikanisch — Américain / American — Americano: Z 27/28, Z 29, Z 30, Z 31

Feuerwerkspatronen für Revolver | Cartouches de feu d'artifice pour revolvers | Fire-work cartridges for revolvers | Cartuchos de fuego artifizial para revólveres

F W 1
F W 2
F W 3
F W 4
F W 5
F W 6

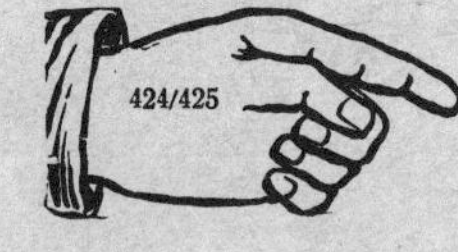

Pistolen- und Revolver-Putzstöcke | Baguettes de nettoyage pour pistolets et revolvers | Pistol and revolver cleaning Rods | Limpiadores para Pistolas y revolvers

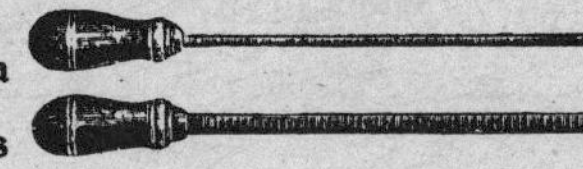

No. 1783

No. 1784

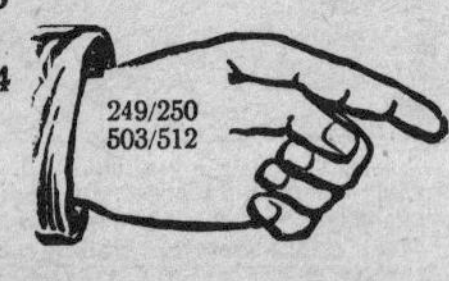

No. 1779/80

No. 1774

No. 1775

No. 1776
No. 1776 a

No. 1781 1782

Nr.	Z 25	Z 26	Z 27	Z 28	Z 29	Z 30	Z 31	F W 1	F W 2	F W 3	F W 4	F W 5	F W 6
†	Pizun	Pizunz	Winzun	Winzunz	Winsunz	Wintunz	Winxunz	Feree	Forol	Folorzt	Fecen	Focen	Foran
	Flachbodig $5-4\frac{1}{2}-4$ lackiert	Flachbodig $5-4\frac{1}{2}-4$ mit Staniol-decke	Original Win-chester Nr. 1	Original Winchester Nr. 1 W für rauchlos	Original Winchester Nr. $1\frac{1}{2}$	Original Winchester $1\frac{1}{2}$ W Kupfer für rauchlos	Original Winchester Nr. 2 Kupfer	Lefau-cheux 9 mm	Lefau-cheux 12 mm	Central-feuer Cal. 320	Central-feuer Cal. 380	Central-feuer Cal. 450	**Randfeuer** Cal. 9 mm
	à fond plat $5-4\frac{1}{2}-4$ verni	à fond plat $5-4\frac{1}{2}-4$ avec paillon etain	Win-chester Original Nr. 1	Winchester Original Nr. 1 W pour poudre sans fumée	Winchester Original Nr. $1\frac{1}{2}$	Winchester Original $1\frac{1}{2}$ W, cuivre, pour poudre sans fumée	Winchester Original Nr. 2, cuivre	Lefau-cheux 9 mm	Lefau-cheux 12 mm	à feu central cal. 320	à feu central cal. 380	à feu central cal. 450	à feu annulaire cal. 9 mm
	flat bottom $5-4\frac{1}{2}-4$ varnished	flat bottom $5-4\frac{1}{2}-4$ with tin foil top	original Win-chester Nr. 1	original Winchester Nr. 1 W for smokeless	original Winchester Nr. $1\frac{1}{2}$	original Winchester $1\frac{1}{2}$ W copper for smokeless	original Winchester Nr. 2 copper	Lefau-cheux 9 mm	Lefau-cheux 12 mm	Center fire cal. 320	Center fire cal. 380	Center fire cal. 450	rim fire cal. 9 mm
	De fondo plano $5-4\frac{1}{2}-4$ barnizado	De fondo plano $5-4\frac{1}{2}-4$ con capa de estaño	Win-chester Original Nr. 1	Winchester Original Nr. 1 W para pólvora sin humo	Winchester Original Nr. $1\frac{1}{2}$	Winchester Original $1\frac{1}{2}$ W, cobre para pólvora sin húmo	Winchester Original Nr. 2 cobre	Lefau-cheux 9 mm	Lefau-cheux 12 mm	De fuego central Cal. 320	De fuego central Cal. 380	De fuego central Cal. 450	De fuego anular Cal. 9 mm
Mark pro 1000	4,72	5,32	11,—	11,—	11,—	11,—	11,—	156,—	218,—	160.—	168,—	174,—	150,—

Nr.	1779	1780	1781	1782	1783	1784	1774	1775	1776	1776 a
†	Plakat	Pneumo	Pneumat	Pluvia	Plunger	Plural	Oelfund	Oelbeh	Oeldocht	Oeldochiz
	Borsten mit Eisendraht **6 mm**	wie 1779 in **9 mm**	aus **Eisendraht** mit **Ring,** einfach	**Drehbarer Griff,** Messingaufsatz, **Holzbekleidung, innen Stahl,** 6 und 9 mm	**Drehbarer Griff** wie 1782, **6 mm,** aber **Lederbezug**	**Drehbarer Griff** wie 1783, aber **Cal. 9 mm**	**Aufschraubbare Borstenbürsten** mit Messinggewinde, 6 mm	9 mm	**Aufschraubbare Stahlkrätzer** mit Messinggewinde 6 mm	9 mm
	Brosse sur fil de fer **6 mm**	comme 1779 en cal. **9 mm**	En **fil de fer avec anneau,** simple	**Poignée mobile,** extrêmité en laiton, **à revêtement de bois,** sur acier, 6 et 9 mm	**Poignée mobile,** comme 1782, **6 mm,** mais **revêtement de cuir**	**Poignée mobile** comme 1783, mais **Cal. 9 mm**	**Brosses vissables,** avec pas-de-vis en laiton, 6 mm	9 mm	**Grattoir vissable en acier** pas-de-vis avec de laiton, 6 mm	9 mm
	bristles with iron wire **6 mm**	like 1779 in **9 mm**	of **iron wire with ring,** plain	**turning grip,** brass top, interior of steel **with wooden covering,** up to 9 mm	**turning handle,** like 1782, **6 mm,** but leather covering	turning handle like 1783, but **cal. 9 mm**	**bristle brushes** for **screwing on** with brass worming 6 mm	9 mm	**steel scratcher** for **screwing** on with brass worming 6 mm	9 mm
	Cepillo sobre hilo de hierro **6 mm**	Como 1779 en cal. **9 mm**	De **hilo de hierro con anillo,** simple	**Puño mobil,** extremidad de latón, **revestimiento de madera** sobre acero. 6 y 9 mm	**Puño mobil,** Como 1782, **6 mm,** pero **revestimiento de cuero**	Puño móbil como 1783 pero **cal. 9 mm**	**Cepillos atornillables,** con tornillos de latón, 6 mm	9 mm	**Roedor atornillable,** con filete de latón, 6 mm	9 mm
Mark pro 10	3,50	3,50	2,10	23,—	18,—	18,—	1,80	1,80	1,70	1,70

Flobert-Pistolen. „Marke Lob“. | Pistolets cyclistes. Marque „Lob“. | Flobert Pistols. Mark „Lob“. | Pistolas Flobert. Marca „Lob“.

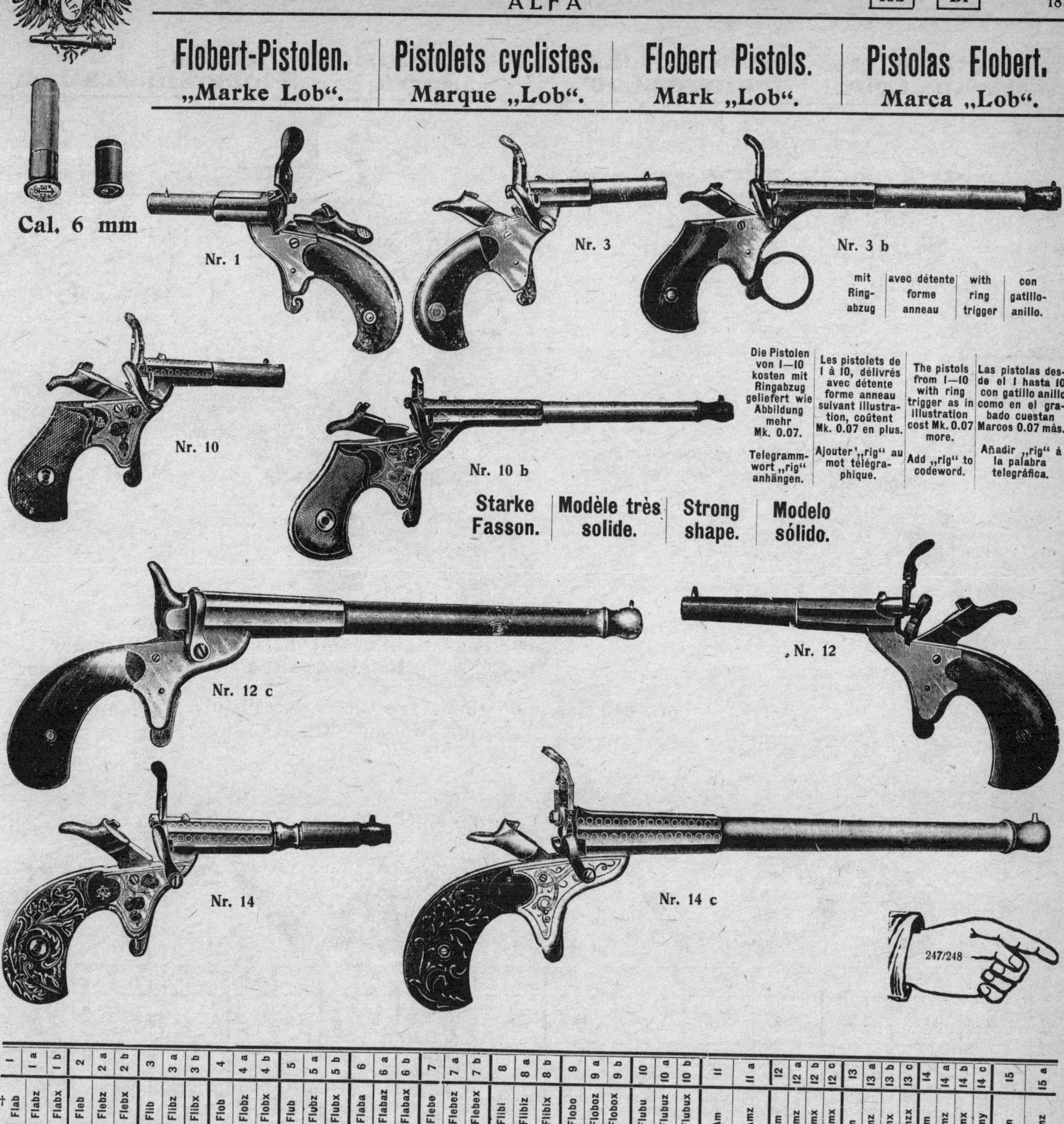

mit Ringabzug	avec détente forme anneau	with ring trigger	con gatillo-anillo.

Die Pistolen von 1—10 kosten mit Ringabzug geliefert wie Abbildung mehr Mk. 0.07. Telegrammwort „rig“ anhängen.	Les pistolets de 1 à 10, délivrés avec détente forme anneau suivant illustration, coûtent Mk. 0.07 en plus. Ajouter „rig“ au mot télégraphique.	The pistols from 1—10 with ring trigger as in illustration cost Mk. 0.07 more. Add „rig“ to codeword.	Las pistolas desde el 1 hasta 10 con gatillo anillo como en el grabado cuestan Marcos 0.07 más. Añadir „rig“ á la palabra telegráfica.

Starke Fasson. | Modèle très solide. | Strong shape. | Modelo sólido.

Nr.	†	Beschreibung / Description				Länge	Mk.
1	Flab	poliert, Nussbaumgriff, ohne Patronenzieher	poli, crosse noyer, sans extracteur	polished, walnut grip, without ejector	bruñido, mango nogal, sin extractor	11 cm	1.44
1 a	Flabz					15 cm	1.84
1 b	Flabx					18 cm	2.20
2	Fleb	vernickelt, Nussbaumgriff, ohne Patronenzieher	nickelé, crosse noyer, sans extracteur	nickeled, walnut grip, without ejector	niquelado, mango nogal, sin extractor	11 cm	1.50
2 a	Flebz					15 cm	1.96
2 b	Flebx					18 cm	2.32
3	Flib	poliert, Nussbaumgriff, mit Patronenzieher	poli, crosse noyer, avec extracteur	polished, walnut grip, with ejector	bruñido, mango nogal, con extractor	11 cm	1.54
3 a	Flibz					15 cm	1.86
3 b	Flibx					18 cm	2.24
4	Flob	wie 3, aber vernickelt	comme Nr. 3, mais nickelé	like 3, but nickeled	como Nr. 3, pero niquelado	11 cm	1.60
4 a	Flobz					15 cm	1.92
4 b	Flobx					18 cm	2.30
5	Flub	schwarzgold, Nussbaumgriff,	noir-or, crosse noyer	black gold, walnut grip	oro-negro, mango nogal	11 cm	1.88
5 a	Flubz					15 cm	2.30
5 b	Flubx					18 cm	2.64
6	Flaba	wie 5, mit Patentschaft	comme 5, avec crosse déposée	like 5, with patent stock	como 5, con mango registrado	11 cm	2.48
6 a	Flabaz					15 cm	2.90
6 b	Flabax					18 cm	3.24
7	Flebe	schwarzgold, Nussbaumgriff, Patronenzieher	noir-or crosse noyer extracteur	black-gold, walnut grip, ejector	oro-negro, mango nogal, extractor	11 cm	2.04
7 a	Flebez					15 cm	2.48
7 b	Flebex					18 cm	2.84
8	Flibi	wie 7, mit Patentschaft	comme 7, avec crosse déposée	like 7, with patent stock	como 7, con mango registrado	11 cm	2.64
8 a	Flibiz					15 cm	3.04
8 b	Flibix					18 cm	3.46
9	Flobo	vernickelt, gravierter Patentschaft	nickelé, crosse gravé, déposée	nickeled, engraved, patent stock	niquelado, grabado, mango registrado	11 cm	2.30
9 a	Floboz					15 cm	2.88
9 b	Flobox					18 cm	3.30
10	Flubu	wie 9, mit Patronenzieher	comme 9, avec extracteur	like 9, with ejector	como 9, con extractor	11 cm	2.64
10 a	Flubuz					15 cm	3.—
10 b	Flubux					18 cm	3.46
11	Am	poliert, Nussbaumgriff	poli, crosse noyer	polished, walnut grip	bruñido, mango nogal	17 cm	2.74
11 a	Amz					19 cm	3.26
12	Em	vernickelt, Nussbaumgriff	nickelé, crosse noyer	nickeled, walnut grip	niquelado, mango nogal	17 cm	3.—
12 a	Emz					19 cm	3.36
12 b	Emx					24 cm	4.42
12 c	Amx					27 cm	4.80
13	Im	vernickelt, Patentschaft	nickelée, crosse déposée	nickeled patent stock	niquelado mango registrado	17 cm	3.84
13 a	Imz					19 cm	4.32
13 b	Imx					24 cm	5.14
13 c	Imzx					27 cm	5.76
14	Om	wie 13, jedoch graviert	comme 13, mais gravé	like 13, but engraved	como 13, pero grabado	17 cm	4.40
14 a	Omz					19 cm	4.80
14 b	Omx					24 cm	5.56
14 c	Omy					27 cm	6.08
15	Um	schwarzgold, Patentschaft	noir-or, crosse déposée	black-gold patent stock	oro-negro. mango registrado	17 cm	4.46
15 a	Umz					19 cm	4.76

Nr. 11–15: Starke Fasson — Modèle très solide — Strong shape — Modelo sólido

Flobert-Pistolen Marke „Lob“. | Pistolets Cyclistes marque „Lob“. | Flobert-Pistols „Lob“. | Pistolas Flobert marca „Lob“

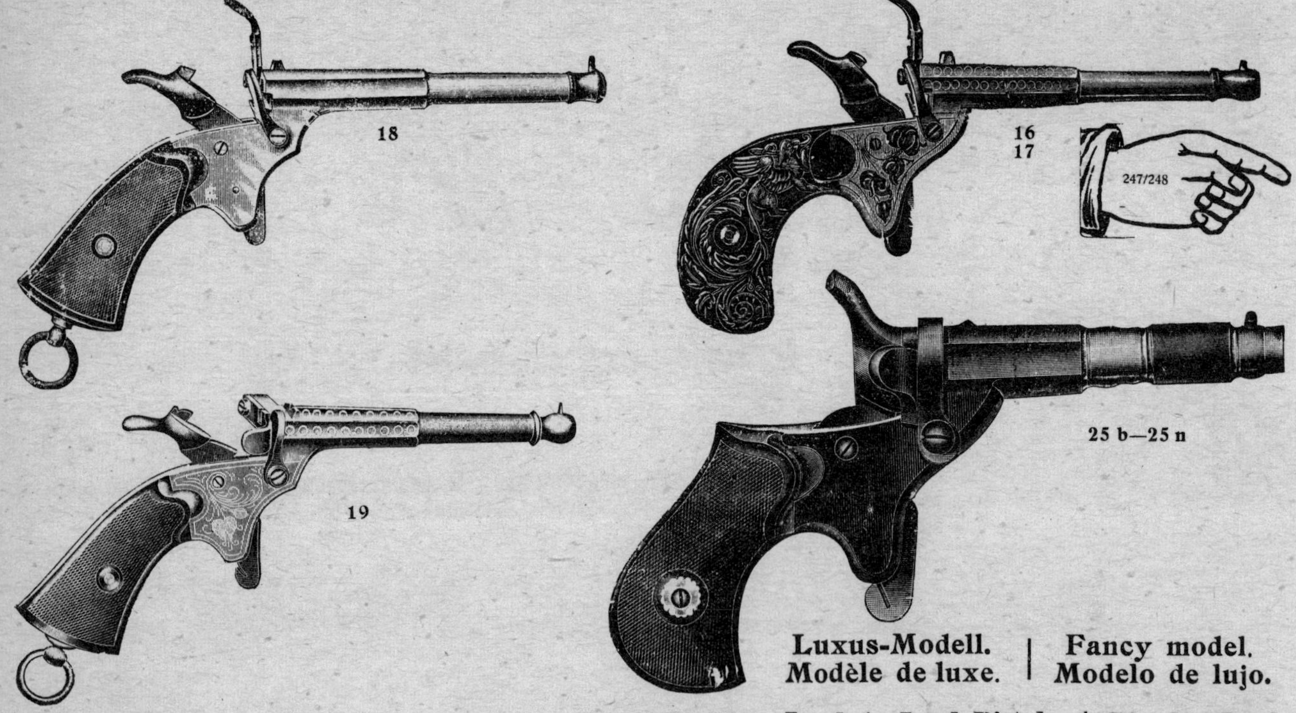

Luxus-Modell. | Modèle de luxe. | Fancy model. | Modelo de lujo.

Lord-Pistolen, Marke „Gnom“. | Pistolets Lord, marque „Gnom“ | Lord Pistols Brand „Gnom“ | Pistolas Lord, marca „Gnom“.

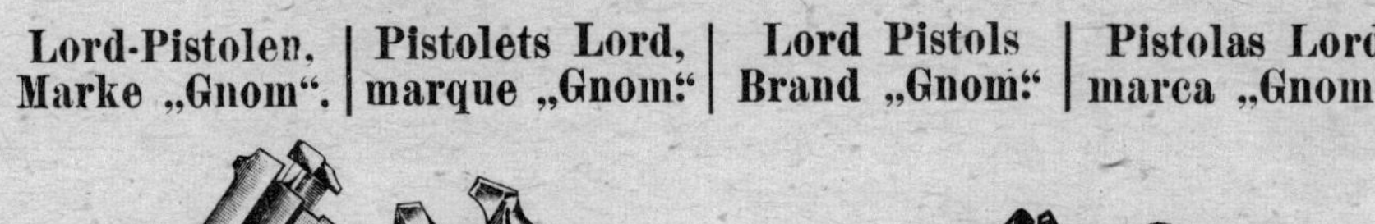

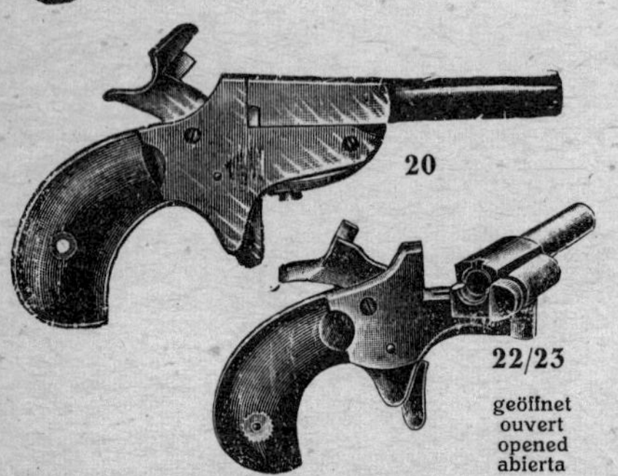

geöffnet ouvert opened abierta

24—25 a

21

No.	16	17	18	19	20	21	22	23	24	24 a	25	25 a	25 b	25 c	25 d	25 e	25 f	25 g	25 h	25 i	25 k	25 l	25 m	25 n
†	Vag	Veg	Vig	Vog	Vug	Vaga	Vege	Vigi	Vogo	Vuguz	Vugu	Vugux	Vagz	Vegz	Vigz	Vogz	Vugz	Vagaz	Vegez	Vigiz	Vogoz	Vogox	Vigix	Vegex
													Luxus-Modell.											
	schwarz, gebeizt, Nussbaum-griff	**ver-nickelt, graviert, Patent-griff**	**vernik-kelt** mit **Ring** zum anhängen, Patentgriff	**ver-nickelt, graviert, Patent-griff, Ring**	**ver-nickelt,** Nussbaum-griff **ohne** Auswerfer	**ver-nickelt,** Nussbaum-griff, **selbst-tätiger** Auswerfer	wie 20, zum **Seitwärts-drehen**	wie 21, zum **Seitwärts-drehen**	**ver-nickelt, selbst-tätiger** Auswerfer, Holzschaft		**ver-nickelt, Patent-griff, gezogen**		Lauf kantig, rund ausge-dreht, schwarz-gold, Nussbaum-schaft, **ohne** Patronenzieher			Wie 25 b, mit **Patent-schaft ohne** Patronen-zieher			Wie 25 b, **mit Pa-tronen-zieher**			Wie 25 e, **mit Patronen-zieher**		
													Modèle de luxe.											
	Noir, crosse noyer	**Nickelé, gravé, crosse déposée**	**Nickelé,** avec **anneau** à la poignée **crosse déposée**	**Nickelé, gravé,** crosse dé-posée, **avec anneau**	**Nickelé,** crosse noyer, **sans** extracteur	**Nickelé,** crosse noyer, **extrac-teur auto-matique**	Comme 20, **s'ouvre** en tirant, **de côté**	Comme 21, **s'ouvre** en tirant de **côte**	**Nickelé,** extracteur, **automati-que,** crosse de bois		**Nickelé, crosse déposée, rayé**		Canon à angles avec prolonge-ment forme ronde, **noir or,** crosse de noyer, **sans** extracteur			Comme 25 b, avec **crosse** déposée **sans** extracteur			Comme 25 b, **avec ex-tracteur**			Comme 25 e, **avec ex-tracteur**		
													Fancy model.											
	stained black walnut grip	nickeled, engraved patent stock	nickeled with ring to hang on patent stock	nickeled, engraved patent stock Ring	nickeled, walnut grip without ejector	nickeled walnut grip automatic ejector	like 20, barrel turns sideways	like 21, barrel tur-ning side-ways	nickeled automatic ejector, wooden stock		nickeled patent stock rifled		edged barrel, rounded fore-end, **black gold** walnut stock, **without** car-tridge ejector			like 25 b, with **patent stock with-out** car-tridge ejector			like 25 b, with **cartridge ejector**			like 25 e, **with car-tridge ejector**		
													Modelo de lujo.											
	negro, mango de nogal	niquelado grabado, mango registrado	niquelado, con anillo, para colgar mango re-gistrado	niquelado, grabado, mango registrado, anilla	niquelado, mango nogal, sin extractor	niquelado, mango nogal, ex-tractor automático	como 20, cañon á vuelta á un lado	como 21, cañon á vuelta á un lado	niquelado, extractor automático, mango madera		niquelado, mango re-gistrado, rayado		Cañon de an-gulós, con pro-longación forma redonda, **negro oro,** culata de nogal, **sin** extractor			Como 25 b, **con culata registrada, sin** extractor			Como 25 b, **con extractor**			Como 25 e, **con ex-tractor**		
	22 cm	22 cm	22 cm	22 cm	16 cm	16 cm	16 cm	16 cm	15 cm	19 cm	15 cm	19 cm	11 cm	15 cm	18 cm	11 cm	15 cm	18 cm	11 cm	15 cm	18 cm	11 cm	15 cm	18 cm
Mark	3,70	5,04	5,40	6,06	4,08	4,36	4,36	4,80	4,70	5,30	7,80	9,—	2,30	2,70	3,10	2,70	3,10	3,60	2,50	2,96	3,46	3,—	3,40	3,90

Salon-Pistolen Marke „Las“. | Pistolets de salon, marque „Las“. | Indoor pistols mark „Las“. | Pistolas de salón marca „Las“.

247/248

Cal. 6 mm

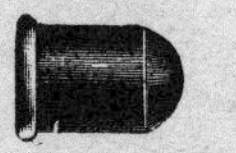

Cal. 9 mm

Warnant-Pistolen Marke „Traff“ | **Pistolets-Warnant marque „Traff“**

Warnant-pistols brand „Traff“ | **Pistolas Warnant marca „Traff“**

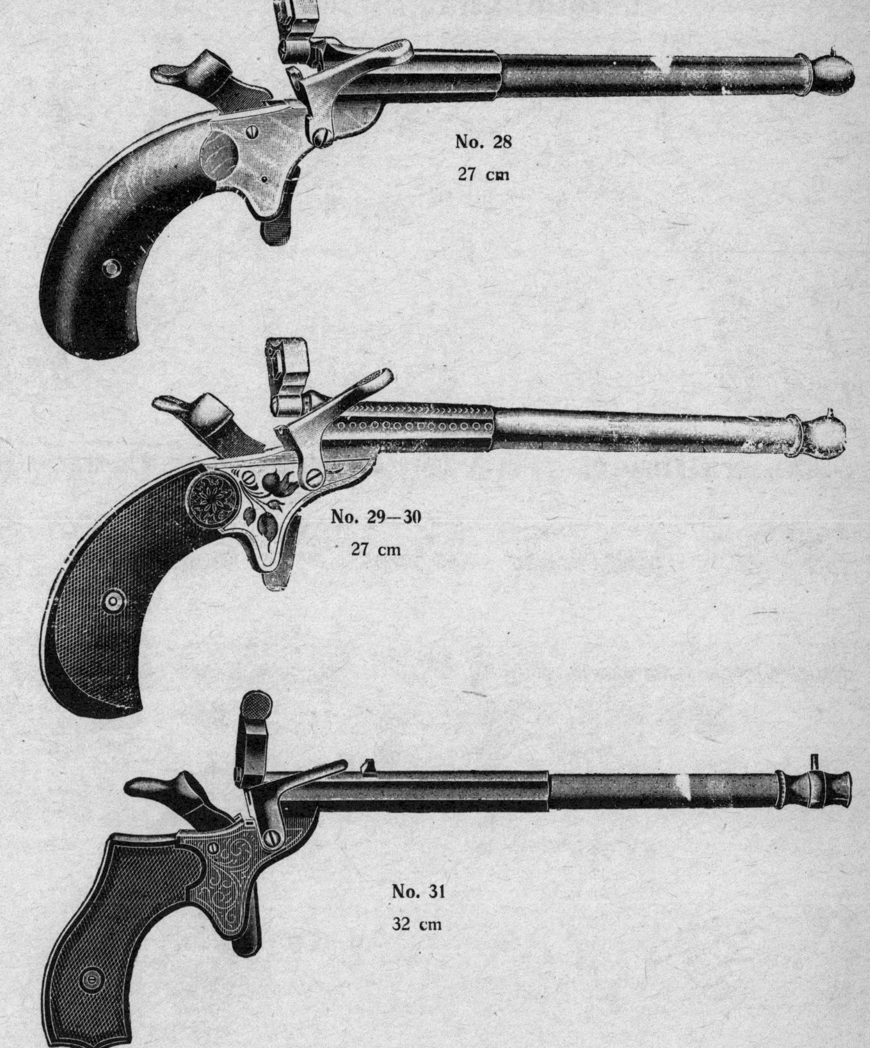

No. 28
27 cm

No. 29—30
27 cm

No. 31
32 cm

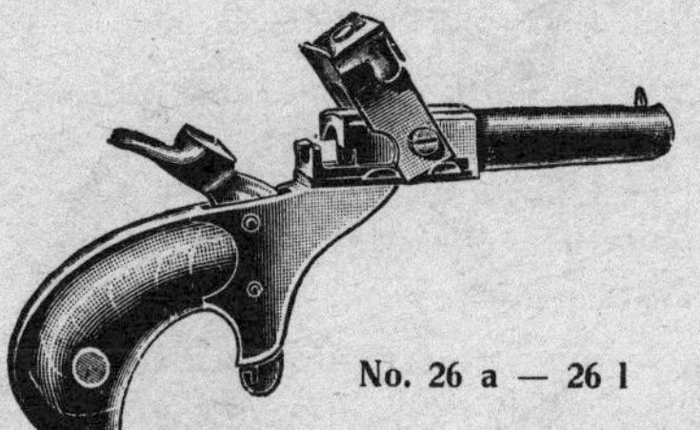

No. 26 a — 26 l

No.	27	27 a	28	28 a	29	29 a	30	30 a	31	31 a	26	26 a	26 b	26 c	26 d	26 e	26 f	26 g	26 h	26 i	26 k	26 l
†	Vald	Valdz	Veld	Veldz	Vild	Vildz	Vold	Voldz	Vuld	Vuldz	Traffi	Traffiz	Traffix	Traffixz	Traffizx	Traffzix	Traffo	Traffoz	Traffox	Traffozx	Traffoxz	Traffzox
	Vernickelt Nussbaumgriff glatter Lauf		Wie No. 27 aber gezogener Lauf		Vernickelt, graviert, Patentgriff glatter Lauf		Wie No. 29 aber gezogener Lauf		Schwarz graviert Patentgriff gezogener Lauf		Warnantpistole vernickelt Nussholzgriff						Warnantpistole blau Nussholzgriff					
	Nickelé, crosse noyer, canon lisse		Comme No. 27 mais canon rayé		Nickelé, gravé, crosse déposée, canon lisse		Comme No. 29 mais canon rayé		Noir, gravé, crosse déposée, canon rayé		Pistolet Warnant, nickelé, crosse de noyer						Pistolet Warnant, bleu, crosse de noyer					
	Nickeled, walnut stock, smooth barrel		Like No. 27 but rifled barrel		Nickeled, engraved patent stock, smooth barrel		Like No. 29 but rifled barrel		Black engraving, patent stock, rifled barrel		Warnant-pistol, nickeled, walnut grip						Warnant-pistol, blue, walnut grip					
	Niquelado, mango nogal, cañon liso		Como No. 27 pero cañon rayado		Niquelado, grabado, mango registrado, cañon liso		Como No. 29 pero cañon rayado		Grabado negro, mango registrado, cañon rayado		Pistola Warnant, niquelada, culata de nogal						Pistola Warnant, azul, culata de nogal					
	27 cm		27 cm		27 cm		27 cm		32 cm		13 cm		18 cm		21 cm		13 cm		18 cm		21 cm	
Cal.	6 mm	9 mm	6 mm	9 mm	6 mm	9 mm	6 mm	9 mm	6 mm	9 mm	6 mm	9 mm	6 mm	9 mm	6 mm	9 mm	6 mm	9 mm	6 mm	9 mm	6 mm	9 mm
Mk.	5,50	7,—	6,10	7,60	6,—	8,40	7,40	9,—	10,—	10,—	4,10	4,30	5,—	5,30	6,—	6,30	4,30	4,60	5,30	5,60	6,20	6,50

Lefaucheux- u. Centralfeuer-Pistolen Marke „Kropp“.	Pistolets Lefaucheux et à feu central, marque „Kropp“.	Center- and Pin-Fire-Pistols Mark „Kropp“.	Pistolas Lefaucheux y á fuego central, marca „Kropp“.

Lefaucheux.

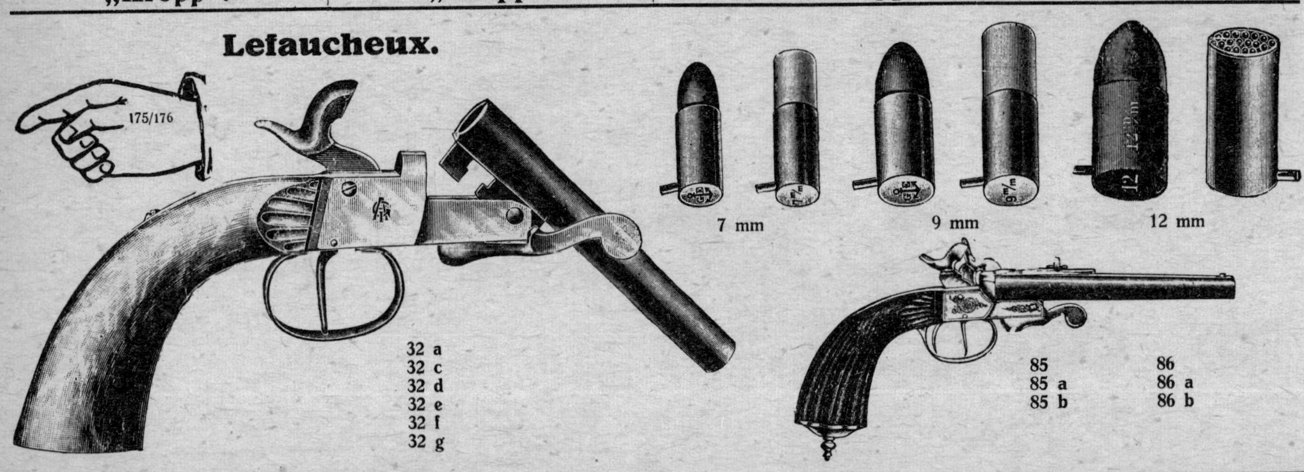

Centralfeuer. | à feu central. | Center fire. | de fuego central.

	32 a	32 d	32 e	32 c	32 f	32 g	85	85 a	85 b	86	86 a	86 b	32 b	32 h	32 i	32 k	32 l	32 m	87 c	87 d	88 e	87	87 a	87 b	88	88 a	88 b
	† Valda	Valdaz	Valdax	Vildi	Vildiz	Vildix	Bala	Balaz	Balax	Bale	Balvilz	Balvelz	Balvolz	Balvulz	Baldaz	Baldez	Baldiz	Baldoz	Bele	Belez	Belex	Bili	Biliz	Bilix	Bulu	Buluz	Bulux
	Lefaucheux Pistole einläufig ca. 28 cm lang, schwarzer gezogener Lauf, Nussverschluss ohne Patronenauswerfer.			Wie 32 a mit Patronenauswerfer.			Lefaucheux doppelläufig, vernickelt, graviert Falzschaft, Lauf schwarz mit Bügeldruck mit Auswerfer.			Wie 85 mit Patronenauswerfer aber **blank ohne** Gravur.			Wie 32 a aber **Centralfeuer ohne** Patronenauswerfer.			Wie 32 a **Centralfeuer mit** Patronenauswerfer.			**Centralfeuer** blank **gezogener** Lauf schwarz mit Bügeldruck **mit** Auswerfer.			Wie 87 c **vernickelt.**			Wie 87 aber **graviert,** Falzschaft, **vernickelt.**		
	Pistolet Lefaucheux, à 1 coup, long d'environ 28 cm, canon noir rayé, fermeture Nuss, sans extracteur			Comme 32 a **avec** extracteur.			Lefaucheux, à 2 canons, nickelé gravé crosse à rainures canon noir avec anneau à pression et extracteur.			Comme 85, **avec** extracteur, mais poli sans gravure.			Comme 32 a mais**àfeucentral, sans** extracteur.			Comme 32 a **à feu central avec** extracteur.			**à feu central,** poli canon, rayé, noir **avec** anneau à pression et extracteur.			Comme 87 c **nickelé.**			Comme 87 mais **gravé,** crosse à rainures, **nickelé.**		
	Lefaucheux one barrel pistols about 28 cm long, black rifled barrel, Nusslock without cartridge ejector.			like 32 a **with** cartridge ejector.			Lefaucheux, double barrel, grooved grip, nickeled and engraved, black barrel with guard pressure and ejector.			like 85 **with** cartridge ejector but **polished** without engraving.			like 32 a but **central fire without** cartridge ejector.			like 32 a **central-fire with** cartridge ejector.			**central fire** polished **rifled** barrel, black **with** guard pressure and ejector.			like 87 c **nickeled.**			like 87 but **engraved** grooved grip **nickeled.**		
	Pistola Lefaucheux, de 1 tiro, largo de 28 cm, próximamente, cañón negro y rayado, cierre Nuss, sin extractor			como 32 a **con** extractor.			Lefaucheux, de 2 cañones, niquelado, grabado, culata, con ranuras, cañón negro, con anillo de presión, extractor.			Como 85 con extractor pero pulido y sin grabado.			Como 32 a, pero **de fuego central, sin** extractor.			Como 32 a, de **fuego central** y **con** extractor.			**de fuego central,** pulido, cañón rayado, negro, **con** anillo de presión y extractor.			Como 87 c **niquelado.**			Como 87 pero **grabado, niquelado,** mango con ranuras.		
Cal.	7 mm	9 mm	12 mm	7 mm	9 mm	12 mm	7 mm	9 mm	12 mm	7 mm	9 mm	12 mm	320	380	450	320	380	450	320	380	450	320	380	450	320	380	450
Mk.	6,—	6,50	7,80	6,80	7,20	9,—	9,50	10,—	11,20	9,—	9,50	10,80	6,50	7,—	8,20	8,30	8,40	9,50	11,20	11,80	13,—	11,30	12,—	13,—	12,40	12,80	14,40

Centralfeuer-Pistolen Marke „Kropp“.	Pistolets à feu central marque „Kropp“.	Center-Fire-Pistols Mark „Kropp“.	Pistolas á fuego central marca „Kropp“.
Riesen-Pistole für Feuerwerkspatronen. Cal. 4.	**Pistolet „Géant“** pour cartouches à feu d'artifice. Cal. 4.	**Giant-Pistol** for firework-cartridges. Cal. 4.	**Pistola Gigantesca** para cartuchos de fuegos-artificiales. Cal. 4.

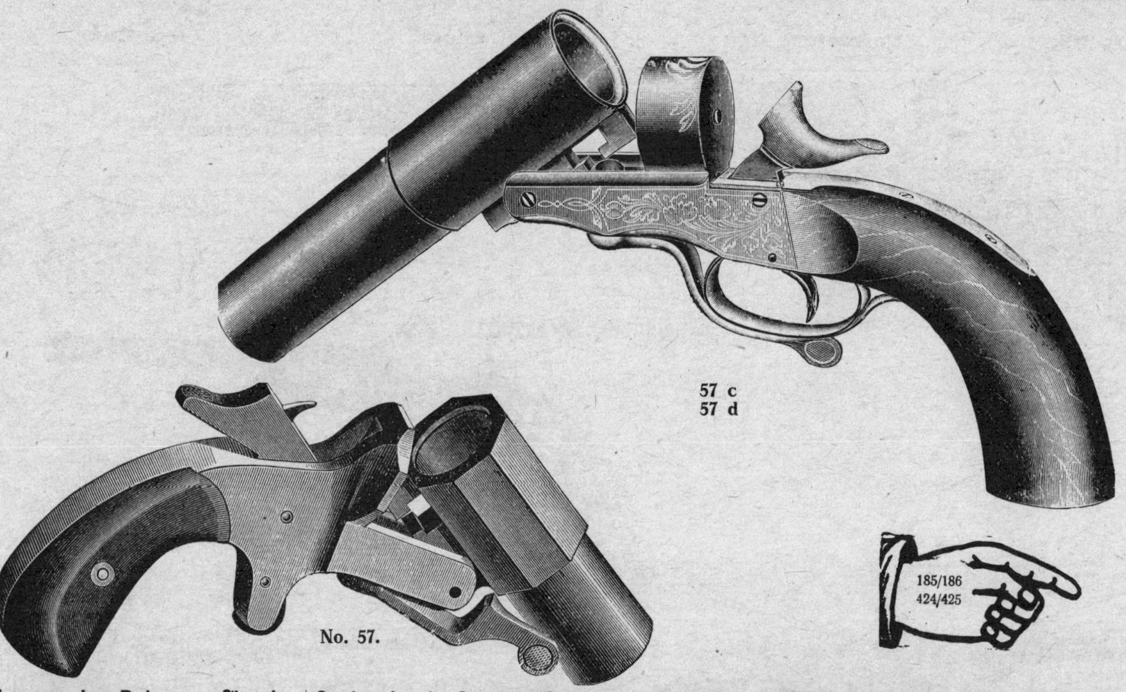

Feuerwerks-Patronen für das Riesenpistol Cal. 4.	Cartouche de feu d'artifice pour le pistolet „Géant“ Cal. 4.	Firework cartridges for the Giant Pistol Cal. 4.	Cartuchos de fuegos artificiales para las pistolas „Giant“ Cal. 4.

58 a — 58 f.

Nr.	57	57 a	57 b	57 c	57 d	58 a	58 b	58 c	58 d	58 e	58 f
†	Riese	Riesesex	Riesewolf	Rieseach	Riesevier	Fak	Fek	Fik	Fok	Fuk	Fulk
	Zum Signalisieren etc. **Centralfeuer**, Drehhebelverschluss, Nussbaumschaft **vernickelt.**	**Knopfdrucksystem**, Garnitur **schwarz** Nussbaumschaft für **Feuerwerkspatrone.** (Jagdcaliber.)		Wie 57 a aber **Drehhebelverschluss** für **Feuerwerkspatronen.** (Jagdcaliber.)		Feuerwerkspatronen für 57.					
						Raketen	Feuergarben	Feuergarben à la Vulcan	Leuchtkugeln weiss	Leuchtkugeln rot	Leuchtkugeln grün
	Pour **signaux etc.** à **feu central**, fermeture à levier en cércle, crosse noyer, **nickelé.**	**Système à bouton à pression**, garniture **noire** crosse noyer, pour **cartouches à feu d'artifice.** (Calibres de chasse.)		Comme 57 a mais **fermeture à levier** en cercle, pour **cartouches à feu d'artifice.** (Calibres de chasse.)		Cartouches de feu d'artifice pour 57.					
						cartouche courante	gerbes de feu	gerbes de feu à la Vulcan	balles de lumière, blanc	balles de lumière, rouge	balles de lumière, vert
	for **signalling etc. central fire,** turn lever lock walnut grip **nickeled.**	**press button system, black** mounting, walnut stock for **fire work cartridges.** (sporting caliber).		like 57 a but **turn lever bolt for firework cartridges.** (Sporting caliber).		firework cartridges for 57.					
						rockets	fire sheaves	fire sheaves à la Vulcan	lightballs white	lightballs red	lightballs green
	Para **señales etc.** de **fuego central,** cierre de palanca, culata nogal, **niquelado.**	**Sistema de botón de presión,** montura **negra,** culata de nogal, para **cartuchos de fuegos artificiales.** (Calibres de caza.)		Como 57 a, pero **cierre de palanca,** para **cartuchos de fuegos artificiales.** (Calibres de caza.)		Cartuchos de fuego artificial para 57.					
						cartucho corriente	gavillas de fuego.	gavillas de fuego à la Vulcan	balas de luz, blanco	balas de luz, rojo	balas, de luz verde
Cal.	4	16	12	8	4	4	4	4	4	4	4
Mk.	34.—	24.—	24.—	30.50	33.—	1.—	1.10	1.30	1.30	1.30	1.30

Scheiben-Pistolen Marke „Tiber“. | Pistolets de cible marque „Tiber“. | Target pistols mark „Tiber“. | Pistolas para tirar al blanco, marca „Tiber“.

<table>
<tr><td></td><td>33</td><td>33 c</td><td>33 d</td><td>33 a</td><td>33 e</td><td>33 f</td><td>33 b</td><td>33 g</td><td>33 h</td><td>35</td><td>35 b</td><td>35 c</td><td>35 a</td><td>35 d</td><td>35 e</td><td>34</td><td>34 b</td><td>34 a</td><td>34 c</td><td>34 d</td><td>34 e</td></tr>
<tr><td>†</td><td>Tiber</td><td>Tiberz</td><td>Tiberx</td><td>Tiberla</td><td>Tiberlaz</td><td>Tiberlax</td><td>Tiberfo</td><td>Tiberfoz</td><td>Tiberfox</td><td>Ward</td><td>Wardz</td><td>Wardx</td><td>Wardar</td><td>Wardarz</td><td>Wardarx</td><td>May</td><td>Mayz</td><td>Mayros</td><td>Mayrosz</td><td>Mayx</td><td>Mayxz</td></tr>
<tr><td></td><td colspan="3">28 cm lang, glatt, Holzgriff</td><td colspan="3">Wie 33, gezogen, graviert, vernickelt gefalzter Schaft</td><td colspan="3">Wie 33a, feine Ausführung mit Doppelstecher und Schraubvisier</td><td colspan="3">Ca. 45 cm lang, vernickelt, graviert, gezogener Lauf, Schaft mit Fischhaut, Hornkappe mit Stecher</td><td colspan="3">Wie 35 aber einfache Ausführung und ohne Stecher</td><td colspan="2">Ca. 52 cm lang, Mauserverschluss, Nussbaumschaft, auseinandernehmbar, Lauf schwarz, glatt</td><td colspan="2">Wie 34, aber fein gezogen</td><td colspan="2">Wie 34 a mit Doppelstecher und deutschem Bügel</td></tr>
<tr><td></td><td colspan="3">Long de 28 cm, uni, crosse de bois</td><td colspan="3">Comme 33, rayé, gravé, nickelé, crosse à rainures</td><td colspan="3">Comme 33a, exécution élégante, avec double détente de haute précision et hausse à vis</td><td colspan="3">Long d'environ 45 cm, nickelé, gravé, canon rayé, crosse quadrillée avec calotte de corne à double détente</td><td colspan="3">Comme 35 mais exécution simple et à simple détente</td><td colspan="2">Long d'environ 52 cm, fermeture Mauser, crosse noyer, démontable, canon noir lisse</td><td colspan="2">Comme 34, mais soigneusement rayé</td><td colspan="2">Comme 34a à double détente de haute précision et sous-garde allemande</td></tr>
<tr><td></td><td colspan="3">28 cm long, smooth, wooden grip</td><td colspan="3">Like 33, rifled, engraved, nickeled, grooved stock</td><td colspan="3">Like 33a, fine make, with double hair trigger and screw sight</td><td colspan="3">About 45 cm long, nickeled, engraved, rifled barrel, checkered stock, horn-cap with hair trigger</td><td colspan="3">Like 35 but simple make and without hair trigger</td><td colspan="2">About 52 cm long, Mauser lock, walnut stock, detachable barrel black, smooth</td><td colspan="2">Like 34, but finely rifled</td><td colspan="2">Like 34a with double hair trigger and German guard</td></tr>
<tr><td></td><td colspan="3">Largo de 28 cm, unido, culata de madera</td><td colspan="3">Como 33, rayado, grabado, niquelado culata con ranuras</td><td colspan="3">Como 33a, ejecución elegante, con doble escape de alta precision y alza de tornillo</td><td colspan="3">Largo de 45 cm próximamente, niquelado, grabado, rayado, culata labrada con cantonera de cuerno, de doble escape</td><td colspan="3">Como 35, pero ejecucion simple, de simple escape</td><td colspan="2">Largo de 52 cm próximamente, sistema Mauser, culata de nogal, desmontable cañon negro, liso</td><td colspan="2">Como 34, pero cuidadosamente rayado</td><td colspan="2">Como No. 34a, de doble escape de alza precision y guardamonte alemán</td></tr>
<tr><td>Cal. mm</td><td>6</td><td>7</td><td>9</td><td>6</td><td>7</td><td>9</td><td>6</td><td>7</td><td>9</td><td>6</td><td>7</td><td>9</td><td>6</td><td>7</td><td>9</td><td>6</td><td>9</td><td>6</td><td>9</td><td>6</td><td>9</td></tr>
<tr><td></td><td>8.80</td><td>8.80</td><td>9.20</td><td>11.—</td><td>11.—</td><td>11.40</td><td>15.60</td><td>15.60</td><td>15.60</td><td>19.60</td><td>19.60</td><td>19.60</td><td>14.90</td><td>14.90</td><td>14.90</td><td>12.80</td><td>12.80</td><td>13.50</td><td>13.50</td><td>20.20</td><td>20.20</td></tr>
</table>

Scheiben-Pistolen Marke „Tiber“. | Pistolets de cible marque „Tiber“. | Target Pistols Mark „Tiber“. | Pistolas para tirar al blanco marca „Tiber“.

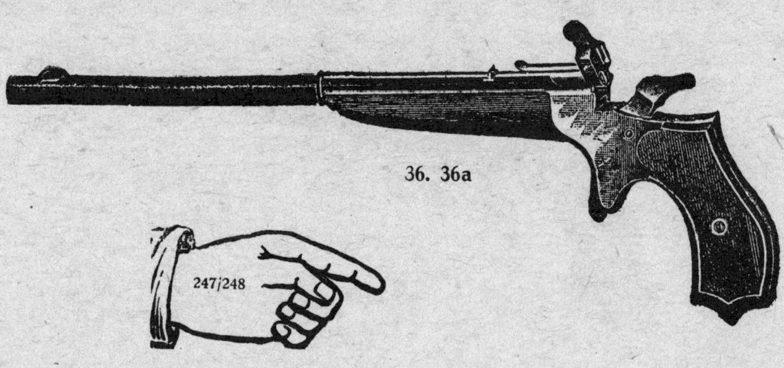

36. 36a

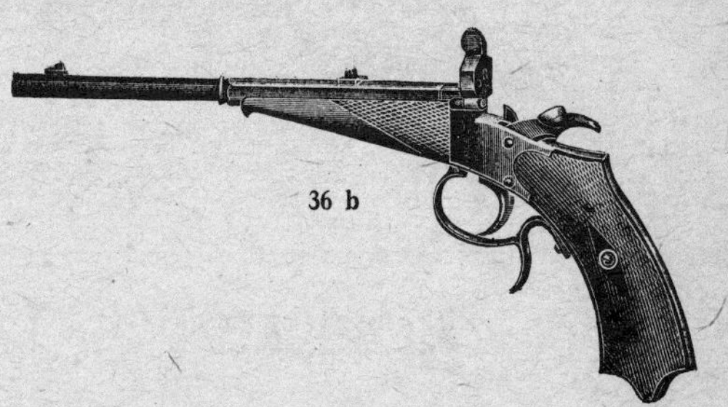

36 b

Roux-Verschluss. | Fermeture Roux. | Roux lock. | Cierre Roux

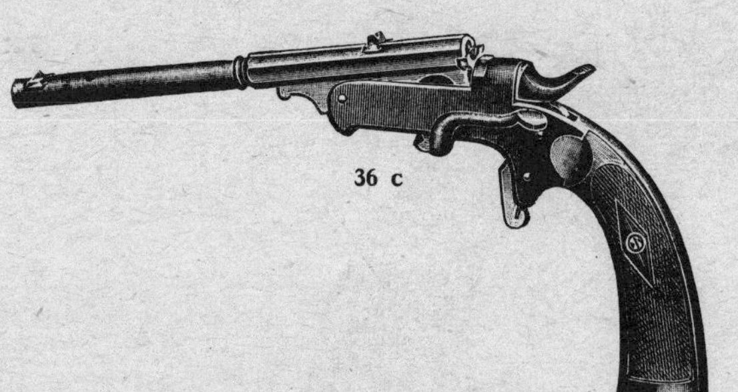

36 c

36 d

	36	36 a	36 b	36 c	36 d
	Diel	**Dielen**	**Dielz**	**Dielx**	**Dielenz**
	Ca. 32 cm lang, **gezogen,** Schaft und Vorderschaft aus Holz, **schwarze Garnitur**	Wie 36 aber **38 cm** lang	**38 cm lang,** Ausführung wie 36, Schaft und Vorderschaft mit **Fischhaut**	**Ca. 33 cm lang, Seithebelverschluss, gezogener Lauf,** Fischhaut, Garnitur **schwarz**	Ca. **37 cm lang, selbsttätiger** Patronenauswerfer, fein **gezogen,** Rouxhebelverschluss, Teile bunt gehärtet Fischhaut, Eisenkappe
	Long d'environ 32 cm, **rayé,** crosse et devant en bois, **garniture noire**	Comme 36 mais long de **38 cm**	Long d'environ **38 cm,** même exécution que No. 36, crosse et devant **quadrillés**	Long d'environ 33 cm, **fermeture** avec **levier latéral,** canon **rayé,** quadrillé, garniture **noire**	Long d'environ **37 cm, extracteur automatique,** soigneusement **rayé,** fermeture Roux à levier, pièces trempées et jaspées, quadrillé, calotte de fer
	About 32 cm long, **rifled,** wooden stock and fore-end **black mounting**	Like 36 but **38 cm** long	**38 cm** long, make like 36, **checkered** stock and fore-end	About **33 cm long, lever lock** at **side, rifled** barrel, checkered, **black** mounting	About 37 cm long, self acting cartridge ejector, finely **rifled, lever lock** system Roux, case hardened parts, checkered, iron cap
	Largo de 32 cm próximamente, **rayado,** culata y delantero de madera, **guarnición negra**	Como 36 pero de **38 cm** de largo	**De 38 cm de largo** próximamente, la misma ejecución que el 36, culata y delantero **labrados**	**Largo de 33 cm** próximamente, **cierre con palanca lateral,** cañón **rayado,** labrado, guarnición **negra**	**Largo de 37 cm** próximamente, **extractor automático,** cuidadosamente **rayado,** cierre Roux con palanca, piezas templadas azules, labrado, culata de hierro
Cal.:	6 mm	6 mm	6 mm	6 mm	6 mm
Mark	**11.30**	**12.—**	**15.60**	**15.60**	**23.—**

Kunstschützen-Scheiben-Pistolen Marke „Caver“. | Pistolets de cible pour amateurs de tir, marque „Caver“. | Practice pistols for crack shots, Mark „Caver“. | Pistolas para aficionados de tiro al blanco, marca „Caver“.

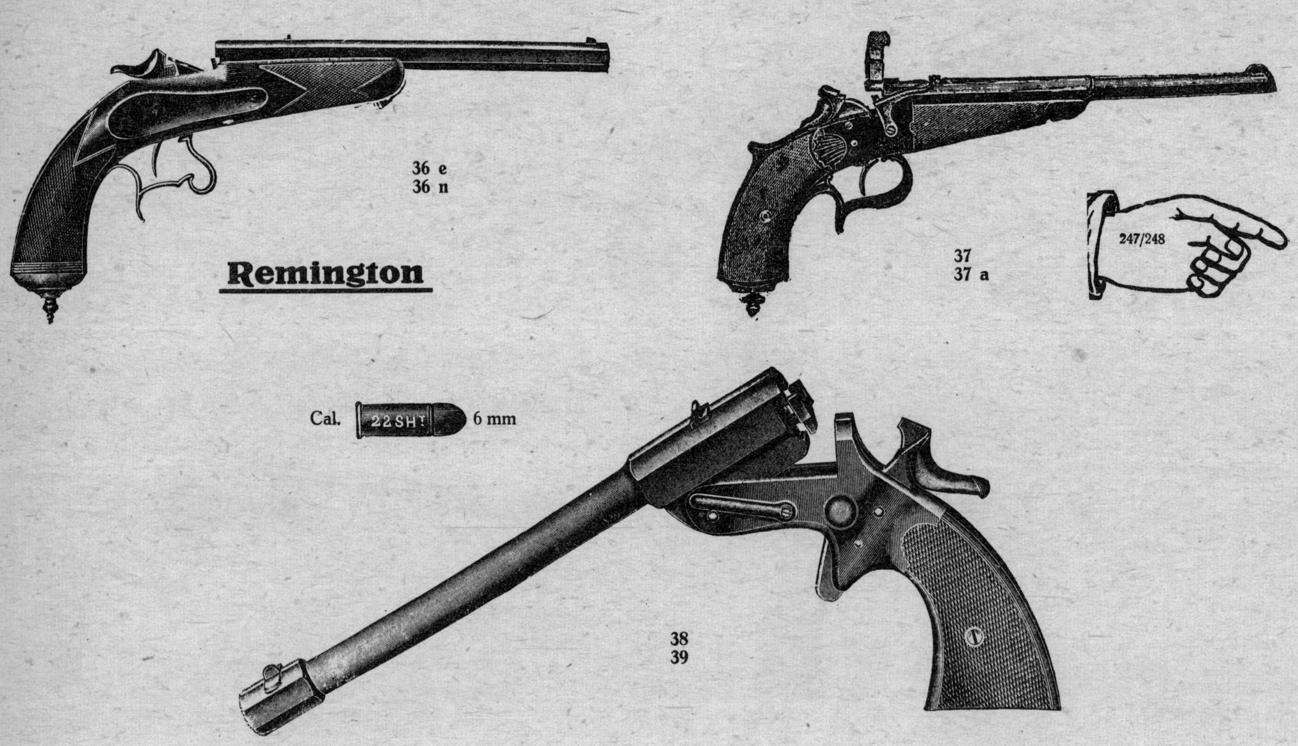

No.	36 e	36 f	36 g	36 h	36 i	36 k	36 l	36 m	36 n	37	37 a	38	39
†	Palasvi	Palasba	Palaske	Palasno	Palasfu	Palista	Palisbux	Palisfes	Palipop	**Pallas**	**Pallaste**	**Keg**	**Hofa**
	6 mm	7 mm	9 mm	6 mm	7 mm	9 mm	6 mm	7 mm	9 mm				
	Nussbaum-schaft, glatter Lauf, **schwarz**			Wie 36 e, fein **gezogen, Schraubvisier, Perlkorn,** Schiene guillochiert			Wie 36 h, **mit Stecher**			ca. 38 cm lang, Abzug mit **Rückstecher,** Schaft und Vorderschaft aus Holz mit Fischhaut, Garnitur **schwarz,** Cal. 6 mm	Wie 37, aber mit **Feder-visier** und **Perlkorn**	ca. 19 cm lang, **Druck-knopfverschluss, selbsttätiger** Patronen-auswerfer, **vernickelt, Kautschukgriff, ge-zogener Lauf,** Cal. 6 mm	**20 cm** lang, **schwarz,** Holz-schaft mit Fisch-haut, sonst wie 38
	crosse noyer, canon lisse, **noir**			comme 30 e, soigneusement **rayé, hausse à vis, guidon perle,** bande guillochée			comme 36 h, à double **détente**			Long d'environ 38 cm **à double détente** si on presse d'abord la gachette vers le devant, crosse et devant en bois quadrillés, garniture **noire,** Cal. 6 mm	comme 37, mais avec **hausse à ressort** et **guidon perle**	Long d'environ 19 cm **fermeture avec bou-ton à pression,** extrac-teur **automatique, nickelé, crosse caout-chouc,** canon **rayé,** Cal. 6 mm	**Long de 20 cm, noir,** crosse de bois quadrillée, pour le reste comme 38
	walnut stock, smooth barrel, **black**			like 36 e, finely **rifled, screw rear sight, front sight with pearl,** extension rib			like 36 h, with **hair-trigger**			about 38 cm long, **set-trigger,** stock and fore-end wooden and checkered, **black** moun-ting, cal. 6 mm	like 37, but with **spring rear sight** and **front sight** with **pearl**	about 19 cm long, **press button lock, automa-tic** cartridge ejector, nickeled **rubber grip, rifled barrel,** cal. 6 mm	**20 cm long, black** wooden stock, checkered, otherwise like 38
	mango de nogal, cañón liso, **negro**			Como 36 e, cui-dadosamente **rayado, alza** de **tornillo, guiador perla,** cinta labrada			Como 36 h, de doble **escape**			Largo de 38 cm próxi-mamente, **de doble escape** si se aprieta en la chapa hacia adelante, culata y delantero de madera labrados, guar-nición **negra,** Cal. 6 mm	Como 37, pero con **alza de re-sorte** y **guiador perla**	De 19 cm de largo próximamente, **cierre con botón de presión, extractor automático, niquelado, culata de cautchuc,** cañón **raya-do,** Cal. 6 mm	**De 20 cm** de largo, **negro,** culata de madera labrada, el resto como el n. 38
Mk.	15.60	15.60	15.60	19.20	19.20	19.20	32.–	32.–	32.–	31.50	34.80	14.–	20.–

Kunst-schützen-Scheiben-Pistolen Marke „Caver“.

Pistolets de cible pour amateurs de tir marque „Caver“.

Practice pistols for crack shots, Mark „Caver.

Pistolas para aficionados de tiro al blanco, marca „Caver“.

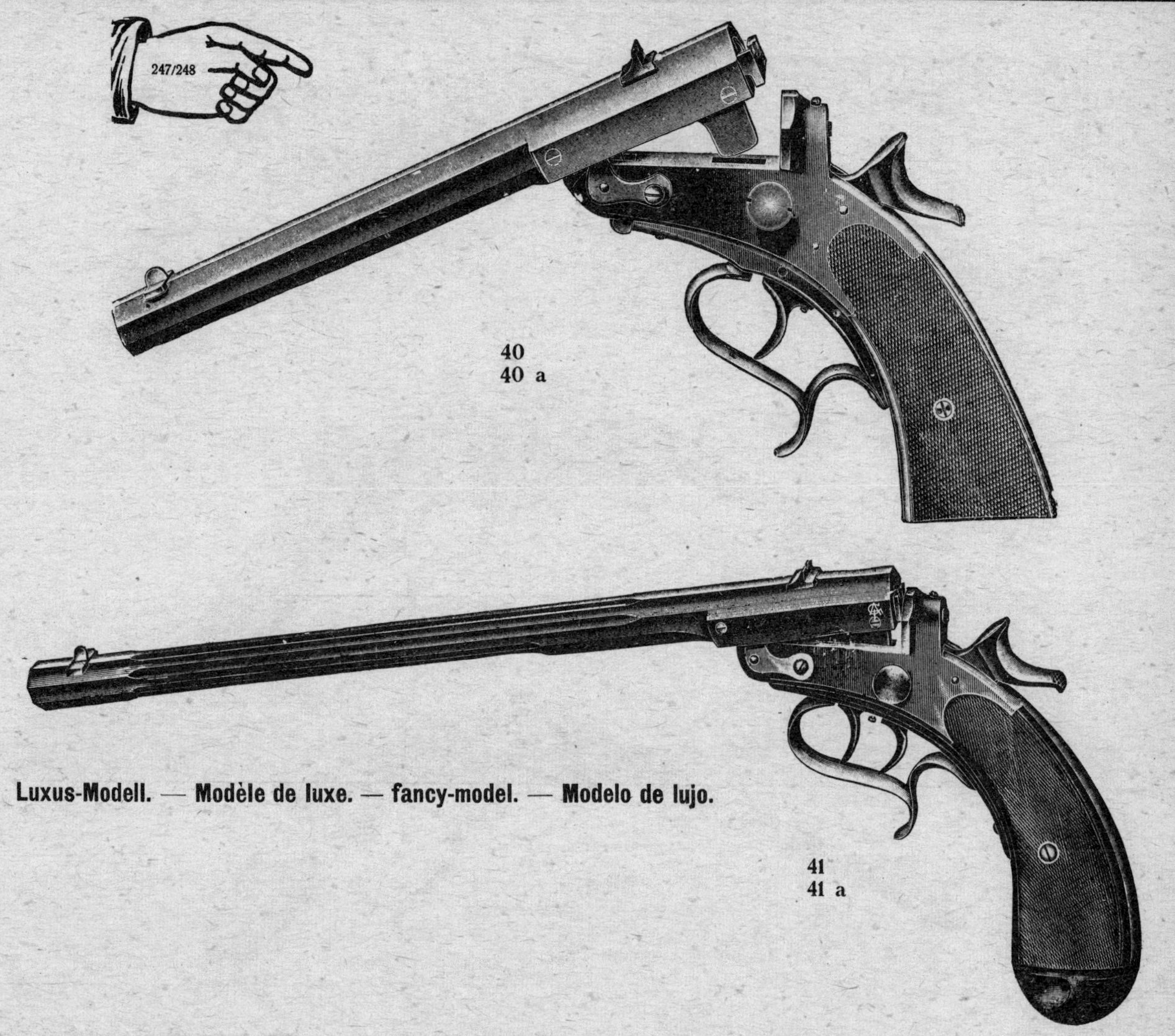

Luxus-Modell. — Modèle de luxe. — fancy-model. — Modelo de lujo.

40	40 a	41	41 a
† Stand	† Standaf	† Musch	† Muschgo
32 cm lang, wie 39, **ff. gezogener Lauf,** schweres Modell, **„Stechschloss“,** Cal. 6 mm	**Lauf extra fein gezogen, ff. Stecher** mit 2Abzügen, sonst wie 40	**ca. 40 cm** lang, **Luxusmodell,** verlängerte Muschelkappe, schwarze Garnitur, **ff. gezogen,** Cal. 6 mm, **Doppelstecher**	Genau wie 41, Lauf aber **rund** abgedreht
Long **de 32 cm,** comme 39, **canon soigneusement rayé,** modèle **très solide, à double détente**	Canon **soigneusement rayé, à double détente avec 2 gachettes,** pour le reste comme 40	**Long de 40 cm** environ, **modèle de luxe,** calotte à coquille, garniture noire, **soigneusement rayé,** Cal. 6 mm, **à double détente**	Exactement comme 41, mais canon **rond**
32 cm long, like 39, barrel **very finely rifled, heavy model, hair trigger,** cal. 6 mm	**barrel with extra fine rifling, very fine double hair trigger,** otherwise like 40	about **40 cm long, fancy model,** lengthened scroll fence, black mounting, **finely rifled,** cal. 6 mm, **double hair-trigger**	just like 41, but with **rounded barrel**
Largo de 32 cm, como 39, cañón **cuidadosamente rayado, modelo muy sólido, de doble escape**	Cañón **cuidadosamente rayado, de doble escape con 2 chapas,** el resto como 40	**Largo de 40 cm** próximamente, **modelo de lujo** de cáscara, guarnición negra, **cuidadosamente rayado,** Cal. 6 mm, **de doble escape**	Exactemente como41, pero cañón **redondo**
Mark 42.–	**Mark 42.–**	**Mark 49.–**	**Mark 52.80**

Kunstschützen Hammerless-Scheibenpistolen. Marke „Caver“	Pistolets Hammerless de cible pour amateurs de tir. Marque „Caver“	Practice Pistolets for crack shots, Mark „Hammerless“. Mark „Caver“	Pistola Hammerless para aficionados de tiro al blanco. Marca „Caver“:

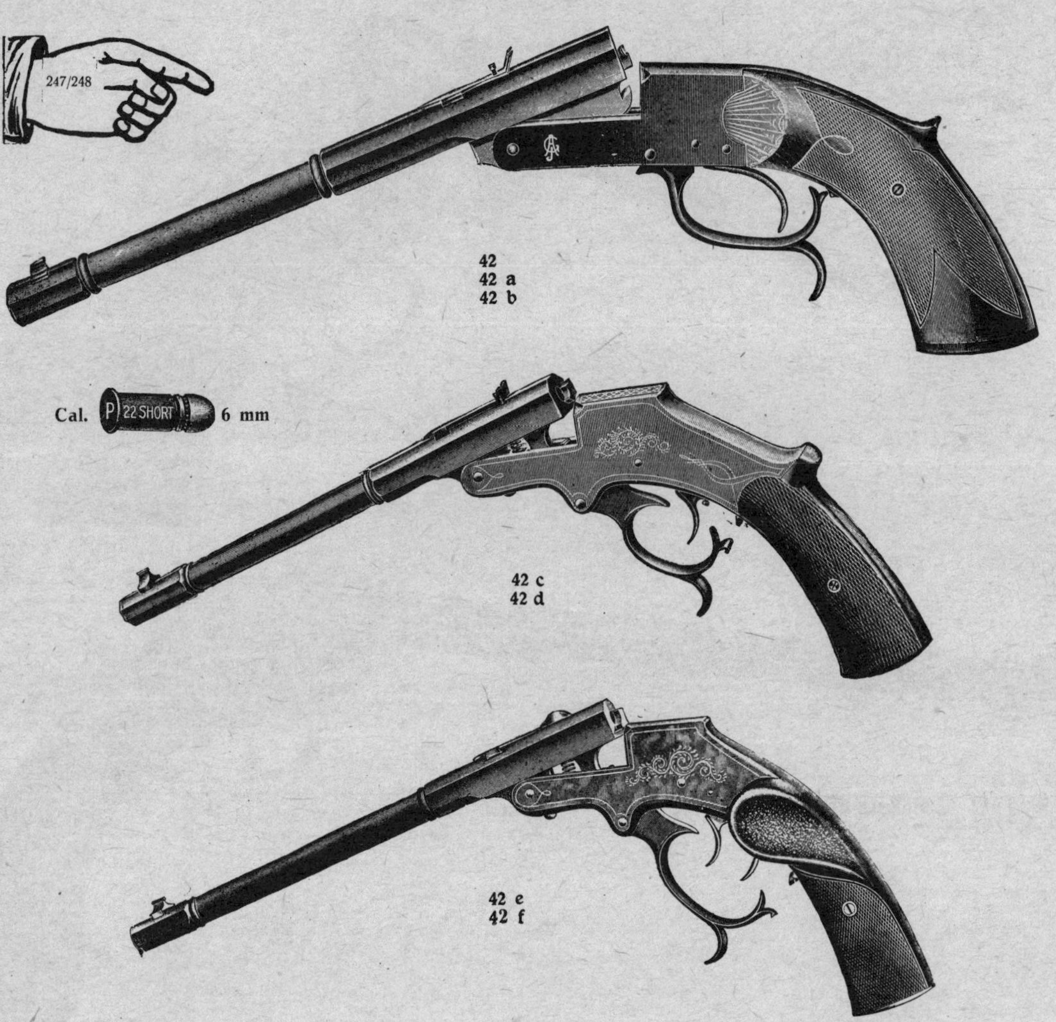

42	42 a	42 b	42 c	42 d	42 e	42 f
† Flamin	† Flamingo	† Flammi	† Flaminnz	† Flamizen	† Flamixix	† Flamiziz
ca. 43 cm lang, **schwarze** Garnitur, Holzschaft mit Fischhaut, Standvisier, Feldkorn, **gezogen,** Cal. 6 mm	wie 42 aber **Schraubvisier, Silberperlkorn** ff. verschnittener Schaft, guillochierte Laufschiene	wie 42 a aber mit **Rückstecher**	ca. **46 cm** lang, Teile bunt gehärtet, Nussholzschaft mit Fischhaut, etwas **graviert, Federvisier,** einfacher Abzug, Cal. 6 mm	wie 42 c mit **Rückstecher**	wie 42 c mit Fischhautschaft mit **Daumenauflage** und **Stecher** mit 2 Abzügen, Cal. 6 mm	wie 42 e mit **3-fachem Kunstschützen-Stecher**
long d'environ **43 cm,** garniture **noire,** crosse bois quadrillée, hausse fixe, guidon spécial, **rayé,** cal. 6 mm	comme 42 mais **hausse à vis, guidon argent perle,** crosse sculptée, bande guillochée	comme 42 a mais, **en pressant d'abord la gachette vers le devant à double détente**	long d'environ **46 cm,** pièces trempées, jaspées crosse noyer quadrillée, **gravé** partiellement, **hausse à ressort,** à simple, détente cal. 6 mm	comme 42 c à **double détente si on presse d'abord la gachette vers le devant**	comme 42 a avec crosse quadrillée munie d'emboîtement pour le pouce, à double détente avec 2 gachettes, cal. 6 mm	comme **42 e,** double détente à triple arrêt
about **43 cm** long, black mounting, wooden stock checkered, standing sight, field front sight, **rifled,** cal. 6 mm	like 42 but **rear sight** with **screw, silver pearl front sight,** finely carved stock, extension rib	like 42 a but with **set-trigger**	about **46 cm** long, case hardened parts, checkered walnut stock, slightly **engraved, spring sight,** simple trigger, cal. 6 mm	like 42 c with **set-trigger**	like 42 c with checkered stock with thumb grip and double hair-trigger, cal. 6 mm.	like 42 e with triple hair trigger for expert marksmen
largo de **43 cm,** guarnición **negra,** culata de madera labrada, alza fija, guiador especial, **rayado,** cal. 6 mm	como 42 pero **alza de tornillo, guiador de plata perla,** mango esculpído, cinta labrada	como 42 a pero **aprétando la chapa hacia alante es de doble escape**	largo de **46 cm,** piezas jaspeadas y templadas, culata de nogal labrada, **grabado** parcialmente, **alza de resorte,** de escape simple, cal. 6 mm	como 42 c de **doble escape** si se aprieta la chapa hacia alante; y al principio	como 42 c con culata labrada provista de apollo ó descanso para el dedo pulgar, de doble escape con 2 chapas, cal. 6 mm	como **42 e,** doble gatillo de triple atajo
Mark 36.—	**Mark 38.40**	**Mark 48.—**	**Mark 42.—**	**Mark 53.—**	**Mark 55.—**	**Mark 67.—**

Kunst-schützen-Scheiben-Pistolen „Hammerless“. | Pistolets de cible „Hammerless“ pour amateurs de tir. | Practice pistols for crack shots Mark „Hammerless“. | Pistolas „Hammerless“ para aficionados de tiro al blanco.

48 a	48 b	48 c	48 d	48
† Presspax	† Presstia	† Presspru	† Pressuaw	† Press
ca. 48 cm lang, arabische Schäftung, Nußholz mit Fischhaut, ff. verschnitten, achtkantiger, kannellierter Stahllauf, **Schweizer Supportvisir, Support-Perlkorn,** Signalstift, **Rückstecher,** Cal. 6 mm	**ca. 30 cm lang,** Drehblockverschluß, Cal. 6 mm, Ia Gußstahllauf, **Ia Expreßzüge,** feine schwarze Garnitur, Fischhaut, Nußholzschaft, Standvisier, Feldkorn, Caliber 6 mm	Genau wie 48 b, jedoch mit **feinem Doppelstecher**	**Roux-Verschluß,** Hebel über dem Bügel, ca. 34 cm lang, feiner Fischhaut-Nußholzschaft Garnitur schwarz, Ia Expreßzüge, Standvisier, Feldkorn, **Ia Stechschloß,** Cal. 6 mm	**Druck-Blockverschluß, schweres** Modell, Ia feine Züge, Nußholzschaft und Vorderschaft mit Fischhaut, Supportvisier, schwarze Garnitur, Sattelkorn, **englische Gravierung, Ia doppelter Stecher,** Caliber nach Wunsch
Long **d'environ 48 cm,** crosse **arabe,** bois noyer quadrillé et soigneusement sculpté, canon d'acier octogone et cannelé, **hausse suisse à support** et **guidon perle à support,** pointe d'avertissement, à **double détente** si on presse la gachette vers le devant, Cal. 6 m	**Long** d'environ **30 cm,** fermeture à bloc avec levier, cal. 6 mm, canon d'acier coulé extra, **rayures Express** supérieures, élégante garniture noire, crosse noyer quadrillée, hausse fixe, guidon spécial, cal. 6 m	Exactement comme 48 b, mais à **double détente** de la plus haute **précision**	**Fermeture Roux** à levier au dessus de la sous-garde de détente, long d'environ 34 cm, belle crosse noyer quadrillée, garniture noire, rayures, Express extra, hausse fixe, guidon spécial, à **double détente supérieure,** cal. 6 m	**Fermeture à bloc à pression,** solide modèle, rayures extra, crosse et devant noyer quadrillés, hausse à support, garniture noire, guidon en forme de selle, **gravure anglaise,** à double détente de haute précision, calibre selon demande
about **48 cm long, Arabian** stock, checkered walnut, very finely carved, octagon, cannulated steel barrel, **Swiss support sight, pearl front sight,** indicator, set **trigger,** cal. 6 mm	about **30 cm long,** turning block lock, cal. 6 mm, prime cast steel barrel, **best express rifling,** fine black mounting, checkered walnut stock, standing sight, field front sight, cal. 6 mm	just like 48 b, but with **fine double set-trigger**	**Roux lock,** lever over guard, about 34 cm long, fine checkered walnut stock, black mounting, best express rifling, standing rear sight, field front sight, **prime hair trigger,** cal. 6 mm	**Press-block lock,** heavy model, a[1] rifling, walnut grip and checkered fore-end, support sight, black mounting, saddle front sight, **English engraving,** prime double hair-trigger, caliber according to desire
Largo **de 48 cm** prôximamente, mango **arabe,** culata de nogal labrada y cuidadosamente esculpida, cañón octógono estriado, **alza suiza de apoyo, guiador alza perla,** punta de aviso, de doble gatillo si se aprieta la chapa hacia adelante, Cal. 6 m/m	**Largo de 30 cm** próximamente, cierre de bloc de palanca, cal. 6 m/m, cañón deacero derretido, **extra rayas Express** superiores, elegante guarnición negra, mango de nogal labrado, alza fija, guiador especial, cal. 6 m/m	Exactemente como 48 b, pero **doble escape** de la más alta **precisión**	**Cierre Roux** de palanca encima de la salva guardia de gatillo, largo de 34 cm próximamente, mango de nogal labrado, guarnición negra, rayas express extra, alza fija, guiador especial, de **doble escape superior,** cal. 6 m/m	**Cierre de bloc de presión,** modelo sólido, rayas extra, culata y delantera de nogal labradas, alza de apoyo guarnición negra, guiador especial, **grabado ingles,** de doble **escape** de alta **precisión,** calibre según pedido
Mark 85.—	**Mark 53.50**	**Mark 61.—**	**Mark 57.50**	**Mark 138.—**

Kunstschützen-Scheiben-Pistolen.	Pistolets de cible à haute précision, pour amateurs de tir.	Practice pistols for crack shots.	Pistolas para aficionados de tiro al blanco.

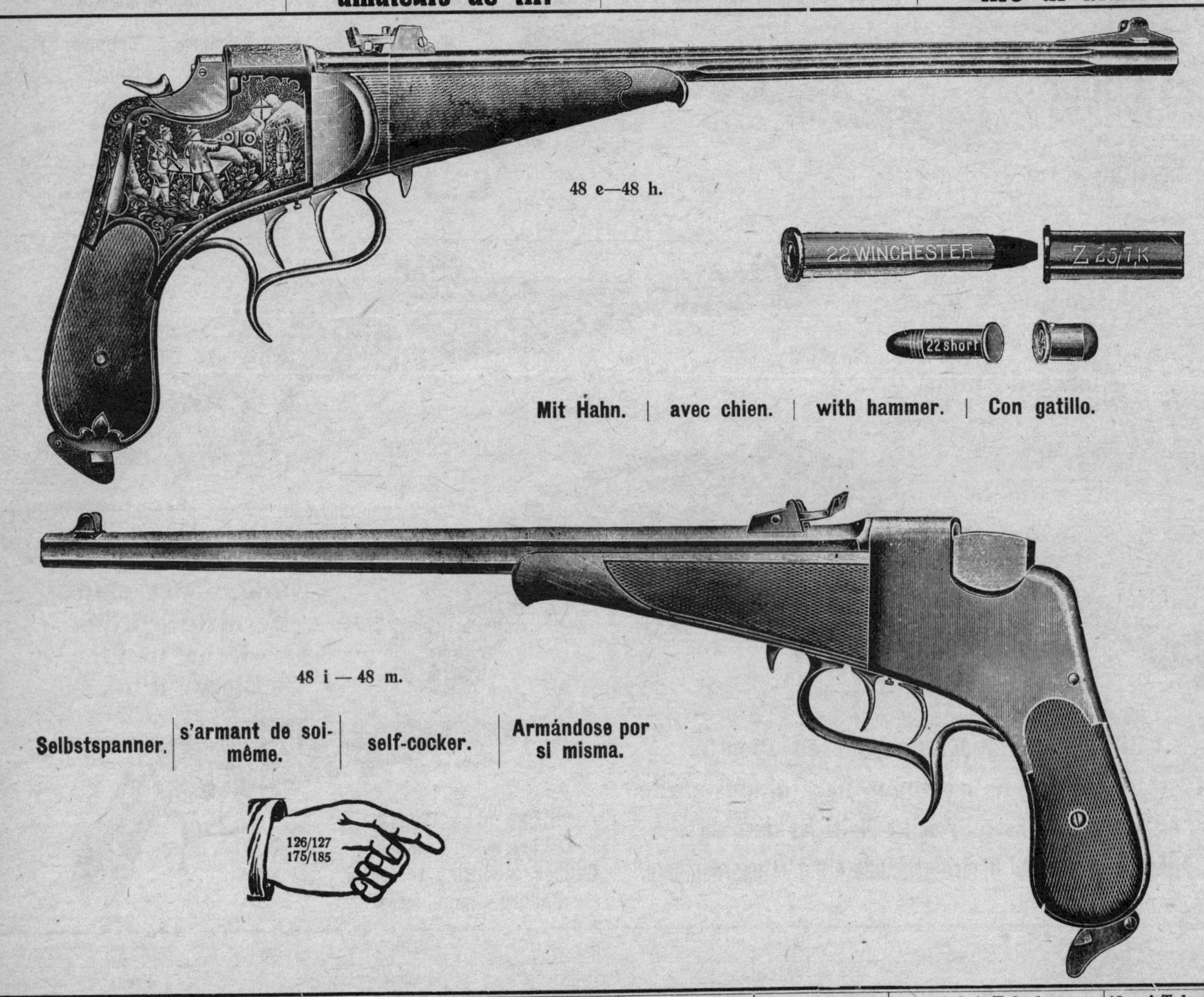

48 e—48 h.

Mit Hahn. | avec chien. | with hammer. | Con gatillo.

48 i — 48 m.

Selbstspanner. | s'armant de soi-même. | self-cocker. | Armándose por si misma.

48 e † Telmiha	48 f † Telmihus	48 g † Telmihent	48 h † Telmikux	48 i † Telseko	48 k Telsekus	48 l † Telseken	48 m † Telsekux
Neueste Konstruktion ohne Werkzeug zerlegbar, **Supportvisier Sattelkorn,** gefalzter Lauf, doppelter Stecher, feine **Wetzgravur** mit Figuren, fein eingeschossen, Cal. 6 mm.	Wie 48 e in Cal. **22, Winchester Centralfeuer.**	Wie 48 e aber in **einfacher** Ausstattung (siehe Cliché 48 i) cal. 6 mm.	Wie 48 g in **Cal. 22 Winchester Centralfeuer.**	**Selbstspanner** mit **Blockverschluss,** Ausstattung wie 48g. Cal 6 mm.	Wie 48 i in **Cal. 22, Winchester Centralfeuer.**	Wie 48 i aber in **feinster** Ausstattung wie 48 e mit **3fachem Stecher, ff. Gravur** etc., Cal. 6 mm.	Wie 48 e aber in Cal. **22, Winchester Centralfeuer.**
Construction toute nouvelle, démontable sans instrument, **hausse à support, guidon en forme de selle,** canon à rainures, à double détente de la plus haute précision, **gravure** à figures, soigneusement éprouvé au tir cal. 6 mm.	Comme 48 e en cal. **22 Winchester, à feu central.**	Comme 48 e mais exécution plus **simple** (voir cliché 48 i) cal. 6 mm.	Comme 48 g en cal. 22, **Winchester, à feu central.**	**s'armant de soi-même, fermeture à bloc,** même exécution que n. 48 g, cal. 6 mm.	Comme 48 i en **Cal. 22 Winchester, à feu central.**	Comme 48 i mais dans la plus élégante exécution, comme 48 e, à **double détente** de la plus haute **précision,** élégante **gravure** etc., Cal. 6 mm.	Comme 48 e mais en cal. **22 Winchester, à feu central.**
latest make can be taken to pieces without tools, **support sight saddle front sight,** grooved barrel, double set trigger, fine engraving with figures, well tested, cal. 6 mm.	like 48 e in cal. **22, Winchester central fire.**	like 48 e but **plainer finish** (see cut 48 i) cal. 6 mm.	like 48 g in cal. 22, **Winchester central fire.**	**self-cocker** with **block lock,** make like 48 g, cal. 6 mm.	like 48 i in **cal. 22, Winchester central fire.**	like 48 i but **finest make** like 48 e with **triple set trigger** very fine **engraving** etc., cal. 6 mm.	like 48 e but in cal. **22, Winchester central fire.**
Construcción completamente nueva, desmontable sin instrumento, **alza de apoyo, punto de mira ajustado,** cañón, de encajes, de doble escape de la más alta precisión, grabado con figuras, cuidadosamente aprobado al tiro, cal. 6 mm.	Como 48 e en cal. 22, **Winchester,** de **fuego central.**	Como 48 e pero en una ejecución más **simple** (ver cliché 48 i) cal. 6 mm.	Como 48 g en cal. 22, **Winchester, de fuego central.**	Armándose por si **misma, cierre de bloc,** hechura parecida al 48 g, Cal. 6 mm.	Como 48 i en **cal. 22 Winchester, de fuego central.**	Como 48 i pero de la hechura **más elegante,** como 48 e, de **doble** escape de la más alta **precisión,** elegante **grabado,** Cal 6 mm.	Como 48 e pero en cal. **22 Winchester, de fuego central.**
Mark 132.—	Mark 135.—	Mark 113.—	Mark 116.—	Mark 118.—	Mark 121.—	Mark 136.—	Mark 139.—

Terzerole Marke „Remi". — Pistolets marque „Remi". — „Remi" Pistols. — Pistolas marca „Remi".

Einläufig. — à 1 canon. — One barrel. — Un cañon.

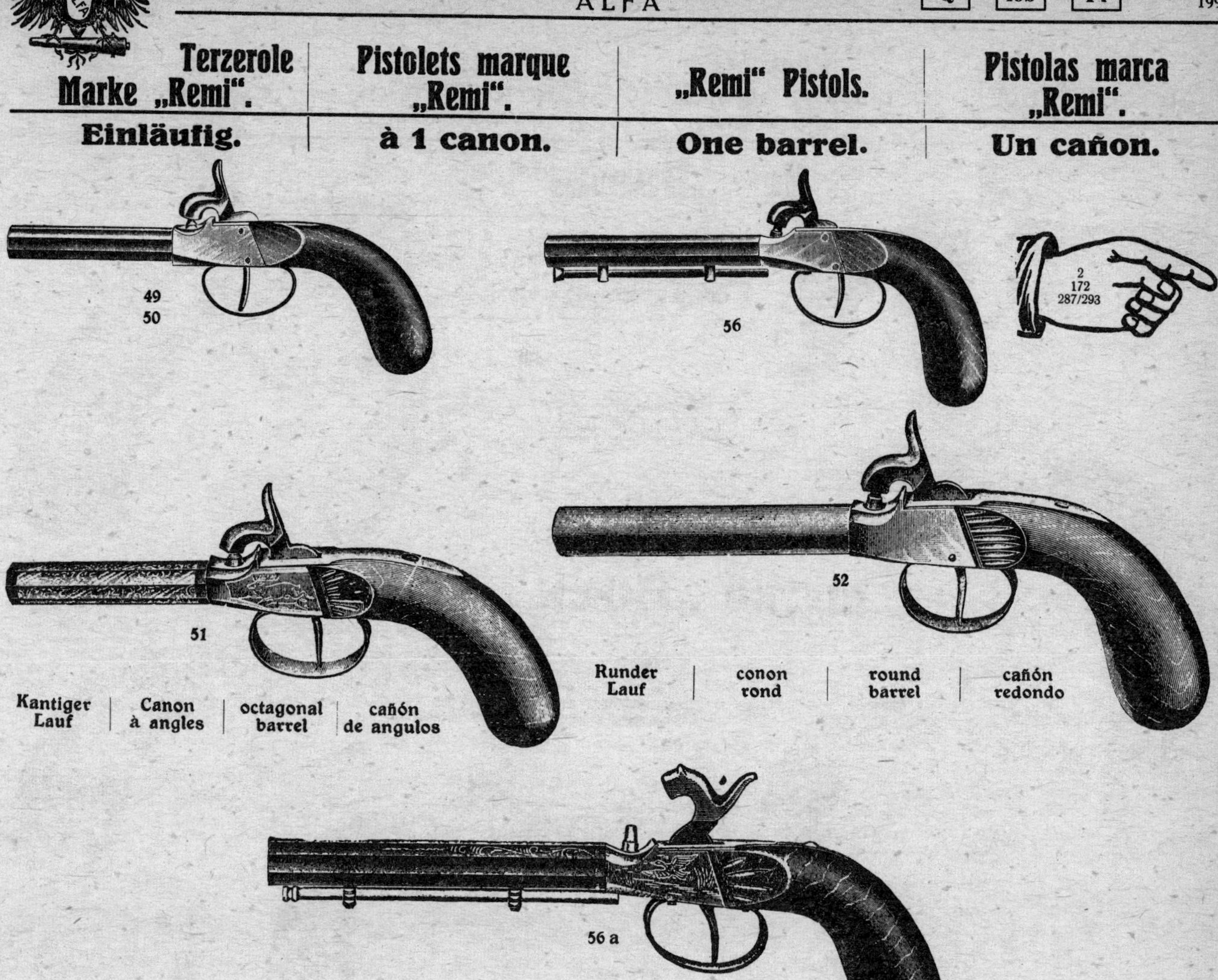

Preise pro Paar — Prix par paire — Price per brace — Precio por par

Alle **nicht aufgeführten** Terzerole werden zu Originalpreisen, auch in **jeder Lauflänge** geliefert.

Tous les **pistolets non-mentionnés** ici sont **vendus** aux **prix originaux** des fabriques, **quelque** soit la **longueur** de leur canon

All pistolets not specified are supplied at original prices and with barrels of any desired length

Toda clase de pistolas no especificadas aquí se surten á los precios originales de las fabricas y con cañón de cualquier longitud.

Nr.	49	50	51	52	53	54	55	56	56 a	71 a	72 a	73 a
†	Trala	Tre	Tri	Trolu	Truli	Trub	Trud	Truf	Trufz	damdam	demdem	domdom
	Blank, kantiger 8 cm langer Lauf	Wie 49 aber **blau**	Wie 49 aber **geätzt**	Blau, **runder** Lauf, 10 cm lang	**Blank, ½ auswendiger Hahn,** 12 cm langer Lauf, sonst wie 52	wie 52, **mit Weinlaub**	Wie 51 aber aus **einem** Stück	Blank, 12 cm langer Lauf **mit Ladestock**	Wie 56 **geätzt**	Wie 71	Wie 72 aber **einläufig**	Wie 73
	Blanc, canon à angles, de 8 cm	Comme 49, mais **bleu**	Comme 49, mais gravé à l'eau forte	Bleu, canon **rond,** de 10 cm	**Blanc, chien demi extérieur,** canon de 12 cm, pour le reste comme 52	Comme 52, avoo **feuilage de vigne**	Comme 51 mais en une **seule** pièce	Blanc, canon de 12 cm **avec baguette**	Comme 56 mais **gravé à l'eau forte**	Comme 71	Comme 72 mais **à 1 canon**	Comme 73
	Bright, octagonal barrel 8 cm long	Like 49 but **blue**	Like 49 but **etched**	Blue, **round** barrel, 10 cm long	**Bright, ½ outside hammer,** barrel 12 cm long, otherwise like 52	Like 52 with **vine leaves**	Like 51 but in **one** piece	Bright, barrel 12 cm long **with ramrod**	Like 56 **etched**	Like 71	Like 72 but **one barrel**	Like 73
	Blanco, cañon de angulos y de 8 cm de largo	Como 49 pero **azul**	Con 49 pero grabado al agua fuerte	cañón **redondo,** de 10 cm de longitud	Blanco, gatillo ½ exterior, cañón de 12 cm de largo, para el resto como 32	Como 52 con **hojas viña**	Como 51 pero de **una** pieza	Blanco, cañón 12 cm largo **con baqueta**	Como 56 pero **grabado al agua fuerte**	Como 71	Como 72 pero de **1 cañón**	Como 73
pro Paar la paire the brace el par	**Mark 2,40**	**Mark 2,40**	**Mark 2,90**	**Mark 2,80**	**Mark 3,60**	**Mark 3,30**	**Mark 3,40**	**Mark 3,30**	**Mk. 3,80**	**Mk. 3,80**	**Mk. 3,60**	**Mk. 3,80**

Terzerole Marke „Quick“. **Doppelläufig.**	Pistolets marque „Quick“. **à 2 canons.**	Pistol Mark „Quick“. **Double-barrel.**	Pistola marca „Quick“. **de dos cañones.**

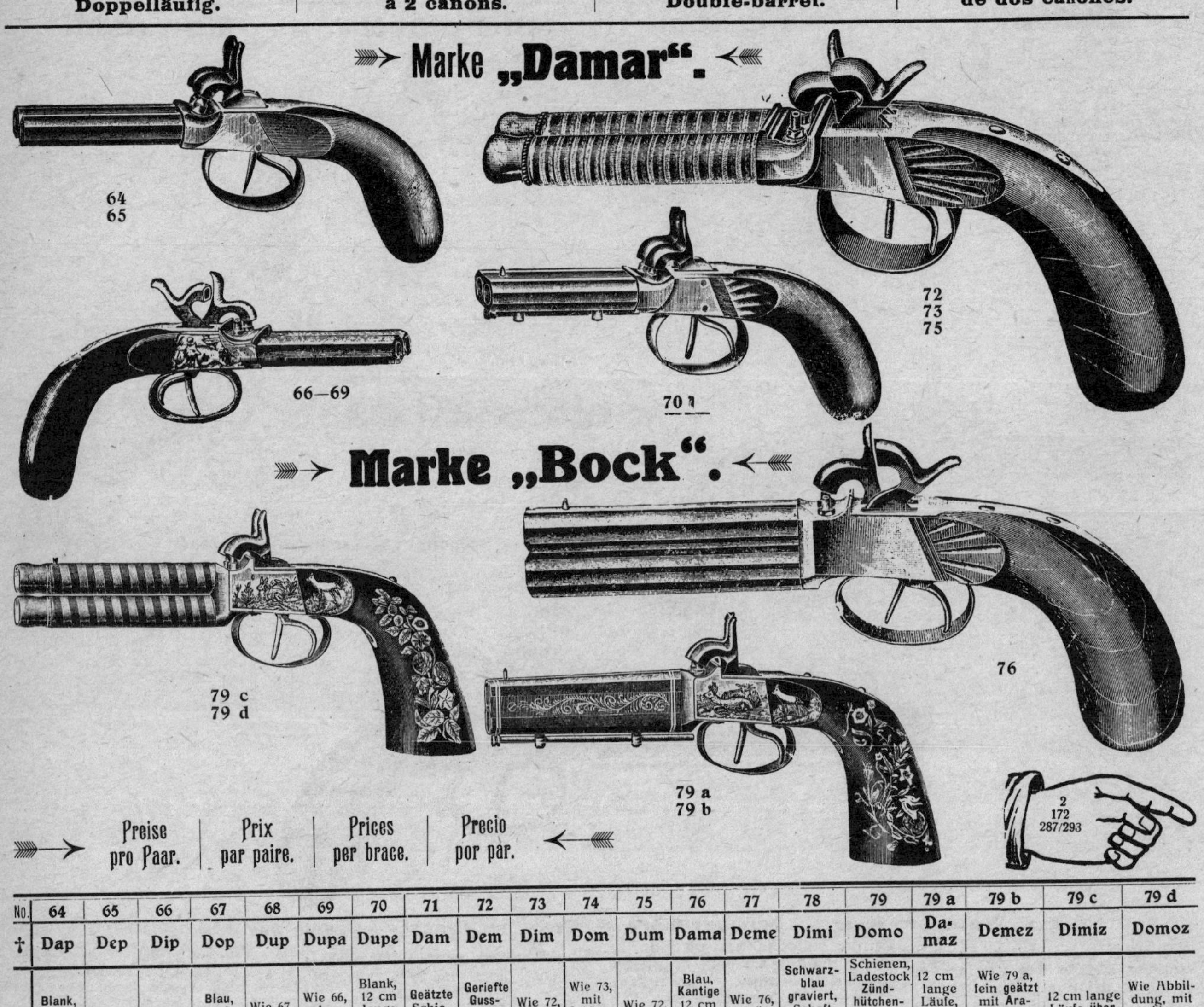

No.	64	65	66	67	68	69	70	71	72	73
†	**Dap**	**Dep**	**Dip**	**Dop**	**Dup**	**Dupa**	**Dupe**	**Dam**	**Dem**	**Dim**
	Blank, Kantige 8 cm lange Läufe	Wie 64, blau	Wie 64, geätzt	Blau, runde 10 cm lange Läufe	Wie 67, mit Weinlaub	Wie 66, aber aus einem Stück	Blank, 12 cm lange Läufe mit Ladestock	Geätzte Schiene, Ladestock	Geriefte Gussstahl-Kanone, 10 cm Läufe	Wie 72, 12 cm lange Läufe
	Blanc, canons à angles longs de 8 cm	Comme 64, bleu	Comme 64, gravé à l'eau forte	Bleu, canons ronds longs de 10 cm	Comme 67, avec feuillage de vigne	Comme 66, mais d'une seule pièce	Blanc, canons de 12 cm, avec baguette	Bande gravée à l'eau forte baguette	Canons de 10 cm en acier fondu, avec torsades	Comme 72, canons de 12 cm
	bright, edged, barrels 8 cm long	like 64, blue	like 64, etched	blue, round barrels 10 cm long	like 67, with vine-leaves	like 66, but in one piece	bright barrels 12 cm long, with ramrod	etched rib ramrod	cast iron barrels 10 cm long ribbed	like 72, barrels 12 cm long
	Blanco, caño-nes de angulos de 8 cm de largo	Como 64, azul	Como 64, grabado al agua fuerte	Azul, Caño-nes redondos de 10cm de largo	Como 67, con follaje de viña	Como 66, pero en una sola pieza	Blanco, Caño-nes de 12 cm, con baqueta	Cinta grabada, baqueta	Caño-nes de 10 cm en acero fundido, con torcidos	Como 72, caño-nes de 12 cm
M.	5.—	5.—	5.50	5.50	5.70	7.—	6.20	7.50	6.80	7. –

No.	74	75	76	77	78	79	79 a	79 b	79 c	79 d
†	**Dom**	**Dum**	**Dama**	**Deme**	**Dimi**	**Domo**	**Da-maz**	**Demez**	**Dimiz**	**Domoz**
	Wie 73, mit Schiene und Ladestock	Wie 72, aber blau	Blau, Kantige 12 cm Läufe über-ein-ander	Wie 76, gewürfelt, fein geätzt	Schwarz-blau graviert, Schaft gefalzt, Läufe überein-ander	Schienen, Ladestock Zündhütchen-kapsel, Läufe 14 cm überein-ander	12 cm lange Läufe, Schiene Ladestock blank	Wie 79 a, fein geätzt mit Arabesken, und goldverzierten Schäften	12 cm lange Läufe über-einander, blank	Wie Abbildung, mit goldverzierten Schäften
	Comme 73, avec bande et baguette	Comme 72, mais bleu	Bleu, canons à angles super-posés et longs de 12 cm	Comme 76, à carreaux élé-gante gravure à l'eau forte	Noir-bleu gravé, crosse à rainures, canons super-posés	à bandes, baguette, boîte à capsules, canons super-posés, et longs de 14 cm	Canons de 12 cm à bande, ba-guette, blanc	Comme 79 a élégamment gravé à l'eau forte avec arabesques et orne-ments dorés sur la crosse	Canons de 12 cm super-posés, blanc	suivant illustration, avec crosse à ornements dorés
	like 73, with rib and ramrod	like 72, but blue	blue edged 12 cm barrels over each other	like 76, checked finely etched	blue-black engraved grooved stock one barrel over the other	ribs ramrod, capsule, barrels 14 cm long one over the other	barrels 12 cm long, rib ramrod bright	like 79 a, finely etched with arabes-ques and stock with gold deco-ration	barrels 12 cm long, one over the other, bright	like in illu-stration with stocks deco-rated with gold
	Como 73, con cinta y baqueta	Como 72, pero azul	Caño-nes azules de án-gulos, sobre-puestos y largos de 12 cm	Como 76, de cuadros, ele-gante grabado al aqua fuerte	Negro-azul, culata grabada, cañones sobre-puestos y de tor-cidos	de cintas, baqueta, caja de cápsulas, cañones sobre-puestos y largos de 14 cm	Caño-nes de 12 cm, de cinta, baqueta blanco	Como 79 a, elegante-mente grabado el agua fuerte, con arabes-cos y orna-mentos do-rados en la culata	Cañones de 12 cm sobre-puestos, blancos	Con arreglo á la ilustra-ción con culata de ornamentos dorados
M.	8.20	7.—	6.50	7.50	9.20	11.—	7.60	10.—	8.20	11.—

pro Paar — la paire — the brace — el par.

Schwere Percussions-Pistolen Marke „Rio".	Forts pistolets à percussion, marque „Rio".	Heavy percussion pistols, brand „Rio".	Pistolas fuertes de percusión, marca „Rio".

Einläufig | à un canon | Single barrel | De un canón
Cal. 20—24—28—32—36

No. 61

No. 62

No. 63

Doppelläufig | à deux canons | Double barrel | De dos cañones
Cal. 20—24—28—32—36

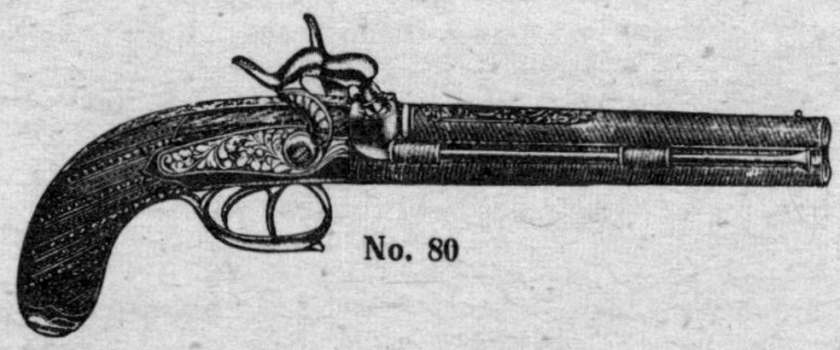

No. 80

No. 81

Die obigen Pistolen werden auch in anderen Lauflängen und Kalibern nach Wunsch ohne Mehrkosten geliefert.

Les pistolets ci-dessus sont également livrés, dans d'autres calibres et longueurs de canon suivant demande, sans augmentation de prix.

If desired the above pistols are also supplied with barrels of different lengths and calibers without additional costs.

Las pistolas aqui indicadas se provéen igualmente en otros calibres y longitudes de cañón, según pedido, sin aumento de precio.

№	61	62	63	80	81
	† Grand	† Sul	† Ganciro	† Santos	† Reunion
	Lauf 22—25 cm lang, Schloss **blank, imitierter Damastlauf,** brauner Nussbaumschaft	Wie 61 aber **imitierter Ruban-Damast, Neusilbergarnitur,** Nussbaumschaft **gelb** und **verziert**	**Vernickelt ziselierter genagelter Schaft** aus imitiertem **Ebenholz,** Lauf und Schlossteile **graviert** und teilweise **vergoldet**	Lauflänge 18 cm, **Läufe übereinander, imitierter Ruban-Damast,** Nussbaumschaft dunkel, **tief gravierte vernickelte** und **versilberte** Teile, **vergoldete Laufornamente,** Schaft **verziert**	Lauflänge 18 cm, imitierter **weisser Damast, Silbereinlagen** in den Schlossteilen, Schaft imitiertes **Ebenholz** mit Einlagen, 2 Schrauben, 2 Federn, Teile **tief graviert, vernickelt, versilbert**
	Canon de 22 à 25 cm, platines **blanches,** canon **Damas imitation,** crosse noyer brun	Comme 61 mais avec **Ruban Damas imitation, garniture vieil-argent,** crosse noyer jaune et décorée	**Nickelé, crosse ciselée** avec **incrustations,** en **ébène** imitation, canon et platines **gravés** et partiellement **dorés**	Canons de 18 cm, **superposés, Ruban Damas imitation,** crosse noyer foncé, pièces **profondément gravées nickelées** et **argentées, ornements dorés** sur le canon, crosse **décorée**	Canon de 18 cm, **Damas blanc** imitation, **incrustations argent** sur les platines, crosse imitation **ébène** avec incrustations, 2 vis, 2 ressorts, pièces profondément **gravées, nickelées et argentées**
	Barrel 22—25 cm long **burnished** lock, **imitation damascus** barrel, brown walnut stock	Like 61 but **imitation ruban damascus, German silver mounting,** walnut stock **yellow** and decorated	**Nickeled chiseled stock,** studded with nails, of imitation **ebony,** barrel and lock parts **engraved** and partly **gilt**	Length of barrel 18 cm, **2 barrels one on top of the other** imitation **ruban damascus,** dark walnut stock, **deeply engraved,** nickeled and silver plated parts, **gilt ornaments on barrel, decorated stock**	Length of barrel 18 cm, **white** imitation **damascus, silver inlaid** in lock parts, imitation **ebony** stock with insertions, 2 screws, 2 springs, parts deeply **engraved, nickeled, silver plated**
	Cañón de 22 á 25 cm, cerradura **blanca,** cañón **Damas imitación,** culata de nogal oscuro	Como 61 pero con **Rubán Damas imitación,** guarnición plata nueva, culata de nogal amarilla y ornada	**Niquelado, culata cicelada** con **incrustaciones, en ébano** imitación, cañón y piezas de cerradura **grabados** y parcialmente **dorados**	**Cañónes** de 18 cm **sobrepuestos, Ruban Damas** imitación, culata de nogal oscuro, piezas profundamente grabadas, niqueladas y plateadas, ornamentos dorados sobre el cañón, culata ornada	Cañón de 18 cm, **Damas blanco** imitación, incrustaciones plata sobre los platinos, culata imitación ebano con incrustaciónes, 2 tornillos, 2 resortes, piezas profundamente **grabadas, niqueladas y plateadas.**
pro Paar / par paire / per brace / por par	Mark 19,20	Mark 21,60	Mark 44,—	Mark 59,—	Mark 90,—

Schwere Percussions-Pistolen Marke „Rio".	Forts pistolets à percussion, marque „Rio".	Heavy percussion pistols, brand „Rio".	Pistolas fuertes de percusión, marca „Rio".
Doppelläufig	**à deux canons**	**Double barrel**	**De dos cañones**

Cal. 20 — 24 — 28 — 32 — 36

No. 82

No. 83

No. 84

Die obigen Pistolen werden auch in anderen Lauflängen und Kalibern nach Wunsch ohne Mehrkosten geliefert.	Les pistolets ci-dessus sont également livrés, dans d'autres calibres et longueurs de canon selon demande, sans augmentation de prix.	If desired the above pistols are also supplied with barrels of different lengths and calibers without additional costs.	Las pistolas aqui indicadas se proveén igualmente en otros calibres y longitudes de cañón según pedido, sin aumentó de preció.

No.	82	83	84
	† Fez	† Para	† Pesos
	Lauf 35 cm lang **echter Damast**, guillochierte Schiene, verschnitzter polierter Nussbaumschaft, Teile **versilbert** und **vernickelt** tiefe **Gravur, Lauf-Ornamente**	Wie No. 82, **rückliegende Schlösser, Stahlläufe,** Basküle mit Muscheln, **Laufornamente**	Lauf 40 cm lang, **kantige** Läufe, imitierter **Ruban-Damast,** sonst ähnlich wie No. 83
	Canon de 35 cm **Damas véritable,** bande guillochée, crosse noyer **sculptée** et polie, pièces **argentées** et **nickelées, ornements gravés sur le canon**	Comme No. 82 **platines arrière,** canons **d'acier,** bascule à coquilles, **ornements sur le canon**	Canons de 40 cm, **à angles,** Ruban Damas imitation, pour le reste semblable au No. 83
	Length of barrel 35 cm genuine damascus, matted extension rib, carved and polished walnut stock, silver plated and nickeled parts, deep engraving ornaments on barrel	Like No. 82, **back action locks, steel barrels** with **ornaments,** bascule with scroll	Barrel 40 cm long, **edged,** imitation **ruban damascus,** otherwise like No. 83
	Cañón de 35 cm Damas verdadero, cinta torneada, culata de nogal esculpida y pulida, piezas plateadas y niqueladas, ornamentos grabados sobre el cañón	Como No. 82, **platinos le cola, cañónes** de **acero** con **ornamentos**	Cañón de 40 cm, de **angulos, Ruban Damas** imitación, para el resto como No. 83
per Paar — par paire / per brace — por par	Mark **94.**—	Mark **72.**—	Mark **76.**—

Zentralfeuer-Doppelpistolen Marke „Bahia".	Pistolets à deux canons et à feu central, marque „Bahia".	Center fire double-barrel pistols Brand „Bahia".	Pistolas de dos cañones á fuego central, marca „Bahia".
Lauflänge und Caliber nach Wunsch.	**Longueur du canon et calibre selon demande.**	**Length of barrel and caliber as desired.**	**Longitúd del cañón y calibre según pedido.**

No. 89

No. 90

No. 91

Preise pro Paar! | Prix par paire! | Prices per brace! | Precio por par!

No.	89	90	91
	† Delgo	† Fargo	† Komo
	Caliber nach Angabe, **Drehhebel,** schwarze Läufe, imit. Damast, graviert, **vernickelt,** Nussbaumschaft	Wie No. 89, aber mit **Sicherung**	Wie No. 89, aber **einlegbarer Abzug,** gebläute Läufe, Teile schwarz, **geschnitzter** Griff, fein **graviert**
	Calibre selon demande, **levier,** canons noirs, Damas imitation, gravé, **nickelé,** crosse noyer	Comme No. 89, mais avec **sûreté**	Comme No. 89, mais **détente pliante,** canons bleuis, pièces noires crosse **sculptée, élégamment gravé**
	Caliber as desired, **turning lever,** black barrels, imitation damascus, engraved, **nickelplated,** walnut stock	Like No. 89, but with **safety**	Like No. 89, but with **detachable trigger,** blued barrels, black parts, **carved stock,** finely **engraved**
	Calibre que se desea, **palanca á vuelta,** cañón negro, imitación Damasco, grabado, **niquelado,** mango nogal	Como No. 89, pero con **seguridad**	Como No. 89, pero con **escape plegable,** cañones azúles, partes negras, **mango esculpido,** finamente **grabado**
per Paar — par paire / per brace — por par	Mark **40.**—	Mark **41.**—	Mark **53.**—

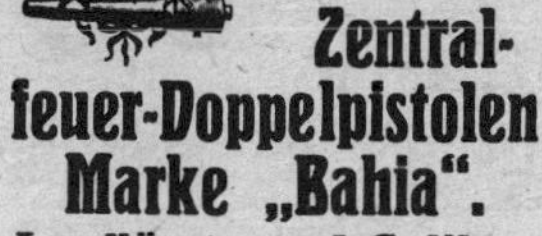

Zentralfeuer-Doppelpistolen Marke „Bahia“.

Lauflänge und Caliber nach Wunsch.

Pistolets à deux canons et à feu central, marque „Bahia“.

Longueur du canon et calibre selon désir.

Center fire double-barrel pistols brand „Bahia“.

Length of barrel and caliber as desired.

Pistolas de dos cañones á fuego central, marca „Bahia“,

Longitúd del canón y calibre según pedido.

No. 92

No. 93

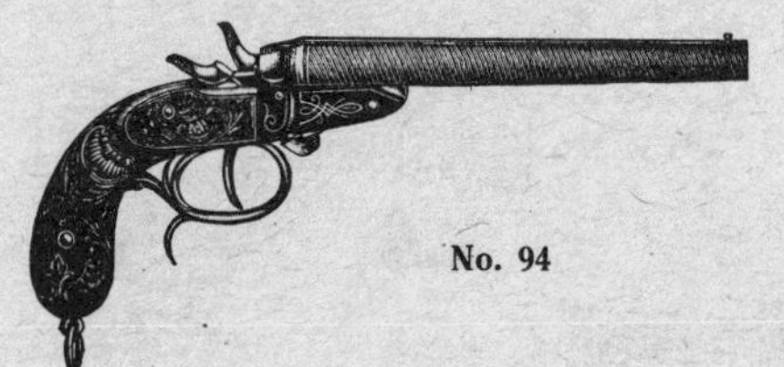

No. 94

No. 95

No. 96

No. 97

Preise pro Paar! | **Prix par paire!** | **Prices per brace!** | **Precio por par!**

Nr. 92	93	94	95	96	97
† Serbo	† Terlo	† Falgo	† Bagno	† Damno	† Giro
Englische Gravur, tiefschwarz eingesetzte Teile, schwarze **gravierte** Läufe mit **Verzierung,** Schaft geschnitzt, gravierte, vernickelte Basküle	**Verschlusshebel zwischen den Hähnen,** imitierter **Damast,** Teile tief **ziseliert** und **graviert, vernickelt**	**Druckverschluss** vor dem Abzugsbügel, tief **geschnitzt** und **ziseliert,** imit. **Rubandamast,** sonst wie Abbildung	Wie No. 94 **Löwenkopf** am Griff, **echter Rubandamast,** hochfeine **Gravur und Ziselierung**	**Hebelverschluss,** Ausführung wie No. 92, aber alle Teile **schwarz**	**Seitenhebelverschluss,** Schaft und Teile mit **Silberquadraten** beschlagen, **echter Rubandamast,** fein **graviert** und **gebläut**
Gravure anglaise, pièces noires foncées, trempées, jaspées, canons noirs **gravés** avec ornements, **crosse** sculptée, bascule gravée et **nickelée**	**Levier de fermeture,** entre les **chiens, Damas** imitation, pièces ciselées profondément et **gravées, nickelé**	**Fermeture à pression** devant la sous-garde de détente, profondément **sculpté** et **ciselé,** imitation **Ruban Damas,** pour le reste voir l'illustration	Comme No. 94, tête de lion à la crosse, **Ruban Damas véritable, gravure** et **ciselure** fort élégantes	Levier de fermeture, même exécution que No. 92, mais toutes les pièces noires	**Levier de fermeture latéral,** crosse et pièces ornées de **carrés d'argent, Ruban Damas véritable,** élégamment **gravé et bleui**
English engraving, deep black case hardened parts, black veined, barrels **ornamented,** carved stock, engraved, **nickelplated, bascule**	**Lever bolt between hammers,** imitation **Damascus,** parts deeply **chased** and **engraved, nickelplated**	**Press bolt** in front of trigger guard, deeply **carved** and **chased,** imitation **ruban damascus,** otherwise like cut	Like No. 94, **lion-head** on stock, **genuine ruban damascus,** very finely **engraved** and **chased**	**Lever bolt,** finished like No. 92, but all parts black	**Lever bolt at side,** stock and other parts mounted with silver squares, **real ruban damascus,** finely **engraved** and **blued**
Grabado inglés, partes templadas y jaspeadas, cañónes negros cinceladós, **mango** cortado **esculpido** niquelado	**Palanca** entre los gatillos, imitación **Damas,** partes profundamente **cinceladas, grabadas** y niqueladas	**Cierre de presión,** delante del guardamonte profundamente **grabada,** imitación**RubanDamas,** para el resto como el grabado	Como No. 94, **cabeza de león** en el mango, **verdadero Ruban Damas,** muy finamente **grabado y cincelado**	**Cierre** de palanca, hechura como No. 92, pero todas las piezas **negras**	**Cierre-palanca á un lado,** mango y otras partes montadas con **cuadrados** de plata, **Ruban Damas verdadero,** finamente **grabado y azulado**
per Paar / par paire / per brace / por par } Mark 60.—	Mark 72.—	Mark 60.—	Mark 74.—	Mark 120.—	Mark 102.—

Knallkork-Waffen. | Armes à bouchons détonants. | Arms for detonating corks. | Armas de tapones de estallido.

Enorm lauter Knall, gänzlich gefahrlos, der vorn aufzusetzende Kork enthält die Zündmasse.

Détonationénorme, absolument **sans danger,** se charge par devant au moyen d'un bouchon contenant une composition détonante.

Very loud report, quite harmless, the cork, which is put in from the front, contains the priming powder.

Estallido muy fuerte, sin peligro alguno, los tapones que se insiertan por la boca llevan la composición detonante.

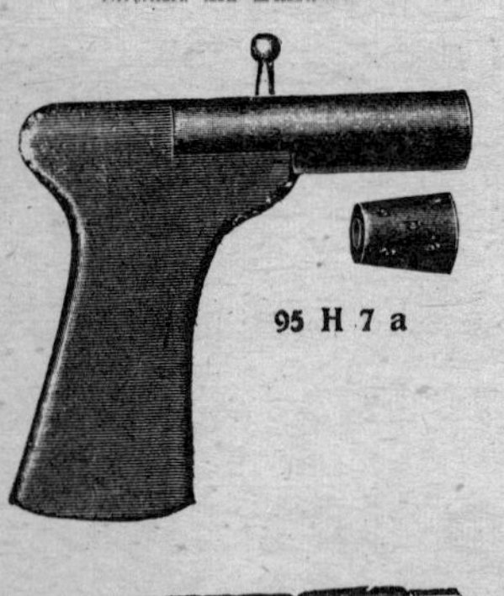

95 H 7 a

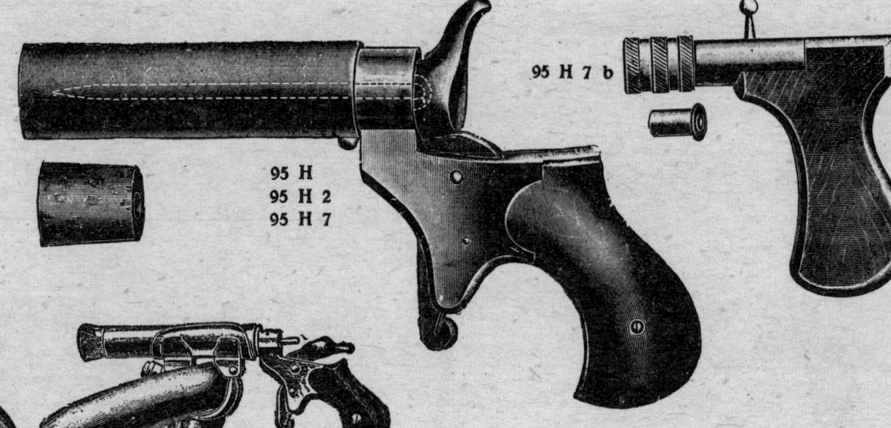

95 H
95 H 2
95 H 7

95 H 7 b

95 H 6 95 H 8
95 H 11 95 H 12

**Doppelpistole.
à 2 canons.
Double-barrel pistol.
de dos cañones.**

95 H 1
**Für Radfahrer
Pour cyclistes.
For cyclists.
Para ciclistas**

282/283

	95 H	95 H 2	95 H 7	95 H 7 a	95 H 7 b	95 H 1	95 H 6	95 H 11	95 H 8	95 H 12
	† **Mistoles**	**Mypan**	† **Uwidest**	† **Knallkrow**	† **Knallrezi**	† **Mypund**	† **Uwidop**	† **Uwimist**	† **Uwomost**	† **Uwemest**
	Vernickelte **Pistole,** Holzgriff, **mit 12 Korken** im Karton	wie 95 H, **ohne Korken**	wie 95 H 2 aber **kleines Westentaschenmodell**	Nussholzgriff, Nickellauf, Mauserverschluss für Knallkorken	wie 95 H 7 a, aber für Zentralfeuer, Platzpatronen Cal. 320	wie 95 H, mit nur **sechs Korken** und **vernickelter Befestigungsvorrichtung für Fahrrad**	‚Knallfix-' **Doppel-Pistole** im Karton	wie 95 H 6 **mit 12 Korken**	wie 95 H 6 **kleines Taschenmodell** im Karton	wie 95 H 8 **mit 12 Korken**
	Pistolet nickelé, crosse bois, **avec 12 bouchons,** dans 1 carton	comme 95 H **sans bouchons**	comme 95 H 2, mais petit **modèle tenant dans une poche de gilet**	Crosse noyer, canon nickel, fermeture Mauser, pour bouchons détonants	comme 95 H 7 a, mais à feu central, pour cartouche à blanc, Cal. 320	comme 95 H, avec seulement **6 bouchons** et **support nickelé** s'adaptant sur la **bicyclette**	**Pistolet** détonateur ‚Knallfix' à **2 canons,** en 1 carton	comme 95 H 6, avec **12 bouchons**	comme 95 H 6, **petit modèle de poche,** en 1 carton	comme 95 H 8, avec **12 bouchons**
	Nickeled **pistol** wooden grip, **with 12 corks** in cardboard-box	like 95 H, **without corks**	like 95 H 2 but **small model for waistcoat-pocket**	Walnut stock, nickel barrel, Mauser-lock for detonating corks	like 95 H 7 a, but for center-fire, explosive-cartridges, cal. 320	like 95 H, but only with **6 corks** and **nickeled arrangement** for attaching to **cycle**	**double barrel pistol** ‚Knallfix' in cardboard box	like 95 H 6, with **12 corks**	like 95 H 6, **small pocket** model in card-board-box	like 95 H 8 with **12 corks**
	Pistola niquelada, culata de madera, **con 12 tapones,** en 1 cartón	Como 95 H, **sin tapones**	Como 95 H 2, pero **modelo reducido** para **bolsillo de chaleco**	Mango de nogal, cañon de niquel, cerradura „Mauser", para tapones detonadores	Como 95 H 7 a pero para cartucho de blanco de fuego central, Cal. 320	como 95 H, con **6 tapones** solamente y **apoyo niquelado** adaptándose sobre la **bicicleta**	**Pistola** ‚Knallfix' (de fuerte detonación) de **2 cañones,** en 1 cartón	como 95 H 6 con **12 tapones**	como 95 H 6 **pequeño modelo de bolsillo,** en 1 cartón	como 95 H 8, con **12 tapones**
pro	10	10	10	10	10	10	10	10	10	10
Mark	18.—	14.40	15.—	10.—	17.40	20.—	30.—	33.—	29.—	33.—

Knallkork-Waffen. | Armes à bouchons détonants. | Arms for detonating corks. | Armas de tapones de estallido.

95 H 4 95 H 5

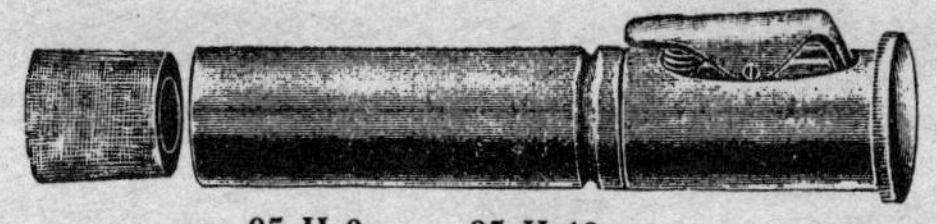

95 H 9 95 H 10

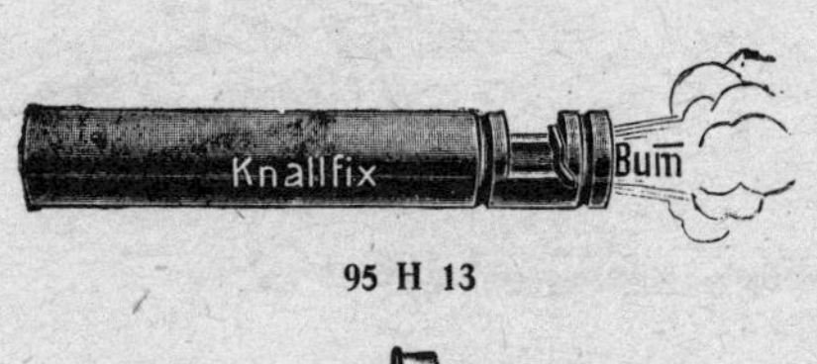

95 H 13

95 H 15 a

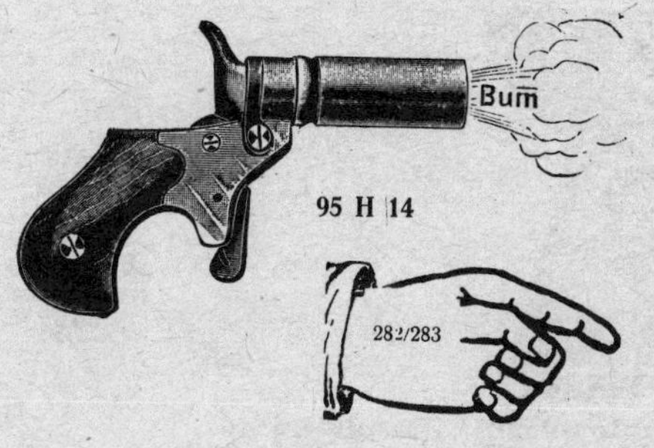

95 H 14

282/283

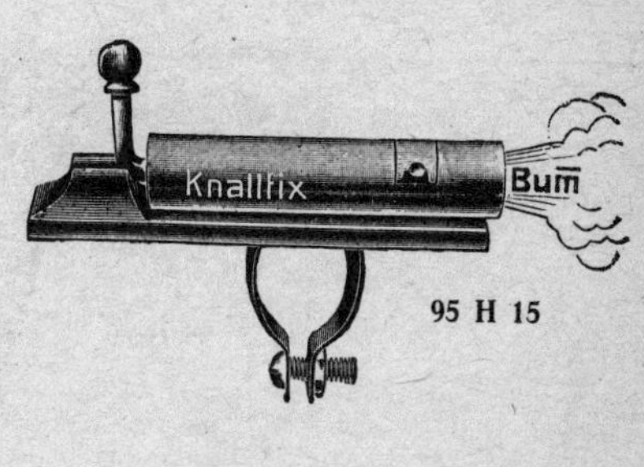

95 H 15

Nr.	95 H 4	95 H 5	95 H 9	95 H 10	95 H 13	95 H 14	95 H 15	95 H 15 a
†	Uwix	Uwilf	Uwidors	Uweders	Uwudirs	Uwadurs	Uwodars	Knallkatz
	Vernickeltes **Knallfixrohr** im Karton. Korken explodiert durch inneres Schlaggewicht	wie 95 H 4 **mit 12 Korken** im Karton	Vernickeltes **Knallfixrohr** mit **Spann- und Abzugsvorrichtung** m. Spiralschlagfeder im Karton	wie 95 H 9 aber **mit 12 Korken** im Karton	Knallfixrohr, Konstruktion ähnlich 95 H 9 aber für **Knallkapseln**	**Vernickelte Pistole,** mit Holzgriff für **Knallkapseln**	**Vernickeltes Knallfixrohr** mit **Mauserverschluss** und Vorrichtung zum **Anbringen am Rad** für **Knallkapseln**	Knallkapseln per 1000
	Douille détonatrice nickelée, en 1 carton. Le bouchon détone par suite de perforation produite à l'interieur de la douille	comme 95 H 4 **avec 12 bouchons,** en 1 carton	**Douille détonatrice** nickelée pourrue d'un **système d'armement** et de **déchargement** avec ressort de détente en spirale, en 1 carton	comme 95 H 9 mais **avec 12 bouchons,** en 1 carton	Douille détonatrice, construction similaire à celle du 95 H 9, mais pour **capsules détonantes**	**Pistolet nickelé,** avec crosse de bois, pour **capsules détonantes**	**Douille détonatrice nickelée,** avec **fermeture Mauser,** et support pour bicyclette, pour **capsules détonantes**	Capsules détonantes par 1000
	nickeled **Knallfix tube** in cardboard-box, cork explodes by means of interior weight of striker	like 95 H 4 **with 12 corks** in cardboard-box	Nickeled **Knallfix tube** with **cocking** and **trigger arrangement** with spiral spring	like 95 H 9 but **with 12 corks** in cardboard-box	Knallfix tube construction like 95 H 9, but for **detonating capsules**	**Nickeled pistol** with wooden grip for **detonating capsules**	**Nickeled Knallfix tube** with **Mauser** lock and arrangement for attaching to cycle for **detonating capsules**	detonating capsules per 1000
	Tubito detonador niquelado, en 1 cartón. El tapón deton á consecuencia de perforación en el interior del tubito	como 95 H 4 **con 12 tapones,** en 1 cartón	**Tubito detonador** niquelado, provisto de un **sistema de armamento** y **de descarga** con resorte en espiral, en 1 cartón	como 95 H 9 pero **con 12 tapones,** en 1 cartón	Tubito detonador, construcción similar á la del 95 H 9, pero para **cápsulas detonaderas**	**Pistola niquelada,** con mango de madera, para **capsulas detonadoras**	**Tubito detonador niquelado, con cerradura Mauser** y apoyo para bicicleta, para **cápsulas detonadoras**	Cápsulas detonantes por 1000
pro	10	10	10	10	10	10	10	1000
Mark	4.40	8.—	12.—	15.—	12.—	15.—	22.—	19.—

Knallkork-Waffen	Armes à bouchons détonants	Arms for detonating corks	Armas de tapones estalladores

95 H 16 a

95 H 16
95 H 17

95 H 18
95 H 19

„Tip“

95 H 20

Doppelknall-korkpistole	Pistolet détonateur à 2 canons	Double barrel pistol for detonating corks	Pistola de estallador de 2 cañones.

282/283

95 H 21

Billigstes Knallkorkrohr	Tube détonateur très bon marché	Cheapest tube for detonating corks.	Tubo estallador muy barato

Vorderseite
vue de face 95 H 22
front view
visto de frente

Rückseite
vue de pile
back view
visto por detrás

Knallkapseln	Capsules détonantes	Detonating capsules	Cápsulas fulminantes

95 H 3

Knallkorken	Bouchons détonants	Detonating corks	Tapones estalladores.

95 H 16 a	95 H 16	95 H 17	95 H 18	95 H 19	95 H 20	95 H 21	95 H 3	95 H 22
† Knaltip	† Erosnix	† Erosbla	† Lokirein	† Ikolnix	† Ikolbla	† Lokinix	† Mypuro	† Malkforu
Knallkorkpistole **„Tip“** zum Spannen mit Hahn aus Eisen gestanzt. Die Laufmündung enthält eine aus e nem Stück nahtlos gezogene Hülse, welche ein Platzen des Laufes verhindert	**Knallkorkpistole Eros** zum Spannen mit Hahn und Abzug aus Eisen gestanzt **ff. vernickelt**	**schwarz lackiert**	wie 95 H 16, **Modell „Loki“ ff. vernickelt**	wie 95 H 18, **schwarz lackiert**	**Doppellauf-knallkorkpistole** „Ikol“, 2 Schuss hintereinander, **schwarz lackiert**	**Billigstes Knallkorkrohr „Alfa“,** aus Pappe **gestanzt**	**Knallkorken,** passend für unsere Waffen in Cartons à 50 Stück, per 1000	**Knallkapseln** als **Ersatz** für **Knallkorken, laut** knallend, **per 1000**
Pistolet détonateur à bouchons „Tip“, s'armant par le chien, en fer estampé. L'embouchure du canon est garnie d'une douille d'une seule pièce, qui empêche tout éclatement du canon	**Pistolet détonateur „Eros“,** s'armant avec chien et détente, de fer estampé **soigneusement nickelé**	**verni noir**	comme 95 H 16 **modèle „Loki“ soigneusement nickelé**	comme 95 H 18 **verni noir**	**Pistolet détonateur** „Ikol“ à 2 canons, 2 coups consécutifs, **verni noir**	**Tube détonateur très bon marché „Alfa“,** en **carton estampé**	**Bouchons détonants,** convenant aux armes détonatrices que nous offrons, en carton de 50 pièces, par mille	**Capsules détonantes, remplaçant les bouchons, très forte détonation, le mille**
Detonating pistol **“Tip”** for cocking with hammer, stamped from iron. The muzzle is provided with a seamless socket which prevents bursting of barrel.	**Detonating pistol „Eros“** for cocking with hammer and trigger of stamped iron, very **finely nickeled**	**varnished black**	like 95 H 16, model **„Loki“ very finely nickeled**	like 95 H 18, **varnished black**	**Double barrel pistol for detonating cork** „Ikol“, 2 consecutive shots, **varnished black**	**Cheapest tube for detonating cork „Alfa“ stamped of cardboard**	**Detonating corks** suitable for our detonating arms in boxes of 50, per 1000	**Detonating capsules** as **substitute** for **detonating corks,** giving **loud** report **per 1000**
Pistola detonadora de tapones **„Typ“** que se arma por el gatillo, de hierro templado, la boca del cañon esta provista de un tubo de una sola pieza que impide todo estadido del cañon.	**Pistola de estallido „Eros“ armándose** con gatillo y chapa, de hierro estampado. **cuidadosamente niquelado**	**barnizado negro**	como 95 H 16, modelo **„Loki“ cuidadosamente niquelado**	como 95 H 18, **barnizado negro**	**Pistola de estallido fuerte** „Ikol“ de 2 cañones, **2 tiros** consecutivos, barnizado negro	**Tubo de estallido barato „Alfa“** en **cartón estampado**	**Tapones de estallido,** conviniendo á las armas de estallido que ofrecemos, en cartón de 50 piezas, por mil	**Cápsulas estallables reemplazandó á los tapones, muy fuerte** detonación, **por mil**
pro: 144	144	144	144	144	144	144	1000	1000
Mark: 39,20	92,40	83,60	74,80	66,—	184,80	18,—	12,50	13,20

Preise per Gross — Prix par grosse — Prices per gross — Precios por gruesa

Nicht tötende Verteidigungswaffen.	Armes de défense ne tuant pas.	Defensive arms non killing.	Armas de defensa que no matan.

Neu!

„Scheintot“ macht jeden Gegner sofort unschädlich ohne tödliche oder körperliche Verletzung.

„Scheintot“-Patrone
D. R.-Patent.

Novelty!

„Scheintot“ (appearance of being dead) renders any adversary harmless, without doing mortal or bodily injury.

„Scheintot“ cartridge.

Zu 95 H 23.

Nouveauté

„Scheintot“ (qui met dans un état similair à celui de la mort) ce pistolet met hors d'état de nuire, sans le tuer ni le blesser, n'importe quel adversaire homme ou animal.

Cartouches „Scheintot“

Novedad

„Scheintot“ (que pone en un estado parecido á la muerte). Esta pistola pone á cualquiera en estado de no poder atacar sin matarle ni herirle lo más núnimo.

Cartuchos „Scheintot“.

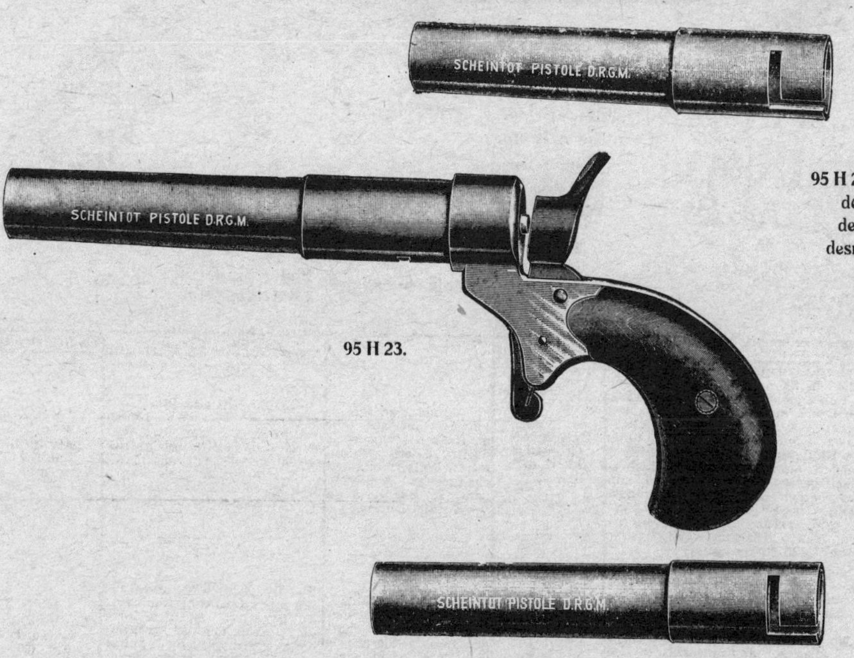

95 H 23 zerlegt.
démonté
detached
desmontada

95 H 23.

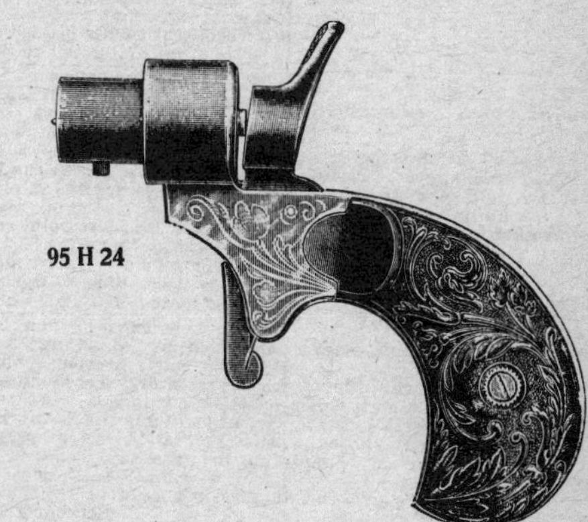

95 H 24

95 H 23	95 H 24
† Seintot	† Seintrif
Notwehr-Pistole „Scheintot“, zerlegbar, **blank**, Nussholzgriff, mit **10 Patronen** und Entladestock im Carton. Cal. 12 mm.	Wie 95 H 23, aber **vernickelt, graviert, Gummigriff.** Cal. 12 mm.
Pistolet de défense „Scheintot“ démontable, **blanc**, crosse noyer, **avec 10 cartouches** et baguette de déchargement, en 1 carton, cal. 12 mm.	Comme 95 H 23, mais **nickelé**, gravé, **crosse caoutchouc**, cal. 12 mm.
Defensive pistol „Scheintot“ detachable, bright walnut grip with **10 cartridges** and ramrod for unloading in cardboard box cal. 12 mm.	like 95 H 23, but **nickeled**, engraved, **rubber grip**, cal. 12 mm,
Pistola de defensó „Scheintot“ desmontable, blanca, culata de nogal, con **10 cartuchos** y baqueta, en 1 carton, cal. 12 mm.	Como 95 H 23, pero **niquelada** grabada, **culata de cautchuc**, cal. 12 mm.
pro 10 Mark **60.**–	Mark **80.**–

Nicht tötende Verteidigungswaffen.	Armes de défense ne tuant pas.	Defensive arms non killing.	armas de defensa que no matan.

95 H 26.

Scheintot-Repetier-Pistole D. R. G. M. | Pistolet à répétition „scheintot' | Scheintot repeating pistol | Pistola de repetición Scheintot

95 H 25. 95 H 25 a.

Scheintot-Revolver. | Revolver „scheintot". | „Scheintot" Revolver. | Revolver „Scheintot".

95 H 27. Cal. 12 mm.

95 H 29

Blendpatrone. Cartouche aveuglante. dazzling cartridge. Cartuche cegante.

95 H 30.

Blendpistole. | Pistolet aveuglant. | Pistol producing dazzling light. | Pistola cegante.

Zu 95 H 29.

95H25 † Seinvill / 95H25a † Seinviham	95 H 26 † Seinmord	95H27 † Seinrund		95 H 29 † Entlarft	95H30 † Entlapart
mit Hahn / **Hammerless** **Scheintot-Revolver,** **Cal. 12 mm,** mit Druckknopfsicherung, Gummigriff incl. Ladestock und **10 Scheintot-patronen** im Carton. Cal. 12 mm.	Eigens für den Gebrauch der **Scheintot**-Patrone konstruiert, staatlich beschossen und mit staatlichem Stempel versehen, **Caliber 12 mm, dreischüssig,** mit 3 untereinander liegenden Läufen. Die Waffe wird durch einfachen Druck auf Knopf und Lauf sofort geöffnet und alle drei Läufe werden in wenigen Sekunden **gleichzeitig geladen, resp. entladen.** Die Konstruktion bietet durch ihre geniale Einfachheit **völlige Sicherheit für den Schützen,** da der ganze Schlossmechanismus nur durch Druck auf die Schiebersicherung **sofort** ausser Tätigkeit gesetzt wird. Die Pistole kann also **stets geladen getragen** werden und ist im Gebrauchsfalle **immer schussbereit.** Die Waffe ist an allen Teilen **tiefschwarz** bräuniert und mit **gepresstem Kautschukschaft** versehen, sehr sauber gearbeitet, feinste Präzisionsarbeit. Pistole im Karton mit **10 Scheintot-Patronen.**	**Scheintot-Patronen Cal. 12 mm** per 1000	Für Länder, wo fertige Patronen für Scheintot nicht eingeführt werden dürfen, liefern wir die leeren Hülsen und die chemischen Präparate getrennt. Man verlange Spezial-Offerte.	**Entlarvt-Blend-Pistole schiesst** eine blendende **Licht-Patrone,** die den Angreifer durch **Blenden kampfunfähig** macht, ca. 15½ cm lang, blank, Nussholzschaft, zerlegbar, Cal. 380, incl. **10 Patronen** und Ladestock im Carton.	**Blend* patronen,** Cal. 380 per mille
avec chien / **sans chien** **Revolver „Scheintot"** Cal. 12 mm, avec sûreté à pression, **crosse de caoutchouc,** baguette et **10 cartouches** en 1 carton. Cal. 12 mm.	Construit spécialement pour l'emploi des cartouches „Scheintot", éprouvé officellement et muni du poinçon d'épreuve officiel, Cal. 12 mm, à 3 coups et à 3 canons superposés. Par une simple pression sur le bouton et sur le canon, l'arme s'ouvre et en quelques secondes les 3 canons peuveut être chargés ou déchargés. Par sa géniale simplicité, la construction de cette arme offre au tireur la sécurité la plus absolue, car le mécanisme tout entier se trouve bloqué par pression sur la sûrèté à poussoir. Le pistolet peut donc être porté en poche chargé et, le cas échéant, il est immédiatement prêt à faire feu. L'arme est entièrement brunie-noire, munie d'une crosse caoutchouc comprimé, très soigneusement travaillée et constitue un travail de grande précision. Le pistolet est délivré en 1 carton avec 10 cartouches „Scheintot".	**Cartouches scheintot Cal. 12 mm** per 1000	Pour pays prohibant l'importation de cartouches „Scheintot" chargées, nous **fournissons,** les douilles et les préparations chimiques séparément. Prière de demander nos offres spéciales.	**Pistolet ‚Entlarft' aveuglant** tire une **cartouche** lumineuse **aveuglante,** qui **met hors** de **combat** tout **adversaire,** par aveuglement, long d'environ 15 cm ½, blanc, crosse noyer, démontable, Cal. 380, avec **10 cartouches** et 1 baguette, en 1 carton.	**Cartouches aveuglantes,** Cal. 380 le mille
with hammer / **Hammerless** **„Scheintot" revolver, Cal. 12 mm,** with press button safety, **rubber grip** including ramrod and **10 cartridges** in 1 cardboard box. Cal. 12 mm.	Special construction for **Scheintot cartridges, officially** tested and stamped. **Cal. 12 mm, 3 shots** with **3 barrels** superposed. The arm opens by simply pressure on button and barrel. All 3 barrels are **charged** or **discharged simultaneously,** within a few seconds. Construction offers **perfect safety** by its genial simplicity as the whole **mechanism** of the system can be put immediately **at rest** by merely pressing the button and slide security. Thus the pistol can always be carried ready loaded. All parts of the arm are polished a deep black and same is provided with a pressed rubber stock. High class finish Pistol with **10 cartridges** „Scheintot" in cardboard box.	**„Scheintot" cartridges Cal. 12 mm** per 1000	For countries prohibitingthe import of loaded Scheintot cartridges, we deliver the shells and chemical filling separately. Please apply for special offers.	**„Entlarft" pistol** fires a cartridge which produces a dazzling light and thereby **renders** an assailant **helpless,** about 15½ cm long, bright, walnut stock, datachable, cal. 38 mm, including **10 cartridges** and ramrod in cardboard box.	**dazzling cartridge** cal. 380 per 1000
con gatillo / **Hammerless** **Revólver „Scheintot", Cal. 12 mm,** con seguridad de presion, **culata de cautchuc** con baqueta y **10 cartuchos** en carton. cal. 12 mm.	Construida espresamente para el uso de cartuchos „Schèmtot", con sello de prueba oficiál, cal. 12 mm, de 3 tiros, con 3 cañones juxtápuestos. El arma, se abre por medio de simple presión sobre el botón y el cañon, y en algunos segundos los 3 cañones pueden ser cargados ó descargados. La construccion por su genial simplicidad ofrece al tirador seguridad completa, el mecanismo eutero pudièudose fuera de función por presion sobre el seguro de empuje. Por consecuencia la poner ponte pistola puede elevarse sin riesgo alguno y esta siempre lista el uso. El arma es bruñida, negra oscura, provista de una culata de cautchuc endurenegra oscura, provista de una culata de cautchuc endurecido, muy cuidadosamente trabajada y es veraderamente un trabajo de precisión. Pistola en 1 carton, con 10 cartuchos.	**Cartuchos „Scheintot" Cal. 12 mm** por 1000	Para paises que ne permiten la importación de cartuchos cargados „Scheintot", entregaremos los cartuchos vácios y las preparaciones quimicas separademente sirvanse pedirnos ofertas especiales.	**Pistola „Entlarft"** tira un cartucho luminoso **dejando ciego, y pone** por lo tanto **fueza** de **combate** à cualquier **adversario** por medio de la ceguera. Largo de 15 cm ½, blanco, mango de nogal, desmontable. Cal. 380. con **10 cartuchos** y una baqueta. Dentro de un cartón.	**Cartuchos cegantes** Cal. 380 el mille.
pro 10 / 1	1	1000		10	1000
Mark 22.50 / 28.50	30.—	104.—		55.—	130.—

Eiserne Kinderpistolen mit besten Stahlfedern.

Pistolets de fer pour enfants avec ressorts en acier extra.

Iron pistols for children with best steel springs.

Pistolas de hierro para niños con resortes extra en acero.

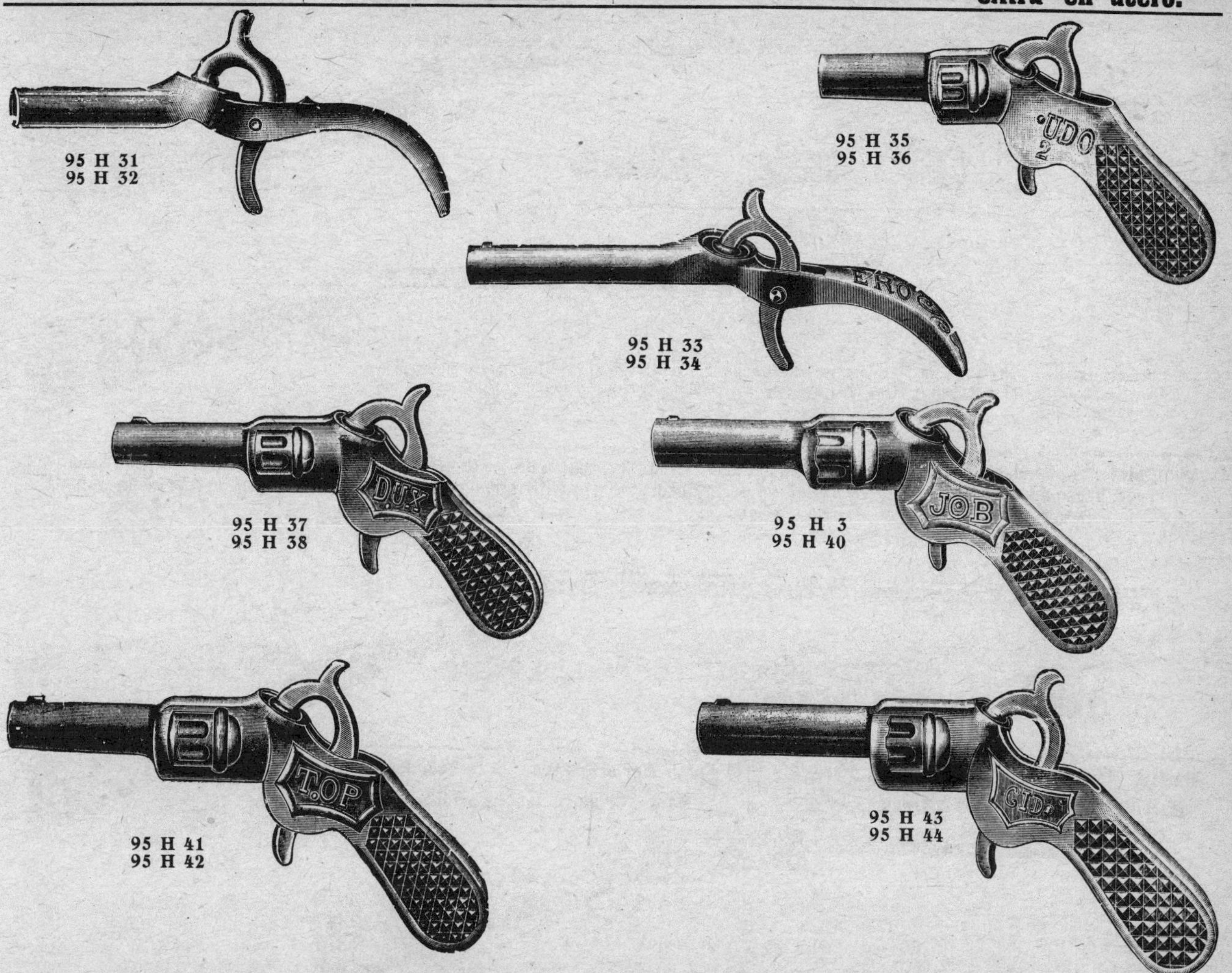

95 H 31
95 H 32

95 H 35
95 H 36

95 H 33
95 H 34

95 H 37
95 H 38

95 H 3
95 H 40

95 H 41
95 H 42

95 H 43
95 H 44

No.		95 H 31	95 H 32	95 H 33	95 H 34	95 H 35	95 H 36	95 H 37	95 H 38	95 H 39	95 H 40	95 H 41	95 H 42	95 H 43	95 H 44
†		Xleo	Zleo	Xero	Zero	Xudo	Zudo	Xdux	Zdux	Xjob	Zjob	Xtop	Ztop	Xcid	Zcid
lang — long de — length — longitud	mm	75		90		76		85		90		95		100	
1 Schachtel enthält Dutzend: 1 boîte contient douzaines: 1 box contains doz: 1 caja contiene docenas:		6		6		6		6		6		4		3	
Das Gross wiegt ohne Schachtel: La grosse pèse sans boîte: Without box the gross weighs: La gruesa pesa sin cajas:	kg	1,508		1,958		1,684		2,278		2,350		2,903		2,977	
Das Gross wiegt mit Schachtel: La grosse pèse avec boîte: With box the gross weighs: La gruesa pesa con cajas:	kg	1,640		2,150		1,820		2,470		2,550		3,180		3,260	
Eine Kiste enthält Gross: chaque caisse contient grosses: One case contains gros: Cada caja contiene gruesas:		25		25		25		25		25		18		12	
Kiste rein netto: case clear net: caisse net net: caja neto neto	kg	37,700		48,950		42,100		56,950		58,750		52 240		35,720	
Kiste netto: case clear net: caisse net net: caja neto neto:	kg	41,000		53,750		45,500		61,750		63,750		57,240		39,120	
Kiste brutto: case gross: caisse brut:	kg	49,500		67,000		54,000		73,000		75,000		69,000		47,000	
Masse der Kiste: Dimensions de la caisse: dimensions of case: Dimensiones de la caja:	cm	66½×35×36		67½×44×34		66½×34½×36		67½×44×34		67½×44×34		87½×41×29½		60×41×32	
per Gross weiss La grosse de pistolets blancs white per gross La gruesa de pistolas blancas	Mark	**6.24**		**6.72**		**6.96**		**8.64**		**9.12**		**9.60**		**10.32**	
per Gross verkupfert La grosse de pistolets cuivrés with copper per gross La gruesa de pistolas cobreadas	Mark		**6.24**		**6.72**		**6.96**		**8.64**		**9.12**		**9.60**		**10.32**

Teschings (einläufig) Marke „Storm".	Carabine (à l canon) marque „Storm".	Small Rifle (Single barrel) Mark „Storm".	Escopetas pequeñas (un cañón) marca „Storm".

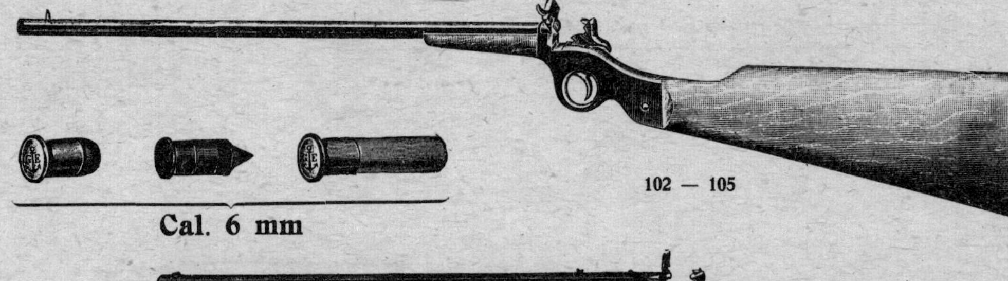

Cal. 6 mm

102 — 105

98—101

98—102 haben feststehenden Lauf, achtkantig, schwarz, Nussholzschaft.	98—102 sont à canon fixe et octogone, noir, crosse noyer.	98-102 have fixed barrels octagon, black, walnut stock.	98—102 con cañón fijo, octógono, negro, culata de nogal.

Tesching mit feststehendem Lauf, mit starker Verschlussklappe. Cal. 9 mm.	Carabine à canon fixe, avec solide clapet de fermeture. Cal. 9 mm.	small rifle with fixed barrel, with strong bolt flap. Cal. 9 mm.	Escopeta pequeña con cañón fijyo cierre fuerte de volante. Cal. 9 mm.

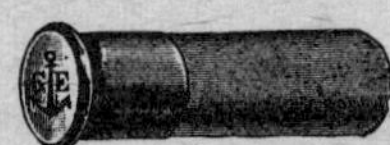

105 a

Mariette Teschings Marke „Crolet".	Carabines Mariette Marque „Crolet".	Small Mariette Rifle Mark „Crolet".	Escopeta pepueño Mariette Marca „Crolet".

Cal. 6 mm No. 149 u. 150.

No. 98.	No. 99	No. 100	No. 101	No. 102	No. 103	No. 104	No. 105	No. 105 a	No. 149	No. 150
† Sag	† Seg	† Sig	† Sog	† Suk	† Saga	† Sege	† Sigi	† Siginen	† Marie	† Mer
40 cm Lauflänge mit Auswerfer	50 cm Lauflänge mit Auswerfer	60 cm Lauflänge mit Auswerfer	40 cm Lauflänge ohne Auswerfer	40 cm Lauflänge mit Auswerfer	40 cm Lauflänge wie No. 102 mit Backe	50 cm Lauflänge wie No. 103	60 cm Lauflänge wie No. 103	60 cm Lauflänge, Backe Cal. 9 mm	Achtkantiger schwarzer Lauf, Nussbaumschaft mit Fischhaut, Teile blank	Wie 149 aber mit Stecher, gezogener Lauf vernickelt und graviert
Canon de 40 cm avec extracteur	Canon de 50 cm avec extracteur	canon de 60 cm avec extracteur	canon de 40 cm sans extracteur	canon de 40 cm avec extracteur	canon de 40 cm comme No. 102 à joue	canon de 50 cm comme No. 103	canon de 60 cm comme No. 103	Canon de 60 cm longueur à joue Cal. 9 mm	canon octogone noir, crosse noyer quadrillée, pièces blanches	Comme 149 mais à double détente, canon rayé, nickelé et gravé
Length of barrel 40 cm with ejector	Length of barrel 50 cm with ejector	Length of barrel 60 cm with ejector	Length of barrel 40 cm without ejector	Length of barrel 40 cm with ejector.	Barrel same length as No. 102 with cheek-piece	Barrel same length as No. 103	Barrel same length as No. 103	Barrel 60 cm long, cheek 9 mm	black octagon barrel, checkered walnut stock, polished parts	like 149 but with hair trigger, rifled barrel nickeled engraved
Largo del cañón 40 cm, con extractor	Largo del cañón 50 cm con extractor	Largo del cañón con extractor	Largo del cañón 40 cm sin extractor	Largo del cañón 40 cm con extractor	Largo del cañón como No. 102 con carrillo	Largo del cañón como No. 103	Largo del cañón como No. 103	Cañón de 60 cm longitud, de carrillo, Cal. 9 mm	Cañón octógono, negro, culata de nogal labrada piezas blancas	Como 149 pero de doble escape, cañón rayado, niquelado y grabado
M. 8.—	M. 9.—	M. 10.—	M. 7.50	M. 7.80	M. 8.20	M. 9.20	M. 10.20	M. 10.—	M. 16.40	M. 21.80

Kipplauf-Teschings Marke „Arand“.

Carabines à canon basculant, Marque „Arand“.

Small rifles with drop barrel Mark „Arand“.

Escopetas pequeños con cañón á caida Marca „Arand“.

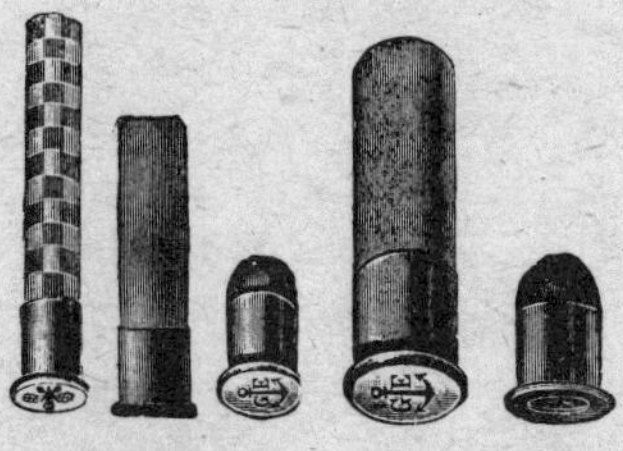

6 mm 7 mm

151—153 b

Vogelflinte. — Fusil à oiseaux. — Fowling-piece. — Fusil de pájaros.

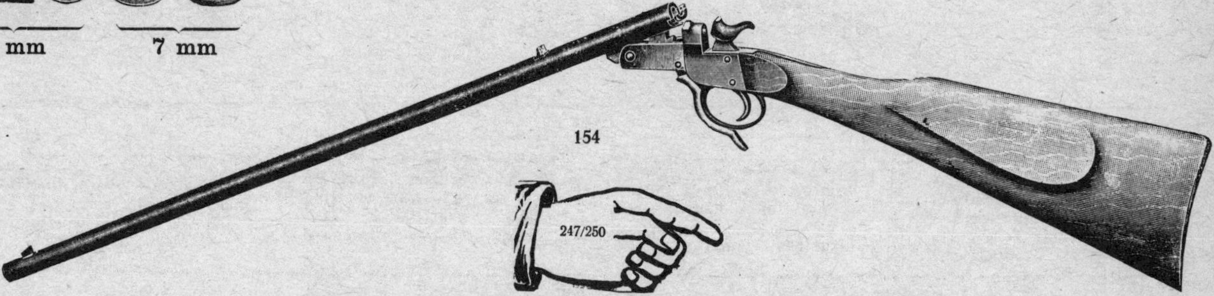

154

247/250

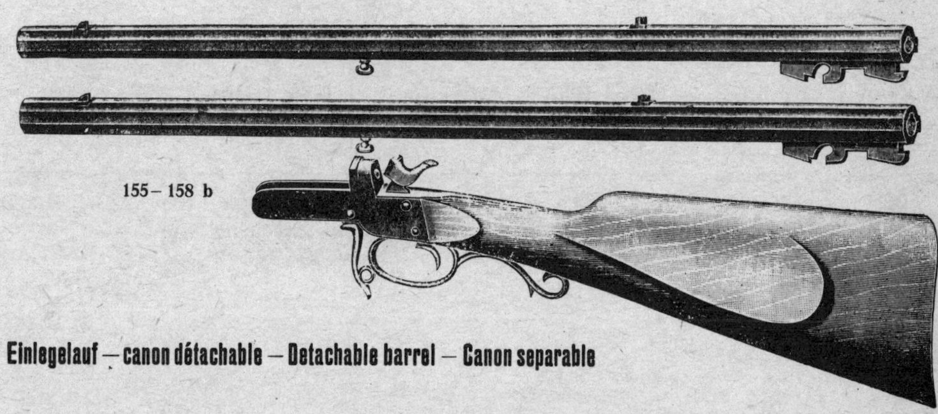

155—158 b

9 mm

Einlegelauf — canon détachable — Detachable barrel — Canon separable

Nr. 156—158 mit Stecher mehr Mk.: 6.—, † Telegrammwort „st“ anhängen. Nr. 151—159 kosten mehr mit gezogenem Lauf Mk.: 1.50, † Telegrammwort „zo“ anhängen; mit Einlegelauf glatt Mk.: 10.50, † Telegrammwort „lg“ anhängen; mit Einlegelauf gezogen Mk.: 11.50, † Telegrammwort „st“ anhängen.

Les Nos. 156 à 158 coûtent, **avec double détente**, Mk. 6.— en plus, † ajouter „st“ au mot télégraphique. Les Nos. 151 à 159 coûtent, **avec canon rayé**, Mk. 1.50 en plus, † ajouter „zo“ au mot télégraphique; avec **canon détachable** lisse ils coûtent Mk. 10.50 en plus, † ajouter „lg“ au mot télégraphique et avec **canon détachable rayé**, Mk. 11.50 en plus, † ajouter „st“ au mot télégraphique.

Nos 156—158 with hair-trigger additional Mk: 6.—, † add „st“ to code-word. Nos 151—158 with **rifled** barrel cost additional Mk.: 1.50, † add „zo“ to code-word; with detachable barrel, smooth Mk.: 10.50, † add „lg“ to code-word; with detachable barrel rifled Mk. 11.50, † add „st“ to code-word.

Nos. 156—158 cuestan, **con doble escape**, Mk. 6.— mas, † añadir „st“ á la telegráfica. Nos. 151—159 cuestan, **con cañon rayado**, Mk. 1.50 mas, † añadir „zo“ á la palabra telegráfica; **con cañon separable y liso**, Mk. 10.50 mas, añadir „lg“ á la palabra telegráfica y **con cañon separable y rayado**, Mk. 11.50 mas, añadir „st“ á la palabra telegráfica.

Nr.	151	151 a	151 b	152	152 a	152 b	153	153 a	153 b	154	155	155 a	155 b	156	156 a	156 b	157	157 a	157 b	158	158 a	158 b
†	Kal	Kalpz	Kaltf	Kel	Kelpz	Keltf	Kil	Kilpz	Kiltf	Kol	Kala	Kalapz	Kalatf	Kele	Kelepz	Keletf	Kili	Kilipz	Kilitf	Kolo	Kolpz	Koltf
Kantiger Lauf, schwarz, Eisenkappe, Teile blank, Nussholzschaft, Lauflänge 40 cm				wie 151, 50 cm			wie 151, 60 cm			wie 151, **runder Lauf**, 65 cm lang	**60 cm langer, kantiger**, schwarzer Lauf, **Garnitur Nickel** od. schwarz, Nussholzschaft, Eisenkappe			wie 155, jedoch **schwere Qualität**, 2 1/4 Kilo, Teile blank			wie 156, **vernickelt, Riemenbügel**			wie 157, jedoch **graviert**		
Canon à angles, noir, calotte de crosse en fer, pièces blanches, crosse noyer, longueur du canon 40 cm				comme 151, 50 cm			comme 151, 60 cm			comme 151, **canon rond**, 65 cm de long	Canon **à angles** noir, **de 60 cm, garniture nickelée** ou noire, crosse noyer, calotte de fer			comme 155, mais **qualité extra**, 2 1/4 Kilo, pièces blanches			comme 156, **nickelé, anneau de courroie**			comme 157, **mais gravé**		
edged barrel, black iron cap, polished parts, walnut stock, length of barrel 40 cm				like 151, 50 cm			like 151, 60 cm			like 151, **round barrel**, 65 cm long	black **edged** barrel **60 cm** long, **nickel or black mounting** walnut stock, iron cap			like 155, but **heavy quality**, 2 1/4 Kilo. polished parts			like 156, **nickeled swivels**			like 157, **but engraved**		
Cañón de angulos, negro, cantonera de hierro, piezas blancas, culata de nogal, longitud del cañón: 40 cm				Como 151, 50 cm			Como 151, 60 cm			Como 151, **cañón redondo**, 65 cm de largo	**Cañón de angulos** negro, **de 60 cm, guarnición niquelada** ó **negra**, culata de nogal, cantonera de hierro			Como 155, pero **calidad extra**, 2 1/4 Kilo, piezas blancas			Como 156, **niquelada, anillo da correa**			Como 167, pero **grabado**		
Cal.	6 mm	7 mm	9 mm	6 mm	7 mm	9 mm	6 mm	7 mm	9 mm	9 mm	6 mm	7 mm	9 mm	6 mm	7 mm	9 mm	6 mm	7 mm	9 mm	6 mm	7 mm	9 mm
Mk.	10.40	10.40	10.40	10.80	10.80	10.80	11.20	11.20	11.20	12.80	13.10	13.10	13.10	15.50	15.50	15.50	17.20	17.20	17.20	18.40	18.40	18.40

Kipplauf-Teschings Marke „Arand“	Carabines à canon basculant, Marque „Arand“.		Small rifles with drop barrel Mark „Arand“.	Escopetas con cañón á caida, Marca „Arand“.

Konstruktion zum Schnell-Aushaken des Laufes.	Construction spéciale, permettant le décrochage rapide du canon.	Constructed to unhook barrel quickly.	Construido para desganchar el cañón deprisa.

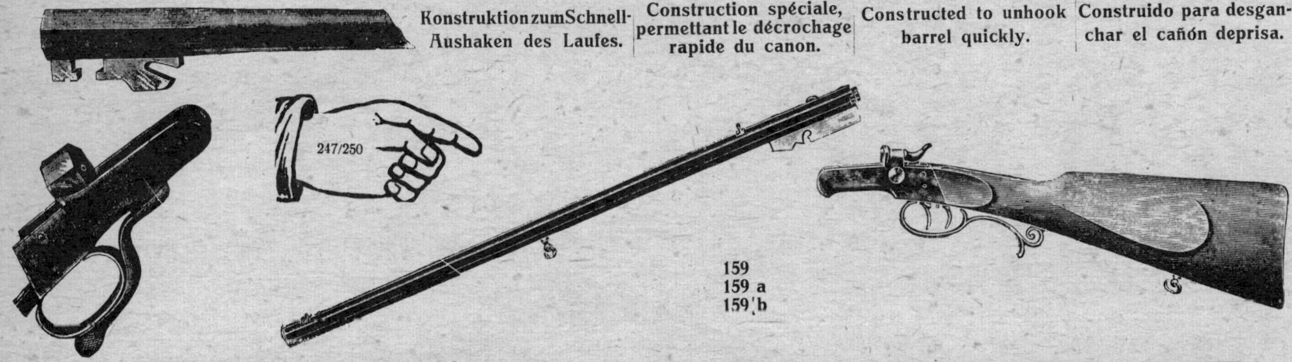

159	159 a		159 b
† Kulu	† Kulupz		† Kulutf
Kantiger, schwarzer Lauf, Eisenkappe mit **Knopfdruck** und **Ring** zum schnellen Auseinandernehmen, Teile **nickel** oder **schwarz**, Nussholzschaft	Canon noir à angles, calotte de crosse de fer, avec **bouton de pression** et **anneau** pour démontage rapide, pièces **nickelées ou noires**, crosse noyer	black edged barrel, iron cap with **press button** and **ring** for taking quickly to pieces **nickel or black parts** walnut stock	Cañón negro de angulos, cantonera de hierro, con **botón de presión** y anillo para desmontaje rápido, **piezas niqueladas ó negras**, culata de nogal
6 mm	7 mm		9 mm
Mk. 16.50	Mk. 16.50		Mk. 16.50

Warnant-Teschings Marke „Liégo“.	Carabines Warnant, marque „Liégo“.		Small Warnant rifle Mark „Liégo“.	Carabinas Warnant, marca „Liégo“.

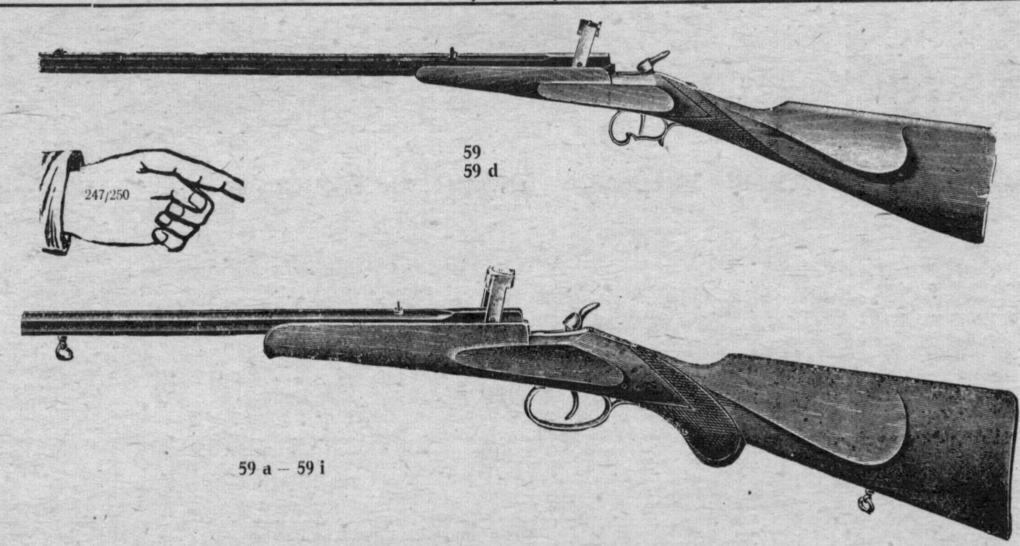

	59	59 d	59 a	59 e	59 f	59 b	59 g	59 h	59 c	59 i
	† Gensch	† Genschiz	† Gustov	† Gustatz	† Gustals	† Compa	† Compafz	† Comparx	† Owgen	† Owgenz
	Schaft mit Backe, Lauf matt, schwarz imitierter Nussholzschaft, glatt		Wie 59, aber **bessere** Ausstattung, Lauf gezogen			Wie 59 a, aber **graviert, geschnitzte Fischhaut, Riemenbügel, Pistolengriff**			Graviert, geschnitzte Fischhaut, gehärtete Schlossteile	
	Crosse à joue, canon noir mat, crosse imitation noyer, lisse		Comme 59, mais **meilleure exécution,** canon rayé			comme 59a, mais **gravé, quadrillé ciselé, anneau pour courroie, crosse pistolet**			**Gravé, quadrillé ciselé,** pièces de **serrure trempées**	
	Stock with **cheekpiece,** barrel dull black imitation walnut stock, smooth		like 59, but **better** equipment, rifled barrel			like 59 a, but **engraved, carved, swivels, pistol grip**			**Engraved, carved checkered, hardened lock parts**	
	Caja con **carrillo,** cañón negro mate, mango nogal imitación, liso		Como 59, pero **mejor equipo,** cañón rayado			Como 59 a, pero **grabado, labrado, anillos de correa mango pistola**			**Grabado, labrado,** partes del cierre **endurecidas**	
Cal	6 mm	9 mm	6 mm	7 mm	9 mm	6 mm	7 mm	9 mm	6 mm	9 mm
Mk.	11.50	11.50	13.50	13.50	13.50	15.50	15.50	15.50	14.50	14.50

Warnant-Teschings Marke „Liégo“.	Carabines Warnant, Marque „Liégo“.		Small Warnant rifle Mark „Liégo“.	Carabinas Warnant Marca „Liégo“.

Cal. 6 mm.

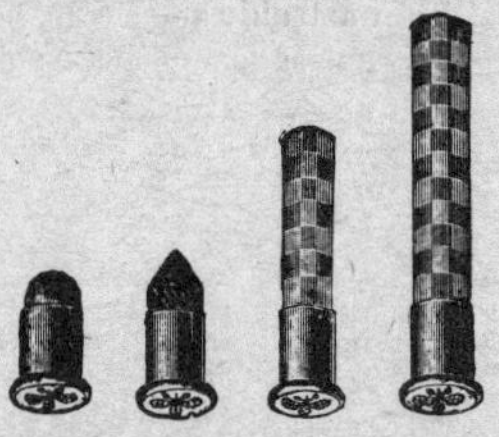

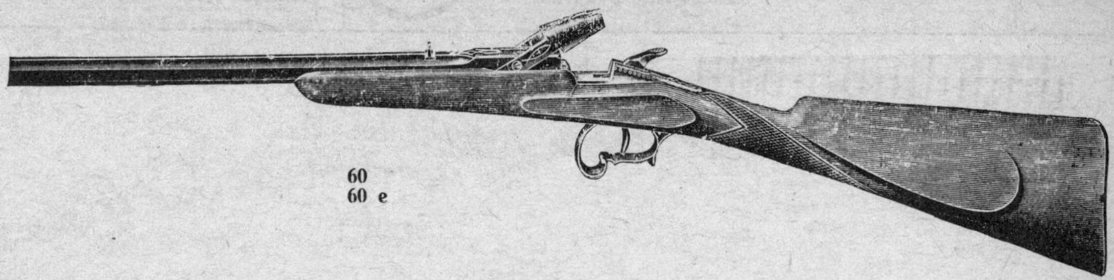

60
60 e

247/250

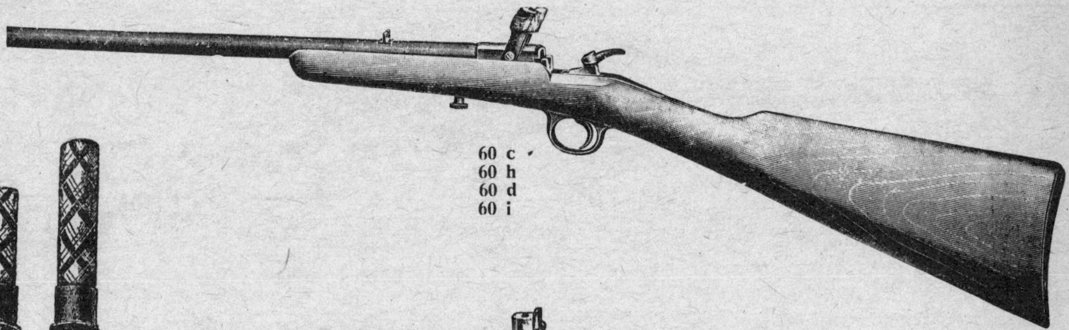

Cal. 7 mm.

60 c
60 h
60 d
60 i

Cal. 9 mm.

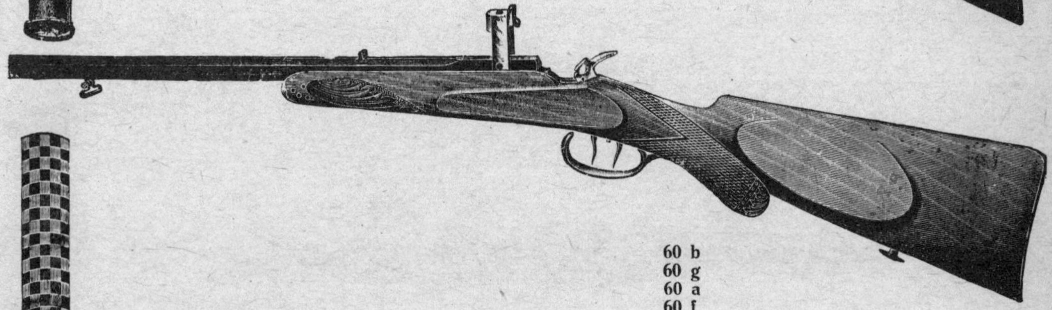

60 b
60 g
60 a
60 f

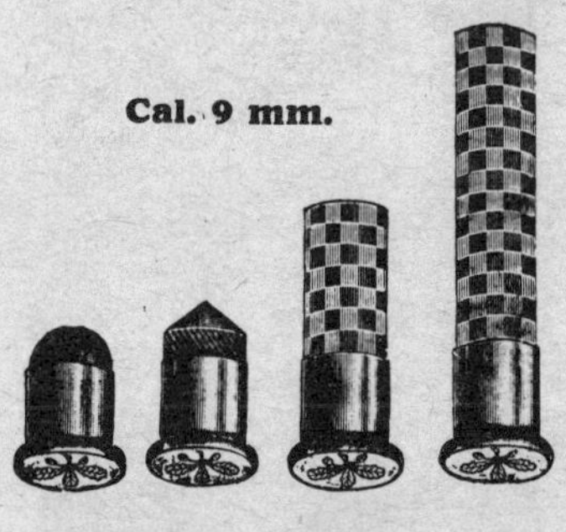

60	60 e	60 a	60 f	60 b	60 g	60 c	60 h	60 d	60 i
† Schoru	† Schorulz	† Guscho	† Guscholz	† Nypam	† Nypamz	† Regus	† Regusiz	† Tarcom	† Tarcomz
Graviert, Fischhaut, langer **Warnant - Verschluss**		**Graviert**, geschnitzte Fischhaut, **Stecher gut gezogen**		**Graviert, vernickelte Garnitur, gezogen, Stechschloss**, geschnitzter Schaft, Pistolengriff, **Riemenbügel**		**Maschinell** hergestellt, Teile auswechselbar, Lauf **abnehmbar, glatt**		Wie 60 c, aber Lauf **gezogen**	
Gravé, quadrillé, longue fermeture Warnant		**Gravé, quadrillé, ciselé, à double détente, bien rayé**		**Gravé, garniture nickeleé rayé, à double détente** bois sculpté, crosse pistolet, **anneau à courroie**		**Fabriqué mécaniquement**, pièces interchangeables, canon **enlevable, lisse**		Comme 60 c, mais **canon rayé**	
Engraved, checkered, long Warnant locking system		**Engraved**, carved checkered, **hair-trigger well rifled**		**Engraved, nickelplated mounting, rifled, settrigger**, carved stock, pistol grip, **swivels**		**Machine made** interchangeable parts, **detachable barrel**, smooth		Like 60 c, but **rifled barrel**	
Grabado, labrado, cierre largo sistema Warnant		**Grabado, labrado esculpido, doble escape, bien rayado**		**Grabado, guarnición niquelada rayado, doble escape** caja esculpida, mango pistola, anillos de correa		**Fabricación mecánica**, piezas cambiables y cañón **separable liso**		Como 60 c, pero **cañón rayado**	
Cal. 6 mm	9 mm	6 mm	9 mm	6 mm	9 mm	6 mm	9 mm	6 mm	9 mm
Mk. 14.50	14.50	21.50	21.50	23.—	23.—	13.40	13.40	14.20	14.20

Warnant Teschings Marke „Amelung“.	Carabines Warnant Marque „Amelung“	Small Warnant rifle Mark „Amelung“.	Escopetas Warnant Marca „Amelung“.
Läufe achtkantig.	Canons octagones.	octagonal barrels.	Cañones octógonos.

247/250

6 mm

7 mm

9 mm

No. 111—111e.

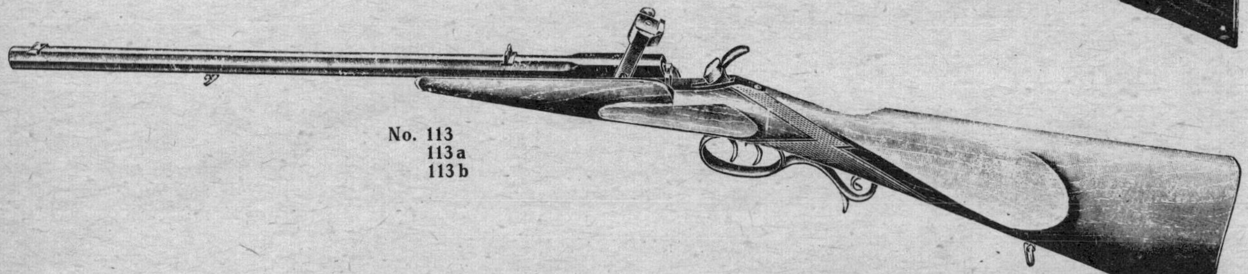

No. 113
113 a
113 b

No. 114 115
114a 115a
114b 115b

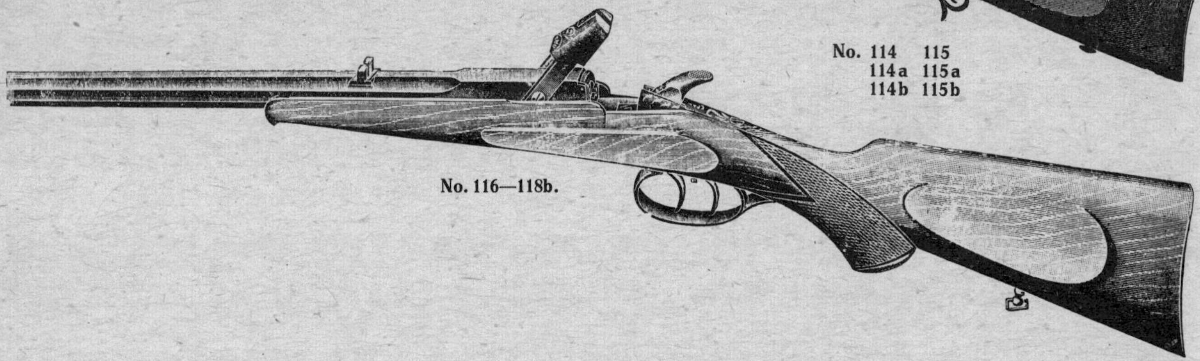

No. 116—118b.

	111	111 a	111 b	111 c	111 d	111 e	112	112 a	112 b	112c	112d	112e	113	113a	113b	114	114 a	114 b	115	115 a	115 b	116	116a	116b	117	117 a	117 b	118	118 a	118 b
†	Ag	Agzt	Agsl	Agnx	Agbr	Aggd	Eg	Egzt	Egnx	Egbr	Egsl	Eggd	Ig	Igzt	Igsl	Og	Ogzt	Ogsl	Ug	Ugzt	Ugsl	Aga	Agatz	Agals	Ege	Egetz	Egels	Igi	Igitz	Igils
	Schwer, schwarze Garnitur, Fischhautschaft, glatt. Kurzer Verschluss.			Wie 111 gezogen.			Wie No. 111, Garnitur vernickelt und graviert, glatt.			Wie 112 gezogen.			Wie No 111, Stechschloss gezogen.			60 cm Lauf. Backenschaft mit Fischhaut, schwarze Garnitur, ff. gezogen, Stecher.			Wie No. 114, aber mit langem, gedeckten Verschluss.			Wie No 115, mit Pistolengriff.			Wie No. 116, mit Schraubvisier und Perlkorn.			Wie No. 117, mit guillochierter Laufschiene.		
	Solide, garniture noire, crosse quadrillée, lisse. courte fermeture.			Comme 111 mais rayé.			Comme 111 garniture nickelée et gravée, lisse.			Comme No.112 rayé.			Comme No. 111, à double détente, raye.			Canón de 60cm, crosse à joue quadrillée, garniture noire, soigneusement rayé, à double detente.			Comme No 114, mais avec longue fermeture couverte.			Comme No. 115, avec crosse pistolet.			Comme No. 116, avec hausse à vis et point de mire perle.			Comme No. 117, avec bande guillochée.		
	Heavy black mounting, checkered stock, smooth short bolt.			Like 111 rifled.			Like No. 111, nickeled, mounting and engraved smooth.			Like 112 rifled.			Like No. 111, trigger lock, rifled.			60 cm barrel, cheekstock, checkered black mounting, finely rifled, set trigger.			Like No. 114, but with long covered bolt.			Like No. 115, with pistol grip.			Like No. 116, with sorew sight and pearl front sight.			Like No. 117, with matted extension rib.		
	Sólido, guarnición negra, culata labrada, liso. cerradura curta.			Como 111 pero rayado.			Como No. 111, guarnición niquelada y grabada, liso.			Como No. 112 rayado.			Como No. 111, doble escape, rayado.			Cañón 60 cm con carrilo labrado, guarnición negra finamente rayado, de doble escape.			Como No. 114, pero con cerradura larga cubierta.			Como No. 115, con mango pistola.			Como No. 116, con mira delantera átornillo y punto de mira perla.			Como No. 117, con cinta torneada.		
	6 mm	7 mm	9 mm	6 mm	7 mm	9 mm	6 mm	7 mm	9 mm	6 mm	7 mm	9 mm	6 mm	7 mm	9 mm	6 mm	7 mm	9 mm	6 mm	7 mm	9 mm	6 mm	7 mm	9 mm	6 mm	7 mm	9 mm	6 mm	7 mm	9 mm
Mark:	14 50	14.50	14.50	15 30	15.30	15.30	15.—	15 —	15 —	15.80	15.80	15.80	22.20	22.20	22 20	21.50	21.50	21.50	22.—	22.—	22.—	23.—	23.—	23.—	29.—	29 —	29.—	30.50	30.50	30.50

Warnant-Teschings Marke „Amelung“.

Carabines Warnant Marque „Amelung“.

Small Warnant rifle Mark „Amelung“.

Escopetas pequenas Warnant Marca „Amelung“.

No. 120—120b.

No. 121—123b.

No. 120—123.
- ff. Arbeit und Ausstattung, ff. Expresszüge.
- Travail et exécution soignes, exellentes rayures Express.
- Extra fine make and aquipment, express rifling.
- Fabricación y equipo esmerados, rayaduras excellentes Express.

247/250

Warnant-Teschings Marke „Troudor“.

Carabines Warnant Marque „Troudor“.

Warnants Small rifle Mark „Troudor“.

Fusilitós Warnant, Marca „Troudor“.

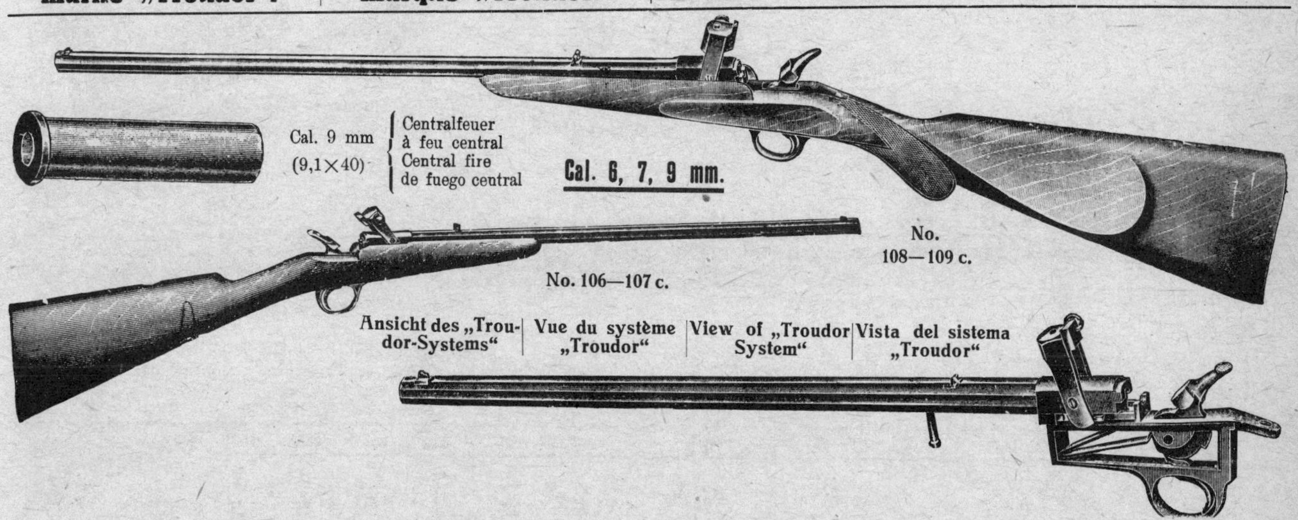

Cal. 9 mm (9,1×40) — Centralfeuer / à feu central / Central fire / de fuego central

Cal. 6, 7, 9 mm.

No. 108—109 c.

No. 106—107 c.

Ansicht des „Troudor-Systems“ | Vue du système „Troudor“ | View of „Troudor System“ | Vista del sistema „Troudor“

No.	119	119 a	119 b	120	120 a	120 b	121	121 a	121 b	122	122 a	122 b	123	123 a	123 b
✝	Ogo	Ogotz	Ogols	Ugu	Ugutz	Sugus	Ugun	Uguntz	Sugund	Ugop	Ugupev	Uguplz	Ugur	Ugurtz	Ugurch
	Wie No. 118, ff. graviert, geschnitzter Vorderschaft.			Schweizer Ausstattung mit Stecher, wie Abbildung.			Wie No. 120, mit Diopter.			Wie No. 121, mit rückspringendem Patronenzieher.			Wie No. 122, mit Tiroler Schäftung.		
	Comme No. 118, belle gravure, devant sculpté.			Genre suisse à double détente, selon illustration.			Comme No. 120, avec appareil à mirer.			Come No. 121, avec extracteur rebondissant.			Comme No. 122, avec crosse tyrolienne.		
	Like No. 118, finely engraved carved foreend.			Swiss equipment with hair trigger, like drawing.			Like No. 120, with peep-sight.			Like No. 121, with rebounding cartridge extractor.			Like No. 122, with Tirolese stock.		
	Como No. 118, grabado finamente culata delantera esculpida.			Equipo suizo, con doble escape, como el grabado			Como No. 120, con mira dioptica.			Como No. 121, con extractor rebotando.			Como No. 122, con mango tirolés.		
	6 mm	7 mm	9 mm	6 mm	7 mm	9 mm	6 mm	7 mm	9 mm	6 mm	7 mm	9 mm	6 mm	7 mm	9 mm
Mark	34.—	34.—	34.—	33.—	33.—	33.—	37.—	37.—	37.—	41.—	41.—	41.—	49.—	49.—	49.—

No.	106	106 a	106 b	106 c	107	107 a	107 b	107 c	108	108 a	108 b	108 c	109	109 a	109 b	109 c	110	110 a	110 b	110 c
✝	Warn	Warnza	Warnxe	Warnez	Wern	Wernza	Wernxe	Wernez	Wirn	Wirnxe	Wirniz	Wirnza	Worn	Wornzo	Wornxe	Worniz	Wurn	Wurnzu	Wurnxe	Wurniz
	Achtkantiger schwarzer Lauf, 55 cm lang, Nussbaumschaft, blanke Schlossteile, Eisenkappe.				Wie 106 aber 60 cm langer Lauf.				Wie 107 aber mit Backe und Fischhaut.				Wie 108 aber mit Pistolengriff und Backe.				Wie 109 aber mit langem Verschluss.			
	Canon noir octogone de 55 cm, crosse noyer, pièces de serrure blanches, calotte de fer.				Comme No. 106 mais canon de 60 cm.				Comme No. 107 mais à joue et quadrillé.				Comme No. 108 mais avec crosse pistolet et à joue.				Comme No. 109 mais avec longue fermeture.			
	black octagonal barrel 55 cm long, walnut stock, bright lock parts, iron cap.				Like 106 but barrel 60 cm long.				Like 107 but with cheek and checkered.				Like 108 but with pistol grip and cheek.				Like 109 but with long bolt.			
	Cañón negro octógono de 55 cm, mango de nogal, piezas de cierre, blancas, cantonera de hierro.				Como el No. 106, pero cañón de 60 cm.				Como el No. 107, pero de carrillo y labrado.				Como el No. 108, pero con mango pistola y de carrillo.				Como el No. 109, pero con cierre largo.			
	6 mm	7 mm	9 mm	9,1 ×40	6 mm	7 mm	9 mm	9,1 ×40	6 mm	7 mm	9 mm	9,1 ×40	6 mm	7 mm	9 mm	9,1 ×40	6 mm	7 mm	9 mm	9,1 ×40
Mark	12.50	12.50	12.50	14.50	13.50	13.50	13.50	15.50	14.50	14.50	14.50	16.50	16.50	16.50	16.50	19.50	17.—	17.—	17.—	18.50

Warnant-Vogelflinten Marke „Clamin".	Carabines à oiseaux Warnant Marque „Glamin".	Warnants Fowling Pieces Mark „Clamin".	Escopetas para cazar aves Warnant Marca „Clamin".

Centralfeuer und Randfeuer	à feu central et à feu annulaire	Central fire and rim fire	de fuego central y percusión anular

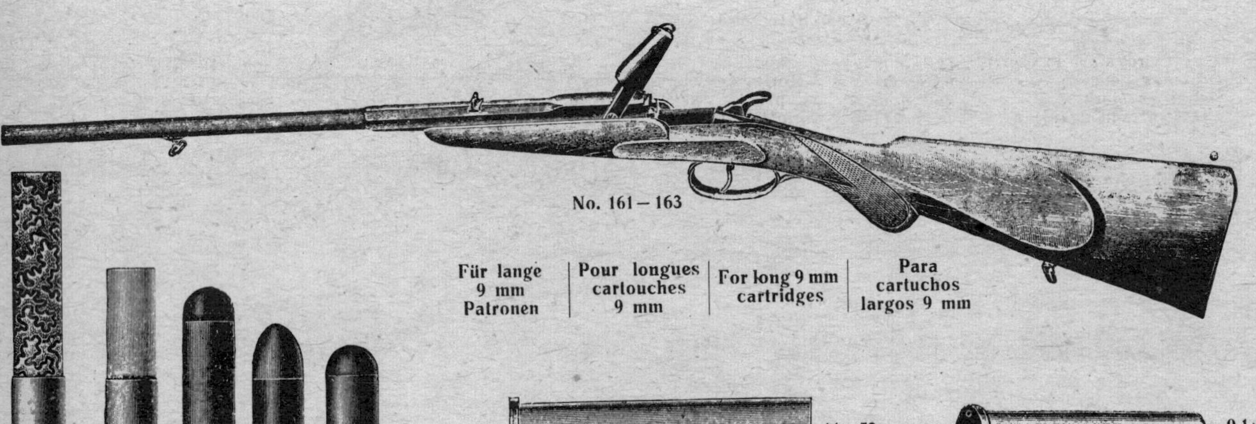

No. 161 – 163

Für lange 9 mm Patronen	Pour longues cartouches 9 mm	For long 9 mm cartridges	Para cartuchos largos 9 mm

Cal. 9 mm

Cal. EXPRESS LK52/11,15 11×52 mm

Cal. 9,1×40 mm

Auf Wunsch längerer Lauf ohne Mehrkosten.	Sur demande, canons plus longs, sans augmentation de prix.	On application longer barrel supplied without additional charge.	Sobre pedido cañones más largos sin aumento de precio.

	161	161a	161b	162	162a	162b	163	163a	163b
	Vagel	Vagelzt	Vagelfd	Vegel	Vegeltz	Vegeldf	Vigel	Vigeltz	Vigelsk
	75 cm langer, glatter Lauf, kantig, vom Vorderschaft ab rund, kurzer Verschluss, schwarze Garnitur, Fischhaut, Riemenbügel, Nussholzschaft, **Pistolengriff, Backe**			Wie 161 aber **mit langem Verschluss**			Wie 161a, aber **Teile bunt gehärtet, Ia Qualität**		
	Canon **de 75 cm** lisse à angles et rond à partir du devant de bois — courte fermeture — garniture noire — quadrillé — anneaux de courroie — crosse noyer **à crosse pistolet** — à joue			Comme 161 mais **longue fermeture**			Comme 161a mais **pièces trempées et jaspées, Ia qualité**		
	Smooth barrel **75 cm** long, octagonal but round from fore-end, short bolt black mounting, checkered, swivel, walnut stock, **pistol grip,** cheek			Like 161 but with **long bolt**			Like 161a but **parts coloured hardened, prime quality**		
	Cañón **de 75 cm** liso, angular y redondo à partir del delantero de madera — cierro corto — guarnición negra — labrado — anillos de correa — culata de nogal — **mango pistola** — de carrillo			Como 161 pero **cierre largo**			Como 161a pero **piezas tempeadas y jaspeadas, la calidad**		
	9 mm	9,1×40	11×52	9 mm	9,1×40	11×52	9 mm	9,1×40	11×52
	19,—	20,50	22,50	20,—	21,50	23,50	21,—	22,50	24,50

Remington-Tesching Mod. 1910, Marke Crolet.

Carabine Remington mod. 1910, Marque Crolet.

Small Remington rifle mod. 1910, mark Crolet.

Rifle Remington pequeño, modelo 1910, Marca Crolet.

System Remington. Teile auswechselbar.	**Système Remington.** Pièces interchangeables.
Remington System. Interchangeable parts.	**Sistema Remington.** Piezas intercambiables.

144.

Morris.

6 mm Centralfeuer.
6 m à feu central.
6 mm central fire.
6 mm de fuego central.

140—143.

Nr. 140—148 wird auch in Morris-Caliber geliefert, Mehrpreis Mark: 5.— †„mor" anhängen.

Les No. 140—148 sont également livrés en calibre Morris moyennant une majoration de prix de M.: 5.— † ajouter „mor" au mot télégraphique.

Nos 140—148 made also in Morris caliber, additional price M.: 5.— add † „mor" to code-word.

Los números 140—148 se entregan tambien en cal. Morris, con aumento de precio de Marcos: 5.— † Añadir mor á la palabra telegráfica.

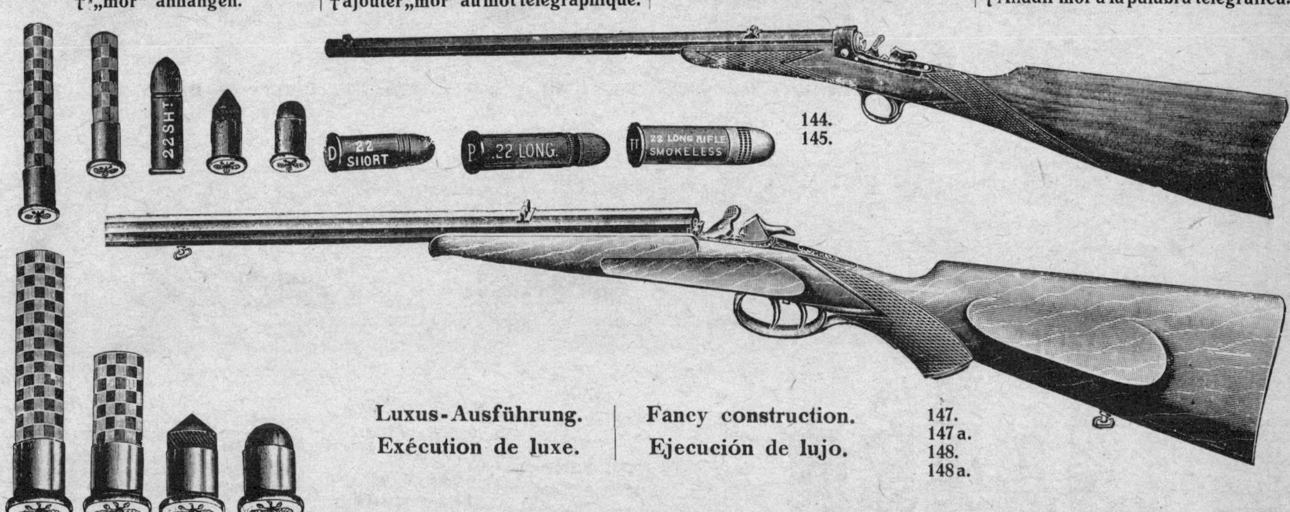

144.
145.

Luxus-Ausführung.
Exécution de luxe.

Fancy construction.
Ejecución de lujo.

147.
147 a.
148.
148 a.

Nr. 144—148 schießen die 6 mm Patronen, sowie 22 short, long, long rifle.

No. 144—148 tirent les cartouches 6 mm ainsi que 22 short, long et long rifle.

Nos 144—148 shoot the 6 mm cartridges as well as 22 short, long, long rifle.

Los nos. 144—148 tiran los cartuchos 6 mm asi como 22 short, long, long rifle.

140	141	142	143	144	145	146	146 a	147	147 a	148	148 a
† Mang	† Meng	† Ming	† Mong	† Mung	† Manga	† Mange	† Mangech	† Mangi	† Mangits	† Mango	† Mangors
Kantiger Lauf, glatter Schaft, 6 mm glatt, Lauflänge 52 cm	Wie 140, **gezogen**	Wie 140, 9 mm, **glatt**	Wie 142, **gezogen**	6 mm gezogen, mattierte Laufläche, ff. **Schraubvisier, Fischhaut, Keilkorn**	Wie 144, in Cal. **9 mm**	Wie 141, **mit Stecher, vernickelt, graviert,** 6 mm	Wie 146, **in Cal. 9 mm**	Wie 146, aber mit **Pistolengriff und Backe,** 6 mm	Wie 147, **in Cal. 9 mm**	Wie 147, mit Ausstattung wie 144, **Cal. 6 mm**	Wie 148, **in Cal. 9 mm**
Canon angulaire crosse lisse, 6 mm canon lisse, longueur du canon 52 cm	Comme 140, **rayé**	Comme 140, 9 mm, **lisse**	Comme 142, **rayé**	6 mm rayé, bande mate, élégante **hausse à vis, quadrillé, guidon en coin**	Comme 144, en cal. **9 mm**	Comme 141, **à double détente,** nickelé, **gravé,** cal. 6 mm	Comme 146, **en cal. 9 mm**	Comme 146, **mais avec crosse pistolet et à joue,** cal. 6 mm	Comme 147, **en cal. 9 mm**	Comme 147, même exécution que 144, **cal. 6 mm**	Comme 148, **en cal. 9 mm**
Edged barrel, smooth stock 6 mm, smooth, length of barrel 52 cm	Like 140, **rifled**	Like 140, 9 mm, **smooth**	Like 142, **rifled**	6 mm rifled, matted extension rib, very fine **screw sight, checkered, wedge front sight**	Like 144 in cal. **9 mm**	Like 141, with hair trigger, nickelplated, engraved, 6 mm	Like 146, **in cal. 9 mm**	Like 146, but with **pistol grip** and cheek-piece, cal. 6 mm	Like 147, **in cal. 9 mm**	Like 147, equipment like 144, **cal. 6 mm**	Like 148, **in cal. 9 mm**
Cañón angular **mango** liso, 6 mm cañón liso, longitud del cañón 52 cm	Como 140, **rayado**	Como 140, 9 mm, **liso**	Como 142, **rayado**	6 mm rayado, cinta del cañón mate, **alza de tornillo muy fina, labrado mira cuña**	Como 144, en cal. **9 mm**	Como 141, de doble escape, niquelado, grabado, cal. 6 mm	Como 146, **en cal. 9 mm**	Como 146, pero con **mango pistola** y carrillo, cal. 6 mm	Como 147, **en cal. 9 mm**	Como 147, ejecución como 144, **cal. 6 mm**	Como 148, **en cal. 9 mm**
M. 13.-	M. 14.—	M. 14.—	M. 15.—	M. 21.—	M. 22.—	M. 30.50	M. 30.50	M. 33.—	M. 33.—	M. 38.—	M. 38.—

Zerlegbare Jagd-carabiner Marke „Schover".	Carabine de chasse démontable, Marque „Schover".		Detachable sporting carbine make „Schover".	Escopeta de caza desmontable, Marca „Schover".

Drehhebelverschluss. | **Fermeture à levier.** | **Turning lever lock.** | **Cierre de palanca.**

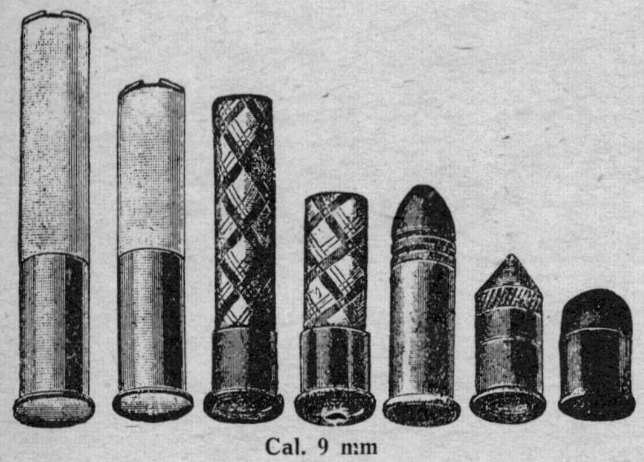

Cal. 9 mm

Ringschraube zum schnellen Auseinandernehmen.	Vis à anneau permettant un démontage très rapide.	Screw-ring for taking to pieces quickly.	Anillo tornillo para desunir prontamente.

171	172	173
† Sov	† Siv	† Suv
52 cm glatter kantiger Lauf, schwarz, Patronenauswerfer, Ringschraube, blanke Garnitur, Cal. 9 mm f. **obige 7 Patronen**	**60 cm** Lauf, gerade Zügel für Kugel- und Schrotschuss, **vernickelt, graviert**, Nussholzschaft mit **Backe**, sonst wie 171	Wie 172, jedoch mit **feinen Drallzügen, Stecher, Riemenbügeln**, eingeschossen bis **150 Meter** mit obigen **7 Patronen**
Canon lisse, à angles, de **52 cm**, noir, à extracteur, vis à anneau, garniture blanche, Cal. 9 mm, pour les **7 cartouches** ci-dessus	Canon de **60 cm**, rayures droites pour le tir de balles et de blombs, **nickelé, gravé**, crosse noyer **à joue**, pour le reste comme 171	Comme 172 mais soigneusement **rayé, à double détente, anneaux de courroie**, réglé au tir jusqu'à **150 mètres**, avec les **7 cartouches** ci-dessus
52 cm smooth edged barrel, black, cartridge ejector, screw-ring, polished mounting, cal. 9 mm, for above **7 cartridges**	**60 cm** barrel, straight rifling for ball and shot, **nickeled** engraved, walnut stock with cheek, otherwise like 171	Like 172 but barrel finely **rifled, hair-trigger, swivels**, tested with above **7 cartridges** up to **150 meters**
Cañón liso, de angulos, de **52 cm**, negro, de extractor, anillo tornillo, guarnición blanca, Cal. 9 mm, para los **7 cartuchos** aquí indicados	Cañón de **60 cm**, rayas derechas, para el tiro de balas y de perdigones, **niquelado** grabado, culata de nogal, con carrillo, para el resto como el 171	Como 172 pero cuidadosamente **rayado**, de **doble escape, anillos de correa**, probado al tiro hasta **150 metros** con los **7 cartuchos** arriba indicados
Mark: 17.50	**Mark: 20.50**	**Mark: 25 –**

Zerlegbare Jagdcarabiner Marke „Schover". | Carabine de chasse démontable, Marque „Schover". | Detachable sporting carbine mark „Schover". | Carabina de caza desmontable, Marca „Schover"

Cal. 6 mm
Cal. 9 mm

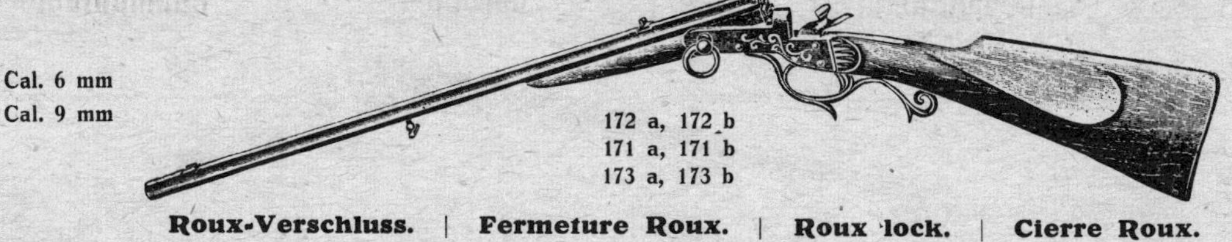

172 a, 172 b
171 a, 171 b
173 a, 173 b

Roux-Verschluss. | Fermeture Roux. | Roux lock. | Cierre Roux.

Jagdcarabiner mit Aushaklauf. Carabine de chasse à canon détachable. Sporting carbine detachable barrel. Carabina de caza con cañón desmontable.

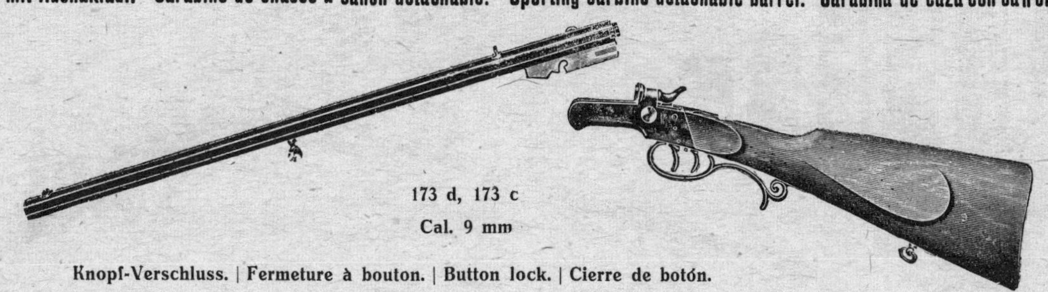

173 d, 173 c
Cal. 9 mm

Knopf-Verschluss. | Fermeture à bouton. | Button lock. | Cierre de botón.

Kipplauf-Tesching mit Seitenhebel. | Carabine à canon basculant, avec levier latéral. | Small Rifle with drop barrel and side lever. | Escopeta con cañón de caida y palanca á un lado.

247/250
445/446

22 SHT
22 LONG RIFLE RIM FIRE
22 LONG

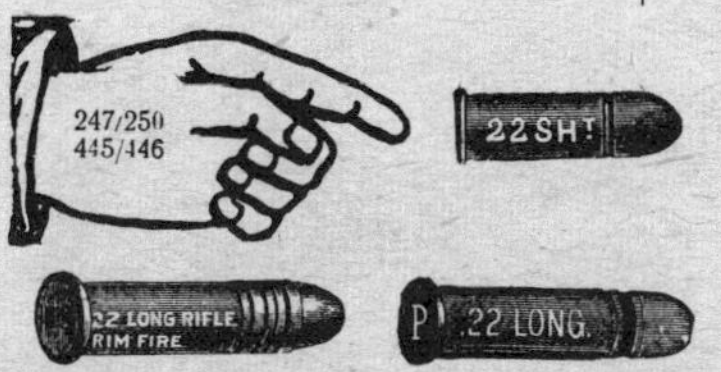

Cal. 6 mm

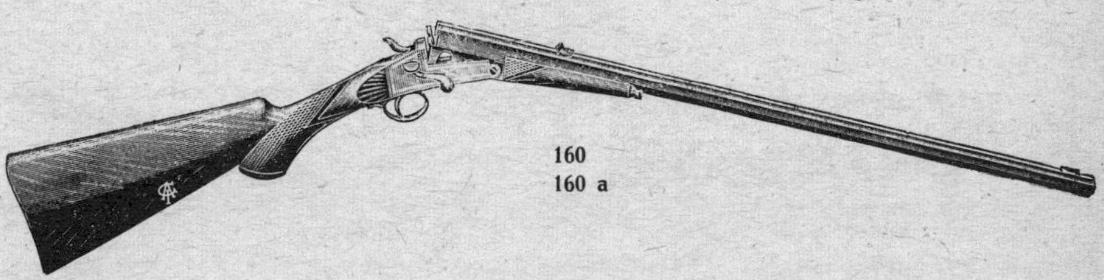

160
160 a

171 a	171 b	172 a	172 b	173 a	173 b	173 c	173 d	160	160 a
† Sovz	† Sovx	† Sivz	† Sivx	† Suvz	† Suvx	† Soxdieb	† Soxstal	† Kalau	† Kalae
Wie 171 mit Roux-verschluss Cal. 6 mm	Wie 171 a, Cal. 9 mm	Wie 172 mit Roux-verschluss Cal. 6 cm	Wie 172 a Cal. 9 mm	Wie 173 mit Roux-verschluss Cal. 6 mm	Wie 173 a Cal. 9 mm	**Aushaklauf, kantig, 60 cm lang, gerade Züge für Kugel u. Schrot,** Cal. 9 mm für obige 7 Patronen, Teile marmoriert u. gehärtet, Verschlussknopf an der Seite, seitlicher Patronenzieher, Nussholzschaft mit Backe, Riemenbügel	Wie 173 c aber **mit Stecher,** Lauf mit **feinen Drallzügen** passend für **obige** Kugelpatronen Cal. **9 mm**	Kantiger **70 cm** langer Lauf, **fein gezogen,** graue englische Garnitur, Nussholzschaft, Pistolengriff, Fischhaut für 22 short, long, long rifle Cal. 6 mm	Wie 160 aber mit **feinem Stechschloss** Cal. 6 mm
Comme 171, avec **fermeture Roux,** Cal. 6 mm	Comme 171 a Cal. 9 mm	Comme 172 avec **fermeture Roux,** Cal. 6 mm	Comme 172 a, Cal. 9 mm	Comme 173, avec **fermeture Roux,** Cal. 6 mm	Comme 173 a, Cal. 9 mm	**Canon détachable, octogone, de 60 cm, rayures droites** pour **tir à balle et à plombs,** Cal. 9 mm, pour les **7 cartouches** ci-dessus, pièces trempées et jaspées, fermeture à bouton latéral, extracteur latéral, crosse noyer à joue, anneaux de courroie	Comme 173 c mais à **double détente,** canon soigneusement **rayé,** tirant les **cartouches à balle** Cal. 9 mm **ci-dessus**	**Canon à angles de 70 cm.** soigneusement **rayé,** garniture anglaise grise, crosse noyer avec crosse pistolet quadrillée, pour cartouches: 22 short, long, long rifle Cal. 6 mm	Comme 160 mais **à double détente extra** Cal. 6 mm
Like 171 but **Roux lock** Cal. 6 mm	Like 171 a Cal. 9 mm	Like 172 **with Roux lock** Cal. 6 mm	Like 172 a Cal. 9 mm	Like 173 **with Roux lock** Cal. 6 mm	Like 173 a Cal. 9 mm	Octagon 60 cm **barrel for unhooking, straight rifling for ball** and **shot,** cal. **9 mm** for **above 7 cartridges,** marbled and hardened parts, button lock at side, cartridge ejector at side, walnut stock with cheek, swivel	Like 173 c but with **hair trigger,** suitable for **above ball cartridges** cal. **9 mm**	**Edged barrel, 70 cm** long, finely **rifled,** grey English mounting, walnut stock, pistol grip, checkered, for 22 short, long, long rifle cal. 6 mm	like 160 but with **fine hair-trigger** cal. 6 mm
Como 171, con **cierre Roux,** Cal. 6 mm	Como 171 a, Cal. 9 mm	Como 172 con **cierre Roux,** Cal. 6 mm	Como 172 a, Cal. 9 mm	Como 173 con **cierre Roux** Cal. 6 mm	Como 173 a, Cal. 9 mm	**Cañón desmontable,** de angulos, **de 60 cm, rayas derechas** para **tirar á bala ó á perdigones,** Cal. **9 mm,** para los **7 cartuchos** aqui indicados, piezas templadas y jaspeadas, cierre de botón lateral, extractor lateral, culata de nogal y carrillo, anillos de correa	Como 173 c pero **de doble escape,** cañon cuidadosamente, **rayado,** tira los **cartuchos** de bala Cal. **9 mm** arriba indicados	**Cañón de ángulos de 70 cm,** cuidadosamente **rayado,** guarnicion inglesa gris, mango de nogal con mango pistola labrado, para cartuchos: 22 short, largo, largo rifle, Cal. 6 mm	Como 160, pero **de doble escape,** Cal. 6 mm
Mk. 15.—	**15.—**	**18.50**	**18.50**	**24.60**	**24.60**	**17.—**	**25.—**	**25.—**	**31.—**

Kipplauf-Tesching mit Seitenhebel.	Carabine à canon basculant avec levier latéral.		Small Rifle with drop barrel and side lever.	Escopeta con cañón de caida y palanca lateral.

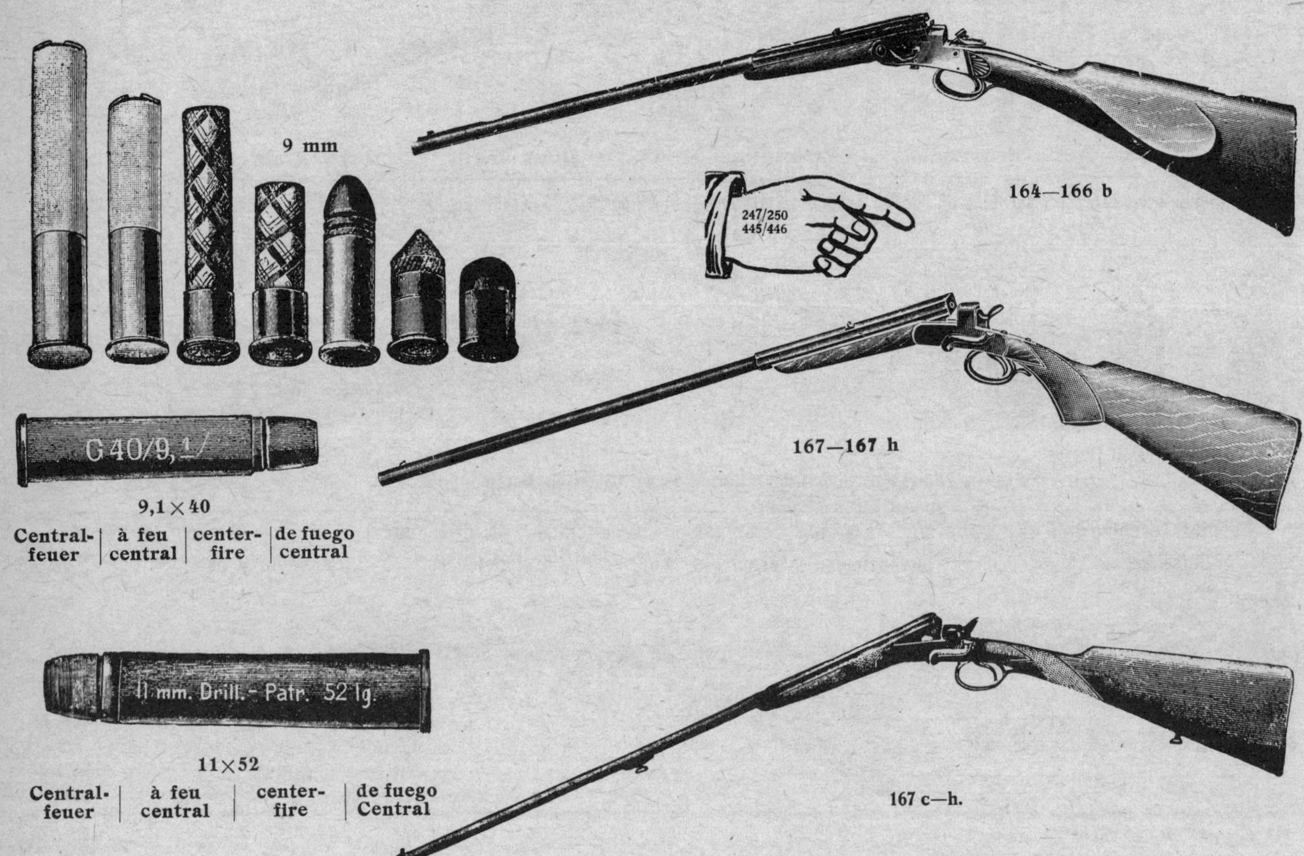

164—166 b

167—167 h

167 c—h.

9,1×40

Central-feuer | à feu central | center-fire | de fuego central

11×52

Central-feuer | à feu central | center-fire | de fuego Central

Nr.	164	164 a	164 b	165	165 a	165 b	166	166 a	166 b	167	167 a	167 b	167 c	167 d	167 e	167 f	167 g	167 h
✝	Vogel	Vogelhe	Vogelst	Vugel	Vugelhe	Vugelst	Vegal	Vegalhe	Vegalst	Vigal	Vigalhe	Vigalst	Vigasta	Vigeste	Vigosto	Vigisti	Vigustu	Viguzza
	65 cm langer kantiger, vom Vorderschaft ab runder schwarzer Lauf, Backe Nussholzschaft, **schwarze Garnitur,** Holzvorderschaft			wie 164, einfach, **ohne** Holzvorderschaft			**70 cm** langer Lauf, sonst wie 164			wie 166 mit **Pistolengriff, Fischhaut, engl. graue Garnitur,** Systemkasten, marmorierte Teile gehärtet, Ia. Qual.			wie 167 **englisch geschäftet,** mit **Riemenbügeln**			wie 167 c mit **Pistolengriff** und **Backe, Riemenbügeln**		
	Canon à angles et noir, de **65 cm,** rond à partir du devant de bois, crosse noyer à joue, **garniture noire,** devant en bois			Comme 164, simple, **sans** devant de bois			Canon de **70 cm,** pour le reste comme 164			Comme 166 avec **crosse pistolet quadrillée, garniture anglaise grise,** boîte du mécanisme marmorée, pièces trempées, **qualité extra**			Comme 167, **crosse anglaise,** avec **anneaux de courroie**			Comme 167 c avec **crosse pistolet** et **joue, anneaux de courroie**		
	Edged black barrel, **65 cm long,** round from fore-end of shaft, walnut stock, **black mounting** shaft with wooden fore-end			like 164, simple, shaft **without** wooden fore-end			Barrel **70 cm** long, otherwise like 164			like 166 with **pistol-grip, checkered, English grey mounting, case hardened marbled parts, best quality**			like 167, **English stock** with **swivels**			like 167 c with **pistol-grip** and **cheek, swivels**		
	Cañón de angulos y negro midiendo **65 cm,** redondo á partir del delantero de madera, mango nogal de carrillo, **guarnición negra,** delantero de madera			Como 164, simple, **sin** delantero de madera			Cañon de **70 cm,** el resto como el 164			Como 166 con **mango-pistola labrado, guarnición inglesa gris,** partes del mecanismo jaspeadas, piezas templadas, calidad extra.			Como 167, **culata inglesa,** con **anillos de correa**			Como 167 c con **mango-pistola** y **carrillo, annillos de correa**		
Cal.:	9 mm	9,1×40	11×52	9 mm	9,1×40	11×52	9 mm	9,1×40	11×52	9 mm	9,1×40	11×52	9 mm	9,1×40	11×52	9 mm	9,1×40	11×52
Mark:	**15.50**	**17.—**	**19.20**	**14.50**	**16.—**	**17.—**	**16.—**	**17.—**	**18.20**	**24.—**	**25.20**	**26.40**	**20.40**	**21.60**	**22.80**	**24.—**	**25.20**	**26.40**

Deutsches Mausertesching Modell 1911.	Carabine Mauser allemande, Modèle 1911.	German small Mauser rifle model 1911.	Escopeta Mauser alemána, Modelo 1911.

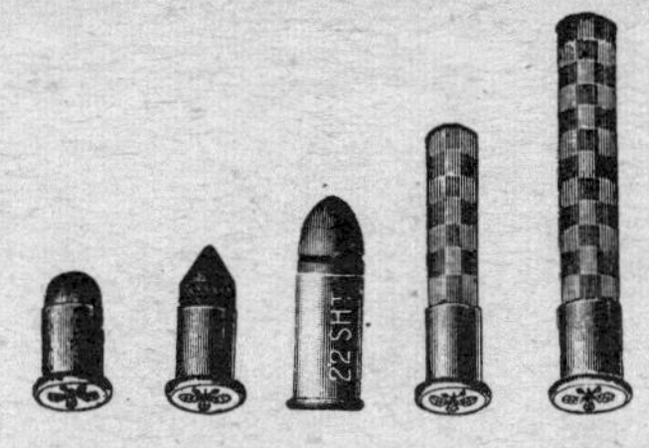

Cal. 6 mm.

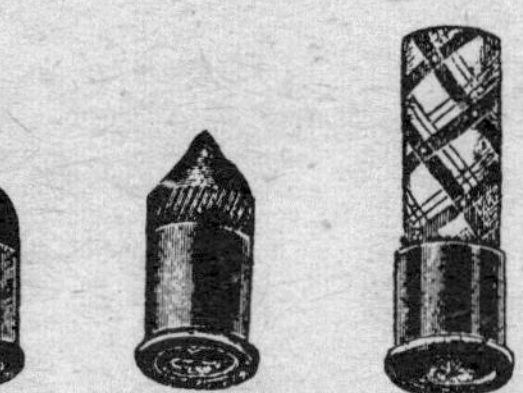
Cal. 9 mm.

System Mauser. | Système Mauser.
System Mauser. | Sistema Mauser.

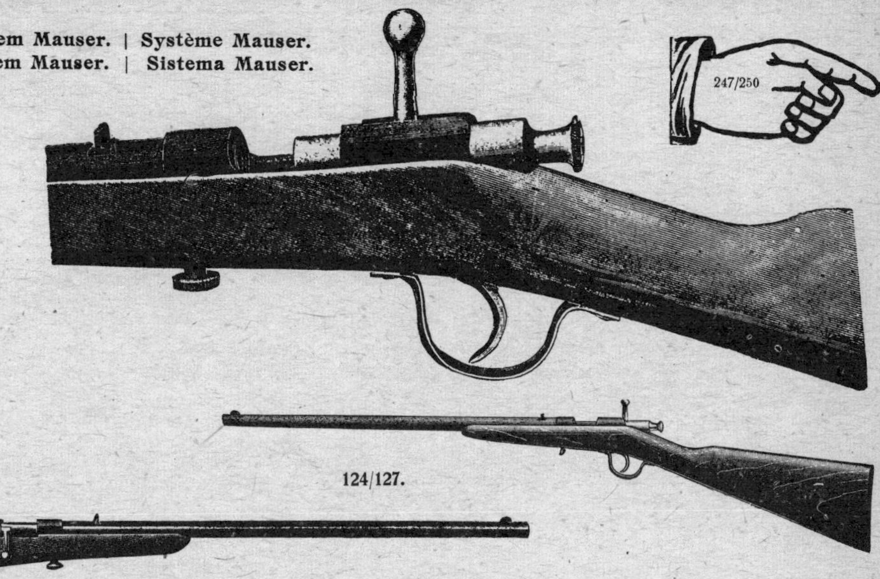

124/127.

127 a—127 e.

Modell 1911.

22 SH — P 22 LONG — H 22 LONG

No.	124	126	125	127	127 a	127 b	127 c	127 d	127 e
†	Sechs	Nan	Sichs	Nen	Nenschil	Nenschot	Nenschub	Nenschak	Nenscher
	Mausertesching, zerlegbar, Nussholzschaft, schwarzer runder Lauf, ganze Länge **88 cm.** Gewicht 1,300 kg, Lauflänge 48 cm, alle Teile auswechselbar		Wie 124, aber **fein gezogen**		Präzisions-Mauser-Carabiner **Modell 1911, beste** Ausführung, maschinell hergestellt, **verbesserter Auszieher,** Pistolengriff, Schloss mit **gebogenem Kammerknopf,** I a Schussleistung für obige drei Patronen			Wie 127 a—127 c, aber mit **ff. Perlkorn** und **verstellbarem Schraubvisier**	
					gezogen	glatt	gezogen	gezogen	gezogen
	Carabine Mauser, démontable, crosse noyer, canon rond et noir, longueur totale: **88 cm,** poids: 1,300 kg, longueur du canon: 48 cm, toutes les pièces sont interchangeables		Comme 124, mais **soigneusement rayé**		Carabine de précision Mauser, **modèle 1911,** exécution **supérieure,** fabriqué mécaniquement, **extracteur perfectionné,** crosse pistolet, levier recourbé, tir supérieur, pour les des 3 cartouches ci-dessus			Comme 127 a—127 c, mais **avec point de mire perle** supérieur, **hausse à vis réglable**	
					rayé	lisse	rayé	rayé	rayé
	Small **Mauser rifle, can be taken to pieces,** walnut stock, black round barrel, entire length **88 cm,** weight 1,300 kg, length of barrel 48 cm, all parts interchangeable		Like 124, but **finely rifled**		Mauser precision carbine, **model 1911, best** finish, made by machinery, **improved extractor,** pistol grip, lock with **bent chamber button,** excellent shooting for above 3 cartridges			Like 127 a—127 c, but with very **fine pearl front sight** and **adjustable screw-sight at rear**	
					rifled	smooth	rifled	rifled	rifled
	Carabina Mauser, desmontable, mango nogal, cañón redondo y negro, longitud total: **88 cm,** peso: 1,300 kg, longitud del cañón: 48 cm, todas las piezas son intercambiables		Como 124, pero **cuidadosamente rayado**		Carabina de precisión Mauser, **Modelo 1911,** ejecución superior, fabricada mecánicamente, **extractor perfeccionado,** mango pistola, **palanca recurvada,** tiro superior, para los 3 cartuchos arriba indicados			Como 127 a—127 c, pero **con punta de mira perla** superior, **alza de tornillo arreglable**	
					rayado	lisso	rayado	rayado	rayado
Cal.	6 mm	9mm	6mm	9mm	6 mm	9 mm	9 mm	6 mm	9 mm
Mark	13.—	14.—	14.50	15.50	14.—	15.20	16.50	15.50	18.—

Deutsches Mauserteschins Modell 1911.	Carabine Mauser allemande, Modèle 1911.		German small Mauser rifle model 1911.	Escopeta Mauser alemána, Modelo 1911.
System Mauser.	Système Mauser.		System Mauser.	Sistema Mauser.

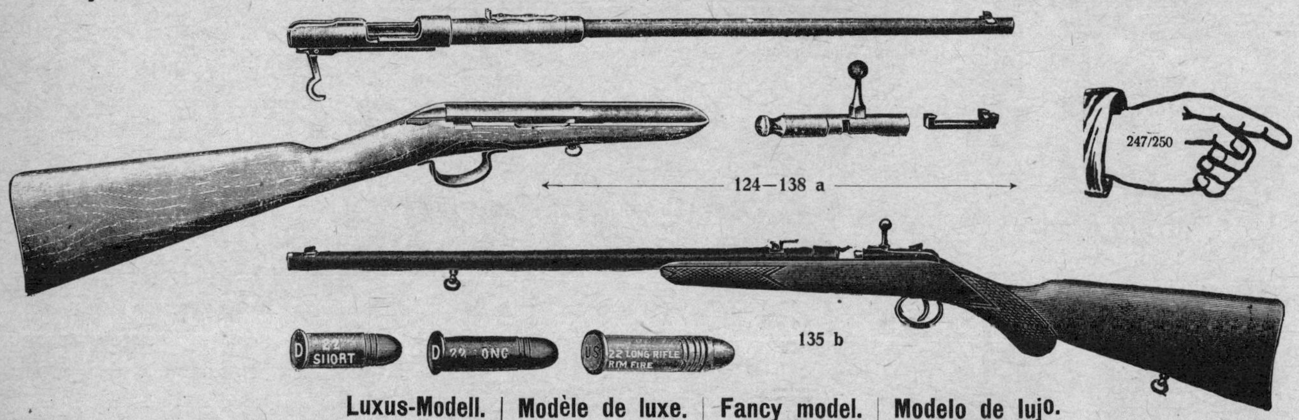

Luxus-Modell. | Modèle de luxe. | Fancy model. | Modelo de lujo.

Grosses schweres Modell.	Grand modèle très solide.	Large heavy model.	Modelo muy sólido.

P .22 LONG

6 mm 22 long | 9 mm | 9 mm sharps Schrot | à Plombs | Shot | de Perdigones | 9 mm sharps Schrot | à Plombs | Shot | de Perdigones

No. 128—139 wird auf Bestellung ohne Mehrkosten für obige 4 Patronenarten geliefert in 6 oder 9 mm. | No. 128—139 sont, sur commande et sans augmentation de prix, livrés pour les 4 genres de cartouches ci-dessus, dans les cal. 6 ou 9 mm. | No. 128—139 when ordered, supplied without additional charge for the above 4 kinds of cartridge in 6 or 9 mm. | No. 128—139, se surten según pedido, sin ninguna aumentación del precio, para las 4 clases de cartuchos de arriba, en los calibres 6 ó 9 mm.

No.	128	128 a	129	129 a	130	130 a	131	131 a	133	133 a	133 b	133 c	134	134 a	135	135 a	135 b	139	139a	132	137	137 a	138	138 a
†	Hago	Hagozt	Hego	Hegozt	Higo	Higozt	Hogo	Hogozt	Hagoa	Hagoazt	Hagoari	Hagoalu	Hegoa	Hegoarf	Higoa	Higast	Higalux	Hage	Hagezt	Hugo	Hugoa	Hugoars	Haga	Hagaist
	Wie 124, aber **1 Meter** lang, Schnörkelbügel. Schaft mit Backe, **glatt**		Wie 128, **fein gezogen**		Wie 128, ohne Backe, aber mit **starkem Halbabzugsbügel, glatt**		Wie 130, aber **fein gezogen**		Wie 128, aber 110 cm lang, **glatt,** für Schrotschuss		Wie 133, aber **fein gezogen**		Wie 128, mit Pistolengriff, Backe und Fischhaut, **glatt**		Wie 134, aber **fein gezogen**		**Luxus-Modell,** 60 cm langer Lauf, wie 135, ganze Länge **105 cm, Schraubvisier, Perlkorn, fein gezogen,** Riemenbügel	Wie 135 b, aber mit **Stechschloss**		Wie 128, aber **Centralfeuer, gezogen**	Wie 139, aber **schweres Modell, Centralfeuer gezogen**		Wie 137, aber **schwerer, Centralfeuer gezogen**	
	Comme 124, mais long d'un mètre, sousgarde de détente prolongée et à torsades, crosse à joue, lisse		Comme 128, soigneusement rayé		Comme 128, sans joue, mais avec **forte demie sous-garde** de détente, **lisse**		Comme 130, mais soigneusement rayé		Comme 128, mais long de 110 cm, **lisse,** pour plombs		Comme 133, mais soigneusement rayé		Comme 128, avec crosse pistolet à joue et quadrillée, **lisse**		Comme 134, mais soigneusement raye		**Modèle de luxe,** canon de 60 cm, comme 135, longueur totale: **105 cm, hausse à vis, guidon perle, soigneusement rayé,** anneaux de courroie	Comme 135 b, mais **à double détente**		Comme 128, mais **à feu central, rayé**	Comme 139, mais **modèle très solide, à feu central, rayé**		Comme 137, mais **plus solide, à feu central, rayé**	
	Like 124, but **1 meter** long, scroll trigger guard, stock with **cheek, smooth**		Like 128, finely **rifled**		Like 128, without cheek but with **strong half trigger-guard, smooth**		Like 130, but **finely rifled**		Like 128, but 110 cm long, **smooth,** for shot		Like 133, but **finely rifled**		Like 128, with pistol grip and cheek, checkered, **smooth**		Like 134, but **finely rifled**		**Fancy-model,** barrel 60 cm long, like 135, whole length **105 cm, screw sight, front pearl sight, finely rifled,** swivel	Like 135 b, but with **hair-trigger**		Like 128, but **center fire, rifled**	Like 139, but **heavy model, center-fire, rifled**		Like 137, but **heavier, center-fire, rifled**	
	Como 124, pero de un metro de largo, salva guardia de gatillo prolongada, culata de carrillo, liso		Como 128, cuidadosamente rayado		Como 128, sin carrillo, pero **con fuerte salva guardia de gatillo, liso**		Como 130, pero cuidadosamente rayado		Como 128, pero largo de 110 cm, **liso,** para perdigones		Como 133, pero cuidadosamente rayado		Como 128, con mango pistola de carrillo y labrado, **liso**		Como 134, pero cuidadosamente rayado		Mod. de lujo, cañón de 66 cm, como 135, longitud total: **105 cm, alza de tornillo, bien rayado,** anillos de correa, **guiador perla**	Como 135 b, pero de **doble escape**		Como 128, pero de **fuego central, rayado**	Como 139, pero **modelo sólido, de fuego central, rayado**		Como 137, pero **más sólido, de fuego central, rayado**	
Cal.	6 mm	9 mm	6 mm	9 mm	6 mm	9 mm	6 mm	9 mm	6 mm	9 mm	6 mm	9 mm	6 mm	9 mm	6 mm	9 mm	6 mm	6 mm	9 mm	9,1×40	9×35	5,6×38	8×46	9,1×40
Mark	15,50	15,50	16,40	16,40	15,—	15,—	16,20	16,20	18,—	18,—	19,20	19,20	19,20	19,20	20,40	20,40	24,50	27,50	27,50	19,50	26,—	31,—	32,—	34,—

F. N. Carabiner Mauserlein. Aus der „Fabrique Nationale d'armes de Guerre."	Carabine F. N. système Mauser de la „Fabrique Nationale d'armes de Guerre."	F. N. Carbine system „Mauser from the „Fabrique Nationale d'armes de Guerre."	Carabina F. N. sistema Mauser, de la „Fabrique Nationale d'armes de Guerre"

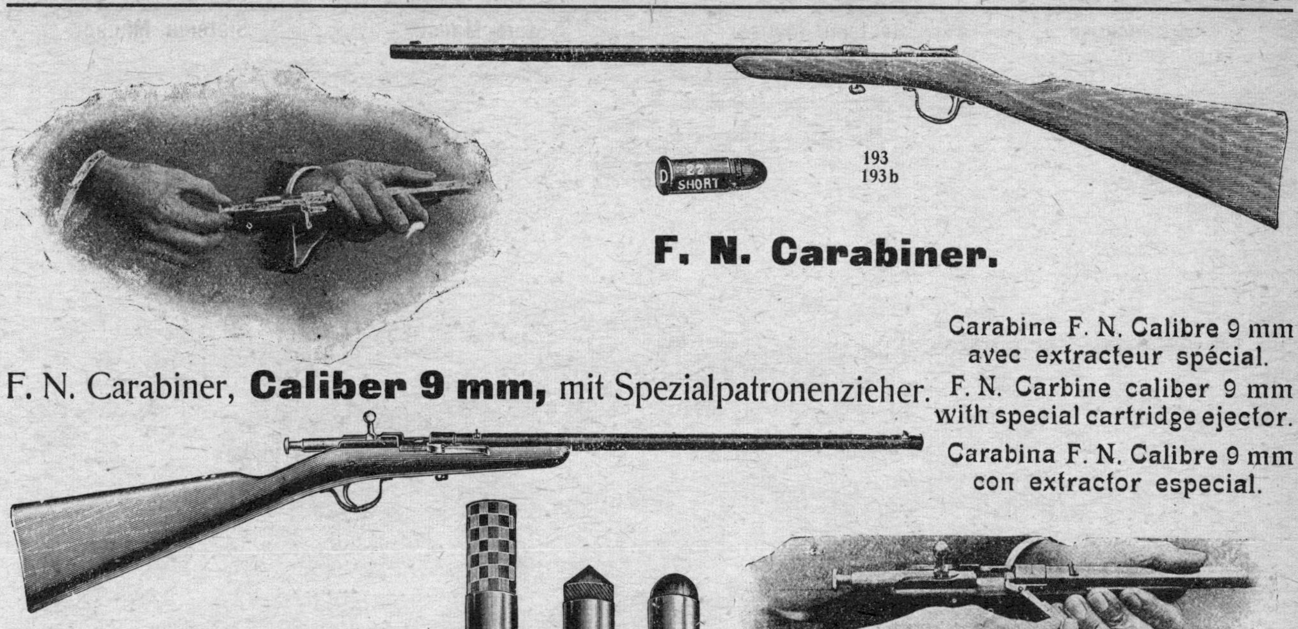

F. N. Carabiner.

Carabine F. N. Calibre 9 mm avec extracteur spécial.

F. N. Carabiner, **Caliber 9 mm,** mit Spezialpatronenzieher.

F. N. Carbine caliber 9 mm with special cartridge ejector.

Carabina F. N. Calibre 9 mm con extractor especial.

F. N. Luxus-Carabiner

Carabine F. N. de luxe.

F. N. fancy-carbine.

Carabina F. N. de lujo.

193 † Fan	193 b † Fanglat	193 a † Faneun	193 c † Faneugez	194 † Fana	194 d † Fanaschul	194 e † Faschulba
Ganz maschinell hergestellt, in 2 Teile zerlegbar, gute Visierung Nussholzschaft, ganze Länge 88 cm Gewicht ca 1,3 kg 6 mm fein gezogen	Wie 193 **glatt**	**Wie 193 mit Spezialpatronenzieher nur in Cal. 9 mm** **glatt**	**gezogen**	Wie 193 aber Luxusmodell, Lauf 60 cm lang, ganze Länge 105 cm Pistolengriffschaft mit Fischhaut, verstellbares Schraubvisier, Korn mit Silberpunkt, Riemenbügel. Cal. 6 mm gezogen	F. N. Schüler-Carabiner ganz geschäftet, solide, schwere Ausführung mit Bajonnett in Stahlscheide, Militärvisier	Reserve-Bajonnett zu 194 d
Entièrement fabriqué à la machine, démontable en 2 pièces, permet de viser avec facilité et précision, crosse noyer, longueur totale 88 cm, Poids environ 1 kg. 3. **Cal. 6 mm rayé soigneusement.**	Comme 193 **lisse**	Comme 193 avec extracteur spécial, seulement en calibre 9 mm lisse	rayé	Comme no 193 mais modèle de luxe canon de 60 cm, longueur totale: 105 cm, rosse quadrillée avec crosse pistolet, hausse à vis réglable, guidon avec point d'argent, anneaux pour courroie. **Cal. 6 mm rayé**	F. N. Carabine d'écoliers, devant prolongé, exécution forte et solide avec baïonnette en 1 fourreau d'acier, hausse militaire	Baïonnette de rechange, pour à 194 d
Made entirely by machinery, divisible in 2 pieces, good sight, walnut stock, entire length 88 cm, weight about 1,3 kg. 6 mm finely rifled.	like 193 **smooth**	Like 193 with special cartridge ejector in cal. 9 mm only smooth	rifled	Like 193 but fancy model, barrel 60 cm long, entire length 105 cm. checkered stock with pistol grip, adjustable screw sight at rear, front sight wi h silver point, swivel. **Cal. 6 mm rifled**	F. N. Scholar-Carbine, full stocked, solid heavy make, with bayonet in steel sheath, Military sight	Single bayonet to 194 d
Trabajo exclusivamente mécanico, desmontable en 2 piezas, permite de apuntar con facilidad y precisión, culata de nogal, longitud total del cañón: 88 cm, peso: 1,3 kg aproximadamente. Cal. 6 mm **rayado cuidadosamente**	Como 193 **liso**	Como 193, con extractor especial, solamente en calibre 9 mm liso	rayado	Como 193, pero modelo de lujo, cañón de 60 cm, longitud total: 105 cm, culata labrada con culata, pistola, el alza es movible de tornillo, punto de mira con punta de plata, anillo para correa	F. N. Escopeta para escolares, delantera prolongada, ejecución fuerte y solida, con baïonneta en 1 Vaina de acero, alza militar	Bayoneta de recambio, para 194 d
Mark 12.60 SO	**Mark 12.60** SO	**Mark 14.12** SO	**Mark 15.56** SO	**Mark 24.12** SO	**Mark 53.20** SO	**M. 10.—** SO

Selbstspanner-Teschings. | Carabines s'armant automatiquement.

Small self cocking rifles. | Carabinas que se arman por si mismas.

Spannt sich beim Öffnen des Verschlusses. | S'arme quand on ouvre la fermeture. | Cocks itself upon the opening of the bolt. | Se arma cuando se abre el cierre.

195 a—195 f

Cal. 6 mm
Cal. 9 mm

195 g—195 k

Spannt sich durch Herausziehen des Verschlusses. | S'arme quand on tire sur la fermeture. | Cocks itself by the pulling out of the bolt. | Se arma cuando se abre el cierre.

195 l — 195 f

195 u — 195 x

195 a	195 b	195 c	195 d	195 e	195 f	193 g	195 h	195 i	195 k	195 l	195 m	195 n	195 o	195 p	195 r	195 s	195 t	195 u	195 v	195 w	195 x
✝ Spabodev	Sparidev	Spaludev	Spanedev	Spafadev	Spabodar	Sparidar	Spaludar	Spanedar	Spafadar	Spabodil	Sparidil	Spaludil	Spanedil	Spafadil	Spabodox	Sparidox	Spaludox	Spanedox	Spafadox	Spabodus	Sparidus
Feingebläute Schlossteile, Schaft mit Backe und Fischhaut, Riemenbügel glatt.		Wie 195 a aber gezogen.		Wie 195 c aber noch mit Stecher gezogen.		Pistolengriff mit Fischhaut, Backe, Teile vernickelt, Stechschloss, Riemenbügel gezogen.		Wie 195 g aber ohne Stecher gezogen.		Fein gebläute Schlossteile, Schaft mit Backe und Fischhaut, glatter Lauf.		Wie 195 l mit Stecher und gezogen.		Wie 195 n mit Pistolengriff, Teile vernickelt und graviert, gezogen, Stechschloss.		Wie 195 l als Vogelflinte mit 75 cm langem halbkantigem halbrundem Lauf Teile schw., mit Pistolengr., glatt.		Zerlegbar, helle Teile, ca. 90 cm lang, glatt.		Wie 195 u gezogen.	
Pièces de serrure élégamment bleuies, crosse à joue quadrillée, anneaux pour courroie, lisse.		comme 195 a mais rayé.		Comme 195 c double détente, rayé.		Crosse pistolet à quadrillé, à joue, pièces nickelées, à double détente, anneaux de courroie, rayé.		Comme 195 g mais à simple détente rayé.		Pièces de serrure élégamment bleuies, crosse avec joue quadrillée, canon lisse.		Comme 195 l à double détente et rayé.		Comme 195 n avec crosse pistolet, pièces nickelées et gravées, à double détente.		Comme 195 l, fusil pour la chasse aux oiseaux, avec canon mi-angulaire mi-rond et mesurant 75 cm, pièces noires, avec crosse pistolet, lisse.		Démontable, pièces couleurs claires, long d'environ 90 cm, lisse.		Comme 195 u rayé.	
finely blued lock parts, stock with cheek and checkered, swivel, smooth.		like 195 a but rifled.		like 195 c but with set trigger rifled.		pistol grip checkered, cheek, nickeled parts set trigger, swivel rifled.		like 195 g but without set trigger rifled.		finely blued lock parts, stock with cheek and checkered, smooth barrel.		like 195 l with set trigger and rifled.		like 195 n with pistol grip, parts nickeled and engraved, rifled settrigger.		like 195 l but as fowling piece with 75 cm long, half edged and half round barrel, black parts with pistol grip, smooth.		divisible, light colored parts, about 90 cm long, smooth.		like 195 u rifled.	
Piezas de cerradura elegantemente azuladas, culata con carrillo labrada, anillos para correa, liso.		Como 195 a pero rayado.		Como 195 c pero de doble escape, rayado.		culata pistola, labrada, de carrillo, piezas niqueladas, de doble escape, anillo de correa, rayado.		Como 195 g pero de simple escape, rayado.		Piezas de cerradura elegantemente azuladas, culata con carrillo labrada, cañón liso.		Como 195 l de doble escape y rayado.		Como 195 n con culata pistola, piezas niqueladas y grabadas, rayado, de doble gatillo.		Comó 195 l, escopeta para aves, con cañón de 75 cm de largo semi-angular semi-redondo, piezas negras, con culata de pistola, liso.		Desmontable piezas de colores claros, largo de 90 cm aproximadamente, liso.		Como 195 u rayado.	
Cal. 6 mm	9 mm	6 mm	9 mm	6 mm	9 mm	6 mm	9 mm	6 mm	9 mm	6 mm	9 mm	6 mm	9 mm	6 mm	9 mm	6 mm	9 mm	6 mm	9 mm	6 mm	9 mm
M. 25.50	25.50	26.50	26.50	31.50	31.50	33.50	33.50	29.—	29.—	22. -	22.—	29. -	29. –	30.—	30.—	24.	24.—	18.—	18.—	19.—	19.—

Selbstspanner-Teschings Marke „Penar".	Carabines Marque „Penar" s'armant d'elles-mêmes.		Small self cocking rifle Mark „Penar".	Escopeta Marca „Penar" armandose automaticamente.

Cal. 6 mm

Cal. 9 mm

176/178 a

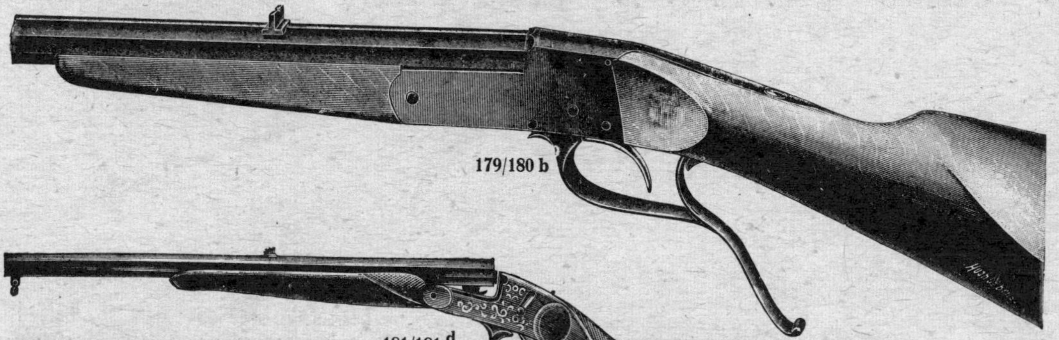

179/180 b

247/250
428/440
445/446

181/181 d

G 40/9,1

22 WINCHESTER

NORMAL 8146

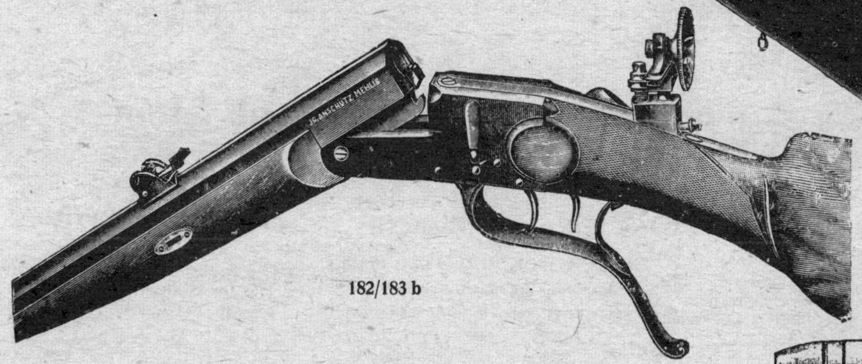

182/183 b

11 mm. Drill.- Patr. 52 lg.

9,3 mm Drill. Patr. 72 lg.

Nr.	176	176 a	177	177 a	178	178 a	179	179 a	180	180 a	180 b	181	181 a	181b	181 c	181 d	182	182 a	182 b	183	183 a	183 b
†	Zib	Zibzt	Zob	Zobzt	Zub	Zubzt	Zaba	Zabazt	Zebe	Zebezt	Zebexe	Zibi	Zibizt	Zibixi	Ziblch	Zibilt	Zobo	Zobozt	Zoboxo	Zubu	Zubuzt	Zubuxu
	Knopfdruckverschluss, selbsttätiger Auswerfer, Signalstift, ca. 2¼ kg schwer, blanke Schlossteile, **glatt**		Wie 176 aber **gezogen,** Fischhautschaft, Teile englisch grau		Wie 177 mit **Stecher**		Stahllauf, Holzvorderschaft, Teile **schwarz, glatter** Lauf		Wie 179 mit **gezogenem Lauf**		Wie 179 aber 70 cm langer Lauf für **Centralfeuer,** Schrotpatrone	**Stecher, starke** Ausführung, Sicherung, **Schraubvisier,** Perlkorn, **guillochierte Schiene, fein gezogen**		Wie 181 aber mit **gewöhnlicher** Visierung		Wie 181b aber für **Centralfeuer, Kugelpatrone**	Wie 181 aber **schweres Modell,** eigens für **Centralfeuer** gebaut, Teile **schwarz**			Wie 182 aber noch mit abnehmbarem **Diopter**		
	Fermeture avec bouton à pression, extracteur automatique, pointe d'avertissement pesant environ 2 K ¼, pièces de système blanches, lisse		Comme 176 mais **rayé,** quadrillé, pièces gris anglais		Comme 177 **à double détente**		Canon d'acier, devant de bois, pièces **noirés,** canon **lisse**		Comme 179 avec **canon rayé**		Comme 179 mais canon de 70 cm pour cartouche à plombs à **feu central**	**à double détente,** exécution solide, sûreté, **hausse à vis, point de mire perle, bande guillochée, soigneusement rayé**		Comme 181 mais **avec hausse ordinaire**		Comme 181b mais pour **cartouche à balle à feu central**	Comme 181 mais **modèle très solide,** construit spécialement pour **feu central, pièces noires**			Comme 182 mais avec **appareil à mirer** enlevable		
	Press button bolt self acting ejector, indicator, weight about 2¼ kg, bright lock parts, smooth		Like 176 but **rifled,** checkered stock, English grey parts		Like 177 with **set trigger**		Steel barrel, wooden fore-end, **black** parts **smooth** barrel		Like 179 with **rifled barrel**		Like 179 but barrel 70 cm long for **center fire,** shot cartridge	**set-trigger,** strong make, safety **screw sight** with pearl, **extension rib, finely rifled**		Like 181 but **with ordinary sight**		Like 181b but for **center-fire, ball-cartridge**	Like 181 but **heavy model** made especially for **center-fire, black parts**			Like 182 but also with detachable **sight vane**		
	Cierre por botón de presión. extractor automático, punta de señal, pesa 2 Kilos ¼ proximamente, piezas de cierre blancas, liso		Como 176 pero **rayado,** labrado, grabado inglés sobre las piezas		Como 177 de doble **escape**		Cañón de acero, delantero de madera, piezas **negras, cañón liso**		Como 179 con **cañón rayado**		Como 179 pero cañón de 70 cm para cartucho deperdigones de **fuego central**	**De doble escape,** solida ejecución, seguridad, **alza atornillada, punto de mira perla, cinta** tomeado, **cuidadosamenterayado**		Como 181 pero **con alza ordinaria**		Como 181 b pero para **cartucho de bala de fuego central**	Como 181 pero **modelo muy sólido,** especialmente construido para cartuchos de fuego central, **piezas negros**			Como 182 pero con dioptica levantable		
Cal.	6 mm	9 mm	6 mm	9 mm	6 mm	9 mm	6 mm	9 mm	6 mm	9 mm	9,1×40	6 mm	9 mm	6 mm	9 mm	WCF 22 Winch.	8,15 ×46	9,3 ×57	11 ×52	8,15 ×46	9,3 ×57	11 ×52
Mark	25.50	25 50	31.20	31.20	38.—	38.—	27.10	27.10	28,80	28.80	34.—	52.80	52.80	50.—	50.—	62.—	72.—	72.—	72.—	80.-	80.-	80.—

Bestes Selbstspanner-Tesching Marke „Alfaro"	Excellente carabine Marque „Alfaro", s'armant automatiquement		Best self cocking small rifle mark „Alfaro"	Excelente escopeta armandose automaticamente Marca „Alfaro"

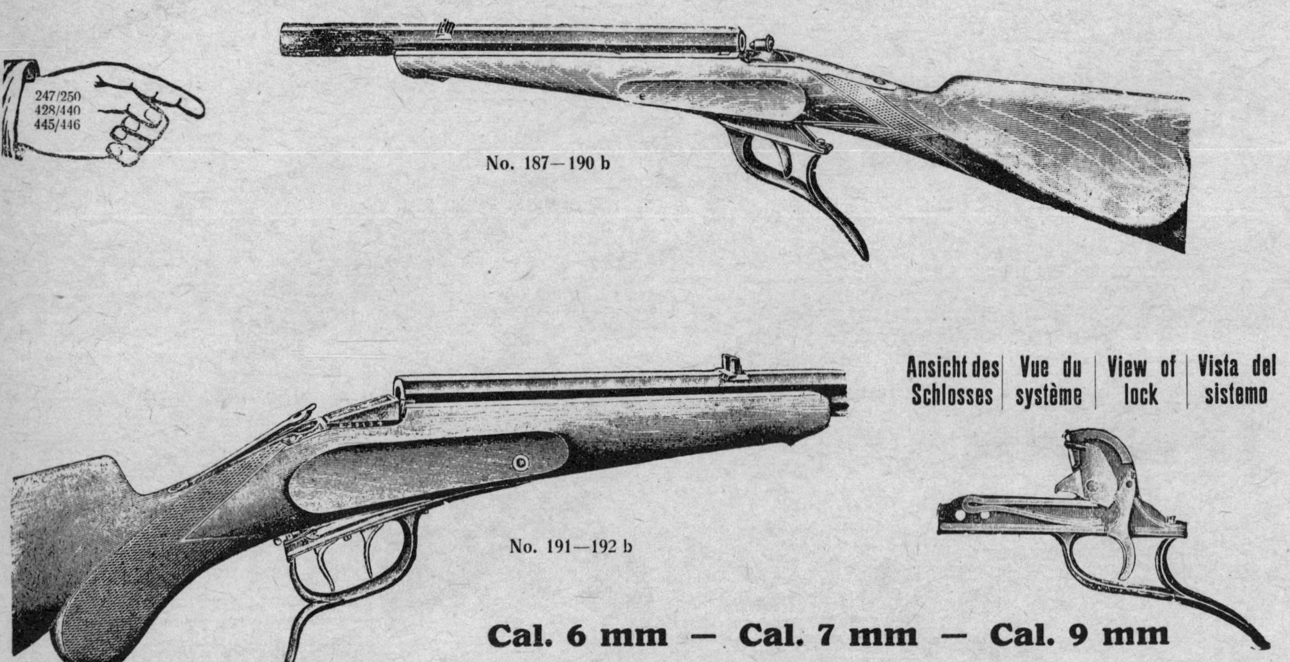

No. 187—190 b

No. 191—192 b

Cal. 6 mm — Cal. 7 mm — Cal. 9 mm

Konstruktions-Vorzüge

Schloss besteht aus 3 Teilen, vorzüglicher **Blockverschluss**, bequeme **Reinigung**, sehr **solide** gearbeitet

Avantages de la construction

Le système se compose de **3 pièces**, excellente **fermeture à bloc, nettoyage facile**, très **solidement** travaillé

Points of merit

Lock consists of **3 parts**, excellent **block locking mechanism**, convenient **cleaning**, very **good workmanship**

Puntos de mérito

de la construcción

El cierre consiste de **3 partes**, cierre de bloc excelente, **limpieza** comoda, muy bien **trabajado**

187	187 a	187 b	188	188 a	188 b	189	189 a	189 b	190	190 a	190 b	191	191 a	191 b	192	192 a	192 b
✢ Bro	✢ Brozt	✢ Broxl	✢ Bru	✢ Bruzt	✢ Bruxl	✢ Bral	✢ Bralzt	✢ Bralxl	✢ Brel	✢ Brelzt	✢ Brelxl	✢ Bril	✢ Brilzt	✢ Brilxl	✢ Brol	✢ Brolzt	✢ Brolxl
60 cm Lauf, glatt, feines Visierperlkorn, schwarz brüniert			**70 cm Lauf,** glatt, für **lange** Patronen, **Riemenbügel**			Wie No. 187, **gezogen, Riemenbügel**, auch für **lange** Patronen			Wie No. 189, aber **bunt gehärtet** und **graviert**			Wie No. 190, mit **Stechschloss**			Feinste Ausführung, **70 cm Lauf, Diopter, ff. Wetzgravierung, Pistolengriff, Backe**		
Canon de 60 cm, lisse, bon point de mire perle, bruni noir			**Canon de 70 cm,** lisse, pour cartouches longues, anneaux à courroie			Comme No. 187, **rayé, anneaux à courroie,** également pour cartouches longues			Comme No. 189, mais **trempé, jaspé** et **gravé**			Comme No. 190, à double détente			Exécution supérieure, canon de **70 cm, appareil, à mirer, gravé, crossé pistolet, à joue**		
Smooth **60 cm barrel,** fine pearl front sight, browned			Smooth **70 cm barrel,** for long cartridges, swivels			Like No. 187, rifled, **swivels,** also for long cartridges			Like No. 189, but **case hardened** and **engraved**			Like No. 190, with **lock trigger**			Finest make, **70 cm barrel,** diopter, **etched, engraving, pistol grip, cheek piece**		
Cañón 60 cm, buena mira delantera á perla, bruñido negro			Canón liso **70 cm,** para cartuchos largos, anillos de correa			Como No. 187, **rayado,** anillos de correa, también para cartuchos largos			Como No. 189, pero **templado, jaspeado y grábado**			Como No. 190, con **doble escape**			Fabricación superior, cañón **70 cm, mira dióptica,** grabado, **con mango pistola, carrillo**		
Cal. 6 mm	7 mm	9 mm	6 mm	7 mm	9 mm	6 mm	7 mm	9 mm	6 mm	7 mm	9 mm	6 mm	7 mm	9 mm	6 mm	6 mm	9 mm
Mk. 30,00	30,00	30,00	32,50	32,50	32,50	32,50	32,50	32,50	35,00	35,00	35,00	41,00	41,00	41,00	56,00	56,00	56,00

Bestes Selbstspanner-Tesching Marke „Alfaro“	Excellente carabine marque „Alfaro“ s'armant automatiquement		Best self cocking small rifle mark „Alfaro“	Excelente escopeta armandose automaticamente Marca „Alfaro“

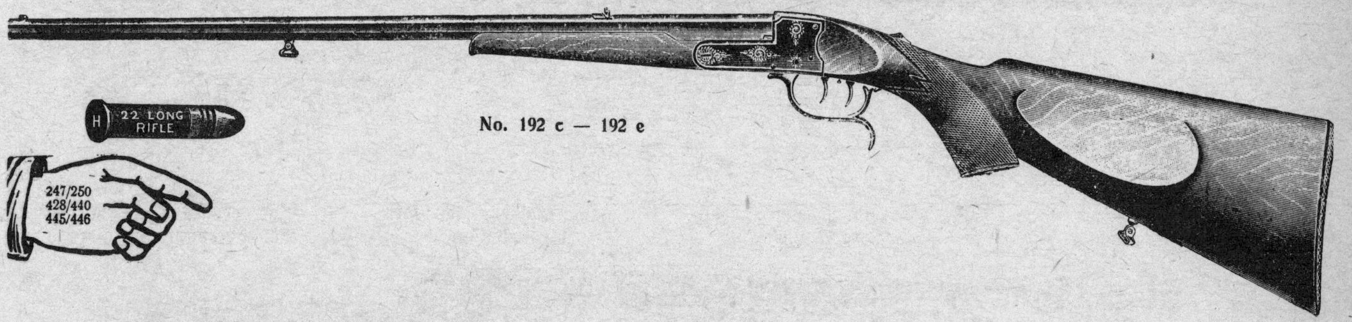

No. 192 c — 192 e

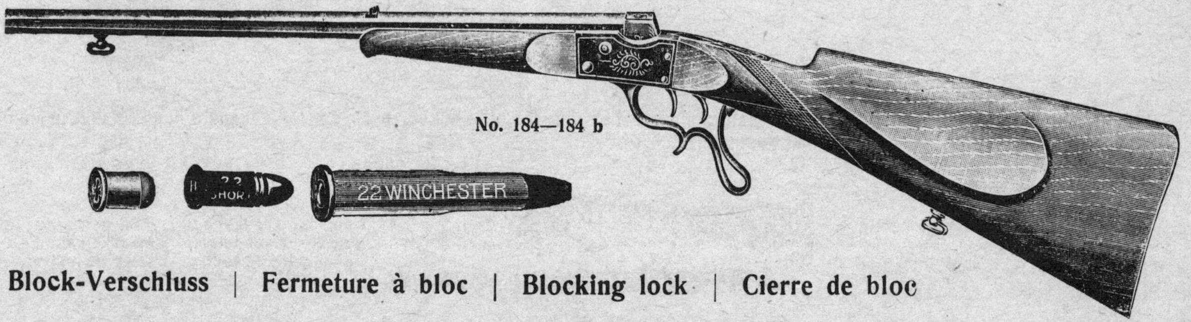

247/250
428/440
445/446

No. 184—184 b

Block-Verschluss | Fermeture à bloc | Blocking lock | Cierre de bloc

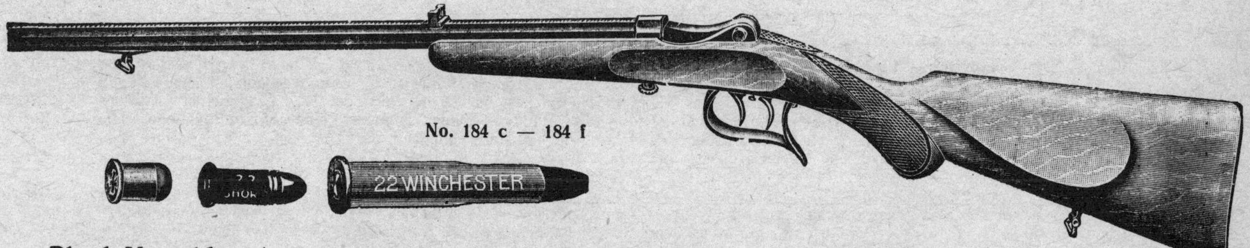

No. 184 c — 184 f

Block-Verschluss | Fermeture à bloc | Blocking lock | Cierre de bloc

	192 c	192 d	192 e	184	184 a	184 b	184 c	184 d	184 e	184 f
	✝ Brollex	✝ Brollfix	✝ Brollsun	✝ Bra	✝ Brassex	✝ Brassil	✝ Brasul	✝ Brassen	✝ Brassav	✝ Brasseun
	Stechschloss Sicherung, **gezogen,** engl. Gravierung	Wie 192 c mit **Schraubvisier,** Korn mit Sil**berperle**	Wie 192 d aber **Zentralfeuer**	**Fein gezogen, Stecher, Schraubvisier, Korn** mit Sil**berperle,** englische Gravierung eingesetzte Garnitur			Ausführung wie 184 aber Laufschiene guillochiert, **zerlegbar**			Wie 184 c aber **Zentralfeuer**
	à double détente, sûreté, **rayé,** gravure anglaise	Comme 192 c **avec hausse à vis et point de mire argent perle**	Comme 192 d **mais à feu central**	**Soigneusement rayé, à double détente, hausse à vis, point de mire argentperle,** gravure anglaise			Même exécution que 184 mais bande guillochée **démontable**			Comme 184 c **mais à feu central**
	Hair trigger safety, **rifled,** English engraving	Like 192 c **with screw sight front sight with silver pearl**	Like 192 d but with **center fire**	**Finely rifled, hair trigger, screw sight front sight** with **silver pearl** English engraving case hardened			Same as 184 but extension rib, **dismountable**			As 184 c but with **center fire**
	De doble escape, seguridad, rayado, grabado inglés	Como 192 c con **alza tornillo** y **punta de mira plata perla**	Como 192 d pero **de fuego central**	**Cuidadosamente rayada, de doble escape, alza tornillo, punto de mira plata** perla, grabado inglés			La misma ejecución que 184 pero cintator neada **desmontable**			Como 184 c pero **de fuego central**
Cal.	6 mm	22 long rifle	22 Winch.	6 mm	9 mm	22 Winch.	6 mm	7 mm	9 mm	22 Winch.
Mark	60,00	62,00	67,00	54,00	54,00	59,00	67,00	67,00	67,00	72,00

Martini-Scheiben-Teschings. | Carabines de cible Martini. | Small target rifles Martini. | Escopetas pequeñas de tiro al blanco „Martini".

247/250
428/440

Präzisions-Tesching mit Blockverschluss. | **Carabine de précision avec fermeture à bloc.** | **Small precision rifle with block action.** | **Escopeta de precisión con cerradura de bloc.**

Präzisions-Selbstspanner-Tesching. Gewicht nur 2 kg. | **Carabine de précision s'armant automatiquement.** Poids seulement 2 kg. | **Small self cocking precision rifle.** Weight 2 kg only. | **Escopeta de precisión armándose porsisola.** Peso 2 kilos solamente.

Leicht zerlegbar, Lauf abnehmbar ohne Werkzeug. | Démontage facile, canon enlevable sans outil.

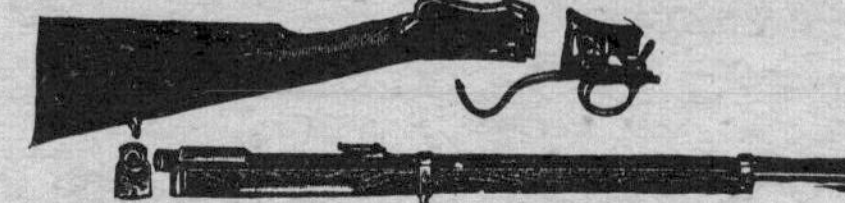

Can easily be taken to pieces, barrel detachable without tools. | Se desmonta fácilmente, cañon levantable sin instrumentos.

175 a	175 b	175 c	175 d
† Marseiti	† Marseifo	† Marsedel	† Marszel
Blockverschluss, Garnitur schwarz, Nussbaumschaft, Cal. 6 mm, eingeschraubter Stahllauf, glatt	Wie 175 a aber gezogen	**Vorzügliches Tesching mit Blockverschluss, in Form eines Militärgewehres.** Dieses Präzisions-Tesching ist in allen Teilen aus bestem Material, sauber und sorgfältig ausgearbeitet; der Prima Stahllauf mit feinen Zügen ist rund, mit Perlkorn, zierlichem kleinen Militärvisier, welches bis 350 m verstellbar ist. Eingerichtet ist dieses Gewehrchen für die Winch.-Patrone Cal. 22 long rifle, und die Schussleistung ist eine ganz vorzügliche. Die Spannung geschieht durch Herabdrücken des Hebels wie bei Martinibüchsen, die Schlossteile und der Block sind marmoriert gehärtet, das Gehäuse elegant schwarz. Zwecks Reinigung und Einölen kann der ganze Mechanismus, welcher auf dem Abzugsblech montiert ist, mit einem einzigen Handgriff ohne jedes Werkzeug leicht komplett herausgenommen werden. Der Schaft ist aus zähem gemaserten Nussholz, ebenso der lange zierliche Vorderschaft. Das ganze Tesching wiegt nur 2 kg und ist als sehr sauberes, zierliches, vorzüglich gearbeitetes Gewehrchen ganz besonders zu empfehlen. **Cal. 22 long rifle**	Wie 175 c aber mit einigen Handgriffen schnell in 2 Teile zerlegbar
Fermeture à bloc, garniture **noir**, crosse de noyer, cal. **6 mm, canon lisse vissé**	Comme 175 a mais rayé	**Excellente carabine à bloc, forme militaire.** Cette carabine de précision est entièrement composée du meilleur matériel et elle est ajustée et finie avec le plus grand soin. Le canon, d'acier extra, est rond et soigneusement rayé; il possède aussi un guidon perle et une élégante petite hausse militaire graduée jusqu'à 350 mètres. Ce petit fusil est adapté pour la cartouche Winchester Cal. 22 long rifle et son tir est tout à fait supérieur. L'armement s'opère par l'abaissement du levier, comme dans les carabines Martini; les pièces de serrure et le bloc sont trempés jaspés, la boîte est d'un noir élégant. En vue du nettoyage et du graissage on peut d'un seul mouvement et sans le moindre instrument, aisément et entièrement, détacher de l'arme tout le mécanisme, qui se trouve monté dans la boîte de détente. La crosse, de même que l'élégant et devant prolongé, est en noyer à madrures. La carabine toute entière pèse seulement 2 kg et se recommande comme étant une arme très élégante, d'excellentes qualité et précision, ainsi que d'un fini parfait. **Cal. 22 long rifle**	Comme 175 c mais très rapidement démontable en 2 parties. Il suffit pour celà de quelques mouvements
Block action, black mounting, walnut stock, cal. 6 mm **steel barrel screwed in, smooth**	Like 175 a but rifled	**Excellent small rifle with block action, in form of military rifle.** This small precision rifle is composed only of the best material and is neatly and carefully finished. The steel barrel is round with fine rifling, pearl front sight and fine, small military rear sight, which is adjustable up to 350 m. This small rifle is adapted for the Winchester cartridge cal. 22 long rifle and the shooting is quite excellent. The cocking is effected by pressing down the lever as with the Martini rifles, the lock parts and block are marbled and hardened the case is an elegant black. For cleaning and oiling purposes the entire mechanism, which is mounted on the trigger plate, can easily be taken out in a single movement without any tools. The stock is of tough grained walnut as is also the shaft of the elegant fore-end. The entire rifle weights 2 kg only and can be highly recommended as a very neat, elegant small rifle of excellent make. **Cal. 22 long rifle.**	Like 175 c but in a few movements it can easily be divided into two parts
Cerradura de bloc guarnición **negra**, mango de nogal, cal. 6 mm, **cañón liso, atornillado**	Como 175 a pero rayado	**Excelente escopeta con cerradura de bloc; forma militar.** Esta escopeta de precisión esta enteramente compuesta del mejor material, y está trabajada con el mejor esmero y atención. El cañón es de acero extra, redondo y cuidadosamente rayado; ademas poséé un guiador perla y una elegante alza militar graduada hasta 350 metros. Esta arma está adaptada para el cartucho Winchester cal. 22 largo rifle y su tiro es superior. Su armamento se ejecuta por medio de apoyo sobre la palanca, como en las carabinas „Martini". Las piezas de cerradura y el bloc son templados jaspeados; la caja es de un negro elegantísimo. Por hacer la limpieza y el engrase sin herranienta, baita un movimiento por les armor todo el mecanismo que hay en la caja del cierre. El mango como el delantero son de nogal con pintas. Toda la carabina pesa 2 kilos solamente y se recomienda por ser un arma muy elegante, de excelente calidad y precisión asi que muy fina.	Como 175 c pero por medio de algunas manupulaciones muy rápidamente levantable en dos partes
Mark: 36.—	37.50	76.—	80.—

Halb-automatische Carabiner	Carabine semi-automatique		Half automatic carbine	Carabina medio-automática

Bayard

Bayard

174 a	174 b
† Pijardos	† Pijarlux
Pieper-Bayard-Carabiner, Länge 98 cm, Gewicht 1,600 kg. **Eleganter handlicher halb-automatischer Carabiner** mit einfachster, praktischer, vollständig neuer Verschluss-Konstruktion, aus nur bestem Material auf Präzisionsmaschinen hergestellt. Das Schloss hat Drehsicherung und ist ohne Werkzeug sehr leicht zerlegbar; der Carabiner hat prima Stahllauf mit feinen Zügen, Schraubvisier und schiesst ganz vorzüglich; der Nussholz-Maserschaft hat handlichen Pistolengriff mit Fischhaut und ist mit Riemenbügel versehen, Lauf und Schlossteile sind elegant schwarz. Durch einfaches Lösen der Vorderschaftschraube kann der Carabiner sofort auseinander genommen werden. Die Funktion, nämlich Oeffnen des Verschlusses, Schliessen desselben, sowie Spannen des Schlosses erfolgt durch den Rückstoss der Gase selbständig, Cal. 22 short rauchlos.	Wie 179 a, aber **„Luxusmodell"** für Cal. 22 short long, **109 cm** lang, **3 Visiere** auf 50, 100 und 150 Meter, Silber-Perlkorn, Ia. Nussholzschaft mit **Hornkappe,** Riemenbügel, Fischhaut.
Carabine Pieper-Bayard, longueur 98 cm, poids 1,600 kg. **Carabine semi-automatique, très bien en main, fort élégante,** construction de fermeture de toute dernière nouveauté, des plus pratiques et des plus simples, constituée du meilleur matérial et fabriquée à l'aide des machines de la plus haute précision. La serrure est à sûreté en cercle et est démontable très aisément sans le secours d'aucun outil. Cette carabine possède un canon d'acier extra, soigneusement rayé, une hausse à vis et tire d'une façon supérieure, la crosse en noyer madré est à poignée de pistolet très en main et quadrillée, elle est également munie d'anneaux pour courroie, le canon et les pièces de serrure sont d'un noir élégant. En défaisant simplement une vis située sur le devant, on démonte rapidement la carabine. Le fonctionnement c. à. d. l'ouverture et la fermeture du verrou, de même que son armement se font automatiquement par le recul des gaz. Cal. 22 short, poudre sans fumée.	Comme 174 a mais **modèle de luxe** pour cal. 22 short et long, longueur **109 cm, 3 hausses** à 50—100—150 mètres, point de mire argent-perle, crosse de noyer extra avec **calotte corne,** anneaux pour courroie, quadrillé.
Pieper-Bayard carbine, length 98 cm, weight 1,600 kg. Elegant handy half-automatic carbine with most simple, practical completely new action. Constructed of best material only by machines of utmost precision. The lock has turning safety and can easily be taken to pieces without tools; the carbine has a prime steel barrel with fine rifling, screw sight and shoots excellently, the grained walnut stock is provided with a handy checkered pistol grip and swivel, the barrel and lock parts are an elegant black. By simply loosening the screw of the fore-end the carbine can at once be taken to pieces. The opening and closing of the bolt and the cocking of the lock is effected automatically by the recoil of the gas. Cal. 22 short smokeless.	Like 174 a but **fancy model** for cal. 22 short and long, **109 cm** long, **3 sights** at 50—100—150 meters, silver pointed front sight, prime walnut stock with **horn-cap,** swivel, checkered.
Carabina Pieper-Bayard, longitud 98 cm, peso 1,600 kg. Carabina medio-automática, muy elegante; la construcción de la cerradura es de lo más moderno; y lo más práctico y más simple que existe; se compone del mejor material y está fabricada con la ayuda de máquinas de la más alta precisión. La cerradura es provista de una buena seguridad y se puede desmontar muy cómodamente sin herramienta. Esta carabina poséé un cañón de acero extra cuidadosamente rayado como también alza de tornillo, y dispara de un modo excelentísimo. Caja de nogal con mango pistola muy manejable y labrada; ademas esta provista de anillos para correa. El cañón y las piezas de cerradura son de un negro elegantísimo. Destornillando el tornillo que hay en la delantera, se puede desmontar rápidamente la carabina. El funcionamientó á saber abrir y cerrar del cerroja, tambien el armamento del cierre, es automatico por el retroceso de los gazes. Cal. 22 short polvera sin humo.	**Modelo de lujo** para cal. 22 short y largo, longitud **109 cm, 3 alzas** de 50—100—150 metros, guiador plata perla, mango de nogal extra con **cantonera de cuerno,** anillos para correa, labrado.
Mark: 30.— 80	**Mark: 44.—** 80

Halb-automatische Carabiner	Carabine semi-automatique		Half automatic carbine	Carabina medio-automática

N. Pieper

174 c	174 d	174 e	174 f
† Pijarnik	† Pijarsal	† Pijartem	† Pijarkox
Nic. Pieper halbautomatischer Carabiner, Konstruktion ähnlich 174 a, Gewicht 1,300 kg, englischer Schaft, **fein gezogen,** für Cal. 22 short „ 22 long „ 22 long rifle	Wie 174 c mit **Pistolenschaft, Fischhaut, Riemenbügeln,** Gewicht 1,350 kg	Wie 174 c **ganz geschäftet,** Gewicht 1,550 kg	Wie 174 e aber **mit Bajonett** zum Abnehmen, Gewicht 1,75 kg
Carabine semi-automatique Nic. Pieper, construction similaire à celle du 174 a, poids 1,300 kg, crosse anglaise, soigneusement **rayé,** pour cartouches cal. 22 short „ 22 long „ 22 long rifle	Comme 174 c avec **crosse pistolet-quadrillé, anneaux** pour **courroie,** poids 1,350 kg	Comme 174 c mais avec **devant prolongé,** poids 1,550 kg	Comme 174 e mais **avec baïonnette** enlevable, poids 1,75 kg
Like **Pieper half automatic carbine,** construction similar to 174 a, weight 1,300 kg, English stock **finely rifled** for cal. 22 short „ 22 long „ 22 long rifle	Like 174 c with **pistol stock, checkered swivels,** weight 1,350 kg	Like 174 c but shaft with **extended fore-end,** weight 1,550 kg	Like 174 e but with **bayonet** for **detaching,** weight 1,75 kg
Carabina medio automática Nic. Pieper, construcción semejante á la del 174 a, peso 1,300 kg, mango inglés, **cuidadosamente rayada,** para cartuchos cal. 22 short „ 22 long „ 22 long rifle	Como 174 c con **mango-pistola, labrada, anillos para correa,** peso 1,350 kg	Como 174 c pero con **mango prolongado,** peso 1,550 kg	Como 174 e, pero con bayoneta separable, peso 1,75 kg
Mark 22.—	**Mark 24.—**	**Mark 46.—**	**Mark 48.50**

Schalldämpfer für Waffen.	Ebruiteur pour armes.	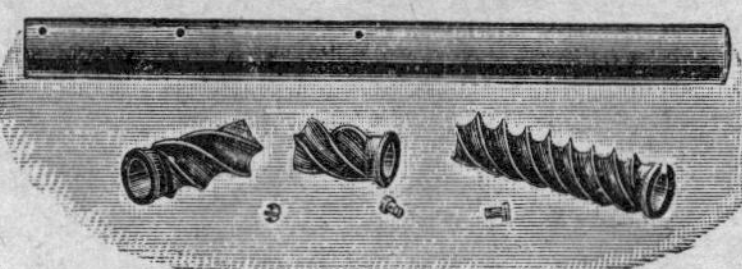	Sound moderator for arms.	Propalador para armas.

Moderator

Mod. 1 Mod. 2

F N Carabiner mit „Moderator".
Carabine F N munie du „Moderator".
F N carbine with moderator.
Carbina F N con „Moderator".

Moderator-Reinigung

Schiessübungen mit „Moderator" im Salon

„Moderator" macht jede Waffe knalllos. Für Gebrauch in der Stadt, im Garten, im Haus, auf dem Scheibenstand. Der Schalldämpfer ist zentrisch konstruiert, so dass die Gase parallel mit der Kugel entweichen und den Schuss nicht beeinflussen. Er stellt durch seine konzentrische Bauart eine Fortsetzung des Laufes dar. Das leichte Gewicht verursacht kein Uebergewicht nach vorn, leicht zu reinigen, unbegrenzte Dauerhaftigkeit, leicht mittels Gewinde an jedem Gewehr anzubringen. Der Moderator hat Gewinde, und wird auf Wunsch ein Schneideeisen zum Anbringen des Gewinde am Lauf geliefert. Auch werden Waffen fertig mit Moderator montiert von uns in den Handel gebracht. Es empfiehlt sich bei Benutzung des Moderator möglichst rauchlose Munition zu verwenden, doch ist dies keine Bedingung. Das Anbringen an Teschings rechnen wir Mk. 0.60 per Stück, bei anderen Waffen Spezial-Offerte.

L'ébruiteur „Moderator" empôche, dans toute arme, la détonation. Il se recommande pour le tir en ville, à la maison, au jardin, au stand etc. L'ébruiteur „Moderator" est construit en spirale, de sorte que les gaz s'échappent paralellement à la balle et de la sorte n'influent pas sur le tir. Par sa construction en forme concentrique il représente exactement la contination du canon Son poids léger ne constitue pas une charge à l'extrêmité du canon. Il est très facile à nettoyer, d'une durabilité sans bornes et facilement appliquable sur n'importe quelle arme au moyen de ses filets de vis. L'ébruiteur „Moderator" possède donc un pas de vis et, sur demande, nous livrons un instrument spécial pour pratiquer sur le canon le pas de vis correspondant. Nous livrons aussi des armes munies de l'ébruiteur „Moderator" tout monté. Il est recommandable d'employer avec le „Moderator" des cartouches à poudre sans fumée. Cependant, ce n'est pas une obligation. Pour monter l'ébruiteur „Moderator" sur petites carabines genre Flobert nous demandons Mk. 0.60 par pièce. Pour les autres armes, offres spéciales.

Fire-arms fitted with the moderator are rendered noiseless. For use in the town, in the garden, in the house, in the shooting range. The moderator is constructed centrally so, that the gases escape parallel with the bullet without affecting the shot. Being constructed concentrically it forms an extension of the barrel. Owing to its lightness there is no extra weight in front, it can easily be cleaned and will last very long. By means of its fillet it can be screwed on to any rifle, and on application we furnish an auger screw for fastening the fillet on to the barrel. We also supply arms, on which the moderator is already mounted. When the moderator is attached it is advisable to use smokeless powder, but this is not absolutely necessary. For attaching the moderator to small rifles we charge Mk. 0,60 each, in the case of other arms we make special offer.

„Moderator" hace á toda arma que dispare sin estallido. Se recomienda para el tiro al blanco en la ciudad, en la casa y en el jardín. El propalador „Moderator" está construido en espiral, de modo que los gases se escapan paralelamente con la bala y por consiguiente no influye sobre el tiro. Por su construcción en forma concéntrica, representa exactamente la continuación del cañón. Su peso ligero no ocasiona ninguna pesadez en la extremidad del cañón. Es muy fácil de limpiar, de una duradez irreprochable y fácilmente aplicable á cualquier arma por medio de sus frenillos de tornillo. El propalador „Moderator" posée pués un paso de tornillo, y si se desea proveemos instrumento especial para practicar el paso de tornillo sobre el cañón. También proveemos armas provistas del propalador „Moderator" todo montado. Es recomendable emplear con el „Moderator" cartuchos de pólvora sin humo, pero sin embargo, esto no es una obligación. Para montar el propalador „Moderator" sobre carabinas pedimos Mk. 0.60 Para las otras armas, ofertas especiales

Mod. 1 † Modersex	Mod. 2 † Moderneun	Mod. 4 † Moderwind
Moderator (inkl. Moderator-Schlüssel u. illustr. Broschüre) aus Stahl mit Kupfer bzw. Aluminiumeinlage **Cal. 6 mm** Flobert	Wie Mod. 1 **Cal. 9 mm** Flobert	**Gewindeschneideeisen** zum selbsttätigen Montieren des Moderator.
Ebruiteur „Moderator" (avec clef et brochure illustrée) en acier, avec garniture cuivre ou aluminium **Cal. 6 mm** Flobert	Comme Mod. 1 **cal. 9 mm** Flobert	**Instrument pour** pratiquer le **pas de vis et** ainsi monter soi-même l'ébruiteur „Moderator" sur les armes
Moderator (including key and illustrated pamphlet) of steel wiht copper or aluminium insertion. **Cal. 6 mm** Flobert.	Like mod. 1 **cal. 9 mm** Flobert	**Auger screw** for mounting of moderator.
Propalador „Moderator" (con elave y folleto illustrado) de acero, con montura de cobre ó aluminio. **Cal. 6 mm**	Como el Mod. 1 **Calibre 9 mm** Flobert	**Instrumento** para **practicar el paso de tornillo** y montar por si mismo el propalador „Moderator".
Mark 11.—	**Mark 12,50**	**Mark 7.50**

Zweiläufige Doppel-Teschings Marke „Cafeld".	Carabines à 2 canons Marque „Cafeld".	Small double barrel rifles Mark „Cafeld".	Escopetas pequeños de dos cañones Marca „Cafeld".

Rohre neben-einander.	Canons juxta-posés.	Muzzles next to each other.	Cañones uno al lado de otro.
	Cal. 6×	Cal. 9	
Gezogen. Glatt.	Rayé. Lisse.	Rifled. Smooth.	Rayado. Liso.

196—197 b.

Hahn mit Umsteller.	Chien unique à transposition.	Hammer with special arrangement to fire either barrel separately.	Gatillo unico con mecanismo especial par a tirar con cualquiera de los dos coñones.

Cal. 6 mm

197 c—197 h

Hahn mit Umsteller.	Chien unique à transposition.	Hammer with special arrangement to fire either barrel separately.	Un solo gatillo hace disparar los 2 cañones simultáneamente.

Cal. 9 mm

197 i—199 b

Cal. 9×36

Cal. 11×52.

247/250 445/446

No.	196	196 a	196 b	197	197 a	197 b	197 c	197 d	197 e	197 f	197 g	197 h	197 i	197 k	197 l	198	198 a	198 b	199	199 a	199 b
✢	Nab	Nabzt	Nabch	Nabo	Nabozt	Naboch	Naboxe	Naboxil	Naboxuf	Naboxas	Naboxets	Naboxonk	Nabobt	Nababri	Nabolle	Nib	Nibzt	Nibxe	Nibo	Nibozt	Niboxe
	90 cm lang, glatte Schäftung, blanke Schlossteile, Eisenhalbbügel, 1 Lauf gezogen, 1 Lauf glatt, Rouxverschluss.			I Meter lang mit Pistolengriff, graviert, Riemenbügel, sonst wie 196.			Wie 196 mit Knopfdruckverschluss.			Wie 197 mit Knopfdruckverschluss ohne Gravur.			90 cm lang, Seitenhebelverschluss, blanke Teile, glatter Schaft ohne Vorderschaft, Riemenbügel, 1 Lauf gezogen, 1 Lauf glatt.			Wie 197 i aber mit Holzvorderschaft.			Wie 198 mit Pistolengriff schwarze gravierte Schlossteile.		
	Long de 90 cm, crosse unie, pièces de serrure, blanches, demie sous-garde de fer, 1 canon rayé et 1 canon lisse, serrure Roux.			Long d' I mètre, avec crosse pistolet, gravé, anneau à courroie, pour le reste comme n. 196.			Comme n. 196 avec à bouton à pression.			Comme n 197 avec fermeture à bouton à pression, sans gravure.			Long de 90 cm, fermeture à levier latéral, pièces blanches, crosse unie,sans devant, anneaux à courroie, 1 canon rayé, 1 canon lisse.			Comme n. 197 i mais avec devant en bois.			Comme n. 198 avec crosse pistolet, pièces de serrure noires gravées.		
	90cm long, smooth stock, bright lock parts, iron half guard, I barrel rifled, I barrel smooth, Roux lock.			I meter long with pistol grip engraved, swivel, otherwise like 196.			Like 196 with press button lock.			Like 197 with press button lock without, engraving.			90 cm long, lever bolt at side, bright parts, smooth stock without fore-end, swivel, one barrel rifled one smooth.			like 197 i but with wooden fore-end.			Like 198 with pistol grip, lock parts engraved black.		
	Largo de 90 cm, culata lisa, piros del cierre blancas medio, guardamonte enbierro, I cañón rayado, I cañón liso, cierre Roux.			Longo de I metro, con mango pistola, grabado, anillos de correa. Por lo demás como el n. 196.			Como el n. 196, con cerradura de botón de presión.			Como n. 197, con cerradura de botón de presión, sin grabado.			Largo de 90 cm, cerradura de palanca, lateral, piezas blancas, mango liso, sin delantera, anillos de correa, 1 cañón rayado, 1 cañón liso.			Como el n. 197 i pero con delantero de madera.			Como el n. 198 con mango pistola, piezas de cerradura negras grabadas.		
Cal.	6×9	9×9	9×36 / 11×52	6×9	9×9	9×36 / 11×52	6×9	9×9	9×36 / 11×52	6×9	9×9	9×36 / 11×52	6×9	9×9	9×36 / 11×52	6×6	9×9	9×36 / 11×52	6×9	9×9	9×36 / 11×52
Mark	26.—	26.—	32.—	33.—	33.—	39.—	30.—	30.—	36.—	36.—	36.—	42.—	32.50	32.50	38.50	34.—	34.—	40.—	38.—	38.—	44.—

Zweiläufige Doppel-Teschings Marke „Cafeld“.

Carabines à 2 canons, Marque „Cafeld“.

Small double barrel rifles mark „Cafeld“.

Escopetas pequeñas de dos cañones Marca „Cafeld“.

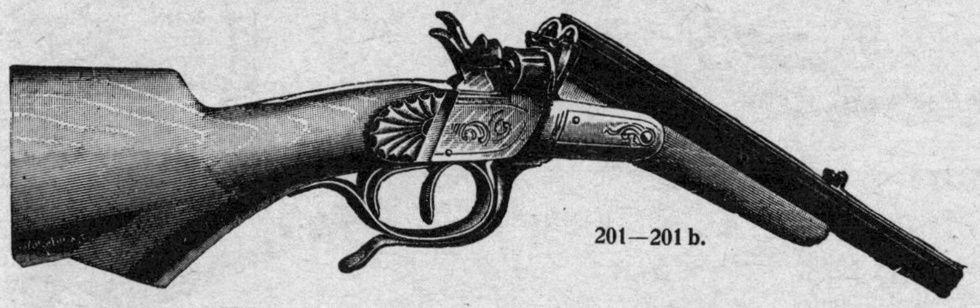

201—201 b.

2 Hähne. | à 2 chiens. | 2 hammers. | 2 gatillos.

Cal. 6 × Cal. 9.

Gezogen.	Glatt.
rayé.	lisse.
Rifled.	Smooth.
rayado.	Liso

247/250
373/383
444/446

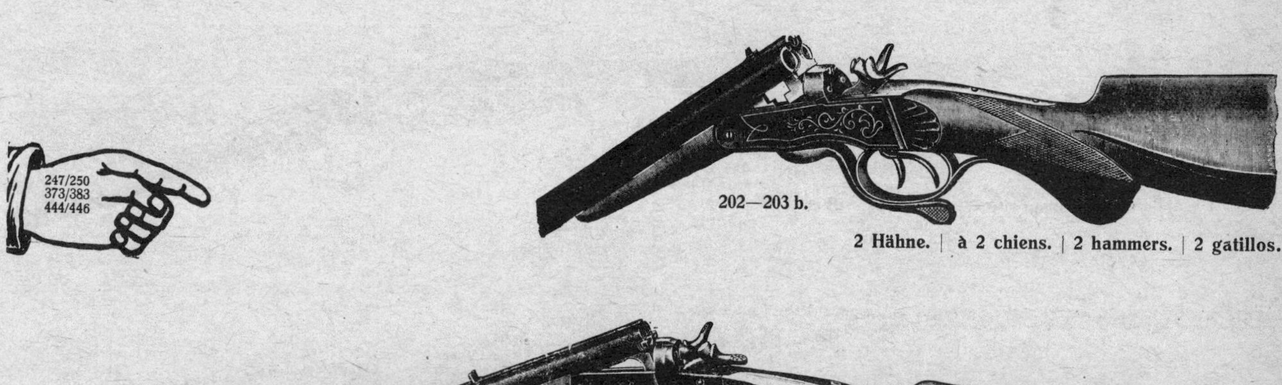

202—203 b.

2 Hähne. | à 2 chiens. | 2 hammers. | 2 gatillos.

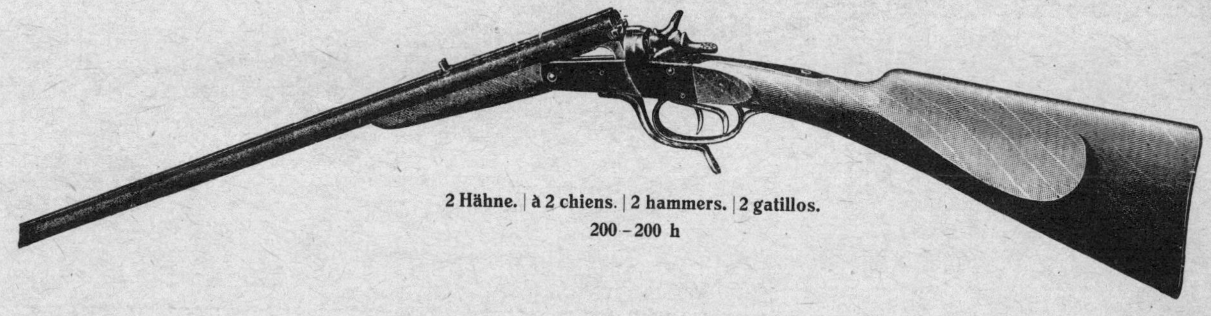

2 Hähne. | à 2 chiens. | 2 hammers. | 2 gatillos.

200 - 200 h

	200 c	200 d	200 e	200 f	200 g	200 h	200	200 a	200 b	201	201 a	201 b	202	202 a	202 b	203	203 a	203 b
†	Nebafa	Nebefe	Nebefi	Nebofo	Nebufu	Nebullu	Neba	Nebaxa	Nebazi	Nebe	Nebexe	Nebezi	Nebi	Nebizi	Nebixa	Nebo	Nebozo	Neboxi
	50 cm lange **Läufe**, wie 200, aber **ohne** Vorderschaft, ganze Länge 90 cm.			Wie 200 c, aber **60 cm** langer Lauf, ganze Länge 100 cm.			**90 cm lang, Rouxverschluss**, glatter Schaft, blanke Schlossteile, **Riemenbügel.**			Wie No. 200, jedoch mit **Pistolgriff, vernickelte**, schwarze oder eingesetzte Garnitur, **1 Meter lang.**			**Drehhebelverschluss**, Pistolengriff, **vernickelte** oder **schwarze** Garnitur, Riemenbügel, **ca. 1 Meter lang.**			Wie No. 202, jedoch mit **feinem Stechschloss.**		
	Canons de 50 cm, comme 200, mais sans devant longueur totale: 90 cm.			Comme 200 c, mais canon **de 60 cm**, longueur totale 1 mètre.			**Long de 90 cm, fermeture Roux**, crosse unie, pièces de serrure blanches, **anneaux à courroie.**			Comme 200, mais avec **crosse pistolet, garniture nickélée**, noire ou incrustée, **long d'un mètre.**			**Fermeture à levier**, crosse pistolet, garniture **nickelée** ou noire anneaux à courroie, **long d'un mètre environ.**			Comme 202, mais à **double détente** de précision.		
	barrels 50 cm long, like 200, but **without** fore-end, entire length 90 cm.			like 200 c but barrel **60 cm** long, entire length 100 cm.			**90 cm long, Roux lock**, smooth stock, bright lockparts, swivels.			Like No. 200, but **with pistol grip, nickeled**, black or inlaid mounting, **1 meter long.**			Turning lever lock, pistol grip, nickeled or black mounting, swivels, about **1 Meter long.**			Like No. 202, but with **fine trigger lock.**		
	Cañones de 50 cm, pero **sin** delantera. Longitud total: 90 cm.			Como 200 c, pero cañón de **60 cm.** Longitud total: 1 metro.			**90 cm largo**, cierre Roux, caja lisa, partes de cierre blancas **anillos de correa.**			Como No. 200, pero con **mango pistola, guarnición, niquelada**, negra, ó enchapada, **1 metro largo.**			**Palanca de cierre á vuelta**, mango pistola, guarnición, **niquelada** ó **negra**, anillos de correa, largo cerca **1 metro.**			Como el No. 202, pero de **doble escape** de alta precisión.		
Cal.	6×9	9×9	9×36 11×52	6×9	9×9	9×36 ×9	6×9	9×9	9×36 11×52	6×9	9×9	9×36 11×52	6×9	9×9	9×36 11×52	6×9	9×9	9×36 11×52
Mk.	33.50	33.50	40.50	37.—	37.—	44.—	34.—	34.—	41.—	39.—	39.—	46.—	53.—	53.—	60.—	60.—	60.—	67.—

Doppelläufige Warnant-Teschings.	Carabines à 2 canons.		Small double barrel Warnant rifles.	Escopetas pequeñas de 2 cañones.

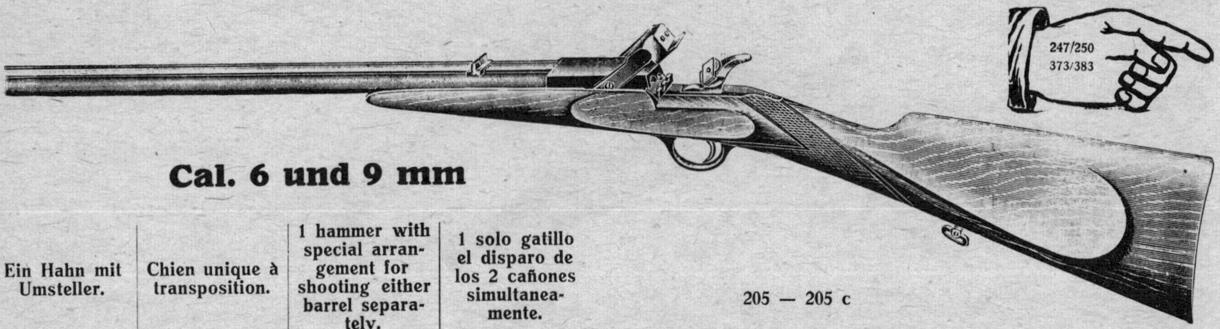

247/250 373/383

Cal. 6 und 9 mm

Ein Hahn mit Umsteller.	Chien unique à transposition.	1 hammer with special arrangement for shooting either barrel separately.	1 solo gatillo el disparo de los 2 cañones simultaneamente.

205 — 205 c

204 — 204 c

Ein Hahn mit Umsteller.	Chien unique à transposition.	1 hammer with special arrangement for shooting either barrel separately.	1 solo gatillo de transposicion para 2 cañones.

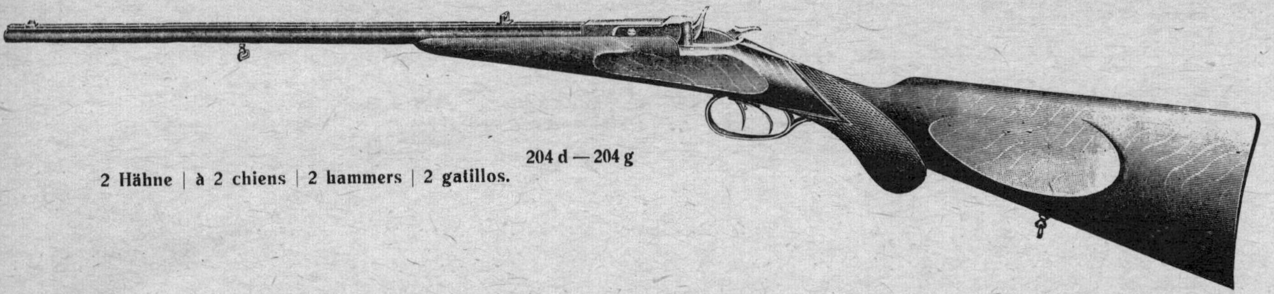

204 d — 204 g

2 Hähne | à 2 chiens | 2 hammers | 2 gatillos.

	205	205 a	205 b	205 c	204	204 a	204 b	204 c	204 d	204 e	204 f	204 g
	† Nibe	† Nibepap	† Nibetin	† Nibelut	† Niba	† Nibapup	† Nibatin	† Nibalet	† Nibatter	† Nibettes	† Nibuttis	† Nibitton
	Schaft mit Backe, Teile schwarz, Riemenbügel.		Wie 205 mit Pistolengriff und Backe.		Steckschloss, vernickelt graviert, Riemenbügel, Backe.		Wie 204 aber mit Pistolengriff und Backe.		Feinstes Modell mit 2 Hähnen, Stecher graviert englisch graue Garnitur, guillochierte Schiene mit Backe.		Wie 204 d aber mit Pistolengriff und Backe.	
	Crosse à joue, pièces noires, anneaux à courroie.		Comme 205 avec crosse pistolet et à joue.		A double détente, nickelé, gravé, à joue, anneaux à courroie.		Comme 204 mais avec crosse pistolet et à joue		Très élégant modèle à 2 chiens à double détente, gravé, garniture couleur grise anglaise, bande guillochée, à joue.		Comme 204 d mais avec crosse pistolet et à joue.	
	stock with cheek, black parts, swivel.		like 205 with pistol grip and cheek.		hair trigger lock, nickeled, engraved, swivel, cheek.		like 204 but with pistol grip and cheek.		finest model with 2 hammers, hair trigger, engraved, English grey mounting, extension rib with cheek.		like 204 d but with pistol grip and cheek.	
	mango de carrillo, piezas negras, anillos de correa.		Como 205 con mango pistola y de carrillo.		De doble escape, niquelado, grabado, anillos de correa, de carrillo.		Como 204 pero con mango pistola de carrillo.		Modelo elegante de 2 gatillos, de doble escape grabado, guarnición gris inglés, cinta adornada, de carrillo.		Como 204 d pero con mango pistola de carrillo.	
Cal.	6×9	9×9	6×9	9×9	6×9	9×9	6×9	9×9	6×9	9×9	6×9	9×9
Mark	41.—	41.—	43.—	43.—	51.—	51.—	54.50	54.50	64.—	64.—	68.—	68.—

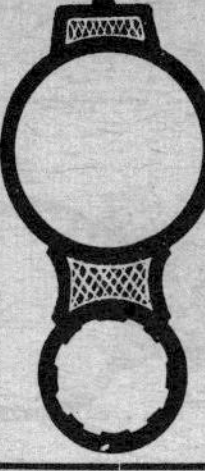

Doppelläufige Teschings mit übereinanderliegenden Läufen.	Carabines à deux canons superposés.	Small double barrel rifles with barrels over each other.	Escopetas de 2 canones, uno sobre el otro.

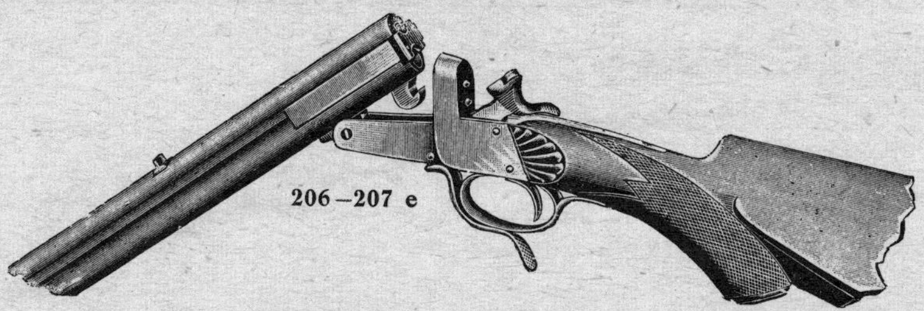

206–207 e

Hahn mit Umsteller	Chien unique à transposition pour les 2 canons.	Hammer transposable for either barrel.	1 solo gatillo de transposicion para los 2 cañones.

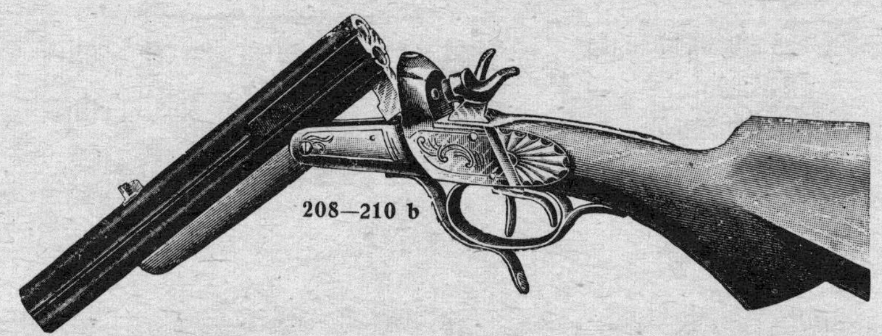

208–210 b

2 Hähne. — à 2 chiens. — 2 hammers. – 2 gatillos

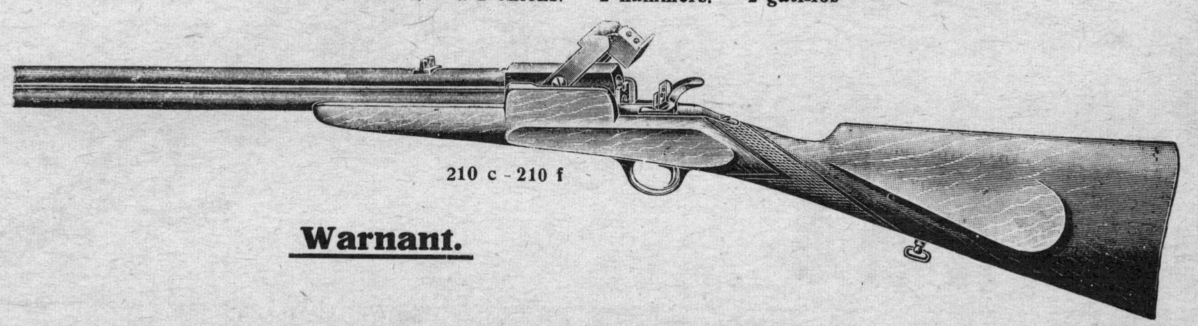

210 c – 210 f

Warnant.

Nr.	206	206 a	206 b	207	207 a	207 b	207 c	207 d	207 e	208	208 a	208 b	209	209 a	209 b	210	210 a	210 b	210 c	210 d	210 e	210 f
†	Exa	Exalk	Exast	Exe	Exelk	Exest	Exelkes	Exestes	Exesfan	Exi	Exilk	Exist	Exo	Exolk	Exost	Exu	Exulk	Exust	Exustres	Exusffra	Exustkin	Exustmen
	90 cm lang, glatter Schaft, blanke Schlossteile, Halbbügel, **Riemenbügel**			**1 Meter lang, graviert,** Pistolengriff, **Riemenbügel,** sonst wie 206			**1 Meter lang, ohne** Gravur, mit **glattem** Schaft wie 206			**1 Meter lang, Rouxverschluss,** Riemenbügel, Holzvorderschaft, glatter Schaft			wie 208, aber mit **Pistolengriff,** Fischhaut, **vernikkelt,** eingesetzte dunkle Schlossteile, **graviert**			wie 209, aber mit **Patronenauswerfer,** der nach Auswurf **selbsttätig** zurückspringt			**Warnantverschluss,** schwarze Garnitur Backe, Riemenbügel		wie 210 c, aber mit **Pistolengriff** und **Backe**	
	Long de **90 cm,** crosse unie, pièces de serrure blanches, demie sous-garde, **anneaux à courroie**			**Long de 1 mètre,** gravé, crosse pistolet, **anneaux à courroie** pour reste comme 206			**Long de 1 mètre, sans** gravure, avec crosse unie. comme 206			**Long de 1 mètre, fermeture Roux,** anneaux pour courroie, devant en bois, crosse unie			comme 208, mais **avec crosse pistolet,** quadrillé, **nickelé,** pièces de serrure trempées, jaspées foncées, **gravé**			comme 209, mais avec **extracteur** déposé, qui après le rejet de la douille se remet en place **automatiquement**			**Fermeture Warnant** garniture noire, à joue, anneaux à courroie		comme 210 c, mais avec **crosse pistolet** et à **joue**	
	90 cm long, smooth stock, bright lock-parts, half guard, **swivel**			**1 meter long,** engraved, pistol grip, **swivel,** otherwise like 206			**1 meter long,** without engraving, with **smooth** stock like 206			**1 meter long, Roux lock,** swivel, wooden fore-end, smooth stock			like 208, but **with pistol grip,** checkered, **nickeled,** black lock parts, **engraved,** case hardened			like 209, but with patent cartridge **ejector** rebounding **automatically** after ejection			**Warnant lock, black** mounting, cheek, swivel		like 210 c, but with **pistol grip** and **cheek**	
	De **90 cm** largo, mango liso, piezas de cerradura blancas, á medio guardonnante, **anillos de correa**			De **1 metro largo,** grabado, mango pistola, **anillos de correa,** por lo demás como el 206			De **1 metro largo, sin** grabado, con mango **liso,** como 206			**De 1 metro largo, cierre Roux** anillos para correa, delantera de madera, mango liso			Como 208, pero con **mango pistola,** labrado, **niquelado,** piezas de cerradura templadas oscuras, **grabado**			Como 209, pero con **extractor** patentado el cual se coloca **automáticamente** en su sitio después de tirar			**Cierre Warnant**, guarnición negra, de carrillo, anillos de correa		Como 210 c, pero con **mango pistola** y de **carrillo**	
Cal.	6×9	9×9	9×36 ×9	6×9	9×9	9×36 ×9	6×9	9×9	9×36 ×9	6×9	9×9	9×36 11×52	6×9	9×9	9×36 11×52	6×9	9×9	9×36 11×52	6×9	9×9	6×9	9×9
Mark	26.—	26.—	33.—	33.—	33.—	40.—	28.50	28.50	35.50	39.—	39.—	46.—	42.—	42.—	49 —	49.—	49.—	56.—	41.—	41.—	43.—	43.—

Doppelläufige Teschings mit übereinanderliegenden Läufen.	Carabines à deux canons superposés.	Small double barrel rifles with barrels over each other.	Escopetas pequeños de 2 cañones, el uno sobre el otro.

Zweiläufige Selbstspanner-Teschings.	Carabines à deux canons s'armant automatiquement.	Two barrels self cocking small rifles	Escopetas de 2 cañones, armandose automaticamente
Leichtes Modell.	**Modèle léger.**	**Light model.**	**Modelo ligero.**

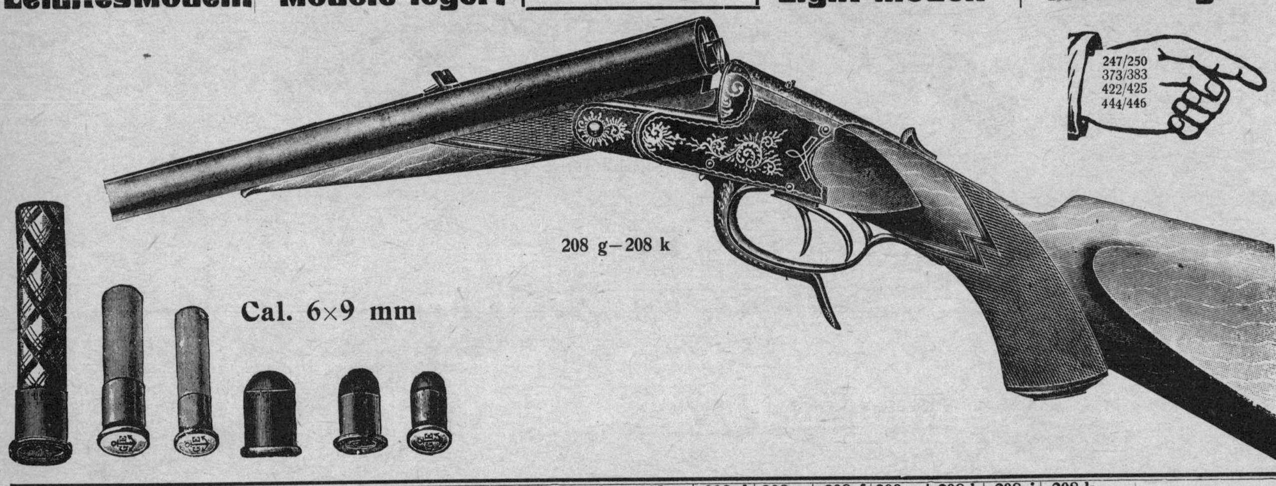

Nr.	210 g	210 h	210 i	210 k	208 c	208 d	208 e	208 f	209 g	208 h	208 i	208 k
†	Exustwom	Exustbel	Exusttim	Exusttik	Elmansi	Elmissi	Elmutsi	Elmexsi	Elmorkorf	Elmanko	Elmisko	Elmutko
	wie 210 c, aber englisch graue Garnitur, Riemenbügel, Stecher, Backe		wie 210 g, aber mit **Pistolengriff und Backe**		**Starkes Modell,** Rouxverschluss, Selbstspanner, Ausführung wie 206 c aber **guillochierte Schiene**					wie 208 c, mit **Stechschloss rechts**		
	comme 210 c, mais **garniture anglaise grise,** anneaux à courroie, **à double détente,** à joue		comme 210 g, mais avec **crosse pistolet et à joue**		**Fort modèle,** fermeture Roux, s'armant automatiquement, même exécution que 206 c, mais avec bande **guillochée**					comme 208 c, **à double détente à droite**		
	like 210 c, but **English grey mounting,** swivel **hair-trigger,** cheek		like 210 g, but with **pistol grip** and **cheek**		**Strong model,** Roux lock, self cocking, finish like 206 c, but **extension rib**					like 208 c, with **hair-trigger at right**		
	Como el 210 c, pero **guarnición inglés gris** anillos de correa, de **doble escape, de carrillo**		Como el 210 g, pero con **mango pistola y de carrillo**		**Modelo fuerte,** cierre Roux, se arma automaticámente la misma ejecucion que el 206 c, pero **con cinta torneada**					Como 208 c, de **doble escape á la derecha**		
Cal.	6×9	9×9	6×9	9×9	6×9,1×40	9×9,1×40	22 Winch 11×52	8,15 11×52	6×9,1×40	9×9,1×40	22 Winch 11×52	8,15×11×52
Mark	58.—	58.—	62.—	62.—	86.—	86.—	87.—	94.—	99.—	99.—	100.	107.—

Zweiläufige Selbstspanner-Teschings | Carabines à 2 canons, s'armant automatiquement | Two barrel self cocking small rifles | Escopetas de 2 cañones armándose automáticamente

Starkes Modell. | Fort modèle. | Strong model. | Model fuerte.

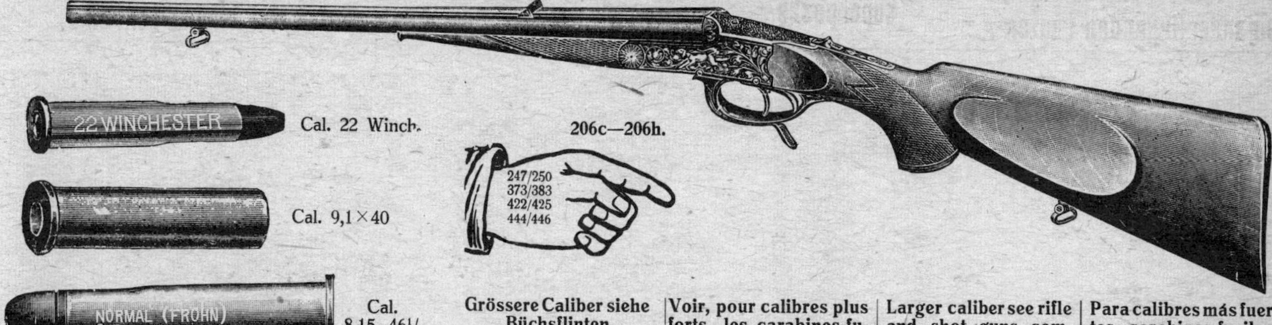

206c—206h.

Cal. 22 Winch.

Cal. 9,1×40

Cal. 8,15×46½

Cal. 11×52

Cal. 12 mm

247/250
373/383
422/425
444/446

Grössere Caliber siehe Büchsflinten Seite 373/383

Voir, pour calibres plus forts, les carabines-fusils page 373/383

Larger caliber see rifle and shot guns combined page 373/383

Para calibres más fuertes carabines-fusiles, véase página 373/383

Statt 11×52 werden die Teschings auch mit Papphülse Cal. 12 mm ohne Mehrpreis geliefert, † ‚ev' anhängen

Les carabines peuvent aussi être livrées, sans augmentation de prix, pour cartouches à douille de carton Cal. 12 mm au lieu de pour cartouches 11×52, ajouter † ‚ev' au mot télégraphique

Instead of with 11×52 the small rifles are supplied also with cardboard shells, cal. 12 mm, without additional price, add † ‚ev' to code-word

Las escopetas pueden ser libradas también para cartuchos de tubo de cartón sin aumento de precio cal. 12 mm, en lugar de cartuchos 11×52, añadir † ‚ev' á la palábra telegrafica

Läufe übereinander. | Canons superposés. | Barrels over each. | Cañones sobrepuestos.

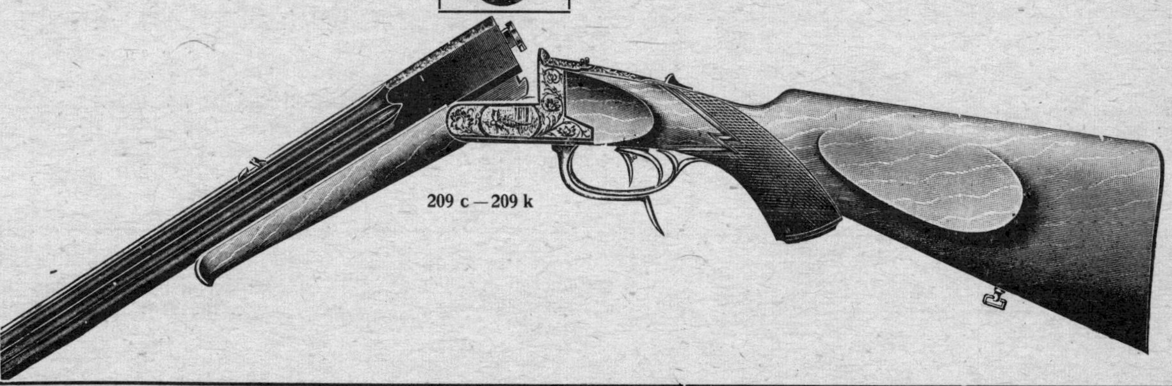

209 c — 209 k

Nr.	206 c	206 d	206 e	206 f	206 g	206 h	209 c	209 d	209 e	209 f	209 g	209 h	209 i	209 k
†	Elmorva	Elmanva	Elmisfa	Elmutfa	Elmexfa	Elmorsi	Elmexko	Elmorko	Elmorlu	Elmanlu	Elmislu	Elmutlu	Elmexlu	Elmexse
	Selbstspanner, Roux-Verschluss, Standvisier Feldkorn, Pistolengriff, Sicherung, schwarze Garnitur, englische Gravur		wie 206 c, mit **Stechschloss** rechts		wie 206 c, mit Standvisier und Klappe, Korn mit Silberperle, Schiene guillochiert, feine **Jagdstückgravur**		**Starkes Modell,** Rouxverschluss, Selbstspanner, **Schraubvisier, Korn mit Silberperle, Stecher rechts,** Pistolengriff, Sicherung englische Gravur				Wie 209 c aber mit **englischer Renaissance-Gravur** wie Abbildung.			
	S'armant automatiquement, fermeture Roux, hausse fixe, guidon spécial, crosse pistolet, sûreté, garniture noire, gravure anglaise		comme 206 c, **à double détente** à droite		comme 206 c avec hausse fixe à battant, point de mire argent perle, bande guillochée, élégant **sujet de chasse gravé**		**Fort modèle, fermeture Roux,** s'armant automatiquement, **hausse à vis, point de mire argent perle, à double détente à droite,** crosse pistolet, sûreté, gravure anglaise				Comme 209 c mais avec **gravure anglaise Renaissance,** suivant illustration			
	Self-cocker, Roux-lock standing sight, front field sight, pistol grip, safety, black mounting, English engraving		like 206 c, with **hair-trigger** lock at right		like 206 c, with rear standing sight and flap, front sight with silver pearl, extension rib, **fine hunting-scene engraved**		**Strong model, Roux lock,** self cocker, **screw sight, front sight with silver pearl, hair trigger at right,** pistol grip, safety, English engraving				Like 209 c but with **English renaissance engraving** as in illustration			
	Se-arman automaticámente cierre Roux, alza fija, puño de pistola, seguridad, guarnición negra, grabado á inglés		Como el 206 c, **de doble escape** á la derecha		Como 206 c, con alza fija batiente, punto de mira con plata perla, cinta torneada, **elegantes figuras de caza grabadas**		**Modelo fuerte, cierre Roux,** se arma automáticamente, **alza de tornillo, guiador con plata perla, de doble escape á la derecha,** puño de pistola, seguridad, grabado inglés				Como el 209 c, pero con **grabado inglés Renaissance,** según la ilustración			
Cal.	6×9	9×9	6×9	9×9	6×9	9×9	6×9, 1×40	9×9, 1×40	22 Winch. 11×52	8,15, 11×52	6×9, 1×40	9×9, 1×40	22 Winch. 11×52	8,15 11×52
Mark	82.—	82.—	[illegible]	96.—	108.—	108.—	114.—	114.—	120.—	128.—	128.—	128.—	128.—	140.—

Schiessstöcke. Marke „Cafeld“ | **Cannes à feu.** Marque „Cafeld“ | **Cane Guns.** Marke „Cafeld“ | **Bastones escopetas.** Marca „Cafeld“

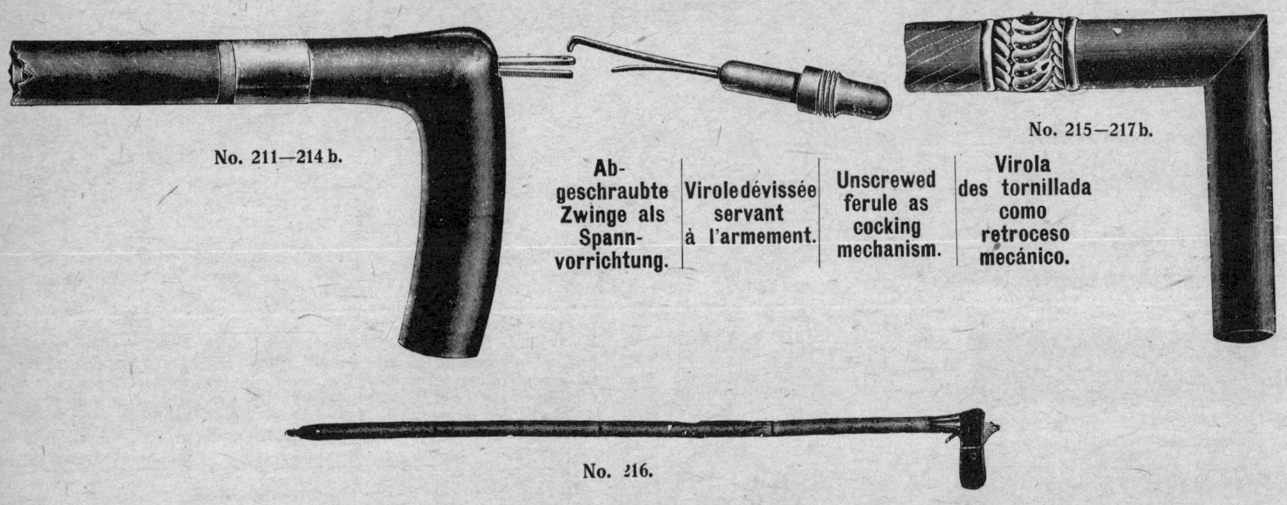

Die Stöcke haben glatten Lauf, kosten gezogen mehr Mk. 3.—.

Telegrammwort † „zi“ anhängen.

Les cannes sont en principe à canon **lisse**; à canon **rayé**, elles coûtent en plus Mk. 3.— Ajouter: † „zi“ au mot télégraphique.

The canes have a **smooth** barrel with rifled barrel we charge additional Mark 3.—.

Adol † „zi“ to code-word.

Los bastones son de cañón liso — y cuestan con cañon, rayado Mark 3.— mâs.

Añadir „zi“ á la palabra telegráfica.

No.	211	211a	211b	212	212a	212b	213	213a	213b	214	214a	214b	215	215a	315b	216	216a	216b	217	217a	217b
†	Sta	Stast	Staff	Ste	Stest	Steff	Sti	Stist	Stiff	Sto	Stost	Stoffix	Stu	Stust	Stuff	Stam	Stamx	Stamz	Stem	Stemx	Stemz
	Glatter Lauf, gebläutes Rohr, Holzgriff, **Gewindverschluss**			Wie 211 mit **Rohrüberzug**			Wie 212 mit **indischem Horngriff**			Mit **Büffelhorngriff** und **Knotenstocküberzug**			Mit **Stufenrohr** und **Gummigriff**			**Nussbaumüberzug, Holzgriff**			Wie 216 mit **Horngriff**		
	Canon lisse — tuyau bleui — poignée bois, **fermeture à pas de vis**			Comme 211 mais **tuyau à revêtement**			Comme 212 avec **poignée de corne indienne**			Avec **poignée de corne** de bufle et **revêtement** bois à nœuds			Avec **tuyau à gradins** et **poignée de caoutchouc**			**Revêtement de noyer, poignée de bois**			Comme 216 avec **poignée de corne**		
	Smooth barrel, blued cane, wooden handle, **winding lock**			Like 211 but **cane mounted**			Like 212 with **Indian horn handle**			With **buffalo horn handle** and **knotted cane covering**			With **notched cane** and **rubber handle**			**Walnut mounted, wooden handle**			Like 216 with **horn handle**		
	Cañón liso — cana azulada — empuñadura de madera — **cierre de tornillo mecánico**			Como el 211, con **revestimiento** sobre la caña			Como el 212 con **empuñadura de cuerno indio**			Con **empuñadura de cuerno de búfalo y revestimiento nudoso**			Con caña de escalones y empuñadura de cautchuc			**Revestimiento** de **nogal** — **empuñadura de madera**			Como 216 con **empuñadura** de **madera**		
Cal.	6 mm	7 mm	9 mm	6 mm	7 mm	9 mm	6 mm	7 mm	9 mm	6 mm	7 mm	9 mm	6 mm	7 mm	9 mm	6 mm	7 mm	9 mm	6 mm	7 mm	9 mm
Mark	17.50	17.50	15.50	19.—	19.—	17.—	20.50	20.50	18.50	24.—	24.—	23.—	23.50	23.50	22.50	22.50	22.50	21.50	24.—	24.—	23.—

Hahnlose Schiessstöcke Marke „Ebert“.

Cannes à feu sans chien, Marque „Ebert“.

Hammerless Cane-Guns Mark „Ebert“.

Bastones escopeta sin gatillos Marca „Ebert“.

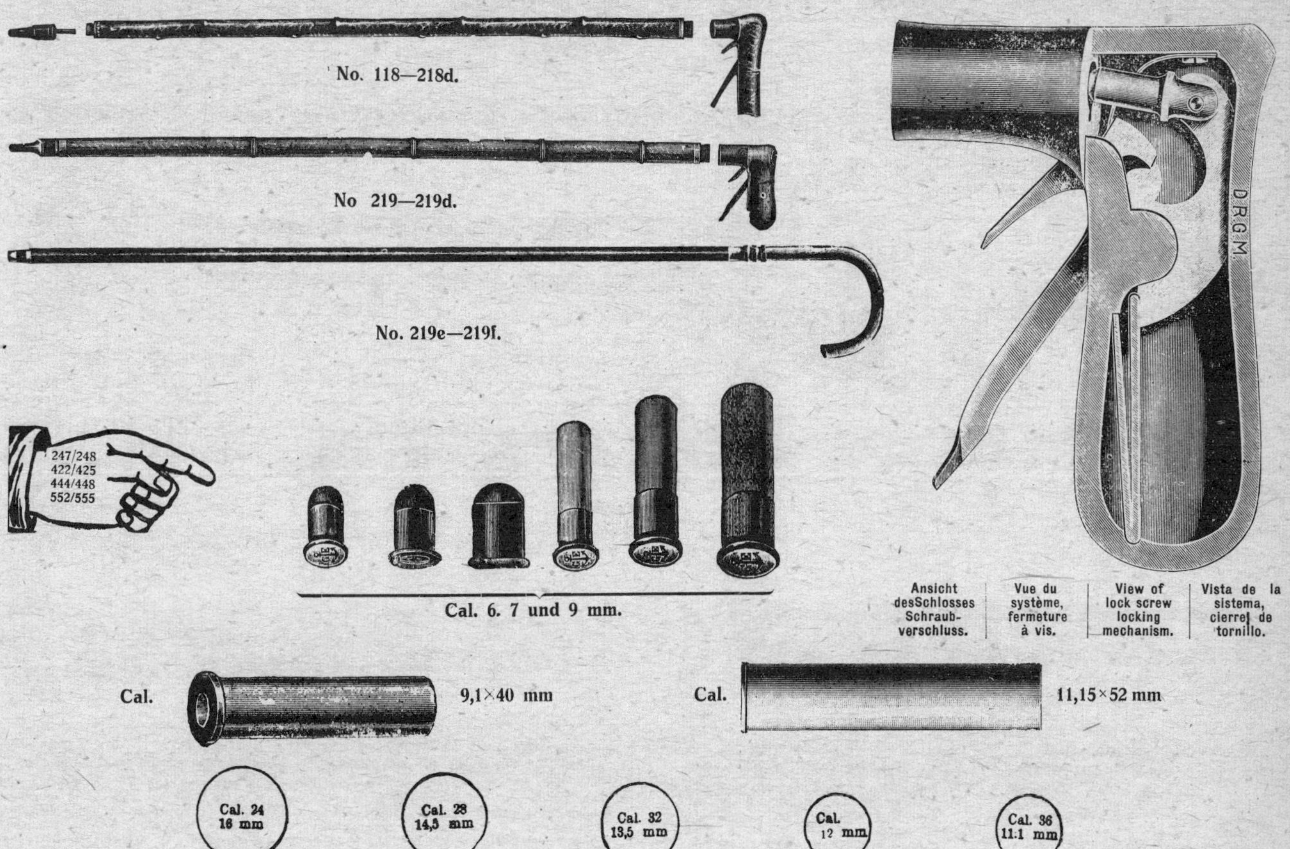

No. 218—220 werden auch in Centralfeuer für Schrotpatronen geliefert, Mehrpreis Mark 5.—

Telegrammwort ist anzuhängen, siehe Vorwortseite XIV.

Die Stöcke haben glatten Lauf, kosten gezogen mehr Mk. 3.—.

Telegrammwort † „zi“ anhängen

No. 218—220 sont aussi délivrés pour cartouches à plombs à feu central — Augmentation de M. 5.—

Dans ce cas il faut ajouter une dénomination télégraphique (voir avant propos page XIV).

Les cannes sont en principe à canon **lisse**; à canon **rayé**, elles coûtent en plus M. 3.—.

Ajouter † „zi“ au mot télégraphique.

No. 218—220 are supplied also in central fire for shot cartridges, additional price Mark 5.—.

Add code-word, see preface page XIV

The canes have a **smooth** barrel with rifled barrel we charge additional Mark 3.—.

Adol † „zi“ to code-word.

También se probéen los No. 218—220 para cartuchos de perdigones de fuego central. Aumento de M. 5.—.

En este caso hay que añadir una palabra telegráfica (Ver página XIV al principio del catálogo).

Los bastones son de cañón liso — Los de cañón, rayado cuestan Mark 3.— más.

Añadir „zi“ a la palabra telegráfica

No.	218	218 a	118 b	218 c	218 d	219	219 a	219b	219 c	219d	219 e	219 f
†	Stim	Stimx	Stimz	Stimw	Stimvi	Stom	Stomx	Stomz	Stomw	Stomvi	Stombret	Stomsang
	Hahnlos, Nussbaumüberzug, Horngriffschalen					Wie 218 aber **Horngriff,** aus **einem** Stück					**Aus Stahl,** mit **Nickelgriff,** Patentschloss, Selbstspanner mit **Spannring.** Gebrauchsanweisung wird mit geliefert. Sehr elegant und leicht.	
	Sans chien — **revêtement de noyer** — poignée avec **plaquettes de corne**					Comme 218 mais **poignée de corne,** d'une seule pièce					**En acier,** poignée **nickelée,** système deposé. **Armement** automatique au moyen d'un anneau. Mode d'emploi est joint à chaque livraison. Très élégant et léger.	
	Hammerless, walnut mounted, handle with horn covering					Like 218 but **horn handle** in one piece					**Steel** with **nickel** handle, **self cocking** by ring. With direction for use. Very elegant and light.	
	Sin gatillo, revestimiento de nogal — **empuñadura con capas de cuerno**					Como el 218, pero **empuñadura de cuerno,** de una sola pieza					**De acero** con **puño nickelado, armándose automáticamente** por **anillo.** Modo de usar seañade á cada entrega. Muy elegante y ligero.	
Cal.	6 mm	7 mm	9 mm	9,1×40	11×52mm	6 mm	7 mm	9 mm	9,1×40	11×52mm	6 mm	9 mm
Mark	26.—	26.—	25.—	27.—	28.50	28.—	28.—	27.—	28.50	30.50	18.—	19.50

Schießstöcke. | Cannes à feu. | Cane Guns. | Bastones de fuego.

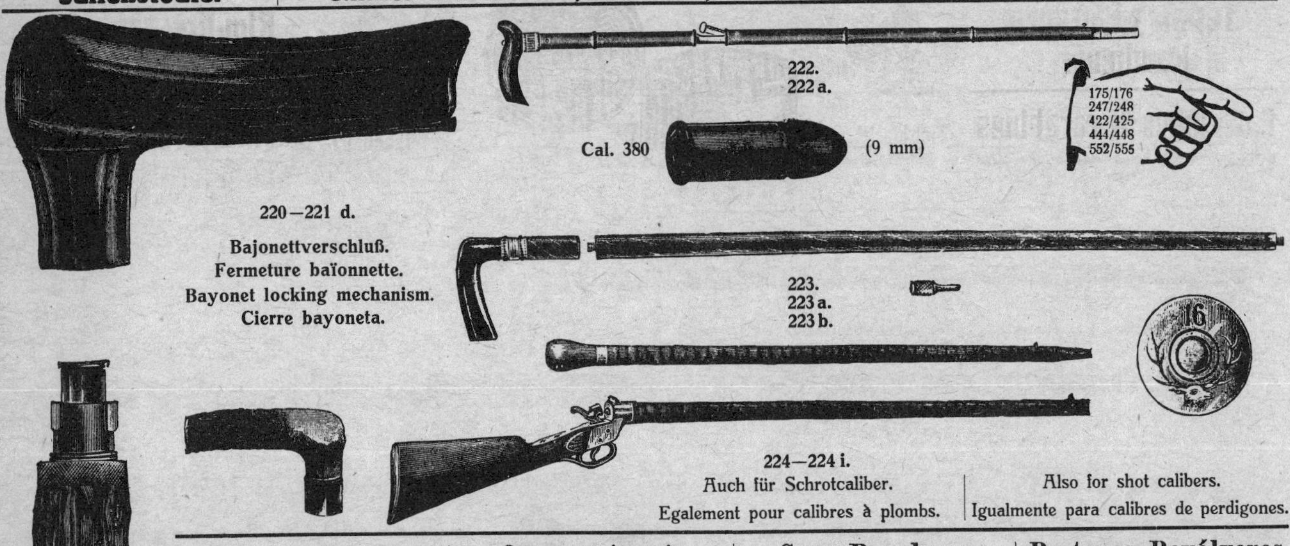

220—221 d.

Bajonettverschluß.
Fermeture baïonnette.
Bayonet locking mechanism.
Cierre bayoneta.

224—224 i.
Auch für Schrotcaliber. | Also for shot calibers.
Egalement pour calibres à plombs. | Igualmente para calibres de perdigones.

Revolver-Schiess- und Reitstöcke. | Cannes-revolvers de promenade et de cheval. | Cane Revolvers and Riding canes. | Bastones-Revólveres de paseo y de á caballo.

Cal. 22SHT 22.

220 e.
220 f.

220 g.
220 h.

Revolver-Schießstock.
Canne-revolver de promenade.

Für Nr 220—221—224 gelten bezüglich anderer Caliber, für alle Stöcke bezüglich, des gezogenen Laufes die Bemerkungen auf voriger Seite.

Cane Revolvers.
Bastón-revólver de paseo

Les remarques de la page précédente concernant les calibres s'appliquent aux No. 220—221—224 et celles concernant les canons rayés s'appliquent à toutes les cannes-revolvers sans exception.

Revolver-Reitstock.
Canne-revolver de cheval.

The remarks on the preceding page respecting other calibers apply for Nos 220—221—224 and the remarks respecting rifling apply for all sticks.

Revolver Riding Cane.
Bastón-revólver de caballo.

Las observaciones de la pagina precedente en lo que concierne los calibres seaplican á los numeros 220, 221—224 y las en lo que concierne los cañones rayados seaplican á todos los bastones-revólveres sin excepción.

<table>
<tr><td></td><td>220</td><td>220 a</td><td>220 b</td><td>220 c</td><td>220 d</td><td>221</td><td>221 a</td><td>221 b</td><td>221 c</td><td>221 d</td><td>222</td><td>222 a</td><td>223</td><td>223 a</td><td>223 b</td><td>224</td><td>224 b</td><td>224 c</td><td>224 d</td><td>224 e</td><td>224 a</td><td>224 f</td><td>224 g</td><td>224 h</td><td>224 i</td><td>220 e</td><td>220 f</td><td>220 g</td><td>220 h</td></tr>
<tr><td></td><td>† Stum</td><td>† Stumz</td><td>† Stumx</td><td>† Stumst</td><td>† Stumpf</td><td>† Stuma</td><td>† Stumatz</td><td>† Stumarx</td><td>† Stumast</td><td>† Stumapf</td><td>† Pap</td><td>† Papz</td><td>† Pep</td><td>† Pepf</td><td>† Pepz</td><td>† Pip</td><td>† Pipz</td><td>† Pipf</td><td>† Piploch</td><td>† Pipkam</td><td>† Piprols</td><td>† Pipbohn</td><td>† Pipbrat</td><td>† Pipsof</td><td>† Pipkak</td><td>† Pipresto</td><td>† Pipganso</td><td>† Pippelso</td><td>† Pipento</td></tr>
<tr><td></td><td colspan="5">Bajonettverschluß, Holzgriff, Rohrüberzug</td><td colspan="5">Wie 220, mit Horngriff und Knotenüberzug</td><td colspan="2">Bajonettverschluß, der das Schloß spannt, selbsttätiger Auswerfer u. Sicherung, Abzug springt beim Drehen des Rings vor, Horngriff, Knotenüberzug</td><td colspan="3">Wie 222, aber mit gewöhnlichem Schraubverschluß</td><td colspan="5">72 cm langer Lauf mit Anschlagkolben, Schraubverschluß, runder Griff, schwarze Schloßteile, (mit Büffel- oder Hirschhornkrücke mehr M. 4.—)</td><td colspan="5">Wie 224, aber mit Patronenauswerfer</td><td>Eleganter dunkelbrauner Spazierstock mit Revolver im Griff. Revolver u. Dolch vernickelt, Randfeuer, vorspringender Abzug, Büffelhorngriff, rund, Geheim-Bajonett-Verschluß</td><td>Wie 220 e, mit gerader Krücke</td><td>Wie 220 e, aber als Reitstock</td><td>Wie 220 g, mit gerader Krücke</td></tr>
<tr><td></td><td colspan="5">Fermeture baïonnette, poignée bois, revêtement avec du tuyau</td><td colspan="5">Comme 220, avec poignée de corne et revêtement à nœuds</td><td colspan="2">Fermeture baïonnette, qui arme le mécanisme, éjecteur automatique, sûreté, la détente saute quand on tourne l'anneau, poignée corne, revêtement à nœuds</td><td colspan="3">Comme 222, mais fermeture à vis ordinaire</td><td colspan="5">Canon de 72 cm, avec crosse pour épaulement, fermeture à vis, poignée ronde, pièces de serrure noires, (avec poignée en corne de bufle ou de cerf, augmentation de M. 4.—)</td><td colspan="5">Comme 224, mais avec éjecteur automatique</td><td>Elégante canne de promenade de couleur brune foncée, avec revolver dans la poignée, le revolver et la lame sont nickelés, percussion annulaire, détente se plaçant automatiquement en position, poignée ronde en corne de bufle, fermeture baïonnette, secrète</td><td>Comme 220 e, à poignée droite</td><td>Comme 220 e, mais cravache de cheval</td><td>Comme 220 g, avec poignée droite</td></tr>
<tr><td></td><td colspan="5">Bayonet lock, wooden handle, cane mounting</td><td colspan="5">Like 220, with horn handle and knotted cane covering</td><td colspan="2">Bayonet lock which cocks the cane, automatic ejector and safety, the trigger projects on the turning of the ring, horn handle with knotted cane covering</td><td colspan="3">Like 222, but with ordinary screw lock</td><td colspan="5">Barrel 72 cm long with butt, screw lock, round handle, black lock parts (with buffalo or stag horn handle additional M. 4.—)</td><td colspan="5">Like 224, but with cartridge ejector</td><td>Elegant dark brown walking stick, with revolver in handle. Revolver and dagger nickeled, rim-fire, projecting trigger, round buffalo horn handle, secret bayonet lock</td><td>Like 220 e, with straight crook</td><td>Like 222 e, but as riding cane</td><td>Like 220 g, with straight crook</td></tr>
<tr><td></td><td colspan="5">Cierre de bayoneta, puño de madera, con revestimiento de tubo</td><td colspan="5">Como 220, con puño de cuerno y revestimiento nudoso</td><td colspan="2">Cierre de bayoneta que arma el bastón automáticamente, ejector automático, seguridad, el fiador salta cuando se merce el anillo, puño de cuerno, revestimiento nudoso</td><td colspan="3">Como 222, pero de cierre de tornillo ordinario</td><td colspan="5">Cañón de 72 cm, con culata para las espaldas, cierre de tornillo, puño redondo, piezas de cerradura negras, con puño de cuerno de búfalo ó de ciervo, aumentación de M. 4.—</td><td colspan="5">Como 224, pero con eyector automático</td><td>Elegante bastón de paseo, de color oscuro, con revólver en el puño; el revólver y la hoja son niquelados, de percusión anular, el fiador, se coloca automáticamente en posición, puño redondo en cuerno de búfalo, cierre bayoneta secreta</td><td>Como 220 e, de puño derecho</td><td>Como 220 e, pero bastón de caballo</td><td>Come 220 g, con puño derecho</td></tr>
<tr><td>Cal.</td><td>6</td><td>7</td><td>9</td><td>9,1×40</td><td>11×52</td><td>6</td><td>7</td><td>9</td><td>9,1×40</td><td>11×52</td><td>9,1×40</td><td>380</td><td>9,1×40</td><td>380</td><td>11×52</td><td>6</td><td>7</td><td>9</td><td>9,1×40</td><td>11×52</td><td>6</td><td>7</td><td>9</td><td>9,1×40</td><td>11×52</td><td>22</td><td>22</td><td>22</td><td>22 mm</td></tr>
<tr><td>Mk.</td><td>30.—</td><td>30.—</td><td>30.—</td><td>31.—</td><td>31.50</td><td>32.50</td><td>32.50</td><td>32.50</td><td>34.—</td><td>35,50</td><td>32.—</td><td>32.—</td><td>34.—</td><td>36.—</td><td>34.—</td><td>25.—</td><td>25.—</td><td>25.—</td><td>27.—</td><td>27.—</td><td>27.—</td><td>27.—</td><td>27.—</td><td>29.—</td><td>29.—</td><td>25.—</td><td>25.—</td><td>32.</td><td>32.—</td></tr>
</table>

Tesching-Patronen Randfeuer.

Cartouches de carabines à percussion annulaire.

Rim-fire cartridges for small rifles.

Cartuchos de carabinas, de percusión anular.

Cal.		No.	Cal.		No.
6 mm		A 1 A 1a	6 mm 22 long Mushroom	← M	A 22 A 22a
6 mm	Schiesspulver verstärkt, englisch. poudre très forte, anglais. strong gunpowder, English. pólvora muy fuerte, inglés.	A 16 A 17	6 mm 22 long rifle		A 9b A 9c
6 mm		A 2	6 mm 22 long rifle Mushroom	← M	A 26 A 27
6 mm Bosquette	174 178/183	A 3	6 mm 22 extra long		A 9 A 9a
6 mm Bosquette		A 4	6 mm 22 extra long Mushroom	← M	A 29 A 29a
6 mm Bosquette	Kugel mit Rand. Balle avec bord. ball with rim. Bala con borde.	A 5	6 mm 22 R Winch		A 10
6 mm B B		A 6	6 mm Longue portée		A 11
6 mm 22 short		A 7 A 7a	6 mm		A 12
6 mm 22 short Mushroom	← M	A 19 A 19a	6 mm	extra lang extra long extra long extra largo	A 13
6 mm 22 long		A 8 A 8a	6 mm 22 long	Schrot à plombs shot de perdigones	A 14

No.	A 1	A 1a	A 16	A 17	A 2	A 3	A 4	A 5	A 6	A 7	A 7a
†	Pat	Patt	Patzt	Patx	Pet	Pit	Pot	Put	Pata	Pate	Patezt
geladen mit	Kugel	Platz	Kugel	Platz	Kugel	Kugel	Kugel	Kugel	Kugel	Kugel	Kugel, rauchlos
chargé à	Balle	Blanc	Balle	Blanc	Balle	Balle	Balle	Balle	Balle	Balle	Balle, sans fumée
loaded with	ball	blank	ball	blank	ball	ball	ball	all	ball	ball	smokeless, ball
Cargado con	bala	blanco	bala	blanco	bala	bala	bala	bala	bala	bala	bala, sin humo
per 1000 Mark	7.76	7.44	9.76	9.44	10.16	15.60	15.60	15.60	9.80	17.28	18.40

No.	A 19	A 20	A 8	A 8a	A 22	A22a	A 9b	A 9c	A 26	A 27	A 9
†	Retu	Retuzt	Patl	Patizt	Retua	Retuarx	Retuast	Retuazl	Retuanf	Retuav	Pato
geladen mit	Hohlkugel	Hohlkugel, rauchlos	Kugel	Kugel, rauchlos	Hohlkugel	Hohlkugel, rauchlos	Kugel	Kugel, rauchlos	Hohlkugel	Hohlkugel, rauchlos	Kugel
chargé à	Balle creuse	Balle creuse, sans fumée	Balle	Balle, sans fumée	Balle creuse	Balle creuse, sans fumée	Balle	Balle, sans fumée	Balle creuse	Balle creuse, sans fumée	Balle
loaded with	hollow ball	hollow ball, smokeless	ball	ball, smokeless	hollow ball	hollow ball, smokeless	ball	ball, smokeless	hollow ball	hollow ball, smokeless	ball
Cargado con	bala hueca	bala hueca, sin humo	bala	bala, sin humo	bala hueca	bala, sin humo	bala	bala, sin humo	bala hueca	bala, sin humo	bala
per 1000 Mark	17.78	18.90	20.80	22.08	21.30	22.58	21.40	22.50	21.90	23.—	32.-

No.	A 9a	A 29	A 29a	A 10	A 11	A 12	A 13	A 14
†	Patozt	Patoxl	Patoof	Patu	Peta	Peti	Poto	Petu
geladen mit	Kugel, rauchlos	Hohlkugel	Hohlkugel, rauchlos	Kugel	Kugel	Schrot	Doppel-Schrot	Schrot
chargé à	Balle, sans fumée	Balle creuse	Balle creuse, sans fumée	Balle	Balle	Plombs	Doubles plombs	Plombs
loaded with	ball, smokeless	hollow ba	hollow ball, smokeless	ball	ball	shot	double shot	shot
Cargado con	bala, sin humo	bala hueca	bala, sin humo	bala	bala	Plomos	Plomos dobles	Plomos
per 1000 Mark	34.—	32.50	34.50	29.30	55.—	22.80	32.—	26.—

Tesching-Patronen Randfeuer. Cartouches de carabines, à percussion annulaire. Rim-fire cartridges for small rifles. Cartuchos de carabinas, de percusión anular.

Cal.		No.
7 mm		B 1 B 6
7 mm	Schiesspulver verstärkt, englisch. poudre très forte, anglais. strong gunpowder, English. Polvora muy fuerte, inglès.	B 7 B 8
7 mm		B 2
7 mm Bosquette		B 3
7 mm		B 4
7 mm	extra lang extra long extra long extra largo	B 5
9 mm		C 1 C 13
9 mm	Schiesspulver verstärkt, englisch. poudre très forte, anglais. strong gunpowder, English. Polvora muy fuerte, inglès.	C 14 C 15
9 mm		C 2
9 mm Bosquette		C 3

Cal.		No.
9 mm Bosquette		C 4
9 mm Bosquette		C 5
9 mm		C 6
9 mm	extra lang extra long extra long extralargo	C 7
9 mm	extra lang extra long extra long extralargo	C 8
9 mm 350 sharps		C 9
9 mm 350 sharps		C 10
9 mm 45 mm sharps		C 11
9 mm 54 mm sharps		C 12

174
178/183

Centralfeuer-Tesching-Patronen Seite 444/451. | Cartouches à feu central pour carabines page 444/451. | Center-fire cartridges for small rifles page 444/451. | Cartuchos de fuego central para carabinas página 444/451.

No.	B 1	B 6	B 7	B 8	B 2	B 3	B 4	B 5	C 1	C 13	C 14	C 15	C 2	C 3	C 4	C 5	C 6	C 7	C 8	C 9	C 10	C 11	C 12
†	Rat	Retzt	Retfl	Retth	Ret	Rit	Rot	Rut	Rata	Ratazt	Rutuzt	Rotozt	Rate	Rati	Rato	Ratu	Rette	Reta	Reti	Ar	Ir	Or	Uro
geladen mit	Kugel	Platz	Kugel	Platz	Kugel	Kugel	Schrot	Doppel-Schrot	Kugel	Platz	Kugel	Platz	Kugel	Kugel	Kugel	Kugel	Schrot	Doppel-Schrot	Doppel-Schrot	Kugel	Kugel	Schrot	Schrot
chargé à	Balle	Blanc	Balle	Blanc	Balle	Balle	Plombs	Doubles plombs	Balle	Blanc	Balle	Blanc	Balle	Balle	Balle	Balle	Plombs	Doubles plombs	Doubles plombs	Balle	Balle	Plombs	Plombs
loaded with	ball	blank	ball	blank	ball	ball	shot	double shot	ball	blank	ball	blank	ball	ball	ball	ball	shot	doubleshot	doubleshot	ball	ball	shot	shot
Cargado con	bala	blanco	bala	blanco	bala	bala	plomos	plomos dobles	bala	blanco	bala	blanco	bala	bala	bala	bala	plomos	plomos dobles	plomos dobles	bala	bala	plomos	plomos
per 1000 Mk.	18.16	16.80	21.36	20.—	21.60	32.—	32.80	48.—	24.24	23.16	25.04	23.92	17.68	44.80	44.80	44.80	38.08	57.60	57.60	52.—	52.—	80.—	83.—

Tesching-Futterale.	Etuis de carabines.	Covers for small rifles.	Estuches de carabinas.
Bezeichnung = F = heisst passend für Teschings. Bezeichnung = V = heisst passend für Vogelflinten.	= F = signifie pour carabines. = V = „ fusils à oiseaux.	The specification = F = means suitable for small rifles. The specification = V = means suitable for fowling pieces.	= F = significa carabinas. = V = „ de paiaros.

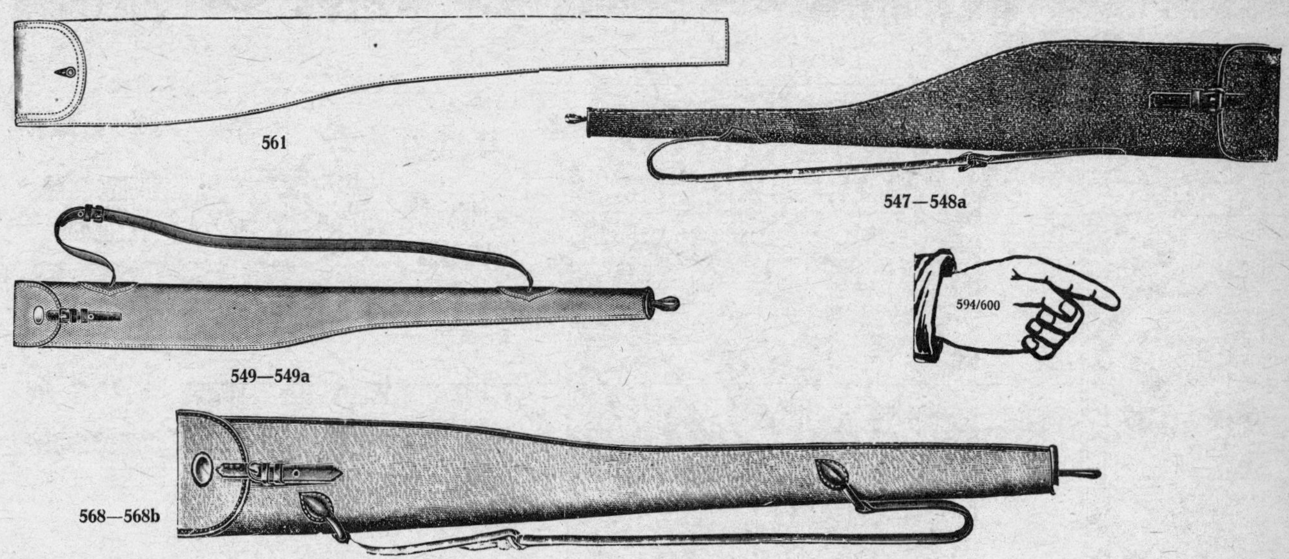

561

547—548a

549—549a

568—568b

Tesching-Riemen.	Courroies de carabines.	Straps for small rifles.	Correas para carabinas.

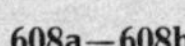

608a—608b

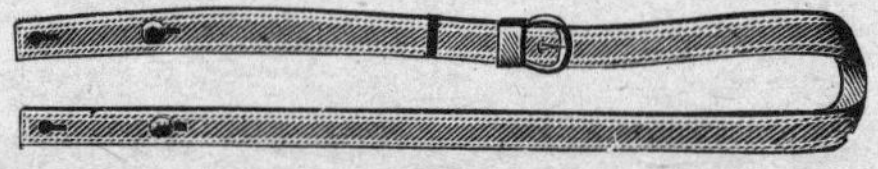

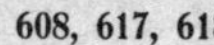

608, 617, 618

637—637b

	561	547	547a	548	548a	549	549a	568b	568c	568	568a	608a	608b	608	617	618	637	637a	637b
†	Fuhil	Flosel	Floselz	Flohas	Flohast	Floled	Floledz	Floledst	Floledkt	Igflob	Igflobz	Igfolbs	Igfolbzt	Kwal	Kwux	Klaw	Kurw	Kurwz	Kurwst
	Weiches Biber-stoff-Futteral mit Knopf	leichtes braunes Segeltuch, Klappe mit Leder-Einfassung, Lederriemen		Wie 547 aber aus la.schwerem Segeltuch		Wie 548 aber ganz mit braunem Rindled. eingefasst		Aus schwarz. starken Chagrin-Leder mit Lederriemen		Aus gut. kaffeebraunem Rindled. mit Ledertragriemen		Aus gelbem Rindleder mit Schnalle und Knöpfen	wie 608a aus braunem Rindleder	wie 608b aber 20 mm breit, 100 cm lang, mit Knöpfen	wie 608, aber aus la.bestem weichen Rindleder	wie 617, aber aus bestem deutsch. Kern-Juchtenleder	Riemenknopf aus Aluminium	wie 637 Messing	wie 637a vernickelt
	Etui souple en étoffe avec bouton	En toile à voile, brune et légère, rabat avec bordure de cuir, courroie de cuir		Comme 547 mais en forte toile à voile de 1 qualité		Comme 548 mais tout bordé de vachette brune		En chagrin noir très fort, avec courroie de cuir		En bonne vachette couleur café, avec courroie de cuir		En vachette jaune, avec boucle et boutons	Comme 608a en vachette brune	Comme 608b mais large de 20 mm, long de 100 cm, avec boutons	Comme 608 mais en vachette souple, de la'qualité	Comme 617 mais en youfte allemand de qualité extra	Bouton d'assemblage pour courroies, en aluminium	Comme 637, en laiton	Comme 637a, nickelé
	cover of soft beaver material with button	light brown canvas, flap with leather border, leather strap		like 547 but of prime heavy canvas		like 548 but bordered entirely with brown cow-hide		of strong black shagreen leather with leather strap		of good coffee brown cow-hide with leather carrying strap		of yellow cowhide with buckle and buttons	like 608a of brown cowhide	like 608b but 20 mm broad 100 cm long with buttons	like 608 but of prime best soft cowhide	like 617 but of best German red leather	strap button of aluminium	like 637 brass	like 632 nickeled
	Estuche blando de estofa con botón	De tela vscura ligera con borde de cuero, corea de cuero		Como 547 pero de tela fuerte de 1a calidad		Como 548 pero bordeado de vaqueta oscura		De cuero negro, muy fuerte y con correa de cuero		De vaqueta buena, color café, correa de cuero		De vaqueta amarillo y botones	Como 608a de vaqueta ascura	Como 608b, pero ancho de 20 mm, largo de 100 cm, con botones	Como 608 pero vaqueta blanda, de 1 a calidad	Como 617 pero de cuero de Rusia aleman de buena calidad	Botón de alzado para correas de aluminio	Como 637 laton	como 636a niquelado
Cal.:	F & V	F	V	F	V	F	V	F	V	F	V	F & V	F & V	F & V	F & V	F & V	F & V	F & V	F & V
pro	10	10	10	10	10	10	10	10	10	10	10	10	10	10	10	10	100	100	100
Mark	18.—	45.—	49.—	51.—	54.—	65.—	69.—	76.—	82.—	100	105	8.50	8.50	13.—	13.—	14.—	4.80	5.40	6.60

Eureka-Gummipfeil-Waffen | Armes „Eureka“ à flèches de caoutchouc | Eureka arms for rubber darts | Armas „Eureka“ de flechas de cautchuc

Amorce-Gewehr
Armes à amorces
Rifle for caps
Armas de cebos

Gewehre ◇ Fusils ◇ Rifles ◇ Fusiles

354 k 354 l

354 x

Ersatzscheiben — Cibles de rechange — Reserve targets — Blancos de recambio

354 t — 354 w

Ersatzteile — Pièces de rechange — Spare parts — Piezas de recambio

354 r — 354 s

354 m — 354 p

354 k	354 l	354 x	354 m	354 n	354 o	354 p	354 r	354 s	354 t	354 u	354 v	354 w
			→ Ersatzteile — Pièces de rechange — Spare parts — Piezas de recambio ←									
† Eiriwell	† Eiridech	† Eurschild	† Eurefed	† Euredef	† Eurefil	† Eurelif	† Euregum	† Euremug	† Eurehoz	† Eurezoh	† Eureseb	† Eurebes
Amorce-Gewehr, schlägt gleichzeitig ein Amorce ab, Lauf und Garnitur vernickelt, eleganter Holzschaft mit Tragriemen, 2 Pfeile auf 70 cm hoher 3 farb. Ringscheibe	**Amorce-Gewehr** wie 354 k aber in solidem **Tuchfutteral** mit Lederbesatz und Tragriemen, 2 Pfeile und Ringscheibe 28/38 cm	**Reklame-Eurekaschild für Schaufenster,** wie Abbildung mit 2 Gewehren. 4 Pistolen, 12 Pfeilen	**Pistolenpfeile**	**Gewehrpfeile**	**Hölzer** zu Pistolen und **Gewehrpfeilen**	**Ersatzpfeilgummi**	**Ersatz federn** für Pistolen	**Ersatzfedern** für Gewehre	2 farbige **Ringscheibe** 20/28 cm	Wie 354 t 28/38 cm	**3 farbige Ringscheibe** 23/60 cm	Wie 354 v **23/70 cm**
Fusil à amorce, fait en même temps déflagrer une amorce, canon et garniture nickelés, crosse de bois élégante, avec bretelle, 2 flèches, sur cible de 70 cm en 3 couleurs	**Fusil à amorce** comme 354 k mais dans un **solide étui** de toile avec garniture de cuir, bretelle, 2 flèches, et cible de 28/38 cm avec cercles	**Tableau de réclame** „Eureka“ pour **devantures,** suivant l'illustration, avec 2 fusils, 4 pistolets et 12 flèches	Flèches pour pistolet	**Flèches** pour **fusil**	**Bois** pour **flèches** de pistolets et fusils	**Caoutchouc** de **rechange** pour flèches	**Ressorts** de **recharge** pour pistolets	**Ressorts de rechange** pour fusils	**Cible avec cercles** en 2 couleurs, de 20/28 cm	Comme 354 t 28/38 cm	Cibles avec **cercles en 3 couleurs,** de 23/60 cm	Comme 354 v **23/70 cm**
Rifle for paper caps, fires cap simultaneously nickeled barrel and mounting, elegant wooden stock with strap, 2 darts on 3 colored ring target 70 cm high	**Rifle for paper caps** like 354 k but in **strong cloth cover** with trimming and strap, 2 darts and ring target 28/38 cm	„Eureka“ **advertising board** for **show windows,** as in illustration with 2 rifles, 4 pistols, 12 darts	**darts** for **pistols**	**Darts** for rifles	**Sticks** for pistol and rifle, **darts**	**Spare rubber** for darts	**Spare springs** for pistols	**Spare springs** for rifles	2 colored ring target 20/28 cm	like 354 t 28/38 cm	**3 colored ring,** target 23/60 cm	Like 354 v **23/70 cm**
Fusil de cebo deflagra simultaneamente cebos, cañón y montura niqueladas, elegante de madera y tirante 2 flechas sobre blanco	**Fusil de cebo** como 354k, pero en un **estuche sólido** de **paño** con montura de cuero, tirante, 2 flechas y blanco en circulo 28/38 cm	**Cuadro de reclamo** „Eureka“ **para delanteras,** según ilustración, con 2 fusiles, 4 pistolas y 12 flechas	**Flechas** para **pistola**	**Flechas** para **fusiles**	**Madera** para **flechas** de pistolas y carabinas	**Cautchucs** de **recambio** para flechas	**Resortes** de **recambio** para pistolas	**Resortes** de **recambio** para fusiles	**Blancos** en circulo de 2 **colores**	Como 354 t 28/38 cm	**Blancos** en circulo de 3 colores 23/60 cm	Como 354 v **23/70 cm**
p. Dtz. / par douzaine / per doz. / por docena: Mk. 67.20	86.40	260.—	2.60	2.60	1.—	1.80	1.20	1.20	3.—	4.40	5.40	7.20

Kinder-Gewehre. | Fusils d'enfants. | Childrens toy guns. | Fusiles para ninos.

Knallgewehre mit Kork. | Fusils à détonation avec bouchon. | Pop-guns with cork. | Fusiles de detonación con tapón.

416 a—416 e

416 f—416 l

416 m—416 v

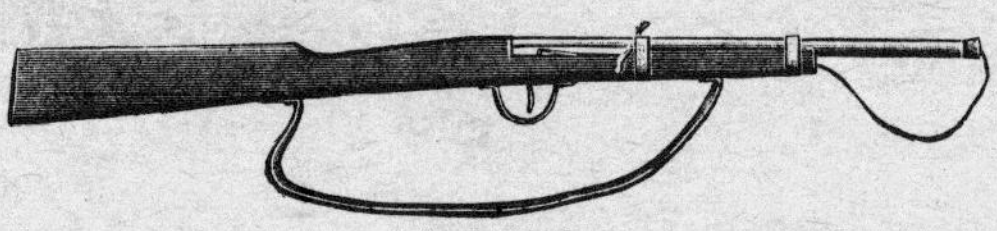

416 w—416 z
417 b—417 d

214/215

Kombinierte Knallgewehre für Kork, Amorce mit Ladestock. | Fusil à détonation, combiné pour bouchon et amorce, avec baguette. | Pop-guns combined for cork and cap with ramrod. | Fusil de detonación combinado para tapón y cebo, con baqueta.

Selbstlader-Knallgewehr, Kork, dauernd im Lauf. | Fusil à détonation se cheargeant automatiquement, bouchon toujours dans le canon. | Automatic pop-gun, cork always in barrel. | Fusil de detonación que se carga automáticamente, tapón siempre en el cañón.

417 e—417 h

417 i, 417 k

	416 a	416 b	416 c	416 d	416 e	416 f	416 g	416 h	416 i	416 k	416 l	416 m	416 n	416 o	416 p	416 r	416 s	416 t
†	Bubelas	Bubepat	Bubepet	Bubepit	Bubepot	Bubeput	Buberas	Buberes	Buberis	Buberos	Buberus	Bubesan	Bubesen	Bubesin	Bubeson	Bubesun	Bubetal	Bubetel
	Knallflinte mit Kork, weiches Holz, **gebeizt**, Blechlauf					**Knallflinte m. Kork**, weiches Holz, **lackiert**, Blechlauf		Wie 416 f, aber noch mit **Gurtband**			Wie 416 h, aber **hartes** Holz	**Knallflinte** mit Kork, **hartes** Holz, **poliert**, Blechlauf, **Gurtband**			Wie 416 l, **Nickel-Lauf**		Wie 416 p, mit **Stoffriemen**	
	Fusil à détonation avec **bouchon, bois ordinaire** et teint canon en fer, blanc					**Fusil à détonation,** avec **bouchon, bois ordinaire, verni,** canon de fer-blanc		Comme 416 f, mais avec **ceinture d'étoffe**			Comme 416 h, mais bois **dur**	**Fusil à détonation** avec bouchon, bois dur, **poli,** canon fer-blanc,**ceintureétoffe**			Comme 416 l, canon **nickelé**		Comme 416 p avec **courroie d'étoffe**	
	Pop gun with **cork**, soft wood, **etched** tin barrel					**Pop gun** with **cork** soft wood varnished, tin barrel		Like 416 f, but with **girdle**			Like 416 h, but **hard** wood	**Pop gun** with cork, hard wood, polished, tin barrel, **girdle**			Like 416 l, **nickel** barrel		Like 416 p with **cloth band**	
	Fusil de detonación con tapón, madera ordinaria **teñida**, cañón de hierro blanco					**Fusil de detonación** con tapón, madera ordinaria, barnizado, cañón de hierro-blanco		Como 416 f, pero con **cintura de tela**			Como 416 h, pero madera **dura**	**Fusil de detonación** con tapón, madera dura, pulido, cañón hierro-blanco, cintura **de tela**			Como 416 l, cañón **niquelado**		Como 416 p con **correa de tela**	
Länge, longueur, length, longitud	cm: 32	40	45	46	51	48	51	57	63	68	70	57	63	70	70	76	67	70
perDutzend p. douzaine — kg	0,920	1,220	1,670	1,650	1,920	1,830	1,970	2,120	2,300	3,070	4,600	3,220	3,930	4,700	4,750	4,910	4,100	5,000
per dozen por docena — Mk.	**1.64**	**2.40**	**2.80**	**3.44**	**3.50**	**3.60**	**3,96**	**4.32**	**4.80**	**3.28**	**6.48**	**5.40**	**6.48**	**7.20**	**7.80**	**8.16**	**9.12**	**12.96**

	416 u	416 v	416 w	416 x	416 y	416 z	417 b	417 c	417 d	417 e	417 f	417 g	417 h	417 i	417 k
†	Bubetil	Bubetol	Bubetul	Bubekaf	Bubekafi	Bubekif	Bubekof	Bubekuf	Buberab	Bubereb	Buberib	Buberob	Buberub	Bubebad	Bubebed
	Wie 416 s, aber **Lederriemen**	Wie 416 s, aber **Gurtband**	**Knallflinte mit Kork, poliert, gebläuter** Lauf, **Stoffriemen**	Wie 416 w mit **Stahllauf** und **Gurtband**		Wie 416 y **Stahllauf** und **Lederriemen**		Wie 416 z, **poliert vernickelter Stahllauf, Lederriemen**		**Kombinierte Knallflinte** für **Kork, Amorce** u. Ladestock, poliert, **Gurtband, Blechlauf**		Wie 417 e mit **Nickellauf**		**poliert, blauer** Lauf Ladestock, **Gurtband**	Wie 417 i mit **Nickellauf**
	Comme 416 s, mais **courroie de cuir**	Comme 416 s, mais **courroie d'étoffe**	**Fusil à détonation avec bouchon, poli,** canon **bleu, courroie d'étoffe**	Comme 416 w canon **d'acier** et **courroie d'étoffe**		Comme 416 y **canon acier** et **courroie de cuir**		Comme 416 z, **poli canon d'acier nickelé, courroie de cuir**		**Fusil à détonation combiné pour bouchon** et **amorce** avec baguette, poli, **courroie d'étoffe canon de fer-blanc**		Comme 417 e avec **canon nickelé**		**poli, canon bleu,** baguette, **courroie** d'étoffe	Comme 417i avec **canon nickelé**
	Like 416 s, but **leather strap**	Like 416 s, but **girdle**	**Pop gun with cork, polished blued** barrel, **cloth band**	Like 416 w with **steel barrel** and **girdle**		Like 416 y **steel barrel** and **leather strap**		Like 416 z, **polished nickeled, steel barrel, leather strap**		**Popgun combined** for **cork** and **cap,** with ramrod, polished, **girdle, tin barrel**		Like 417 e with **nickel barrel**		**polished, blue barrel,** ramrod, **girdle**	Like 417 i with **nickel barrel**
	Como 416 s, pero **correa de cuero**	Como 416 s, pero **correa de tela**	**Fusil de detonación con tapón, pulido, cañón azul, correa de tela**	Como 416 w cañón de **acero y correa de tela**		Como 416 y **cañón de acero y correa de cuero**		Como 416 z, **pulido, cañón de acero, niquelado, correa de cuero**		**Fusil de detonación combinado, para tapón y cebos,** con baqueta, pulido, **correa de tela, cañón hierro blanco**		Como 417 e con **cañón niquelado**		**pulido, cañón azul, correa** de tela	Como 417 i con **cañón niquelado**
Länge, longueur, length, longitud	cm: 78	88	55	73	70	70	80	73	81	63	70	69	75	67	72
per Dutzend par douzaine — kg	9,800	6,940	3,250	5,300	5,820	6,000	6,900	7,250	7,800	3,980	5,205	5,350	5,690	4,060	5,650
per doz. por docena — Mk	**16.20**	**16.20**	**8.04**	**9.60**	**12.96**	**16.20**	**19.20**	**25.92**	**32.40**	**7.56**	**8.28**	**12.—**	**14.04**	**7.68**	**15.12**

Kinder-Gewehre. | Fusils d'enfants. | Guns for Children. | Fusiles para niños.

Percussions-Gewehre für Amorces mit Federschuss und Ladestock. | Fusil à percussion pour amorces, tir par ressort, avec baguette. | Percussion guns for caps with spring shot and ramrod. | Fusil de percusión para cebos con gatillo de resorte y baqueta.

419 l – 419 m

419 n—419 r

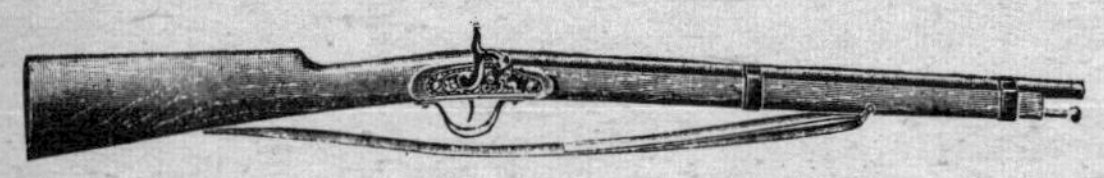

419 s—419 z. 420 a.

416. 420 c. 420 d.

420 e. 420 f.

	419 e	419 f	419 g	419 h	419 i	419 k	419 l	419 m	419 n	419 o	419 p	419 r	419 s	419 t	417	419 v	419 w	419 x	419 y	419 z	420 a	416	420 c	420 d	420 e	420 f
	† Bubitilz	† Bubitolz	† Bubitulz	† Bubisanz	† Bubisenz	† Bubisinz	† Bubisonz	† Bubisunz	† Bubirasz	† Biburesz	† Bubirisz	† Bubirosz	† Bubirusz	† Bubirast	† Amfel	† Bubirist	† Bubirost	† Bubirust	† Bubislag	† Bubisleg	† Bubislig	† Exnik	† Bubislug	† Bubitroff	† Bubitriff	† Bubitruff
	Percussionsgewehre für Amorces mit Federschuss und Ladestock.																								**Ohne** Ladestock.	
	Hartes Holz, **poliert,** Gurtband.					Wie 419 e, mit **blauem Lauf.**			**Hartes** Holz, poliert, Gurtband, **Bajonett.**				**Poliert, Nickel-lauf,** Stoff-riemen.		**Fein poliert,** vernickelt, **Gurtband**		**Fein poliert,** vernickelt, **Lederriemen.**			Wie 419w, mit ff. ge-schliffenem Eisen-bajonett.		**ff. vernickelte Garnituren, Bajonett,** Lederriemen.			**Lackiert, Eisenschloss.**	**Poliert,** Eisen-schloss, **Nickel-lauf.**
	Fusils à percussion pour amorces avec tir à ressort et baguette.																								sans baguette.	
	Bois dur poli, courroie d'étoffe.					Comme 419 e, avec **canon bleu.**			Bois **dur,** poli, courroie d'étoffe, avec **baïonnette.**				**poli, canon nickel,** courroie d'étoffe.		**bien poli, nickelé, courroie** d'étoffe.		**bien poli,** nickelé, **courroie** de cuir.			Comme 419 w, avec **baïon-nette, aïgue.**		**garnitures bien nickelées,** avec **baïonnette,** courroie de cuir.			**verni,** plati-nes de fer.	**plati-nes poli,** en **fer,** canon **nickel.**
	Percusion guns for caps with spring shot and ramrod.																								without ramrod.	
	hard wood, polished, strap.					like 419 e, with **blue barrel.**			**hard** wood polished, strap, bayonet.				**polished, nickel-barrel,** strap.		**finely polished,** nickeled, **strap.**		**finely polished,** nickeled, **leather strap.**			like 419w, with very **finely carved iron bayonet.**		**very finely nickeled, mountings, bayonet,** leather strap.			**varni-shed iron lock.**	**poli-shed, iron lock, nickel barrel**
	Fusiles de percusión para cebos con gatillo de resorte y baqueta.																								Sin baqueta.	
	Madera dura, pulido, correa de tela.					Como 419 e, con **cañón azul.**			Madera **dura** pulido, correa de tela, **bayoneta.**				**pulido cañón de niquel,** correa de tela.		**bien pulido** y nique-lado, **correa** de tela.		**bien pulido** y niquelado, **correa** de cuero.			Como 419 w, con **bayo-neta aguda.**		**Monturas bien niqueladas, bayoneta** y correa de cuero.			**barni-zado, cerra-dura hierro.**	**Cerradura puli-da, de hierro cañón niquelado.**
Länge Longeur Length Longitud cm	66	66	70	78	92	78	73	81	81	86	92	103	70	81	66	78	66	78	92	78	66	67	78	90	63	77
Dutz. Douz. Dozen Docena kg	3,650	3,675	4,410	5,310	6,500	3,400	4,450	5,800	6,100	6,600	6,750	9,440	4,100	6,300	5,480	6,860	5,480	6,860	8,440	7,400	9,500	6,820	8,680	9,860	4,550	6,750
M.	7.20	7.70	9.60	12.90	15.90	7.40	8.10	13.70	13.70	16.20	18.	24.70	10.80	13.80	16.80	20.80	19.20	25.80	32.40	28.10	34.60	45.30	58.20	72.—	8.—	13.70

Kinder-Gewehre | Fusils d'enfants | Guns for Children. | Fusiles para niños.

Jagdgewehre Einläufig | Fusils de chasse à 1 coup | Sporting guns one barrel | Fusiles de caza de 1 tiro

420a — 420o

211/215

420p — 420s

Doppelflinten | Fusils à 2 canons | double barrel guns | Fusiles de 2 tiros

420t — 420z

421a — 421d

Perkussionspistolen für Amorces. | Pistolets à percussion pour amorces. | Percussion pistols for caps. | Pistola de percusión para cebos.

417 a

421 f— 421 k

	420 g	420 h	420 i	420 k	420 l	420 m	420 n	420 o	420 p	420 r	420 s	420 t	420 u	420 v
†	Atenla	Atenlu	Atenle	Atenli	Atenlo	Atensa	Atense	Atensi	Atenso	Atensu	Atenka	Atenke	Atenki	Atenko
	Jagdgewehrnachbildungen einläufig, mit Ladestock, Halbschaft								Ganzschaft ohne Ladestock			Jagdgewehr-Nachbildg. „Doppelflinten"		
	poliert brünierter Lauf		blauer Lauf, Lederriemen poliert			poliert ff. vernickelt starker Lederriemen	ff. geschnitzter Halbschaft poliert ff. vernick. starker Lederriemen.	wie 420 m brüniert	poliert, blauer achteckiger Lauf, Lederriemen, verzierter Schaft			Halbschaft, poliert, Gurtband.		wie 420 r mit Federschluss
	Fusils de chasse imitation à 1 coup, avec baguette, devant non-prolongé								Devant prolongé, sans baguette			Fusils dechasse imitat. fusils à 2 canons.		
	poli, canon bruni.		canon bleu — courroie de cuir — poli			poli, bien nickelé, forte courroie de cuir	devant élégamment sculpté, poli et bien nickelé, forte courroie de cuir	Comme 420 m bruni	poli — canon octogone bleui — courroie de cuir — bois à ornaments.			devant non prolongé poli — courroie étoffe		Comme 420 r avec tir à ressort
	Imitation Sporting Rifles, one barrel with ramrod, half stock								Whole stock without ramrod			Imit. double barrel sporting rifles.		
	polished burnished barrel		blue barrel leather strap, polished.			polished, very finely nickeled, strong leather strap	very finely carved half stock polished, very finely nickeled, strong leather strap	like 420 m burnished	polished blue octagon barrel, leather strap, decorated stock.			half stock, polished strap		like 420 r (with spring shot.)
	Fusiles de caza imitación, de 1 tiro, con baqueta, media delantera								Delantera prolongada, sin baqueta			Fusiles de caza imitat. fusiles de 2 tiros.		
	pulido, canón bruñido		canon azul, correa de cuero, pulido.			pulido y bien niquelado, correa fuerte de cuero	delantera elegantemente esculpida, pulida y niquelada, correa fuerte de cuero	como 420 m, bruñido	pulido, cañón octógono azulado, correa de cuero, madera esculpida.			media delantera, pulido, correa de tela		como 420 r tiro con resorte
Länge | Longueur | Length | Longitud cm	70	80	72	84	78	80	80	80	64	75	90	60	72	72
per Dutzend, par douzaine, per dozen, per docena Kg	6,400	7,200	7,520	8,300	7,900	7,640	7,840	8,180	6,220	7,240	9,340	4,400	5,520	6,990
per Dutzend, par douzaine, per dozen, per docena Mk.	26.—	32.40	28.80	33.60	40.20	45.40	54.—	67:20	32.40	38.—	45.40	10.80	14.—	19.20

	420 w	420 x	420 y	420 z	421 a	421 b	421 c	421 d	417a	421 f	421 g	421 h	421 i	421 k
†	Atenku	Atenba	Atenbe	Atenbi	Atenbo	Atenbu	Atenta	Atente	Perpis	Atento	Atentu	Atenra	Atenre	Atenri
	Jagdgewehr Nachbildungen, Doppelflinten.								Percussionspistolen für Amorces.					
	wie 420 u Ledergurt Nickellauf	Halbschaft poliert Lederriemen ff. vernickelt.		Halbschaft poliert Gurtband blaue Läufe	ff. geschnitzter Halbschaft, ff vernickelt, fein gravierte Schlösser starker Lederriemen.		wie 421 a aber brünierte Läufe und blau grav. Schlösser.	wie 421 c ff. geschnitzter Halbschaft, extra schwer gearbeitet.	Weiches Holz gebeizt		HartesHolz polirt Nickelschloss blauer Lauf.	wie 421 g Nickellauf	HartesHolz poliert, blaues Schloß achtkantiger Lauf.	HartesHolz poliert, ff. vernickelt, Doppellauf
	mit Federschuss													
	Fusils de chasse imitation — fusils à 2 canóns.								Pistolets à percussion pour Amorces.					
	Comme 420 u. courroie de cuir, canon nickelé.	Devant non-prolongé, poli— courroie de cuir, bien nickelé, avec tir à ressort		Devant non-prolongé, poli, courroie étoffe canons bleus.	Devant non-prolongé, élégamment sculpté — bien nickelé, platines soigneusement gravées, forte courroie de cuir.		Comme 421 a mais canons brunis et platines bleues gravées	Comme 421 c devant non-prolongé élégamment sculpté, travail extra solide	Bois ordinaire et bruni.		Bois dur, poli, serrure nickelée, canon bleu	comme 421 g canon nickelé	Bois durpoli, serrure bleue, canon octogone.	Bois dur-polibien nickelé à 2canons.
	Imitation double barrel sporting rifles.								Percussion Pistols for caps.					
	Like 420 u, leather strap, nickel barrel.	half stock, polished leather strap very finely nickeled. with spring shot		Half stock, polished, strap, blue barrels.	carved half stock, very finely nickeled, finely engraved locks, strong leather strap.		Like 421 a but burnished barrels and blue engraved locks.	Like 421 c very finely carved half stock extra solid.	soft wood etched.		Hard wood polished nickel lock blue barrel.	Like 421 g nickel barrel.	Hard wood polished blue lock octagon barrel.	Hard wood polished very finely nickeled double barrel.
	Fusiles de caza imitación — fusiles de 2 tiros								Pistolas de percusion para cebos.					
	Como 420 u, correa de cuero, cañón niquelado.	Media delantera, pulido, correa de cuero, bien niquelado, tiro con resorte		Media delantero, pulido, correa de tela, cañones azules.	Media delantera elegantemente esculpida bien niquelado, cierres cuidadosamente grabados, correa de cuero.		Como 421 a pero canones brunidos y cierres azulados grabados.	Como 421 c delantera elegantemente esculpida, trabajo extra solido	Madera ordinaria y bruñida.		Madera dura, pulido, cerradura niquelada cañon azul.	Como 421 g canon de niquelàdo	Madera dura, pulido, cerradura azul, canón octógono.	Madera durapulido bien niquelado de 2 cañones.
Länge | Length | Longueur | Longitud cm	72	76	87	72	75	93	75	87	30	28	28	33	27	28
per Dutzend, par douzaine, per dozen, por docena kg	7,000	8,260	16,240	7,720	9,460	12,120	9,700	16,500	1,240	1,640	1,650	2,570	2,540	4,120
per Dutzend, par douzaine, per dozen, por docena Mk.	26. -	38.40	45.40	32.40	77.80	103.70	90.80	145.–	3.40	4.—	7.70	13.—	19.20	28.80

Exerziergewehre für Schützen- und Kriegervereine.

Fusils d'exercice pour Sociétés de tir et militaires.

Practice guns for rifle- and military associations.

Fusiles de ejercicio para sociedades de tiro y militares.

421 l bis 421 o

418
421 p
421 q

419 421 r

No.	421 l	421 m	421 n	421 o	418	421 p	421 q	419	421 r
†	Zungurri	Zungurro	Zungurru	Zungurts	Zungur	Zungurra	Zungurre	Mausei	Mauseixa
	Exerziergewehre für Exerzierschulen und Vereine,				**Zündnadelgewehre,**				
	starke Ausführung, Zündnadelschloss, mit Bajonett	wie 421 l, mit Garnituren	starke Ausführung, Perkussionsschloss, mit Lederriemen	wie 421 n, mit Zündnadelschloss	für Zündhütchen, ff. vernickelt, Gurtband	wie 418, mit ff. Bajonett	wie 418, mit Seitengewehr und Koppel	Mauserschloss f. Zündhütchen, ff. vernickelte Garnituren, Lederriemen, Seitengewehr mit Koppel	Infanterie-Seitengewehr mit Koppel, ff. vernickelt, ohne Gewehr
	Fusils d'exercice pour écoles et comités,				**Fusils à pointe percutante,**				
	solide exécution, à pointe percutante, avec baïonnette	comme 421 l, avec garnitures	solide exécution, à percussion, avec courroie de cuir	comme 421 n, avec pointe percutante	pour capsules, soigneusement nickelé, courroie d'étoffe	comme 418, avec élégante baïonnette	comme 418, avec baïonnette et ceinturon	serrure Mauser, pour capsules, garnitures bien nickelées courroie de cuir, baïonnette et ceinturon	Baïonnette d' Infanterie avec ceinturon, bien nickelé, sans fusil
	Practice rifles for schools and associations,				**Needle rifles,**				
	strong make, needle lock, with bayonet	like 421 l, with mountings	strong make, percussion lock with leather strap	like 421 n, with needle lock	for caps very finely nickeled, strap	like 418, with very fine bayonet	like 418, with side-arms and belt	Mauser lock for caps very finely nickeled mountings, leather straps, side-arms with belt	Infantry side-arms with belt, very finely nickeled, without rifle
	Fusiles de ejercicio para escuelas y comités.				**Fusiles de punto percutante,**				
	Sólido, sistema de punta percutante con bayoneta	Como 421 l, con monturas	sólido, de percusión con correa de cuero	Como 421 n, con punta percutante	Para cápsulas, niquelado, correa de tela	como 418, con excelente bayoneta	como 418, con bayoneta y correa adhoc	Cierre Mauser para cápsulas, monturas niqueladas, correa cuero, bayoneta, y cinturon	Bayoneta de infanteria, con cinturón, niquelado, sin fusil
Länge / Longueur / Length / Longitud — cm	108	114	114	114	77	92	92	92	29
Dutzend / Douzaine / Dozen / Docena — kg	16,300	17,500	18,000	18,400	9,240	11,600	14,680	15,120	3,300
Dutzend / Douzaine / Dozen / Docena — Mk.	103.60	116.60	68.80	103.20	47.40	58.20	91.80	135.20	45.40

Exerzier-gewehre für Kinder und Vereine. | Fusils d'exercice pour enfants et comités. | Practice rifles for Children and Clubs. | Fusiles de ejercicio para ninos y comités.

Amorcesgewehre mit Gummi-Granaten.

Fusils à amorces avec projectiles de caoutchouc. | Rifles for caps with rubber projectiles. | Fusils de cebo con proyectiles de cautchuc.

421 s
421 t

Repetiergewehre.

Fusils à répétition. | Repeating rifles. | Fusiles de repetición.

421 u
421 v

Hinderladergewehre. (Martini-Henry Gewehre.) | Fusils se chargeant par la culasse. (Système Martini-Henry.) | Breech loaders. (system Martini-Henry.) | Fusiles que se cargan por la culata. (Martini-Henry.)

421 w bis 421 y

421 z
424 bis 424 d

No.	421 s	421 t	421 u	421 v	421 w	421 x	421 y	421 z	424	424 a	424 b	424 c	424 d
†	Mauseixe	Mauseixi	Mauseixo	Mauseixu	Mauseiza	Mauseize	Mauseizi	Mauseizo	Mauseizu	Mauseifa	Mauseife	Mauseifi	Mauseifo
	Amorces-Gewehre mit Gummi-Granaten,		**Repetiergewehre,**		— **Hinderladergewehre.** —								
					Martini-Henry,								
	poliert, Blechlauf	**ff. vernickelt,** Zündnadelschloss	**lackiert,** mit Holzbolzen und Patronenhülse	**poliert,** mit Holzbolzen und Patronenhülse, Nickellauf	**weiches Holz, gebeizt**	weiches Holz, **lackiert,** Gurtband, zum Schiessen mit Erbsen	**hartes** Holz, wie 421 x, zum Schiessen mit Amorces und Erbsen	hartes Holz, lackiert, **Bajonett**		hartes Holz, poliert, **Gurtband**		wie 424, mit **Bajonett**	
	Fusils à amorces avec projectiles de caoutchouc		**Fusils à répétition,**		— **Fusils se chargeant par la culasse.** —								
					Martini-Henry,								
	poli, canon en fer-blanc	bien **nickelé** à pointe percutante	**verni,** avec flèches de bois et douille à cartouche	**poli,** avec flèches de bois et douille à cartouche, canon nickel,	**Bois ordinaire, bruni**	Bois ordinaire, **verni,** courroie d'étoffe, tire des petits pois	Bois **dur,** comme 421 x, tire des amorces et des petits pois	Bois dur, verni, **avec baïonnette**		Bois dur, poli, **courroie d' étoffe**		Comme 424, avec **baïonnette**	
	Rifles for caps with **rubber projectiles**		**Repeating rifles,**		— **Breech loading rifles.** —								
					Martini-Henry,								
	polished tin barrel	**very finely nickeled,** needle lock	**varnished,** with wooden bolts and cartridge shell	**polished,** with wooden bolts and cartridgeshell, nickel barrel,	**soft wood, etched**	soft wood, **varnished,** strap, for shooting of peas	**hard** wood, like 421 x, for firing of caps and peas	hard wood varnished, **bayonet**		hard wood, polished, **strap**		like 424, with **bayonet**	
	Armas de cebos con projectiles cautchuc,		**Fusiles de repetición,**		— **Fusiles que se cargan por la culata.** —								
					Martini-Henry,								
	pulido, cañón hierro blanco	**niquelado,** de punta percutante	**barnizado,** con balas de madera y tubos de cartucho	**pulido,** con balas de madera y tubos de cartucho, cañón de niquel	**Madera tierna bruñida**	Madera tierna, **barnizado,** correa de tela	Madera **dura,** como 421 x, tira cebos	Madera dura, barnizado, **bayoneta**		Madera dura, pulida, **correa de tela**		Como 424, con **bayoneta**	
Länge / Longueur / Length / Longitud — cm	65	76	65	75	47	65	75	64	70	64	70	75	82
Dutzend / Dozaine / Dozen / Docena — kg	3,850	8,200	4,000	4,950	1,650	2,600	3,850	3,600	4,470	3,600	4,450	4,780	6,140
Dutzend / Dozaine / Dozen / Docena — Mk.	**7.70**	**45.40**	**8.30**	**16.30**	**2.90**	**5.20**	**7.—**	**6.50**	**7.60**	**7.—**	**7.60**	**9,60**	**13.—**

Armbrüste mit Stahlbügel. | Arbalètes avec arc en acier. | Cross-bows with steel bows. | Ballestas con arco de acero.

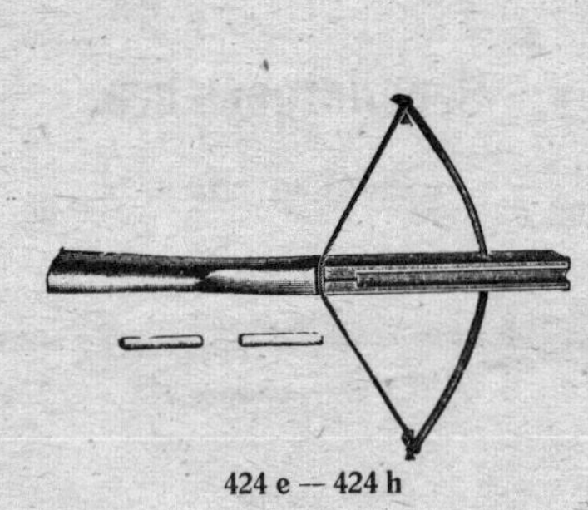

424 e — 424 h

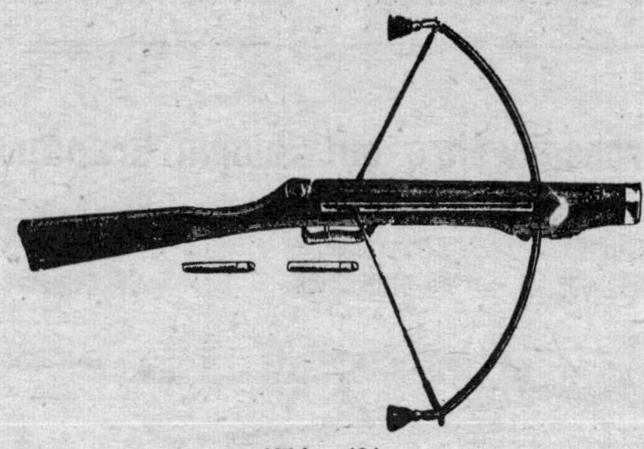

424 i — 424 q

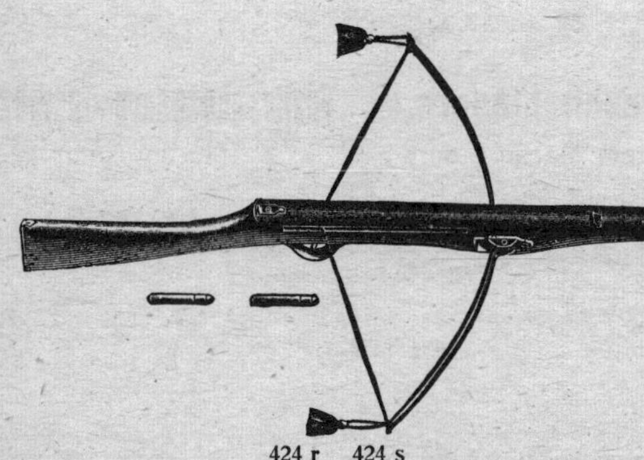

424 r 424 s

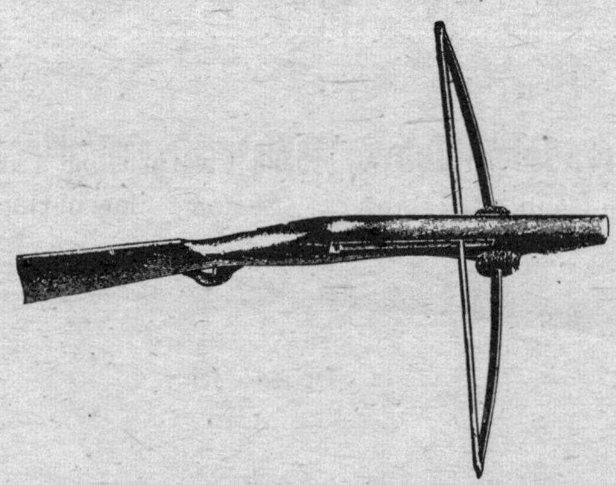

420, 424 t — 424 z

Für schwere Armbrüste fordere man Spezial-Offerte. | **Pour arbalètes plus fortes, prière de nous demande offres spéciales.** | **In the case of heavy cross-bows ask for special offer.** | **Para balletas más fuertes, rogamos nos pidan ofertas especiales.**

No.	424 e	424 f	425 a	424 g	424 h	424 i	424 k	424 l	424 m	424 n	424 o	424 p	424 q	424 r	424 s	420	424 t	424 u	424 v	424 w	424 x	424 y	424 z
†	Armbuch	Armbust	Armbens	Armbuls	Armburk	Armbusa	Armbute	Armbuli	Armbuko	Armbufu	Armbural	Armbures	Armburif	Armburon	Armburux	Armbu	Arhebbel	Arhebbis	Arhebbat	Arhebbox	Arhebbur	Arhebfan	Arhebfem
	Poliert, offener Lauf, zerlegbar			Poliert, verdeckter Lauf, zerlegbar		Poliert, verdeckter Lauf, umsponnene Darmsaite		Poliert, verdeckter Lauf, umsponnene Darmsaite, **polierter Stahlbügel**					Wie 424 p, mit Doppelbügel	ff. braun poliert, **Stahlbügel** zum Zusammenklappen, **Darmsaite**		ff. poliert, **offener Lauf**, starker Stahlbügel und **starke Schnursehne**			ff. poliert, **verdeckter Lauf**, starker Stahlbügel und starke **Schnursehne**				
	Poli, canon découvert, démontable			Poli, canon couvert, démontable		Poli, canon couvert, **corde de boyau entourée de garniture**		Poli, canon couvert, **corde de boyau entourée de garniture, arc d'acier poli**					Comme 424 p avec **double arc**	Soigneusement poli et bruni, **arc d'acier** se pliant en deux, **corde de boyau**		Soigneusement poli, **canon découvert**, fort arc d'acier et **solide corde de boyau**			Soigneusement poli, **canon recouvert**, fort arc d'acier et solide **corde de boyau**				
	Polished, open barrel, for taking to pieces			Polished, covered barrel, for taking to pieces		Polished, covered barrel **with catgut spun round**		Polished, covered barrel, **with catgut spun round, polished steel bow**					Like 424 p, with **double bow**	Very finely brown polished, **steel bow** for bending together, **catgut**		Very finely polished. **open barrel**, strong steel bow and **strong cord**			Very finely polished, **covered barrel**, strong steel bow and **strong cord**				
	Pulido, cañón descubierto, desmontable			Pulido, cañón cubierto, desmontable		Pulido, cañón cubierto, **cuerda de tripa rodeada de montura**		Pulido, cañón cubierto, **cuerda de tripa rodeada de montura, arco de acero pulido**					Como 424 p, con **arco doble**	Cuidadosamente pulido oscuro, **arco de acero** que se dobla en **2 cuerdas de tripa**		Cuidadosamente pulido, **cañón descubierto**, arco fuerte de acero y **cuerda de tripa**			Cuidadosamente pulido, **cañón recubierto**, arco fuerte de acero y **cuerda sólida de tripa**				
Länge / Longueur / Length / Longitud — cm	44	50	54	45	52	52	58	48	58	66	75	87	88	63	76	54	59	63	55	60	66	72	78
Dutzend / Douzaine / Dozen / Docena — kg	3,620	4,720	5,230	4,620	5,680	6,000	6,850	6,800	8,260	10,000	12 200	14,460	15,920	10,260	11,640	7,260	9,880	10,080	9,700	11,000	12,360	15,200	16,280
Dutzend / Douzaine / Dozen / Docena — M.	7.70	11.40	14.—	17.20	21.60	25.90	32.40	38.90	46.90	54.—	64.80	77.60	97.20	58.80	71.20	34.60	45.60	49.20	47.40	56.—	67.—	79.60	103.60

Armbrüste mit Stahlbügel. | Arbalètes avec arc en acier. | Cross-bows with steel bows. | Ballestas con arco de acero.

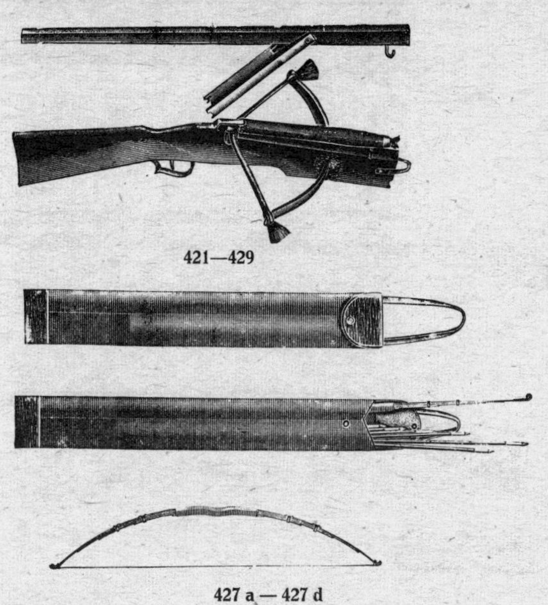

421—429

427 a — 427 d

Für schwere Armbrüste fordere man Spezial-Offerte. | **Pour arbalètes plus fortes, prière de nous demandes offres spéciales.** | **In the case of heavy cross-bows ask for special offer.** | **Para ballestas más fuertes, rogames nos pidan ofertas especiales.**

No.		421	425	426	427	428	429
†		Arheb	Arhebfiz	Arhebfot	Arhebful	Arhebxer	Arhebxas
Länge / Longueur / Length / Longitud	cm	45	49	54	58	62	65
Dutzend / Douzaine / Dozen / Docena	kg	9,780	11,700	16,020	19,780	24,320	26,230
	Mk.	91.20	103.68	121.92	144.—	168.40	194.40

Schnepper, ff. polierter Schaft, Schloss, **Stahlbügel**

Petites arbalètes, crosse élégamment polie, serrure, **arc d'acier**

Small cross-bows, very finely polished stock, lock, **steel bow**

Ballestas pequeñas, culata elegantemente pulida, cerradura, **arco de acero**

No.	427 a	427 b	427 c	427 d	427 e
†	Stabofei	Stabofau	Stabofex	Stabonick	Stabofeil
	Bogen mit Sehne und 6 Pfeilen, Anleitung und Scheibe auf Karton	Wie 427 a, aber mit **brauner Segeltuchtasche**	Wie 427 a, mit 12 Pfeilen, **elegantere Ausstattung** in modefarbenem **Futteral** mit **Ledereinfassung**	Luxus-Ausstattung, Bogen Hochglanz vernickelt, Juchtenledergriff, Bronze-Klammern, Bogen mit Sehne, 6 Pfeilen, Scheibe, alles auf elegantem dunklen Karton	**Reserve-pfeile** zu 427a—427d
	Arc avec corde et 6 flèches, mode d'emploi et cible sur carton	Comme 427 a, mais avec **étui de toile à voile brune**	Comme 427 a, avec 12 flèches, **exécution plus élégant** en étui, couleur à la mode, **bordé de cuir**	Exécution de luxe, arc nickelé très brillant, poignée cuir de Russie, attaches bronze, arc avec corde, 6 flèches, cible, le tout sur un élégant carton foncé	**Flèches deréserve** pour 427a à 427d
	Bow with cord and 6 arrows, directions for use and target on cardboard	Like 427 a, but with **brown canvas case**	Like 427 a, with 12 arrows, **mounting more elegant in fashionable coloured case with leather trimming**	Fancy make, bow nickeled and brightly polished, Russian leather grip, bronze clasps, bow with cord, 6 arrows, target, all on elegant dark cardboard	**Spare arrows** for 427a—427d
	Arco con cuerda y 6 flechas, dirección para uso y blanco sobre cartón	Como 427 a, pero **estuche de tela color castaño**	Como 427 a, con 12 flechas trabajo **mas elegante con estuche cólor de moda y borde montura de cuero**	**Ejecución de lujo,** arco niquelado muy brillante, puno piel de Rusia, atados de bronce, arco con 6 flechas, blanco, el todo sobre un elegante cartón oscuro	**Flechas dereserva** para 427a à 427d
Mk.	115.20	144.—	192.—	288.—	6.—

Stahlbogen mit Pfeilen

aus übereinanderliegenden stark vernickelten **Stahlstreifen** und **abnehmbarer** Stahlsehne. Trägt bis 70 Meter, **unzerbrechlich,** Pfeile haften auf Holz

Arc en acier avec flèches

composé de lames **d'acier** superposées et **nickelées** massivement ainsi que d'une corde d'acier **enlevable,** porte jusqu'à 70 mètres, **incassable,** les flèches adhérent au bois

Steel bow with arrows

of superposed **steel blades,** strongly **nickeled** and **detachable** steel cord, range 70 meters, **unbreakable,** arrows adhering on wood

Arco de acero con flechas

de **hojas** de **acero** sobre puestas **niqueladas** fuertemente y cuerda de acero **separable,** alcanza hasta 70 metros, **infrangible,** flechas adhieren en madera

Kinder-Luft-Gewehre und Pustrohre | Fusils à air comprimé pour enfants, ainsi que tube à vent | Childrens air-guns and blow-guns | Fusiles de aire comprimido para niños, y tubos de viento

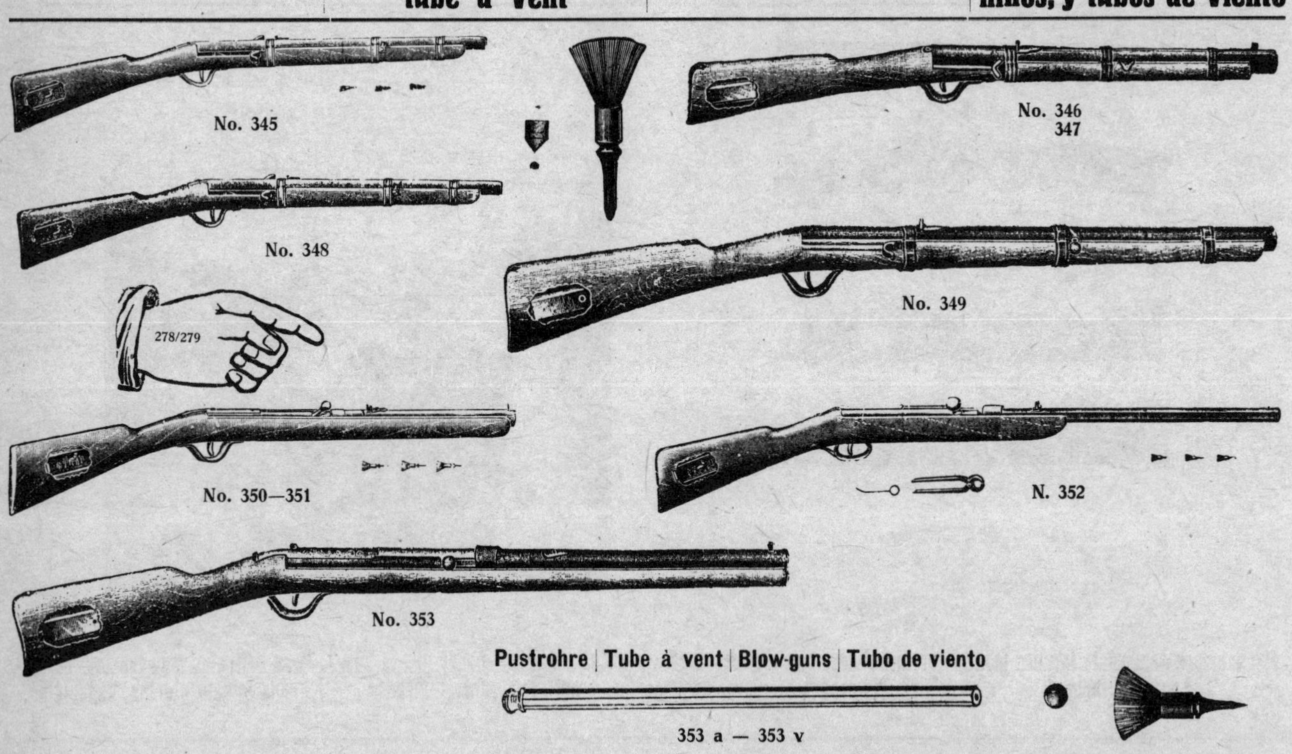

Pustrohre | Tube à vent | Blow-guns | Tubo de viento

353 a — 353 v

	345	346	347	348	349	350	351	352	353
	† Kand"	† Kanda	† Kend	† Kenda	† Kende	† Kendi	† Kendo	† Kendu	† Kande
	Mit Riegel-Aufzug, vernickelt, mit je 2 Bolzen	Mit gegossenem Riegelaufzug, vernickelt, mit je 3 Bolzen				Ganzschaft Mauser-verschluss ff. vernick. mit je 3 Bolzen	Wie 350 aber Halbschaft	Wie 351 m. achtkantigem Lauf	Halbschaft, Mauser-Verschluss ff. vernickelt, achtkantiger gebohrter Stahllauf, gebläut mit je 3 Bolzen
	à verrou, nickelé, avec chacun 2 flèches	à verrou fondu, nickelé, avec chacun 3 flèches				Crosse prolongée fermeture Mauser, bien nickelé, chaque fusil avec 3 flèches	Comme 350 mais crosse non prolongée	Comme 351 avec canon octogone	Crosse non prolongée, fermeture Mauser, bien nickelé, canon d'acier octogone bleui, chaque fusil avec 3 flèches
	With pull bolt, nickeled, with 2 darts each	With pull bolt, cast nickeled, with 3 darts each				Lengthened stock, Mauser lock, very finely nickeled with 3 darts each	Like 350 but half stock	Like 351 with octagon barrel	Half stock, mauser lock, very finely nickeled, octagon bored steel barrel, blued with 3 darts each
	De cerrojo, niquelado, con 2 flechas cada uno	De cerrojo, niquelado, con 3 flechas cada uno				Caja prolongada, cerradura mauser, bien niquelado, con 3 flechas cada uno	Como 350 pero caja no prolongada	Como 351 pero cañón octógono	Caja noprolongada, cerradura mauser, bien niquelado, cañón de acero octógono azulado, con 3 flechas cada uno
Länge / Longueur / Length / Longitud cm	65	66	78	70	82	80	90	90	90
per Dutzend / par Douzaine Kg.	4,600	6,000	7,640	9,640	11,160	14,550	11,800	17,700	22,840
per dozen / por dozena Mk.	17.40	29.60	39.—	58.—	71.50	90,60	116.50	148.80	235.20

	353 a	353 b	353 c	353 d	353 e	353 f	353 g	353 h	353	353 k	353 l	353 m	353 n	353 o	353 p	353 r	353 s	353 t	353 u	353 v
	† Blorust	† Blorost	† Blorist	† Blorest	† Blorast	† Blirist	† Blirust	† Blirost	† Blirest	† Blirast	† Blerest	† Blerust	† Blerist	† Blerast	† Blerost	† Blarust	† Blarist	† Blarest	† Blarast	† Blarost
	Blasrohre aus Holz mit Mundstück, zum Schiessen mit Bolzen und Tonkugeln: 8eckig gebeizt					8eckig lackiert					rund, rot poliert					8eckig, gelb poliert mit schwarz poliertem Mundstück				
	Tubes à vent en bois, avec embouchoir, tirant des flèches ou des balles d'argile: octogone, bruni					octogone, verni					rond et poli					octogone, poli jaune avec embouchoir poli noir				
	Wooden blow-guns with mouthpiece, for shooting of darts and clay balls: octagon, etched					octagon, varnished					round, polished red					octagon, polished yellow, with black polished mouth piece				
	Tubos de viento de madera, con boca que tira flechas ó bolas de arcilla ó greda: octógono, ennegrecido					octógono, barnizado					redondo y pulido					octógono, pulido amarillo con boca pulido negro				
Länge / Longueur / Length / Longitud cm	70	85	100	114	130	70	85	100	114	130	70	85	100	114	130	85	70	100	114	130
per Dutzend / par Douzaine Kg.	—	—	—	—	—	—	—	—	—	—	—	—	—	—	—	—	—	—	—	—
per dozen / por dozena Mk.	3.60	4.50	5.50	6.—	7.50	4.50	5.50	6.60	8.—	9.—	6.—	7.—	8.—	9.50	11.50	7.50	9.—	10.40	13.—	15.—

Luft-Gewehre.	Fusils à air comprimé	Air-guns.	Escopetas de aire comprimido.

Die aus Stahl und Messing hergestellten Metallteile sind leicht auseinanderzunehmen und wieder zusammenzusetzen. ff. polierter Nussbaumschaft.	Les pièces de métal, qui sont en acier et en laiton, sont facilement démontables et remontables. Crosse de noyer soigneusement polie.	The metal parts, which are of steel and brass can easily be taken to pieces and put together again. Very finely polished walnut stock.	Las piezas de metal que estan de acero de latón son fácilmente montables y desmontables. Caja de nogal bien pulido.

Nr.	355	354	357	357 a	357 b
†	Daisy	Raisy	Rentiu	Daysir	Daisytau
	Daisy **Einzellader**, ca. 80 cm lang. Gewicht 0,8 kg, für Kugel und Bolzen, Cal. 4 mm.	Wie 355 aber für **48 Schuss**, Repetiervorrichtung und Lauf leicht abnehmbar, Gewicht 0,85 kg, Cal. 4 mm.	Wie 355 aber für **300 Schuss**, durch einfaches Spannen sofort schussfertig, Gewicht 0,850 kg Cal. 4 mm.	Wie 355 für **500 Schuss**, schiesst und ladet automatisch, Metallteile ff. vernickelt, Schaft fein poliert, Gewicht 1,150 kg, Cal. 4 mm	Wie 355 aber **90 cm lang** und für **1000** Schuss, Gewicht 1,200 kg, Cal. 4 mm.
	Daisy, **à 1 coup**, Longueur environ: 80 cm, Poids: 0 K 8, pour balles et flèches, Cal. 4 mm.	Comme 355 mais **à 48 coups**, système à répétition et avec canon facilement enlevable, Poids: 0 K 850, Cal. 4 mm.	Comme 355 mais **à 300 coups**, on tend le ressort et l'arme est immédiatement prête au tir, Poids: 0 K 850, Cal. 4 mm.	Comme 355, **à 500 coups**, tire et se charge automatiquement, pièces de métal soigneusement nickelées, crosse élégamment polie, Poids: 1 K 150. Cal. 4 mm.	Comme 355 mais **long de 90 cm, à 1000 coups**, Poids: 1 K 200, Cal. 4 mm.
	Daisy for **single shooting**, about 80 cm long, weight 0,8 kg, for ball and darts, Cal. 4 mm.	Like 355 but for **48 shots**, repeating rifle, barrel easily detached, weight 0,85 kg, Cal. 4 mm.	Comme 355 mais à **300 shots**, ready for shooting when cocked, weight 0,850 kg, Cal. 4 mm.	Like 355 for **500 shots**, shoots and is loadet automattcally, metal parts very finely nickeled, stock finely polished, weight 1,150 kg, Cal. 4 mm.	Like 355 but **90 cm** long and for **1000 shots**, weight 1,200 kg, Cal. 4 mm.
	Daisy **de 1 tiro**, Longitud: 80 cm, Peso: 0 K 8, para balas y flechas, Cal. 4 mm.	Como 355, pero de **48 tiros**, y con cañón fácilmente separable, Peso: 0 K 850, Cal. 4 mm.	Como 355, pero de **300 tiros**, se toca el resorte y el arma está inmediatamente dispuesta, para tirar, Peso: 0 K 850, Cal. 4 mm.	Como 355, de **500 tiros**, tira y se carga automáticamente, piezas de metal bien niqueladas, caja elegantemente pulida, Peso: 1 K 150, Cal. 4 mm.	Como 355, pero **largo de 90 cm, de 1000 tiros**, Peso: 1 K 200, Cal. 4 mm.
per Dutzd. - par Douzaine per Dozen - por Docena **Mark**	51.—	74.80	74.80	102.80	118.80

Luft-Gewehre.	Fusils à air comprimé.	Air-guns.	Escopetas de aire comprimido.
Knabenluftgewehre Marke ‚Alfa‘.	**Fusils à air comprimé pour enfants, marque ‚Alfa‘.**	**Air Rifles for boys Brand ‚Alfa‘.**	**Escopetas de aire comprimido para muchachos marca ‚Alfa‘.**
Kipplaufspannung.	Se charge en faisant basculer le canon.	Cocked by drop of barrel.	Cañón retroceso de caida.

Munition siehe Seite 278. — Voir munitions page 278. — Ammunition see page 278. — Municiones ver página 278.

358	358 a	359 a	359 b	360	361
† Knab	† Knabbilg	† Stylner	† Stylzwo	† Laft	† Left
Knabenluftgewehr „Alfa“, spannt sich durch Niederkippen des Laufes, Cal. $4^1/_2$ mm, **vernickelt,** polierter **Holzschaft, Länge 80 cm, Gewicht** incl. Zubehör, nämlich 6 Bolzen, 100 Kugeln. 1 Zange	ohne Zubehör	Gewicht $1^1/_4$ kg, Cal. $4^1/_2$ mm, 89 cm lang, Teile aus Stahl, fein vernickelt, **verstellbarer Abzug,** feiner Nussbaumschaft, autom. Verschluss	Gewicht 1,2 kg, Länge 82 cm. Cal. $4^1/_2$ mm, feststehender Lauf, gleichmässiger Schuss. Hebelspannung, innerer Lauf herausnehmbar, ganz vernickelt, mattierter Nussbaumschaft	Gewicht 2,125 kg, Cal. $4^1/_2$ mm, 85 cm lang, polierter Nussbaumschaft, kantiger schwarz brünierter Lauf, **Beschlag und Zylinder vernickelt**	Gewicht 1,8 kg, Cal. $4^1/_2$ mm, 90 cm lang, sonst wie 360, **„Damenmodell“**
Fusil à air comprimé pour enfant, marque „Alfa“, se charge en abaissant le canon, Cal. $4^1/_2$ mm, **nickelé, crosse de bois poli, longueur 80 cm, poids** avec accessoires, soit 6 flèches 100 balles et 1 pince	sans accessoires	Poids 1 K $^1/_4$. Cal. $4^1/_2$ mm, Longueur 89 cm, pièces en acier, élégamment nickelé, **détente réglable,** belle crosse en noyer. fermeture automatique	Poids 1 K 2, longueur 82 cm. Cal. $4^1/_2$ mm, canon fixe, tir régulier, armement par levier canon intérieur enlevable, entièrement nickelé, crosse noyer mate	Poids: 2 K 125, Cal. $4^1/_2$ mm, Longueur: 85 cm, crosse noyer poli, canon bruni noir à angles, **garniture et cylindre nickelés**	Poids 1 K 8, Cal. $4^1/_2$ mm, Longueur 90 cm, pour le reste comme 360, **„Modèle pour Dames“**
Air-gun „Alfa“ **for boys,** is cocked by dropping of barrel, Cal. $4^1/_2$ mm, nickeled, **polished wooden stock, lenght 80 cm, weight** including accessories viz. 6 darts, 100 balls, 1 pair of pincers	without accessories	Weight $1^1/_4$ kg, Cal. $4^1/_2$ mm, 89 cm long, parts of steel, finely nickeled, **adjustable trigger,** fine walnut stock automatic lock	Weight 1,2 kg, length 82 cm, Cal. $4^1/_2$ mm, firm barrel. uniform shooting cocked by lever, interior barrel detachable, entirely nickeled, matted walnut stock.	Weight 2,125 kg, Cal. $4^1/_2$ mm, 85 cm long, polished walnut stock, edged barrel burnished black, **mounting and cylinder nickeled**	Weight 1,8 kg, Cal. $4^1/_2$ mm, 90 cm long, otherwise like 360, **„Model for ladies“**
Escopeta de aire comprimido para niños, marca „Alfa“, se carja bajando el cañón, Cal. $4^1/_2$ mm, **niquelado,** pulido caja **de madera, longitud 80 cm, peso** Con accessorios, o sea 6 flechas, 100 balas y 1 pincel	sin accessorios	Peso 1 K $^1/_4$, Cal $4^1/_2$ mm, Longitud 89 cm, piezas de acero elegantemente niquelado, **escape moible,** bella caja de nogal, cierre automático	Peso 1 K 2, longitud 82 cm, Cal. $4^1/_2$ mm, cañon fijo tiro regular, armamente para palanca, cañón interior levantáble. enteramente niquelado, culata de nogal mate	Peso 2 K 125, Cal. $4^1/_2$ mm, Longitud 85 cm, caja de nogal, pulida, cañón negro de angulos, **montura y cilindro niquelados**	Peso: 1 K 8, Cal. $4^1/_2$ mm, Longitud 90 cm, para el resto como 360, **„Modelo para Señoras**
Mark 4.80	4.40	11.50	8.60	14.20	14.20

Luft-Gewehre. | Fiusls à air comprimé. | Air-guns. | Fusiles de aire comprimido.

Schweres Modell. | **Modèle très fort.** | **Heavy model.** | **Modelo fuerte.**

Preise inklusive Zubehör, nämlich 1 Zange, 6 Bolzen, 100 Kugeln, 1 Scheibe. | Prix inclus accessoires, à savoir: 1 pince, 6 flèches, 100 balles, 1 cible. | The prices include accessories, viz: 1 pair of pincers, 6 darts, 100 balls, 1 target. | Precios y accesorios incluidos ó sea: 1 pincel, 6 flechas, 100 balas, 1 blanco.

	362	363	364	365	366	367	368
	† Lift	† Loft	† Luft	† Lafta	† Lefte	† Lifti	† Lofto
	Gewicht 2,100 kg. Caliber 4½ mm, Länge 88 mm	Wie 362, aber mit **Backe**	Gewicht 2,450 kg. Caliber 4½ mm Länge **100 cm**	Gewicht 2 kg, **90 cm** lang, Cal. 4½ mm, Ausführung wie **362**	Gewicht 2,150 kg, Cal. 4½ mm, 87 cm lang, Ausführung wie 362, jedoch **langer Verschlusshebel**	Gewicht 3,400 kg, Cal. **4½ mm,** 102 cm lang, Teile vernickelt, Lauf schwarz	Wie 367, Cal. **6½ mm**
	Ia. Qualität, feststehendes Visier, geräuschloser Schuss, Garnitur Nickel, Lauf schwarz, starke Feder					**Schwerstes Modell, Schweizer Schaft mit schwerer Metallkappe**	
	Poids: 2 K 100 Cal.: 4½ mm Longueur: 88 cm	Comme 362, mais avec **joue**	Poids: 2 K 450, Cal.: 4½ mm Longueur: **100 cm**	Poids: 2 K, Longueur: **90 cm,** Cal. 4½, Même exécution que **362**	Poids: 2 K 150, cal. 4½, Longueur: 87 cm, même exécution que 362, mais avec **long levier de fermeture**	Poids: 3 K 400, Cal. **4½ mm,** Longueur: 102 cm, pièces nickelées, canon noir	comme 367 cal. 6½ mm
	Première qualité, hausse fixe, tir sans bruit, garniture nickel, canon noir, fort ressort					**Fort modèle, crosse suisse avec forte calotte de métal**	
	Weight 2,100 kg, caliber 4½ mm, length 88 mm	Like 362, but with **cheek**	Weight 2,450 kg, caliber 4½ mm length **100 cm**	Weight 2 kg, **90 cm** long, cal. 4½ mm, make like **362**	Weight 2,150 kg. cal. 4½ mm, 87 cm long, make like 362 but **long lever bolt**	Weight 3,400 kg, cal. **4½ mm,** 102 cm long, parts nickeled, black barrel	Like 364, cal. 6½ mm
	Finest quality, fixed sight, noiseless shot, nickel mounting, black barrel, strong spring					**Heavy model, Swiss stock with heavy metal butt plate**	
	Peso: 2 K 100, Cal. 4½ mm, Longitud: 88 cm	Como 362, pero con **carrillo**	Peso: 2 K 450 Cal.: 4½ mm, Longitud: **100 cm**	Peso: 2 K, Longitud: **90 cm** Cal.: 4½; La misma ejecución que el **362**	Peso: 2 K 150, Cal. 4½, Longitud: 87 cm; La misma ejecución que el 362, pero con **larga palanca de cerradura**	Peso: 3 K 400, Cal. **4½ mm,** Longitud: 102 cm, piezas niqueladas y cañon negro	Como 367, Cal. 6½ mm
	Primera calidad, alza fija, sin ruido, montura de niquel, negro, resorte fuerte					**Modelo muy fuerte, caja suiza con cantonera fuerte de metal.**	
Mark	**17.—**	**17.80**	**24.—**	**18.50**	**20.50**	**36.—**	**36.—**

Luftgewehre | Fusils à air comprimé | Air Rifles | Fusiles de aire comprimido

Excellent

Schiesst mit komprimierter Luft, statt Federkraft. Pumpe „EFDB" unter dem Lauf dient zur Herstellung der Treibkraft

Tire par la force de l'air comprimé au lieu de ressort. Un piston EFDB située au-dessous du canon sert de force propulsive et remplace le ressort

Shoots by compressed air Valve EFDB underneath barrel serves as propulsive power, instead of spring

Tiro para la fuerza del aire comprimido. Una bomba EFDB, colocada debajo del cañon sirve de fuerza propulsiva y reemplaza el resorte

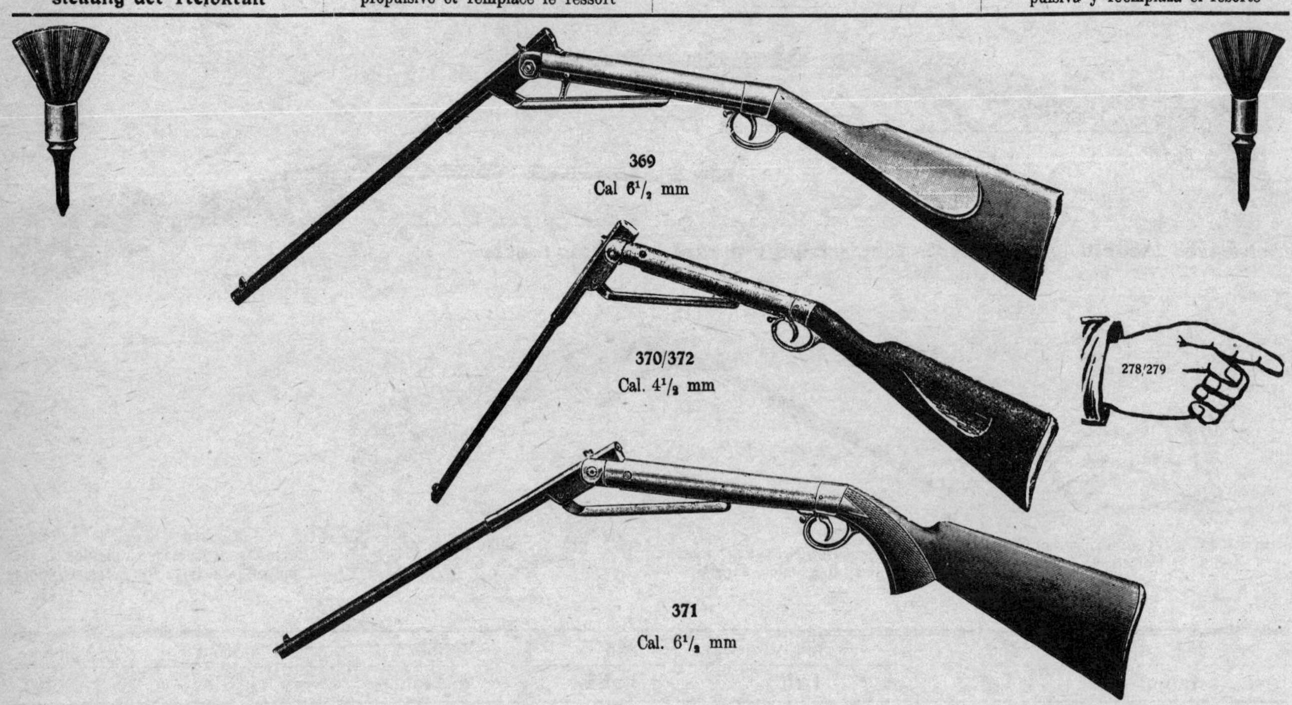

Preise inklusive Zubehör, nämlich Zange, Scheibe, 6 Bolzen, 100 Kugeln | Prix inclus accessoires, à savoir pince, cible, 6 flèches, 100 balles | The prices include accessories, viz. pincers, target, 6 darts, 100 balls | Precio y acceorios comprendidos, es decir el pincel, blanco, 6 flechas, y 100 balas

	367 a	367 b	369	370	371	372
	† Excellent	† Excelast	† Ganal	† Genel	† Ginil	† Gonol
	Gewicht 1,6 kg, Cal. 5¹/₂ mm, Länge ca. 90 cm, hochfein schwarz polierter Stahllauf, verstellbares Visier-Dach-Korn, Garnitur fein vernickelt, Nussholzschaft mit Backe und Eisenkappe, Abzugsbügel schwarz	wie 367 a, **brünierter Lauf,** einfaches Korn und Visier	Gewicht 2,9 kg, Cal. 6¹/₂ mm, Länge 110 cm, Schaft mit Fischhaut, Eisenkappe, Garnitur fein vernickelt, **bayrische Backe** **Ia Qualität, enormer Luftdruck, sehr dauerhaft, weittragend, alle Teile vernickelt, Lauf schwarz brüniert**	Gewicht 2,4 kg, Cal. 4¹/₂ mm, **100 cm** lang, Backe	Gewicht 2,9 kg, Cal. 6¹/₂ mm, **110 cm** lang, Pistolengriff	Wie 370, aber **Pistolengriff** und **Backe**
	Poids 1 K 6, Cal. 5¹/₂ mm, longueur environ 90 cm, canon d'acier, noir soigneusement poli, hausse régleable, point de mire, garniture nickelée élégamment, crosse noyer avec joue et calotte de fer, sous-garde de détente noire	comme 367 a, **canon bruni,** guidon et hausse simples	Poids 2 kg, 9 cal. 6¹/₂ mm, longueur 110 cm, crosse quadrillée avec calotte de fer, garniture élégamment nickelée, **joue bavaroise** **Première qualité, énorme pression, d'air, très durable, portant très loin, toutes pièces nickelées, canon bruni noir**	Poids 2 K 4, cal 4¹/₂ mm, longueur **100 cm,** à joue	Poids 2 K 9, cal. 6¹/₂ mm, longueur **110 cm,** crosse pistolet	comme 370, mais **crosse pistolet** avec **joue**
	weight 1,6 kg, cal. 5¹/₂ mm, length about 90 cm, very fine black polished steel barrel, adjustable rear sight, front sight, mounting finely nickeled, walnut stock with cheek and iron butt plate, black trigger-guard	like 367 a **burnished barrel,** simple front and rear sight	weight 2,9 kg, cal. 6¹/₂ mm, length 110 cm, checkered stock, iron butt plate mounting, finely nickeled **Bavarian cheek,** **best quality, enormous air pressure, very durable, shoots far, all parts nickeled, barrel burnished black**	weight 2,4 kg, cal. 4¹/₂ mm, **100 cm** long, cheek	weight 2,9 kg, cal. 6¹/₂ mm, **110 cm** long, pistol grip	like 370, **but pistol grip with** cheek
	Peso 1 K 6, cal. 5¹/₂ mm, Longitud 90 cm pròximamente Elegante, negro, pulido, cañon de acero, alza mobil, punto de mira, montura niquelada elegantemente, caja culatadenogaldecarrillocantonera de hierro de escape, guardamonte, fiada negro	Como 367a, **cañón negro,** punto de mira simple y alza	Peso 2 K 9, cal. 6¹/₂ mm, Longitud 110 cm, caja labrada con puño de hierro, montura elegantemente niquelado **carrillo bávaro** **Primera calidad, enorme presión de aire, muy durable, alcanza hasta muy lejos, riezas niquelados cañón negro**	Peso 2 K 4, Cal. 4¹/₂ mm, Longitud 100 cm, de carrillo	Peso 2 K 9, Cal. 6¹/₂ mm, Longitud 110 cm, puño de pistola	Como 370, pero puño de pistola con carrillo
Mark	30.—	26.—	36.—	25.—	38.50	27.50

Luftgewehre | Fusils à air comprimé | Air Rifles | Fusiles de aire comprimido

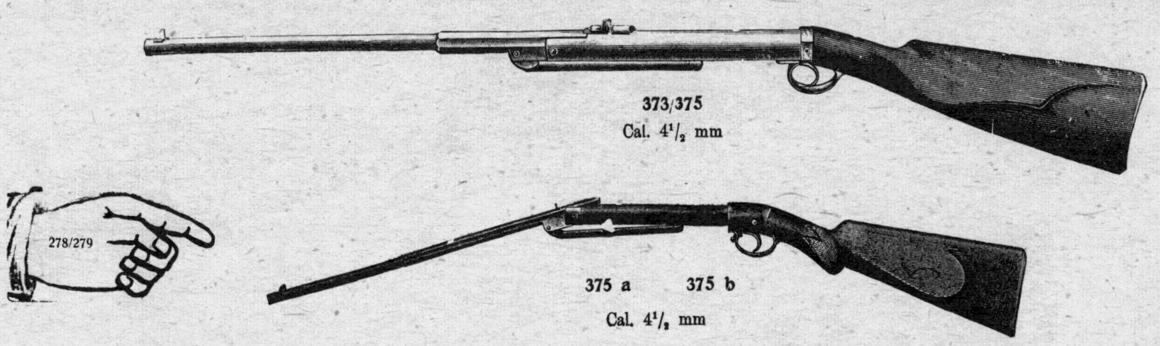

373/375
Cal. $4^1/_2$ mm

375 a 375 b
Cal. $4^1/_2$ mm

Mauserverschluss | Fermeture Mauser | Mauser Lock | Cerradura Mauser

376 a
Cal. $4^1/_2$ mm

376
Cal. $4^1/_2$ mm

Preise inklusive Zubehör, nämlich Zange, Scheibe, 6 Bolzen 100 Kugeln | Prix inclus accessoires, à savoir: 1 pince, 1 cible, 6 flèches, 100 balles | The prices include accessories, viz: pincers, target, 6 darts, 100 balls | Precio y accesorios comprendidos, es decir el pincel, blanco, 6 flechas, y 100 balas

	373	374	375	375 a	375 b	376	376 a
	† **Diana**	† **Dian**	† **Dia**	† **Dianaxi**	† **Dianaga**	† **Denea**	† **Denaex**
	Gewicht 2,00 kg, Länge **96 cm**, Cal. $4^1/_2$ mm **Achtkantiger massiver Stahllauf, brüniert, fein mattierter Nussbaumschaft mit Pistolengriff, alle Teile tiefschwarz!**	Gewicht 2,5 kg, Länge **104 cm**, Cal. $4^1/_2$ mm	Gewicht 3,00 kg, Länge **110 cm**, Cal. $4^1/_2$ mm	Gewicht 2,6 kg, Länge **105 cm**, Cal. $4^1/_2$ mm **Ausführung wie 374/75, aber mit Pistolengriff und Backe**	Gewicht 3,1 kg, Länge **109 cm**, Cal. $4^1/_2$ mm	Gewicht 1,65 kg, Länge **100 cm**, Cal. $4^1/_2$ mm, runder schwarzer Stahllauf, Garnitur **vernickelt**	Gewicht 2 kg, Länge **105 cm**, Cal. $4^1/_2$ mm, **massive Garnitur**, sonst wie 376
	Poids 2 K, Longueur **96 cm**, Cal. $4^1/_2$ mm **Canon octogone en acier massif, bruni, crosse noyer d'un beau, mat, avec crosse pistolet, toutes les pièces sont noires foncées**	Poids 2 K 5, Longueur **104 cm**, Cal. $4^1/_2$ mm	Poids 3 K, Longueur **110 cm**, Cal. $4^1/_2$ mm	Poids 2 K 6, Longueur **105 cm**, Cal. $4^1/_2$ mm **Même exécution que 373/5 mais avec crosse pistolet et à joue**	Poids 3 K 1, Longueur **109 cm**, Cal, $4^1/_2$ mm	Poids 1,65 kg, Longueur **100 cm**, Cal. $4^1/_2$ mm, canon d'acier noir et rond, garniture **nickelée**	Poids 2 K, Longueur 105 cm, Cal. $4^1/_2$ mm, **garniture massive**, pour le reste comme 376
	weight 2,00 kg, length **96 cm**, cal. $4^1/_2$ mm **octagon massive steel barrel burnished finely matted walnut stock with pistol grip. All parts deep black!**	weight 2,5 kg, length **104 cm**, cal. $4^1/_2$ mm	weight 3,00 kg, length **110 cm**, cal. $4^1/_2$ mm	weight 2,6 kg, length **105 cm**, cal. $4^1/_2$ mm **make like 373/5 but with pistol-grip and cheek**	weight 3,1 kg, length **109 cm**, cal. $4^1/_2$ mm	weight 1,65 kg, length **100 cm**, cal. $4^1/_2$ mm, round black steel barrel, **nickeled** mounting	weight 2 kg, length 105 cm, cal. $4^1/_2$ mm, **massive mounting**, otherwise like 376
	Peso 2 K, longitud **96 cm**, Cal. $4^1/_2$ mm **Cañón octogono de acero macizo negro, mango de nogal, de un bello, mate, con puño pistola, piezas negras morenas**	Peso 2 K 5, longitud **104 cm**, Cal. $4^1/_2$ mm	Peso 3 K, longitud **110 cm**, Cal. $4^1/_2$ mm	Peso 2 K 6, longitud **105 cm**, cal. $4^1/_2$ mm **La misma ejecución que 373/5, pero con manga pistola y carrillo**	Peso 3 K 1, longitud **109 cm**, Cal. $4^1/_2$ mm	Peso 1,65 K, longitud **100 cm**, Cal. $4^1/_2$ mm, cañon de acero negro y redondo, montura niquelada	Peso 2 K, longitud 105 cm, Cal. $4^1/_2$ mm, **montura maciza**, para el resto como 736
Mark	26.50	30.—	33.50	32.—	35.—	19.20	30.—

Luftgewehre für Schiessbuden. | Fusils à air comprimé pour salles de tir. | Air rifles for shooting galleries | Escopetas de aire comprimido para salas de tiro.

Hebelschieber-Verschluss. | Fermeture à levier. | Push lever lock. | Cierre de palanca.

377 b

Bügelspanner. | Armement par la sous-garde. | Spur guard trigger. | Gatillo guarda espuela.

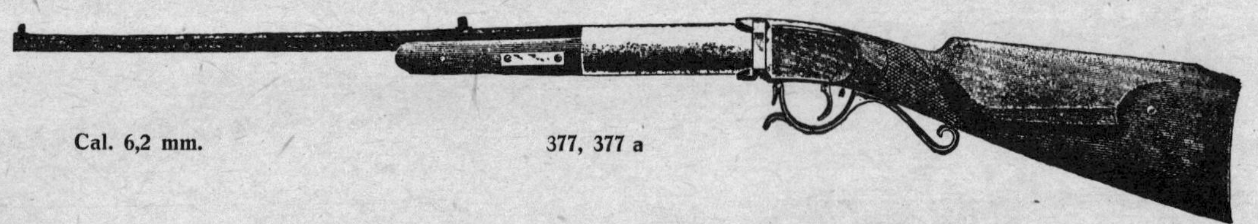

Cal. 6,2 mm. 377, 377 a

Kurbelspanner. | Armement à manivelle. | Winch handle loader. | Armamento de manivela.

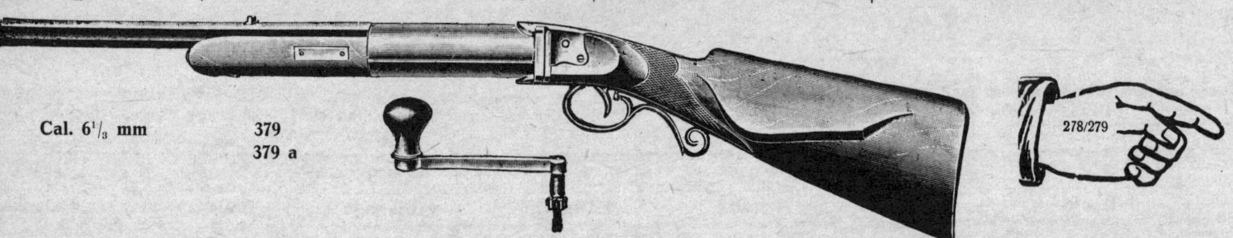

Cal. $6\frac{1}{3}$ mm 379 379 a

377 b	377	377 a	379	379 a
† Budskutz	† Bude	† Budestek	† Bedua	† Bedustek
Gewicht 2,700 kg, Cal. $4\frac{1}{2}$ mm, Länge 105 cm, Teile und Cylinder vernickelt, Lauf schwarz, Nussbaumschaft mit Schweizer Kappe	Gewicht 3 kg, Cal. **6,2 mm**, Länge **105 cm**, Neusilberkorn, **feines Schraubvisier**, kantiger Lauf, vernickelte Garnitur, Prima Qualität, **sehr weittragend, vorzüglich eingeschossen, Kipplauf**	Wie 377, jedoch Abzug noch mit **Stechschloss** versehen	Gewicht 3 kg, Cal. $6\frac{1}{3}$ mm, Länge **106 cm**, prima Qualität, **Kurbelspannung**, alle Teile und Zylinder vernickelt, Lauf achtkantig schwarz	Wie 379, aber mit **Stechschloss**
Poids 2,700 kg, cal. $4\frac{1}{2}$ mm, longueur **105 cm**, pièces et cylindre nickelés, canon noir, crosse noyer avec calotte suisse	Poids 3 kg, cal. **6,2 mm**, longueur **105 cm**, point de mire en vieil argent, élégante hausse vissée, canon angulaire, garniture nickelée, première qualité, **portant très loin, soigneusement réglé au tir**, canon **basculant**	Comme 377, mais gachette **à double détente**	Poids 3 kg, cal. $6\frac{1}{3}$ **mm**, longueur **106 cm**, première qualité, **armement à manivelle**, toutes pièces et cylindre nickelés, canon noir octogone	Comme 379, mais à **double détente**
Weight 2,700 kg, cal. $4\frac{1}{2}$ mm, length **105 cm**, parts und cylinder nickeled, black barrel, walnut stock with Swiss heel plate	Weight 3 kg, cal. 6,2 mm, length **105 cm, German silver front sight, fine screw rear sight**, octagonal barrel, nickeled mounting, prime quality, **carries very far, well tested, drop-barrel**	Like 377, but trigger provided with **hair-lock**	Weight 3 kg, cal. $6\frac{1}{3}$ mm, length **106 cm**, prime quality, **winch handle loader**, all parts and cylinder nickeled, black octagonal barrel	Like 379, but with **hair trigger lock**
Peso 2,700 kg, cal. $4\frac{1}{2}$ **mm**, longitud **105 cm**, piezas y cilindro niquelados, cañón negro, caja de nogal con cantonero suizo	Peso 3 kg, cal. 6,2 mm, longitud **105 cm, guiador de plata nueva, elegante alza atornillada, cañón** angular, montura niquelada, I a calidad, **alcanzando hasta muy lejos, cuidadosamente arreglado al tiro, cañón basculante**	Como 377, pero de **doble escape**	Peso 3 kg, Cal. $6\frac{1}{3}$ mm, longitud **106 cm**, primera calidad, **armamento de manivela**, todas las piezas y cilindro niquelados, cañón negro octógono	Como 379, pero **de doble escape**
Mark 51.—	Mark 40.—	Mark 46. –	Mark 55.—	Mark .61—

Universal-Luft- und Flobert-Gewehr	Armes „Universal“ à air comprimée et Flobert	Universal air- and Flobert rifle	Armas „Universal“ de aire comprimido y „Flobert“,

Neu! | Nouveauté! | Novelty! | Novedad!

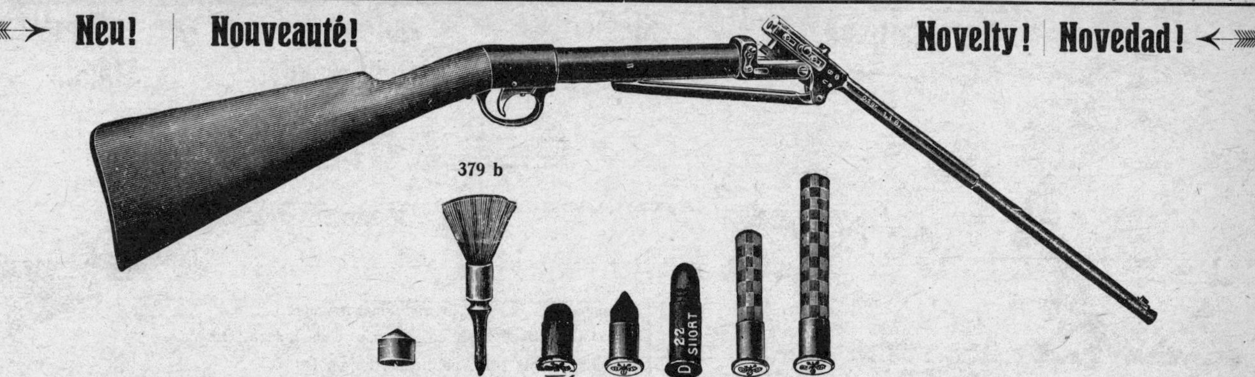

zum Schiessen mit Bolzen, Kugeln und Flobert-Munition.	tirant flèches et balles de fusil à air et munitions Flobert.	for shooting with darts, bullets and Flobert ammunition.	tirando con flechas y balas de fusil de aire y las municiones Flobert.

20 Schuss auf 10 m Entfernung	26 coups à 10 mètres de distance	20 shots at distance of 10 meters	26 tiros á una distancia de 10 metros

Gezogener Lauf.	Canon rayé.	Rifled barrel.	Cañón rayado.

379 b	376 b
† Budeflob	† Denavici
Gewicht 2,9 kg, Länge **110 cm**, Luftgewehrmunition Cal. $5^1/_3$, Flobertmunition Cal. **6 mm**, Ia. Stahlrohr, Teile und Lauf schwarz, seitlicher Patronenzieher, Verschluss durch **Druckknopf** auf der Seite	**Präzisions-**Luftgewehr mit **gezogenem Lauf, hervorragend** präzise **im Schuss, Patentverschluss**, nahtlos gezogenes Stahlrohr, Schlossteile aus Stahl gehärtet, alle Teile **tiefschwarz brüniert**, ff. polierter Nussbaumschaft mit Pistolengriff und Fischhaut, Abzugsschraube zum Verstellen des Abzugs, **ff. Drallzüge, Patentschraubvisier** wie Abbildung, **Perlkorn**, Länge 106 cm, Gewicht ca. 3 kg, Caliber $4^1/_2$ mm, schiesst **am besten** mit **Spezialkugeln** $4^1/_2$ **mm**
Poids 2 K 9, longueur **110 cm**, munition de fusil à air cal. $5^1/_3$, munition Flobert cal. **6 mm**, canon acier extra, pièces et canon noirs, extracteur latéral, fermeture avec **bouton à pression** latéral	Fusil à air comprimé **de précision** avec **canon rayé, tir de précision supérieur, système de** fermeture **déposé,** canon acier rayé, pièces du système en acier trempé, toutes pièces **entièrement brunies en noir foncé,** crosse noyer soigneusement polie avec poignée pistolet quadrillée, vis pour le réglage de la détente, **rayures spéciales supérieures, hausse à vis déposée,** suivant illustration, **point de mire perle,** longueur 106 cm, poids environ 3 kg, calibre $4^1/_2$, tire **de préférence les balles spéciales** cal. $4^1/_2$
Weight 2,9 kg, length **110 cm**, air rifle ammunition cal. $5^1/_3$, Flobert ammunition cal. **6 mm**, prime steel tube, parts and barrel black, cartridge ejector at side, lock by **means of press button** at side	Precision air-rifle with rifled barrel, **very exact shooting, patent lock,** rifled barrel without seam, lock parts of steel and hardened, **all parts burnished deep black,** very finely polished walnut stock with pistol grip and checkered, trigger screw for adjustment of trigger, **very fine rifling, patent screw sight** as in illustration, **bead** front sight, length 106 cm, weight about 3 kg, caliber $4^1/_2$ mm, shoots **best** with **special balls** $4^1/_2$ mm
Peso 2 K. 9, longitud **110 cm**, munición de fusil de aire cal. $5^1/_3$, munición Flobert cal. **6 mm** cañón acero extra, piezas y cañón negros, extractor lateral, cierre **con botón de presión** lateral	Fusil de aire comprimido **de precisión con cañón rayado, tiro de precisión superior, sistema** de cierre **patentado**, cañón de acero rayado, piezas del sistema de acero templado, todas piezas **enteramente bruñidas en negro oscuro,** culata de nogal cuidadosamente pulida con puño pistola labrado, tornillo para el arreglo del escape, rayados especiales superiores, **alza de tornillo patentado** según grabado, **punta de mira perla,** longitud 106 cm, peso 3 k próximamente, calibre $4^1/_2$ mm, tira **de preferencia las balas especiales** calibre $4^1/_2$ mm
Mark 34.—	**Mark 50.—**

Luftgewehre. | Fusils à air comprimé. | Air Rifles. | Fusiles de aire comprimido.

Automatischer Schiesstand. | Stand automatique. | Automatic target stand. | Tiro automático Stand.

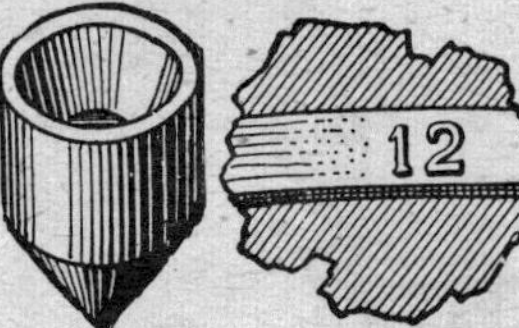

a Rolandspitzgeschoss (3fach vergrössert) Balle conique Roland (grossissemens: 3 fois) Roland pointed bullet (enlarged threefold). Bala cónica Roland (aumento: 3 veces).

b Zentrumtreffer. Coup au entre. bull's eye.

ROLAND

379 c
bestehend aus Luftgewehr und Rolandscheibe, Cal. 5,7
consistant en fusil à air comprimé et cible Roland, Cal. 5,7
consisting of air rifle and Roland target, Cal. 5,7
consistente en fusil de aire comprimido y blanco Roland, Cal. 5,7.

278/279

Das Präzisions-Luft-Gewehr Roland Modell 1909 wird nur komplett mit Rolandscheibe zusammen abgegeben. Die Konstruktion ist folgende: Die Rolandscheibe ist ein in gediegenster Weise auf Holzwappen montiertes Stahlpanzerschild mit Panzerringen von 1-12. Auf den Ringen sind die Ringzahlen umlaufend angebracht, so dass jede treffende Kugel, siehe Abbildung a, sich auf der Scheibe breit schlägt und automatisch die getroffene Nummer einstempelt, siehe Abbildung b. Das Bleigeschoss bleibt auf der Scheibe haften und wird mit einem Kugelheber von dem Schützen entfernt. Der Schütze kann sich mit seiner Kugel dann stets für seinen Treffer legitimieren. Der Kernschuss 12 wird durch einen lauten Glockenschlag markiert. Beim Konkurrenzschiessen braucht keine Liste geführt zu werden, jeder Schütze liefert seine Geschosse mit Nummer ab. Der Schiessstand eignet sich auch für Gastwirte etc.

Le fusil de précision à air comprimé „Roland, Modèle 1909" n'est délivré que complet avec la cible Roland. La construction est la suivante: la cible Roland est un écusson d'acier monté d'une facon très solide sur un écusson de bois, et munie de cercles allant de 1 à 12. Sur les cercles se trouvent apposés, tout autour, les numéros correspondants, de sorte que chaque balle atteignant la cible (voir illustration a) s'y aplatit et d'elle-même reçoit l'apposition du numéro atteint (voir illustration b). La balle de plomb reste adaptée à la cible et en est d'éfaite ou moyen d'un instrument ad hoc. De la sorte, le tireur peut aisément légitimer son tir. Chaque coup portant au centre est marqué d'un retantissant coup de cloche. En cas de concours de tir, il n'y a pas lieu de tenir une liste, chaque tireur présentant simplement sa balle marquée du numéro. Ce stand convient également aux hôteliers etc.

The precision air-rifle Roland model 1909, is only supplied complete together with Roland-target. The construction is as follows: The Roland target consists of a steel shield solidly mounted on a wooden coat of arms with mail rings from 1—12. On the rings their respective numbers have been marked all round so that each bullet hitting the mark (see illustration a) flattens on the target and stamps in automatically the number hit (seé illustration b). The leaden bullet which adheres to the target is removed by the marksman with a bullet lifter. Thus the marksman can always prove his hit by means of his bullet. When the bull's eye 12 is hit a bell rings. In shooting matches no list need be kept for every marksman delivers his bullets with numbers. The target is also suitable for hotel-keepers etc.

El fusil de precisión de aire comprimido Roland modelo 1909 no se provée nadamás que con el blanco Roland. La construcción es la siguiente: El blanco Roland es un escudo acorozado de acero, montado de un modo extremadamente sólido sobre un escudo de madera y provèsto de circulos acorazados que alcanzan de 1 à 12. Sobre los circulos se hayan colocados al rededor los números correspondientes, de modo que cado bala que toca el blanco (véase ilustración a) se aplana y recibe por si misma la fijación del numero tocado (véase ilustración b). La bala de plomo queda incrustada en el blanco y se puede desprender por medio de un instrumento ad hoc, de este modo puede cómodamente el tirador legitimar su tiro. Cada tiro portante en el centro es su tiro. Cada tiro portante en el centro es marcado por medio de un golpe retumbante de campana. En los concursos de tiro no se necesita llevar una lista, presentando cada tirador simplemente su bala marcada con el número. Este stand convione igualmente á los hosteleros etc.

Selbstkassierende Luftbüchse mit Automaten.
Fusil à air comprimé à automat.
Air rifle with automaton.
Fusil de aire comprimido con autómata.

379 d für Restaurants etc. lässt sich nur nach Einwurf eines Geldstücks schiessen. Der Automat lässt sich auch abnehmen und das Gewehr ohne denselben brauchen. Ganze Länge 105 cm brünierter Stahllauf, vernickelte Schlossteile, Schaft mit Backe und Fischhaut, Cal. 4½ mm incl. 100 Kugeln und 6 Bolzen.

379 d pour Restaurants etc. ne tire qu'après l'introduction d'une pièce de monnaie. L'automat est enlevable et on peut employer l'arme sans lui. Longueur totale 105 cm canon acier bruni. Pièces de serrure nickelées, crosse à joue et quadrillée, Cal. 4½ mm, avec 100 balles et 6 flèches.

379 d for restaurants hotels etc. can only be used for shooting after insertion of a coin. The automaton can be detached and the rifle used alone. Entire length 105 cm, burnished steel barrel, nickeled lock parts, stock, with check and checkered, cal. 4½ mm incl. 100 balls and 6 darts.

379 d Para Restaurants etc. No tira nadamas, que despues de introducir una moneda. El autómata se puede levantar y el arma es tambien empleable sin el; Longitud total 105 cm, cañon de acero bruñido, piezas de cerradura niqueladas, culata de carrillo y labrada, cal. 4½ mm con 100 balas y 6 flechas.

379 d.

379 c † Rolandti	379 d † Malautom
Mark 87.50	Mark 50.50

Luftpistolen. | Pistolets à air comprimé. | Air-Pistols. | Pistolas de aire comprimido.

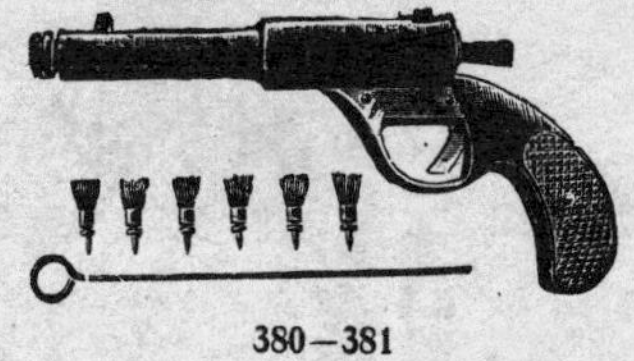

380—381

Für Schiessbuden. | Pour salles de tir. | For shooting galleries. | Para salas de tiro.

384

Aus Stahl. | En acier. | Of steel. | De acero.

Pistolen-Schiess-Apparat ‚Hasard'. | Pistolet à air pour tir à la cible ‚Hasard'. | Target Pistol ‚Hasard'. | Pistola para tirar al blanco ‚Hasard'.

398

Preise inkl. Zubehör, nämlich: Zange, Scheibe, 6 Bolzen, 100 Kugeln. | Prix inclus accessoires, à savoir: 1 pince, 1 cible, 6 flèches, 100 balles. | Prices including accessories viz: pincers, target, 6 darts, 100 bullets. | Inclusive precio y accessorios: pinzas, blanco, 6 flechas, 100 balas.

380 † Pasto	381 † Pesto	384 † Postu	385 † Postua	398 † Hasard
Cal. 4¹/, mm, **vernickelt** in Holzkasten mit Putzstock, 27 cm lang.	Wie 380 aber **schwarz lackiert.**	Gewicht 1,1 kg, **Cal. 4¹/, mm,** Länge **52 cm,** Lauf und Zylinder aus kräftigem **Stahlblech** gestanzt und fein vernickelt, Visiereinrichtung brüniert, Nussbaumschaft mattiert.	Cal. 4¹/₂ mm, **50 cm** lang, Gewicht 1,2 kg, fein verzierter Schaft, Ia Qualität, spannt sich durch **Drehen der Kurbel.**	**Cal. 6¹/₂ mm,** die Pistole kann auch **abgenommen werden, Scheibe drehbar** aus Holz, Gestell aus Holz, Preis **inkl. 2 Winkelschrauben, 12 Karten, 12 Bolzen.**
Cal. 4¹/₂ mm, **nickelé,** en boîte de bois, avec baguette, long de 27 cm.	Comme 380 mais **verni noir.**	Poids: 1 K 1, **Cal. 4¹/₂ mm,** Longueur: **52 cm,** canon et cylindre en solide **tôle d'acier** soigneusement nickelé dispositif pour mirer bruni, crosse noyer mat.	Cal. 4¹/₂ mm, long **de 50 cm,** poids 1 K. 2, crosse élégamment ornée, qualité extra, s'arme en **tournant la manivelle.**	**Cal. 6¹/₂ mm,** le pistolet **peut être également enlevé, cible mobile** en bois, support de bois, prix **inclus 2** vis angulaires, 12 cartons et 12 flèches.
Cal. 4¹/₂ mm, nickeled in wooden box with ramrod, 27 cm long.	like 380 but **varnished black.**	Weight 1,1 kg, **cal. 4¹/₂ mm,** length **52 cm,** barrel and cylinder of strong **stamped steel plate** and finely, nickeled burnished sight, matted walnut grip.	Cal. 4¹/₂ mm, **50 cm** long, weight 1,2 kg, finely decorated grip, prime quality, is cocked by **turning of winch.**	**Cal. 6¹/₂ mm,** the pistol can also be **detached,** revolving target of wood, wooden frame, price **including 2 special screws,** 12 cards, 12 darts.
Cal. 4¹/₂, niquelado, en caja de madera, con baqueta y cepillo, largo de 27 cm.	Como 380 pero **barnizado negro.**	Peso: 1 K 1, **cal. 4¹/, mm,** longitud **52 cm,** cañon y cilindro de **hierro blanco acerado estampado** sólido cuidadosamente niquelado, oscuro, caja mate de nogal, piezas de alza bruñidas.	Cal. 4¹/₂ mm, largo **de 50 cm,** peso 1 K. 2, caja elegantemente adornada, calidad extra, se arma doblando la **manivela.**	**Cal. 6¹/₂ mm,** la pistola puede ser **levantada,** blanco movible de madera, precio comprendido 2 tornillos angulares, 12 cartones y 12 flechas.
Mk.: 3.60	2.80	14.40	55.—	67.20

Scheiben für Luftgewehre Marke „Alfa".	Cibles pour fusils à air, marque „Alfa".	Targets for „Alfa" Airguns.	Blancos para escopetas de aire Marca „Alfa".

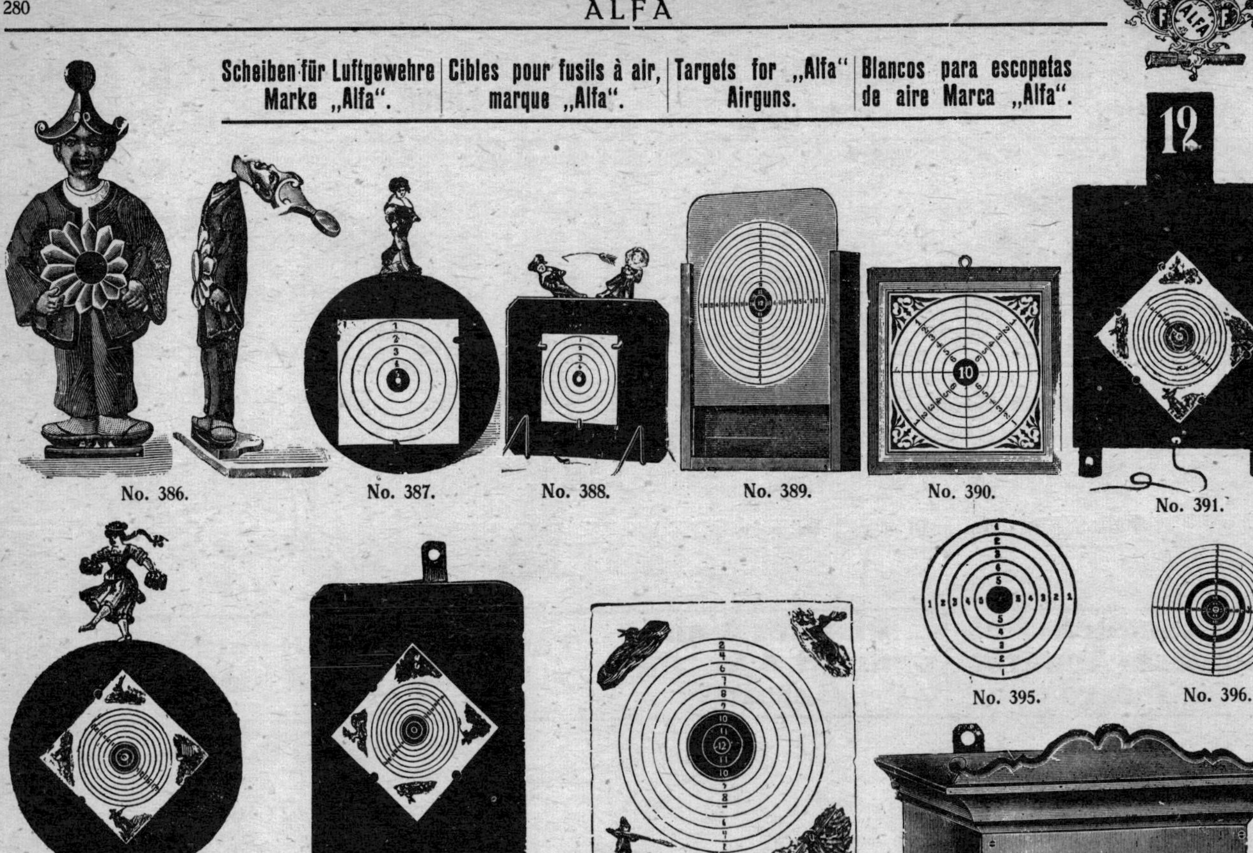

No. 386. No. 387. No. 388. No. 389. No. 390. No. 391.

No. 395. No. 396.

No. 392. No. 393. No. 394.

397. Patent-Zielscheibe mit automatischem Schussanzeiger, welcher beim Treffschuss den betreffenden Ring durch Nummer in der unteren Öffnung angibt. Diese Scheibe hat den Vorzug, dass sie selbst bei der **zartesten Berührung** gut und sicher funktioniert. Eignet sich speziell für **alle Arten Luftgewehre** und **Zimmerstutzen.**

397. Cible patentée, avec marqueur de points automatique. Cet appareil indique automatiquement, au moyen d'un numéro qui apparaît dans l'ouverture inférieure dans quel cercle le coup à porté. Cette cible a l'avantage de toujours fonctionner, même quand le coup est très faible. Est tout particulièrement recommandable **pour les armes à air comprimé de tous genres et les armes de salon.**

397. Patent target with automatic shot-indicator, which when hit shows the respective ring by means of a number in the lower opening. This target has the advantage of acting well and accurately upon **the slightest touch.** Especially suitable for **all kinds of air guns and indoor rifles.**

397. Blanco registrado, con indicador automático. Cuando se toca, indica el circulo, por medio de un número que aparece en el cuadro inferior. Este blanco tiene la ventaja de accionar bien y sin cuidado **al menor toque.** Especialmente conveniente **para toda clase de armas de aire y de salón.**

No. 397.

No. 386.	No. 387.	No. 388.	No. 389.	No. 390.	No. 391.	No. 392.	No. 393.	No. 394.	No. 395.	No. 396.	No. 397.
† Bas.	† Bes.	† Bis.	† Bos.	† Bus.	† Basa.	† Base.	† Basi.	† Baso.	† Basu.	† Basua.	† Besua.
Eisen, bunt lackiert, 35×15 cm, 1,3 kg.	Figur erscheint beim Zentrumsschuss, 13×16 cm. Eisen.	Wie No. 387, 18×20 cm. Eisen.	Bunt, doppelseitig benutzbar für Bolzen und Kugeln, 20×21 cm. Scheibenkasten.	Bunt, wie Nr. 389 als Scheibe. 20×20 cm. Holzscheibe.	Mit aufspringender Nummer beim Zentrumsschuss inkl. 12 Karten. Eisen.	Wie No. 387 inkl. 12 Karten. Eisen.	Mit automatisch. Glockenwerk. Muss nach je 80 Schuss aufgezogen werden. Eisen.	Zum Einsetzen in die Eisenscheiben 10×10 cm auf Karton.	Wie No. 394 mit 6 Ringen, gross, 18½×21 cm.	Wie No. 394, als Pistolenscheiben 10×10 cm, auf Karton.	Holzkasten, Grösse 42×28 cm Eisenringe, lange Zugschnur.
En fer, verni, de couleur, 35×15 cm, 1,3 kg.	La figure apparaît, quand le coup porte au centre 13×16 cm. De fer.	Comme 387, 18×20 cm. De fer.	De couleur à deux faces, s'emploie pour balles et flèches 20×21 cm. Boîte-cible.	De couleur, semblable comme cible au 389, 20×20 cm. Cible de bois.	avec apparition de numéro quand le coup porte au centre, avec 12 cartons. De fer.	Comme 387, inclus 12 cartons. De fer.	Avec sonnerie de cloche, après chaque 80 e coups, il faut remonter l'appareil. De fer.	à placer dans les cibles de fer, cartons de 10×10 cm.	Comme 394, à 6 cercles, 18½×21 cm.	Comme 394, cible pour pistolets, 10×10 cm, sur carton.	Boîte en bois, dimensions 42×28 cm, anneaux de fer, longue corde pour tirer.
Iron colored varnish, 35×15 cm, 1,3 kg.	Figure appears when bulls eye is hit, 13×16 cm. Iron.	Like No. 387, 18×20 cm. Iron.	Colored two sides can be used for darts and bullets, 21×21 cm. Target box.	Colored, like 389, as target 20×20 cm. Wooden target.	Number appears when bull's eye is hit incl. 12 cards. Iron.	Like No 387, incl. 12 cards. Iron.	With automatic clock work, must be wound up after every 80 shots. Iron.	To put on the iron targets 10×10 cm card board.	Like No. 394, with 6 rings, size 18½×21 cm.	Like No. 394, but pistol targets 10×10 om card board.	wooden box, size 42×28 cm, iron rings, long pulling string.
De hierro, colorado, barnizado, 35×15cm, 1,3 kg.	La figura aparece cuando se toca el centro. 13×16 cm. Hierro.	Como 387, 18×20 cm. Hierro.	Colorado, de 2 lados, se puede emplear para dardos y balas, 20×21 cm. Blanco-caja.	Colorado, parecido como blanco al No. 389 20×20 cm Blanco de madera.	Aparecen números cuando se toca el centro, con 12 cartones Hierro.	Como No. 387, incluyendo 12 cartones. Hierro.	Con campana automática, se ha de remontar despues de cada 80 tiros. Hierro.	Para poner en los blancos hierro cartón 10×10 cm	Como No. 394, con 6 circulos tamaño. 18½×21 cm.	Como No. 394, pero para pistola, cartón 10×10 cm.	Caja de madera, dimensiones 42×28 cm, anillos de hierro, cuerda larga para tirar.
Mk. 6.—	2.40	8,40	0,80	0.40	10.80	4.—	12.—	8.—	36.—	12.—	23.—
								pro 1000			

Originelle Scheiben für Luftgewehre aus Eisen, bunt lackiert	Cibles originales, en fer, de couleur et vernies, pour fusils à air comprimé.	Funny targets for air-rifles, of iron, colored and varnished.	Blancos originales de hierro, colorados y barnizados, para fusiles de aire comprimido.

LGB 34

LGB 36

LGB 37

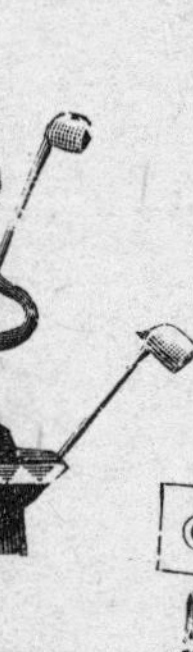

LGB 35

Wackel-, Ausputz-, Schwung-Figuren	Figures balançantes	Balancing and swinging figures	Figuras balanceantes

LGB 38

LGB 40

LGB 39

Grosser illustrierter Katalog mit originellen Scheiben für Schiessbuden auf Wunsch	Sur demande, envoi d'un grand catalogue illustré de cibles originales pour salles de tir.	On application large illustrated catalogue with funny targets for shooting booths.	Según pedido, envio de un gran catálogo ilustrado de blancos originales para salas de tiro.

LGB 34	LGB 35	LGB 36	LGB 37	LGB 38	LGB 39	LGB 40
† Orischeil	† Orischank	† Orischost	† Orischulte	† Orischendi	† Orischimmi	† Orischwarz
Figuren feststehend, zum Aufputzen mit Kasten, Pfeifen, Flattern etc. Höhe: cm Gewicht: kg		Ansteckscheiben mit Flattern, Pfeifen oder Karten zu bestecken, bewegen sich wie ein Perpendickel langsam hin und her. Grösse 42×40 cm Gewicht $3^1/_2$ Kilo netto		**Flatternfresser,** hinter der Scheibe dreht sich langsam ein Kreuz. Die Figur steckt immer **Flattern in den Mund.** Höhe 70 cm	Die auf dem Kopf des Klowns befindl. Figur bewegt sich nach Wunsch **langsam** oder **schnell.** Zum Aufstecken von Pfeifen, Karten etc. Grösse 60×45 cm	Das Brett geht **langsam auf und nieder,** hübsche **Wackelfigur.** Grösse 60×45 cm
Figures fixes à garnir de cartons, de pipes etc. hauteur: cm poids: kg		**Cibles à garnir de cartons, de pipes etc. se mouvant lentement de long en large.** Dimensions: 42×40 cm, poids: 3 k $^1/_2$ net.		**Dévoreur,** derrière la cible se lentement une croix meut. La figure met toujours dans la bouche de petites cibles.	La figure se trouvant au-dessus de la tête du clown se meut **lentement** ou **plus vite** selon qu'on le veut, a garnir de pipes, cartons etc dimensions 60×45 cm	La planche va **lentement de bas en haut** et de haut en bas, belle **figure balançante.** Dimensions 60×45 cm
Fixed figures for trimming with cards, pipes, fluttering objects etc. Height: cm Weight: kg		Targets for attachment of fluttering objects pipes or cards etc. moving slowly to and fro like a pendulum, size, 42×40 cm, weight $3^1/_2$ Kilo net.		**Devourer,** behind the target, a cross turns slowly, the figure **always thrusts fluttering** objects in **its mouth** Height 70 cm	The figure on the head of the clown **moves quickly** or **slowly,** as desired. For attachment of pipes, cards etc. Size 60×45 cm.	The board moves slowly **up anp down pretty balancing figure.** Size 60×45 cm
Figuras fijas de adamos de con cartones, de pipas etc. altura: cm peso: kg		Blancos de adamos de pipas, de cartones etc., moviéndose lentamente á lo largo y á lo ancho. Dimensiones: 42×40 cm, Peso: 3 k $^1/_2$ neto.		**Devorador,** detrás del blanco se mueve lentamente una cruz, La figura pone siempre pequenos blanco en la boca. Altura 70 cm.	La figura que hay encima de la cabeza del clown **se mueve lentamente ó mas rápido** como se deséê, monturas de pipas, cartones etc. Dimensiones 60×45 cm	La plancha va lentamente de abajo á arriba y de arriba à abajo, **bella figura balanceante** Dimensiones 60×45 cm
Mark: 44.—	44.—	35.—	35.—	66.—	44.—	29.—

Steinschloss-Gewehre, Afrika-Modelle.

Fusils à silex. Modèle africain.

Flint lock rifles. African models.

Fusiles, de siliceo. Modelo africano.

V 26
V 27
V 28

„Lazarinos"
mit 5 Ringen, rot, lackiertes Holz,
V 26 für 1/2 Kugel
V 27 für 3/4 Kugel
V 28 für 1/1 Kugel.

„Lazarinos"
avec 5 brassières, bois rouge verni,
V 26 pour 1/2 balle
V 27 pour 3/4 balle
V 28 pour balle.

„Lazarinos"
with 5 rings, wood varnished red,
V 26 for 1/2 ball
V 27 for 3/4 ball
V 28 for 1/1 ball.

„Lazarinos"
Con 5 anillos, madera roja barnizada
V 26 para 1/2 bala
V 27 para 3/4 bala
V 28 para bala.

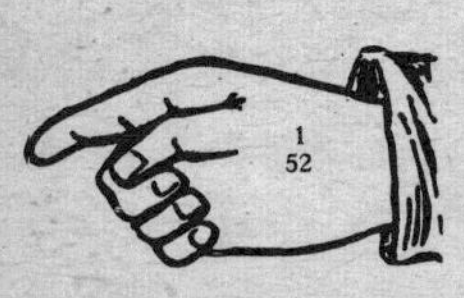

V 29 V 31
V 30 V 32

„Bord Wilson Cacalla"
Schloss mit eiserner oder Messing-Zündpfanne, Messing-Garnitur, braun lackierter Holzschaft.
V 31 } haben zinnoberroten Holzschaft
V 32 }

„Bord Wilson Cacalla"
systeme avec bassinet de fer ou de cuivre, garniture de cuivre, bois verni brun
V 31 } sont à crosse de bois vermillon
V 32 }

„Bord Wilson Cacalla"
lock with iron or brass touch-pan, brass mounting, wooden stock varnished brown.
V 31 } have vermilion wooden stocks.
V 32 }

„Bord Wilson Cacalla"
Platino con cazoleta de hierro ó de cobre, guarnición de cobre, madera oscura barnizada.
V 31 } son de mango de madera bermellón.
V 32 }

V 33
V 34

„Bord Englisch od. Tower"
Schaft ausgehölt, Messing-Garnitur, Buchenholzschaft.
V 34 hat Nussbaumschaft.

„Bord anglais ou Tower"
Crosse évidée, garniture cuivre, crosse hêtre.
V 34 est à crosse noyer.

„Bord English or Tower"
stock hollowed out, brass mounting, beech wood stock.
V 34 has a walnut stock.

„Bord inglés ó Tower"
Mango hueco, guarnición de cobre, culata de madera de haya.
V 34 es de culata de nogal.

V 35
V 36

„Bord Englisch od. Tower"
voller Schaft, ganze Messing-Garnitur, Buchenholz.
V 36 hat Nussbaumschaft.

„Bord anglais ou Tower"
crosse pleine, garniture toute en cuivre, bois hêtre.
V 36 est à crosse noyer.

„Bord English or Tower"
full stock mounting of brass entirely beech wood.
V 36 has a walnut stock.

„Bord inglés ó Tower"
Culata plana, toda la guarnición de cobre madera de haya.
V 36 es de culata de nogal.

No.	V 26	V 27	V 28	V 29	V 30	V 31	V 32	V 33	V 34	V 35	V 36
†	Lazarko	Lazarfa	Lazarti	Lazase	Lazardu	Lazarst	Lazarch	Lazarost	Lazarenk	Lazaripf	Lazarund
Cal.	32	24	16	32	24	32	24	12	12	12	12
Mark	11.50	11.75	12.55	14.—	14.40	14.50	14.75	18.—	19.50	18.20	19.50

Stein-schloss-Gewehre, Afrika-Modelle.

Fusils à silex. Modèle africain.

Flint lock rifles. African models.

Fusiles, de siliceo. Modelo africano.

V 37
V 38

„Bord Burding"
Zinoberrot lackierter Holzschaft, Messinggarnitur, 45 engl. Zoll langer Lauf

„Bord Burding"
crosse bois verni vermillon garniture cuivre, canon de 45 pouces anglais

„Bord Burding"
wooden stock varnished vermilion, brass mounting, length of barrel 45 inches

„Bord Burding"
culata de madera barnizada bermellón, guarnición de cobre y cañón de 45 pulgadas inglesas.

V 39 V 43
V 40 V 44
V 41 V 45
V 42 V 46

„Long Deane"
schwarz lackierter Holzschaft, Eisengarnitur.
V 41 und V 42 haben Messinggarnitur
V 43 und V 44 haben zinnoberroten Holzschaft und Eisengarnitur
V 45 und V 46 haben zinnoberroten Holzschaft und Messinggarnitur

„Long Deane"
crosse bois noir verni, garniture de fer
V 41 et V 42 sont à garniture cuivre
V 43 et V 44 sont à crosse bois vermillon et à garniture de fer
V 45 et V 46 sont à crosse bois vermillon et à garniture de cuivre

„Long Deane"
wooden stock, varnished black, iron mounting
V 41 and V 42 have brass mounting
V 43 and V 44 have vermilion wooden stock and iron mounting
V 45 and V 46 have vermilion wooden stock and brass mounting

„Long Deane"
culata de madera negra barnizada, guarnición de hierro.
V 41 y V 42 son de guarnición de cobre
V 43 y V 44 son de culata de madera bermellón y de guarnición de hierro
V 45 y V 46 son de culata de madera bermellón y de guarnición de cobre

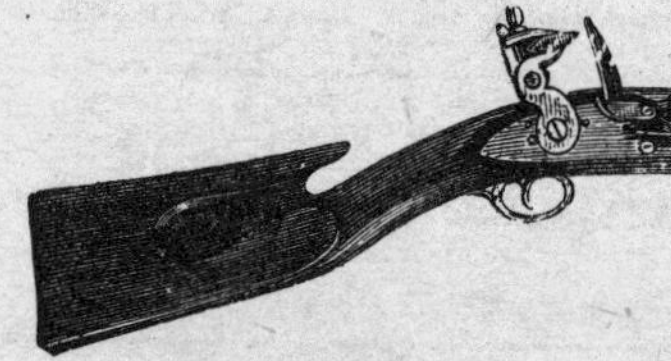

V 47
V 48
V 49
V 50

„Boucanier"
V 47 schwarzer Vollschaft, Messing-Garnitur
V 48 wie V 47 zinnoberroter Schaft
V 49 wie V 47 mit Fassonschaft, schwarz
V 50 wie V 49 mit Fassonschaft, zinnoberrot

„Boucanier"
crosse V 47 noire, pleine, garniture cuivre
V 48 comme V 47 crosse vermillon
V 49 comme V 47 avec façon crosse noire
V 50 comme 49 avec façon crosse vermillon

„Boucanier"
V 47 full black stock, brass mounting
V 48 like V 47 but vermilion stock
V 49 like V 47 but special shape black stock
V 50 like V 49 but special shape vermilion stock

„Boucanier"
caja V 47 negra llena y guarnición de cobre
V 48 como V 47 culata bermellón
V 49 como V 47 con forma culata negra
V 50 como V 49 con forma culata bermellón

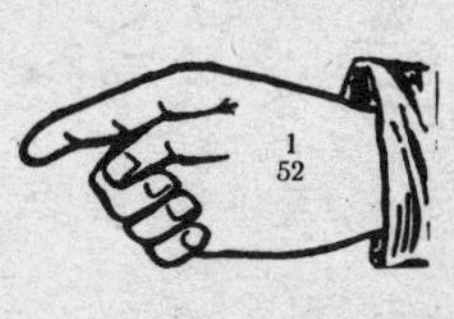

V 51
V 52
V 53
V 54

„Frankreich"
V 51 Schloss mit Messing-Zündpfanne, Buchenholz, 34 franz. Zoll langer Lauf
V 52 hat Nussholzschaft
V 53 wie V 51 mit 38 Zoll langem Lauf
V 54 wie V 52 mit 38 Zoll langem Lauf

„France"
V 51 système avec bassinet cuivre, bois hêtre, canon long de 34 pouces français
V 52 posse de une crosse noyer
V 53 comme V 51 avec canon long de 38 pouces
V 54 comme V 52 avec canon long de 38 pouces

„France"
V 51 with brass touch-pan, beechwood, length of barrel 34 French inches
V 52 has walnut stock
V 53 like V 51 with 38 inch barrel
V 54 like V 52 with 38 inch barrel

„Francia"
V 51 cierre con cazoleta de cobre, madera de haya, el cañón mide 34 pulgadas francesas
V 52 de culata de nogal
V 53 como V 51 pero el cañón mide 38 pulgadas
V 54 como V 52 el cañón mide 38 pulgadas

	V 37	V 38	V 39	V 40	V 41	V 42	V 43	V 44	V 45	V 46	V 47	V 48	V 49	V 50	V 51	V 52	V 53	V 54
†	Lodeaka	Lodeale	Lodeafo	Lodeagi	Lodeaku	Lodeast	Lodeach	Lodearf	Lodeadz	Lodeanb	Lodeamp	Lodealt	Lodeahk	Lodeass	Lodeacx	Lodeatrala	Lodeatrele	Lodeatrili
Cal.	32	24	32	24	32	24	32	24	32	24	12	12	24	24	16	16	16	16
Mark	15.—	15.25	14.80	15.—	15.60	15.80	15.—	15.25	15.70	15.90	19.50	19.70	18.50	19.—	16.60	18.—	17.20	19.60

Steinschloss-Gewehre „Afrika-Modelle“
Lauflänge 75—80 cm.

Fusils à silex, Modéle africain
Canon de 75 à 80 cm.

Flint lock rifles, „African models“
Length of barrels 75—80 cm

Fusiles de silíceo, „Modelo africano“.
Cañon de 75 á 80 cm.

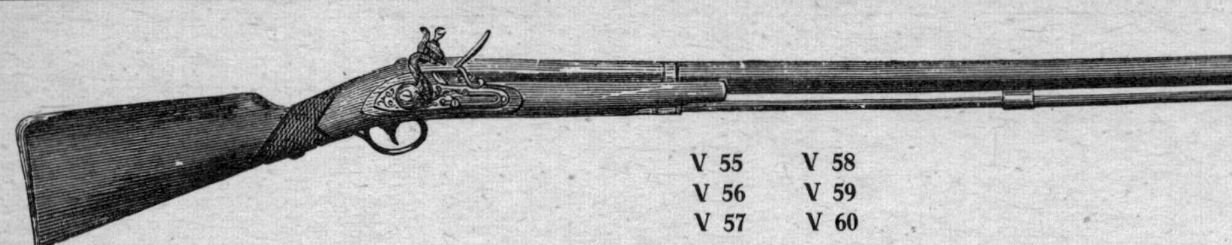

V 55 V 58
V 56 V 59
V 57 V 60

V 55, Steinschloss, einschüssig, englischer Schaft Eisengarnitur poliert, brauner Nuszholzschaft.

V 56, wie V 55, schwarzes Holz.
V 57, wie V 55, imitierter Damastlauf Rubau, Garnitur bunt eingesetzt.
V 58, wie V 57, mit Fischhaut graviert.
V 59, wie V 58, französ. Schaft ohne Kopf, polierte Schlossteile.
V 60, Imitierter Bernard-Damastlauf, französ. Schaft ohne Kopf, Eisengarnitur bunt eingesetzt, graviert, brauner Holzschaft.

V 55, à silex, à I coup, crosse anglaise, garniture de fer poli, crosse noyer brun.

V 56, comme V 55, bois noir.
V 57, comme V 55. canon Ruban Damas imitation, garniture trempée.
V 58, comme V 57, quadrillé, gravé.
V 59, comme V 58, crosse française, sans tête, pieces de serrure blanches polies.
V 60, canon faux Damas Bernard, crosse française sans tête, garniture de fer, gravé et trempé, bois brun.

V 55, flint lock, one shot, English stock, polished iron mounting, brown walnut stock.

V 56, like V 55, black wood.
V 57, like V 55, imitation Ruban damascus barrel, colored mounting inlaid.
V 58, like V 57, checkered engraved.
V 59, like V 58, French stock without head, brightly polished lock parts.
V 60, Imitation Bernard damascus barrel. French stock without head, colored iron mounting inlaid, engraved, brown wooden stock.

V 55, de silíceo de un tiro y culata Inglesal. Guarnición de hierro pulido, culata de nogal oscuro.
V 56, como V 55, de madera negra.
V 57, como V 55, cañon Ruban damasco imitación, guarnición templada.
V 58. como 57, labrado y grabado.
V 59, como V 58, culata francesa, sin cabeza, piezas de cerradura blancas y pulidas.
V 60, Cañón imitación damasco Bernard, culata francesa, sin cabeza. Guarnición de hierro grabado y templado, madera oscura.

V 61
V 62

1/52

V 61, Steinschloss einschüssig, imitierter Bernard-Damastlauf, 3/4 französischer Schaft. aus schwarzem Holz, geschnitzter Schaft, Teile blank poliert.
V 62, wie V 61, mit Ganzschaft aus braunem Holz, imitierter Torche-Damastlauf, graviert, Teile bunt eingesetzt.

V 61, à silex, à I coup, canon Damas Bernard imitation, crosse 3/4 française en bois noir, crosse sculptée, pièces blanches polies.

V 62, comme V 61 avec devant de bois brun prolongé, canon imitation Torche Damas, gravé, pièces trempées jaspées.

V 61, flint lock, one shot, imitation Bernard damascus barrel, French 3/4 stock of black wood carved, parts brigthly polished.

V 62, like V 61, with whole stock of brown wood imitation Torche damascus barrel, engraved, colored parts, hardened case.

V 61, de silíceo, de un cañón, Cañón Imitación Damasco Bernard. Culata 3/4 francesa, de madera negra, culata esculpida y piezas blancas pulidas.
V 62, como V 61, con delantera prolongada, de madera oscura. Cañon imitación Torche Damasco, grabado y piezas jaspeadas templadas.

Zweiläufig. | à 2 canons. | Two barrels. | 2 cañones.

V 63 V 64 V 65

V 63, Steinschloss-Doppelflinte, blanke Läufe, englisch. Schaft, Eisen-Garnitur blank poliert, Nussbaum oder schwarzes Holz.
V 64, wie V 63, französischer Schaft, ohne Kopf.
V 65, wie V 64, aber graviert und Lauf mit Gravur.

V 63, Fusils à deux coups, à silex, canons blancs, crosse anglaise, garniture de fer- blanche polie, noyer ou bois noir.
V 64, comme V 63, crosse française, sans tête
V 55, comme V 64, mais gravé et canon avec gravure.

V 53, double barrel, flint lock rifl , bright barrels, English stock, iron mounting, brightly polished, walnut or black wood.
V 64, like V 63, French stock without head.
V 65, like V 64, but engraved and barrel with engraving.

V 63, Fusil de dos cañones, de silíceo cañones blancos, y culata inglesa. Guarnición de hierro blanco pulido, nogal ó madera negra.
V 64, como V 63, culata francesa sin cabeza.
V 65, como V 64, pero grabado y cañon con grabado.

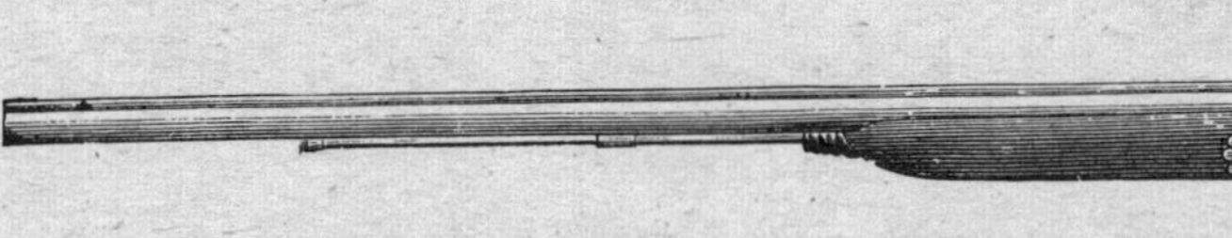

V 66 V 67

V 66, Steinschloss-Doppelflinte, imitierter Torche-Damastlauf, Goldeinlagen auf den Läufen, französischer Schaft mit Kopf, Nussbaumschaft punktiert, tiefe Gravur, vernickelte Garnitur.

V 67, wie V 66, aber imitierter Boston-Damast, Schaft verschnitzt, Garnitur 1/2 nickel, 1/2 vergoldet.

V 66, Fusil à 2 coups, à silex, imitation canon Damas Torche, dorure sur canons, crosse française avec tête, bois de noyer poncé, gravure à fonds creux garniture nickelée.

V 67, comme V 66, mais canons faux, Boston, devant sculpté, garniture 1/2 nickelée, 1/2 dorée.

V 66, double barrel, flint lock rifle, imitation Torche damascus barrel, gold insertion on barrels, French stock with head, dotted walnut, deeply engraved, nickeled mounting.

V 67, like V 66, but imitation Boston damascus, carved stock, mounting half nickel, half gold.

V 66, Fusil de 2 cañones de silíceo — cañón imitación Damasco Torche. Ceradura sobre los cañones, culata francesa con cabeza, madera de nogál oscura, grabado de fondo profundo, guarnición niquelada
V 67, como V 66, pero cañones imitación Boston, delantera esculpida. Guarnición mitad niquelada, mitad dorada

V 55—V 67 kosten in Cal. 20 ebensoviel, † t anhängen.
V 55—V 67 kosten in Cal. 16 mehr Mk. 2.— † s anhängen.
V 55—67 kosten länger als 80 cm mehr Mk. 0,25 pro cm.

V 55—67 coûtent en Cal. 20 le même prix. † t à ajouter.
V 55 67 coûtent en Cal. 16 Mk. 2. – en plus, † s à ajouter.
V 55—67 coûtent avec canons plus longs que 80 cm Mk. 0.25 en plus par centimètre.

V 55—67 cost the same in cal. 20, add † t.
V 55—67 cost in Cal. 16 Mk. 2.— more, add † s.
V 55—67 cost longer than 80 cm Mk. 0.25 more per cm.

V 55 - V 67 cuestan el mismo precio en Cal. 20, hay que añadir † t.
V 55 V 67 cuestan en cal. 16, Marcos 2.— más añadir † s.
V 55—V 67 con cañones más largos de 80 cm Mk. 0.25 más por centimetro.

Nr.	V 55	V 56	V 57	V 58	V 59	V 60	V 61	V 62	V 63	V 64	V 65	V 66	V 67
†	Silexka	Silexle	Silexbi	Silexno	Silextu	Silexas	Silexest	Silexift	Silexoms	Silexutz	Silexkri	Silexbla	Silexzuw
Cal.	24	24	24	24	24	24	24	24	24	24	24	24	24
Mark	13.—	13.—	14.20	15.—	14.60	15.50	15.80	16.—	38.50	40.50	42.—	53.—	64.—

Vorderlader Marke Alfa „Einläufig".

Fusils „Alfa" à 1 coup, se chargeant par la bouche.

Muzzle Loaders Brand Alfa „Single barreled".

Escopetas de un tiro de carga por la boca, Marca „Alfa".

V 1

Läufe 75/80 cm lang, **imitierter Ruban-Damast, rückliegendes Schloss,** lackierter Schaft, dunkle Garnitur, Eisenteile, poliert.

Canons de 75/80 cm, Ruban Damas imitation, platines à l'arrière, crosse vernie, garniture foncée, pièces de fer, poli.

Barrels 75/80 cm long, **imitation Ruban Damascus, back lock,** varnished stock, dark mounting, polished iron parts.

Cañones de 75/80 cm, **Ruban Damasco imitación, llave de cola, caja barnizada**, montura oscura, piezas de hierro, pulido.

V 2

Wie No. V 1 jedoch mit **imitiertem Oliv-Damastlauf, vorliegendes** Schloss, Schaft mit Fischhaut, Magazin für Zündhütchen aus Messing.

Comme n. V 1 mais **canon Damas Olive imitation, platines à l'avant,** crosse quadrillée, magasin en laiton pour capsules.

Like No. V 1 **but with imitation Olive Damascus barrel, frontlock,** checkered stock, magazine for brass caps.

Como No. V 1 pero **con cañones de Damasco Olivo imitación, llave delantera,** caja labrada y cajita de latón á para los pistones en la culata.

V 3

80 cm langer Lauf, schwarz brüniert, **vorliegendes** Schloss mit Rucksprung, Nussbaumschaft, englisch mit Fischhaut, dunkel poliert, Eisengarnitur graviert, gehärtet, marmoriert, mit Schieber zum Auseinandernehmen, Riemenbügel, **ausgehöhlte** Basküle.

Canon de 80 cm, bruni noir, platines à l'avant, chien rebondissant, crosse anglaise quadrillée en noyer, garniture de fer gravé, trempé, jaspé, démontage à poussoir, anneaux de courroie, **bascule évidée.**

80 cm barrel browned black, **front lock** checkered rebounding. English walnut stock, dark polish, iron mountings, engraved, hardened, marbled, with slide for taking to pieces, swivels, **hollowed** bascule.

Cañón de 80 cm, negro bruñido, **llave delantera** de retroceso, caja inglés labrada y de nogal, guarnición oscura de hierro grabado, templado, y marmoreado, anillos de correa, báscula **ahuecada.**

V 4

80 cm Lauflänge, Lauf fein poliert und schwarz brüniert, **rückliegendes** Schloss, **Nussbaumschaft** wie Abbildung, mit **Schnabel,** dunkel oder hell poliert, Vorderschaft mit Fischhaut, Eisengarnitur, gehärtet grau, Riemenbügel.

Canon de 80 cm soigneusement poli et bruni noir, platines **à l'arrière, crosse noyer,** suivant illustration, avec bec, poli foncé ou clair, devant quadrillé, garniture de fer, trempé gris, anneaux à courroie.

Barrel 80 cm long, finely polished and browned, **back lock, walnut stock with nose** as in picture, dark or light polish, fore-end checkered, iron mounting, hardened grey, swivels.

Cañón de 80 cm, con pulimento y bruñido fino, **llave de cola, puño de nogal** abultado como en la ilustración, pulimento claro ó oscuro, parte delantera labrada guarnición de hierro gris templado, anillos de correa.

Die Vorderlader werden in jedem gewünschten Caliber zu gleichem Preis geliefert. Caliberangabe bei Bestellung notwendig. Für Telegramme siehe bezl. Caliber unseren Code im Vorwort.

Les fusils à chargement par la bouche sont délivrés au même prix dans n'importe quel calibre. L'indication du calibre est nécessaire dans chaque commande. Pour commandes par câble, voir relativement aux calibres, notre code télégraphique spécial. au commencement du catalogue.

The muzzle loaders are supplied in any caliber desired at the same price. When ordering it is necessary to state the caliber. For telegrams see in preface our code respecting calibers.

Las escopetas que se cargan por la boca se venden al mismo precio en cualquier calibre. La indicación del calibre es necesaria en cada pedido. Para pedidos por cable véase, en lo que concierne á los calibres, nuestro código telegráfico especial, el cual se haya al principio del catálogo.

	V 1 † Acador	V 2 † Actel	V 3 † Amlate	V 4 † Acrime
Cal.:	16	16	16	24
Mark:	10.50	12.—	22.50	16.80

Vorderlader Marke „Alfa“ Einläufig.

Fusils „Alfa“ à 1 coup, se chargeant par la bouche.

Muzzle Loaders Brand „Alfa“ Single barreled.

Escopetas de un tiro de carga por la boca, Marca „Alfa“.

V 5

80 cm langer Stahllauf, fein poliert, braun brüniert, **vorliegendes** Rückspringschloss mit **Pistonschutzdeckel,** Nussbaumschaft mit Schnabel, dunkel poliert, mit Fischhaut, gravierte Schlossteile, gehärtet marmoriert, mit **Schieber zum Auseinandernehmen,** Riemenbügel.

Canon acier de 80 cm, soigneusement poli, brunissage brun, **platines à l'avant** avec couvercle de protection du piston, chien rebondissant, crosse noyer à bec, polissage foncé, quadrillé, platines gravées, trempées, jaspées, démontage à poussoir, anneaux de courroie.

Finely polished and browned steel barrel 80 cm long, rebounding **front lock, piston protector,** checkered walnut stock with nose, dark polish, engraved lock parts hardened, with **slide for taking to pieces.**

Cañón de 80 cm, de acero pulido bruñido finamente, **llave delantera** de retroceso, **guarda piston,** caja de nogal labrada con puño abultado, cierres grabadas, templadas y jaspeadas, anillós para correa.

V 6

Olivefarbene Damastläufe, ausgehöhlte Basküle, **vorliegendes** Rückspringschloss, Eisengarnitur, zur Hälfte gehärtet und gebläut, englische Gravur, **mit Silber ausgelegt** und eingesetzten **Neusilberornamenten.** Magazin für Pfropfen.

Canons Damas couleur Olive, bascule évidée, platines à l'avant, chiens rebondissants, garniture de fer moitié trempée et bleuie, gravure anglaise, ornements argent et vieil argent, magazin pour bourres.

Olive colored, damascus barrels hollowed bascule, rebounding **front lock,** iron mounting, half hardened and blued, English engraving, mounted and inlaid with silver and with German silver inserted ornaments. Magazine for wads.

Cañónes Damasco color Olivo, báscula ahuecada, **llave delantera** de retroceso, montura de hierro medio azulada, y templada, grabado inglés, punteada de plata con adornos de plata alemana, cajita para tacos.

V 7

Wie No. V 6 mit guillochierter Schiene, jedoch **feiner graviert,** usw.

Comme No. V 6 avec bande guillochée, mais plus élégamment gravé etc.

Like No. V 6 with matted extension rib, but finer engraving etc.

Como No. V 6 con cinta retorcida, pero grabado más fino etc.

V 8

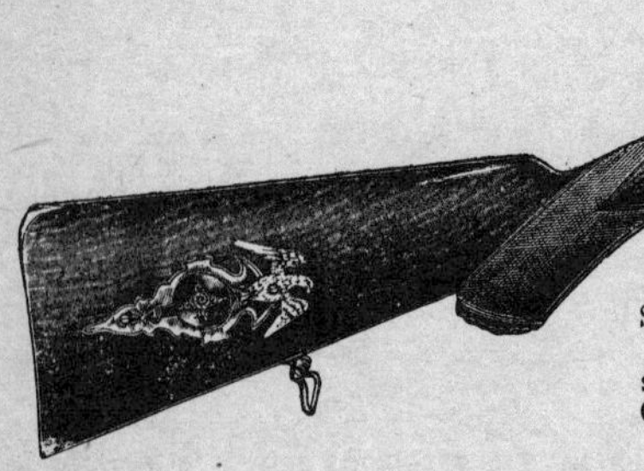

Stahllauf, guilochierte Schiene, braun brüniert, wie **Bernhard-Damast, deutsche Schäftung,** englische Gravur, Käppchen aus Horn, eingelegt **Silberverzierungen.**

Canon acier, bande guillochée, bruni, genre **Damas Bernhard, crosse allemande** gravure anglaise, calotte en corne, **ornements argent** incrustés.

Steel barrel, matted extension rib, browned, like **Bernhard damascus, German stock,** English engraving, horn caps, **inlaid silver decorations.**

Cañón acero, cinta retorcida, bruñido, igual al **Damasco de Bernhard, caja alemana,** grabado inglés, **adornos de plata incrustados.**

Gewünschtes Caliber bei Bestellung angeben. Für Telegramme bezügl. Caliber gilt unser Code im Vorwort.

Sur chaque commande prière de spécifier le calibre désiré. Pour télégrammes, se reporter, pour ce qui est des calibres, à notre code figurant à l'introduction.

When ordering state caliber desired. For telegrams see in preface our code respecting calibers.

Se ruega especifiquen el calibre deseado en cada pedido. Para telegramas, en lo que concierne á calibres, véase nuestro código al principio del catálogo.

V 5 † Adore	V 6 † Adesse	V 7 Adikate	V 8 † Adjore
Mark 19,50	**Mark 34,50**	**Mark 37,50**	**Mark 33,50**

Vorderlader, einläufig.	Fusils à 1 coup, se chargeant par la bouche.		Muzzle loaders, single barreled.	Escopetas de un tiro, de carga por la boca.

V 9

Imitierter Ruban-Damastlauf, rückliegendes Schloss, französische Schäftung, Nussbaumholz dunkel poliert, **Neusilbergarnitur**

Canon Ruban Damas imitation, **platines à l'arrière,** crosse française, noyer foncé, poli, **garniture vieil argent.**

Imitation ruban damascus barrel, back lock, French stock, dark polished walnut, German silver mounting.

Cañón de **Ruban Damasco imitado, llave de cola,** caja francesa de nogal, pulido, **guarnición de plata alemana.**

V 10

Stahllauf, **imitiert. Banddamast,** rückliegendes Schloss, imitiertes Ahornholz, **Messinggarnitur,** etwas graviert, halb **vernickelt,** halb **versilbert.**

Canon acier, Ruban Damas imitation, platines à l'arrière, bois imitation érable, **garniture laiton,** légèrement gravé, mi-**nickelé,** mi-**argenté.**

Imitation damascus barrel, back lock, imitation maple, **brass mounting,** slightly engraved, half **nickeled,** half **silver plated.**

Damasco imitado, llave de cola, caja de maple imitado, **guarnición de latón,** ligeramente grabada, medio-**niquelado,** medio-**plateado.**

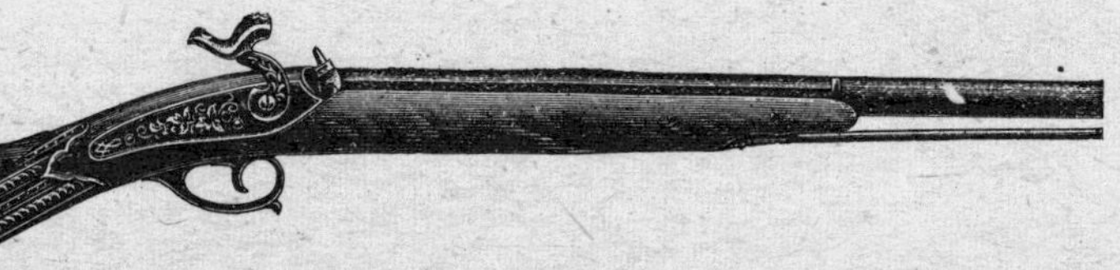

V 11

Wie V 10, **Schaft mit Kopf** wie Abbildung, aber aus dunklem **Nussbaumholz.**

Comme V 10, **crosse, avec tête** selon l'illustration, mais **en noyer** foncé.

Like V 10, **stock with head** as in drawing but dark **walnut.**

Como V 10, **caja con cabeza** grabada como en la ilustración, pero de **nogal** oscuro.

V 12

Banddamast mit weissen Streifen, ausgehöhlte Basküle, **rückliegendes Rückspringschloss** mit 2 Federn, feiner imitierter Ebenholzschaft mit Kopf und erhabenen Blättern, vernickelte Eisengarnitur, mit tiefer Gravur, Silberornamente.

Ruban Damas avec traits blancs, bascule évidée, **platines à l'arrière** avec 2 ressorts et chien **rebondissant,** élégante crosse imitation ébène, avec tête et feuilles à fonds creux, garniture de fer nickelée, gravure profonde, ornements argent.

Hooped damascus with white stripes, hollowed bascule **back rebounding lock** with two springs, fine imitation ebony stock with head and raised leaves, nickeled iron mountings, with deep engraving, silver ornaments.

Damasco rayado de blanco, báscula ahuecada, **llave de cola y retroceso,** hermosa caja de ébano imitado con cabeza y hojas en relieve, guarnición de hierro niquelado, grabado profundo y adornos de plata.

Gewünschtes Caliber bei Bestellung angeben. Für Telegramme bezgl. Caliber gilt unser Code im Vorwort.

Sur chaque commande, prière de spécifier le calibre désiré. Pour télégrammes, se reporter, pour ce qui est des calibres, à notre code figurant à l'introduction.

When ordering state caliber desired. For telegrams see in preface our code respecting calibers.

Se ruega especifiquen el calibre deseado en cada pedido. Para telegramas, en lo que concierne á calibres, véase nuestro código al principio del catálogo.

	V 9	V 10	V 11	V 12
	† Arfano	† Afileme	† Agace	† Agilato
Mark:	11,60	16,50	16,50	29,50

Vorderlader, einläufig.	**Fusils à 1 coup, se chargeant par la bouche.**	**Muzzle loaders, single barreled.**	**Escopetas de un tiro, de carga por la boca.**

V 13

Banddamast, ausgehöhlte Basküle, **rückliegendes Rückspringschloss** mit 2 Federn, Schnabelschaft, aus imit. Ebenholz, geschnitzte Blätter, Messinggarnitur, halb vernickelt, halb versilbert, eingelegte Silberornamente.

Ruban Damas, bascule évidée, **platines à l'arrière** avec 2 ressorts et chien **rebondissant**, crosse à bec, bois imitation ébène, feuilles sculptées, garniture de laiton, mi-nickelé, mi-argenté, ornements argent incrustés.

Hooped damascus, hollowed bascule, **rebounding back lock** with 2 springs, stock with nose, of imitation ebony, carved leaves, brass mounting, half nickel, half silver plated, inlaid silver ornaments.

Damasco, báscula ahuecada, **llave de cola y retroceso** con dos muelles, caja abultada con ojas talladas, en ébano imitado, guarnición de latón medio-plateada y medioniquelada, adornos de plata incrustados.

V 14

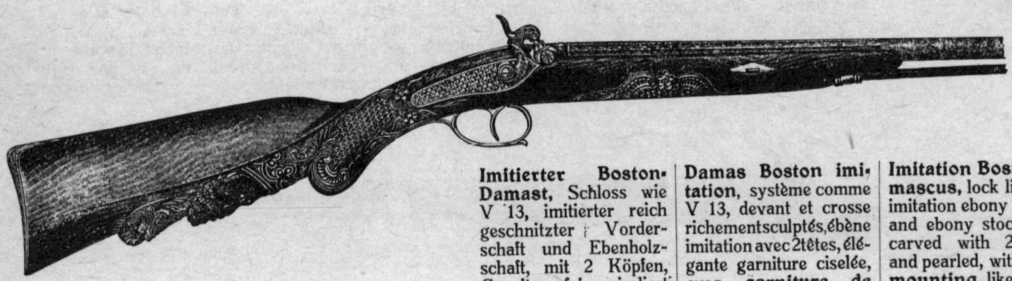

Imitierter Boston-Damast, Schloss wie V 13, imitierter reich geschnitzter Vorderschaft und Ebenholzschaft, mit 2 Köpfen, Garnitur fein ziseliert und geperlt, mit **Messingbeschlag**, wie V 13.

Damas Boston imitation, système comme V 13, devant et crosse richement sculptés, ébène imitation avec 2 têtes, élégante garniture ciselée, avec **garniture de laiton** comme V 13.

Imitation Boston damascus, lock like V 13, imitation ebony fore-end and ebony stock, richly carved with 2 heads and pearled, with **brass mounting** like V 13.

Damasco de Boston imitado, llave como V 13, parte delantera y caja ébano imitado, copiosamente tallado y perlado, elegante guarnición cincelada, con **montura de latón** igual al V 13.

V 15

Imitierter Damastlauf mit weissen Streifen, **ausgehöhlte** Basküle, 1/3 Lauf mit Kanten, vorliegendes Schloss mit Rücksprung, fein verzierter Nussbaumschaft, punktiert, mit **2 geschnitzten Köpfen, Silbergarnitur**, halb vernickelt, halb poliert, tiefe eingelegte Gravur, feinste Ausstattung.

Canon Damas imitation, avec traits blancs, bascule évidée, un tiers du canon angulaire, platines à l'avant, chien rebondissant, crosse noyer très élégamment ornée, avec 2 têtes sculptées, garniture argent, demi-nickelé, demi-poli, gravure à fonds creux, exécution de toute élégante.

Imitation damascus barrel with white stripes **hollowed** bascule, 1/3 barrel octagon, rebounding front lock, finely decorated walnut stock, dotted, with **2 carved heads, silver mounted**, half nickeled, half polished, deeply inlaid engraving, finest work.

Damasquino imitado, rayado de blanco, báscula ahuecada, un tercio del cañón tiene forma angular, llave delantera de retroceso, caja de nogal de hermoso adorno y provisto de **dos cabezas talladas, guarnición media** niquelada media pulida, grabada, copiosamente, ejecución inmejorable.

Gewünschtes Caliber bei Bestellung angeben. Für Telegramme bezgl. Caliber gilt unser Code im Vorwort.

Sur chaque commande prière de spécifier le calibre désiré. Pour télégrammes, se reporter, pour ce qui est des calibres, à notre code figurant à l'introduction.

When ordering state caliber desired. For telegrams see in preface our code respecting caliber.

Se ruega indiquen el calibre en cada pedido. Para telegramos, en lo que concierne á los calibres, véase el código que hay al principio del catálogo.

V 13	V 14	V 15
† Agleme	† Agredi	† Agrimon
Mark: 37.50	42.—	45.50

Marke „Alfa".	Vorderlader Doppelläufig.	Fusils à 2 coups „Alfa" se chargeant par la bouche.		Muzzle loaders Brand „Alfa". Double barreled.	Escopetas de dos tiros de carga por la boca. Marca „Alfa".

V 16.

Schwarze Stahlläufe mit ausgehöhlter Basküle, vorliegende Rückspringschlösser, schöner geölter Nussbaumschaft, englisch mit Fischhaut, Blättergravur, **Goldornamente** auf beiden Läufen, Eisengarnitur halb blau, halb gehärtet, Riemenbügei, Ladestock aus Ebenholz usw., **feinste Ausstattung** wie Abbildung.

Canons acier noirs, avec bascule évidée, platines à l'avant, chiens rebondissants, belle crosse anglaise en noyer huile et quadrillée, gravure à feuilles, **ornements or** sur les 2 canons, garniture de fer mi-bleue mi-trempée, anneaux de courroie, baguette ébène etc., **très élégante exécution** suivant illustration.

Black steel barrels with hollowed bascule, front rebounding locks, fine checkered oiled walnut stock, English engraved leaves, **golden ornaments** on both barrels, iron mounting, half blue half hardened, swivels, ebony ramrod etc., **finest workmanship** as in drawing.

Cañónes de acero negro con báscula ahuecada, llave delantera de retroceso, caja inglés de nogal aceitado y labrada, con ojas talladas. **Ornamentos de oro** en ambos cañones, montura media-azulada media-templada, anillos de correa, baqueta de ébano etc., **ejecución inmejorable** como en la ilustración.

2
172
199/203

V 17.

Damastläufe, ausgehöhlte Basküle, vorliegende Rückspringschlösser, deutsche Schäftung, Nussbaumschaft, Käppchen aus Horn, fein karrierte Eisengarnitur, mit Silbereinlagen, halb blau, halb gehärtet, **Patent-Vorderschaft.**

Canons Damas, bascule évidée, platines à l'avant, chiens rebondissants, crosse allemande, bois noyer, calotte en corne, garniture en fer à carreaux, dessins argent, mi-bleu, mi-trempé, **devant patenté.**

Damascus barrels, hollowed bascule, rebounding front locks, German walnut stock, horn cap, finely checkered iron mounting, with inlaid silver, half blue half hardened, **patent fore-end.**

Cañónes de Damasco, báscula ahuecada, llaves delanteras de retroceso, caja de nogal alemán, tapa de cuerno, montura de hierro finamente cuadrada, con incrustación de plata, medio-azulada, medio templada, **delantera privilegiada.**

V 18.

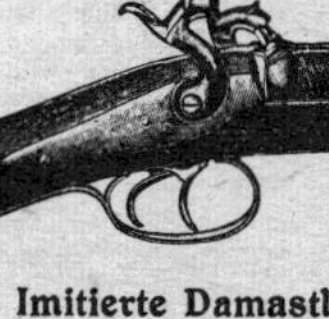

Imitierte Damastläufe Ruban, rückliegende Schlösser, lackierter brauner Schaft, **polierte Eisengarnitur.**

Canons Ruban Damas imitation, platines à l'arrière, crosse brune vernie, **garniture de fer poli.**

Imitation Ruban damascus barrels, rebounding locks, varnished brown stock, **polished iron mounting.**

Cañónes de Damasco Ruban imitado, llaves de retroceso, caja de color bruno barnizada, **guarnición de hierro pulido.**

V 19.

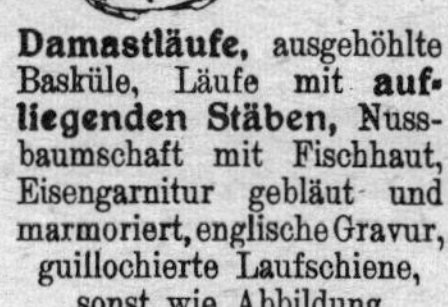

Damastläufe, ausgehöhlte Basküle, Läufe mit **aufliegenden Stäben,** Nussbaumschaft mit Fischhaut, Eisengarnitur gebläut und marmoriert, englische Gravur, guillochierte Laufschiene, sonst wie Abbildung.

Canons Damas, bascule évidée, canons garnis de tiges, crosse noyer quadrillée, garniture de fer bleuie et jaspée, gravure anglaise, bande guillochée, pour le reste suivant l'illustration.

Damascus barrels, hollowed bascule, barrels with **rods laid on,** checkered walnut stock, iron mounting, blued and marbled, English engraving, matted extension rib, otherwise like drawing.

Cañónes de Damasco, báscula ahuecada, cañónes con **baquetas sobrepuestas,** guarnición de hierro, azulada y marmoreada, grabado inglés, cinta retorcida, por lo demás comó la ilustración.

V 20.

Imitierte Damastläufe Boston, ausgehöhlte Basküle fein gearbeiteter geschnitzter Nussbaumschaft, gebläute und marmorierte Eisengarnitur mit **Silbereinlagen.**

Canons Damas Boston imitation, bascule évidée, crossé noyer élégamment sculptée, garniture de fer bleuie et trempée, avec **dessins argent.**

Imitation Boston damascus barrels, hollowed bascule, finely worked, carved walnut stock, blued and marbled iron mounting with **inlaid silver.**

Cañónes de Damasquino Boston imitado, báscula ahuecada, caja de nogal tallado, trabajo fino, guarnición hierro azulado y templado, con **incrustación de plata.**

Gewünschte Caliber bei Bestellung angeben. Für Telegramme bezgl. Caliber gilt unser Code im Vorwort.

Sur chaque commande prière de spécifier le calibre désiré. Pour télégrammes, se reporter, pour ce qui est des calibres, à notre code figurant à l'introduction.

When ordering state caliber desired. For telegrams see in preface our code respecting calibers.

Se ruega indiquen el calibre en cada pedido, Para telegramas, en lo que concierne á calibres véase el código especial que hay al principio. del catálogo.

V 16 † Aidero	V 17 † Abolado	V 18 † Aimante	V 19 † Arlomo	V 20 † Aladko
Mark 90.—	Mark 58.—	Mark 25.—	Mark 54.50	Mark 48.—

Doppelläufige Vorderlader.	Fusils à 2 coups, se chargeant par la bouche.	Double barreled muzzle loaders.	Escopetas de dos tiros de carga por la boca.

V 21

mitierte Bernard Damastläufe a. Stahl, ausgehöhlte Laufschiene, Nussbaumschaft, englische Schäftung mit la Fischhaut, grau, eingesetzte Teile, Schnörkelbügel, tiefe Gravur mit drei Silberornamenten, Riemenbügel, Magazin im Schaft.

Canons en acier imitation Damas Bernard, bande évidée, crosse noyer anglaise et quadrillée, pièces incrustées, gris, sous-garde à crochets, gravure à fonds creux avec 3 ornements d'argent, anneaux pour courroie, magasin dans la crosse.

Imitation Bernard damascus steel barrels, hollowed extension rib, finely checkered English walnut stock, grey, inlaid parts, curved guard, deep engraving with 3 silver ornaments, swivel, magazine in stock.

Cañones de acero Damasquino Bernard imitado, dorso ahuecado, caja de nogál y elegantemente labrada inglésa, piezas incrustadas, gris, guarda retorcido grabado profundo con 3 adornos de plata, anillos de correa, pistonera en la caja.

V 22

Stahlläufe mit weissen Streifen, ausgehöhlte Basküle, Nussbaumschaft, deutsche Schäftung mit Elfenbeinkappe, geschnitzte Blumengewinde, Eisengarnitur mit eingelegten Silberblättern, Läufe mit Silberornamenten, Teile gebläut u. marmoriert, Magazin im Schaft.

Canons d'acier à raies blanches, bascule évidée, crosse allemande en noyer avec calotte ivoire, fleurs sculptées, garniture de fer avec feuilles d'argent, canons avec ornements en argent, pièces bleuies et jaspées, magasin dans la crosse.

Steel barrels with white stripes, hollowed bascule German walnut stock with ivory cap, carved flowers, iron mounting with inlaid silver leaves, barrels with silver ornaments, parts blued and marbled, magazine in stock.

Cañones de acero rayados de blanco, báscula ahuecada, caja alemana de nogal con tapa de marfil, flores talladas, guarnición de hierro con hojas de plata incrustadas, cañones con adornos de plata, piezas azuladas y marmoreadas, pistonera en la caja.

V 23

Stahlläufe, imitierter englischer Damast, mit weissen Streifen, schwarz gebeizter Nussbaumschaft, fein ziseliert, mit geschnitztem Kopf, Neusilbergarnitur, sorgfältig ausgeführte englische Gravur.

Canons d'acier, Damas anglais imitation, avec raies blanches, crosse noyer brunie noire, élégamment ciselé, avec tête sculptée, garniture vieil argent, gravure anglaise très soignée.

Steel barrels, imitation English damascus with white stripes, black etched, walnut stock finely chiseled with carved head, German silver mounting, carefully executed English engraving.

Cañones de acero, Damasquino inglés imitado, con rayados finos blancos, caja de nogal negra, con hermosa cabeza tallada, guarnición de plata nueva, grabado inglés de esmerada ejecución.

V 24

Echte Damastläufe mit weissen Streifen, fein bearbeitetes imitiertes Ebenholz, mit Silbernägelchen beschlagen, kleiner geschnitzter Kopf, tiefliegende Gravur, Messinggarnitur, halb versilbert, halb vernickelt.

Canons Damas véritable, avec raies blanches, imitation ébène élégamment travaillée, avec pointes d'argent, petite tête sculptée, gravure à fonds creux, garniture laiton, demi-argenté, demi-nickelé.

Real damascus barrels with white stripes, finely worked imitation ebony, studded with silver nails small carved head, deep engraving, brass mounted, half silver plated half nickeled.

Cañones de Damasco verdadero, rayados de blanco, caja de ébano imitado con trabajo fino, punteado de clavillos de plata, cabecita tallada, grabado profundo, guarnición de latón, medio-plateada, medio-niquelado.

V 25

Feine Boston-Damastläufe, ausgehöhlte Basküle, Schaftholz wie V 24 mit Phantasiekopf und 2 Schlangen geschnitzt, reiche Goldeinlagen, tiefliegende Gravur, Garnitur vergoldet und vernickelt, 2 Magazine für Zündhütchen, ganze Ausstattung sehr sorgfältig und hochfein, Ladestock aus Ebenholz.

Elégants canons Damas Boston, bascule évidée, bois comme V 24 avec tête de fantaisie et 2 serpents sculptés, riches incrustations or, gravure à fonds creux, garniture dorée et nickelée, 2 magasins pour capsules, exécution toute entière fort élégante et très soignée, baguette d'ébène.

Fine Boston damascus barrels, hollowed bascule, wooden stock like V 24 with carved fancy head and 2 snakes, richly inlaid with gold, deeply engraved, gilt and nickeled mounting, 2 magazines for caps, whole make very fine and well finished. Ebony ramrod.

Cañones finos de Damasquino de Boston, caja de madera igual al V 24, con cabeza de fantasia y dos culebras esculpidas, incrustaciones de oro, guarnición niquelada y dorada, grabado fuerte, 2 pistoneras para capsulas, construcción esmerada, ejecución immejorable. Vaqueta de ébano.

Gewünschtes Caliber ist bei Bestellung anzugeben. Für Telegramme bezügl. Caliber gilt unser Code im Vorwort.

Sur chaque commande prière de spécifier le calibre désiré. Pour télégrammes, se reporter, pour ce qui est des calibres, à notre code figurant à l'introduction.

When ordering state caliber desired. For telegrams see in preface our code respecting calibers.

Se ruega indiquen el calibre en cada pedido. Para telegramas, para lo que sea de calibres, véase el código que hay al principio del catálogo.

V 21	V 22	V 23	V 24	V 25
† Albatemo	† Alkaste	† Alive	† Abuvi	† Abmend
Mark 49,—	Mark 100,—	Mark 37,50	Mark 55,—	Mark 124,—

Einläufige Centralfeuer-Flinten Marke „Alfa“	Fusils à 1 coup et à feu central, marque „Alfa“		Single-barrel central fire guns, Mark „Alfa“	Escopetas de un tiro y de fuego central, Marca „Alfa“

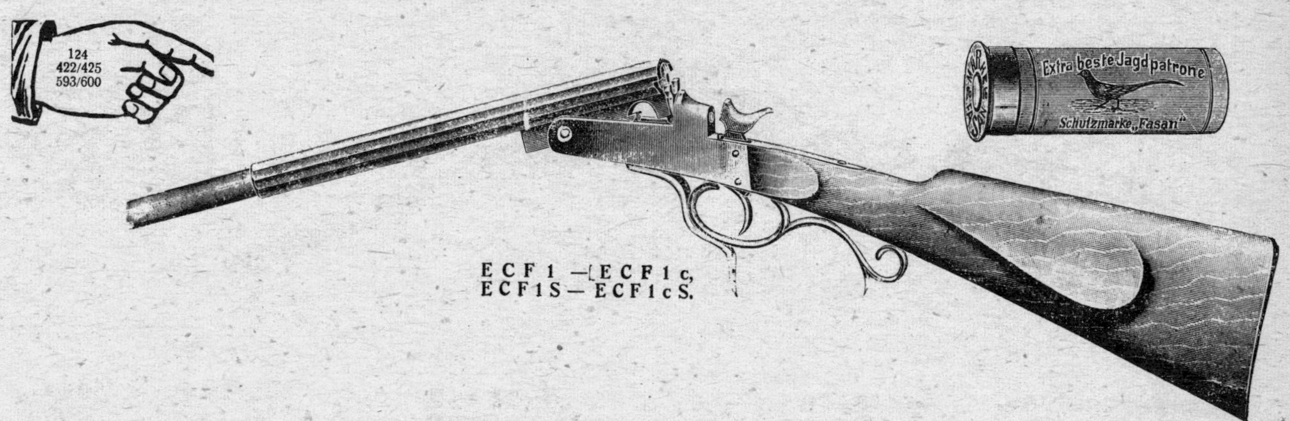

E C F 1 — E C F 1 c,
E C F 1 S — E C F 1 c S.

Roux-Verschluss

E C F 1. System Roux, 70 cm Lauf, **selbsttätiger** Patronenauswerfer, Schraube mit Ring zum leichten Auseinandernehmen, blanke Garnitur.

E C F 1 S. Wie E C F 1, aber **schwarze Garnitur.**

Fermeture Roux

E C F 1. Système Roux, canon de 70 cm, **éjecteur automatique,** vis avec anneau permettant un rapide démontage, garniture blanche.

E C F 1 S. Comme E C F 1 mais **garniture noire.**

Roux lock

E C F 1. Roux system 70 cm barrel, **automatic ejector,** screw and ring for taking to pieces more easily, bright mounting.

E C F 1 S. As E C F 1 but **black mounting.**

Cierre Roux

E C F 1. Sistema Roux, cañon de 70 cm, **eyector automático,** tornillo con anillo para facilitar el desmontar, guarnición blanca.

E C F 1 S. Como el E C F 1 pero con **guarnición negra.**

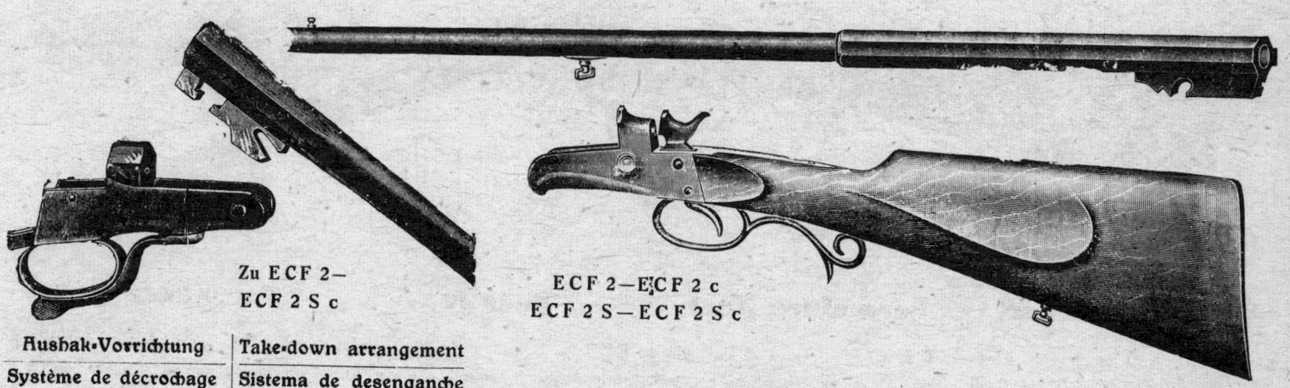

Zu E C F 2—
E C F 2 S c

E C F 2 — E C F 2 c
E C F 2 S — E C F 2 S c

Aushak-Vorrichtung | Take-down arrangement
Système de décrochage | Sistema de desenganche

Knopf-Verschluss

E C F 2. Knopfdruckverschluss, Lauf zum Aushaken, blank

E C F 2 S. Wie E C F 2 schwarze Garnitur

Fermeture à bouton

E C F 2. Fermeture à bouton à pression, canon décrochable, blanc

E C F 2 S. Comme E C F 2, garniture noire

Button lock

E C E 2. Press button bolt, **detachable barrel, bright** mounting

E C F 2 S. As E C F 2, but black mounting

Cierre de botón

E C F 2. Cerradura por medio de boton de empuje, **cañón de desenganche,** blanco

E C F 2 S. Como el E C F 2. pero guarnición negra

No.	E C F 1	E C F 1 a	E C F 1 b	E C F 1 c	E C F 1 S	E C F 1 a S	E C F 1 b S	E C F 1 c S	E C F 2	E C F 2 a	E C F 2 b	E C F 2 c	E C F 2 S	E C F 2 a S	E C F 2 b S	E C F 2 c S
✝	Borxa	Borxat	Borxar	Borxad	Boschate	Boschatet	Boschater	Boschated	Bivosse	Bivosset	Bivosser	Bivossed	Borety	Boretyt	Boretyr	Boretyd
Caliber	16	20	24	28	16	20	24	28	16	20	24	28	16	20	24	28
Mark	22.50	22.50	22.50	22.50	23.50	23.50	23.50	23.50	24.—	24.—	24.—	24.—	25.—	25.—	25.—	25.—

Einläufige Centralfeuer-Flinten Marke ‚Alfa'	Fusils à 1 coup et à feu central, marque ‚Alfa'		Single-barrel central-fire guns Mark ‚Alfa'	Escopetas de un tiro y de fuego central, marca ‚Alfa'

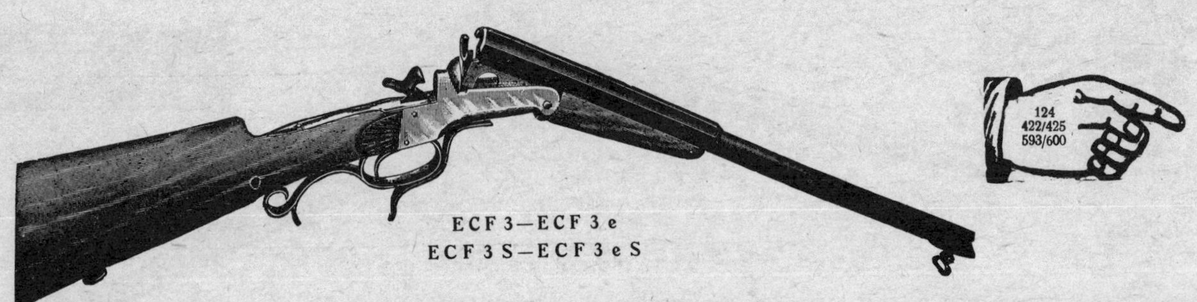

ECF 3—ECF 3 e
ECF 3 S—ECF 3 e S

Roux-Verschluss.

ECF 3. Genau wie ECF 1, aber mit **Holzvorderschaft** und **Riemenbügeln.**

ECF 3 S. Wie ECF 3, **schwarze Garnitur.**

Fermeture Roux.

ECF 3. Exactement comme ECF 1 mais avec **devant en bois** et **anneaux pour courroie.**

ECF 3 S. Comme ECF 3, **garniture noire.**

Roux lock.

ECF 3. Exactly like ECF 1, but with **wooden fore-end** and **swivels.**

ECF 3 S. As ECF 3, but **black mounting.**

Cerradura Roux.

ECF 3. Como ECF 1, pero con **delantera de madera** y **anillos de correa.**

ECF 3 S. Como el ECF 3, pero **guarnición negra.**

ECF 22—ECF 22 c
ECF 23—ECF 23 c
ECF 24—ECF 24 c

Nuss-Verschluss.

ECF 22. Nussverschluss, **Ringschraube,** solides System, Lauf 70 cm lang, hinten kantig, nach vorn rund, **blanke Garnitur.**

ECF 23. Wie vor mit Vorderschaft und Riemenbügel.

ECF 24. Wie ECF 23 aber schwarze Garnitur.

Fermeture Nuss.

ECF 22. Fermeture „Nuss", **vis à anneau,** système très solide, canon de 70 cm, angulaire à l'arrière et rond par devant, **garniture blanche.**

ECF 23. Comme ci-dessus, avec devant, anneaux pour courroie.

ECF 24. Comme ECF 23 mais garniture noire.

Nuss lock.

ECF 22. Nuss lock, **ring screw,** sound system, barrel 70 cm long, cornered at rear round in front, **polished mounting.**

ECF 23. Like above with fore-end and swivel.

ECF 24. Like ECF 23 but black mounting.

Cerradura Nuss.

ECF 22. Cierre „Nuss", **tornillo de anillo,** sistema muy sólido, cañón de 70 cm, el trasero es de angulos y el delantero redondo, **guarnición blanca.**

ECF 23. Como arriba, pero con delantera y anillos para correa.

ECF 24. Como ECF 23, pero guarnición negra.

No.	ECF 3	ECF 3 a	ECF 3 b	ECF 3 c	ECF 3 d	ECF 3 e	ECF 3 S	ECF 3 a S	ECF 3 b S	ECF 3 c S	ECF 3 d S	ECF 3 e S	ECF 22	ECF 22 a	ECF 22 b	ECF 22 c	ECF 23	ECF 23 a	ECF 23 b	ECF 23 c	ECF 24	ECF 24 a	ECF 24 b	ECF 24 c
✝	Bangol	Bangols	Bangolt	Bangolr	Bangold	Bangolh	Bride	Brides	Bridet	Bridev	Brided	Brideh	Bridela	Bridelat	Bridelar	Bridelad	Briderer	Bridert	Briderero	Bridererd	Brideke	Brideket	Brideker	Bridekert
Cal.	12	16	20	24	28	32	12	16	20	24	28	32	12	16	20	24	12	16	20	24	12	16	20	24
Mark	26.—	25.—	25.—	25.—	25.—	25.—	27.—	26.—	26.—	26.—	26.—	26.—	26.—	26.—	26.—	26.—	27.50	27.50	27.50	27.50	28.50	28.50	28.50	28.50

Einläufige Centralfeuer-Flinten | Fusils à 1 coup, et à feu central | Single barrel central fire guns | Fusiles de 1 tiro y de fuego central

Warnant

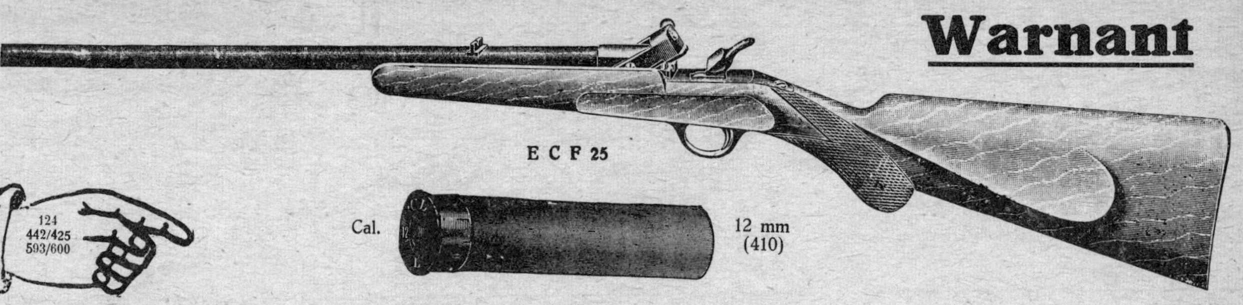

E C F 25

Warnant-Vogelflinte, 70 cm langer Lauf, **schwarze** Garnitur, Pistolengriff, Backe Fischhaut, **kurzer** Warnantverschluss, runder Lauf.

Carabine Warnant pour **oiseaux,** canon de 70 cm, garniture **noire,** crosse pistolet, à joue et quadrillée, fermeture „Warnant" **courte,** canon rond.

Warnant fowling piece, barrel 70 cm long, **black** mounting, pistol grip, cheek, checkered, **short** Warnant bolt, round barrel.

Carabina Warnant para pájaros, cañón de 70 cm, guarnición negra, empuñadura de pistola de carrillo y labrada, cerradura **corta** „Warnant" cañón redondo.

Warnant

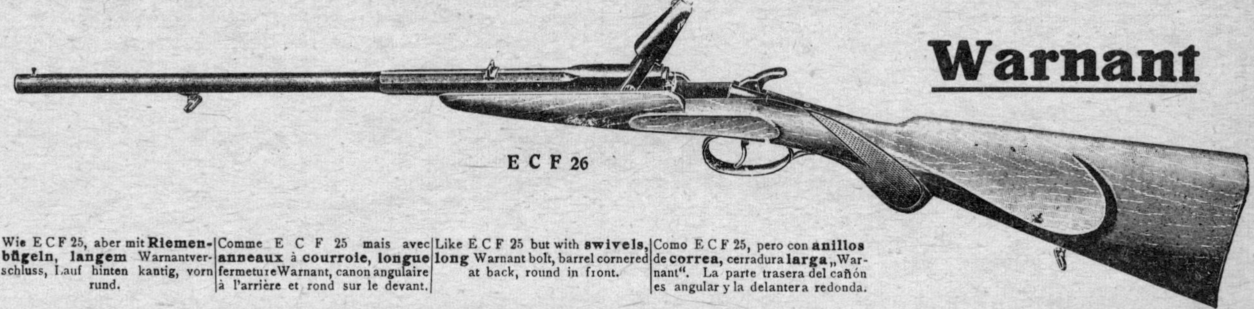

E C F 26

Wie E C F 25, aber mit **Riemenbügeln, langem** Warnantverschluss, Lauf hinten kantig, vorn rund.

Comme E C F 25 mais avec **anneaux** à **courroie, longue** fermeture Warnant, canon angulaire à l'arrière et rond sur le devant.

Like E C F 25 but with **swivels, long** Warnant bolt, barrel cornered at back, round in front.

Como E C F 25, pero con **anillos de correa,** cerradura **larga** „Warnant". La parte trasera del cañón es angular y la delantera redonda.

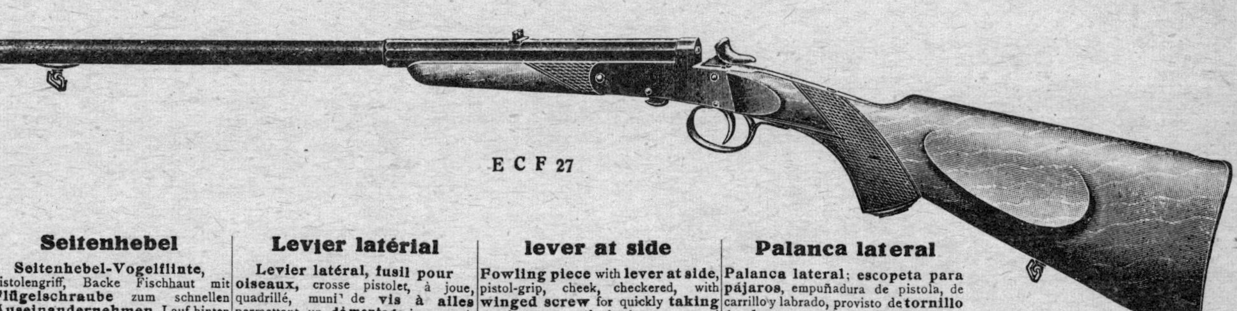

E C F 27

Seitenhebel

Seitenhebel-Vogelflinte, Pistolengriff, Backe Fischhaut mit **Flügelschraube** zum schnellen **Auseinandernehmen,** Lauf hinten kantig, vorn rund, Riemenbügel, leichtes Gewehrchen, **vernickelte** Garnitur.

Levier latérial

Levier latéral, fusil pour oiseaux, crosse pistolet, à joue, quadrillé, muni de **vis à ailes** permettant un **démontage** instantané, canon angulaire à l'arrière et rond par devant, anneaux à courroie, petite arme légère, garniture **nickelée.**

lever at side

Fowling piece with **lever at side,** pistol-grip, cheek, checkered, with **winged screw** for quickly **taking to pieces,** barrel edged at rear, round in front, swivel, light rifle, **nickeled** mounting.

Palanca lateral

Palanca lateral; escopeta para pájaros, empuñadura de pistola, de carrillo y labrado, provisto de **tornillo** de **alas** que permite un **desmontage instantaneo.** La parte delantera del cañón es redonda y la trasera á angulos, anillos de correa, pequeña arma ligera: guarnición **niquelada.**

E C F 28

Rouxhebel

Rouxhebel-Vogelflinte mit Ring zum Auseinandernehmen, **vernickelte, gravierte** Teile, Schaft mit Backe, Holzvorderschaft, kantiger Lauf, Riemenbügel.

Levier Roux

Fusil à oiseaux avec **levier Roux,** à anneau permettant un démontage instantané, pièces nickelées, gravées, crosse à joue, devant en bois, canon à angles, anneaux pour courroie.

Roux lever

Roux lever fowling piece with ring for taking to pieces **nickeled, engraved** parts, stock with cheek, wooden fore-end edged barrel, swivel.

Palanca Roux

Escopeta para pájaros con palanca Roux, de anillo que permite un desmontage instantáneo, piezas **niqueladas grabadas,** de carrillo; delantero de madera, cañón de angulos y anillos para correa.

No.	E C F 25	E C F 26	E C F 27	E C F 28
†	Vogalwarn	Vugalwarm	Vogal	Vugal
Cal.	12 mm (410)	12 mm (410)	12 mm (410)	12 mm (410)
Mark	23.–	26.–	28.–	23.–

Einläufige Centralfeuer-Flinten. | Fusils à 1 coup, et à feu central. | Single barrel central fire guns. | Fusiles de 1 tiro, y de fuego central.

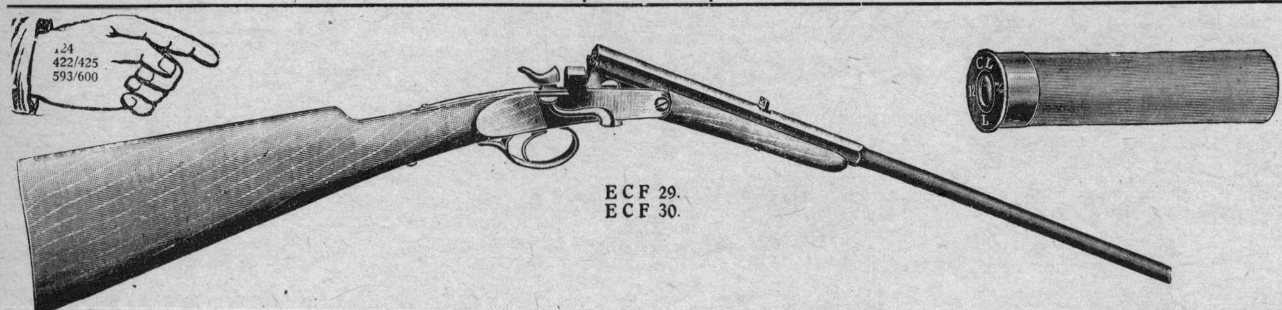

ECF 29.
ECF 30.

Seitenhebel.

ECF 29. 70 cm langer Lauf, hinten kantig, vorn rund, Garnitur **schwarz, Holzvorderschaft,** engl. Schaft.
ECF 30. Wie ECF 29, aber stärker gebaut.

Levier latéral.

ECF 29. Canon de 70 cm, à angles à l'arrière, rond par devant, garniture **noire, devant de bois,** crosse anglaise.
ECF 30. Comme ECF 29, mais construit plus solidement.

Lever at side.

ECF 29. Barrel 70 cm long, edged at rear front part round, **black** mounting **wooden fore-end,** English stock.
ECF 30. Like ECF 29, but stronger make.

Palanca lateral.

ECF 29. Cañón de 70 cm, cuya parte delantera es redonda y de ángulos la trasera, guarnición **negra, delantera de madera,** culata inglesa.
ECF 30. Como ECF 29, pero de construcción más sólida.

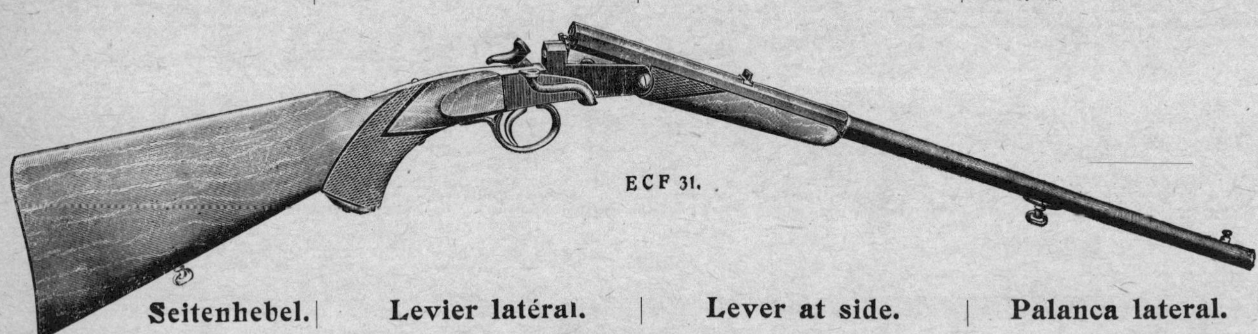

ECF 31.

Seitenhebel.

70 cm langer Lauf, hinten kantig, vorn rund, **Pistolengriff** mit **Fischhaut,** englisch **graue** Garnitur, **rückspringender** Hahn, Riemenbügel.

Levier latéral.

Canon de 70 cm, à angles à l'arrière, rond par devant, **crosse pistolet quadrillée,** garniture anglaise **grise, chien rebondissant,** anneaux pour courroie.

Lever at side.

Barrel 70 cm long, edged at rear, front part round checkered **pistol grip,** English **grey** mounting, **rebounding** hammer swivel.

Palanca lateral.

Cañón de 70 cm. La parte delantera es redonda y la trasera de ángulos, **empuñadura de pistola** labrada, montura **gris** inglesa gatillo **rebotante,** anillos para correa.

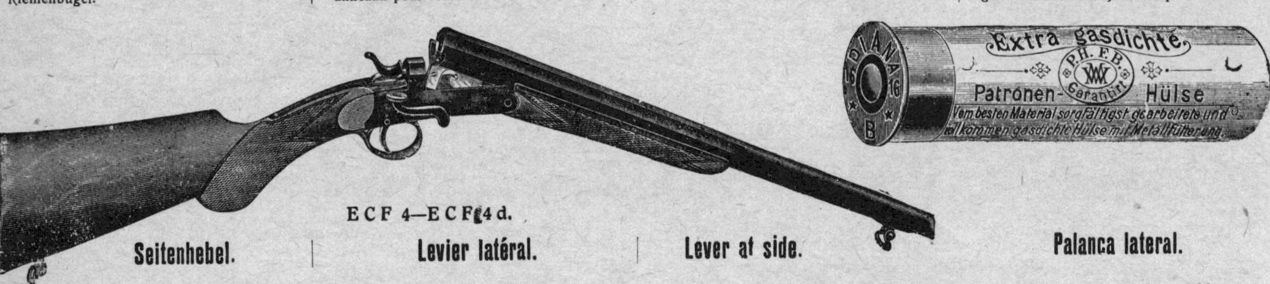

ECF 4—ECF 4 d.

Seitenhebel.

Wie ECF 31, aber **stärkstes** Modell für **grosse Caliber.**

Levier latéral.

Comme ECF 31, mais modèle **solide,** pour **gros calibres.**

Lever at side.

Like ECF 31, but **strongest** model for **large caliber.**

Palanca lateral.

Como ECF 31, pero modelo **sólido** para **grandes calibres.**

ECF 8—ECF 8 f.

ECF 9—ECF 9 f.

Seitenhebel.

ECF 8. Wie ECF 4, aber **zusammenlegbar** mit **ausgehöhltem** Schaft.
ECF 9. Wie ECF 4, aber **zusammenlegbar** mit **vollem** Schaft.

Levier latéral.

ECF 8. Comme ECF 4 mais pouvant être plié, avec crosse évidée.
ECF 9. Comme ECF 4, mais pouvant être plié, avec crosse **pleine.**

Lever at side.

ECF 8. Like ECF 4, but **collapsible,** with stock **hollowed** out.
ECF 9. Like ECF 4, but **collapsible** with **full** stock.

Palanca lateral.

ECF 8. Como ECF 4, con la variación de que se puede **plegar,** culata **huéca.**
ECF 9. Como ECF 4, tambien se puede **plegar** y la culata esta **rellena.**

No.	ECF 29	ECF 30	ECF 31	ECF 4	ECF 4 a	ECF 4 b	ECF 4 c	ECF 4 d	ECF 8	ECF 8 a	ECF 8 b	ECF 8 c	ECF 8 d	ECF 8 e	ECF 8 f	ECF 9	ECF 9 a	ECF 9 b	ECF 9 c	ECF 9 d	ECF 9 e	ECF 9 f
†	Seileimo	Seileinof	Seileiris	Bremaro	Bremaros	Bremarot	Bremaror	Bremarod	Crimster	Crimsters	Crimstert	Crimsterv	Crimsterd	Crimsterh	Crimsterau	Crinity	Crinitys	Crinityt	Crinityv	Crinityd	Crinityh	Crinityau
Cal.	12 mm (410)	14 mm (32)	12 mm (410)	12	16	20	24	28	12	16	20	24	28	32	410	12	16	20	24	28	32	410
Mark	20.—	23.—	28.—	31.—	30.—	30.—	30.—	30.—	40.—	38.50	38.50	38.50	38.50	38.50	37.50	43.—	40.—	40.—	40.—	40.—	40.—	38.—

Einläufige Centralfeuer-Flinten Marke „Alfa“.

Fusils à feu central à 1 coup marque „Alfa“.

Single barrel central fire guns Mark „Alfa“.

Escopetas de fuego central de un tiro, marca „Alfa“.

ECF 5–ECF 5d

Doppelschlüssel.

ECF 5. Doppelschlüssel, marmorierte Garnitur, Rückspringschloss. Pistolengriff mit Fischhaut.

A double clef.

ECF 5. à double clef, garniture jaspée, chien rebondissant, crosse pistolet quadrillée.

Double bolt.

ECF 5. Double bolt, marbled mount, rebounding lock, checkered pistol grip.

De doble llave.

ECF 5. Cerrojo doble, montura marmoreada, llave de retroceso, empuñadura de pistola labrada.

ECF 5g—ECF 5l

Doppelschlüssel.

ECF 5g. Wie **ECF 5** mit **Jagdstückgravur.**

A double clef.

ECF 5g. Comme **ECF 5** avec gravure sujet de chasse.

Double bolt.

ECF 5g. As **ECF 5** with **engraving of sporting subject.**

De doble llave.

ECF 5g. Igual al **ECF 5** con **grabado** de un **asunto de cacería.**

ECF 6—ECF 6e
ECF 6l—ECF 6r

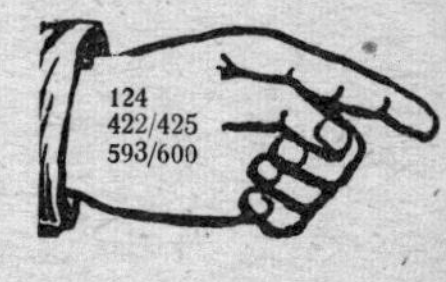

Drehhebel.

ECF 6. Drehhebel-Verschluss, Pistolengriff, blanke Schlossteile, 72 bis 75 cm langer Lauf, **Ringschraube zum Zerlegen.**

ECF 6l. Wie **ECF 6** aber 1,20 m langer Lauf, sogenannte Entenflinte.

Levier.

ECF 6. Système à levier, crosse pistolet, pièces de serrure blanches, canon de 72—75 cm, **vis à anneau pour le démontage.**

ECF 6l. Comme **ECF 6** mais canon long de 1 m 20, dit fusil à canards.

Turn-lever.

ECF 6. Turn-lever locking arrangement, pistol grip, bright mounting, **ring screw for dismounting.**

ECF 6l. As **ECF 6** but with barrel 1,20 m longer so called duck gun.

Palanca.

ECF 6. Palanca de torno, empuñadura de pistola, guarnición blanca, **tornillo de anillo para desmontar.**

ECF 6l. Como el **ECF 6** pero con cañon de 1,20 m llamado escopeta de patos.

Nr.	ECF 5	ECF 5a	ECF 5b	ECF 5c	ECF 5d	ECF 5g	ECF 5h	ECF 5i	ECF 5k	ECF 5l	ECF 6	ECF 6a	ECF 6b	ECF 6c	ECF 6d	ECF 6e	ECF 6l	ECF 6m	ECF 6n	ECF 6o	ECF 6p	ECF 6r
†	Brevet	Brevets	Brevett	Brevetor	Brevetd	Briskel	Briskels	Briskelt	Briskelro	Briskeld	Bridele	Brideles	Bridelet	Brideler	Brideled	Brideleh	Brignete	Brignetes	Brignetet	Brigneter	Brigneted	Brigneteh
Cal	12	16	20	24	28	12	16	20	24	28	12	16	20	24	28	32	12	16	20	24	28	32
Mark	45.—	45.—	45.—	45.—	45.—	54.—	54.—	54.—	54.—	54.—	29.—	28 —	28.—	28.—	28.—	28.—	36.—	35.—	35.—	35.—	35.—	35.—

Einläufige Centralfeuer-Flinten „Marke Alfa"

Fusils à feu central à 1 coup, Marque „Alfa".

Single barrel central fire guns, Mark „Alfa".

Escopetas fuego central de un tiro, Marca „Alfa".

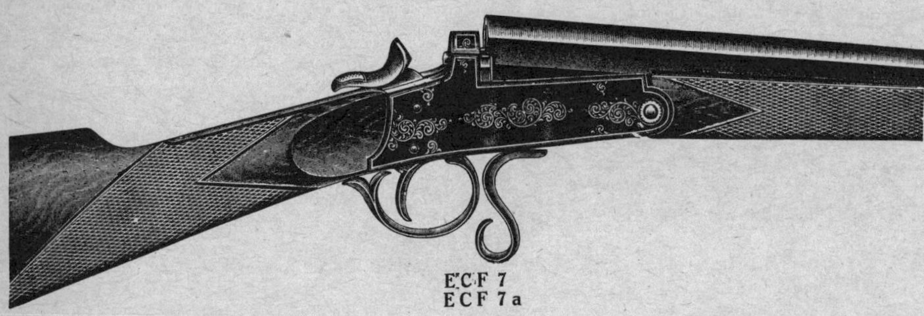

ECF 7
ECF 7a

Druckhebel.

ECF 7. Druckhebelverschluss, feine englische **Gravur**, Teile **schwarz**, Ia Qualität, Fischhautschaft.

Levier.

E C F 7. Système à levier, gravure anglaise, pièces noires, 1e qualité, crosse et devant quadrillés.

Press-lever.

E C F 7. Presslever locking arrangement, fine **English engraving, black parts, best** quality, checkered stock and fore-end.

Palanca.

E C F 7. Palanca de empuje, grabado inglés fino, piezas **negras**, 1ª calidad, empuñadura y delantera labradas.

Selbstspanner.

S'armant automatiquement.

Self-cocking.

Armandose automáticamente.

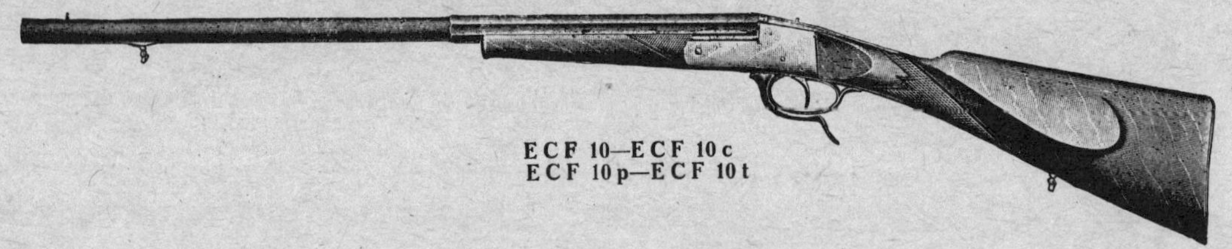

E C F 10—E C F 10 c
E C F 10 p—E C F 10 t

Roux-Verschluss.

E C F 10. Roux-Verschluss, Anzeigestift, Backenschaft, **Ia Qualität, schwarze Garnitur.**

E C F 10 P. Wie E C F 10 mit **Pistolengriff.**

Fermeture Roux.

E C F 10. Fermeture Roux, pointe d'avertissement, crosse à joue, **qualité extra, garniture noire.**

E C F 10 P. Comme E C F 10 avec **crosse pistolet.**

Roux lock.

E C F 10. Roux key, stock with cheekrest, indicator, **best quality, black mounting.**

E C F 10 P. As E C F 10 with **pistol grip.**

Cierre Roux.

E C F 10. Cerradura de Roux, caja con carillo, indicador, **Ia calidad,** guarnición **negra.**

E C F 10 P. Como el E C F 10, con **empuñadura de pistola.**

E C F 11—E C F 11 f

Levert.

System „Levert", abnehmbarer Lauf, Gewicht $2^1/_4$ kg, schwarze Garnitur, Schaft mit Pistolengriff und Backe.

Système „Levert", canon détachable, Poids: 2 K $^1/_4$, garniture noire, crosse avec crosse pistolet et à joue.

„Levert" system, detachable barrel, Weight $2^1/_4$ Kilos, black mounting, pistol grip and cheek piece on stock.

Sistema „Levert", cañon levantabe, Peso $2^1/_4$ Kilos. Guarnición negra, empuñadura de pistola y carrillo en la caja.

Nr.	E C F 7	E C F 7 a	E C F 10	E C F 10 a	E C F 10 b	E C F 10 c	E C F 10 P	E C F 10 r	E C F 10 s	E C F 10 t	E C F 11	E C F 11 a	E C F 11 b	E C F 11 c	E C F 11 d	E C F 11 e	E C F 11 f
†	Crimsta	Crimsterei	Critamo	Critamot	Critamor	Critamod	Broidel	Broidelt	Broidelro	Broideld	Crokane	Crokanes	Crokanet	Crokaner	Crokaned	Crokaneh	Crokanean
Cal.	32 (14 mm)	410 (12 mm)	16	20	24	28	16	20	24	28	12	16	20	24	28	32	410
Mark	32.—	31.—	39.—	39.—	39.—	39.—	41.—	41.—	41.—	41.—	42.50	41.50	41.50	41.50	41.50	41.50	41.50

Einläufige Centralfeuer-Flinten Marke „Alfa“. | Fusils à feu central, à 1 coup, marque „Alfa“ | Single barrel central fire guns, Mark „Alfa“ | Escopetas de un tiro y de fuego central, Marca „Alfa“.

Original Amerikanisches Fabrikat. | **Armes „Stevens“ de fabrication originale américaine.** | **Genuine American make.** | **Escopetas „stevens“ de verdadera fabricación Americana.**

Stevens.

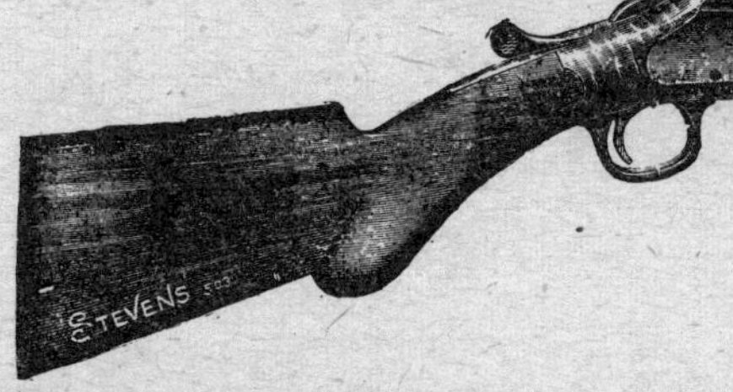

St. 105

Stevens.

St. 105. **Einläufige Hahnflinte,** Toplever-Verschluss, in Cal. 12—16 oder 20, bester Stahllauf, Schlossteile gehärtet und eingesetzt. Lauflänge nach Wunsch ca. 71—76—81 cm, Gewicht ca. 2,8—3 Kilo. Geeignet für **rauchloses Pulver.** In 2 Teile zerlegbar. Abnehmbarer Vorderschaft, Kolbenkappe aus Horn.

St. 105. **Fusil à chien et à 1 canon,** fermeture Toplever, en Cal. 12, 16 ou 20, canon du meilleur acier, pièces de serrure trempées, longueur du canon, selon demande: environ 71, 76, 81 cm, poids. environ 2 Ks. 8 á 3 Ks, pouvant tirer à poudre sans fumée, démontable en deux pièces, devant enlevable, calotte de la crosse en corne.

St. 105. **Single barrel Shot Gun,** Top snap, 12, 16 or 20 gauge, best steel-barrel, 28, 30 and 32 inches, case hardened frame and parts. Weight from $6^1/_4$ to $6^3/_4$ pounds. Adapted for black and smokeless powder. Walnut forearm and metal joint to take apart, rubber buttplate.

St. 105. **Escopeta de gatillo y de 1 cañon,** Cierre Toplever, en calibre 12, 16 ó 20, cañón del mejor acero, piezas de llave templadas, longitud del cañón, según petición: proximamente 71, 76, 81 cm; peso aproximadamente 2 Kilo 8 á 3 Kilo, pudiendo tirar con pólvora sin humo, desmontable en 2 piezas, delantera levantable, cantonera de cuerno.

Stevens.

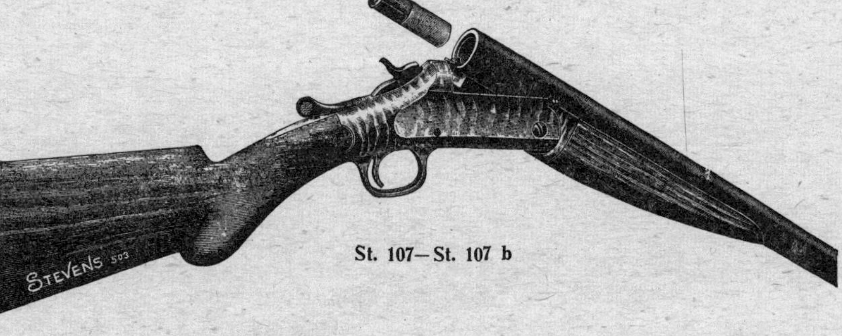

St. 107—St. 107 b

Stevens.

St. 107. **Einläufige Ejektor-Hahnflinte,** dieselbe Flinte wie St. 105 aber mit **automatischem Patronenauswerfer.**

St. 107. **Fusil à chien et à 1 canon, avec éjecteur,** le même fusil que le No. 105, mais avec éjecteur automatique de la cartouche.

St. 107. **Single barrel Shot Gun with ejector,** like St. 105, but with automatic shell ejector.

St. 107. **Escopeta de gatillo y de 1 cañon con eyector automático,** la misma escopeta que el St. 105, pero con eyector automático del cartucho.

Stevens.

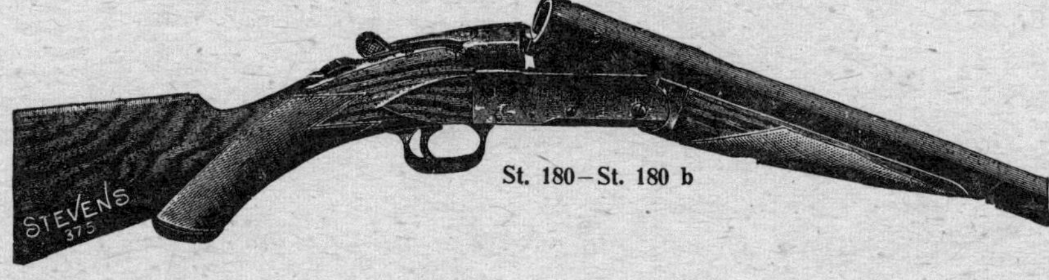

St. 180—St. 180 b

Stevens.

St. 180. **Einläufige Hammerless-Ejektor-Flinte,** in Ausführung wie St. 107, aber „**Selbstspannersystem**“ mit **automatischer Sicherung** auf dem Kolbenhalse, Griff und Vorderschaft mit Fischhaut.

St. 180. **Fusil à 1 coup, sans chien et avec éjecteur,** dans la même exécution que le No. 107, mais **avec armement automatique, sûreté automatique** au cou de la crosse, poignée pistolet et devant quadrillés.

St. 180. **Single barrel Shot Gun Hammerless with ejector,** like St. 107 but **self cocking device** with **automatic safety** on the top. Stock finely finished with pistol grip checkered and capped.

St. 180. **Escopeta de un tiro y sin gatillo y con eyector,** en la misma ejecución que el St. 107 pero **con tensión automática, seguridad automática** en el cuello de la culata, empuñadura de pistola y delantera labradas.

Nr.	St 105	St 105 a	St 105 b	St 107	St 107 a	St 107 b	St 180	St 180 a	St 180 b
†	Hunfei	Hunfeis	Hunfeit	Hunsie	Hunsies	Hunsiet	Hunak	Hunaks	Hunakt
Cal.	12	16	20	12	16	20	12	16	20
Mark	25,50	25,50	25,50	27,60	27,60	27,60	49,80	49,80	49,80

Einläufige Centralfeuer-Flinten Marke „Alfa".	Fusils à 1 canon et à feu central, marque „Alfa".	Single-barrel centralfire guns Mark „Alfa".	Escopetas de fuego central y de un tiro Marca „Alfa".

Umgearbeitete Militärgewehre.	Fusils militaires transformés.	Adapted military rifles.	Fusiles militares transformados.

Chassepot

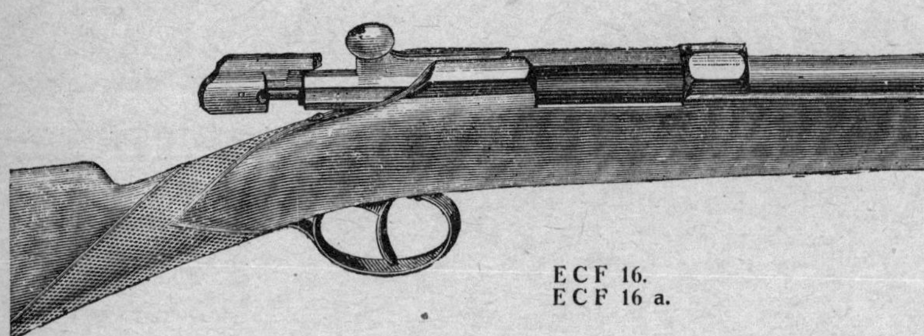

ECF 16.
ECF 16 a.

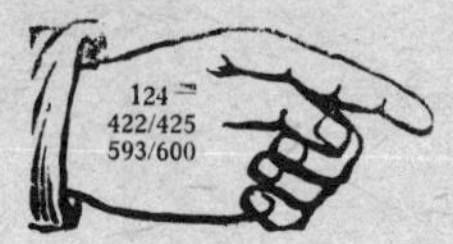

Pistolengriff, Fischhaut, Halbschäftung wie Abbildung.	Crosse pistolet quadrillée, devant non-prolongé, suivant l'illustration.	**Pistol grip checkered,** half stock as in illustration.	**Empuñadura de pistola** labrada, delantera media culata, comó en la ilustración.

Mauser M 71

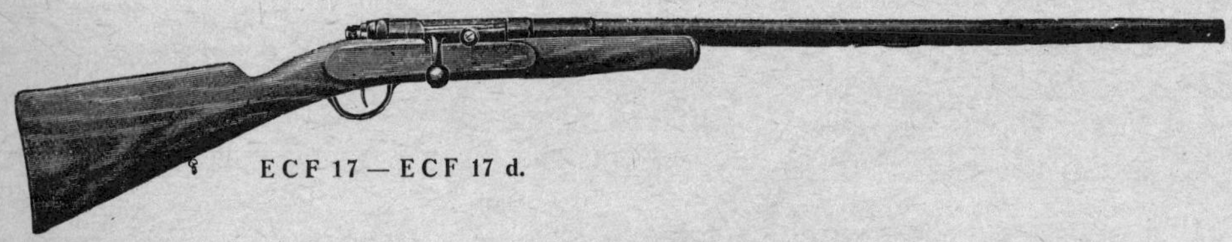

ECF 17 — ECF 17 d.

Halbschaft, Riemenbügel, Sicherungsflügel, wie Abbildung.	Devant non-prolongé, anneaux de courroie, aile de sûreté, suivant l'illustration.	**Halfstock,** sling swivels, safety lever, as in drawing.	**Media culata,** anillos para correa, ala de seguridad, comó en la ilustración.

Mauser M 71

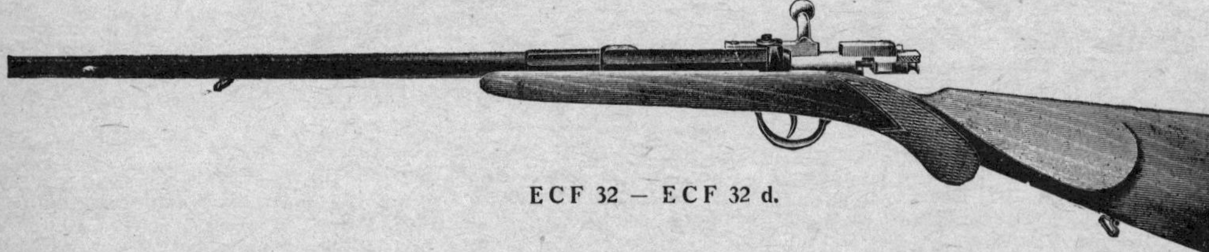

ECF 32 — ECF 32 d.

Wie C E F 17, aber mit **Pistolengriff** und **Backe,** besonders sauber gearbeitet.	Comme E C F 17, mais avec **crosse pistolet** et **à joue,** tout particulièrement bien travaillé.	Like E C F 17, but with **pistol grip** and **cheek,** very neat make.	Como E C F 17, pero con **empuñadura de pistola y de carrillo,** todo esmeradamente trabajado.

Gras M 74

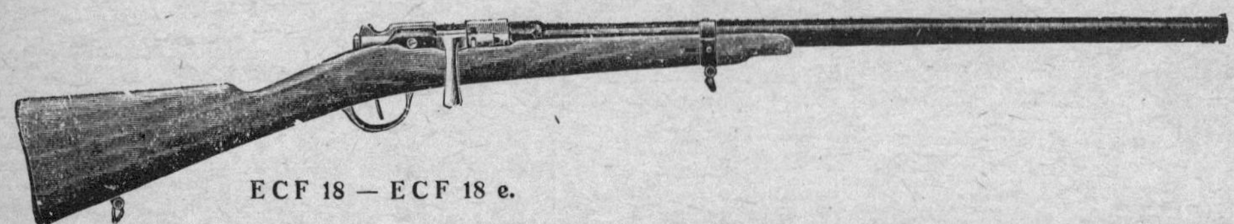

ECF 18 — ECF 18 e.

Schwarze Garnitur, 70 cm langer Lauf, wie Abbildung.	**Garniture noire,** canon de 70 cm de long, suivant illustration.	**Black mounting,** barrel 70 cm long, as in drawing.	**Guarnición negra,** cañón de 70 cm de largo, comó en la ilustración.

No.	ECF 16	ECF 16 a	ECF 17	ECF 17 a	ECF 17 b	ECF 17 c	ECF 17 d	ECF 32	ECF 32 a	ECF 32 b	ECF 32 c	ECF 32 d	ECF 18	ECF 18 a	ECF 18 b	ECF 18 c	ECF 18 d	ECF 18 e
†	Burgale	Burgalos	Burselde	Burne	Burnet	Burner	Burned	Bursilda	Bursildas	Bursildat	Bursildar	Bursildad	Bulisy	Burlisys	Burlisyt	Burlisyr	Burlisyd	Burlisyk
Cal.	12	16	12	16	20	24	28	12	16	20	24	28	12	16	20	24	28	32
Mark	22.—	21.20	27.50	25.50	25.50	25.50	24.—	29.—	27.—	27.—	27.—	25.50	20.—	19.50	19.—	19.—	19.—	19.—

Einläufige Zentralfeuerflinten.	Fusils à feu central et à 1 coup.	Single barrel center-fire guns.	Fusiles de fuego central y de 1 tiro.

Umgearbeitete Militärgewehre. | Fusils militaires transformés. | Adapted military rifles. | Fusiles militares transformados.

Tabatière

E C F 33

Wie Abbildung mit Pistolengriff, **Tabatière-Verschluss, schwarze** Garnitur, ca. 70 cm langer Lauf, Gewicht ca. $2^3/_4$ kg.

Suivant illustration avec **crosse pistolet, fermeture Tabatière,** garniture **noire,** canon de 70 cm environ, poids $2^3/_4$ kg environ.

Like illustration with pistol-grip, **Tabatière lock, black** mounting, barrel-about 70 cm long, weight about $2^3/_4$ kg.

Según á la ilustración, con empuñadura de pistola, **cerradura Tabatière,** guarnición **negra,** cañón de 70 cm próximamente, peso 2 K $^3/_4$ tambien próximamente.

Albini

E C F 19

Wie Abbildung, **schwarze** Garnitur, langer Lauf.

Suivant l'illustration, garniture **noire,** canon long.

As in drawing, **black** mounting, long barrel.

Como la ilustración, guarnición **negra,** cañón largo.

Beaumont

E C F 20 — E C F 20 c

Schwarze Garnitur, 70—75 cm langer Lauf, wie Abbildung.

Garniture noire, canon de 70—75 cm, suivant illustration.

Black mounting, 70—75 cm barrel, as in drawing.

Guarnición negra, cañón de 70—75 cm, como la ilustración.

Remington

E C F 21 — E C F 21 a

Schwarze Garnitur, Cal. 24, Lauflänge 89 cm, Cal. 16, Lauflänge 75 cm, wie Abbildung, **ohne** Visier, Riemenbügel, Halbschaft.

Garniture noire, Cal. 24, longueur du canon: 89 cm, Cal. 16, longueur du canon: 75 cm, suivant illustration, **sans** hausse, anneaux de courroie, devant non-prolongé.

Black mounting, Cal. 24 length of barrel 89 cm, Cal. 16 length of barrel 75 cm, as in drawing **without** back sight, swivels, halfstock.

Guarnición negra, Cal. 24, longitud del cañón: 89 cm, Cal. 16, longitud del cañón: 75 cm, según la ilustración, **sin** alza, anillos de correa, media delantera.

	E C F 33	E C F 19	E C F 20	E C F 20 a	E C F 20 b	E C F 20 c	E C F 21	E C G 21 a
†	**Tabatkau**	**Butlerre**	**Bystock**	**Bystocks**	**Bystockt**	**Buxau**	**Bydherne**	**Bysiner**
Cal.	12	28	12	16	20	28	16	24
Mark	**19.30**	**15.50**	**25.—**	**24.30**	**24.30**	**23.—**	**31.—**	**26.70**

Schrot-Repetier-Flinten „Alfa".	Fusils à répétition, pour plombs, marque „Alfa".		Repeating Shot Guns Mark „Alfa".	Escopetas de repetición Winchester para perdigones.

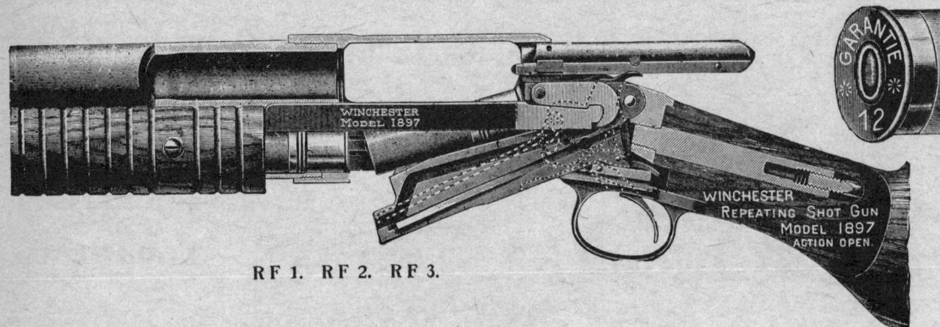

RF 1. RF 2. RF 3.

Winchester.

Konstruktion

Vorstehende Abbildung zeigt, wie das Gewehr geladen wird. Das Magazin fasst **5 Patronen,** so dass mit einer im Lauf **also 6 Schüsse in schnellster Reihenfolge abgegeben werden können.**

Construction

L'illustration ci-dessus montre comment s'opère le chargement. Le Magasin contient **5 cartouches,** de sorte qu' avec celle se trouvant dans le canon, **on peut, avec la plus grande rapidité, tirer à la file 6 coups.**

Construction

The above illustration shows how to load the gun. The Magazine holds **5 cartridges,** so that with one in the breech **six shots can be fired in the most rapid succession.**

Construcción

La ilustración de ariba demuestra el modo de cargamento de la escopeta. El almacén lleva **5 cartuchos,** de modo que con un cartucho en el cañón **se duede dar seis tiros uno tras el otro con la major rapidez.**

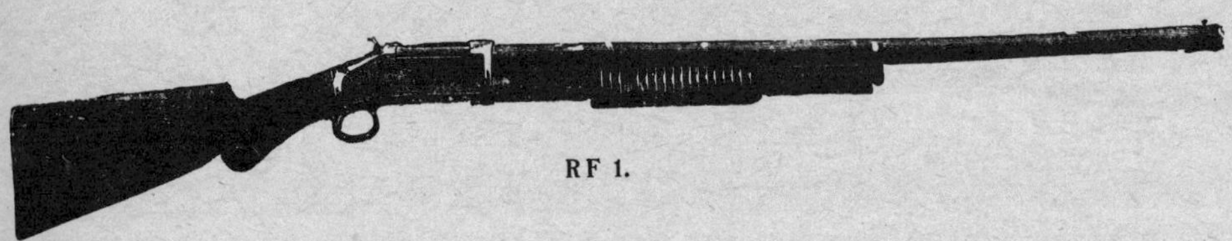

RF 1.

Winchester.

Mod. 1897.

Winchester-Jagd-Repetiergewehr, Cal. 12, 6 Schuss, Stahllauf ca. 76 cm lang, choke bored, Nussbaumschaft mit Pistolengriff, Gewicht ca. 3,5 kg, bestes existierendes Repetiergewehr.

Fusil de chasse Winchester à répétition, Cal. 12, à 6 coups, canon d' acier long d'environ 76 cm, choke bored, crosse noyer avec poignée pistolet. Poids environ 3,5 kg, la meilleure arme à répétition qui existe.

Winchester repeating shot gun, Cal. 12, six shots, steel barrel of about 76 cm in length, choke bored walnut stock with pistol grip, weight about 3,5 kg, best repeating gun in existence.

Escopeta de repetición Winchester, Cal. 12, de 6 tiros, cañón de acero de 76 cm de largo, choke-bored, caja de nogal con puño de pistola, peso 3,5 Kilos proximamente, la mejor escopeta de repetición que se pueda hallar.

Winchester mit abnehmbarem Lauf. | **Winchester avec canon détachable.** | **Winchester with detachable barrel.** | **Winchester con cañón separable.**

RF2—RF2a

Konstruktion genau wie RF 1, jedoch mit Vorrichtung **zum Zerlegen in 2 Teile.**

Même construction que RF 1 mais avec dispositif permettant le **démontage en 2 pièces.**

Construction exactly as RF 1, but with **take-down arrangement.**

Construida exactamente como RF 1 pero con arreglo permitiento el desmontar en 2 partes.

Automatische Repetierflinten Seite 124/5. | Fusils à répétition automatiques page 124/5. | Automatic shot guns page 124/5. | Escopetas de repetición automáticas páginas 124/5.

No.	RF 1	RF 2	RF 2 a
†	Butmest	Bottest	Bottests
Cal.	12	12	16
Mark	144.—	156.—	156.—

Schrot-Repetier-Flinten „Alfa“.

Fusils à répétition, pour plombs, marque „Alfa“.

Repeating Shot Guns Mark „Alfa“.

Escopetas de repetición para perdigones, marca „Alfa“.

Winchester.
Mod. 1901.

RF 2 b

RF 2 b. Winchester-Hammerless Repetierflinte **Cal. 10, für Entenjagd, 6 Schuss,** Gewicht ca. 3,9 kg, Lauflänge 81 cm, Nussbaumschaft mit Pistolengriff, Teile schwarz.

RF 2 b. Fusil à répétition, Winchester Hammerless, **Cal. 10,** pour la chasse aux canards, à 6 coups, poids 3,9 kg environ, longueur du canon 81 cm, crosse en noyer avec manche pistolet, pièces noires.

RF 2 b. Winchester Hammerless repeating rifle, **Cal. 10,** for ducks, 6 shots, weight 3,9 kg, length of barrel 81 cm, walnut stock with pistol grip, parts black.

RF 2 b. Escopeta de repetición Winchester Hammerless, **Cal. 10,** por caza de patos, 6 tiros, peso 3,9 kg, proximamente longitud del cañon: 81 cm, caja de nogal con puño pistola, piezas negras.

Marlin

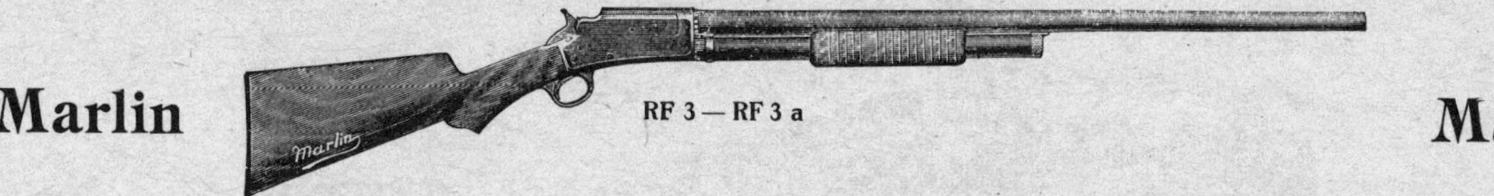

RF 3 — RF 3 a

Marlin

RF 3. **Sechsschüssig, abnehmbarer Lauf,** seitlicher Auswerfer, sonst wie RF 2.

RF 3. **à six coups, canon détachable,** éjecteur latéral, pour le reste comme RF 2.

RF 3. **Six shots, detachable barrel,** side-ejection, otherwise similar to No. RF 2.

RF 3. **De seis tiros, cañón separable,** eyector lateral, por lo demás como el RF 2.

Stevens

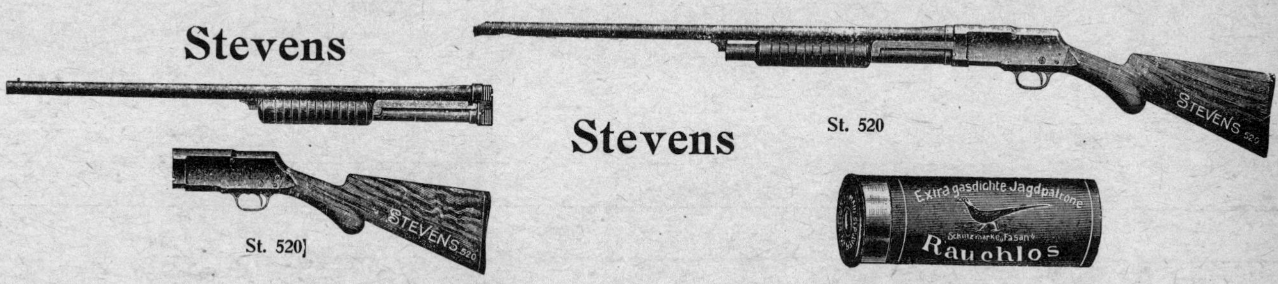

St. 520

St. 520

Stevens

St. 520
Hahnlose Repetier-Schrotflinte „Browning-Patent“

6 Schuss, nur in Kal. 12. Gewicht ca. 3,5 Kilo. Ia Stahlmaterial, alle Teile schwarz. **In 2 Teile zerlegbar. Sicherung** am Abzugsbügel. Man kann im Anschlage repetieren. Nussbaumschaft mit Hartgummiplatte. Die Waffe kann auch als **Einzellader** gebraucht werden.

St. 520
Fusil à plombs et à répétition, sans chien, „Patent-Browning“

à 6 coups, seulement en Cal. 12, poids environ Kilogs 3,5, acier de première qualité, toutes les pièces noires, **démontable en 2 parties,** sûreté près de la sous-garde de détente. En mouvant le devant on peut tirer à répétition. Crosse noyer avec calotte en caoutchouc durci. Ce fusil peut aussi **tirer à un coup.**

St. 520
Shotgun Hammerless Repeating „Browning-Patent“

will handle **six** cartridges **12 gauge** only, weight $7^3/_4$ pounds. Best steel barrel and take down arrangement, every part dark black, safety in the guard. Easily to repeat, without altering the holding of the gun when shooting. Walnut stock with rubber buttplate, gun also to be used as a **single loader.**

St. 520
Escopeta de perdigones y de repetición sin gatillo, „Patent Browning“.

de 6 tiros, solamente en calibre 12 peso aproximadamente: 3,5 kg, acero de primera calidad, todas piezas negras, **desmontable en 2 partes,** seguridad cerca de la guardamonte. Moviendo la delantera se puede tirar con repetición. Caja de nogal con cantonera de cautchuc endurecido. La escopeta puede tirar también á un tiro.

No.	RF 2 b	R 3 F	RF 3 a	St. 520
†	Burzehn	Bizahmo	Bizahmos	Fihunt
Cal.	10	12	16	12
Mark	182.—	155.—	155.—	138.80

Doppelflinten mit Hähnen, Marke „Alfa“.	Fusils à 2 coups „Alfa“ avec chiens.		Double barrel guns with hammers, Mark „Alfa“.	Escopetas de dos tiros con gatillos Marca „Alfa“.

419
593/600

Lefaucheux

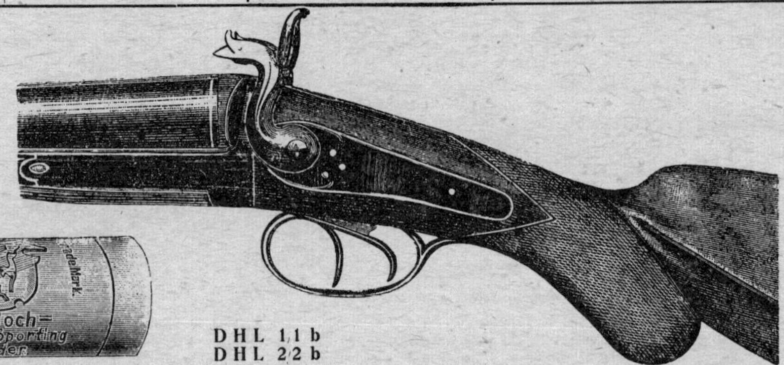

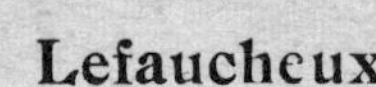

DHL 11b
DHL 22b

DHL 1 **Stahlläufe,** matt schwarz, bunt gehärtete Garnitur, Krollbügel.

DHL 2 Wie DHL 1, aber **imitierter Damast.**

DHL 1 **Canons d'acier,** noir mat, garniture trempée jaspée, sous-garde Kroll.

DHL 2 Comme DHL 1, mais **damas imitation.**

DHL 1 **Dull black steel barrels,** hardened mounting in 2 colours, scroll guard.

DHL 2 As DHL 1, but **imitation damascus.**

DHL 1 **Cañones de acero negro** mate, guarnición templada y jaspeada guardamonte „Kroll“.

DHL 2 Como el DHL 1, pero **con Damasquino imitado.**

Lefaucheux

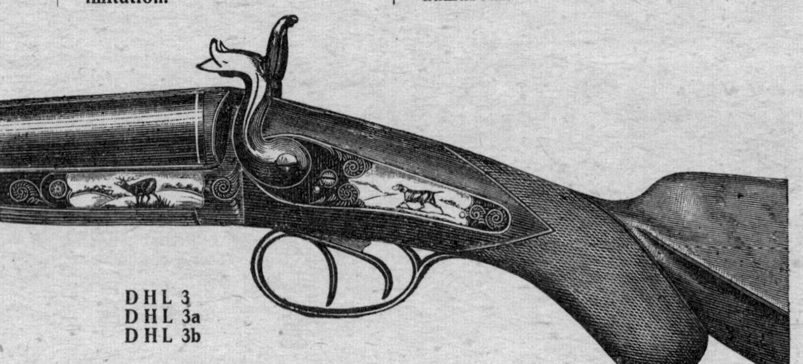

Lefaucheux

DHL 3
DHL 3a
DHL 3b

DHL 3 **Rubandamast,** Doppelschlüssel, **Jagdstückgravur,** grau gehärtet.

DHL 3 **Ruban Damas,** à double clef, **sujet de chasse gravé,** trempé gris.

DHL 3 **Twist damascus,** double bolt, engraved with **sporting subject,** grey hardened.

DHL 3 **Cañones de Damasquino retorcido,** cuña doble, **grabado de asunto de caza,** templado gris.

Lefaucheux

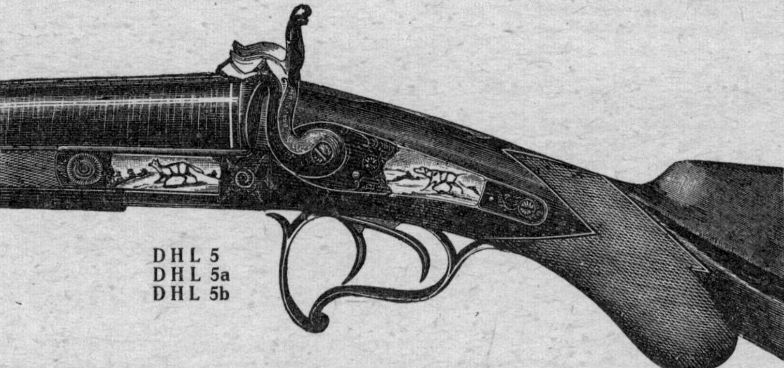

Lefaucheux

DHL 5
DHL 5a
DHL 5b

DHL 4 Wie DHL 3, **Rubandamast,** Silberband, graviert, **Pistolengriff.**

DHL 5 Wie DHL 4, **Vorderschaft** mit Schlüssel, Hornhebel, **Jagdstückgravur,** grau gehärtet, Schlösser mit 2 Schrauben.

DHL 6 Wie DHL 5, **Birmingham-Damast, Silberverzierung,** Lebeda-Vorderschaft, bunt gehärtet, **Jagdstückgravur** mit **Silbereinlagen.**

DHL 4 Comme DHL 3, **Ruban Damas,** anneau argent, gravé, **crosse pistolet.**

DHL 5 Comme DHL 4 devant à clef, levier en corne, **sujet de chasse gravé,** trempé gris, platines à 2 vis.

DHL 6 Comme DHL 5, **Damas Birmingham,** ornaments argent devant Lebeda, trempé jaspé, **sujet de chasse gravé** avec **incrustations argent.**

DHL 4 As DHL 3, **Twist damascus,** silverband, engraved, **pistol grip.**

DHL 5 As DHL 4, Fore-end with horn lever, **engraving** of **sporting subject,** grey hardened lock with 2 screws.

DHL 6 As DHL 5, **Birmingham-damascus** with silver ornamentation, Lebeda fore-end, hardened mountings in 2 colours, **sporting engraving** with inlaid silver work.

DHL 4 Igual al DHL 3, **Damasquino retorcido,** anillo de plata, grabado, **empuñadura de pistola.**

DHL 5 Igual al DHL 4, **palanca retorcida, grabado de cacería,** endurecido gris, con platinos de 2 tornillos.

DHL 6 Como DHL 5, **Damasquino Birmingham,** con adorno de plata parte delantera Lebeda, endurecido y jaspeado, **grabado con figura** de caja é **incrustación de plata.**

No.	DHL 1	DHL 1a	DHL 1b	DHL 2	DHL 2a	DHL 2b	DHL 3	DHL 3a	DHL 3b	DHL 4	DHL 4a	DHL 4b	DHL 5	DHL 5a	DHL 5b	DHL 6	DHL 6a	DHL 6b
†	Cabrile	Cabriles	Cabrilet	Cadol	Cadols	Cadolt	Cadame	Cadames	Cadamet	Calamit	Calamits	Calamitt	Caldrami	Caldramis	Caldramit	Calko	Calkos	Calkof
Cal.	12	16	20	12	16	20	12	16	20	12	16	20	12	16	20	12	16	20
Mark:	38.—	38.—	38.—	38.—	38.—	38.—	50.—	50.—	50.—	52.—	52.—	52.—	73.—	73.—	73.—	80.—	80.—	80.—

Central-feuer-Doppelflinten „Alfa“ mit Hähnen.	Fusils à 2 coups et à feu central, avec chiens, Marque „Alfa“.		Double barrel central fire guns Mark „Alfa“ with Hammers.	Escopetas de dos tiros y de fuego central „Alfa“ con gatillos.

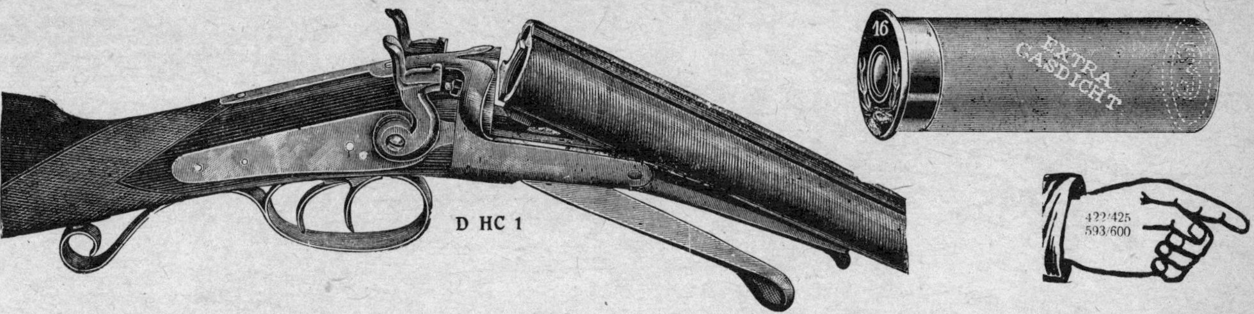

D HC 1

D H C 1. Gussstahlläufe, imitierter Banddamast, mit Doppelschlüssel, Schaft mit Backe und geschn. Fischhaut, marmoriert, gehärtete Garnitur.

D H C 1. Canons acier fondu, Ruban Damas imitation, à double clef, crosse à joue, et quadrillée, garniture trempée jaspée.

D H C 1. Cast steel barrels, imitation twist damascus, with double key, checkered stock with cheek piece, hardened, tmarbled mountings

D H C 1. Cañones de acero colado Damasco retorcido imitado, cuña doble, caja labadra con carillo montuюa endurecida jaspeada.

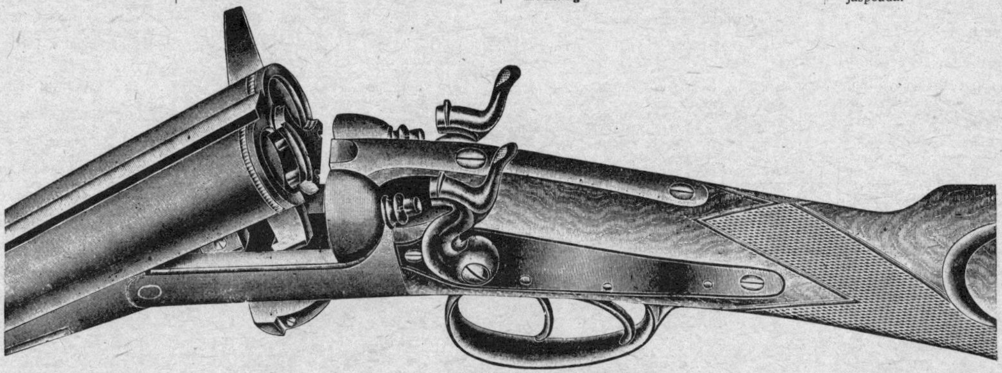

D H C 2

D H C 2. Beste Gussstahlläufe, englisch schwarz, mit Doppelschlüssel, Schaft mit Backe und geschn. Fischhaut, bunt gehärtete Garnitur, **nur Cal. 16.**

D H C 3. Beste Gussstahlläufe, mit Doppelschlüssel, geschn. Fischhaut, bunt gehärtete Garnitur, **imitierte Damastrohre,** besserer Bügel, bessere Schlösser, bessere Qualität.

D H C 4. Beste Gussstahlläufe, mit Doppelschlüssel, geschn. Fischhaut, bunt gehärtete Garnitur, imitierte **türkische Damastrohre** mit rückspringenden Hähnen, **nur Cal. 16.**

D H C 5. Beste Ruban-Damastläufe, mit Doppelschlüssel, geschn. Fischhaut, bunt gehärtete Garnitur, Schneckenbügel, ungraviert, **nur Cal. 16.**

D H C 2. Canons d'acier fondu extra, noir anglais, à double clef, crosse à joue et quadrillée, garniture trempée jaspée, **seulement en Cal. 16.**

D H C 3. Canons d'acier fondu extra, à double clef, quadrillé, garniture trempée jaspée, **canons Damas imitation,** sous-garde extra, excellentes platines, première qualité.

D H C 4. Canons d'acier fondu extra, à double clef, quadrillé, garniture trempée jaspée, canons imitation Damas turc, avec chiens rebondissants, **seulement en Cal. 16.**

D H C 5. Canons Ruban Damas extra, à double clef, quadrillé, garniture trempée jaspée, sous-garde avec spirales, nongravé, **seulement en Cal. 16.**

D H C 2. Best cast steel barrels, English black, double key, checkered stock with cheek piece, hardened variegated mountings, **Cal. 16 only.**

D H C 3. Best cast steel barrels, with double key, checkered, hardened variegated mounting, **imitation damascus,** better guard, better locks, better quality.

D H C 4. Best cast steel barrels, with double key, checkered, imitation **Turkish damascene,** rebounding locks, **Cal. 16 only.**

D H C 5. Best Twist-damascus barrels, with double key, checkered stock, variegated hardened mounting, spiral trigger guard, without engraving, **Cal. 16 only.**

D H C 2. Cañones del mejor acero colado, negro inglés, á llave doble, caja labrada con carillo, guarnición templada y jaspeada **solamente en Cal. 16.**

D H C 3. Cañones del mejor acero colado, damasco imitado, con llave doble, caja labrada, guarnición templada y jaspeada mejor guardamonte, mejores cierres, calidad extra.

D H C 4. Cañones del mejor acero colado, con llave doble, caja labrada **Damasco turco** imitado, cierres de retroceso, solamente Cal. 16.

D H C 5. Cañones del mejor Damasco retorcido, con llave doble, caja labrada guarnición templada y jaspeada guardamonte de forma, spiral, sin grabado, **solamente Cal. 16.**

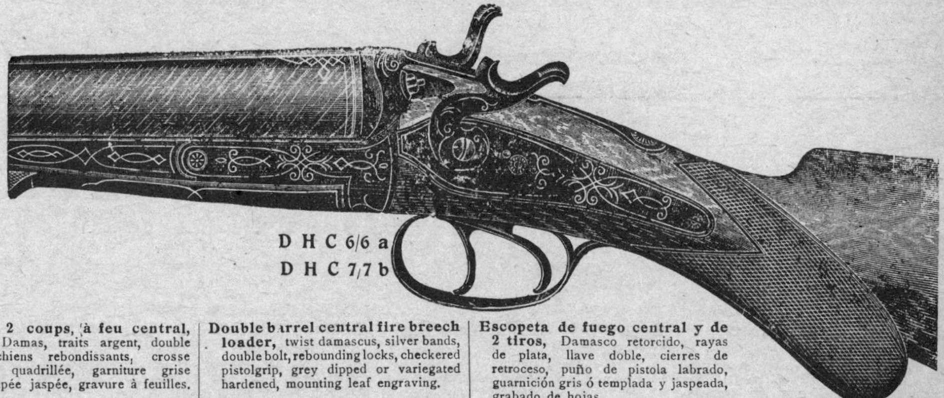

D H C 6/6 a
D H C 7/7 b

Centralfeuer-Doppelflinte, Band-Damast, Silberstreifen, Doppelschlüssel, Rückspringschlösser, Pistolenschaft mit Fischhaut, grau gebeizte oder bunt gehärtete Garnitur, **Blättergravur.**

Fusil à 2 coups, à feu central, Ruban Damas, traits argent, double clef, chiens rebondissants, crosse pistolet quadrillée, garniture grise ou trempée jaspée, gravure à feuilles.

Double barrel central fire breech loader, twist damascus, silver bands, double bolt, rebounding locks, checkered pistolgrip, grey dipped or variegated hardened, mounting leaf engraving.

Escopeta de fuego central y de 2 tiros, Damasco retorcido, rayas de plata, llave doble, cierres de retroceso, puño de pistola labrado, guarnición gris ó templada y jaspeada, grabado de hojas.

No.	D H C 1	DHC 1a	DHC 1b	DHC 1c	DHC 1d	D H C 2	D H C 3	DHC 3a	DHC 3b	DHC 3c	DHC 3d	D H C 4	D H C 5	D H C 6	D H C 6a	D H C 7	D H C 7a	D H C 7b
	Cambert	Camberts	Cambertt	Cambertr	Cambertd	Caneke	Camphon	Cam-phons	Camphont	Cam-phonr	Cam-phond	Candor	Canfent	Caren	Carens	Canistel	Canistels	Canisteld
Cal.	12	16	20	24	28	16	12	16	20	24	28	16	16	12	16	20	24	28
Mark	36.–	36.–	36.–	42.–	42.–	38.50	40.–	40.–	40.–	45.–	45.–	41.–	52.50	55.50	55.50	55.50	60.50	61.50

Centralfeuer-Doppelflinten „Alfa“ mit Hähnen.	Fusils à coups et à feu central, „Alfa“ avec chiens.		Double-barrel central-fire guns Mark „Alfa“ with hammers.	Escopetas de dos tiros y de fuego central ‚Alfa‘ con gatillos.

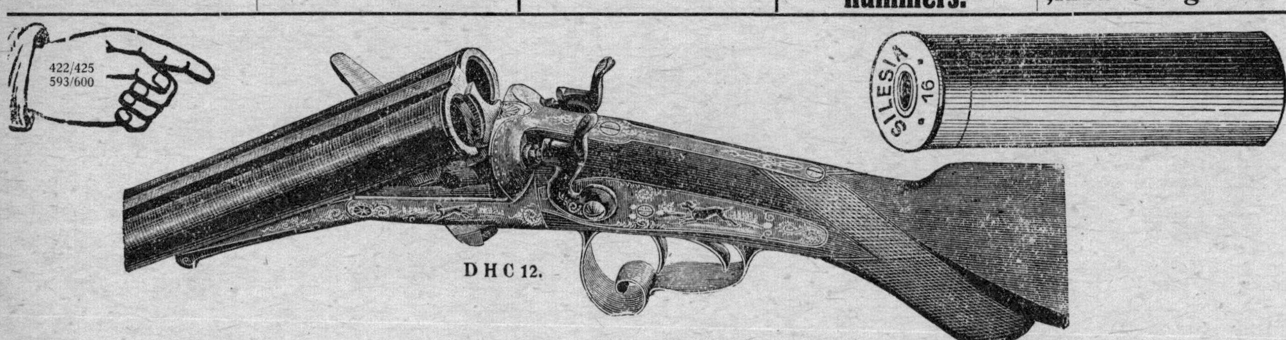

DHC 12.

DHC 8/9. Beste Ruban-Damastläufe, Doppelschlüssel, Silberstreifen am Patronenlager, Schaft mit Pistolengriff, bunt gehärtete Garnitur, geschnitzte Fischhaut, graviert, mit rückspringenden Hähnen.
DHC 10. Dieselbe Flinte wie DHC 8, aber mit Jagdstück-Gravierung, grau gehärtete Garnitur.
DHC 11. Prima London-Damastläufe, Silberstreifen, Doppelschlüssel, feinere Rückspringschlösser, karrierte Gravur mit Jagdstücken in Silbereinfassung, Pistolengriff.
DHC 12. Feiner Birmingham-Damast mit reicher Silbereinlage auf beiden Läufen, Doppelschlüssel mit langen Muscheln, feinere Rückspringschlösser mit 2 Schrauben am Studelkopf, Abzugbügel mit Federdrücker, karrierte Gravierung mit Jagdstücken in Silbereinfassung, bunt gehärtet, Schaft mit Pistolengriff, Kappe und Aufsatz von Kautschuk, nur Cal. 16, genau wie vorstehende Abbildung.

DHC 8/9. Canons Ruban Damas extra, à double clef, traits argent sur la chambre, crosse à manche pistolet, garniture trempée jaspée, quadrillé, gravé, avec chiens rebondissants.
DHC 10. Le même fusil que DHC 8 mais avec gravure sujet de chasse, garniture trempée grise
DHC 11. Canons Damas Londres extra, traits argent, à double clef, très élégants chiens rebondissants, gravure à carreaux avec sujets de chasse, à bordure argent, crosse pistolet.
DHC 12. Elégant Damas Birmingham, avec incrustations argent sur les canons, à double clef, avec longues coquilles, élégants chiens rebondissants, à 2 vis, sous-garde de détente avec pressoir à ressort, gravure à carreaux avec sujets de chasse bordés d'argent, trempé jaspé, crosse avec poignée pistolet, calotte caoutchouc, seulement en Cal. 16, exactement suivant l'illustration ci-dessus.

DHC 8/9. Best Twist damascus barrels, double key, silver lines round breech, checkered stock, harvened mountings in 2 colours, engraved, rebounding locks.
DHC 10. Same gun as DHC 8, but with engraving of sporting picture, grey hardened mountings.
DHC 11. Best quality London damascus barrels, silver lines, double key, better class rebounding locks, checkered engraving with sporting figures in silver, pistolgrip.
DHC 12. Fine Birmingham damascus barrels with heavy silver incrustation on both barrels, double key, very fine rebounding locks with 2 screws in the bridle, spring triggers, checkered engraving with sporting figures in silver, hardened variegated mountings, pistolgrip stock, butt plate and head piece of vulcanite, Cal. 16 only, exactly like above picture.

DHC 8/9. Cañones del mejor Damasco retorcidó llave doble, rayas de plata sobre las recamaras, caja labrada, montura en dos colores, endurecida, grabada, cierres de retroceso.
DHC 10. Igual al DHC 8, pero con grabado de figura de caza montura gris endurecida.
DHC 11. Cañones de Damasco Londres la callidad, rayas de plata, leare doble cierres superiores de retroceso, grabado labrada con figuras de caza en plata incrustada, puño de pistola.
DHC 12. Cañones de Damasco de Birmingham fino con copiosa incrustación de plata en ambos cañones, llave doble, cierres muy finos de retroceso con dos tornillos, fiador con muelle, grabado labrado con figuras de caza en plata incrustada, montura variegada templado puño de pistola cantonera de cautchuc, solo Cal. 16, exactamente como en la ilustración.

DHC 13/13 a.

DHC 13. London- oder Birmingham-Damast, Silberstreifen, Holzvorderschaft mit Eisenhebel, Pistolenschaft, bessere Rückspringschlösser, englisch graviert, bunt gehärtet, geschn. Fischhaut.

DHC 13. Damas Londres ou Birmingham, traits argent, devant de bois avec levier de fer, crosse pistolet, chiens extra rebondissants, gravure anglaise, trempé jaspé, quadrillé.

DHC 13. London or Birmingham damascus, silver lines, wood fore-end with iron lever, pistolgrip better class rebounding locks, English engraved, variegated, hardened mountings, checkered carving.

DHC 13. Damasco Londres ó Birmingham, rayas de plata, delantera de madera con palanca de hierro, puño de pistola, mejores gatillos de retroceso, grabado inglés templado jaspeado, labrado.

DHC 67/67 b. DHC 68/68 b.

Deutsche Handarbeit.

DHC 67. Pa. Suhler Handarbeit. Pistolengriff, Backe, Hornhebel, Kruppsche Stahlläufe, Nussverschluss, Teile bunt gehärtet, englisch graviert, Eisenhebel.
DHC 68. Wie DHC 67, feinstes Material, Hornhebel, Deutsche Wetzgravur.

Travail à la main allemand.

DHC 67. Travail de Suhl à la main extra. Crosse pistolet, à joue, levier en corne, canons acier Krupp, verrou „Nuss“, pièces trempées et jaspées, gravure anglaise, levier de fer.
DHC 68. Comme DHC 67, matériel extra, levier de corne, gravure allemande.

German hand make.

DHC 67. Best Suhl hand make. Pistol grip, cheek, horn key Krupp steel barrels, Nuss lock case hardened parts, English engraving, iron lever.
DHC 68. Like DHC 67, finest material horn lever German engraving.

Trabajo alemán á mano.

DHC 67. Trabajo á mano de Suhl extra. Empuñadura de pistola, de carrillo, palanca de cuerno, cañones Krupp de acero, cierre Nuss, piezas templadas y jaspeadas, grabado alemán, palanca de hierro.
DHC 68. Como DHC 67.

No.	DHC 8	DHC 9	DHC 9 a	DHC 9 b	DHC 9 c	DHC 10	DHC 10 a	DHC 10 b	DHC 10 c	DHC 10 d	DHC 10 e
†	Caperese	Carpello	Carpellor	Carpellod	Carpelloh	Carrorate	Carrorates	Carroratet	Carrorater	Carrorated	Carrorateh
Cal.	16	20	24	28	32	12	16	20	24	28	32
Mark	56.—	56.—	61.—	62.—	62. —	57.—	57.—	57.—	62.—	62.—	63.—

No.	DHC 11	DHC 11 a	DHC 11 b	DHC 11 c	DHC 11 d	DHC 11 e	DHC 12	DHC 13	DHC 13 a	DHC 67	DHC 67 a	DHC 67 b	DHC 68	DHC 68 a	DHC 68 b
†	Castage	Castages	Castaget	Castager	Castaged	Castageh	Caterle	Carato	Caratos	Carsuhlo	Carsuhlos	Carsuhlot	Carthuri	Carthuris	Carthurit
Cal.	12	16	20	24	28	32	16	16	20	12	16	20	12	16	20
Mark	64.—	64.—	64.—	69.—	69.—	70.—	68.50	69.—	69.—	130.—	130.—	130.—	160.—	160.—	160—.

Centralfeuer-Doppelflinten „Alfa" mit Hähnen.

Fusils à deux coups et à feu central, „Alfa", avec chiens.

Double-barrel central-fire guns Mark „Alfa", with hammers.

Escopetas de dos tiros y fuego central „Alfa" con gatillos.

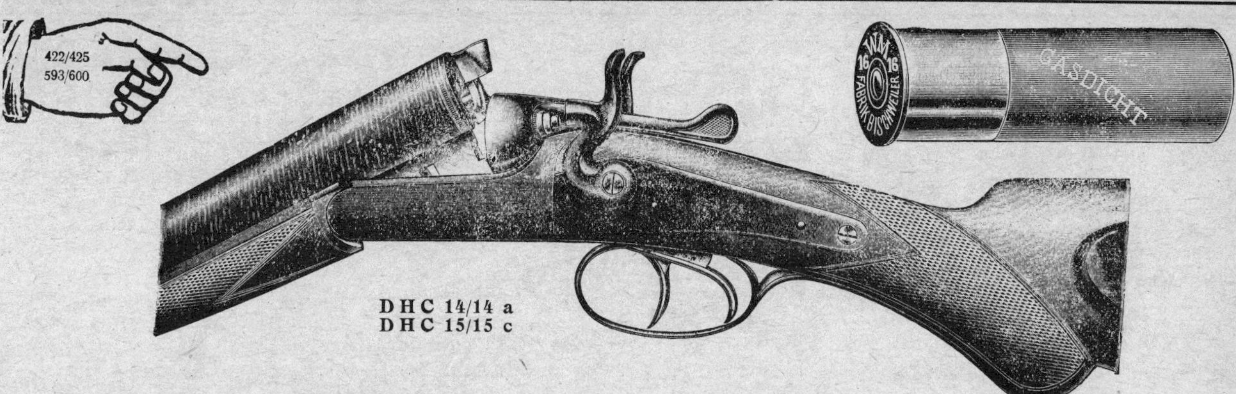

DHC 14/14 a
DHC 15/15 c

Doppelschrotflinte, Verschlusshebel zwischen den Hähnen, rückliegende **Rückspringschlösser,** schwarze **Stahlläufe** oder **imitierter Damast,** guillochierte Laufschiene, autom. Vorderschaft, geölter Nussbaumschaft, glatte Schäftung oder Pistolengriff, letzterer und Vorderschaft mit Fischhaut, Kasten und Teile gehärtet, Schaftkappe aus Eisen, sauber abgearbeitet.

Fusil à plombs à 2 coups, clef entre les chiens, **platines à l'arrière et chiens rebondissants, canons acier noir ou imitation Damas,** bande guillochée, devant automatique, crosse noyer huilé, crosse unie ou à poignée pistolet, celle-ci et devant quadrillés, boîte et pièces trempées, calotte de crosse en fer, soigneusement travaillé.

Double barrel shot gun, top lever system, back action, **rebounding locks black, steel barrels** or **imitation** twist **damascus,** matted rib, automatic fore-end, oiled walnut stock, straight or with pistolgrip, latter and fore-end chekered, mounting and parts case hardened, iron butt plate, neat finish.

Escopeta perdigonera de dos tiros sistema palanca superior llaves de cola y **retroceso, cañones de acero negro ó Damasco imitado,** cinta retorcida, delantera automática, caja de nogal aceitado, liso ó con puño de pistola, este y la parte delantera labradas, montura y piezas templadas, plancha de talon de hierro.

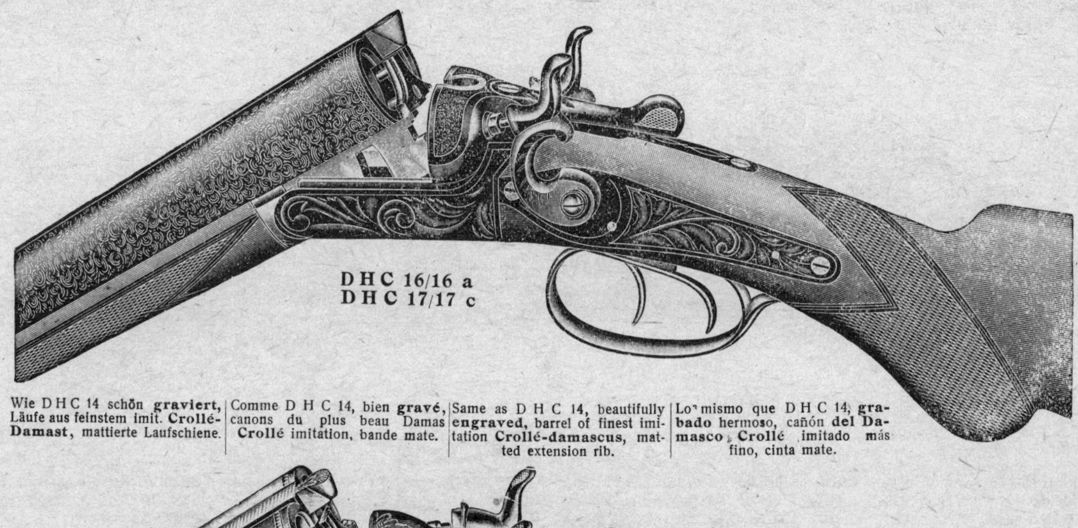

DHC 16/16 a
DHC 17/17 c

Wie DHC 14 schön **graviert,** Läufe aus feinstem imit. **Crollé-Damast,** mattierte Laufschiene.

Comme DHC 14, bien **gravé,** canons du plus beau Damas **Crollé** imitation, bande mate.

Same as DHC 14, beautifully **engraved,** barrel of finest imitation **Crollé-damascus,** matted extension rib.

Lo mismo que DHC 14, **grabado** hermoso, cañón **del Damasco Crollé** imitado más fino, cinta mate.

DHC 18/18 a

Topp-lever mit echtem Scott-Verschluss, Pistolenschaft mit Backe, schwarze Stahlläufe, **Rückspringschlösser** mit 2 Federn, **graue Härtung, erhabene Gravierung,** fein guillochierte Schiene.

Top-Lever avec verrou Scott véritable, crosse à poignée pistolet et à joue, canons d'acier noirs, **chiens rebondissants** avec 2 ressorts, trempe **grise, gravure à fonds** creux, bande soigneusement guillochée.

Top lever system with real Scott bolt, stock with pistolgrip and cheek-piece, black steel barrels, **rebounding locks** with 2 springs, **grey** hardened mounting, **embossed engraving,** fine extension rib.

Sistema palanca superior con cerradura verdadera de Scott, caja con puño de pistola y carrillo, cañones de acero negros, **llaves de retroceso, gris** endurecido, **grabado de relieve,** cinta retorcida.

No.	DHC 14	DHC 14 a	DHC 15	DHC 15 a	DHC 15 b	DHC 15 c	DHC 16	DHC 16 a	DHC 17	DHC 17 a	DHC 17 b	DHC 17 c	DHC 18	DHC 18 a
†	Censir	Censirs	Ceedro	Ceedror	Ceedrod	Ceedroh	Celete	Celetes	Cellac	Cellaco	Cellacd	Cellacb	Cenyta	Cenytas
Cal.	12	16	20	24	28	32	22	16	20	24	28	32	12	16
Mark	38.—	38.—	40.	43.—	43.	45.50	40.—	40.—	42.—	45.—	45.—	47.50	46.—	46.—

Centralfeuer-Doppelflinten mit Hähnen.

Fusils à 2 coups et à feu central, avec chiens.

Central-fire double-barrel guns with hammers.

Escopetas fuego-central de dos tiros con gatillos.

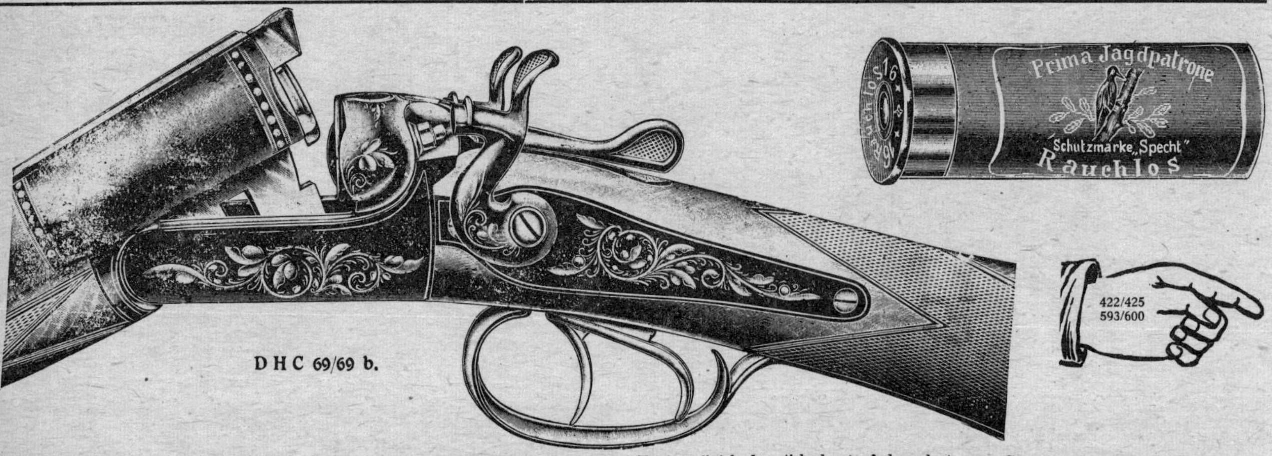

D H C 69/69 b.

Stahl- oder imitierte **Damastläufe, doppelter Verschluss, seitliche Backen** mit Silberpunkten uud Inschrift, runde Baskule, guillochierte Laufschiene, geölter Nussholzschaft, Fischhaut, **Blättergravur, blaue** Garnitur.

Canons **acier** ou imitation **Damas** chambres noires, double bague pointillée argent et inscription, **bascule à ailerons,** bande guillochée, crosse noyer huilée quadrillée, jolie **gravure feuilles,** garniture bleuie.

Twist finished polished **steel** barrels, black breech, silver dotted bands, silver inlaid inscription, **wings at breech,** matted rib, oiled walnut stock, checkered, **leaf-engraving**, polished blue mountings.

Cañones de **acero** imitación **Damasco**, cámaras negras, **sortija doble** con punta de plata e inscripcion, **báscula de aletas,** cinta retorcida, culata de nogal labrada, bonito **grabado de hojas,** montura azulada.

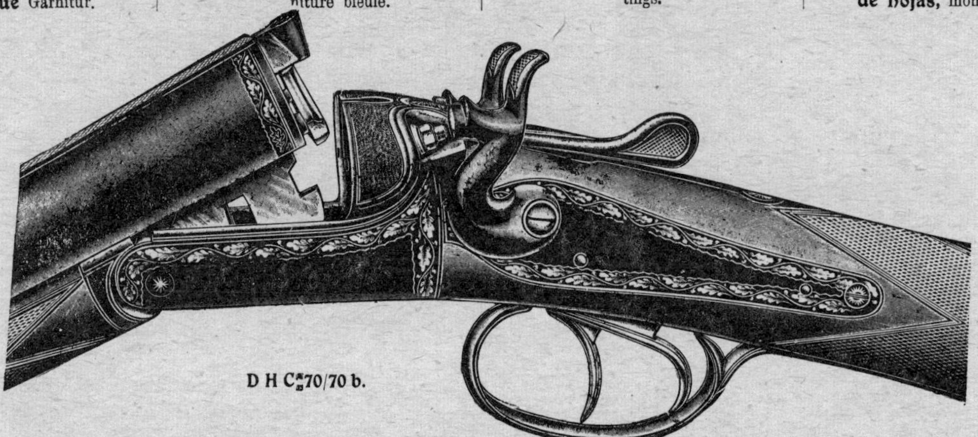

D H C 70/70 b.

Schwarze Stahlläufe, guillochierte Laufschiene, Schaft mit Fischhaut, doppelte **Blattkettengravur,** Garnitur bunt eingesetzt und gehärtet gebläut, **leichte** handliche Flinte.

Canons acier noirs, bande guillochée, crosse noyer huile et quadrillée, **gravure double guimpe chêne,** garniture trempée, jaspée et bleuie, fusil léger et très soigné.

Fine black steel barrels, matted rib, straight grip, oiled walnut stock, checkered, **line and oak engraving,** case hardened and blue mountings, light weight and well finished gun.

Cañones de acero negros, cinta retorcida, **caja de nogal labrada. grabado doble de encina,** guarnición templada, jaspeada y azulada. fusil **ligero** y muy bien cuidado.

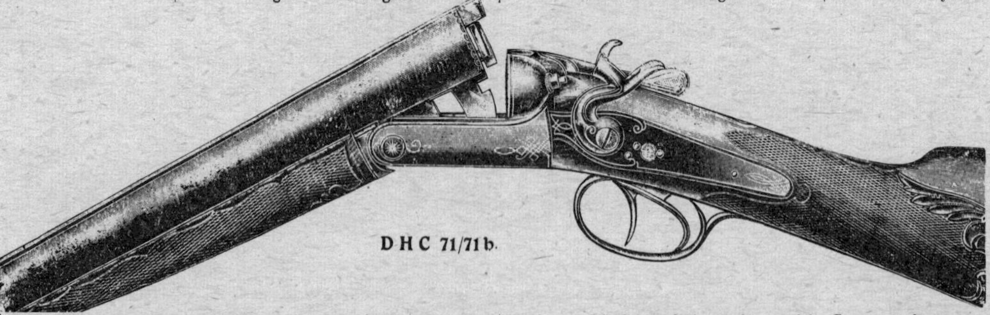

D H C 71/71 b.

Stahlläufe oder imitierter **Damast**, **Gold-**Inschrift, guillochierte Schiene, englischer Nussholzschaft mit Fischhaut und verschnitzt, Liniengravur, Teile **schwarz.**

Canons acier ou imitation **Damas,** inscription or, bande guillochée, crosse anglaise en noyer, quadrillée et sculptée, gravure traits et terminaisons, pièces **noires.**

Twist finished **steel barrels, gold** lettering, matted rib straight grip, checkered and carved, line engraving, **dark** mountings.

Cañones de acero imitación **Damasco,** inscripción **dorada,** cinta retorcida, **caja inglesa, labrada** y esculpida, guarnición con rasgos y terminaciones piezas **negras.**

No.	D H C 69	D H C 69 a	D H C 69 b	D H C 70	D H C 70 a	D H C 70 b	D H C 71	D H C 71 a	D H C 71 b
†	Kosufo	Kosufos	Kosufot	Kufoso	Kufosos	Kufosot	Kofsuo	Kofsuos	Kofsuot
Cal.	12	16	20	12	16	20	12	16	20
Mk	48.50	48.50	50.50	49.50	49.50	51.50	51.50	51.50	53.50

Centralfeuer-Doppelflinten „Alfa" mit Hähnen.

Fusils à 2 canons, et à feu central, „Alfa", avec chiens.

Center-fire double-barrel guns „Alfa" with hammers.

Escopetas fuego-central de dos tiros con gatillos.

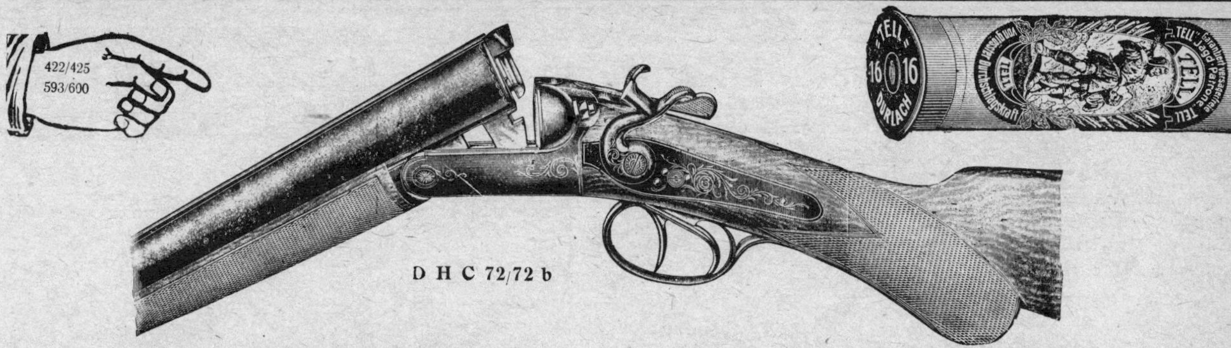

D H C 72/72 b

Schwarze, polierte Stahlläufe, Silber-Inschrift, guillochierte Schiene, Pistolengriffschaft mit Fischhaut, Gummikolbenkappe, **englische** Gravur, Schlossteile **bunt** gehärtet und eingesetzt.

Canons acier polis et noirs, **inscription argent,** bande guillochée, crosse pistolet, quadrillée calotte de caoutchouc, gravure **anglaise, pièces du système trempées, jaspées.**

Black steel barrels, silver inlaid bands and **lettering,** matted rib, pistol grip, rubber butt plate scroll engraving, **case hardened** and **blue mountings.**

Cañónes de acero pulidos y negros, **inscripción** de **plata,** cinta retorcida, empuñadura de pistola labrada, cantonera de cautchuc, **grabado inglés, piezas templadas y jaspeadas.**

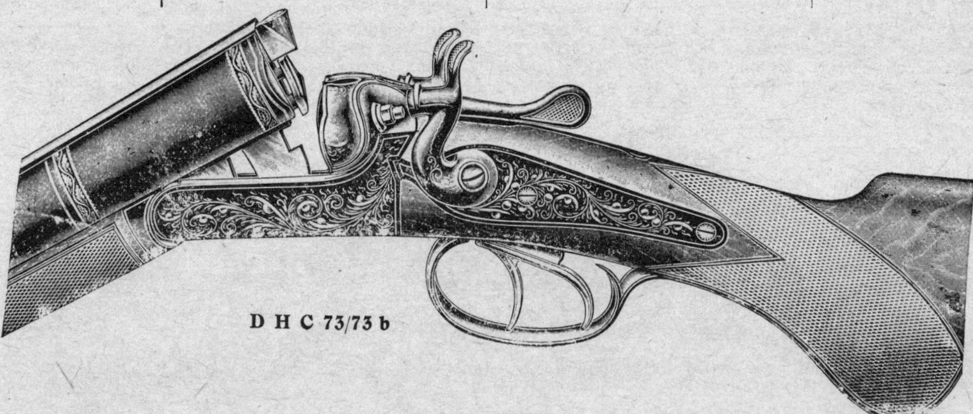

D H C 73/73 b

Stahlläufe oder imitierter **Damast Bernard,** links choke bore, schwarze Patronenkammern, seitliche Backen, Inschrift aus Silber eingelegt, englischer Drücker-Vorderschaft, feine englische Gravur, Garnitur und Schlossteile gehärtet und **blau** eingesetzt.

Canons acier ou imit. **DamasBernard,** choke bored à gauche, chambres noires, inscription incrustée argent, démontage à poussoir, bascule à ailerons, belle gravure genre anglais, pièces trempées **et bleuies.**

Bernard damascus finished steel barrels, left choke, black breech, silver inlaid bands and lettering, wings at breech, push down forend fastener, beautifully scroll engraved, case hardened and **blue** mountings.

Cañónes de acero ó imitación Damasco Bernard, cámaras negras, inscripción incrustada de plata, báscula de aletas, desmontage de empuje, hermoso grabado inglés, piezas templadas, y **azuladas.**

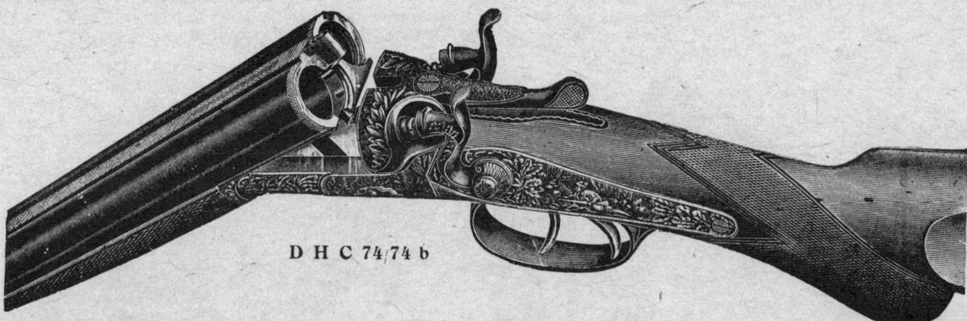

D H C 74/74 b

Ia Stahlläufe, links choke bore, mattierte Laufschiene, System mit vollen Muscheln, Vorderschaft mit Patentschnäpper, Pistolengriff und Backe, **erhabene Jagdstückgravur.**

Canons acier extra, choke bored à gauche, bande mate, système avec coquilles pleines, longuesse à pédale, crosse pistolet et à joue, sujet **de chasse gravé à fonds creux.**

Prime steel barrels, left choke bored, matted rib, system with full scroll, fore-end with patent snapper, pistol grip and cheek, **raised hunting scene** engraved.

Cañónes extra de acero, choke bored á la izquierda, cinta mate, sistema con conchas llenas planas, empuñadura de pistola y de carrillo, **figuras de caza grabadas.**

No.	D H C 72	D H C 72 a	D H C 72 b	D H C 73	D H C 73 a	D H C 73 b	D H C 74	D H C 74 a	D H C 74 b
†	Cablacu	Cablacus	Cablacut	Cacbalu	Cacbalus	Cacbalut	Calcabu	Calcabus	Calcabut
Cal.	12	16	20	12	16	20	12	16	20
Mark	52.50	52.50	54.50	65.—	65.—	67.—	84.—	84.—	84.—

Centralfeuer-Doppelflinten „Alfa“ mit Hähnen. | Fusils à 2 coups, et à feu central, „Alfa“ avec chiens.

Double-barrel central-fire guns Mark „Alfa“ with hammers. | Escopetas de dos tiros y fuego central „Alfa“ con gatillos.

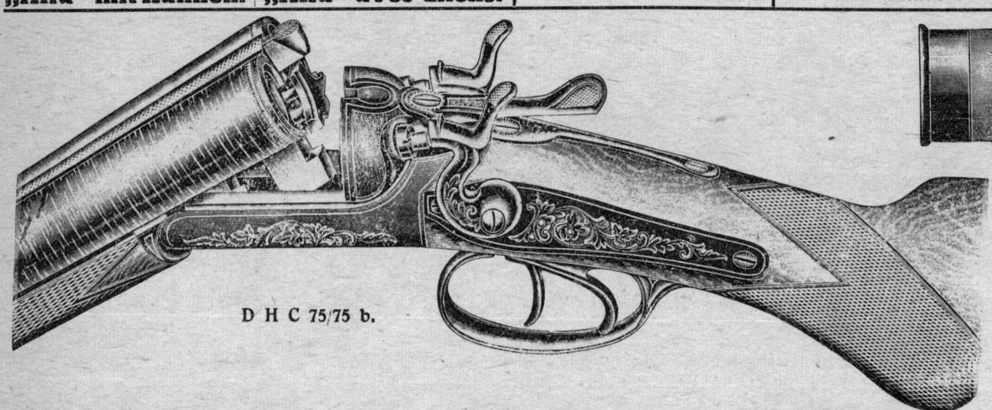

D H C 75/75 b.

Imitierte **Banddamast-** oder **schwarze Stahlläufe**, verlängerte guillochierte Laufschiene, Nussholzschaft mit Backe und Pistolengriff, Fischhaut, 3 facher **Doppelriegel - Verschluss, feine Rückspringschlösser**, halbe, mattierte Muscheln, Garnitur grau, **englische** Gravur, links Choke Bore.

Canons d'acier noir ou à **Ruban Damas** imitation, bande prolongée et guillochée, crosse noyer, à joue et crosse pistolet, quadrille, **3 doubles verroux — élegants chiens rebondissants**, demies-coquilles mates, garniture grise, **gravure anglaise**, choke bored à gauche.

Imitation twist damascus or **black steel barrels** extension rib, walnut stock with cheek and pistol grip, checkered, **3 fold double bolt, fine rebounding locks**, matted half scroll, grey mounting, English engraving, left choke bored.

Cañones de acero negro ó **Ruban Damasco** imitación, cinta prolongada y retorcida, culata de nogal de carrillo y empuñadura de pistola, labrada, **3 cerreduras dobles, elegantes gatillos rebotantes**, medias conchas mates, montura gris é inglesa; choke bored á la izquierda.

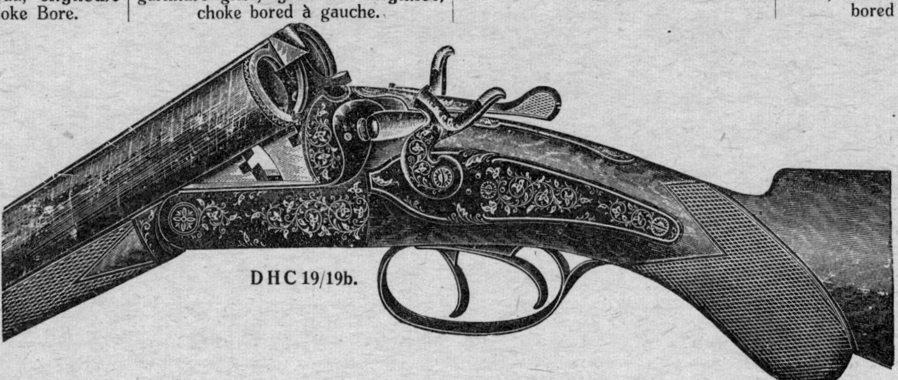

DHC 19/19b.

Centralfeuer - Doppelflinte, Cal. 16 oder 12, links choke-bored, **Banddamast, 3 facher top-lever-Verschluss** (Hebel zwischen den Hähnen); Ia Rückspringschlösser, nach hinten liegend; abnehmbarer Holzvorderschaft, halbe Muscheln, Pistolenschaft mit Fischhaut, **englische Gravierung.**

Fusils à 2 coups, et à feu central, Cal. 16 ou 12, choke bored à gauche, **Ruban Damas, à triple verrou Top Lever** (clef entre les chiens) chiens extra rebondissants, platines à l'arrière, devant de bois détachable, demies-coquilles, crosse pistolet quadrillée, **gravure anglaise.**

Double barrel central fire gun, Cal. 16 or 12, left barrel choke bored — **Twist damascus, triple top lever system** — Best quality rebounding locks back action, detachable wooden fore-end, half scroll-fence pistol-grip checkered, **English engraving.**

Escopeta der dos tiros y fuego central, calibres 16 ó 12, izquierdo choke-bored, **Ruban Damasco, cerradura triple con palanca** top-lever (palanca entre los gatillos) llaves de cola y retroceso superiores. parte delantera de quita y pon medias conchas, puño de pistola labrada, **grabado inglés.**

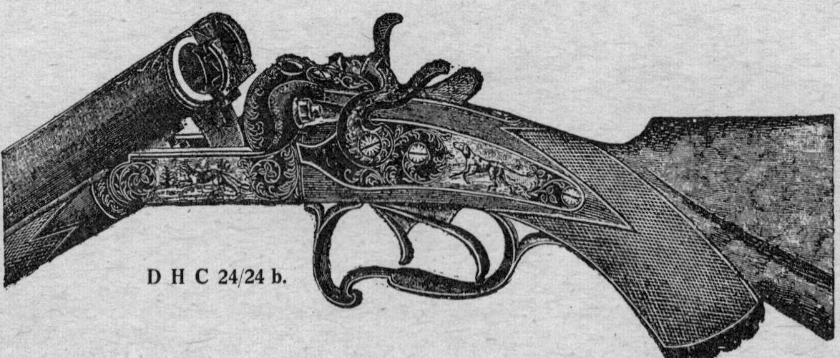

D H C 24/24 b.

Echte Banddamastläufe, Rückspringschlösser, **Jagdstückgravierung** wie Abbildung, marmoriert, gehärtet, 2 Federn und eine Schraube, Pistolengriff mit Hornkappe.

Canons Bande Damas véritable, chiens rebondissants, **sujet de chasse suivant l'illustration** jaspé et trempé, 2 ressorts et 1 vis, crosse pistolet avec calotte de corne.

Real Twist damascus barrels, rebounding locks, **hunting scene** engraving as in illustration, marbled hardening, 2 springs and one screw, pistol grip with horn cap.

Cañones Damasco verdadero, llaves de retroceso, **grabado de caza** como en la ilustración, guarnición jaspeada y templada, 2 muelles y 1 tornillo, puño de pistola con cantonera de cuerno.

No.	D H C 75	D H C 75 a	D H C 75 b	D H C 19	D H C 19 a	D H C 19 b	D H C 24	D H C 24 a	D H C 24 b
†	Cenmali	Cenmalis	Cenmalit	Censal	Censals	Censalt	Colima	Colimat	Colimas
Cal.	12	16	20	12	16	20	12	16	20
Mark	57.—	57.—	59.—	59.—	59.—	61.—	66.—	66.—	68.—

Central-feuer-Doppelflinten „Alfa“ mit Hähnen.	Fusils à 2 coups et à feu central, „Alfa“, avec chiens.		Double barrel central-fire guns „Alfa“ with hammers.	Escopetas de dos tiros y de fuego central „Alfa“ con gatillos.

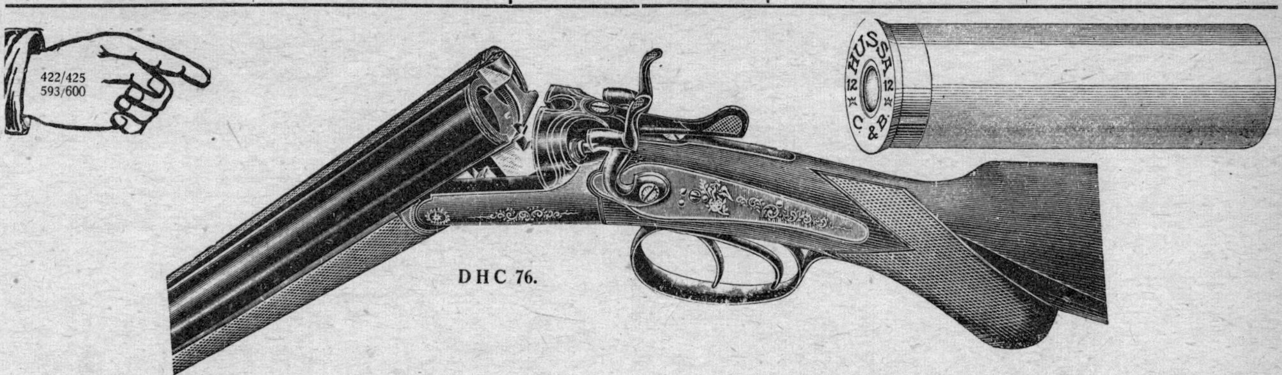

DHC 76.

Marke „Adler“. 3 facher **Doppelriegel-Verschluss, I a Stahlläufe,** mattierte Laufschiene, **vorzügliche Schlösser, Handarbeit,** ganze Muscheln, Garnitur graviert und gehärtet, Schaft mit Pistolengriff und Backe, Läufe aus I a **Krupp's Fluss-Stahl.**

Marque „Adler“. **3 doubles verroux, canons acier extra, bande mate, excellentes platines, travail à la main,** coquilles entières, garniture gravée et trempée crosse pistolet et à joue, **canons d'acier coulé Krupp extra.**

„Adler“ brand. **3 double bolts, prime steel barrels,** matted rib, **excellent locks, hand made,** full scroll, mounting engraved and marbled, stock with pistol grip and cheek, barrels of I a **Krupp ingot** steel.

Marca „Adler“. **3 cerrojos dobles, cañón de acero extra,** cinta mate, **excelentes cierres, trabajo á mano,** conchas enteras. Guarnición grabada y templada empuñadura de pistola y de carrillo. **Cañones „Krupp“ de acero colado extra.**

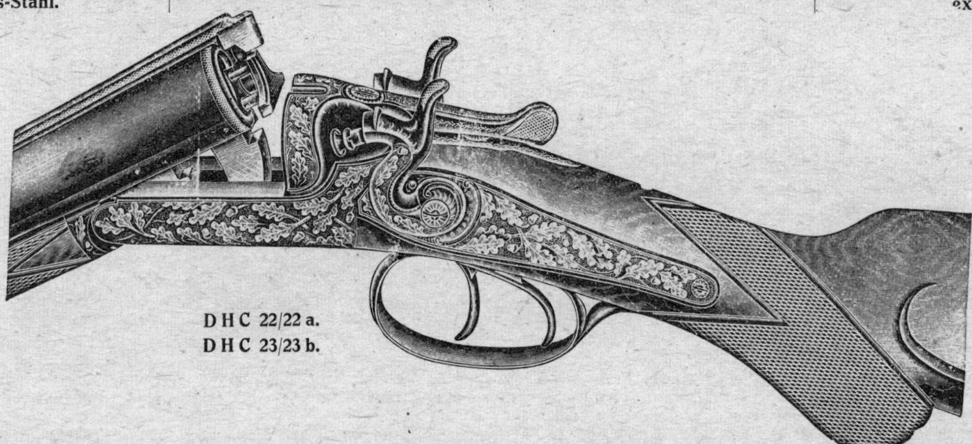

DHC 22/22 a.
DHC 23/23 b.

Stahllauf, tiefschwarz, guillochierte Schiene, Doppelriegel, ziselierte Muschel, autom. Vorderschaft, Schlösser mit 2 Federn und 3 Schrauben, **altdeutsche, gewetzte Eichenlaubgravierung.**

Canons acier, noir foncé, bande guillochée, à double verrou, coquilles ciselées, devant automatique, platines à 2 ressorts et 3 vis, **rameaux chêne gravés vieux genre allemand.**

Deep black steel-barrel, extension rib, double bolt, chased scroll fence, automatic fore-end, locks, with 2 springs and 3 screws, **old German raised oak-leaf engraving.**

Cañón de acero negro oscuro, de cinta retorcida, cerradura doble, conchas grabadas, delantera automática, llaves con dos muelles y 3 tornillos, **grabado alemán antiguo de hojas de encina en relievo.**

DHC 77/77 b.

Schwarze Stahlläufe, links choke bore, **gravierte Adler auf den Läufen,** guillochierte Laufschiene, Pedalvorderschaft, volle Basküle, Pistolengriff und Backe, Hornkappen, schwarze Garnitur, **feine moderne Gravur.**

Canons acier noirs, choke bored à gauche, **aigles gravés,** bande guillochée, bascule à coquilles pleines, démontage à pédale, plaque et calotte corne, **belle gravure genre moderne,** garniture noire, crosse pistolet quadrillée, avec joue.

Black steel barrels, left full choke, **engraved eagles,** matted rib, scroll fences, Deeley & Edge fore-end fastener, horn cap and heel plate, **modern style engraving,** dark mountings.

Cañones de acero negros, izquierda full choke, **águilas grabadas,** cinta retorcida, báscula de conchas llegadas, desmontaje de pedal, cantonera de cuerno, **hermoso grabado moderno,** guarnición negra, empuñadura de pistola y de carrillo.

No.	DHC 76	DHC 76 a	DHC 76 b	DHC 22	DHC 22 a	DHC 23	DHC 23 a	DHC 23 b	DHC 77	DHC 77 a	DHC 77 b
†	Cenmepe	Cenmepes	Cenmepet	Centiple	Centiples	Cermepel	Cermepelo	Cermepeld	Cenmili	Cenmilis	Cenmilit
Cal.	12	16	20	12	16	20	24	28	12	16	20
Mark	96.—	96.—	96.—	72.—	72.—	74.—	77.—	77.—	78.—	78.—	78.—

Centralfeuer-Doppelflinten „Alfa“ mit Hähnen.

Fusils à 2 canons et à feu central, „Alfa“ avec chiens.

Double-barrel central-fire guns mark „Alfa“ with hammers.

Escopetas de dos tiros y fuego central „Alfa“ con gatillos.

422/425
593/600

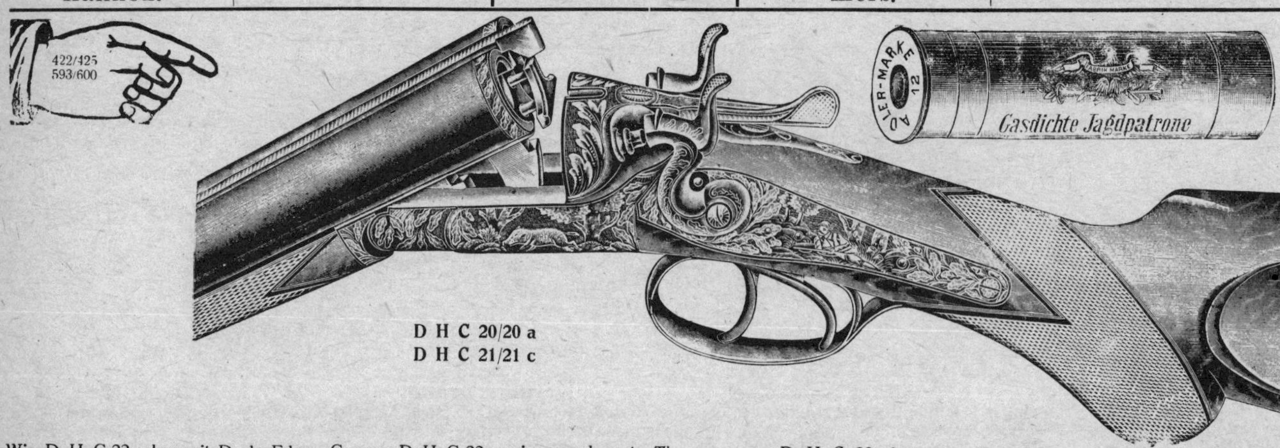

D H C 20/20 a
D H C 21/21 c

Wie D H C 22, aber mit Deely-Edge Vorderschaft mit Hornspitze, ziselierte volle Muschel, feine, **gewetzte Eichenaubgravierung,** elegante **Jagdmotive.**

Comme D H C 22, mais avec devant Deely-Edge à pointe de corne, coquilles pleines et ciselées **rameaux de chêne, élégamment gravés,** élégant **sujet de chasse.**

The same as D H C 22, but with Deely & Edge fore-end with horn point, chased, full-scroll fence, **fine oak leaf engraving,** artistic **hunting** scene.

Lo mismo que D H C 22, pero con delantera de Deely y Edge de cantonera de cuerno, conchas llegadas y cinceladas, **grabado hondo de hojas de encina** con elegante **escena de caza.**

Marke „Adler“.
Handarbeit.

Marque „Adler“.
Travail à la main.

Mark „Adler“.
Hand made.

Marca „Adler“.
Trabajo á mano.

D H C 78/78 b

Läufe aus **echtem „Bernard“-Damast, vierfacher Greener-Verschluss,** mattierte Schiene, System mit ganzen Muscheln, Vorderschaft mit Patentschnäpper, Ia Schlösser, hochfeine **englische** Gravur, Pistolengriff u. Backe.

Canons en **Damas „Bernard“ véritable, à quadruple verrou Greener,** bande mate, système à coquilles entières, longuesse à pédale, platines extra, gravure **anglaise** très élégante, crosse pistolet et joue.

Barrels of **genuine „Bernard“ damascus, quadruple Greener bolt,** matted rib, full scrolls, fore-end with patent-snapper, prime locks, very fine **English** engraving, pistol grip and cheek.

Cañónes Damasco verdadero, cerrojo cuadruplicado Greener, cinta mate, sistema de conchas enteras, cierres extra, **grabado inglés** muy elegante, empuñadura de pistola y de carrillo.

D H C 79/79 b

Schwarze polierte Stahlläufe, guillochierte Laufschiene, Pistolengriff, Backe, Fischhaut, Pedalvorderschaft, **Blätter-** und **Blumengravur,** Garnitur gebläut, gehärtet und marmoriert.

Canons acier noirs, bande guillochée, entaille demi-lune, démontage à pédale, crosse pistolet, **gravure feuilles à bouquets,** garniture trempée, jaspée et bleuie

Steel barrels, matted rib, Deeley & Edge, forend fastener, pistol grip, **leaf engraving,** case hardened and blue mountings.

Cañónes de acero negros, cinta retorcida, entalla media luna, desmontage de pedal, empuñadura de pistola, **grabado** figurando **hojas de ramillete,** guarnición templada, jaspeada y azulada.

No.	D H C 20	D H C 20 a	D H C 21	D H C 21 a	D H C 21 b	D H C 21 c	D H C 78	D H C 78 a	D H C 78 b	D H C 79	D H C 79 a	D H C 79 b
†	Centement	Centements	Centurtoe	Centurtoer	Centurtoed	Centurtoeh	Centekri	Centekris	Centekrit	Centefru	Centefrus	Centefrut
Cal.	12	16	20	24	28	32	12	16	20	12	16	20
Mark	94.—	94.—	94.—	99.—	99.—	101.—	130.—	130.—	130.—	68.—	68.—	70.—

Zentral-feuer-Doppelflinten „Alfa" mit Hähnen.

Fusils à 2 coups et à feu central, „Alfa" avec chiens.

Double-barrel central-fire guns Mark „Alfa" with hammers.

Escopetas de dos tiros y fuego central „Alfa" con gatillos.

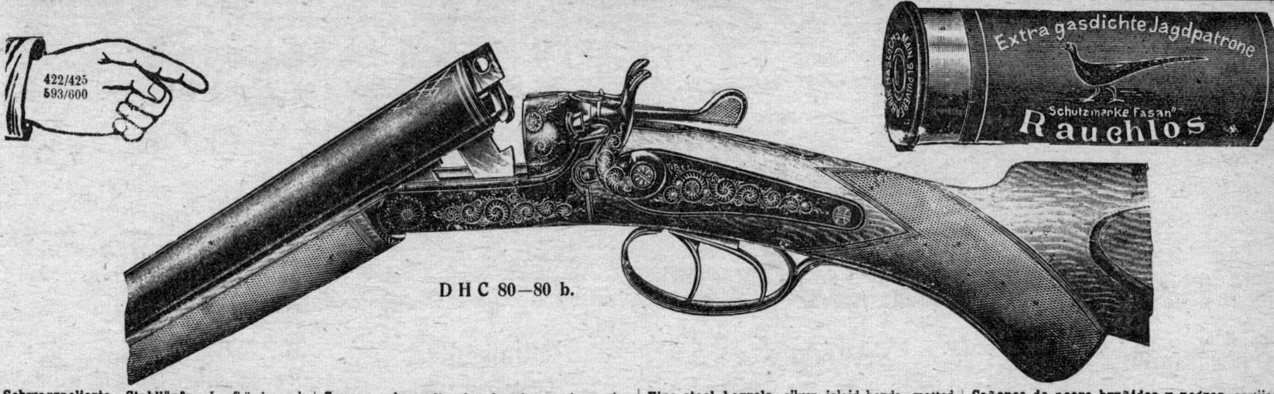

D H C 80—80 b.

Schwarzpolierte Stahlläufe, Laufbänder mit Silbereinlagen, guillochierte Laufschiene, Pedal-Vorderschaft, Schlösser mit 2×2 Schrauben und Federn, Pistolengriff und Backe, **englische Gravur,** Garnitur gehärtet, gebläut, marmoriert.

Rauchlos beschossen.

Canons acier polis et noirs, bagues incrustées d'argent, bande guillochée, démontage à pédale, platines à 2×2 vis et ressorts, crosse pistolet et joue, **gravure anglaise,** garniture trempée, jaspée et bleuie.

éprouvé à la poudre sans fumée.

Fine steel barrels, silver inlaid bands, matted rib, push down forend fastener, 3 pins bridle locks pistol grip **scroll engraving,** case hardened and blue mountings.

Nitro proved.

Cañones de acero bruñidos y negros, sortijas incrustadas de plata, cinta retorcida, desmontage de pedal, cierres con 2×2 tornillos y resortes, empuñadura de pistola y carrillo, **grabado ingles,** guarnición templada, jaspeada y azulada.

Experimentado con la pólvora sin humo.

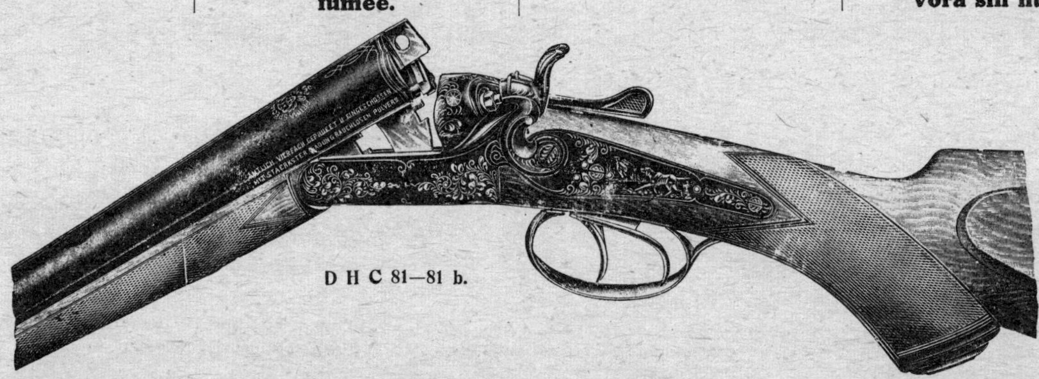

D H C 81—81 b.

Ia polierte schwarze Stahlläufe, flacher Pulversack, gravierte **Adler,** silbereingelegte Laufringe, Bascüle **voll,** mit Seitenbacken, Pedalvorderschaft, Pistolengriff, Backe u. Fischhaut, Horngriffkäppchen und Schaftkappe aus Horn, halbtiefe Gravur, mit eingelegten **Tierstücken** aus Silber, gehärtet, gebläut, marmoriert.

4fach rauchlos beschossen.

Rauchlos beschossen.

Canons acier polis et noirs de qualité extra, plats au tonnerre aigles gravés, bagues incrustées argent, **bascule pleine à coquilles** et à **ailerons,** démontage à pédale, crosse pistolet quadrillée et à calotte de corne, plaque corne, **gravure** mi-profonde, avec incrustations de sujets en argent, garniture trempée, jaspée et bleuie.

éprouvé à la poudre vive.

éprouvé à la poudre sans fumée.

Fine steel barrels, flat at breech, engraved **eagles,** silver inlaid bands, **scroll fences, wings** at breech, Deeley and Edge fore-end fastener, capped pistol grip, horn heelplate, game and leaf engraving, case hardened and blue mountings.

Nitro proved.

Nitro proved.

Cañones de acero pulidos y negros de primera cualidad, **águilas** grabadas, sortijas incrustadas de plata, **báscula de conchas y de oletas,** desmontaje pedal, empuñadura pistola, cantonera de cuerno, grabado de **hojas, sujetos de caza** guarnición templada, jaspeada y azulada.

Experimentado con polvora viva.

Experimentado con la pólvora sin humo.

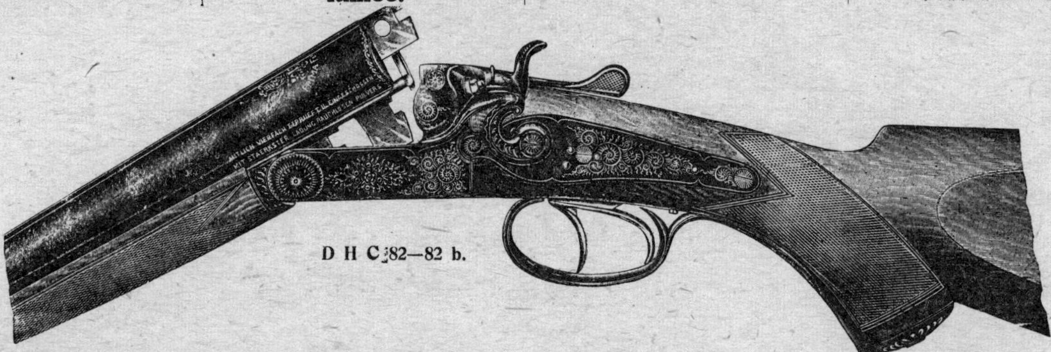

D H C 82—82 b.

Ia Cockerillstahlläufe, gravierte **Adler,** feine Schlösser, vierfacher Verschluss, Pedalvorderschaft, ausgesucht feiner Nussholzschaft mit Pistolengriff, Backe, Fischhaut, Gummikäppchen und Hornkappe, zierliche **Blumengravur,** Garnitur gebläut, gehartet, marmoriert.

4fach rauchlos beschossen.

Canons acier Cockerill, aigles gravés, platines fines, à quadruple verrou, démontage à pédale, beau bois noyer, crosse pistolet quadrillée, petite calotte de caoutchouc et calotte de corne et joue, jolie **gravure bouquets** garniture trempée, jaspée et bleuie.

Quadruplementé prouvé à la poudre vive.

Cockerill steel barrels, engraved **eagles,** best steel locks, quadruple wedge-fast cross-bolt, wings at breech, scroll fences, Deeley and Edge fore-end fastener, selected walnut stock, beautifully **engraved,** case hardened and blue mountings.

Nitro proved.

Cañones de acero Cockerill, aguilas grabadas, cierres finos, bascula de cerradura cuadruplicada desmontaje de pedal, madera de nogal hermoso, empuñadura de pistola labrada de carrillo, guarnición templada, jaspeada y azulada.

Experimentada con pólvora viva.

Nr.	D H C 80	D H C 80 a	D H C 80 b	D H C 81	D H C 81 a	D H C 81 b	D H C 82	D H C 82 a	D H C 82 b
†	Alatarxu	Alatarxus	Alatarxut	Alatarze	Alatarzes	Alatarzet	Alatarchi	Alatarchis	Alatarchit
Cal.	12	16	20	12	16	20	12	16	20
Mark	84.—	84.—	84.—	110.—	110.—	110.—	120.—	120.—	120.—

Centralfeuer-Doppelflinten „Alfa“ mit Hähnen.	Fusils à 2 coups „Alfa“ à feu central, avec chiens.		Double-barrel central-fire guns Mark „Alfa“ with hammers.	Es-copetas de dos tiros y fuego central ‚Alfa‘ con gatillos.

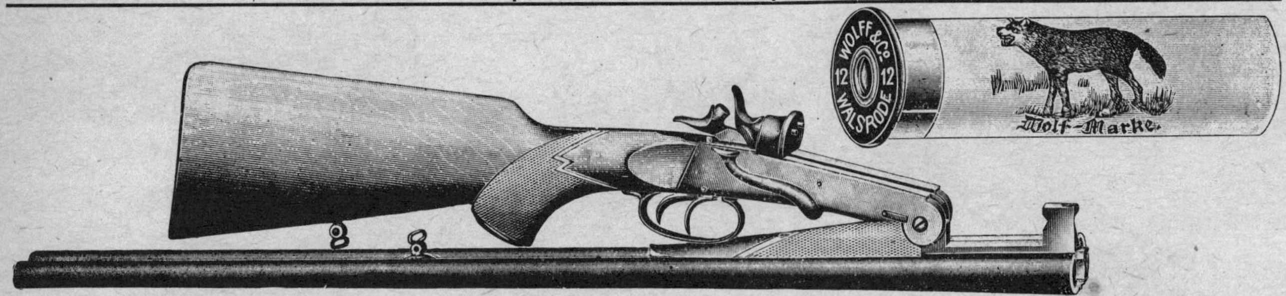

DHC 83—83 d

Zusammenlegbar.

Doppelflinte zum **Umklappen, Seitenhebel**, Stahlläufe 70 cm lang, links choke bore, Pistolengriff, Backe, Nussholzschaft, Eisenkappe, Garnitur **schwarz.**

Pliable.

Fusil à 2 coups, **pliable, levier latéral**, canons acier de 70 cm, choke bored à gauche, crosse pistolet et joue, bois noyer, calotte fer, garniture **noire.**

Collapsible.

double barrel gun **for folding, side lever**, steel barrels, 70 cm long, left choke bored, pistol grip, cheek, walnut stock, iron cap, **black** mounting.

Plegable.

Escopeta de 2 tiros, **plegable, palanca lateral**, cañones de acero de 70 cm, choke bored à la izquierda, empuñadura de pistola, de carrillo, caja nogal, cantonera de hierro, guarnición **negra.**

DHC 84—84 d

Zusammenlegbar.

Wie DHC 83 **zum Umklappen,** aber mit **automatischem Patronenauswerfer (Ejektor)** und englischer Schäftung.

Pliable.

Comme DHC 83, **pliable,** mais avec **éjecteur automatique** et crosse anglaise.

Collapsible.

Like DHC 83 **for folding,** but with **automatic cartridge ejector** and English stock.

Plegable.

Como DHC 83, **plegable,** pero con **eyector automático** y culata inglesa.

Neuer Verschluss „Alfa“. | **Nouveau verrou „Alfa“.** | **New lock „Alfa“.** | **Cerradura nueva „Alfa“.**

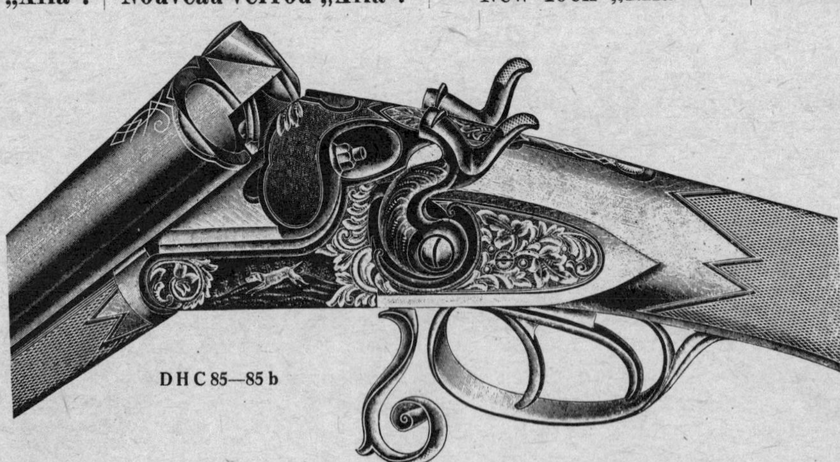

DHC 85—85 b

Patent-Verschluss, nur **ein** Haken **zwischen** den Läufen, Rouxhebel, Stahlläufe mit Silberstreifen, seitliche Backen an der Basküle, Nussholzschaft mit Fischhaut, Gravur laut Abbildung.

Verrou déposé, seulement **un** crochet **entre** les chiens, levier Roux, canons acier avec traits argent, joues latérales à la bascule, crosse noyer quadrillée, gravure suivant l'illustration.

Patent lock, only **one** hook **between** barrels, Roux lever, steel barrels with silver stripes, scroll fences, wings at breech, checkered walnut stock, engraving as in illustration.

Cerradura patentada, con solamente **1** gaucho **entre** los gatillos, palanca Roux, cañones de acero con trazos de plata, báscula con carrillos laterales, caja de nogal labrada, grabada según la ilustración.

	DHC 83	DHC 83 a	DHC 83 b	DHC 83 c	DHC 83 d	DHC 84	DHC 84 a	DHC 84 b	DHC 84 c	DHC 84 d	DHC 85	DHC 85 a	DHC 85 b
†	Zuhelega	Zuhelegas	Zuhelegat	Zuhelegar	Zuhelegad	Zulegea	Zulegeas	Zulegeat	Zulegear	Zulegead	Zullegga	Zulleggas	Zulleggat
Cal.:	12	16	20	24	28	12	16	20	24	28	12	16	20
Mark:	78.—	78.—	78.—	78.—	78.—	76.—	76.—	74.—	74.—	72.—	65.—	65.—	67.—

Centralfeuer-Doppelflinten „Alfa“ mit Hähnen.

Fusils à feu central, „Alfa“ à 2 coups, avec chiens.

Double-barrel central-fire guns with hammers Mark „Alfa“.

Escopetas de dos tiros y fuego central „Alfa“ con gatillos.

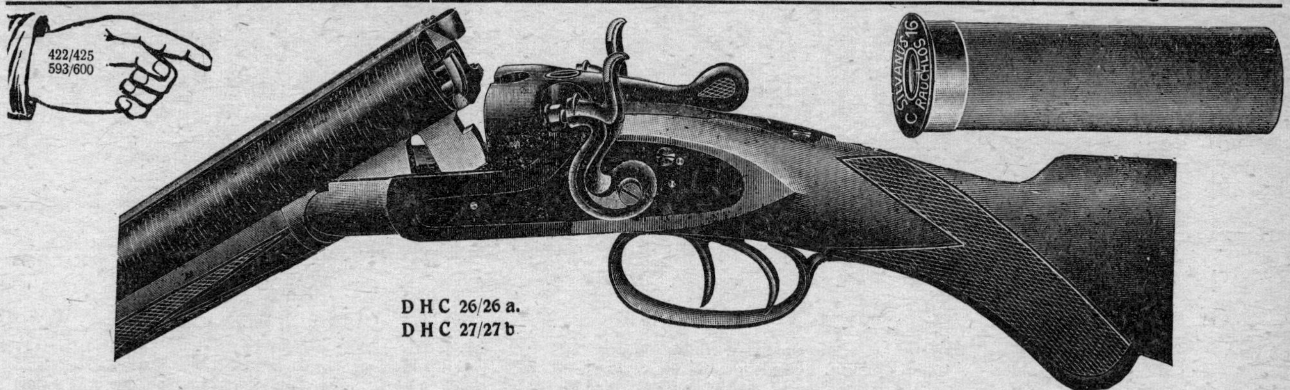

DHC 26/26 a.
DHC 27/27 b

Doppelschrotflinte, Verschlusshebel zwischen den Hähnen, **vorliegende** Rückspringschlösser, schwarze **Stahlläufe** oder imitierter **Damast, guillochierte** Laufschiene, automatischer Vorderschaft, geölter Nussbaumschaft, glatte Schäftung oder Pistolengriff, letzterer und Vorderschaft mit Fischhaut, Kasten und Teile gehärtet, Schaftkappe aus Eisen, sauber gearbeitet.

Fusil à 2 coups pour plombs, clef entre les chiens, **platines à l'avant,** chiens rebondissants, **canons acier** noirs ou **imitation Damas,** bande guillochée, devant automatique, crosse noyer huilé, crosse unie ou pistolet, celle-ci et devant quadrillés, boîte et pièces trempées, calotte en fer, bien travaillé.

Double barrel breech-loading shot gun. top lever system, **fore** action rebounding bar locks, **steel barrel,** black or imitation **damascus,** extension rib, automatic fore-end, straight stock or with pistol grip, same and fore-end checkered, case hardened mountings, sheet iron buttplate, neat finish.

Escopeta de **2** tiros para perdigones, llave entre los gatillos, platinos en el delantero, gatillos de retroceso, cañones de acero negros ó imitación Damasco, cinta retorcida, delantero automático, culata de nogal aceitado, caja unida ó pistola; esta y delantero labrados, caja y piezas templadas cantonera de hierro, bien trabajado.

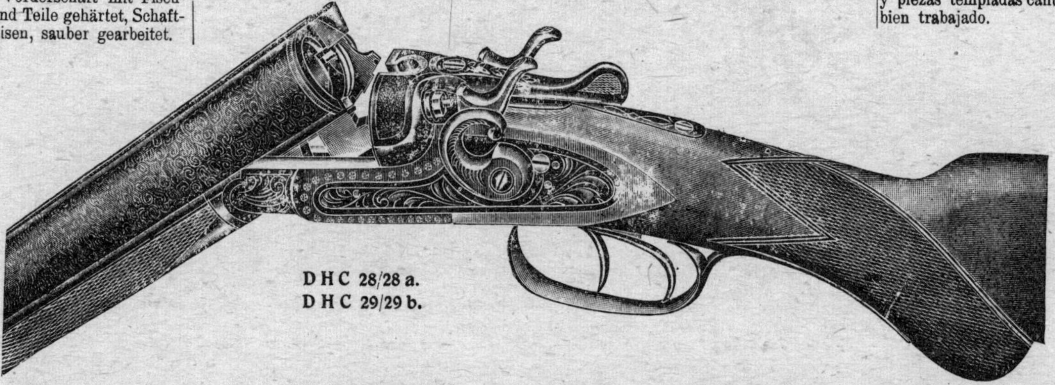

DHC 28/28 a.
DHC 29/29 b.

Wie DHC 26, **schön graviert,** Läufe aus feinstem imit. **Crollé-Damast,** mattierte Laufschiene.

Comme DHC 26, **bien gravé,** canons du plus beau **Damas Crollé imitation,** bande mate.

The same as DHC 26, **nicely engraved,** imitation fine **Crollé damascus** barrel, matted extension rib.

Igual al DHC 26, **grabado hermoso, Damasco** fino **Crollé imitado,** cinta de extensión mate.

DHC 30/30 a.
DHC 31 31 b.

Wie DHC 28, geschnitzter Pistolengriff und Vorderschaft mit Fischhaut, verzierte Schaftkappe aus Horn.

Comme DHC 28, crosse pistolet et devant sculptés, devant quadrillé, calotte de la crosse en corne avec ornements.

The same as DHC 28, but fore-end and pistol-grips carved and checkered, fancy horn butt plate.

Lo mismo que DHC 28, pero con delantera y puño de pistola tallados delantera labrada, cantonera de fantasia de cuerno

	DHC	DHC	DHC	DHC	DHC	DHC	DHC	DHC	DHC	DHC	DHC	DHC	DHC	DHC	DHC
No.	26	26 a	27	27 a	27 b	28	28 a	29	29 a	29 b	30	30 a	31	31 a	31 b
†	Abzeucha	Abzeuchas	Abderna	Abdernar	Abdernad	Abtart	Abtarts	Abrenbe	Abrenber	Abrenbed	Alzenbel	Alzenbelt	Abfungre	Abfungrer	Abfungred
Cla.	12	16	20	24	28	12	16	20	24	28	12	16	20	24	28
M.	44,—	44,—	46,—	51,50	51,50	46,50	46,50	48,50	54,—	54,—	49,—	49,—	51,—	56,50	56,50

Centralfeuer-Doppelflinten „Alfa“ mit Hähnen.

Fusils à 2 coups „Alfa“ à feu central avec chiens.

Double-barrel central-fire guns mark „Alfa“ with hammers.

Escopetas de dos tiros y de fuego central „Alfa“ con gatillos.

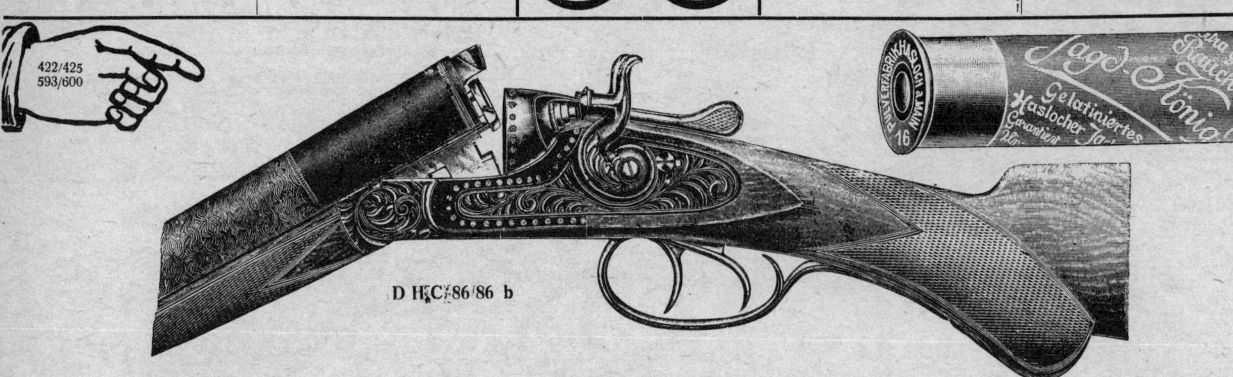

D HC 86/86 b

Stahlläufe oder imitierter **Damast,** Patronenkammern schwarz, **goldene** Inschrift, guillochierte Schiene, Pistolengriff mit Fischhaut, tiefe Gravur, gehärtete, **gebläute** Garnitur.

Canons acier ou Damas imitation chambres noires, inscription **dorée,** bande guilloché, crosse pistolet quadrillée, gravure à fonds creux, garniture trempée et bleuie.

Damascus imitation or **steel barrels,** black breech, **gilt** inscription, matted rib, pistol grip, **deep engraving,** case hardened and blue mountings.

Cañones de acero ó imitación **Damas,** cámaras negras, inscripción dorada, cinta retorcida, empuñadura de pistola, grabado de fondo hondo, guarnición templada, y **azulada.**

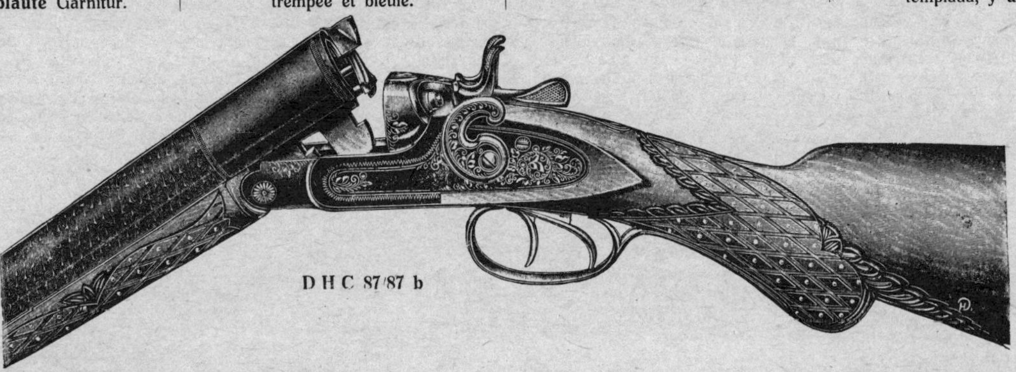

D H C 87/87 b

Stahlläufe oder mitierter **Damast, goldene Inschrift,** guillochierte Schiene, Vorderschaft mit Druckknopf, **schwarz** gebeizter Schaft, kariert verschnitzt und mit Silberpunkten, **Blattgravur,** Garnitur **vernickelt.**

Canons acier ou Damas imitation, chambres noires, inscription en **dorure,** bande guillochée, démontage à poussoir, crosse **ébène** à carreaux, sculptée et pointillée d'argent, **gravure feuilles,** garniture **nickelée.**

Damascus imitation or **steel barrels,** black breech, **gold** lettering, matted rib, push down ore-end fastener, **ebonized** stock, silver dotted checkered and carved, **leaf engraving, nickel-plated** mountings.

Cañones de acero ó imitación D[illegible]as cámaras negras, inscripción dorada, cinta retorcida, desmontage, de empuje, culata imitación ébano con cuadros, esculpida y con puntas de plata, **grabado de hojas,** guarnición **niquelada.**

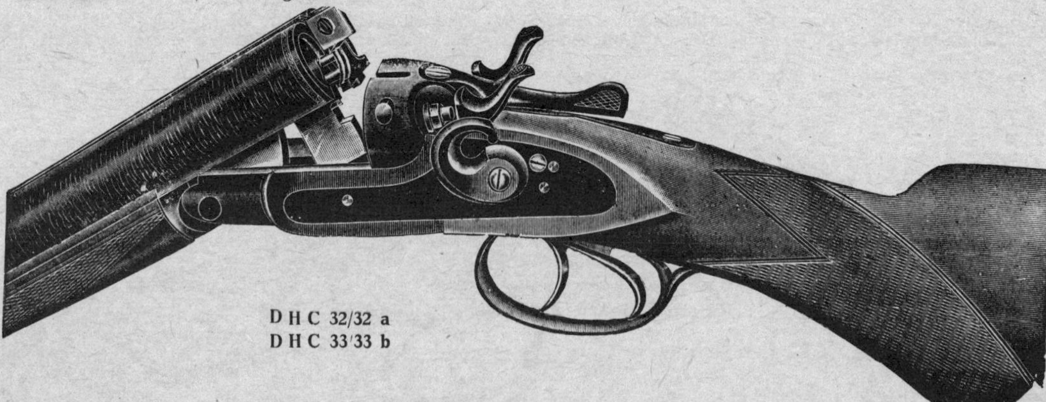

D H C 32/32 a
D H C 33/33 b

Doppelschrotflinte, Verschlusshebel mit **Greener Querriegel** und einfachem Eintritt des Keils zwischen den Hähnen, **vorliegende** Schlösser, automatisch. Vorderschaft, schwarze **Stahlläufe** oder imitierte hochfeine **Crollé-Damastläufe,** mattierte, guillochierte Laufschiene, geölter Nussbaumschaft, englische oder Pistolengriffschäftung, Kasten u. Schlossteile gehärtet und eingesetzt, Pistolengriff u. Vorderschaft mit Fischhaut, Schaftkappe aus Eisen, sauber abgearbeitet.

Fusil à deux coups pour plombs, clef avec **verrouGreener** et enclavure simple entre les chiens, **platines à l'avant,** devant automatique, **canons d'acier** noirs ou canons du plus beau **DamasCrollé** imitation, bande mate guillochée, crosse noyer huilé, crosse anglaise ou pistolet, botte et pièces de la culasse trempées et jaspées, crosse pistolet et devant quadrillés, calotte de fer, soigneusement travaillé.

Double breech-loading shot gun, top lever system, bar action, with **Greener cross bolt** and single under bolt, automatic fore-end, **steel barrel,** black or finest imitation **Crollé damascus,** matted extension rib, oiled walnut stock, straight or pistol grip, case hardened mountings and parts, pistol-grip and fore-end checkered, sheet iron butt plate neat finish.

Escopeta de dos tiros de plomos, palanca entre los gatillos, llaves de barra, **cerradura Greener** de traviesa con cuña simple, delantera automática, **cañones de acero** negro ó mejor **Damasco Crollé imitado,** dorso de extensión mate y retorcida, caja nogal aceitada inglesa ó con puño de pistola, piezas templadas y jaspeadas, puño y delantera labradas, cuidadosamente trabajado, cantonera de hierro.

·	D H C 86	D H C 86 a	D H C 86 b	D H C 87	D H C 87 a	D H C 87 b	D H C 32	D H C 32 a	D H C 33	D H C 33 a	D H C 33 b
†	Abkoiro	Abkoiros	Abkoirot	Abkrovi	Abkrovis	Abkrovit	Abkombe	Abkombes	Abvirber	Abvirberr	Abvirberd
Cal.	12	16	20	12	16	20	12	16	20	24	28
Mark	52.—	52.—	54.—	55.—	55.—	57.—	50.—	50.—	52.—	57.50	57.50

Centralfeuer-Doppelflinten „Alfa“ mit Hähnen.	Fusils à feu central „Alfa“ à 2 coups, avec chiens.		Double-barrel central-fire guns Mark „Alfa“ with hammers.	Escopetas de dos tiros y fuego central „Alfa“ con gatillos.

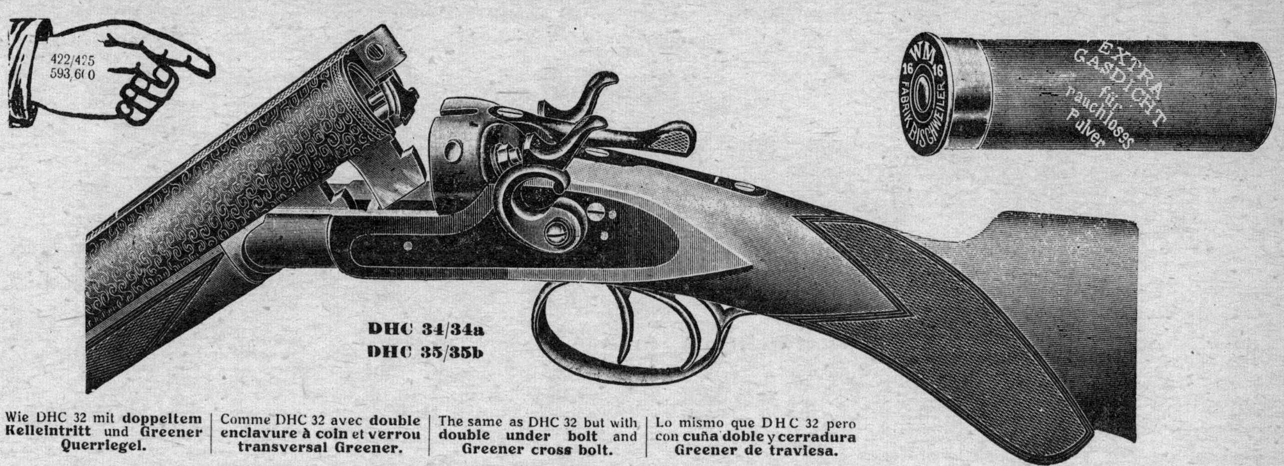

DHC 34/34a
DHC 35/35b

Wie DHC 32 mit **doppeltem Keileintritt** und **Greener Querriegel.**

Comme DHC 32 avec **double enclavure à coin** et **verrou transversal Greener.**

The same as DHC 32 but with **double under bolt** and **Greener cross bolt.**

Lo mismo que DHC 32 pero con **cuña doble y cerradura Greener de traviesa.**

DHC 88/88b

Ia. Stahlläufe, Greener Keilverschluss, links choke bore, verlängerte mattierte Laufschiene, System mit Muscheln, gewetzte **Blättergravur,** automatischer Vorderschaft, Pistolengriff und Backe Fischhaut.

Canons acier extra, verrou Greener à coin, choke à gauche, bande mate prolongée, à coquilles, **gravure feuilles,** devant automatique, crosse pistolet et joue, quadrillé.

Prime steel barrels, Greener bolt, left choke bored, matted extension rib, scroll fence, fine **leaf engraving,** automatic fore-end, pistol-grip and cheek checkered.

Cañones de acero extra, cerradura de esquinas Greener, choke á la izquierda, cinta mate y prolongada, con conchas, **grabado de hojas,** delantera automática, empuñadura de pistola y carrillo, labrada.

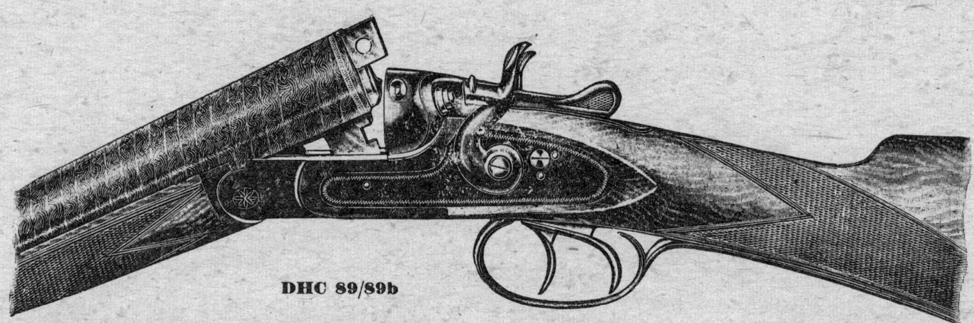

DHC 89/89b

imitierter **Damastlauf** aus gutem **Stahl, Goldinschrift,** ornamentierte Schlösser, alle Teile gehärtet, **gebläute** Schlossteile, Garnitur **dunkel.**

Canons d'acier extra, imitation Damas, inscription dorée, guimpe sur platines, toutes les pièces trempées et **bleuies,** garniture foncée.

Damascus finished **steel barrels, gilt inscription,** threaded lockplates, case hardened and **blue** mountings.

Cañones de acero imitación **Damas, inscripción dorada,** costados de los cierres adornados, piezas templadas y **azuladas,** guarnición oscura.

No.	DHC 34	DHC 34 a	DHC 35	DHC 35 a	DHC 35 b	DHC 88	DHC 88 a	DHC 88 b	DHC 89	DHC 89 a	DHC 89 b
†	Abstellbe	Abstellbes	Abstenbur	Abstenburr	Abstenburd	Absturtel	Absturtels	Absturtelt	Absturbio	Absturbios	Absturbiot
Cal.	12	16	20	24	28	12	16	20	12	16	20
Mark:	52.40	52.40	54.40	60.—	60.—	68.—	68.—	70.—	52.—	52.—	54.—

Centralfeuer-Doppelflinten „Pieper“ mit Hähnen.	Fusils à 2 coups, à feu central, „Pieper“, avec chiens.		Double-barrel central-fire guns Mark „Pieper“, with hammers.	Escopetas de dos tiros y de fuego central „Pieper“ con gatillos.

Alle **„Pieper“-Waffen** eignen sich zum Gebrauch von **rauchlosem Pulver**.

Toutes les armes „Pieper“ peuvent être **employés** avec **poudre sans fumée.**

Pieper's arms are all adapted for the **use of smokeless powder.**

Todas las armas Pieper están adaptadas para **pólvera sin humo.**

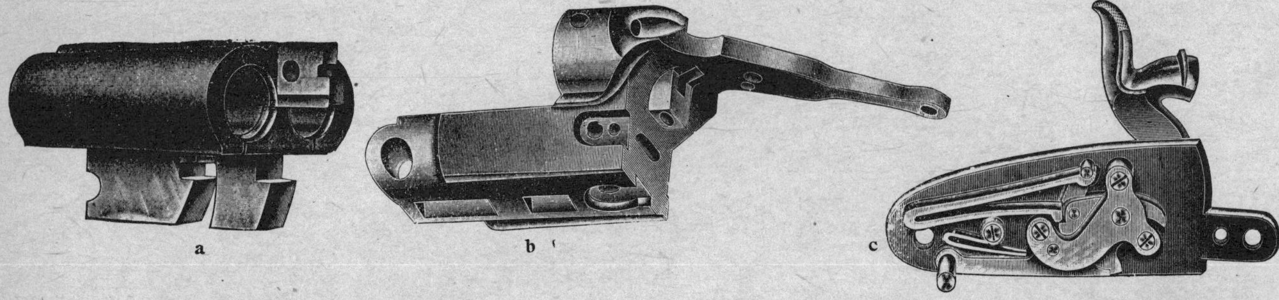

a) zeigt das **Piepersche Stahlkammerstück**, Patronenkammern und Verschlusshaken sind aus **einem Stück** und nicht wie bei anderen Waffen gelötet.
b) zeigt den **Basküle-Verschlusskasten**, der einen **vollen Stahlblock** bildet und nur die Einfräsungen aufweist.
c) **zeigt die kurzen**, maschinell hergestellten **Schlosse.**

a) montre **la pièce de chambre „Pieper“** en acier. La chambre à cartouches et le crochet de fermeture sont **d'une seule pièce** et non soudés comme dans les autres armes.
b) montre la boîte de fermeture de la bascule. Cette pièce forme un **seul bloc d'acier** et offre seulement des fraisures.
c) montre les **platines courtes** fabriquées mécaniquement.

a) shows **Pieper's steel breech block.** The breeches and attachment couplings are in **one piece** and not soldered as with other arms.
b) represents the scroll fence breech gear, which forms an **entire steel block** in which only the countersinks are shown.
c) shows the **short** machine-made **locks.**

a) demostra **la pieza de cámara Pieper de acero en una sola pieza.** La cámara de cartuchos y el **corchete de cerradura** son de **una sola pieza** y no sondeados como en las otras armas.
b) enseña la caja de **cerradura de la báscula. Esta pieza** forma un **solo bloc de acero** y tiene solamente cavidades en la cazoleta.
c) enseña los cierres cortos fabricados mecánicamente.

Pieper.

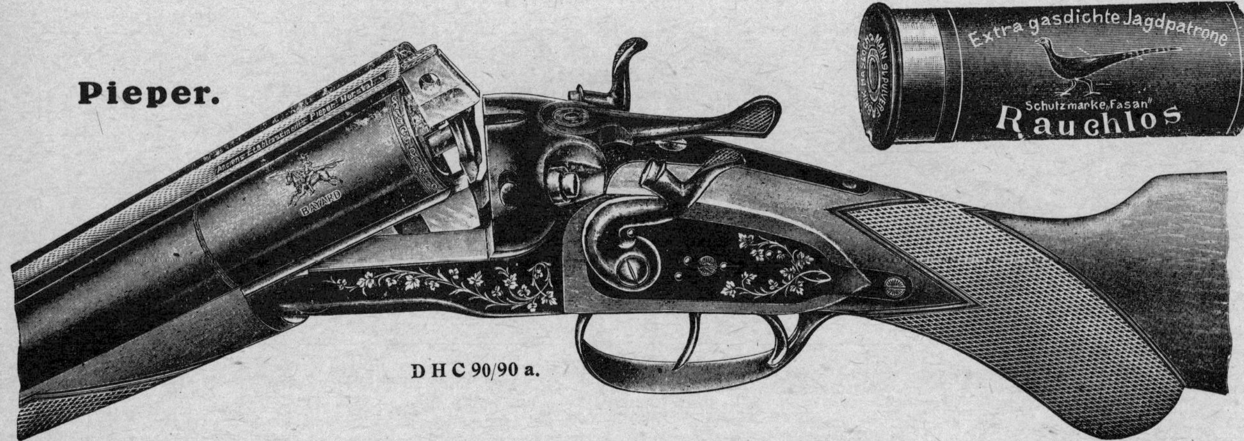

DHC 90/90 a.

Bayard-Stahlläufe mit **Zinnlötung** und **flacher** Auflage, hohe gerade Laufschiene, guillochiert, links Chokebore, **dreifacher Greener Querriegelverschluss**, feinste Präzisionsschlösser, Vorderschaft mit Patentschnäpper, **Laubgravierung**, Ausführung **genau** wie **Abbildung.**

Canons acier Bayard avec **soudure étain**, bande élevée guillochée, choke à gauche, **triple verrou Greener**, platines de précision extra, devant à pédale patenté, **gravure feuillage**, exécution **exactement suivant l'illustration.**

Bayard steel barrels with tin soldering, elevated extension rib, left choke bored, **triple Greener cross-bolt**, finest locks fore-end with patent snap, **leaf engraving**, make as in **illustration.**

Cañones de acero, Bayard con sondeado de **estaño**, cinta alzada retorcida, choke á la izquierda, **triple cerradura Greener, cierres de precisión** extra, delantera de pedal patentada, **grabado de follaje**, ejecución **como la ilustración.**

422/425
593/600

Pieper.

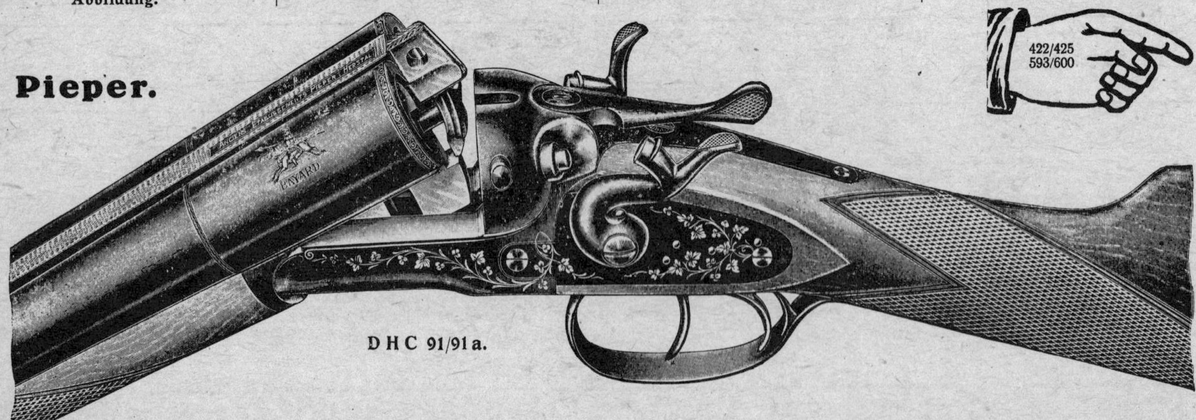

DHC 91/91 a.

Wie No. DHC 90/90a aber **Schlösser** an die Basküle **angeschraubt.**

Comme No. DHC 90/90a mais **platines vissées** sur la bascule.

Like No. DHC 90/90a but **locks screwed** on to scroll fence.

Como el No. DHC 90/90a pero **cieerrs atornillados** sobre la báscula.

No.	DHC 90	DHC 90 a	DHC 91	DHC 91 a
†	Pikambalo	Pikambalos	Pilamkabo	Pilamkabos
Cal.	12	16	12	16
Mark	74.–	74.–	79.–	79.–

Centralfeuer-Doppelflinten „Alfa“ mit Hähnen.

Fusils à 2 coups et à feu central, „Alfa“, avec chiens.

Double-barrel central-fire guns „Alfa“, with hammers.

Escopetas de dos tiros y fuego central „Alfa“ con gatillos

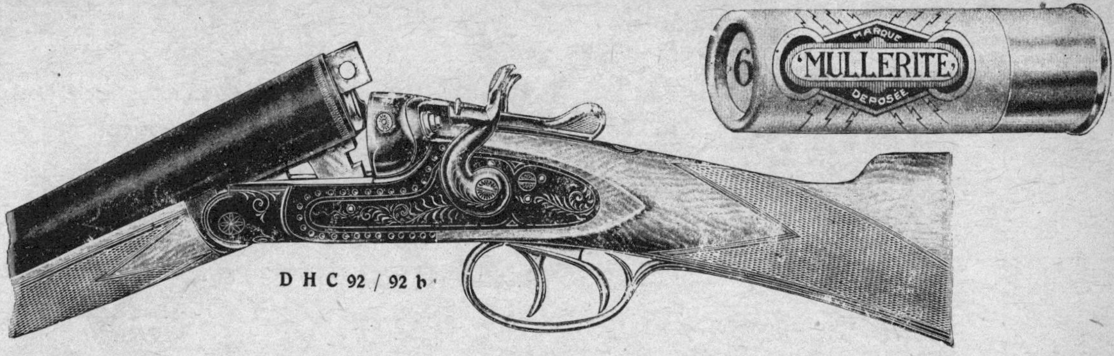

D H C 92 / 92 b

Dreifacher Greener-Keilverschluß, feine schwarze **Stahlläufe,** guillochierte Schiene, englische Gravur, Basküle und Schlösser bunt gehärtet, Teile gebläut.

Avec triple enclavure à coin et verrou Greener, excellents canons acier noirs, bande guillochée, gravure anglaise, bascule et platines trempées jaspées, pièces bleuies.

Triple Greener cross bolt, fine black **steel barrels,** matted rib, scroll engraving, case hardened and blue mountings.

Con cuña triple y cerradura Greener, cañones de acero negros, cinta retorcida, grabado inglés, bascula y cierres templados y jaspeados, piezas azuladas.

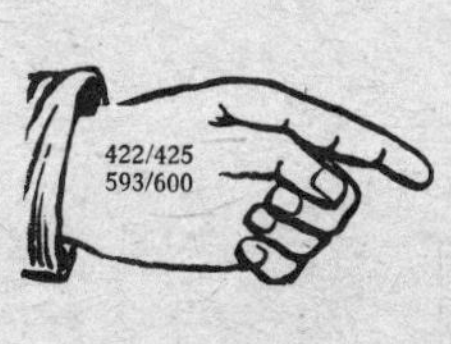

D H C 36 / 36 b

Stahllauf tiefschwarz, guillochierte Laufschiene, autom. Vorderschaft, voller Pistolenschaft mit Hornkäppchen, Stich- und Rosettengravierung, **Garnitur fein schwarz,** volle Muschel.

Canon acier, noir foncé, bande guillochée, devant automatique, crosse pistolet avec petite calotte de corne-gravure à points ou à rosette, **garniture d'un beau noir,** coquille pleine.

Deep black steel barrels, matted extension rib, automatic fore-end, full pistol-grip with horn cap. line and rosette engraving, **fine black mounting,** full scroll fence.

Cañones de acero negros oscuros, dorso de extensión retorcida delantera automática, empuñadura de pistola con capillo de cuerno, grabado de punta y de rosetas. **hermosa guarnición negra,** conchas enteras.

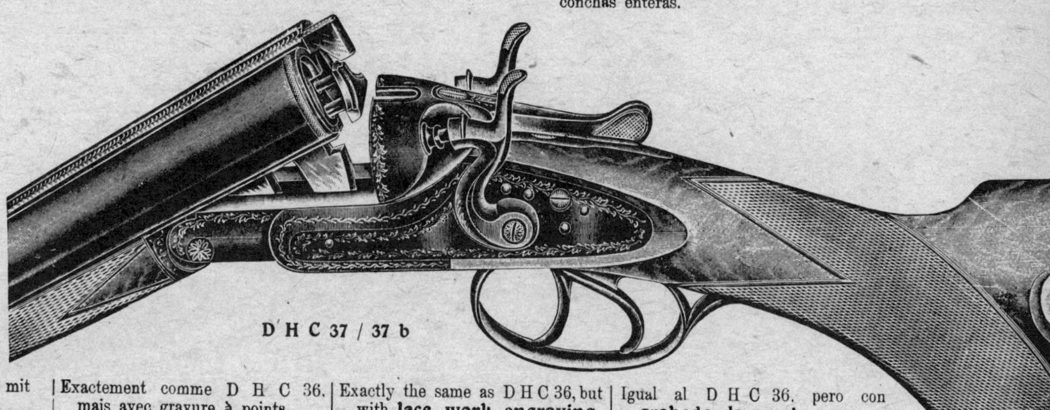

D H C 37 / 37 b

Genau wie D H C 36, aber mit **Spitzengravierung.**

Exactement comme D H C 36, mais avec gravure à points.

Exactly the same as D H C 36, but with **lace work engraving.**

Igual al D H C 36, pero con **grabado de encaje.**

No.	D H C 92	D H C 92 a	D H C 92 b	D H C 36	D H C 36 a	D H C 36 b	D H C 37	D H C 37 a	D H C 37 b
†	Abneuxa	Abneuxas	Abneuxat	Abchendei	Abchendeis	Abchendeit	Abnendi	Abnendis	Abnendit
Cal.	12	16	20	12	16	20	12	16	20
Mark	57.—	57.—	59.—	62.—	62.—	64.—	67.—	67.—	69.—

Centralfeuer-Doppelflinten „Alfa" mit Hähnen.	Fusils à 2 coups „Alfa" à feu central, avec chiens.	Double-barrel central-fire guns with hammers, Mark „Alfa".	Escopetas de dos tiros y fuego central „Alfa", con gatillos.

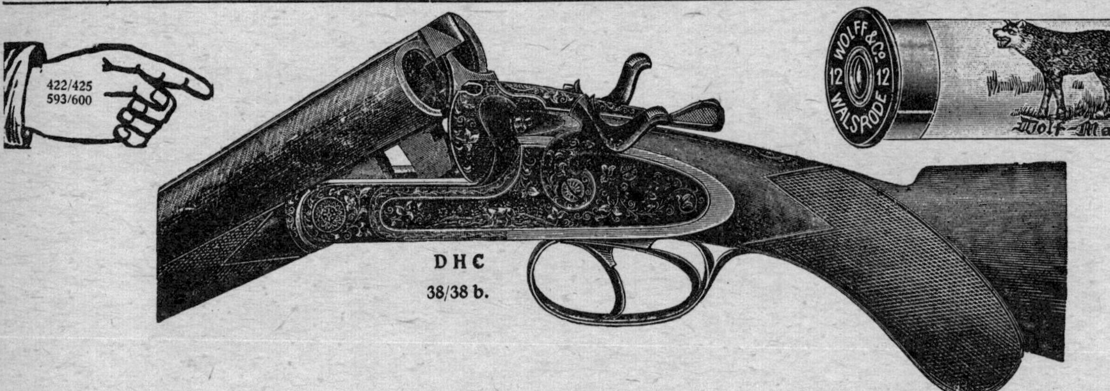

DHC
38/38 b.

London-Damast, guillochierte Schiene, Silberstreifen und Arabesken auf dem Lauf, voller Pistolenschaft, mit Hornkäppchen, Purdey-Vorderschaft, **Jagdstückgravierung,** englische Härtung.

Damast Londres, bande guillochée, traits argent et arabesques sur le canon, crosse pistolet avec petite calotte de corne, devant Purdey, **gravure sujet de chasse,** trempe anglaise.

London damascus, matted extension rib, silver bands and arabesques on barrels, full pistol grip with horn cap, Purdey fore-end, **engraving of hunting scene,** English hardening.

Damasco Londres, cinta de extension retorcida cañones con rayas de plata y arabescos empuñadura de pistola con cantonera de cuerno, delantera sistema Purdey, **grabado de figuras de caza,** temple inglés.

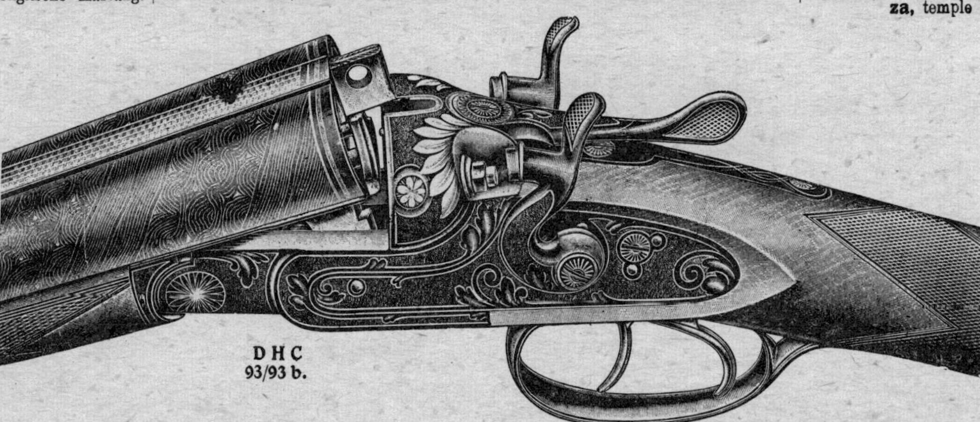

DHC
93/93 b.

Stahlläufe oder imitierter **Laminette-Ruban-Damast, Gold-**Inschrift, guillochierte Laufschiene, **imit. Greener Querriegelverschluss,** Pedalvorderschaft, dunkel melierte, **tiefe** Gravur, schwarze Garnitur.

Canons acier ou imitation **Ruban-Damas-Laminette,** inscription en **dorure,** bande guillochée, **verrou Greener imitation,** démontage à pédale, **gravure** foncée, mêlée et à fonds creux, garniture noire.

Laminette twist finished **steel barrels, gold** lettering, matted rib, imitation Greener **cross bolt,** fore end fastener, handsomely **engraved, dead finish,** dark mountings.

Cañones de acero ó imitación, Damasco **Laminette,** inscripcion **dorado,** cinta retorcida, **cierre Greener imitación** desmontaje de pedal, **grabado oscuro,** mesclado y de fondos huecos, guarnición negra.

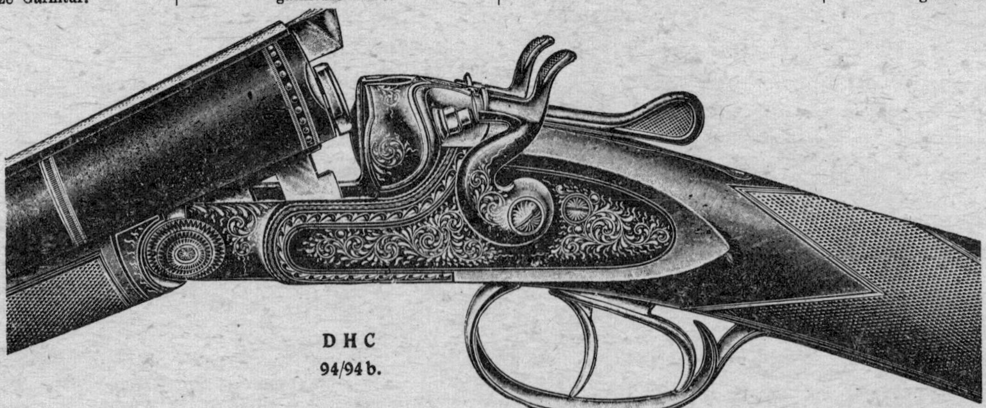

DHC
94/94 b.

Stahlläufe oder imitierter **Crollé-Damast,** links choke, silberpunktierte Laufringe, guillochierte Schiene, Basküle mit Seitenbacken, Druckknopfvorderschaft, reiche. englische Gravur, **blaue** Garnitur.

Canons acier ou **Damas Crollé** imitation, choke à gauche, bague pointillée argent, bande guillochée, bascule à ailerons, démontage à poussoir, riche gravure anglaise, garniture **bleuie.**

Crollé Damascus finished **steel barrels,** left choke, silver dotted band, wings at breech, push down fore end fastener, richly scroll engraved, **blue mountings.**

añones de acero ó imitación **Damasco Crollé,** choke á la izquierda, sortija con puntas de plata, cinta retorcida, báscula de aletas, desmontaje de empuje, rico grabado inglés, guarnición **azulada.**

No.	D H C 38	D H C 38 a	D H C 38 b	D H C 93	D H C 93 a	D H C 93 b	D H C 94	D H C 94 a	D H C 94 b
†	Abkendru	Abkendrus	Abkendrut	Abkuntre	Abkuntres	Abkuntret	Abnenktru	Abnenktrus	Abnenktrut
Cal.	12	16	20	12	16	20	12	16	20
Mk.	81.—	81.—	83.—	64.50	64.50	66.50	70.—	70.—	72.—

Central-feuer-Doppelflinten „Alfa“ mit Hähnen. | **Fusils à feu central „Alfa“ et à 2 coups, avec chiens.** | **Double-barrel central-fire guns Mark „Alfa“ with hammers.** | **Escopetas de dos tiros y de fuego central „Alfa“ con gatillos.**

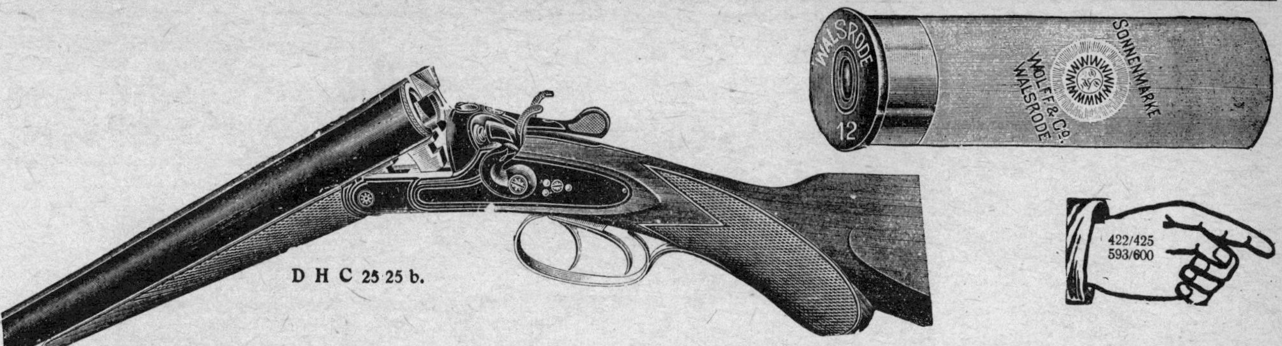

D H C 25 25 b.

Prima Centralfeuer-top-lever-Doppelflinte mit Radial-Doppelriegel-Verschluss. Verschlusshebel zwischen den Hähnen, übergreifende mattierte Laufschiene, gute, vorliegende Rückspringschlösser, dunkel eingesetzte Garnitur, Rohre von bestem **Krupp'schen Flusstahl**, links choke-bored, Schaft mit Pistolengriff und Backe, vorzügliches deutsches Fabrikat.

Excellent fusil à 2 coups, à feu central, top-lever avec **double verrou Radial,** clef entre les chiens, bande mate en relief platines à l'avant bons chiens rebondissants, garniture noire incrustée, **canons** du meilleur acier coulé **Krupp,** choke à gauche, crosse à pistolet, à joue, excellente fabrication allemande.

Best quality double barrel, top lever central-fire gun with radial double-bolt key. Top lever system, matted extension rib, good fore action, rebounding locks, dark inlaid mounting, barrels **of finest Krupp steel,** left choke-bored, stock with pistol grip and cheek-piece special German make.

Excelente escopeta de dos tiros, top lever, de fuego central, con cerradura doble Radial, palanca entre los gatillos, cinta de extensión mate, cierres por la dentera buenos de cola y retroceso, guarnición negra, cañones de **acero Krupp más fino,** choke-bored á la izquierda, caja con puño de pistola y carillo, fabricación alemana esmerada.

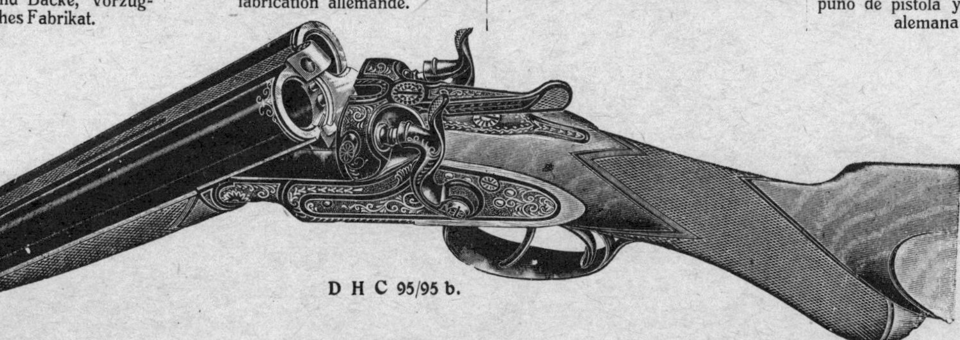

D H C 95/95 b.

Prima **Flusstahlläufe,** links choke-bored, mattierte Schiene, Läufe mit Gold-Arabesken, System mit Vollmuscheln, **Greener Querriegelverschluss,** Pistolengriff, Backe, Fischhaut, Vorderschaft mit Patentschnäpper, Garnitur **mattiert schwarz,** englische **Arabeskengravur.**

Canons acier coulé extra, choke à gauche, bande mate, canons avec arabesques dorés, coquilles pleines, **verrou Greener,** crosse pistolet, à joue, quadrillé, devant à pédale, garniture noire **mate, gravure anglaise à arabesques.**

Prime ingot steel barrels, left choke bored, matted rib, barrels with gold arabesques, breech with scroll fence, **Greener cross-bolt,** pistol-grip, cheek, checkered, fore-end, with patent snap, **black matted** mounting, English **arabesque** engraving.

Cañones de acero colado extra, choke á la izquierda, cinta mate, cañones con arabescos dorados,, conchas llenas, **cerradura Greener,** empuñadura de pistola, de carrillo, labrado, delantera de pedal, guarnición negra **mate, grabado inglés** de **arabescos.**

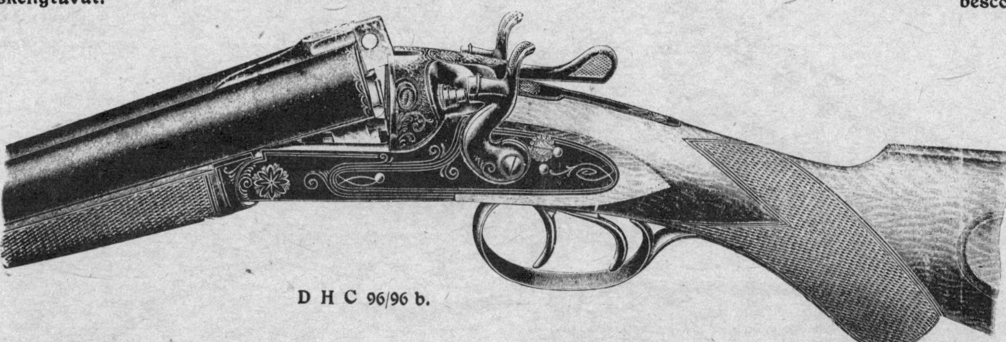

D H C 96/96 b.

Prima **Stahlläufe,** mit tiefliegender **Didié-Schiene, Greener Querriegelverschluss,** links choke-bored, Pedalvorderschaft, vornehme Linien- und Sterngravur, Baskülenbacken mattiert, Garnitur tiefschwarz, Pistolengriff, Backe, Fischhaut.

Canons acier avec **bande plongeante Didié, verrou Greener,** choke à gauche, démontage à pédale, gravure traits et terminaisons, mamelons mattés, garniture bronzée noire, crosse pistolet, à joue, quadrillé.

Good **steel barrels,** left choke bored, **sinking rib,** Greener cross bolt, fore-end fastener, threaded engraving, dead finish on breechballs, dark mountings.

Cañones de acero bronceados, choke á la izquierda, **cinta hendiente Didié,** desmontaje de pedal, grabado de terminaciones, pezones mateados, guarnición bronceada negra, empuñadura de pistola de carrillo labrado.

No.	D H C 25	D H C 25 a	D H C 25 b	D H C 95	D H C 95 a	D H C 95 b	D H C 96	D H C 96 a	D H C 96 b
†	Alata	Alatas	Alatat	Alateate	Alateates	Alateatet	Aletaeta	Aletaetas	Aletaetat
Cal.	12	16	20	12	16	20	12	16	20
Mark	60.—	60.—	62.—	95.—	95.—	95.—	69.—	69.—	71.—

Centralfeuer-Doppelflinten „Alfa“ mit Hähnen.	Fusils à 2 coups „Alfa“ à feu central et avec chiens.		Double-barrel central-fire guns with hammers Mark „Alfa“.	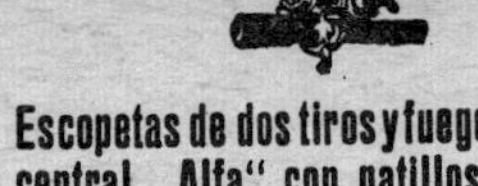 Escopetas de dos tiros y fuego central „Alfa“ con gatillos.

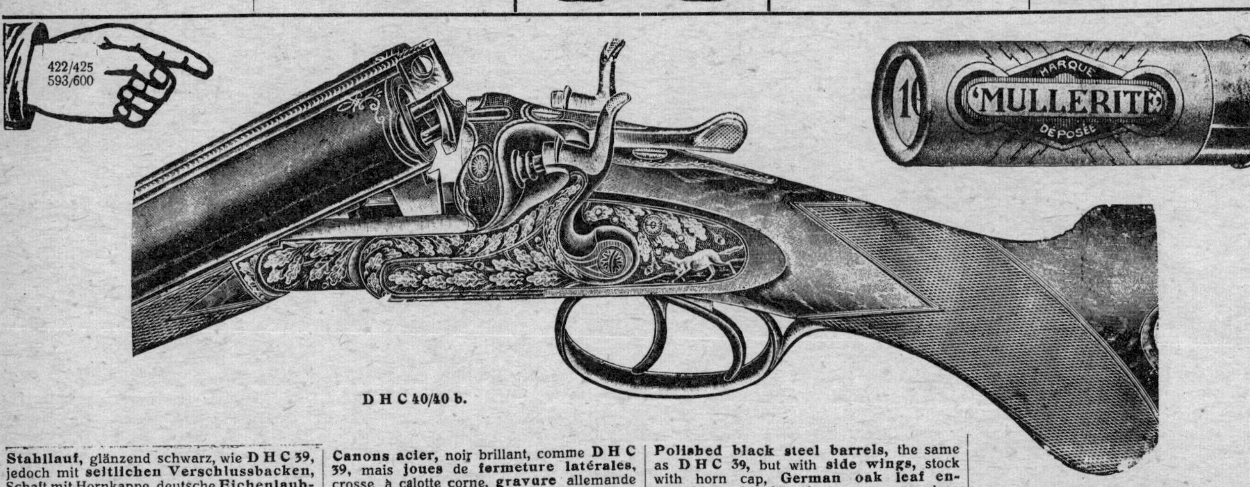

D H C 40/40 b.

Stahllauf, glänzend schwarz, wie **D H C 39,** jedoch mit **seitlichen Verschlussbacken,** Schaft mit Hornkappe, deutsche **Eichenlaubgravierung,** mit **Jagdstückgarnitur,** tiefschwarz und gewetzt.

Canons acier, noir brillant, comme **D H C 39,** mais **joues de fermeture latérales,** crosse à calotte corne, **gravure** allemande **rameau de chêne,** avec garniture **sujet de chasse,** noir foncé.

Polished black steel barrels, the same as **D H C 39,** but with **side wings,** stock with horn cap, **German oak leaf engraving,** with **hunting scene,** on deep black mounting.

Cañónes de acero, negro brillante, como **DHC 39,** pero **con carrillos de cierre laterales,** caja con cantonera de cuerno, **grabado hoja de encina alemán, con figura de caza** sobre la guarnición, negro oscuro

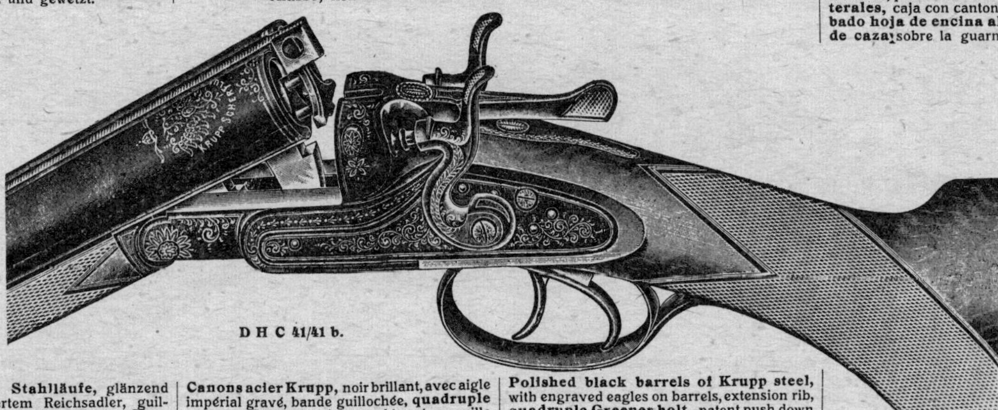

D H C 41/41 b.

Orig. Krupp'sche Stahlläufe, glänzend schwarz mit graviertem Reichsadler, guillochierte Schiene, **4facher Greener-Verschluss,** Patent-Vorderschaft, ganze Muschel, Pistolenschaft, **Goldstreifen** mit **Arabesken** auf dem Lauf, tiefschwarze Garnitur mit englischen Arabesken, vollständig mattiert.

Canons acier Krupp, noir brillant, avec aigle impérial gravé, bande guillochée, **quadruple verrou Greener,** devant déposé, coquille entière, crosse pistolet, **traits or** avec **arabesques** sur le canon, garniture noire foncée avec arabesques anglais, complètement mat.

Polished black barrels of Krupp steel, with engraved eagles on barrels, extension rib, **quadruple Greener bolt,** patent push down fore-end, full scroll fence, pistol grip, **inlaid gold bands** and **arabesque work** on barrels deep black mounting with English arabesque engraving, fully matted.

Cañónes de acero Krupp verdadero, negro brillante, con águila grabada, cinta de extensión retorcida, **cerradura cuadrupla Greener,** delantera de empuje privilegiada, conchas enteras, **rayas de oro y arabescos** sobre los cañónes, guarnición negra oscura con **arabescos ingléses,** centeramente mate.

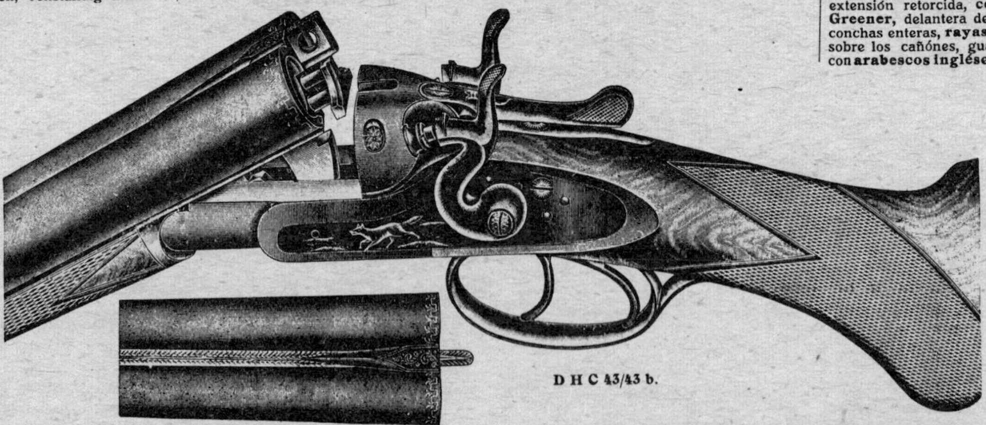

D H C 43/43 b.

Stahllauf, tiefschwarz, **tiefliegende Didier „Alfa“-Schiene,** oben und unten guillochiert, 4facher Greener-Keilverschluss, Patent-Vorderschaft, ganze Muschel, Pistolenschaft, eingelegte, echte **goldene Jagdstücke,** Garnitur fein schwarz, **federleichtes** Gewehr.

Canon acier, noir foncé, **bande Didier „Alfa“** plongeante guilloché au-dessus et en dessous, quadruple verrou Greener à coin, devant déposé, coquille entière, crosse pistolet **sujet de chasse véritablement incrusté or,** élégante garniture noire, arme **extrêmement légère.**

Deep black **steel barrels, deep laid Didier „Alfa“ extension rib,** matted above and below quadruple Greener bolt, patent fore-end, full scroll fence, real **gold inlaid sporting figures,** fine black mounting, **feather weight** gun.

Cañónes de acero, negro oscuro, **cinta de extensión hundido Didier „Alfa“ mate por ariba y por debajo,** cerradura cuadrupla Greener delantera, de privilegio, conchas enteras, **figura de caza verdadera incrustada en oro,** montura negra fina, escopeta **ligera como una pluma.**

No.	D H C 40	D H C 40 a	D H C 40 b	D H C 41	D H C 41 a	D H C 41 b	D H C 43	D H C 43 a	D H C 43 b
†	Ablichne	Ablichnes	Ablichnet	Abbigma	Abbigmas	Abbigmat	Abkersen	Abkersens	Abkersent
Cal.	12	16	20	12	16	20	12	16	20
Mark	107,—	107,—	107,—	126,—	126,—	126,—	96,—	96,—	96,—

Centralfeuer-Doppelflinten „Alfa" mit Hähnen.

Fusils à 2 coups „Alfa" à feu central et avec chiens.

Double-barrel central-fire guns „Alfa" with hammers

Escopetas de dos tiros y de fuego central „Alfa" con gatillos.

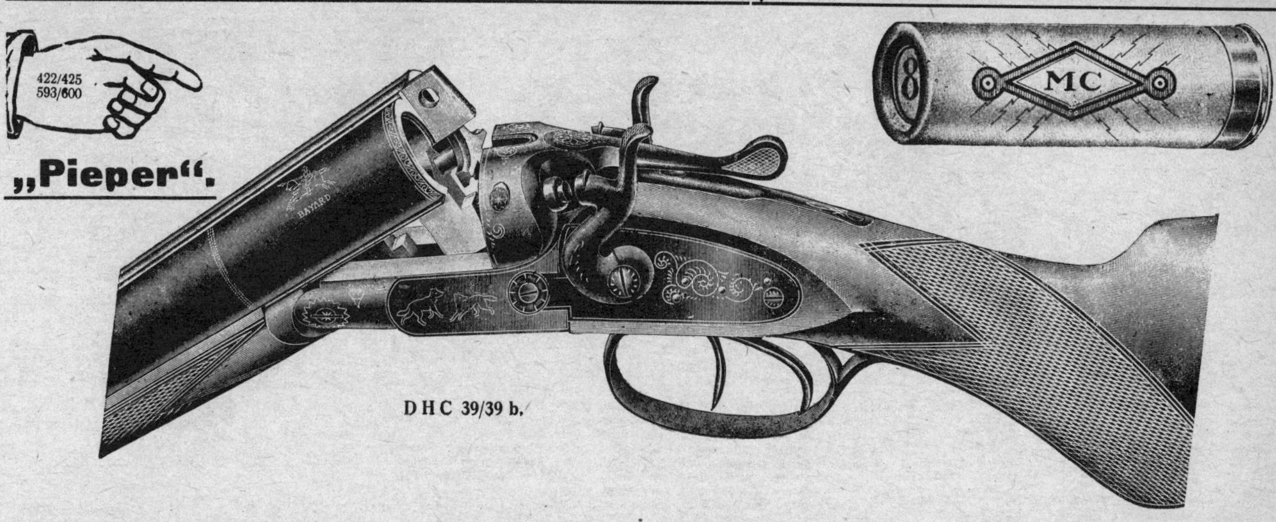

DHC 39/39 b.

Stahllauf, tiefschwarz, guillochierte Schiene, **4facher Greener Verschluss,** Patent-Vorderschaft, ganze Muschel, Pistolengriffschaft, englische Jagdstückgravierung, englisch eingesetzte Garnitur.

Canon acier, noir foncé, bande guillochée, **quadruple verrou Greener,** devant déposé, coquille entière, crosse pistolet, sujet de chasse gravure anglaise, garniture anglaise incrustée.

Barrels of deep black steel, extension rib, **Greener quadruple bolt,** patent fore-end, full scroll fence, pistol grip. English engraving of hunting scene, English inlaid mounting.

Cañones de acero, negro oscuro, cinta retorcida **cerradura cuadrupla Greener,** delantera privilegiada, concha entera, caja con empuñadura de pistola, grabado inglés de caza, guarnición con incrustación inglesa.

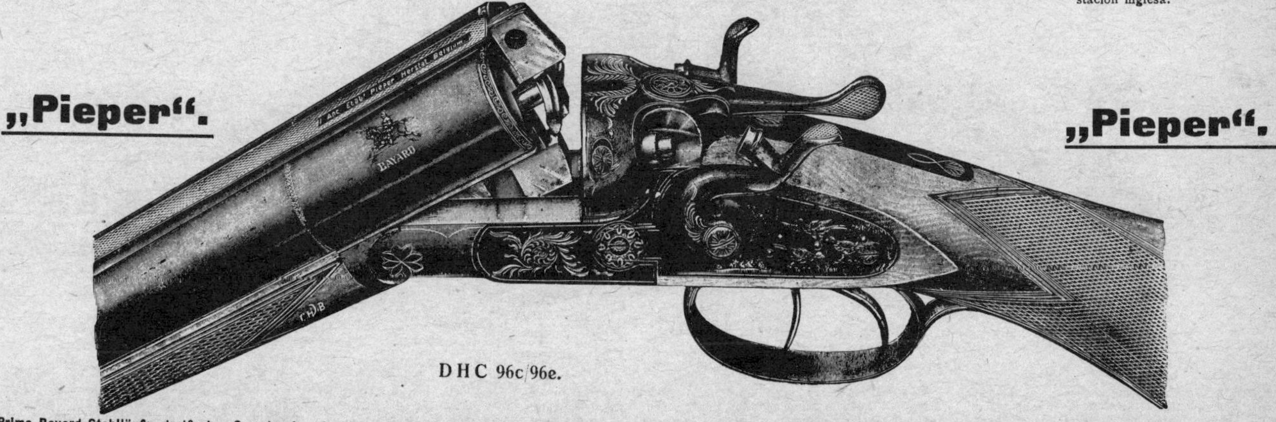

DHC 96c/96e.

Prima Bayard-Stahlläufe, dreifacher Querriegel-Verschluss, englische Gravur mit **Jagdstücken,** Vorderschaft mit Patentschnäpper, Pistolengriff, Backe, Fischhaut, **„Piepers Stahlkammerstück".**

Canons acier extra Bayard, quadruple verrou, gravure anglaise avec **sujets de chasse,** longuesse à pédale, crosse pistolet, à joue, quadrillé, pièce de chambre **„Pieper" en acier.**

Prime Bayard steel barrels, triple cross bolt, English engraving, with **hunting scenes,** fore-end with patent snap, pistol grip, cheek, checkered, **Piepers steel chamberpiece.**

Cañones de acero extra „Bayard", cerradura cuadrupla grabado inglés con figuras de caza empuñadura de pistola, de carrillo, labrado; **cámara Pieper de acero,** delantera de pedal.

DHC 44/44 b.

Patronenlager und Verschlusshaken aus einem Stück, feinste **Boston-Damastläufe, Greener Keilverschluss** mit **Top-bolt,** also **fünffach,** fein guillochierte Schiene, Purdey-Vorderschaft, Fallbolzen, volle Muscheln, Pistolengriff, Hornkappe, englische Gravierung.

Chambre à cartouches et crochet de fermeture en une seule pièce, canons extra Damas Boston, **verrou à coin Greener avec top-bolt** par conséquent **quintuple,** élégante bande guillochée, devant Purdey, coquilles pleines, crosse pistolet, calotte de corne, gravure anglaise.

Cartridge chamber and attachment couplings in one piece, finest Boston damascus barrel, **Greener bolt with top bolt,** that is **quintuple bolting,** matted extension rib, Purdey fore-end, drop bolt, full scroll fence, pistol grip, horncap, English engraving.

Recamaras y enganches de una pieza, cañon de la **Damasco Boston** más **fino, cerradura de cuña** Greener con cuña cimera, esto es **cerradura quintupla,** cinta retorcida, delantera Purdey, conchas llenas, puño de pistola, cantonera de cuerno, grabado inglés.

No.	DHC 39	DHC 39 a	DHC 39 b	DHC 96 c	DHC 96 d	DHC 96 e	DHC 44	DHC 44 a	DHC 44 b
†	Abserneí	Absernels	Abserneit	Abserwau	Abserwaus	Abserwaut	Abtensta	Abtenstas	Abtenstat
Cal.	12	16	20	12	16	20	12	16	20
Mk.	88.—	88.—	94.—	90.—	90.—	96.—	104.—	104.—	110.—

Centralfeuer-Doppelflinten „Alfa" mit Hähnen.

Fusils à 2 coups „Alfa" à feu central, avec chiens.

Central-fire double-barrel guns „Alfa" with hammers.

Escopetas de dos tiros y fuego central „Alfa" con gatillos.

422/425
593/600

DHC 45—45 b

Pieper.

rima Stahlläufe, hochfein poliert, guillochierte Schiene, **4 facher Greener-Verschluss**, Patent-Vorderschaft, ganze Muschel, **staatlich 4 fach mit rauchlosem Pulver beschossen**, Pistolenschaft, Garnitur tiefschwarz mit eleganter Silbereinlage, leichtes Gewehr, Pieper's Stahlkammerstück.

Canons acier, extra, soigneusement polis, bande guillochée, **quadruple verrou Greener**, devant patenté, coquille entière, **quadruplement éprouvé officiellement à la poudre sans fumée**, crosse pistolet, garniture noire foncée, **avec élégante incrustation argent**, fusil léger, pièce de chambre Pieper en acier.

First quality steel barrels, beautifully polished, extension rib, **quadruple Greener bolt**, patent fore-end, full scroll fence, **4 times tested by Government with smokeless powder**, pistol grip, deep black mounting with elegant silver inlaid work, light gun. With Pieper's steel breech block

Cañones de acero de la calidad, pulido hermoso, dorso retorcido, **cerradura cuadrupla de Greener**, delantera con privilegio, concha entera, **experimentado 4 veces oficialmente con polvóra blanca sin humo**, puño de pistola, guarnición negra oscura, con elegante incrustación de plata, escopeta ligera, con cámara Pieper de acero en una sola pieza.

‚Pieper'.

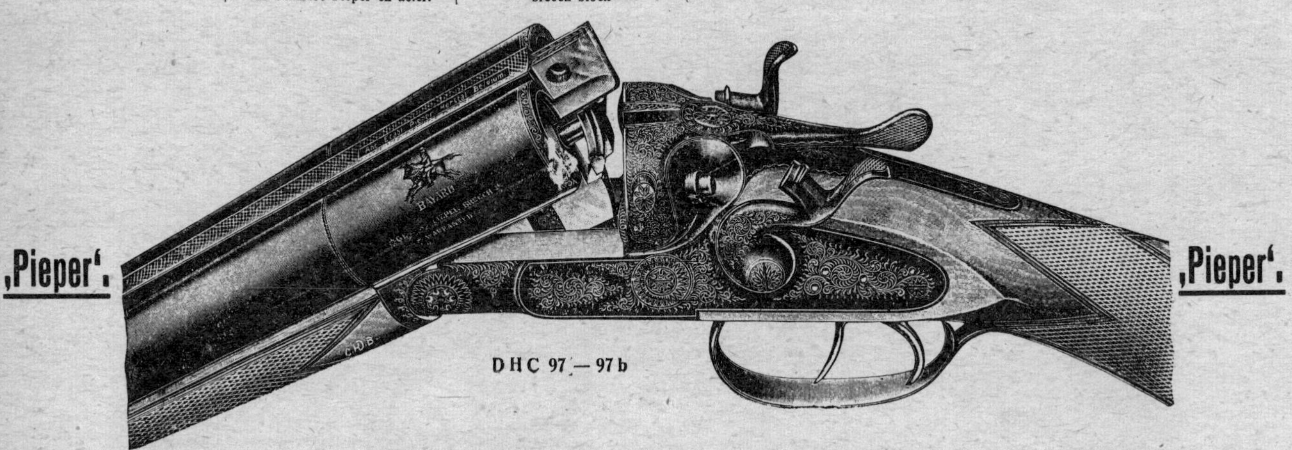

‚Pieper'.

DHC 97—97 b

Wie DHC 45 aber mit englischer Gravur, **Pieper's Stahlkammerstück „rauchlos beschossen" in Gold** auf der Laufschiene, **seitliche Backen** an der Basküle.

Comme DHC 45 mais avec gravure anglaise, **pièce de chambre Pieper, éprouvé à la poudre sans fumée, mention „rauchlos beschossen"**, en or sur la bande, **joues latérales** à la bascule.

Like DHC 45 but with English engraving, **Piepers steel chamber piece, „nitro tested" in golden letters on extension rib, wings at breech.**

Como DHC 45, pero con grabado ingles, **experimentado con la pólvora sin humo, „rauchlos beschossen" en oro sobre la cinta, carrillos laterales sobre la bascula.**

‚Pieper'.

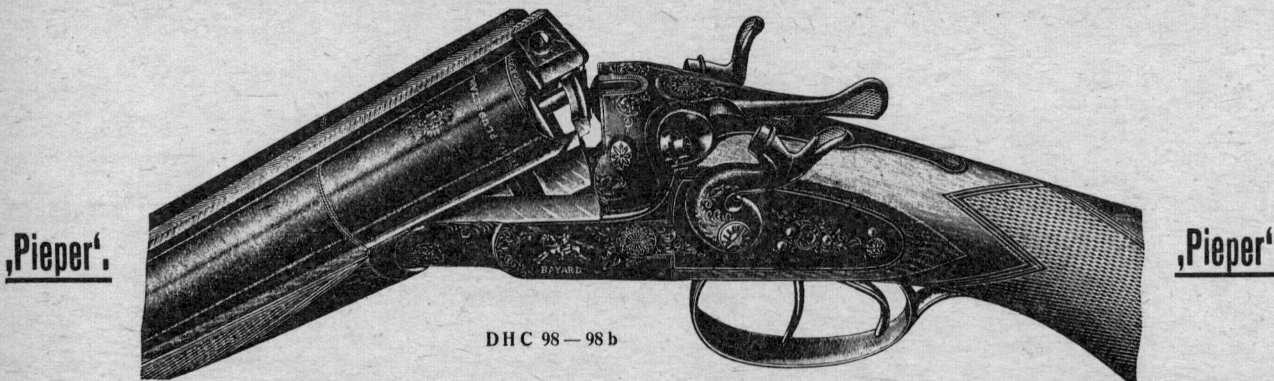

‚Pieper'.

DHC 98—98 b

Feine Flußstahlläufe „Krupp Essen" flache Auflage, feine Zinnlötung hohe gerade Schiene, links Choke, **3 facher Greener** Verschluss, Basküle mit Seitenbacken, Adler graviert auf den Läufen, Blättergravur. **Amtlich 4 fach geprüft und eingeschossen mit stärkster Ladung rauchlosen Pulvers, Pieper's Stahlkammerstück.**

Canons acier coulé extra **„Krupp Essen", excellente** soudure d'étain, bande haute, choke à gauche, **triple verrou Greener** bascule avec joues latérales, aigle gravé sur les canons, gravure à feuilles, **quadruplement éprouvé officiellement à la plus forte charge de poudre sans fumée. Pièce de chambre „Pieper" en acier.**

„Fine ingot steel barrels Krupp Essen", flat support, fine tin soldering, straight rib, left choke, **triple Greener bolt**, wings at breech eagle engraved on barrels, leaf engraving, **4 times officially proved** and **fired with strongest nitro charge.** Pieper's steel chamber piece.

Cañones de acero colado extra „Krupp Essen", excelente sondeadura de estaño, cinta alta, choke à la izquierda, **cerradura triple Greener**, águila grabada sobre los cañones, **cuatro veces experimentada oficialmente con la carga, de polvora** sin humo más **fuerte.**

Nr.	DHC 45	DHC 45 a	DHC 45 b	DHC 97	DHC 97 a	DHC 97 b	DHC 98	DHC 98 a	DHC 98 b
†	Ablenstu	Ablenstus	Ablenstut	Ablescha	Ableschas	Ableschat	Ablexzl	Ablexzls	Ablexzlt
Cal.	12	16	20	12	16	20	12	16	20
Mark	120.—	120.—	126.—	128.—	128.—	134.—	110.—	110.—	116.—

Zentralfeuer-Doppelflinten „Alfa“ mit Hähnen.	Fusils à 2 coups et à feu central „Alfa“ avec chiens.		Double-barrel central-fire guns with hammers, Mark „Alfa“.	Escopetas de dos tiros y fuego central „Alfa“ con gatillos.

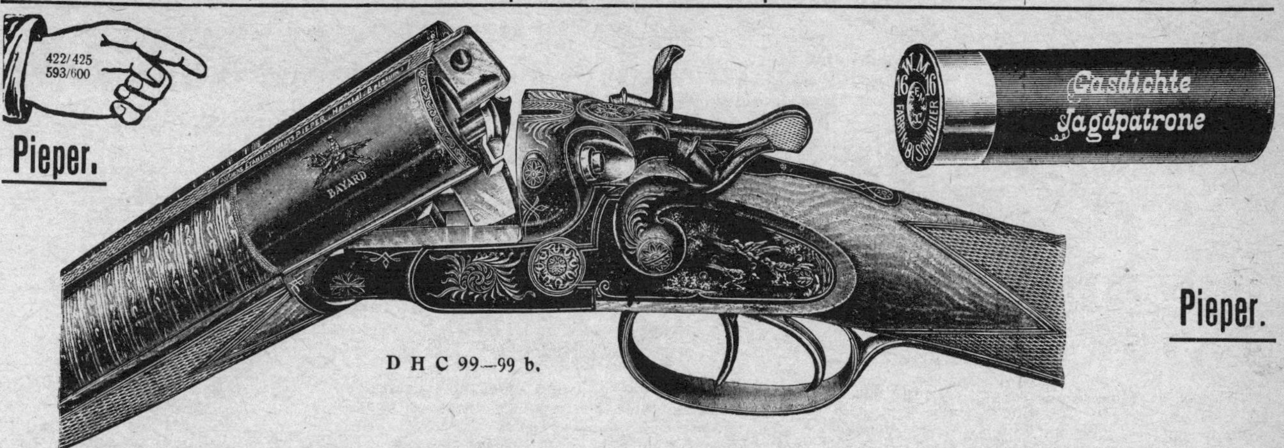

D H C 99—99 b.

Prima **London Damastläufe, dreifacher Querriegel**-Verschluss, englische Gravur mit Jagdstücken, Patentvorderschaft, Pistolengriff, Backe, Fischhaut.
Pieper's Stahlkammerstück.

Canons Damas Londres extra, **triple verrou à coin,** gravure anglaise avec sujets de chasse, devant déposé, crosse pistolet, à joue, quadrillé.
Pièce de chambre Pieper.

Prime **London damascus barrels, triple cross bolt,** English engraving with hunting scenes, patent fore-end, pistol-grip, checkered, cheek.
Piepers steel chamber-piece.

Cañones Damasco Londres extra, **cerradura tripla,** grabado inglés con objetos de caza, delantera patentada, empuñadura de pistola, de carillo, labrado.
Pieza de cámara de acero Pieper.

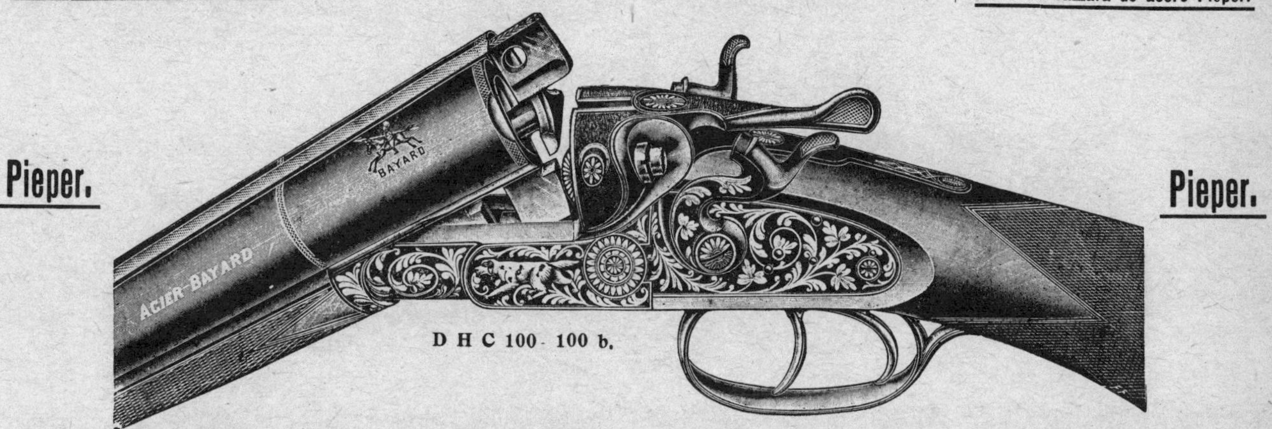

D H C 100- 100 b.

Wie Mod. D H C 99, Verschlusskasten mit **vollen Muscheln** und englischer Gravierung mit Jagdstücken.
Rauchlos beschossen. Piepers Stahlkammerstück.

Comme mod. D H C 99, **coquilles pleines,** gravure anglaise à sujets de chasse.
Éprouvé à la poudre sans fumée. Pièce de chambre Pieper.

Like mod. D H C 99, breech with **full scroll fence,** and English engraving with hunting scenes.
Nitro proved. Piepers steel chamber-piece.

Como el mod. D H C 99, **conchas llenas,** grabado inglés con objetos de caza.
Experimentado con la pólvora sin humo. Pieza de cámara Pieper en acero.

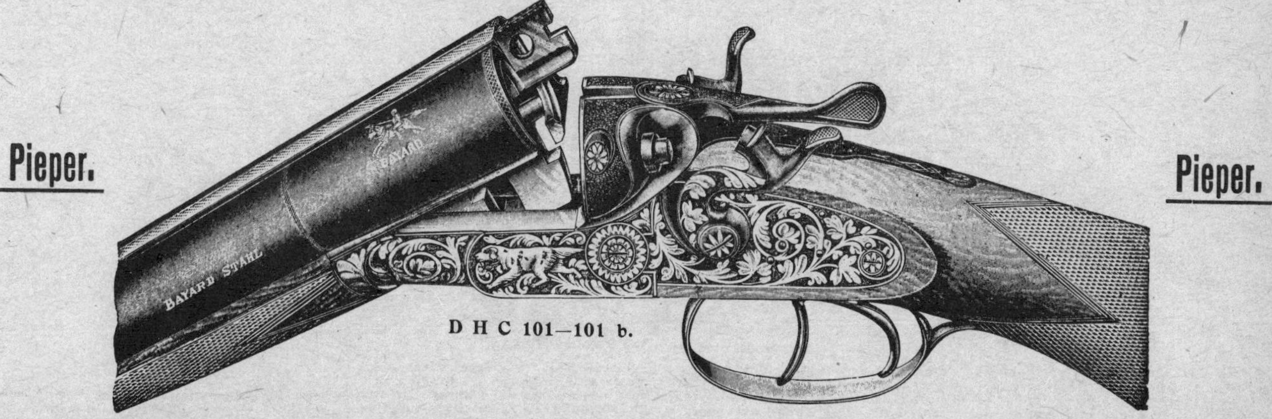

D H C 101—101 b.

Wie D H C 100, aber mit **4fachem** top-bolt-Verschluss, volle Muscheln, **Blättergravur** mit Jagdstücken, **rauchlos beschossen, Piepers Stahlkammerstück.**

Comme D H C 100, mais à **quadruple verrou** top bolt, coquilles pleines, **gravure à feuilles** avec sujets de chasse, **éprouvé à la poudre sans fumée, pièce de chambre Pieper.**

Like D H C 100 but with **quadruple** top-bolt, full scroll fence, **leaf engraving,** with hunting scenes, **nitro tested, Pieper's steel chamber-piece.**

Como D H C 100, pero de cerradura **cuadruplada top bolt,** conchas llenas, **grabado de follaje** con objetos de caza, **experimentado con la pólvora sin humo, cámara Pieper en acero**

Nr.	D H C 99	D H C 99 a	D H C 99 b	D H C 100	D H C 100 a	D H C 100 b	D H C 101	D H C 101 a	D H C 101 b
†	Akspringo	Akspringos	Akspringot	Akspringli	Akspringlis	Akspringlit	Akspringfu	Akspringfus	Akspringfut
Cal.	12	16	20	12	16	20	12	16	20
Mark	100.—	100.—	106.—	110.—	110.—	116.—	114.—	114.—	120.—

Centralfeuer-Doppelflinten „Alfa“ mit Hähnen.	Fusils à 2 coups „Alfa“ à feu central, avec chiens.	Double-barrel central-fire guns with hammers mark „Alfa“.	Escopetas de dos tiros y fuego central „Alfa“ con gatillos

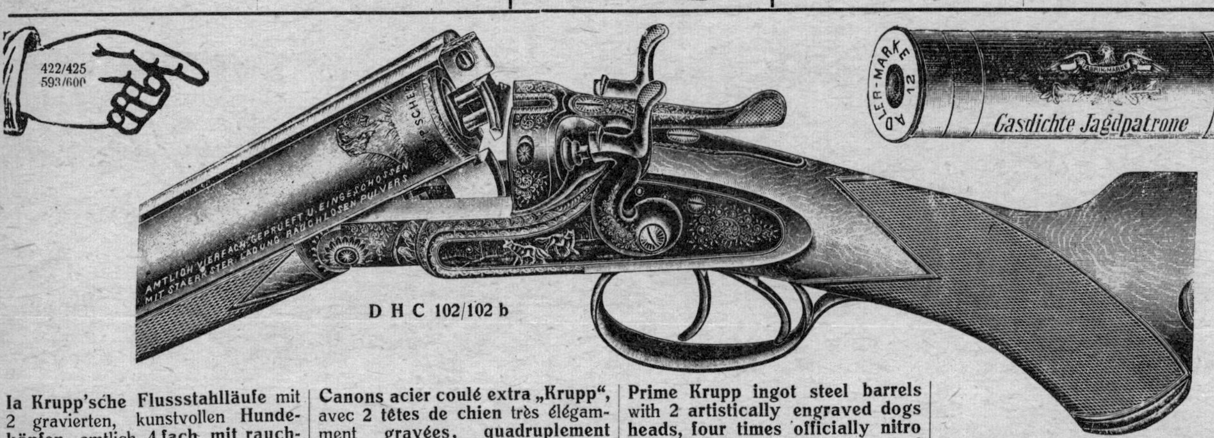

D H C 102/102 b

Ia Krupp'sche Flussstahlläufe mit 2 gravierten, **kunstvollen Hundeköpfen**, amtlich **4 fach mit rauchlosem** Pulver beschossen, **3facher Greener Verschluss**, Vorderschaft mit Patentschnäpper und Hornspitze, Hornkäppchen, Garnitur englisch eingesetzt, feine englische Gravur mit Jagdmotiven, volle Chokeborung.

Canons acier coulé extra „Krupp“, avec **2 têtes de chien très élégamment gravées, quadruplement éprouvé officiellement à la poudre sans fumée**, triple verrou Greener, calotte de corne, devant à pédale et pointe de corne, élégante garniture anglaise avec sujets de chasse, choke entier.

Prime Krupp ingot steel barrels with 2 artistically engraved dogs heads, four times officially nitro proved, triple Greener bolt, fore-end with patent snap and horn point, horn cap, English mounting inlaid and fine scroll engraving with hunting scene, full choke bored.

Cañónes de acero colado extra „Krupp“, con 2 cabezas de perros muy elegantemente **grabadas, experimentado cuatro veces oficialmente con pólvora sin humo**, cerradura triple Greener, delantero de pedal y cantonera de cuerno, cantonera de caja en cuerno, guarnición inglesa con figuras de cazas, choke entero.

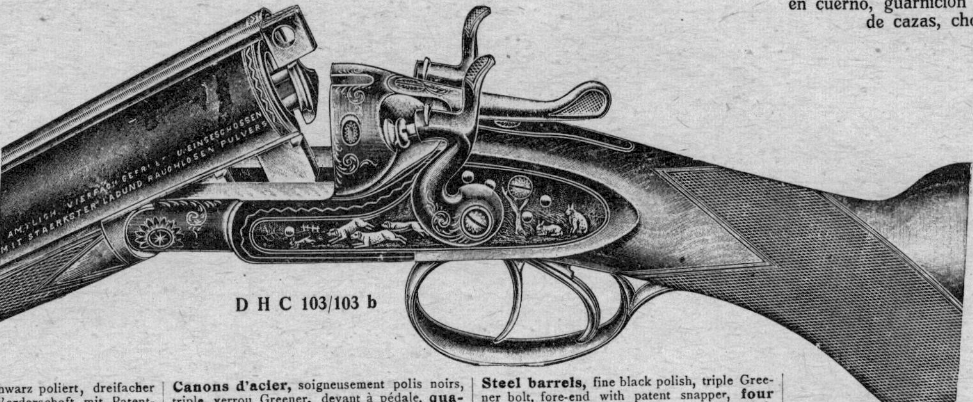

D H C 103/103 b

Stahlläufe, fein schwarz poliert, dreifacher Greener Verschluss, Vorderschaft mit Patentschnäpper, amtlich **4fach mit rauchlosem Pulver beschossen**, Garnitur englisch eingesetzt, mit reicher **englischer Jagdstückgravur**, volle Chokebohruug.

Canons d'acier, soigneusement polis noirs, triple verrou Greener, devant à pédale, **quadruplement éprouvé officiellement à la poudre sans fumée**, garniture anglaise, avec riche **gravure anglaise, à sujets de chasse**, choke entier.

Steel barrels, fine black polish, triple Greener bolt, fore-end with patent snapper, **four times officielly nitro proved English** mounting inlaid, rich scroll **engraving with hunting scene**. full choke-bored.

Cañónes de acero, cuidadosamente pulidos negros, cerradura triple Greener, delantero de pedal, **experimendato 4 veces oficialmente** con **pólvora sin humo**, guarnición inglesa, **grabado inglés** con ricas **figuras de caza**, choke entero.

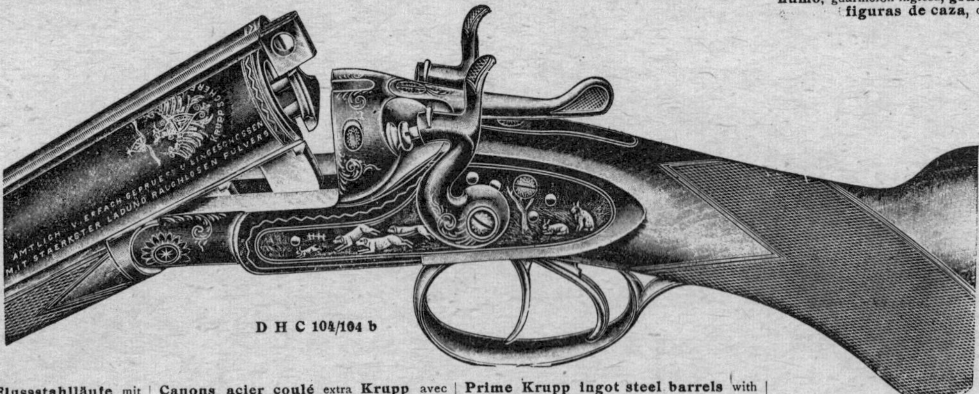

D H C 104/104 b

Prima Kruppsche Flussstahlläufe mit gravierten **Reichsadlern, 3facher Greener Verschluss**, Vorderschaft mit Knopfdrücker, **amtlich 4fach mit rauchlosem Pulver beschossen**, Garnitur englisch eingesetzt, feine Jagdstückgravur, volle Chokebohrung.

Canons acier coulé extra **Krupp** avec **aigles impériaux** gravés, **triple verrou Greener**, devant à pression, **quadruplement éprouvé à officiellement à la poudre sans fumée**, garniture anglaise, élégants sujets de chasse gravés, choke entier.

Prime Krupp ingot steel barrels with **imperial eagles** engraved, **triple Greener bolt**, push down fore-end, **4 times officially nitro proved**, English mounting **inlaid, fine hunting scene engraved**, full choke bored.

Cañónes de acero colado extra „Krupp“ con águilas imperiales grabadas, cerradura triple Greener, delantera de empuye, experimentado **4 veces oficialmente** con **la pólvora sin humo**, guarnición inglesa, **elegantes figuras de caza, grabadas**, choke entero.

No.	D H C 102	D H C 102 a	D H C 102 b	D H C 103	D H C 103 a	D H C 103 b	D H C 104	D H C 104 a	D H C 104 b
†	Amvineu	Amvineus	Amvineut	Amveuni	Amveunis	Amveunit	Amnevui	Amnevuis	Amnevuit
Cal.	12	16	20	12	16	20	12	16	20
Mark	**135.—**	**135.—**	**135.—**	**96.—**	**96.—**	**96.**	**118.—**	**118.—**	**118.—**

Centralfeuer - Doppelflinten „Alfa“ mit Hähnen.	Fusils „Alfa“ à feu central et à 2 coups, avec chiens.		Double-barrel central - fire guns with hammers Mark „Alfa“.	Escopetas de dos tiros y fuego central „Alfa“ con gatillos.

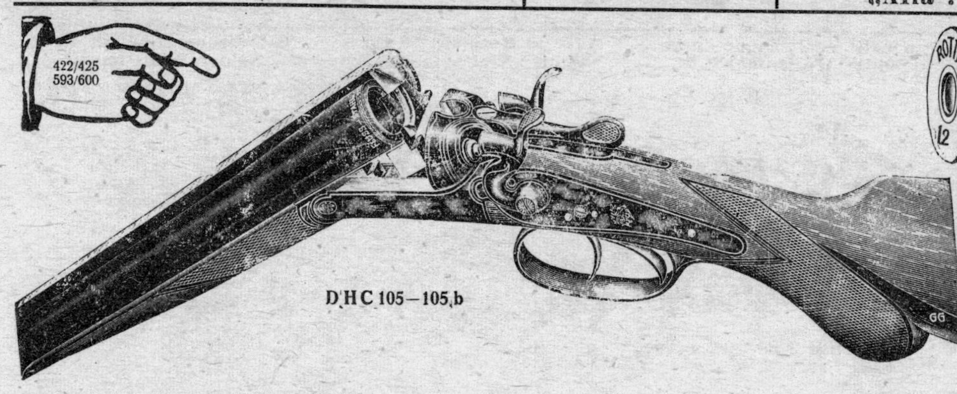

D H C 105–105 b

Deutsche Fabrikate aus der Suhler Waffenfabrik.

Fabrication allemande de la Suhler Waffenfabrik.

Made in Germany in the Suhler Waffenfabrik.

Fabricación alemana de la Suhler Waffenfabrik.

Leichte **Ia Suhler** Centralfeuer-Doppelflinte mit **Radial**-Doppelriegelverschluss, mattierte Laufschiene, dunkel eingesetzte Garnitur, **Ia Krupp's Flußstahl-Läufe,** links choke bore, Patent-Vorderschaft, Pistolengriff, Backe, Fischhaut.

Fusil à 2 coups, à feu central, léger, de fabrication extra de **Suhl, double verrou Radial,** bande mate, garniture couleur foncée incrustée, **canons acier coulé Krupp extra,** choke à gauche, devant patenté, crosse pistolet, à joue, quadrillé.

Light central-fire **double barrel gun,** best **Suhl** make, with **Radial double bolt,** matted rib, dark mounting inlaid, **prime Krupp fluid steel barrels,** left choke bore, patent fore-end pistol grip, checkered, cheek.

Escopeta de 2 **tiros, de fuego central,** ligera, **fabricación de Suhl extra, doble cerradura Radial,** cinta mate, guarnición oscura incrustada, **cañones de acero colado Krupp extra,** choke á la izquierda, delantera patentada, empuñadura de pistola, de carrillo, labrado.

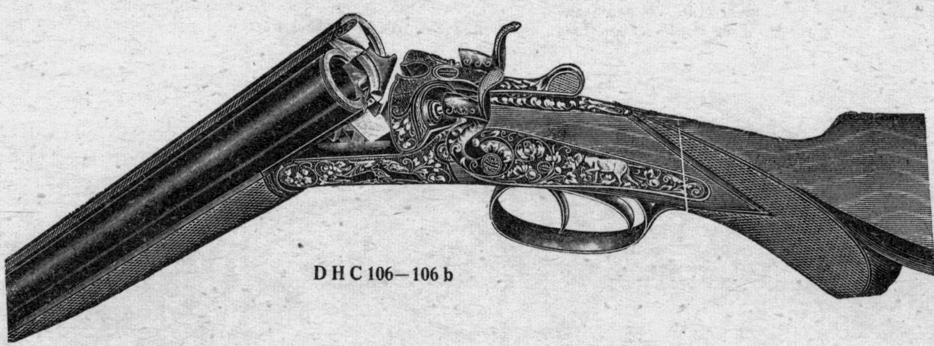

D H C 106–106 b

Suhl.

Leichte **Ia Suhler Centralfeuer Doppelflinte,** 3facher Radial-Riegel-Topleververschluss, mattierte Laufschiene, Ia Schlösser, **feinste Handarbeit,** gewetzte Laubgravur mit Jagdstücken, Garnitur marmoriert gehärtet, Patent-Vorderschaft, Schaft mit Pistolengriff, Backe, Fischhaut, **Ia Krupp's Flussstahl-Läufe.**

Fusil à 2 coups, à feu central, léger, de fabrication **de Suhl extra,** triple verrou top-lever Radial, bande mate, platines extra, **très élégant travail à la main,** gravure feuillage avec sujets de chasse, garniture trempée, jaspée, crosse pistolet, à joue, quadrillé, devant patenté, **canons acier coulé extra „Krupp“.**

Light central-fire double barrel, gun, best **Suhl** make, triple Radial top-lever bolt, matted rib, prime locks, **finest hand make,** leaf-engraving with hunting scenes, marbled mounting, patent fore-end, stock with pistol grip, cheek checkered, **prime Krupp ingot steel barrels.**

Escopeta de 2 tiros, de fuego central, ligera, **fabricación de Suhl extra,** tripla cerradura Top lever Radial, cinta mate, cierres extra, **elegante trabajo ó mano,** grabado de follaje con figuras de caza, montura templada jaspeada, empuñadura de pistola, de carrillo, labrada, delantera patentada, **cañones de acero colado extra „Krupp“.**

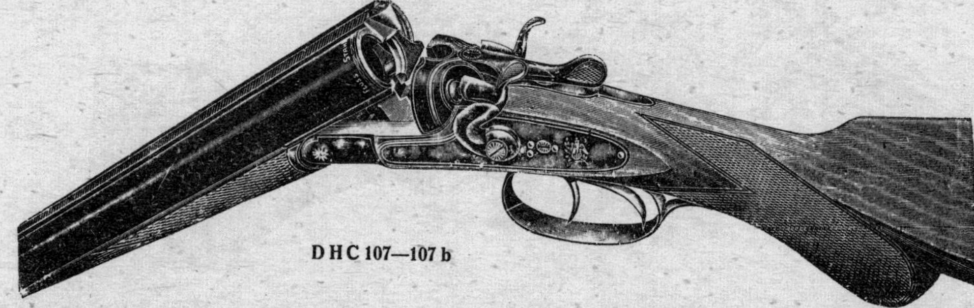

D H C 107–107 b

Suhl.

Wie DHC105 aber mit **vorliegenden Schlössern, feinste Handarbeit, Ia Krupp's Flußstahl-Läufe.**

Comme DHC105 mais avec **platines à l'avant, très élégant travail à la main, canons acier coulé Krupp extra.**

Like D H C 105 but **with front locks, finest hand make best, Krupp ingot steel barrels.**

Como DHC105, pero **con cierres en la delantera, trabajo á mano muy elegante. cañones de acero colado extra „Krupp“.**

	D H C 105	D H C 105 a	D H C 105 b	D H C 106	D H C 106 a	D H C 106 b	D H C 107	D H C 107 a	D H C 107 b
†	Handarsu	Handarsus	Handarsut	Handarme	Handarmes	Handarmet	Handarzi	Handarzis	Handarzit
Cal.:	12	16	20	12	16	20	12	16	20
Mk.:	132.—	132.—	137.—	180.—	180.—	185.—	150.—	150.—	155.—

Centralfeuer-Doppelflinten „Alfa" mit Hähnen.	Fusils à feu central et à 2 coups „Alfa" avec chiens.		Double-barrel central-fire guns Mark „Alfa" with hammers.	Escopetas de dos tiros y fuego central „Alfa" con gatillos.

Deutsche Fabrikate aus der Suhler Waffenfabrik.	Fabrication allemande de la Suhler Waffenfabrik.	Made in Germany in the Suhler Waffenfabrik.	Fabricación alemana de la Suhler Waffenfabrik.

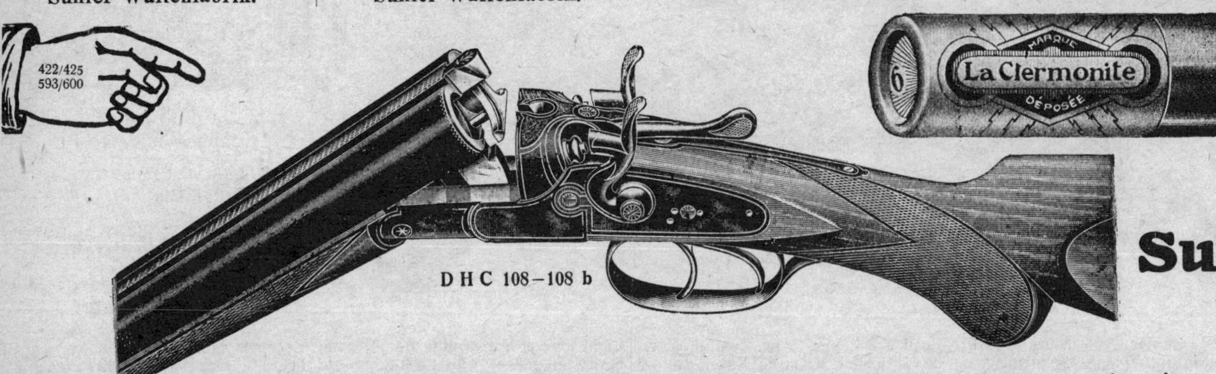

D H C 108–108 b

Suhl

Maschinelle Herstellung, **kurze Ia** Seitenschlosse, verstärktes Verschlussstück, Toplever-Verschluss, doppelter Keileintritt, mattierte Schiene, Patentvorderschaft, Pistolengriff, Backe, Fischhaut, beste Arbeit, bestes Material, beste Schussleistung, **Ia Krupp's Flusstahlläufe.**

Fabrication **mécanique, platines courtés** extra, fermeture renforcée, verrou top lever, enclavement double à coin, bande mate, devant patenté, crosse pistolet, à joue, quadrillé, travail extra, matériel de premier ordre, tir excellent, **canons acier coulé Krupp extra.**

Made by machinery, prime short locks at side, strengthened breech block, top lever bolt, double bolt through matted rib, patent fore-end, pistol-grip, checkered, best make and material, excellent shooting, **prime Krupp ingot steel barrels.**

Trabajo mecanico, cierres córtos extra, cerradura reforzada, cerrojo top lever, empotramiento doble de cuña, cinta mate, delantera patentada, empuñadura de pistola, de carrillo, labrado, trabajo extra y material de primer orden, tiro excelente, **cañones de acero colado extra „Krupp".**

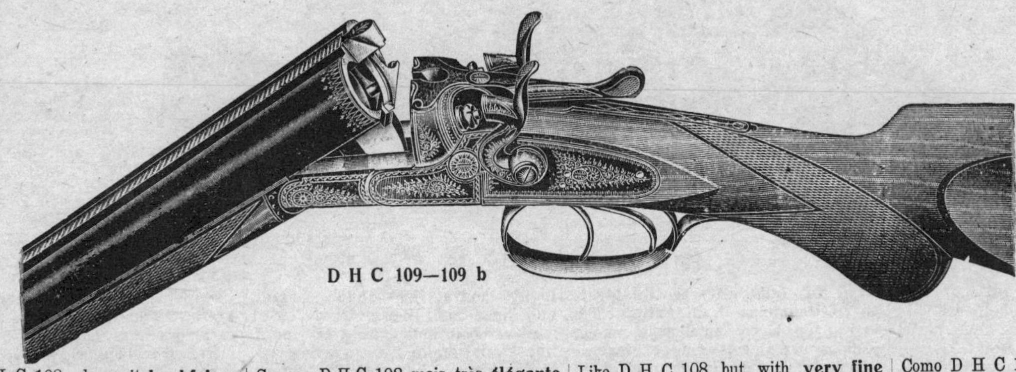

D H C 109—109 b

Suhl

Wie D H C 108 aber mit **hochfeiner englischer Gravur, feinstem Schaftholz etc.**

Comme D H C 108 mais très **élégante gravure anglaise, joli bois etc.**

Like D H C 108 but with **very fine** scroll **engraving, finest wooden stock etc.**

Como D H C 108, pero **muy elegante grabado inglés, bonita madera etc.**

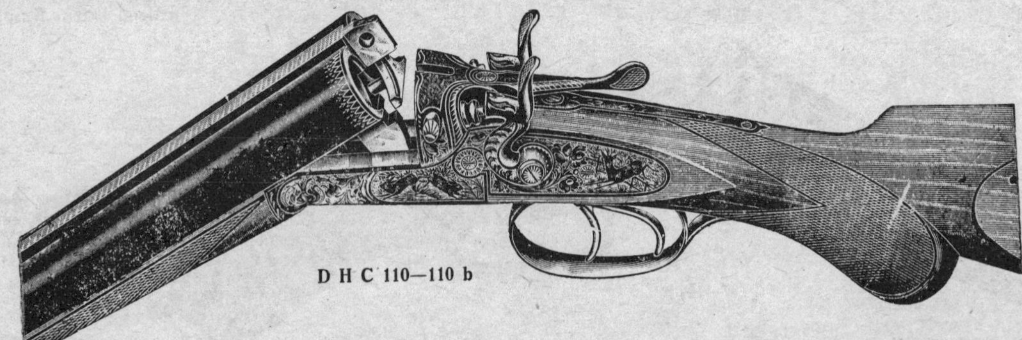

D H C 110—110 b

Suhl

D H C 110/110 b. Wie D H C 109 aber mit **4 fachem Greener Keilverschluss,** feinster Maserschaft, **hochfeine** gewetzte **Jagdgravur.**

D H C 111/111 b. Wie D H C 110 aber **ohne** Jagdgravur, mit **4 fachem Greener** Keilverschluss.

D H C 110/110 b. Comme D H C 109 mais **avec quadruple verrou Greener,** élégante crosse de bois madré, **élégants sujets de chasse gravés.**

D H C 111/111 b. Comme D H C 110 mais **sans** gravure de chasse avec **quadruple verrou Greener** à coin.

D H C 110/110 b. Like D H C 109 but with **quadruple Greener bolt,** finest grained wood, **very fine hunting scene engraved.**

D H C 111/111 b. Like D H C 110 but **without** engraved hunting scene, **quadruple Greener bolt.**

D H C 110/110 b. Como D H C 109, pero con **cerradura cuadruplicada de cuña Greener, elegante** caja **y muy elegantes figuras de caza grabadas**

D H C 111/111 b. Como D H C 110, pero sin grabado de caza con **cerradura cuadruplicada de cuña Greener.**

Nr.	D H C 108	D H C 108 a	D H C 108 b	D H C 109	D H C 109 a	D H C 109 b	D H C 110	D H C 110 a	D H C 110 b	D H C 111	D H C 111 a	D H C 111 b
†	Handsusu	Handsusus	Handsusut	Handarar	Handarars	Handarart	Handbibi	Handbibis	Handbibit	Handlolo	Handlolos	Handlolot
Cal.	12	16	20	12	16	20	12	16	20	12	16	20
Mark	140.—	140.—	145.—	160.—	160.—	165.—	190.—	190.—	195.—	176.—	176.—	181.—

Centralfeuer-Doppelflinten „Alfa“ mit Hähnen.

Fusils à 2 coups et à feu central „Alfa“ avec chiens.

Double-barrel central-fire guns Mark „Alfa“ with hammers.

Escopetas de dos tiros y de fuego central „Alfa“ con gatillos.

„Record“ Patent-Verschluss.

Jeder Lauf hat seinen **eigenen** Verschlusshaken. **Kein Lockerwerden** des Verschlusses mehr. Grösste Widerstandsfähigkeit bei Gebrauch starker **rauchloser Pulver.**

Verrou „Record“ déposé.

Chaque canon a son crochet de fermeture **spécial.** Fermeture parfaite, tout **relâchement** des pièces de la fermeture **impossible.** Offre la plus grande résistance à la pression des fortes poudres sans fumée.

„Record“ Patent clasp.

Each barrel has its **own** attachment couplings. **No loose working** of **breech** parts, offers the **greatest resistance** when using **strong smokeless powders.**

Cerradura „Record“ privilegiada.

Cada cañon tiene su gaucho de cerradura **separado;** asi las **partes** de la cerradura no **se aflojan,** pues ofrecen una gran resistencia **á la pólvora sin humo más fuerte.**

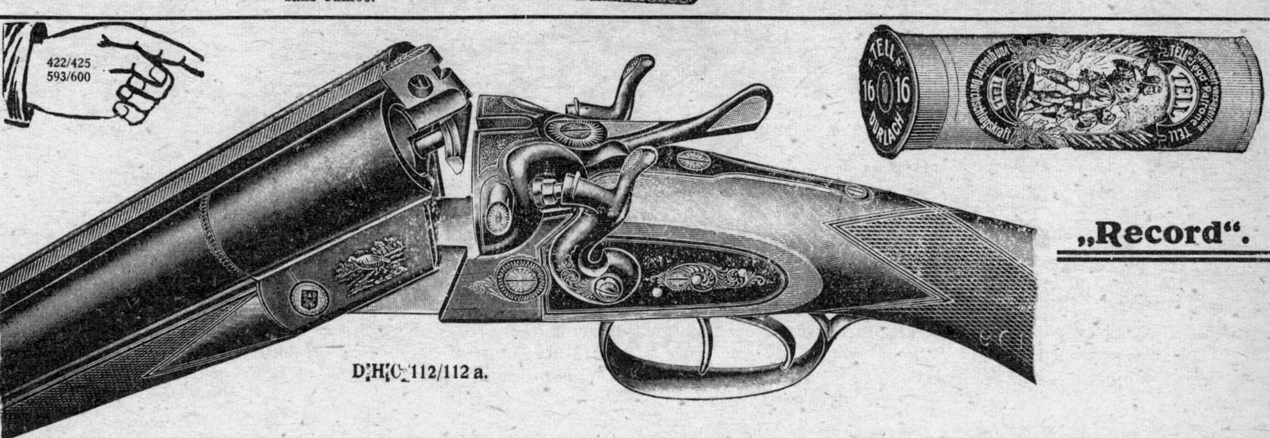

„Record“.

D.H.C. 112/112 a.

Feine Flussstahlläufe, echtes Stahlkammerstück, linker Lauf choke-bore, verstärkte, seitlich offen liegende Rekordhaken, Schaft mit Pistolengriff und Backe, Vorderschaft mit Patentschnäpper, Garnitur marmoriert gehärtet.

Canons d'acier coulé extra, pièce de chambre originale en acier, canon gauche choke, crochet record renforcé, crosse avec poignée pistolet et à joue, longuesse à pédale, garniture trempée jaspée.

Fine ingot steel barrels, genuine steel-chamber piece, left barrel choke-bore, strengthened Record attachment, stock with pistolgrip and cheek, fore-end with patent snap, mounting marbled and case hardened.

Cañones de acero colado extra, pieza de cámara original en acero, cañón izquierdo choke, gaucho Record reforzado, caja con empuñadura de pistola y con carrillo, guarnición templada jaspeada.

„Record“.

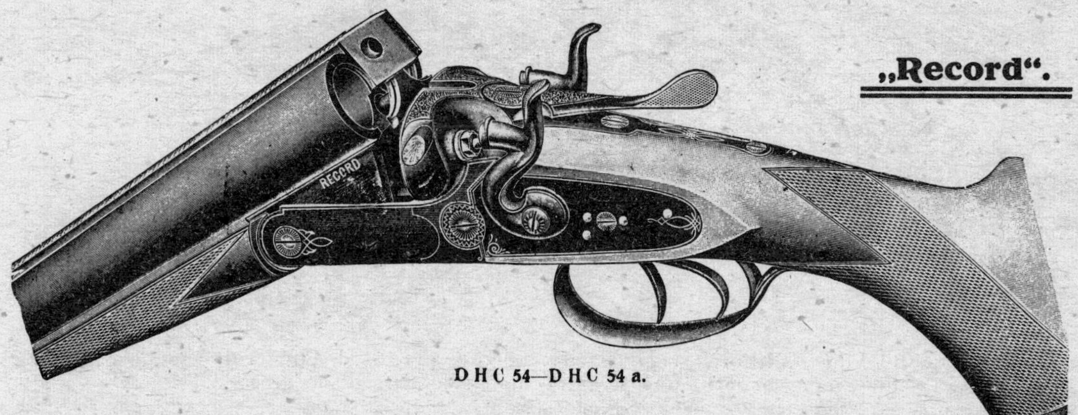

D H C 54—D H C 54 a.

D HC 54/54 a. Cal. 12 und 16, Lauflänge bis zu 76 cm mit **Greener Querriegel,** gut gearbeitete, halbvorliegende Schlosse, Ia Stahlläufe, links choke, Schaft mit Pistolengriff und Backe, Vorderschaft mit Knopfdrücker.
D H C 55/55 a. Mit **schwarzer englischer Garnitur** nach der Härte, sonst wie D H C 54.
D H C 56/56 a. Mit echten **Krupp Flusstahlläufen,** sonst wie D H C 55.
D H C 57/57 a. Mit rauchlosem Pulver, staatlich geprüft, sonst wie D H C 56.

D H C 54/54 a. Cal. 12 et 16, longueur des canons jusqu'à 76 cm, **verrou Greener,** platines bien travaillées à demi à l'avant, canons acier extra, choke à gauche, crosse avec crosse pistolet et à joue, devant à poussoir.
D H C 55/55 a. Avec garniture noire anglaise suivant la trempe, pour le reste comme D H C 54.
D H C 56/56 a. Avec canons acier Krupp véritable, pour le reste, comme D H C 56.
D H C 57/57 a. Eprouvé à poudre sans fumée, pour le reste comme D H C 56.

D H C 54/54 a. Cal. 12 and 16, length of barrels up to 76 cm, with **Greener cross-bolt,** half-front-action locks of good workmanship. Best quality steel barrels, left choke-bored, stock with pistol grip and cheek piece, fore-end with press button attachment.
D H C 55/55 a. With **black English mounting** according to hardening, otherwise as D H C 54.
D H C 56/56 a. With real **Krupp ingot-steel barrels,** otherwise as D H C 55.
D H C 57/57 a. Government **tested with smokeless powder,** otherwise as D H C 56.

D H C 54/54 a. Cal. 12 y 16, longitud de los cañones hasta 76 cm, **cerrojo transversal de Greener,** cierres medio delanteras bien hechas, cañón izquierdo „choke“, puño de pistola y carillo, parte delantera con botón de empuje.
D H C 55/55 a. Con guarnición **negra inglesa** según temple por le demás igual al D H C 54.
D H C 56/56 a. Con cañones de acero legitimo **Krupp** por lo demás como el D H C 55.
D H C 57/57 a. Probado oficialmente con **pólvora sin humo,** por lo demás como D H C 56.

No.	D H C 112	D H C 112 a	D H C 54	D H C 54 a	D H C 55	D H C 55 a	D H C 56	D H C 56 a	D H C 57	D H C 57 a
†	Antupro	Antupros	Antunge	Antunges	Anchenjo	Anchenjos	Anrek	Anreks	Andernko	Andernkos
Cal.	12	16	12	16	12	16	12	16	12	16
Mark	99.—	99.—	128.—	128.—	133.	133.—	142.—	142.—	152.—	152.—

Centralfeuer-Doppelflinten „Alfa“ mit Hähnen.	Fusils à 2 coups et à feu central, „Alfa“ avec chiens.		Double-barrel central-fire guns Mark „Alfa“ with hammers.	Escopetas de dos tiros y de fuego central „Alfa“ con gatillos.

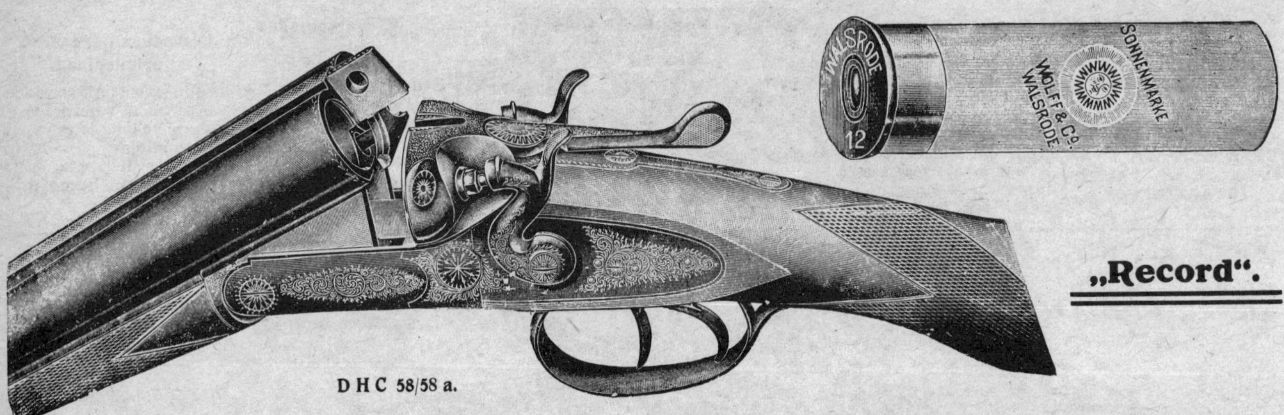

„Record“.

D H C 58/58 a.

Cal. 12 und 16, Lauflänge bis zu 76 cm, **feiner ausgearbeitet,** mit englischer Gravur, schöne **volle Muschel, Pa. Krupp Flussstahlläufe,** links choke, rechts 1/4—1/2 choke, sonst wie DHC 57, **rauchlos beschossen.**

Cal. 12 et 16, longueur des canons jusqu'à 76 cm, soigneusement travaillé, avec gravure anglaise, belle **coquille pleine, canons** acier **Krupp extra,** choke à gauche, à droite choke 1/4—1/2, pour le reste comme DHC 57, **éprouvé à poudre sans fumée.**

Cal. 12 and 16, length of barrels up to 76 cm, **finer finish,** English engraving, beautiful **full scroll fence, finest Krupp ingot steel barrels,** left choke, right 1/4 to 1/2 choke, otherwise as DHC 57. **Tested with smokeless powder.**

Cal. 12 y 16, longitud de los cañones hasta 76 cm, **más finamente acabada,** grabado inglés hermosas **conchas enteras, cañones** del mejor acero **Krupp,** izquierdo choke, derecho 1/4—1/2 choke, por lo demás como DHC 57, **probado con pólvora sin humó.**

„Record“.

422/425
593/600

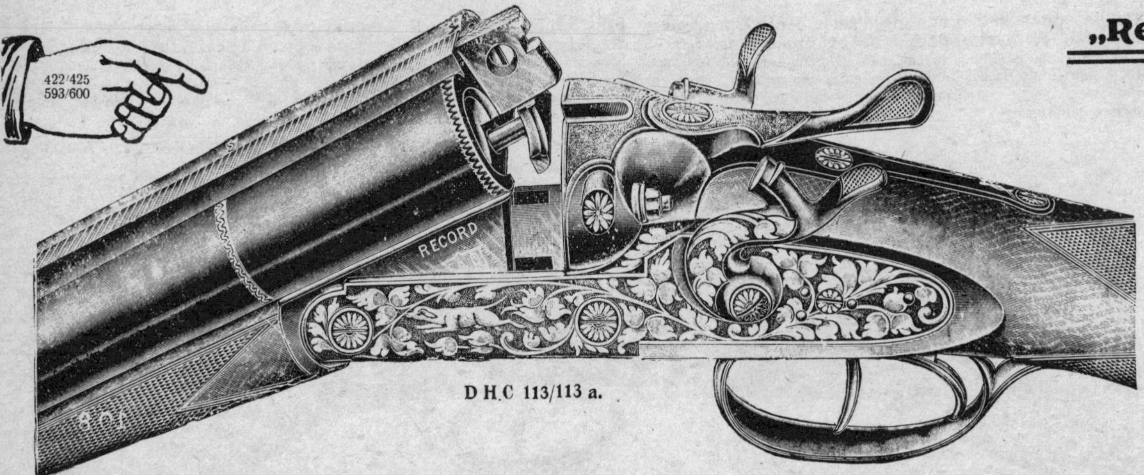

D H C 113/113 a.

Rekordflinte, Ia Coquerill-Flusstahlläufe mit echtem **Stahlkammerstück,** links choke-bore, Garnitur mit **altdeutscher Wetzgravur,** Patentvorderschaft, Schaft mit Pistolengriff und Backe, Hornkappe.

Fusil „Record“, canons acier coulé coquerill extra, avec véritable **pièce de chambre Pieper,** choke-bored à gauche, **garniture à gravure vieux genre allemande,** devant déposé, manche à crosse pistolet et à joue, calotte de corne.

Record gun, best Coquerill ingot steel barrels with genuine steel chamber piece, left choke-bore, mounting with **old German engraving,** patent fore-end.

Escopeta „Record“, cañones de acero colado Coquerill extra, con choke-bore á la izquierda, **legitima cámara Pieper en acero, guarnición con grabados por el estilo viejo alemán,** delantera patentada, caja con empuñadura de pistola y carrillo, cantonera de cuerno.

No.	D H C 58	D H C 58 a	D H C 113	D H C 113 a
†	Angenlan	Angenlans	Antenxir	Antenxirs
Cal.	12	16	12	16
Mark	152.—	152.—	137.—	137.—

Centralfeuer-Doppelflinten „Alfa“ mit Hähnen.	Fusils à 2 coups „Alfa“ à feu central, avec chiens	Double-barrel central-fire guns Mark „Alfa“ with hammers.	Escopetas de dos tiros y fuego central „Alfa“ con gatillos.

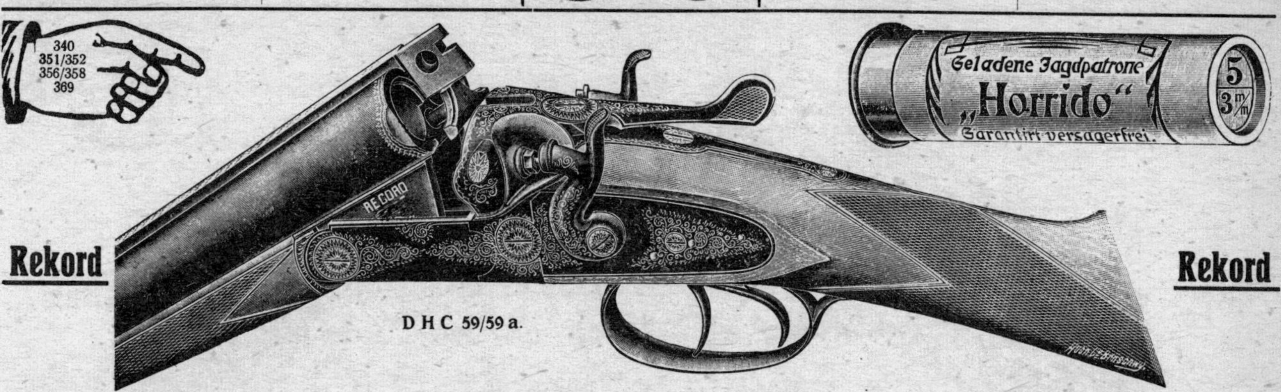

Rekord **Rekord**

D H C 59/59 a.

Cal. 12 und 16, Lauflänge bis zu 76 cm. **Sehr sorgsam ausgearbeitet**, elegante Ausstattung, schöner Maserschaft mit Pistolengriff und Backe, **feinste** dreifüssige Stahlschlösser, doppelter Riegeleintritt in der verlängerten Schiene, Seitenansätze am System, Pa. **Krupp-Flussstahlläufe**, links choke, rechts 1/4–1/2 choke, **mit rauchlosem Pulver staatlich geprüft.**

Cal. 12 et 16, longueur des canons jusqu'à 76 cm, très soigneusement travaillé, **exécution élégante**, belle crosse madrée avec poignée pistolet et à joue, excellentes platines d'acier à 3 pieds, double enclavure du verrou dans la bande prolongée, **canons acier coulé Krupp**, choke à gauche, choke 1/4 à 1/2 à droite, **éprouvé officiellement à la poudre sans fumée.**

Cal. 12 and 16, length of barrels up to 76 cm, **most carefully finished**, elegant workmanship, fine birds-eye stock with pistol grip and cheek piece, finest three pin steel locks, double bolt holes in rib extension, side wings, **first class Krupp ingot-steel barrels**, left choke, right 1/4 to 1/2 choke, **Government tested with smokeless powder.**

Cal. 12, 16, cañones hasta 76 cm de longitud **cuidadosamente acabada**, trabajo elegante, caja de madera veteada fina, con puño de pistola y carillo, excelentes cierres de acero con tres piés, extension de la cinta munida de dos agujeros para pasar el cerrojo, **cañones de acero Krupp**, „choke“ á la izquierda, derecho 1/4–1/2 „chocke“ **probado oficialmente, con pólvora sin humo.**

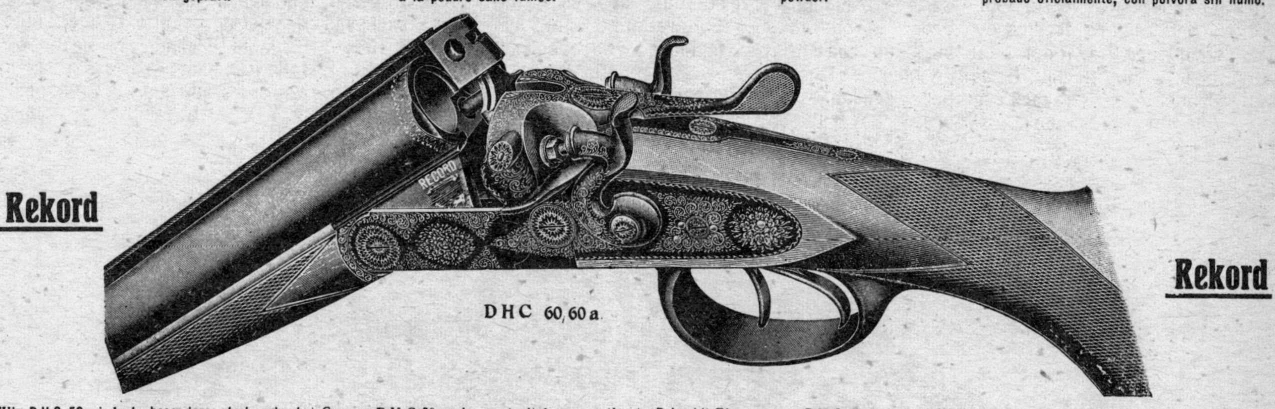

Rekord **Rekord**

D H C 60/60 a.

Wie D H C 59, jedoch **besonders stark gebaut**, **feinste Ausstattung** und Gravur, beide Läufe **volle Choke-Bohrung, Höchstschussleistung garantiert.**

Comme D H C 59 mais construit d'une manière tout particulièrement solide, de la meilleure exécution et gravure, les 2 canons choke entier, tir de la plus haute précision garanti.

„Rekord.“ The same as D H C 59, but **specially strong construction**, finest workmanship and engraving, both barrels full choke bore, highest efficiency in shooting guarranteed.

„Rekord“. Lo mismo que D H C 59 pero **de construcción especialmente fuerte**, trabajo y grabado excelentes, ambos cañones **full-choke bored**, tiro superior garantizado.

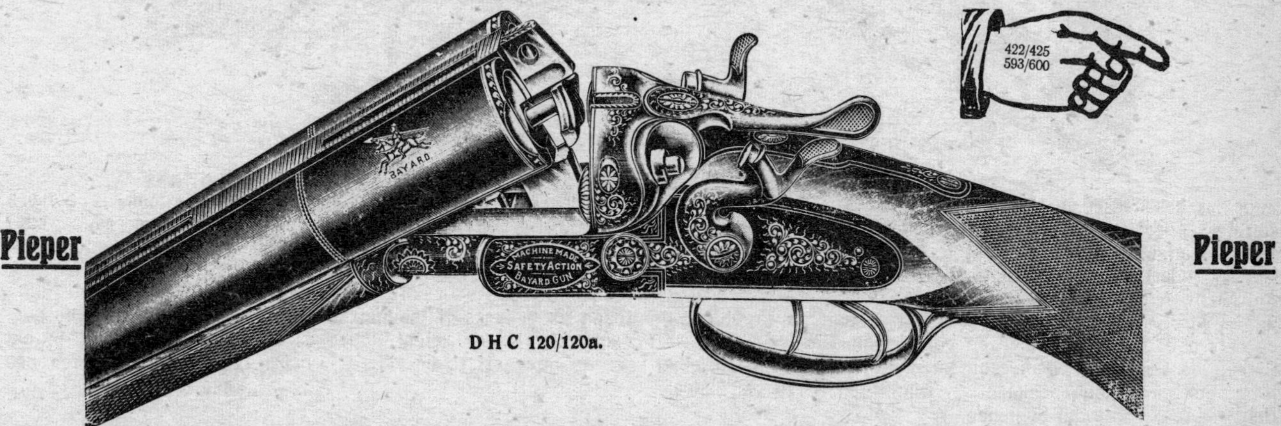

Pieper **Pieper**

D H C 120/120a.

Rauchlos beschossen, prima Bayardstahlläufe, Patentvorderschaft, dreifacher Greener Verschluss, fassonierte Muscheln, tiefschattige engl. Gravur mit Jagdstücken, Stahlkammerstück „Pieper“, deutsche Schäftung.

Eprouvé à poudre sans fumée, Canons acier Bayard extra, devant patenté, triple verrou Greener, coquilles façonnées, gravure anglaise à fonds creux avec sujets de chasse, pièce de chambre Pieper, crosse allemande.

Nitro proved, prime Bayard steel barrels, stock with patent fore-end, triple Greener bolt, scroll, deep English engraving with hunting scenes, steel breech block, system Pieper, German stock.

Experimentado con la pólvora sin humo, cañones de acero extra Bayard, delantera patentada, triple cerrojo Greener, conchas adornadas, grabado inglés de fondo profundo con figuras de caza, pieza de cámara Pieper en acero, caja alemana.

No.	D H C 59	D H C 59 a	D H C 60	D H C 60a	D H C 120	D H C 120a
†	Antenlei	Antenleis	Ansenga	Ansengas	Pibarau	Pibaraus
Cal.	12	16	12	16	12	16
Mark	190.—	190.—	270.—	270.—	160.—	160.—

Centralfeuer-Doppelflinten „Alfa" mit Hähnen.	Fusils à 2 coups „Alfa" à feu central, avec chiens.		Double-barrel central-fire guns Mark „Alfa" with hammers.	Escopetas de dos tiros y fuego central „Alfa" con gatillos.

422/425
593/600

Pieper  **Pieper**

DHC 121/121 a.

Rauchlos beschossen, Basküle mit **Seitenbacken,** Druckknopfvorderschaft, feine **Jagdgravur** mit **Eichenlaub,** grau oder bunt eingesetzte Teile, **Goldguirlande** auf Patronenlager, **„Bayard"** in **Gold** auf der Schiene.

Eprouvé à la poudre sans fumée, bascule à **coquilles** et à ailerons, devant à poussoir, élégante **gravure de chasse** avec **feuillage de chêne,** pièces grises ou jaspées, **guirlande or sur la chambre, „Bayard" en or** sur la bande.

Nitro proved, scroll fences, wings at breech, push down fore-end, fine **hunting scene engraved** with **oak leaves,** grey or colored parts inlaid, **golden wreath** on breech **„Bayard" in gold** on rib.

Experimentado con la pólvora sin humo, báscula de conchas y de **aletas,** delantera de empuje, elegante **grobado de caza con follaje de encina,** piezas grises ó jaspeadas, **guirlanda dorada** sobre la cámara, **„Bayard" en oro sobre la cinta.**

Pieper 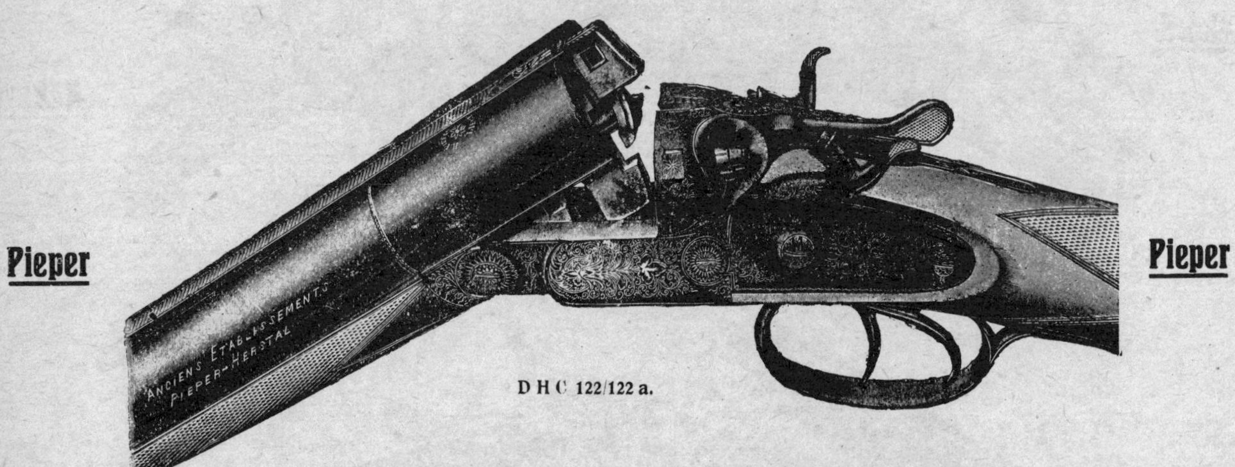 **Pieper**

D H C 122/122 a.

Rauchlos beschossen, extra verstärktes **„Pieper"** Stahlkammerstück, **dreifacher Querriegelverschluss, vierkantig,** fassonierte Muscheln, reiche englische Gravur und Ziselierung, Patentvorderschaft mit Hornspitze, **Diana, als Göttin der Jagd,** auf Kammerstück in **Gold, „Original-Diana"** in Gold auf der Schiene.

Eprouvé à la poudre sans fumée, pièce de chambre „Pieper" extra forte, triple verrou quadrangulaire, coquilles façonnées, riche gravure anglaise et ciselure, devant patenté avec pointe de corne, **Diane** (déesse de la chasse) **en or** sur la **chambre, „Original-Diana"** en or **sur la bande.**

Nitro proved, Piepers extra strong steel breech block, triple four edged cross lever bolt, scroll, rich English engraving and carving, patent fore-end with horn point, **Diana as goddess of the hunt in gold on breech, „Original-Diana" in gold letters on rib.**

Experimentado con la pólvora sin humo, triple cerradura, cuadrangular, conchas adornadas, rico grabado inglés y cinceladura, delantera patentada con punta de cuerno, **Diana** (como Diosa de la caza) **en oro sobre la cámara, „Original Diana" en oro sobre la cinta.**

No.	D H C 121	D H C 121 a	D H C 122	D H C 122 a
†	Paribau	Paribaus	Pirubae	Pirubaes
Cal.	12	16	12	16
Mark	160.—	160.—	180.—	180.—

Zentralfeuer-Doppelflinten „Alfa“ mit Hähnen.

Fusils à feu central „Alfa“ à 2 coups, avec chiens.

Double-barrel central-fire guns Mark „Alfa“ with hammers.

Escopetas de dos tiros y fuego central „Alfa“ con gatillos.

DHC 42/42 b

422/425
593/600

Feinster Crollé-Damast, guillochierte Schiene, **Goldeinlage** auf dem Lauf, **4 facher Greener Verschluss,** Vorderschaft mit Schnapphebel und Hornspitze, voller Pistolenschaft mit Hornkäppchen, fein ausgearbeitete Muschel, hochelegante Taubengravierung, ziselierter Schlüssel, fein fassonierte Studeln, englisch eingesetzte Garnitur.

Excellent Damas Crollé, bande guillochée, **dorure** sur le canon, quadruple verrou Greener, devant à clef et pointe corne, crosse pistolet avec petite calotte de corne, coquille soigneusement travaillée, **gravure colombes fort élégante,** clef ciselée, garniture anglaise.

Finest Crollé Damascus, extension rib, **gold inlaid barrels, Greener quadruple bolt,** fore-end with snap lever and horn point, full pistol grip with horn cap, finely finished fence, very handsomely **engraved pigeons,** wrought lever, beautifully finished bridle-hammers, English inlaid mounting.

Cañones del Damasco Crollé más fino, cinta retorcida, cañones con **incrustación de oro, cerradura cuadrupla Greener,** delantera con palanca-muelle y punta de cuerno, empuñadura de pistola con cantonera de cuerno, conchas con elaboración fina, grabado finísimo **con pichones** muy elegantes, palanca cincelada, gatillos de elaboración finisima, guarnición inglesa.

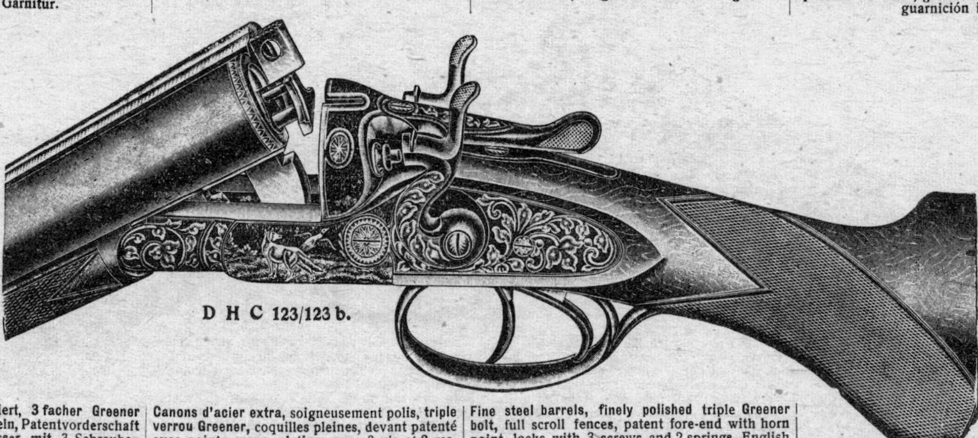

D H C 123/123 b.

Ia Stahlläufe, fein poliert, **3 facher Greener Verschluss,** volle Muscheln, Patentvorderschaft mit Hornspitze, Schlösser mit 3 Schrauben und 2 Federn, Garnitur englisch eingesetzt, mit **altdeutscher Wetzgravur** und schönen Jagdmotiven, volle Chokebohrung

Canons d'acier extra, soigneusement polis, triple **verrou Greener,** coquilles pleines, devant patenté avec pointe corne, platines avec 3 vis et 2 ressorts, garniture anglaise, avec gravure vieux genre allemande et beaux motifs de chasse, choke entier.

Fine steel barrels, finely polished **triple Greener bolt,** full scroll fences, patent fore-end with horn point, locks with 3 screws and 2 springs, English mounting inlaid with old German engraving and fine hunting scenes, full choke.

Cañones de acero extra, cuidadosamente pulidos, **cerradura triple Greener,** conchas llenas, delantero patentado, con punta de cuerno, cierres con 3 tornillos y 2 resortes, guarnición inglesa con grabado por el estilo, viejo alemán y motivos de caza, choke entero.

D H C 51/51 b.

Doppelflinte, Lauf aus **Crollé- oder Heuse-Damast,** beide Läufe „full-choke“, matte Schiene, **vierfacher, verborgener und viereckiger Greener Verschluss,** vorliegende Schlösser mit vierfüssiger Studel und Stahlteilen, abnehmbarer Vorderschaft mit Purdey-Verschluss, englischer Schaft aus feinstem Maserholz; je nach Qualität der Läufe, der Gravierung, Ia. Handarbeit. **Dieses Gewehr ist mit rauchlosem Pulver staatlich beschossen.**

Fusil à 2 coups, canons Damas Crollé ou Heuse, les 2 canons **full-choke,** bande mate, quadruple verrou Greener caché et à 4 angles, platines à l'avant et pièces acier, devant enlevable avec fermeture Purdey, crosse anglaise en joli bois madré; selon qualité des canons, de la gravure, travail extra à la main; cette arme est éprouvée officiellement à la poudre sans fumée.

Double barrel central-fire brech-loader, barrels of **Crollé or Heuse damascus,** both „full-choke“, matted rib, **Greener's square disappearing quadruple bolt,** front action locks, bolt clamp with 4 pins and steel parts, detachable fore-end with Purdey attachment, finest English bird's-eye stock, according to the quality of the barrels, engraving etc. Best hand make. **This gun has been Government-tested with smokeless powder.**

Escopeta de dos tiros, cañones de **Damasco Crollé ó Heuse,** ambos cañones „full-choke“, cinta mate, **cerradura occulta, cuádrupla y cuadrada Greener,** llaves delanteras con piezas de acero, delantera de quita y pon sistema Purdey, caja inglesa de madera muy fina con veta. Según calidad de los cañones, grabado etc. trabajo manual de primera orden. **Esta escopeta ha sido probada oficialmente con pólvora sin humo.**

No.	D H C 42	D H C 42 a	D H C 42 b	D H C 123	D H C 123 a	D H C 123 b	D H C 51	D H C 51 a	D H C 51 b
†	Abgenchla	Abgenchlas	Abgenchlat	Abgengru	Abgengrus	Abgengrut	Amzand	Amzands	Amzandt
Cal.	12	16	20	12	16	20	12	16	20
Mark	194.—	194.—	194.—	102.—	102.—	102.—	220.—	220.—	220.—

ALFA

Centralfeuer-Doppelflinten „Alfa“ mit Hähnen.

Fusils à 2 canons „Alfa“ à feu central, avec chiens.

Double-barrel central-fire guns Mark „Alfa“ with hammers.

Escopetas de dos tiros y fuego central „Alfa“ con gatillos.

EXTRA GASDICHT für rauchloses Pulver

422/425
593/600

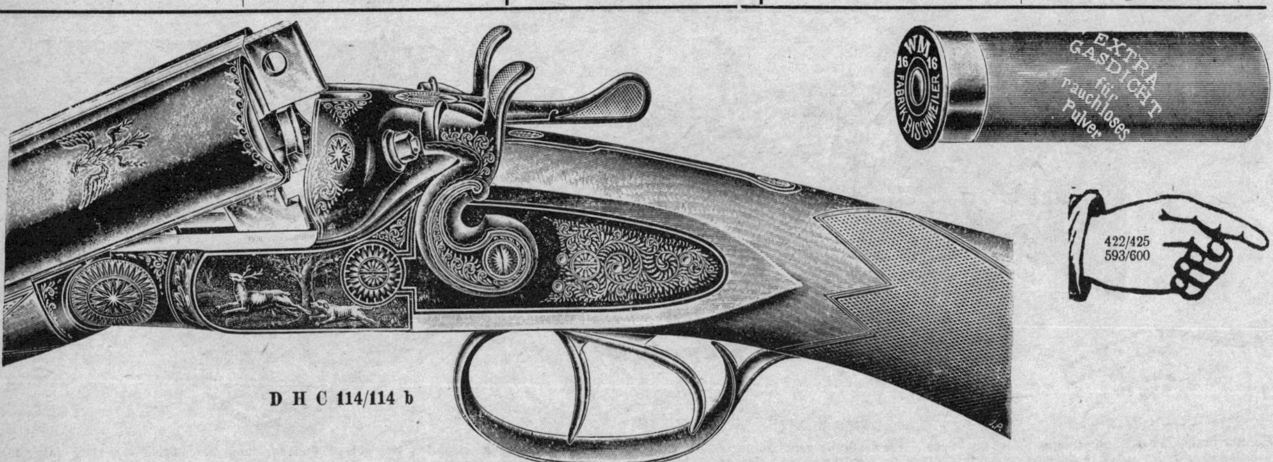

D H C 114/114 b

Volle Basküle mit **Seitenbacken**, Schlösser an die Basküle geschraubt, Pedal-Vorderschaft, englische Gravur mit **Tierstücken**, tiefschwarze, gehärtete Garnitur, **Handarbeit**.

Bascule pleine à coquilles et à ailerons, à oeillet, démontage à pédale, **gravure** anglaise à **sujets**, garniture bronzée noire, **travail à la main**.

Wings at breech, scroll fences, sham bar locks, deeley and edge fore-end fastener, handsomely **engraved**, dark mountings, **hand made**.

Báscula llena de conchas y oletas, cierres de ojete, desmontage de pedal, **grabado inglés** y guarnición negra bronceada. **Trabajo á mano**.

D H C 46/46b

Centralfeuer-Doppelflinte, Bernhard- oder Hufnageldamast, linker Lauf choke-bored, guillochierte Schiene, Verschlusshebel zwischen den Hähnen, **vierfacher Greener Verschluss mit Muscheln**, abnehmbarer Vorderschaft mit Knopfverschluss, la **vorliegende** Stahlrückspringschlösser, Pistolengriff mit Käppchen, Jagdgravierung oder feine englische Gravur usw.

Fusils à 2 coups, à feu central, **Damas Bernard ou Hufnagel**, canon gauche choke-bored, bande guillochée, clef entre les chiens, quadruple verrou Greener avec bouton à pression, devant enlevable avec fermeture à bouton, chiens rebondissants, platines à l'avant, crosse pistolet avec calotte, sujet de chasse gravé ou élégante gravure anglaise.

Central-fire double barrel gun, Bernard or nail damascus, left barrel choke-bored, extension rib, Top lever system, quadruple Greener bolt with scroll fence, detachable fore-end with press bolt, best quality, front action, steel rebounding locks, pistolgrip and cap, hunt engraving or fine English ditto.

Escopeta de dos tiros y fuego central, Damasco Bernard ó de clavo de herradura, izquierdo choke-bored, cerradura cuadrupla Greener, con conchas, delantera de quita y pon, con botón enganche, cinta retorcida, llaves delanteras de retroceso de mejor calidad y acero, puño, de pistola con cantonera, grabado fino inglés ó figuras de caza grabadas.

D H C 47/47 b

Centralfeuer-Doppelflinte, Band-Damast, linker Lauf choke-bored, matte Laufschiene, Hebel zwischen den Hähnen, **vierfacher Greener Verschluss**, abnehmbarer Holzvorderschaft mit Patentschnäpper, halbe Muscheln, la vorliegende Rückspringschlösser, feine englische Gravierung, Pistolenschaft mit Hornkappe und Fischhaut usw.

Fusils à 2 coups, à feu central, Ruban Damas, canon gauche choke-bored, bande mate, clef entre les chiens, quadruple verrou Greener, longuesse détachable à pédale, demies coquilles, chiens rebondissants, platines extra à l'avant, élégante gravure anglaise, crosse pistolet avec calotte de corne et quadrilée etc.

Central-fire double barrel gun, ribbon damascus, left barrel choke-bored, matted rib, toplever, four fold Greener bolt, detachable fore-end with patent hinge, half scroll fence, best quality front action rebounding locks, fine English engraving, pistol grip with horn cap, checkered grip etc.

Escopeta de dos tiros y fuego central, Damasco Ruban, cañón izquierdo choke-bored, dorso de estera, cerradura cuadrupla Greener, con palanca entre los gatillos, delantera de quita y pon con enganche de empuje, conchas medias, llaves delanteras, grabado inglés, fino, puño de pistola encuadrillado con cantonera de cuerno.

No.	D H C 114	D H C 114 a	D H C 114 b	D H C 46	D H C 46 a	D H C 46 b	D H C 47	D H C 47 a	D H C 47 b
†	Aclechzi	Aclechzis	Aclechzit	Acdenzi	Acdenzis	Acdenzit	Alech	Alechs	Alecht
Cal.	12	16	20	12	16	20	12	16	20
Mark	136.—	136.—	136.—	120.—	120.—	120.—	140.—	140.—	140.—

Central-feuer-Doppelflinten mit Hähnen.	Fusils à 2 coups et à feu central, avec chiens.		Centralfire double-barrel guns with hammers.	Escopetas fuego-central de dos tiros con gatillos.

422/425
593/600

Pieper

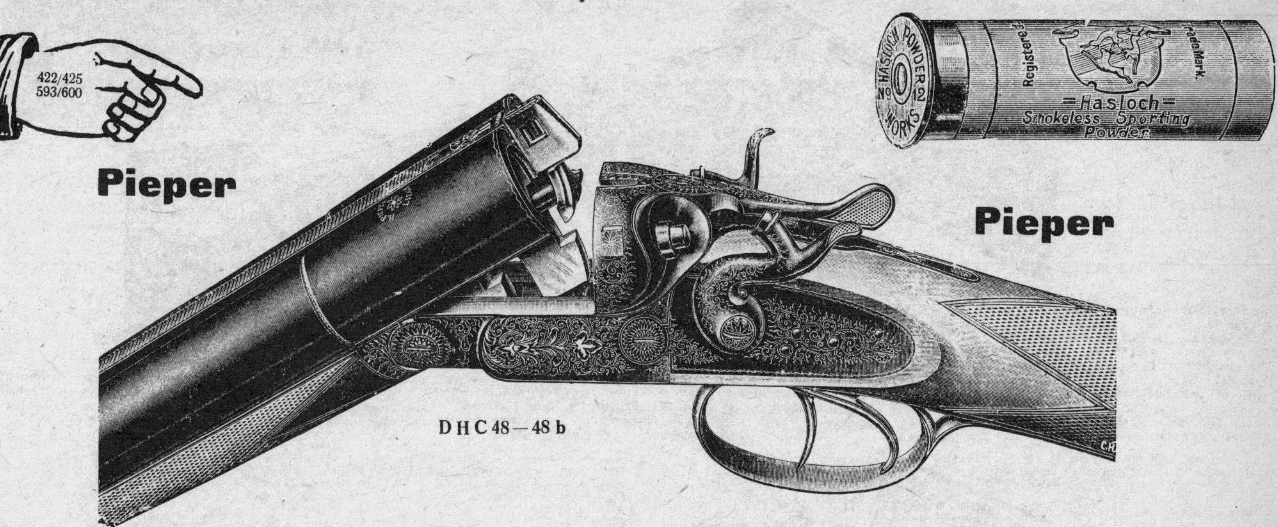

Pieper

D H C 48—48 b

Feine mit Zinn gelötete Stahlläufe mit überstehendem Kammerstück, volle Basküle mit dreifachem Greenerriegelverschluss, **hochfeine englische Gravur** und **Ziselierung**, Vorderschaft mit Patentschnäpper und Hornspitze, voller Pistolenschaft mit Backe und Hornkappe. **Diana als Göttin der Jagd in Gold** auf dem Kammerstück eingelegt.

Canons acier soigneusement soudés à l'étain, avec au-dessus pièce de chambre en acier bascule **à triple verrou Greener, élégante gravure anglaise avec ciselure,** longuesse à pédale et pointe corne, crosse pistolet avec joue, calotte corne, **Diane, déesse de la chasse, incrustée en or** sur la pièce de chambre.

Fine tin soldered steel barrels with steel chamber above, full bascule with triple Greener bolt lock, **very fine English engraving** and **finely chased,** fore-end with patent snap and horn tip, full pistol stock with cheek and horn butt, **Diana, as goddess of the chase inlaid in gold** on chamber.

Cañones de acero fino con soldadura de estaño con pieza de cámara, báscula entera con triple „Greener" cerradura de cerrojo, **grabado inglés y cincelado finisimos,** delantera con cerradura de pestillo privilegiada y punta de cuerno. **„Diana", diosa de la caza, incrustada en oro** en el refuerzo.

Pieper

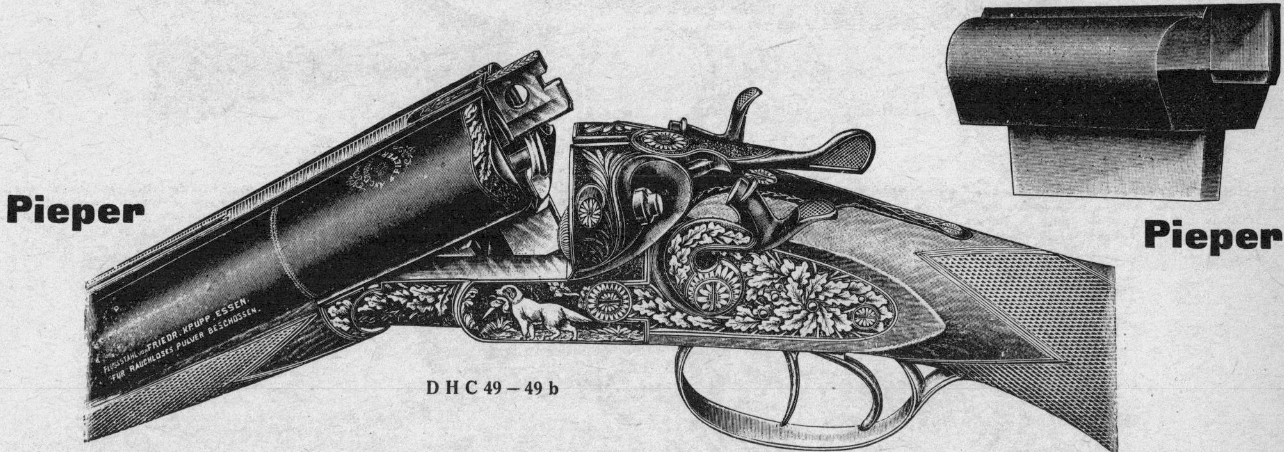

Pieper

D H C 49—49 b

Kruppsche Flussstahlrohre mit Zinn gelötet, überstehendem Stahlkammerstück, volle Basküle mit vollen Muscheln und Seitenflügeln, vierfacher Greenerriegelverschluss, hochfeine, gewetzte **Eichenlaubgravierung** mit ziselierten Jagdstücken, voller Pistolenschaft mit Backe und Hornkappe. Auf den Läufen „Flussstahl von Friedr. Krupp, Essen". **Für rauchloses Pulver beschossen.** Diana, als Göttin der Jagd, in Gold auf dem Kammerstück und **‚Original Diana'** in **gotischen Buchstaben in Gold** auf der Schiene eingelegt.

Canons d'acier Krupp, soigneusement soudés à l'étain, avec au-dessus pièce de chambre en acier, bascule à coquilles pleines, quadruple verrou Greener, élégante gravure rameau de chêne avec sujet de chasse ciselé, crosse pistolet à joue, calotte corne, sur les canons: „Flusstahl von Friedr. Krupp, Essen". Eprouvé à la poudre sans fumée. Diane, déesse de la chasse, incrustée en or sur la pièce de chambre et **„Original Diana"** en lettres gothiques **dorées sur la bande.**

Krupp fluid steel barrels tin soldered, steel chamber above, bascule full with full scroll fence and side wings, quadruple Greener bolt, very **fine oakleaf engraving** with hunting scene enchased, full pistol stock with cheek and horn butt. On barrels fluid steel of Friedr. Krupp. **Tested with smokeless powder. Diana as goddess of the chase inlaid in gold on chamber** and **‚original Diana'** in gothic letters **inlaid in gold on rib.**

Cañones de acero „Krupp" con **soldadura de estaño** con pieza de cámara en acero, báscula con conchas llevas, cerradura cuadrupla „Greener" de cerrojo, **grabado hondo de hojas de encina** con figuras de caza cinceladas, puño entero de pistola, carrillo y cantonera de cuerno, marca „Flussstahl von Friedr. Krupp, Essen" sobre los cañones. **Probada con pólvora sin humo.** En el refuerzo se hallan una representación „Diana", diosa de la caza y **las palabras „Original Diana" en incrustación de oro.**

No.	D H C 48	D H C 48 a	D H C 48 b	D H C 49	D H C 49 a	D H C 49 b
†	Algerr	Algerrs	Algerrt	Alchama	Alchamas	Alchamat
Cal.	12	16	20	12	16	20
Mk.	180.—	180.—	180.—	216.—	216.—	216.—

Centralfeuer-Doppelflinten „Alfa“ mit Hähnen.

Fusils à 2 coups „Alfa“ à feu central et avec chiens.

Double-barrel central-fire guns Mark „Alfa“ with hammers.

Escopetas de dos tiros y fuego central „Alfa“ con gatillos.

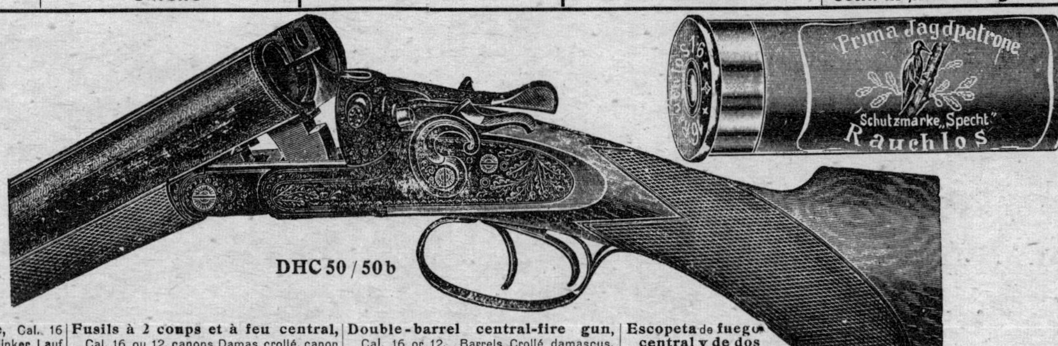

DHC 50 / 50 b

Centralfeuer-Doppelflinte, Cal. 16 oder 12. Crollédamastläufe, linker Lauf „full-choke“, rechter „modified choke“, matte Schiene, **vierfacher Greener-Verschluss,** Ia **vorliegende** Rückspringschlösser mit zwei- oder dreifüssiger Studel und Stahlteilen, kreisförmige Hähne, englische Schlagstifte, abnehmbarer Vorderschaft mit Knopfverschluss, Pistolenschaft, gerippte Hornkappe.

Fusils à 2 coups et à feu central, Cal. 16 ou 12, canons Damas crollé, canon gauche „full-chocke“, canon droit „modified choke“, bande mate, quadruple verrou Greener; chiens rebondissants, platines à l'avant, chiens en cercle, percuteurs anglais, devant enlevable à poussoir, crosse pistolet, calotte à côtes en corne.

Double-barrel central-fire gun, Cal. 16 or 12. Barrels Crollé damascus, left „full choke“, right „modified choke“, matted extension rib, **quadruple Greener bolt,** first class **front action** rebounding locks, bolt-clamp with 2 or 3 pins and steel parts, circular shaped hammers, English percussion pins, detachable fore-end with press button lock, pistol grip, ribbed horn butt plate.

Escopeta de fuego central y de dos tiros, Cal. 16 ó 12. Cañones Damasco Crollé, izquierdo „full-choke“, derecho „modified-chocke“, cinta mate, cerradura **cuádrupla Greener,** llaves **delanteras,** repercutoras de primera, gatillos redondos, percutores ingléses, delantera de quita y pon con botón abridor de empuje, puño de pistola, cantonera de cuerno rayado.

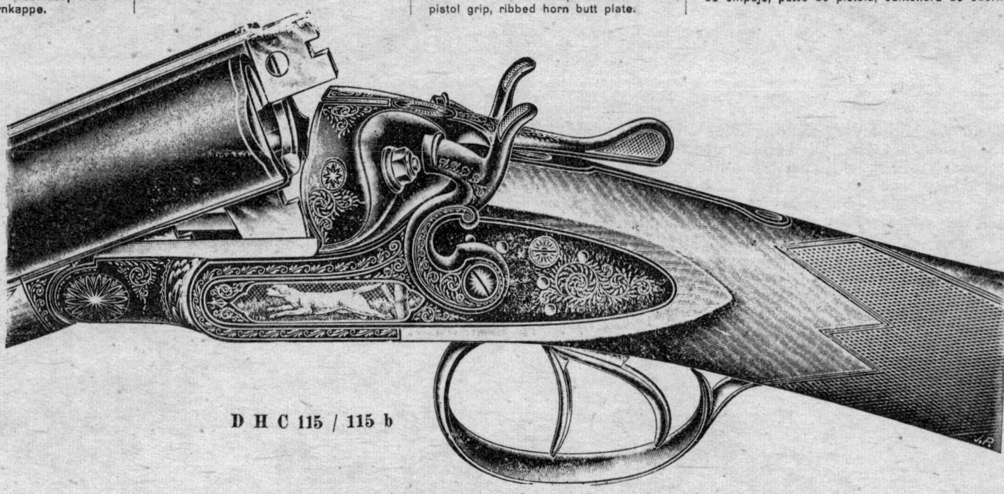

D H C 115 / 115 b

Vierfacher Topbolt-Verschluss, Basküle mit Seitenbacken voll, Druckknopf-Vorderschaft, **goldene Einlage** auf den Läufen, englische, feine Gravur mit Jagdstücken, Ia Stahlläufe.

Quadruple fermeture Topbolt, canons acier extra, bascule à coquilles et à ailerons, démontage à poussoir, **incrustation or 'sur'** les canons, gravure anglaise à sujets.

Quadruple bolt, Cockerill steel barrels, scroll fences, wings at breech, push down fore-end fastener, **gold inlaid** work on barrels, rich scroll and game engraving.

Cerradura cuadrupla, cañones de acero extra, báscula de conchas y alones, desmontaje de empuje, **incrustación de oro** sobre los cañones, grabado inglés de figuras.

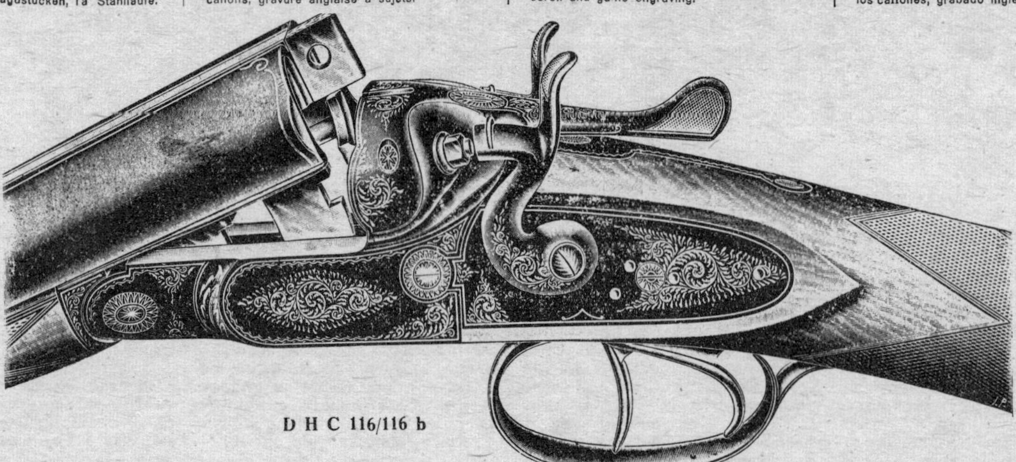

D H C 116/116 b

Allerfeinste Boston-Damastläufe, volle Basküle mit Seitenbacken, kurze Schlösser an Basküle geschraubt, Druckknopf-Vorderschaft, **Goldeinlage** auf den Läufen, niedliche englische Gravur.

Canons Damas Boston, bascule à coquilles et à ailerons, courtes platines vissées à la bascule, démontage à poussoir, **incrustation** or sur les canons, jolie gravure anglaise.

3 blade **damascus barrels,** scroll fences, wings at breech, push down fore-end fastener, **gold inlaid** work on barrels, neatly scroll engraved.

Cañones Damasco Boston de báscula de chapas y aletas, desmontaje de empuje, **incrustación de oro** sobre los cañones bonito grabado inglés.

No.	D H C 50	D H C 50 a	D H C 50 b	D H C 115	D H C 115 a	D H C 115 b	D H C 116	D H C 116 a	D H C 116 b
†	Alnatio	Alnatios	Alnatiot	Goleijasi	Goleijasis	Goleijasit	Gojalei	Gojaleis	Gojaleit
Cal.	12	16	20	12	16	20	12	16	20
Mark	240.—	240.—	240.—	130.—	130.—	130.—	155.—	155.—	155.—

Centralfeuer - Doppelflinten „Alfa" mit Hähnen.	Fusils à 2 coups „Alfa" à feu central, avec chiens.		Double-barrel central-fire guns with hammers Mark „Alfa".	Escopetas de dos tiros y fuego central „Alfa" con gatillos.

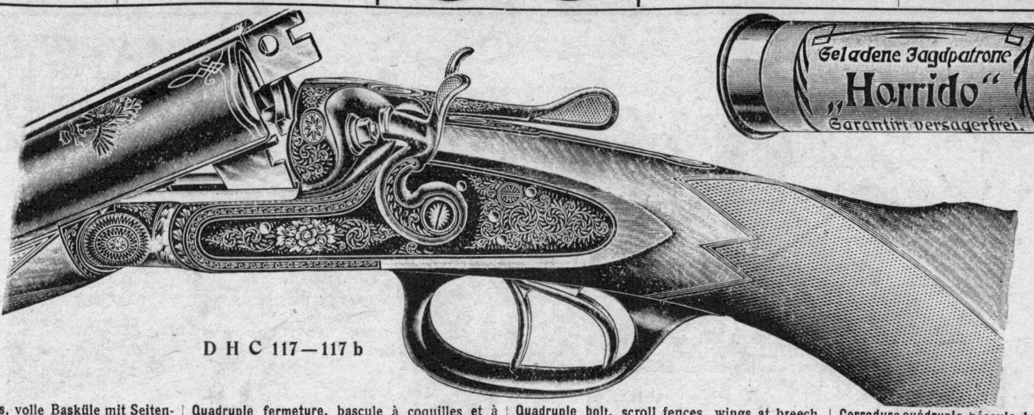

D H C 117—117 b

Vierfacher Verschluss, volle Basküle mit Seitenbacken, feinste Schlösser, Pedal-Vorderschaft, Hornbügel, Goldinschrift- und Einlage auf den Läufen, Blumen-Gravur, alle Teile gehärtet und blau eingesetzt.

Quadruple fermeture, bascule à coquilles et à ailerons, fines platines, démontage à pédale, sous-garde corne, incrustation or sur canons, gravure à fleurs, pièces trempées jaspées et bleuies.

Quadruple bolt, scroll fences, wings at breech, fine locks, Deeley and Edge fore-end fastener, horn underguard, gold inlaid work on barrels, nicely engraved, case hardened and blue mountings.

Cerradura cuádrupla, báscula de conchas y alones, cierres finos, desmontaje de pedal, guardamonte de cuerno, incrustación de oro sobre los cañones, grabado de buquetes, piezas templadas jaspeadas y azuladas.

422/425
593/600

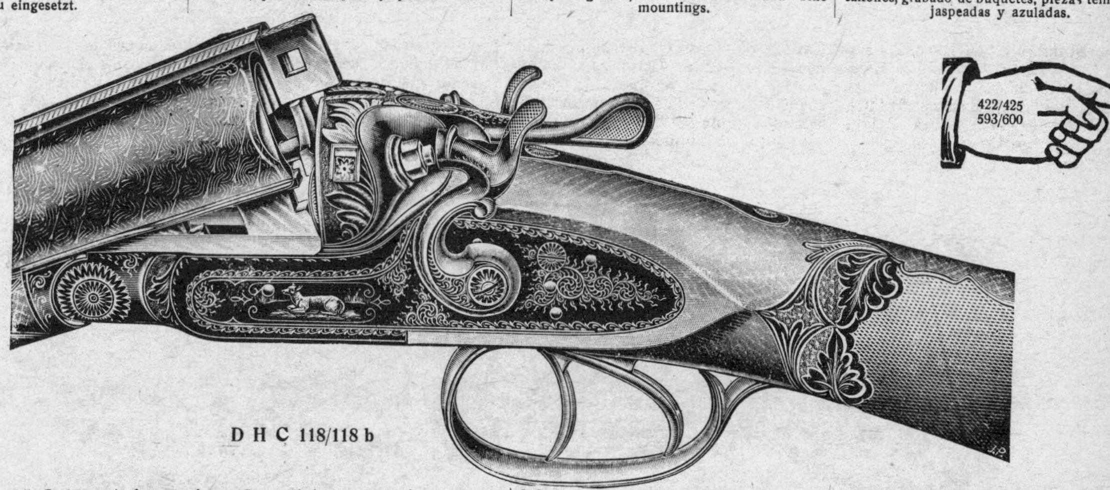

D H C 118/118 b

Oxford-Damastläufe, volle Basküle mit Seitenbacken, Druckknopfvorderschaft, Goldeinlage auf den Läufen, Tierstückgravur mit goldeingelegten Medaillons, fein geschnitzter ornamentierter Schaft mit feinster Fischhaut, Basküle ziseliert, Teile gehärtet und dunkel eingesetzt.

Canons Damas Oxford, bascule à coquilles et à ailerons, démontage à poussoir, incrustation or sur canons, gravure à sujets dans médaillons or, crosse quadrillée et sculptée, bascule ciselée, pièces trempées et jaspées.

Oxford damascus barrels, scroll fences, wings at breech, square cross bolt, push down fore-end fastener, gold inlaid work on barrels, game and scroll engraving with gold framing, checkered and carved stock.

Cañones Damasco Oxford, báscula de conchas y aletas, desmontaje de empuje, incrustación de oro sobre los cañones, sujetos grabados en medallones de oro, culata labrada y esculpida, báscula cinselada, piezas templadas y jaspeadas

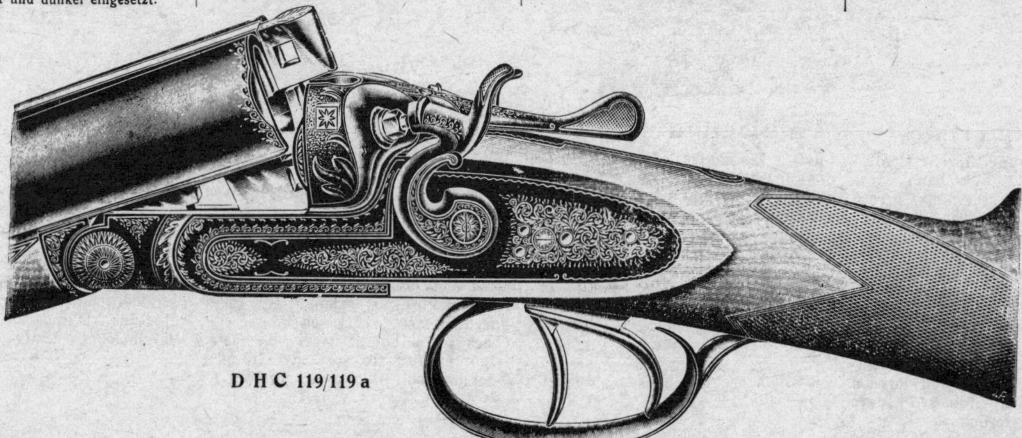

D H C 119/119 a

Echte Krupp-Stahlläufe mit Adlermarke, volle Basküle mit Seitenbacken, vierkantiger russischer Verschluss, Druckknopfvorderschaft, feinste Schlösser, reiche englische Gravur, ausgehöhlte tiefe Laufschiene, ziselierte Basküle, Teile dunkel gehärtet.

Canons acier Krupp véritable, avec marque aigle, bascule à coquilles et à ailerons, verrou russe, quadrangulaire, démontage à poussoir, platines fines, gravure anglaise riche, bascule ciselée, pièces trempées foncées, bande profonde.

Krupp steel barrels, eagle branded, scroll fences, wings at breech, square cross bolt, push down fore-end fastener, best steel locks fine scroll engraving, Doll's head extension rib, breechballs chased.

Cañones de acero Krupp verdadero, con marca águila, báscula de conchas y aletas, cerradura cuadrada, desmontaje de empuje, cierres finos, grabado inglés muy rico, conchas cinseladas, partes templadas oscuras.

No.	D H C 117	D H C 117 a	D H C 117 b	D H C 118	D H C 118 a	D H C 119	D H C 119 a
†	Gosileja	Gosilejas	Gosilejat	Calnusku	Calnuskus	Calnesfo	Calnesfos
Cal.	12	16	20	12	16	12	16
Mk.	168.—	168.—	168.—	230.—	230.—	250.—	250.—

Centralfeuer-Doppelflinten „Alfa" mit Hähnen.	Fusils à 2 coups „Alfa" à feu central et avec chiens.		Double-barrel central-fire guns, Mark „Alfa" with hammers.	Escopetas de dos tiros y fuego central „Alfa" con gatillos.

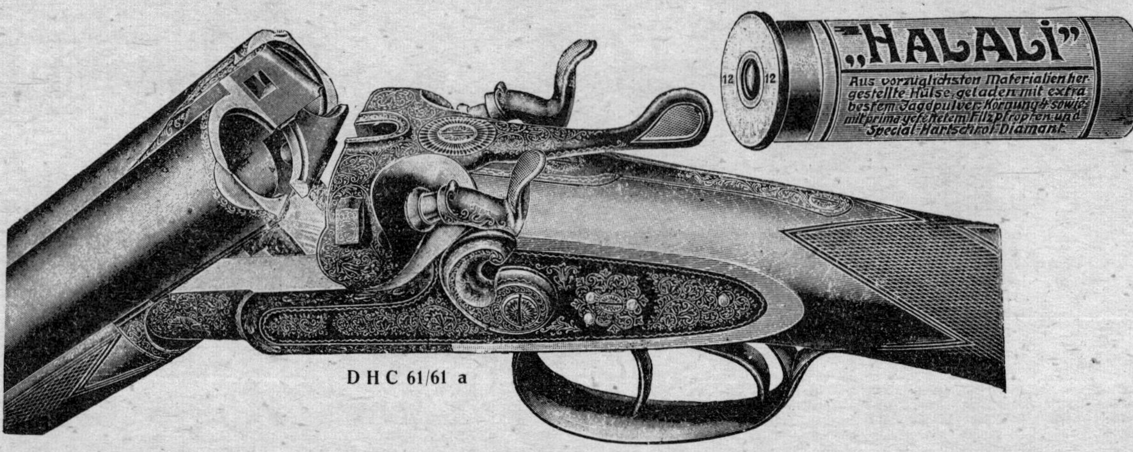

D H C 61/61 a

Prima Stahlläufe, tiefliegende Laufschiene, tiefschwarz, vierkantiger Greener Keil-Verschluss, hochfeine engl. Gravur, seitliche Backen-Ansätze, **besonders für rauchloses Pulver geeignet.**

Canons d'acier extra, bande profonde noir foncé, verrou Greener à quatre angles, élégante gravure anglaise, coquilles à oreille latérale, tout particulièrement **apte à la poudre sans fumée.**

First quality deep black steel barrels, doll's head extension rib, Greener quadrilateral cross-bolt, very fine English engraving, side wings specially suited for smokeless powder.

Cañones de acero extra, cinta profunda entre los 2 cañones, negro oscuro cerrojo Greener de 4 ángulos, elegante grabado inglés, conchas de oreja lateral, todo **particularmente apto á la pólvora sin humo.**

D H C 52/52 b

Spezialfabrikat.

Zentralfeuer-Doppelflinte, Crollé-Damastläufe, links choke-bored, **vierfacher Greener Verschluss,** grosse Muscheln, Suhler Schlagstifte, vorspringende Basküle mit breitem Band an den unteren Kanten, **Palmzweiggravierung** auf den Läufen, vorliegende Schlösser mit vierfüssiger Studel, abnehmbarer Holzvorderschaft System Purdey, Bügel und Abzug aus Stahl, Schaft mit Backe, Fischhaut, ausgeschnittene Stahlkappe, **dreifache guillochierte Schiene, speziell** für den Gebrauch des **rauchlosen Pulvers** angefertigt.

Fabrication spéciale.

Fusil à feu central et à deux coups, canons Damas Crollé, choke à gauche, **quadruple verrou Greener,** grandes coquilles, percuteurs de Suhl, branche de **palmier gravée** sur les canons, platines a l'avant, devant enlevable système Purdey, détentes et sous-garde en acier, crosse à joue, quadrillé, calotte acier, triple bande guillochée, tout spécialement apte au tir avec poudre sans fumée.

Special manufacture.

Double-barrel central-fire, breech-loader, Crollé damascus barrels, left choke-bored, **Greener quadruple lock,** large scroll fence, Suhler percussion pins, forward springing bascule with broad band on under surface, **palmleaf engraving** on barrels, front action locks, bolt clamp with 4 pins, detachable fore-end Purdey's system, triggers and guard of steel, checkered stock with cheek piece, carved steel butt plate, **triple matted rib,** specially arranged for use with **smokeless powder.**

Fabricación especial.

Escopeta de fuego-central y de dos tiros, Damasco de Crollé, izquierdo „choke bored", cerradura cuádrupla de Greener, cierres grandes, agujas percutoras de Suhler, **grabado palmeado** en los cañones, llaves delanteras, delantera sistema Purdey, fiadores y guardamonte de acero, caja labrada con carrillo, cantonera de acero, **cinta triple retorcida,** fabricación especial para le empleo con **pólvora sin humo.**

	D H C 61	D H C 61 a	D H C 52	D H C 52 a	D H C 52 b
†	Calnisti	Calnistis	Amleg	Amlegs	Amlegt
Cal.	12	16	12	16	20
Mk.	240.—	240.—	270.—	270.—	270.—

Centralfeuer-Doppelflinter „Alfa" mit Hähnen.	Fusils à feu central „Alfa" à 2 coups, avec chiens.		Central-fire double-barrel guns „Alfa" with hammers.	Escopetas fuego-central de dos tiros con gatillos.

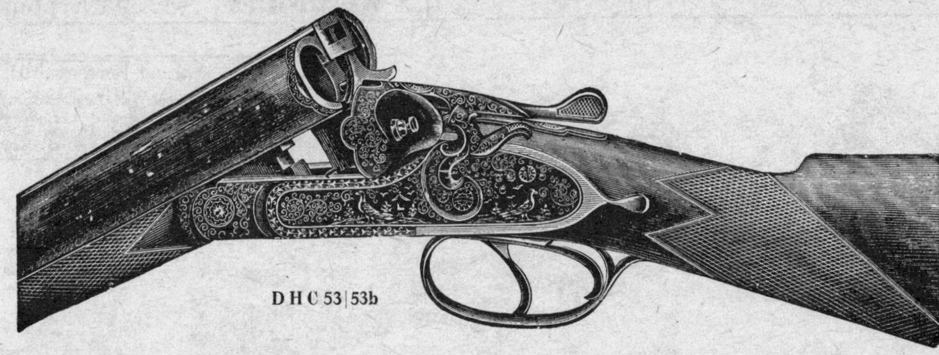

D H C 53 | 53b

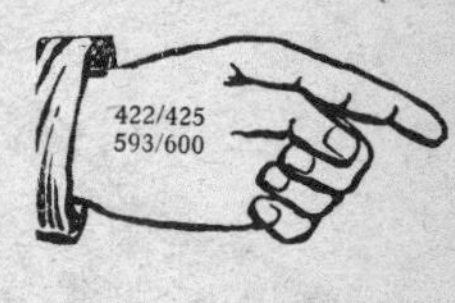

Centralfeuer-Doppelflinte, Crollé-Damastläufe, linker „full-choke", rechter „modified-choke", **vierfacher Greener-Verschluss,** viereckiger Riegel; hohe, breite und ausgehöhlte Schiene, grosse Muscheln, Suhler Schlagstifte, vorstehende Basküle mit breitem Rand an den unteren Kanten, Anschluss der Basküle nach englischem System, abnehmbarer Vorderschaft, Purdey-System, vorliegende Schlösser mit vierfüssiger Studel, Stahlteile, Bügel und Abzüge aus Stahl, Schaft mit Backe aus feinem Nussholz, Fischhaut, Goldschildchen am Griff, Hornkappe, guillochierte Schiene, speziell zum **Gebrauch der rauchlosen Pulver und zur Verwendung beim Taubenschusse angefertigt.**

Fusil à feu central et à 2 coups, canons Damas Crollé, à gauche ‚full-choke' à droite „modified choke", quadruple verrou Greener, large bande évidée, grosses coquilles, percuteurs de Suhl, bascule à l'avant, devant détachable, système Purdey, platines à l'avant, pièces acier, détentes et sous-garde en acier, crosse à joue en excellent noyer, quadrillé, petit écusson or sur la poignée, calotte corne, bande guillochée, tout spécialement apte au tir aux pigeons avec chargements à poudre sans fumée.

Double-barrel central-fire breech-loader, Crollé damascus barrels, left „full-choke", right „modified choke", **Greener quadruple bolt,** square bolt, raised, broad and hollowed rib, large scroll fence, Suhler percussion pins forward bascule with broad band on under surface, attachment of bascule on English system, detachable fore-end, Purdey system, front action hammers bolt clamp with 4 pins, steel parts, cheek piece, small gold plate on grip, horn butt plate, **matted rib, specially made for smokeless powder and for pigeon shooting.**

Escopeta de fuego-central y de dos tiros, de Damasco Crollé, izquierdo „chokebored" derecho „modified-choke", **cerradura de Greener cuádrupla,** cerrojo cuadrado, cinta ancha y ahuecada, conchas grandes, agujas de Suhl, báscula de avance con ancha cinta en la parte baja y enganche á la inglesa, delantera sistema Purdey, llaves delanteras con cuatro muelles y piezas de acero, fiadores y guardamonte de acero, caja de nogal fino con carrillo y labrada, plaquita de oro en el puño, cantonera de cuerno, cinta retorcida, **fabricación especial para el empleo con pólvora sin humo y en los tiros de pichones.**

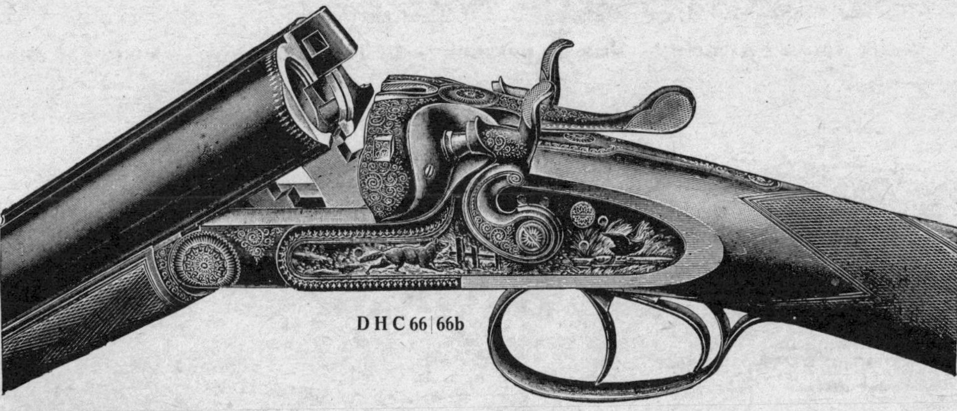

D H C 66 | 66b

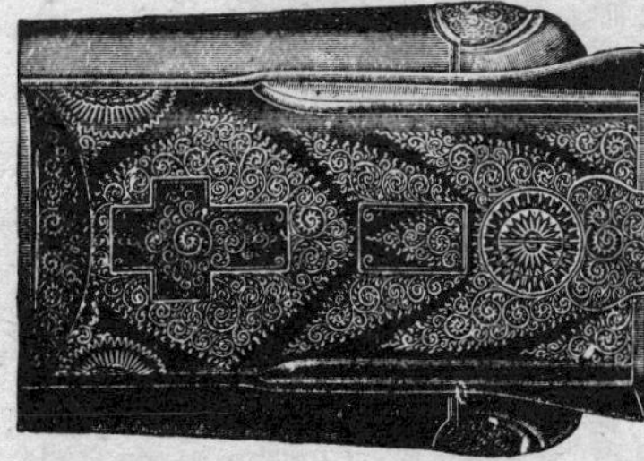

Spezial-Taubenflinte, beste Qualität, wie D H C 65, aber mit **altdeutscher Gravur** tief eingelegt, Verschlußhaken kreuzartig eingreifend, hervorragend in Arbeit und Schuss, Spezialwaffe für rauchloses Pulver, **allerfeinste Handarbeit.**

Fusil spécial pour tir aux pigeons, qualité supérieure, comme D H C 65, mais avec **gravure vieux genre allemande,** crochets de fermeture prenant en forme de croix, supérieur quant au travail et au tir, arme spéciale pour poudre sans fumée, **travail à la main de tout premier ordre.**

Special pigeon gun, best quality, the same as D H C 65, but with deep inset **old German engraving,** the bolt fastens in the form of a cross, very **first class workmanship** and shooting qualities, a special gun for **smokeless powder.**

Escopeta especial para tiro-de-pichones, mejor calidad, lo mismo que D H C 65, pero con **grabado hondo alemán-antiguo,** los enganches de la cerradura cierran en forma de cruz, trabajo y tiro absolutamente de primera orden, escopeta especial para la pólvera sin humo, **trabajo manual de lo más fino.**

No.	D H C 53	D H C 53 a	D H C 53 b	D H C 66	D H C 66 a	C H C 66 b
†	Anselbe	Anselbes	Anselbet	Coser	Cosers	Cosert
Cal.	12	16	20	12	16	20
Mark	320.—	320.—	320.—	310.—	310.—	310.—

Centralfeuer-Tauben-Doppelflinten „Alfa" mit Hähnen.	Fusils à pigeons, à feu central „Alfa" avec chiens.		Central-fire double-barrel pigeon gun „Alfa' with hammers.	Escopetas fuego-central de dos tiros con gatillos para pichones.

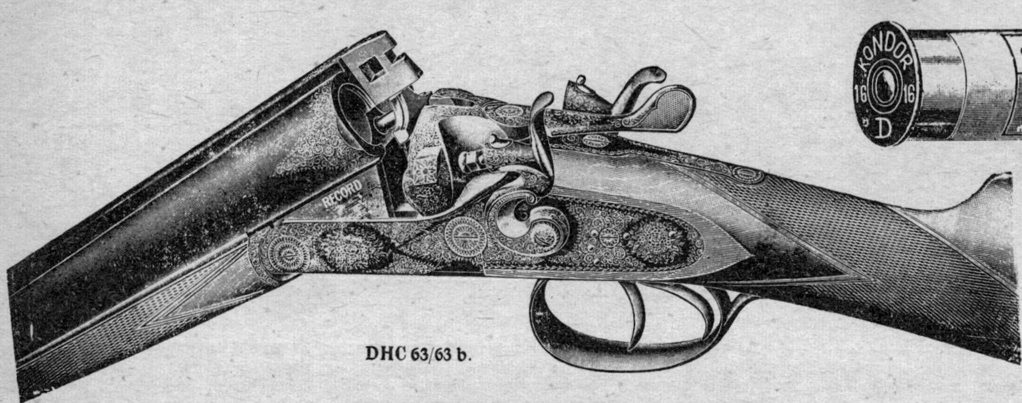

DHC 63/63 b.

„Rekord."

329/331
351/352
356/358
369

Geöffnet. — Ouvert. — Opened. — Abierta.

D H C 63/63 b. **Untere Ansicht. — Vue du dessous. — Underneath view. — Vista por debajo.**

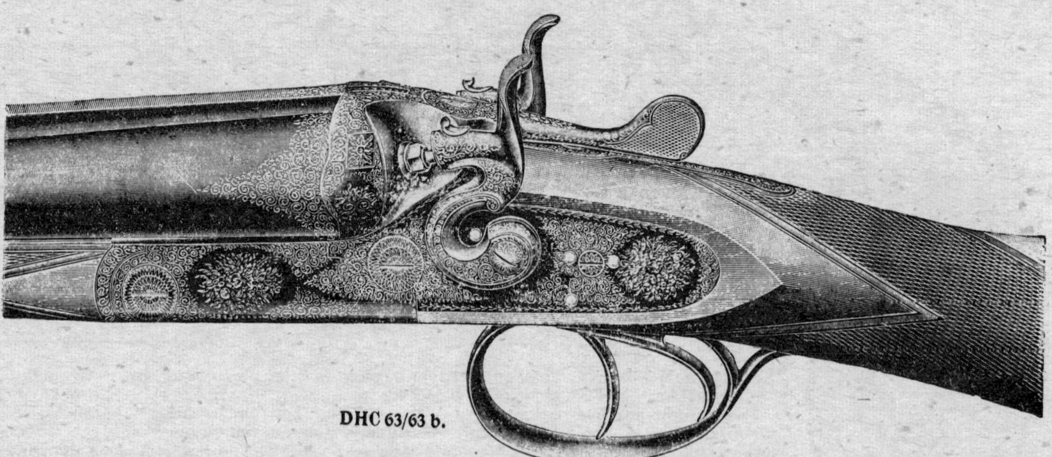

DHC 63/63 b.

Geschlossen. — Fermé. — Shut. — Cerrado.

Hochelegante, mit peinlichster Sorgfalt auf der Hand hergestellte Taubenflinte mit Rekordverschluss. Extra starker vierkantiger Querriegel, allerfeinste 4 füssige Stahlwerkschlosse, Spezial-Stahlläufe, Schussleistung hervorragend garantiert.

Fusil à pigeon de la plus haute élégance, travaillé à la main avec le soin le plus méticuleux, à fermeture „Record", verrou à 4 angles extra fort, canons d'acier spécial, tir supérieur garanti.

Very elegant hand-made pigeon gun, put together with great care, Record bolt, extra strong quadrilateral cross bolt, finest 4 pinion locks with steel parts, special steel barrels, superior shooting qualities guaranteed.

Escopeta para pichones, trabajo manual, construida con muchísimo cuidado. Cerradura „Record" cerrojo cuadrado transversal extra fuerte. Cañones de acero especial, tiro superior garantizado.

No.	D H C 63	D H C 63 a	D H C 63 b
†	Calavi	Calavis	Calavit
Cal.	12	16	20
Mark	420.—	420.—	420.—

Zentralfeuer-Tauben-Doppelflinten „Alfa" mit Hähnen.

Fusils à feu central à pour le tir aux pigeons „Alfa", avec chiens.

Double-barrel central-fire pigeon guns „Alfa" with hammers.

Escopetas fuego de central de dos tiros para pichones „Alfa" con gatillos.

DHC 64—64 a.

Spezial-Taubenflinte, hervorragend in Arbeit und Schuss, für stärkste Ladungen **rauchlosen Pulvers** genau wie Abbildung, alle Teile tiefschwarz, hochfeine Stichgravur.

Fusil spécial pour pigeons supérieur quant au travail comme au tir, pour forts chargements à **poudre sans fumée, exactement selon l'illustration, toutes pièces noires** foncées, gravure supérieurement élégante.

Special pigeon-shooting gun, excellent in workmanship and accuracy of fire, for strongest charges of **smokeless powder,** just as illustration, all parts deep black, finest point engraving.

Escopeta especial para tiro-de-pichones, construcción y tiro excelentes, propia para las más fuertes cargas de **pólvora sin humo,** igual á la ilustración, todas las piezas color negro oscuro, grabado de punto finisimo.

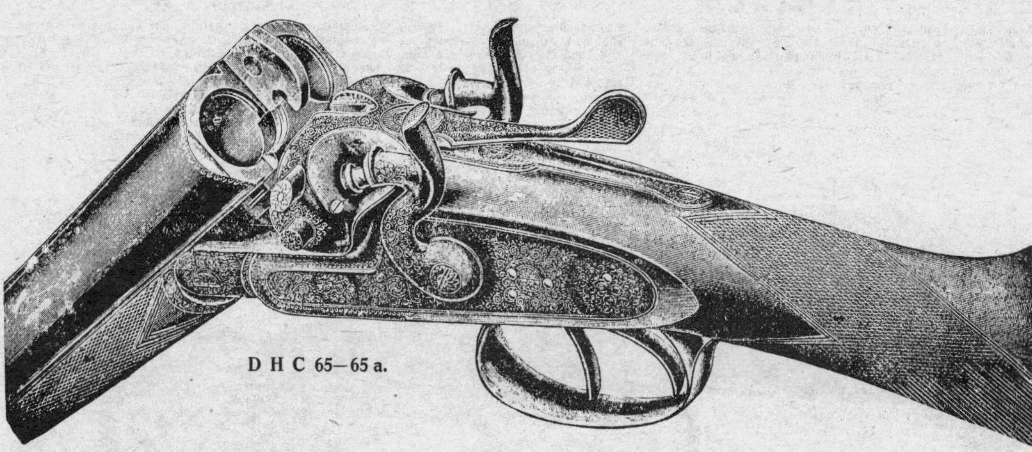

D H C 65—65 a.

Spezial-Taubenflinte, wie D H C 64, aber mit **doppeltem Greener Keilverschluss** und hochfeiner englischer Gravur, la Handarbeit.

Fusil spécial pour à pigeons, comme D H C 64, mais avec **double verrou Greener, gravure** anglaise très élégante, travail à la main extra.

Special pigeon gun, same as D H C 64, but with **Greener double bolt** and very fine English engraving, best class hand-make.

Escopeta especial para tiro-de-pichones, igual al D H C 64, pero con cerradura doble Greener y grabado inglés muy fino, trabajo manual de primera orden.

T Verschluss | Verrou T | T Bolt | Cerrojo T

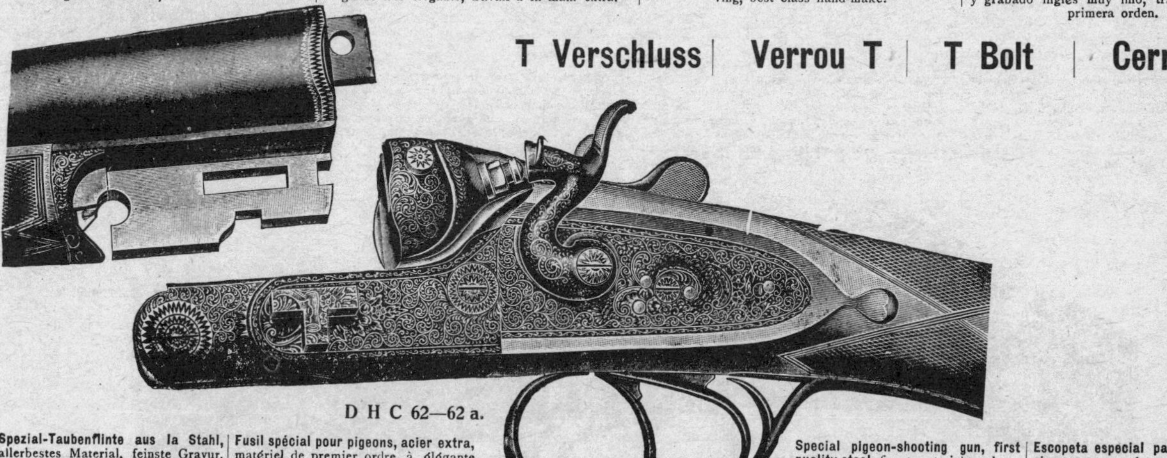

D H C 62—62 a.

Spezial-Taubenflinte aus la Stahl, allerbestes Material, feinste Gravur, Spezial „T"-Verschluss für stärkste, rauchlose Pulverladungen, genau wie Abbildung, **Handarbeit.**

Fusil spécial pour pigeons, acier extra, matériel de premier ordre à élégante gravure, verrou spécial T, pour forts chargements à poudre sans fumée, exactement suivant l'illustration, travail à la main.

Special pigeon-shooting gun, first quality steel, finest materials and engraving, special T bolt, for the strongest charges of smokeless powder, exactly as in illustration, **handmade.**

Escopeta especial para el tiro-de-pichones, acero de primera, del mejo-material, y mejor grabado, cerrojo T especial para las cargas más fuertes de pólvora sin humo, trabajo manual.

Nr.	D H C 64	D H C 64 a	D H C 65	D H C 65 a	D H C 62	D H C 62 a
†	Capers	Caperst	Castuhid	Castuhids	Canirton	Canirtons
Cal.	12	16	12	16	12	16
Mark	420.—	420.—	400.—	400.—	480.—	480.—

Selbstspanner Doppelflinten „Alfa" ohne Hähne.	Fusils à 2 coups „Alfa" Hammerless, s'armant automatiquement.		Double-barrel self-cocking hammerless guns „Alfa".	Escopetas de dos cañones, sin gatillos y con tensión automática „Alfa".

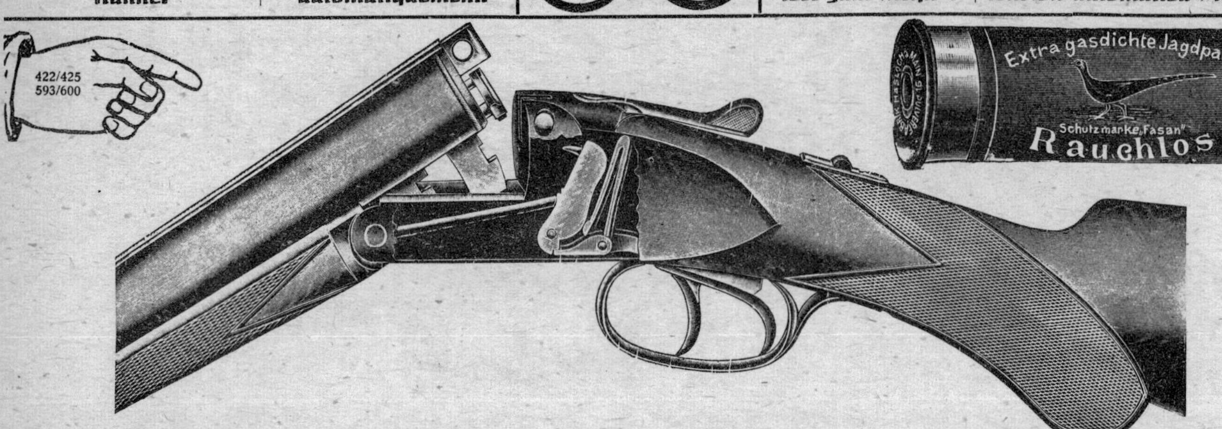

Konstruktion der Flinten CDS 1—CDS 4.

Neueste Hammerless-Doppelflinte für Schrotladung. Patentiert in allen Kulturstaaten. **Einfachstes** und **billigstes** Gewehr der Gegenwart und Zukunft. Die Flinten sind **vollkommen maschinell hergestellt** und können von jedem **Laien leicht auseinandergenommen** und in Reparaturfällen mit neuen Teilen versehen werden. Oeffnen und selbsttätiges Spannen ist bequem und sehr leicht. Einwandfreie Sicherung ist angebracht.

Construction des fusils CDS 1 à 4.

Fusil à 2 coups Hammerless, nouveau modéle, pour tir à plombs. Déposé dans tous les pays civilisés. C'est **l'arme la plus simple et la meilleure marché qui** puisse jamais exister. Ces fusils sont **entièrement fabriqués à la machine** et peuvent être **démontés** très facilement **par n'importe quel profane;** en cas de réparation, les pièces peuvent être aisément remplacées. L'arme s'ouvre très facilement et s'arme automatiquement. Elle est munie d'une sûreté.

Construction of guns CDS 1—CDS 4.

New double barrel, breech-loading **hammerless shot gun,** patented in all countries. **The simplest and cheapest mechanism ever manufactured,** all parts being interchangeable **can easily be replaced** by the **sportsman himself.** The gun is opened with the greatest ease and cocks itself, allows of absolutely sure aiming.

Construcción de las escopetas CDS 1—CDS 4.

Ultima escopeta de dos cañones sin percutores privilegiada en todos paises. **La más barata que se haya construido** hasta la fecha. Las escopetas son **construidas completamente por máquina y** todas las piezas son recíprocas. El cazador **mismo puede reemplazarlas** caso que se romba una. La escopeta se abre con suma facilidad y se arma automaticamente. Dichas escopetas son provistas de una seguridad.

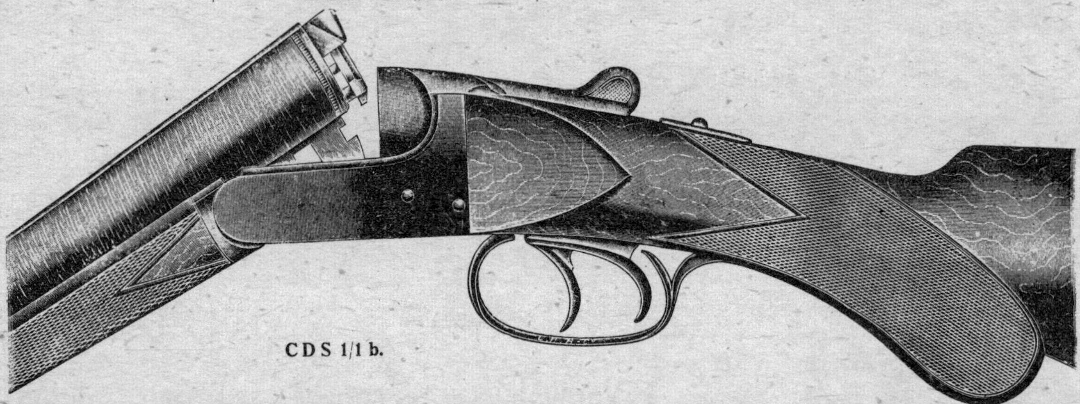

CDS 1/1 b.

Einfacher Verschluss mit Hebel auf der Scheibe, autom. Vorderschaft, Stahlläufe, schwarz oder imit. Damast, guillochierte Laufschiene, geölter Nussbaumschaft mit oder ohne Pistolengriff, letzterer wie Vorderschaft mit Fischhaut, Metallteile gehärtet und bunt eingesetzt, Schaftkappe aus Eisen, alles sauber abgearbeitet.

Verrou très simple, avec clef, devant automatique, canons acier noirs ou Damas imitation, bande guillochée, crosse noyer huilé, avec ou sans crosse pistolet, celle-ci, de même que le devant est quadrillée, pièces de métal trempées et jaspées, calotte de crosse en fer, le tout soigneusement travaillé.

Single bolt with top lever automatic fore-end, black or imitation damascus steel barrels, matted rib, oiled walnut stock with or without pistol-grip, latter and fore-end checkered, metal parts variegated and case hardened. Iron butt plate, all parts smoothly finished.

Cerrojo simple con palanca cimera, delantera automática, cañones acero negro ó de Damasco imitado, cinta retorcida, caja de nogal aceitado con ó sin puño de pistola, esta y la delantera labradas piezas de metal templadas y jaspeadas, cantonera de la caja en hierro, cuidadosamente trabajado.

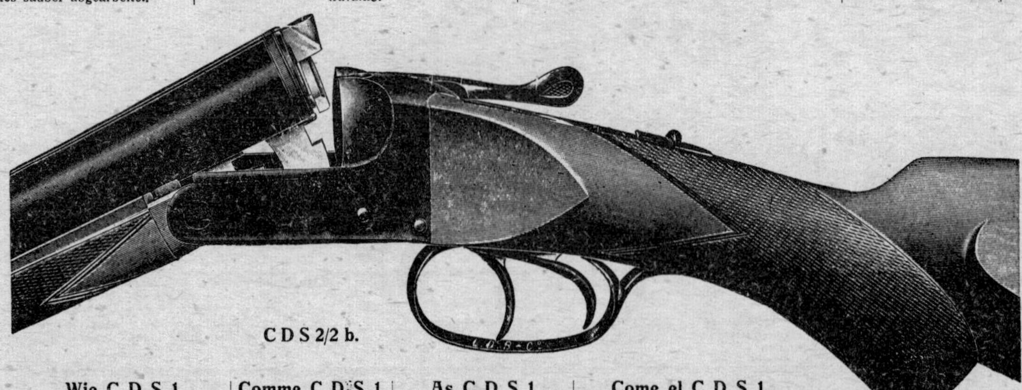

CDS 2/2 b.

Wie CDS 1 m. doppelt. Verschluss.	Comme CDS 1 à double verrou.	As CDS 1 with double bolt.	Come el CDS 1 pero con cerrojo doble.

No.	CDS 1	CDS 1 a	CDS 1 b	CDS 2	CDS 2 a	CDS 2 b
†	Channer	Channers	Channert	Churgi	Churgis	Churgit
Cal.	12	16	20	12	16	20
Mark	74.—	74.—	84.—	84.—	84.—	94.—

Selbstspanner-Doppelflinten „Alfa“ ohne Hähne.

Fusils à 2 coups „Alfa“ sans chiens, s'armant automatiquement.

Double-barrel self-cocking hammerless guns „Alfa“.

Escopetas de dos cañones sin gatillos y con tención automática, „Alfa“

422/425
593/600

C D S 3/3 b

Wie C D S 2, jedoch mit **doppeltem Keileintritt** und **Greener-Querriegel-verschluss,** Läufe aus Stahl, sauber abgearbeitet.

Comme C D S 2 mais à **double enclavement, et verrou Greener,** canons acier, soigneusement travaillé.

As C D S 2, but with **double entry key** and **Greener cross bolt,** barrels of steel, smooth finish.

Igual al C D S 2, pero con **llave de doble entrada** y **cerrojo de traviesa Greener,** cañones de acero, cuidadosamente trabajado.

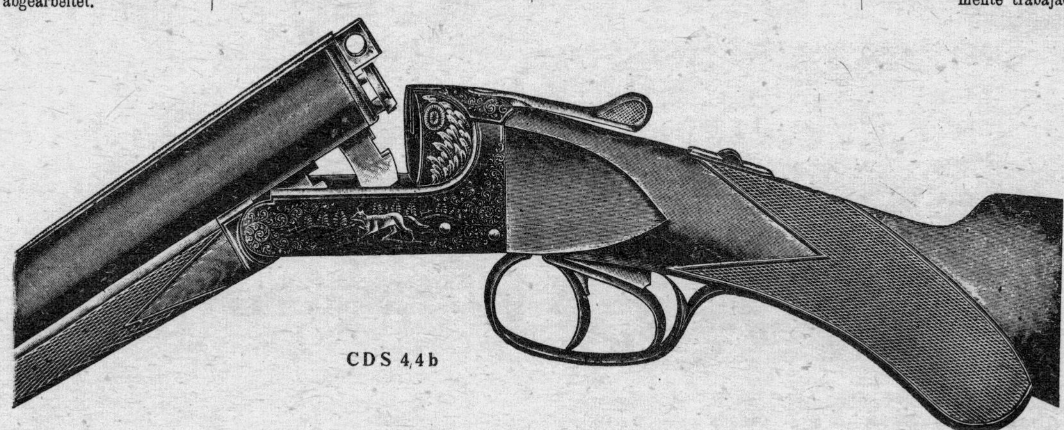

C D S 4/4 b

Wie C D S 3. jedoch **hochfein graviert, wie oben abgebildet.**

Comme C D S 3, mais **élégamment gravé,** comme illustré ci-dessus.

As C D S 3, but very **finely engraved** as shown above.

Igual al C D S 3 pero **con grabado finísimo,** como en la ilustración.

C D S 5–C D S 5 c   C D S 5 d–C D S 5 g

C D S 5–C D S 5 c. Selbstspanner-Doppelflinte mit **Flusstahlläufen** nur in Cal. 28 oder 32, Verschlusshebel an der Seite, Holzvorderschaft, Garnitur engl. graviert und bunt gehärtet. Schaft mit Pistolengriff und Backe. Sehr **handliches, leichtes** und elegantes Gewehr für **Damen** und grössere Knaben.

C D S 5 d–C D S 5 g wie C D S 5 aber mit Sicherung auf dem Kolbenhals.

C D S 5–C D S 5 c. Fusil à **2 coups, s'armant automatiquement,** canons acier fondu, seulement en Cal. 28 ou 32, clef latérale, devant de bois, garniture anglaise, gravé, trempé et jaspé, crosse pistolet, avec joue. Arme de **dame** ou **de jeune homme** très en main, **légère et élégante.**

C D S 5 d–C D S 5 g comme C D S 5 mais avec surêté sur le cou de la crosse.

C D S 5–C D S 5 c. Double-barrel self-cocking hammerless gun with **ingot-steel-barrels,** only in Cal. 28 or 32, key-lever at side, wooden fore-end, mounting case-hardened and variegated, stock with pistol grip and cheek-piece. **Very handy, light and elegant gun for ladies and older boys.**

C D S 5 d–C D S 5 g like C D S 5 but with safety on small of butt.

C D S 5–C D S 5 c. Escopeta de dos cañones de acero armandose automáticamente, solo en Cal. 28 ó 32, palanca al lado, delantera de madera. Guarnición inglés, grabada, templada y jaspeada, caja con puño de pistola y carillo. Escopeta **muy elegante, ligera y cómoda para señoras y niños** ya mayores.

C D S 5 d–C D S 5 g como C D S 5, pero con seguridad sobre el cuello de la culata.

No.	C D S 3	C D S 3 a	C D S 3 b	C D S 4	C D S 4 a	C D S 4 b	C D S 5	C D S 5 a	C D S 5 b	C D S 5 c	C D S 5 d	C D S 5 e	C D S 5 f	C D S 5 g
†	Cotrin	Cotrins	Cotrint	Catide	Catides	Catidet	Clirane	Cliraner	Cliraned	Cliraneh	Clirafne	Clirafner	Clirafned	Clirafneh
Cal.	12	16	20	12	16	20	20	24	28	32	20	24	28	32
Mark	94.—	94.—	104.—	102.—	102.—	112.—	76.—	76.—	76.—	76.—	79.50	79.50	79.50	79.50

Selbstspanner-Doppelflinten „Alfa“ ohne Hähne.	Hammerless à 2 coups „Alfa“, s'armant automatiquement.		Self-chocking double-barrel hammerless guns „Alfa“.	Escopetas de 2 tiros „Alfa“, sin gatillos, con tensión automática.

Modell „Alfa“.

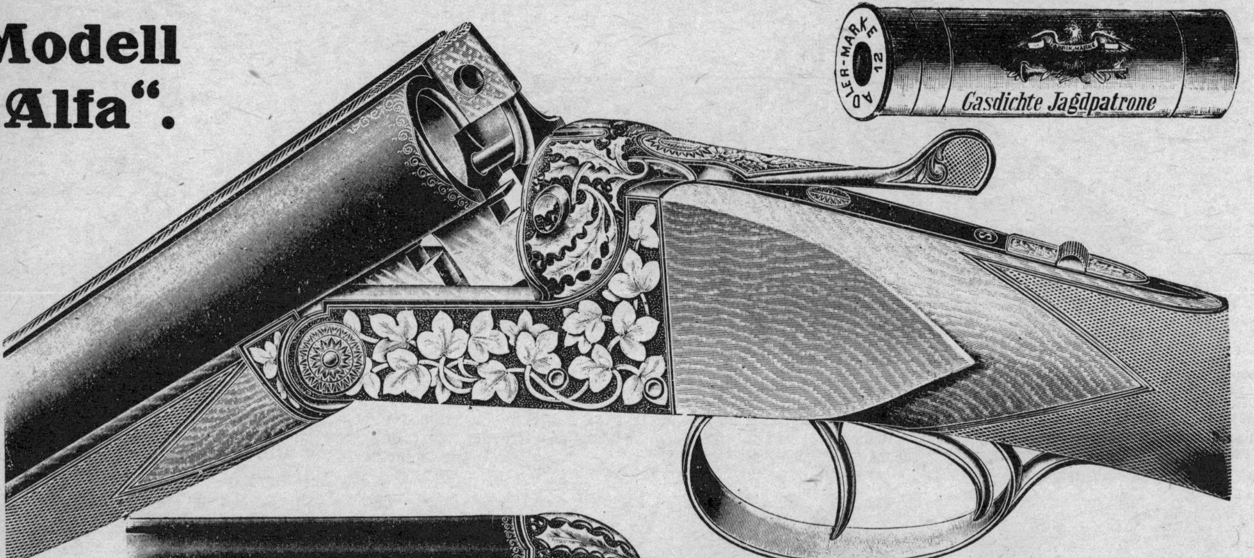

Gasdichte Jagdpatrone

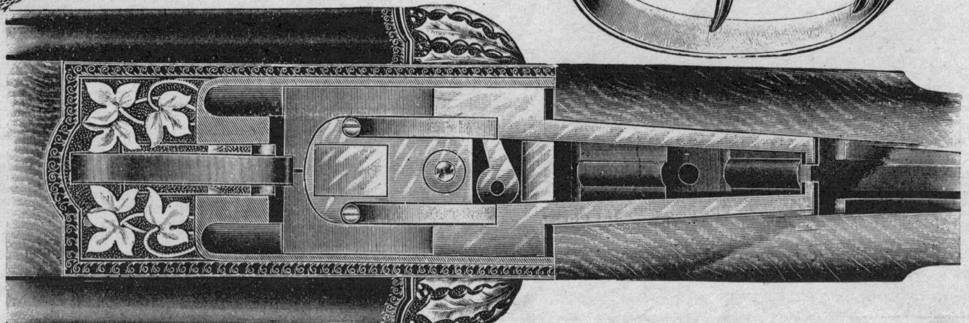

422/425
593/600

C D S 48/48 b. C D S 49/49 b.

Die Konstruktion dieser Waffe ist **bedeutend einfacher** als die **anderer Hammerlessgewehre.** Der **ganze Mechanismus** besteht aus **2 Hähnen, 2 Abzugsstollen** und **2 Spannhebeln.** Die Waffe kann **ohne Fachkenntnisse auseinander genommen** und **gänzlich zerlegt** werden. **Konstruktion** und **Arbeit** sind **solide** und kräftig. Die Flinte ist **kräftig, stark** und **elegant** gebaut. Wir liefern dieselbe:

C D S 48/48 b mit **dreifachem Greener-Verschluss,** Basküle mit **Seitenbacken,** automatischer Sicherung, Vorderschaft, Knopfdrücker, schöner Gravierung lt. Abbildung, gut brüniert, **Stahlläufe,** Links-Chokebohrung, guillochierte Laufschiene, Nussholzschaft mit Fischhaut, Teile bunt gehärtet.

C D S 49/49 b. Dasselbe Gewehr, jedoch in **einfacher, glatter** Ausführung, ohne Gravur, solide gearbeitet.

La construction de cette arme est **considérablement plus simple que celle de tous les autres Hammerless. Tout le mécanisme** se compose de **2 chiens,** de **2 pièces** ayant rapport à la détente et de **2 pièces** ayant rapport à l'armement. L'arme peut être **démontée, sans connaissances spéciales,** avec la plus grande facilité. La **construction** et le **travail** sont **solides** et résistants. Le fusil est **puissant, fort** et **élégant.** Nous le livrons sous les No.:

C D S 48/48 b avec **triple verrou Greener,** bascule à coquilles et à ailerons, sûreté automatique, devant à pression, belle gravure selon l'illustration, bien bruni, **canons acier,** choke bored à gauche, bande guillochée, crosse noyer quadrillée, pièces trempées jaspées.

C D S 49/49 b. La même arme, mais en exécution **simple et lisse,** sans gravure, solidement travaillé.

The construction of this arm is **far simpler** than that of the **other Hammerless rifles.** The **entire mechanism** consists in **2 hammers, 2 sears** and **2 cocking levers.** The arm can be **taken to pieces without any special knowledge. Sound construction** and **make,** the gun being **very strongly** and **elegantly built.** We supply same:

C D S 48/48 b with **triple Greener bolt,** side wings at breech, automatic safety, fore-end, press-button, fine engraving as in illustration, well burnished, **steel barrels,** left choke-bore, extension rib, walnut stock checkered, case hardened.

C D S 49/49 b. The same rifle, but **plain smooth** make, without engraving, solid work.

La construcción de esta arma es **considerablemente más sencilla** que la de **todas las demás Hammerless. Todo el mecanismo** se compone de **2 gatillos,** de **2 piezas** por el fiador y de **2 piezas** por el armamento. El arma puede ser **desmontada** con la mayor facilidad aún cuando no se tengan **conocimientos especiales.** La **construcción** y el **trabajo** son **sólidos y fuertes.** La escopeta es **potente, resistente** y **elegante.** La vendemos bajo los números.

C D S 48/48 b con **triple cerradura Greener,** seguridad automática, **báscula de conchas y aletas,** delantera de presión, hermoso grabado según ilustración, bien bruñido, **cañones de acero,** choke bored á la izquierda, cinta retorcida, caja de nogal labrada, piezas templadas jaspeadas

C D S 49/49 b. La misma arma, pero ejecución **sencilla y lisa,** sin grabado, sólidamente trabajado.

No.	C D S 48	C D S 48 a	C D S 48 b	C D S 49	C D S 49 a	C D S 49 b
†	Eifaseli	Eifasells	Eifaselit	Eifisela	Eifiselas	Eifiselat
Cal.	12	16	20	12	16	20
Mark	98.—	98.—	102.—	78.—	78.—	82.—

Selbstspanner-Doppelflinten ‚Alfa' ohne Hähne.	Fusils à 2 coups „Alfa" s'armant automatiquement, sans chiens.		Double-barrel self-cocking hammerless gun „Alfa".	Escopetas „Alfa" de dos tiros sin gatillos y con tensión automática.

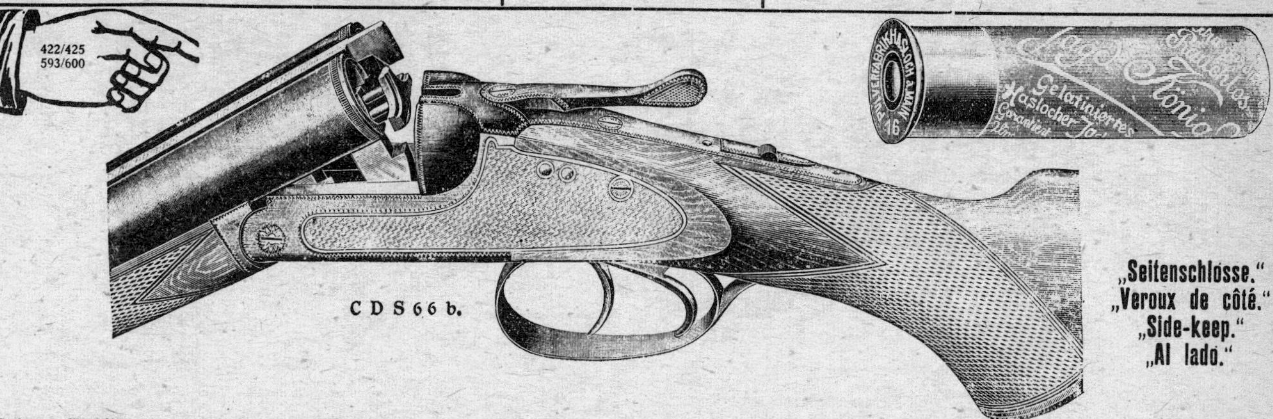

C D S 66 b.

„Seitenschlosse."
„Veroux de côté."
„Side-keep."
„Al lado."

Prima Stahlläufe, dreifacher Verschluss, übergreifende Laufschiene, fein guillochiert und tief schwarz eingesetzt, voller Pistolenschaft, Hornkäppchen.

Canons acier extra, triple verrou, bande saillante, élégamment guillochée et noire foncée, crosse pistolet, petite calotte de corne.

First quality steel barrel triple bolt, downward coupling extension rib, finely matted and inlaid with deep black. Full pistol grip with horn cap.

Cañón de acero de primera, cerradura triple, cinta saliente, elegantemente retorcida y negra oscura, puño de pistola con cantonera de cuerno.

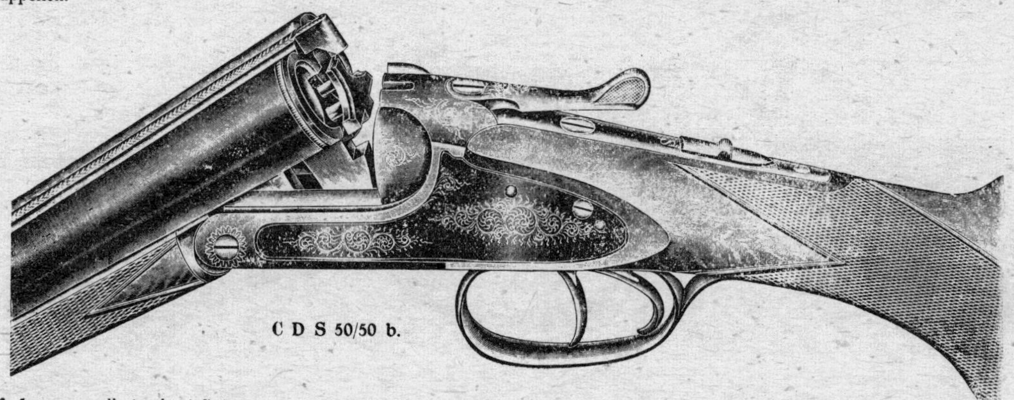

C D S 50/50 b.

Stahlläufe tiefschwarz, poliert, einfacher Riegel, automatischer Vorderschaft, voller Pistolengriff mit Hornkäppchen, Garnitur englisch eingesezt, **englische Gravur.**

Canons d'acier, noirs foncés, polis, verrou simple, devant automatique, crosse pistolet avec calotte corne, garniture et **gravure anglaises.**

Steel barrels, polished **deep black,** single bolt, automatic fore-end, full pistol grip with horn cap, English mounting inlaid, **English engraving.**

Cañones de acero, pulidos, **negros oscuros,** cerradura sencilla, delantera automática, puño de pistola con cantonera de cuerno, guarnición y **grabado ingleses.**

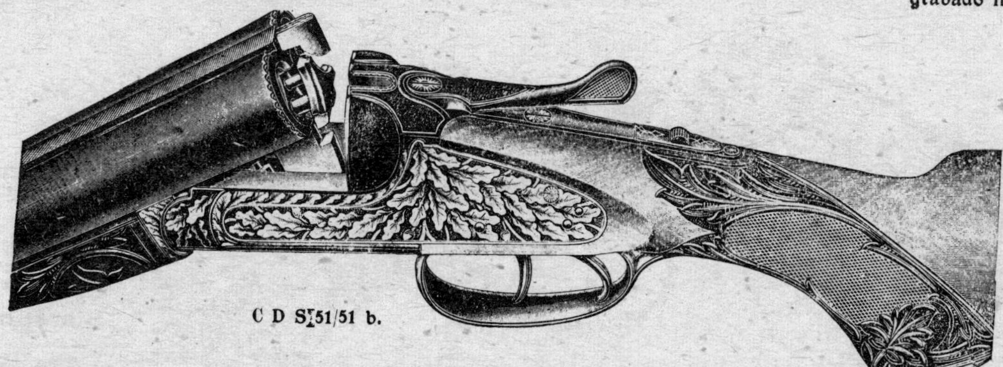

C D S 51/51 b.

Prima Stahlläufe, fein schwarz poliert, automatischer Vorderschaft, mattiertes System, Vorderschaft und Seitenteile mit Schnitzerei, Pistolengriff mit Hornkäppchen, Garnitur englisch eingesetzt mit **gewetzter Eichenlaub-Gravur.**

Canons acier extra, soigneusement poli et d'un beau noir, devant automatique, système mat, devant et pièces latérales très élégamment sculptées, crosse pistolet avec calotte corne, garniture anglaise, **gravure rameaux de chêne.**

Prime steel barrels, polished fine black, automatic fore-end and side parts with wood carving, pistol grip with horn cap, English mounting, inlaid **with oak-leaf engraving.**

Cañones de acero extra, cuidadosamente pulido y de un negro hermoso, delantera automática, sistema mate, delantera y piezas laterales muy elegantemente esculpidas, puño de pistola con cantonera de cuerno, guarnición inglesa, **grabado de roble.**

No.	C D S 6	C D S 6 a	C D S 6 b	C D S 50	C D S 50 a	C D S 50 b	C D S 51	C D S 51 a	C D S 51 b
†	Clisake	Clisakes	Clisaket	Clisasebi	Clisasebis	Clisasebit	Clisazzu	Clisazzus	Clisazzut
Cal.	12	16	20	12	16	20	12	16	20
Mark	86.—	86.—	90.—	88.—	88.—	92.—	108.—	108.—	112.—

Selbstspanner-Doppelflinten ‚Alfa' ohne Hähne.	Hammerless à 2 coups „Alfa", s'armant automatiquement.		Self-cocking double-barrel guns „Alfa" hammerless.	Escopetas „Alfa" Hammerless de tensión automática, de dos cañones.

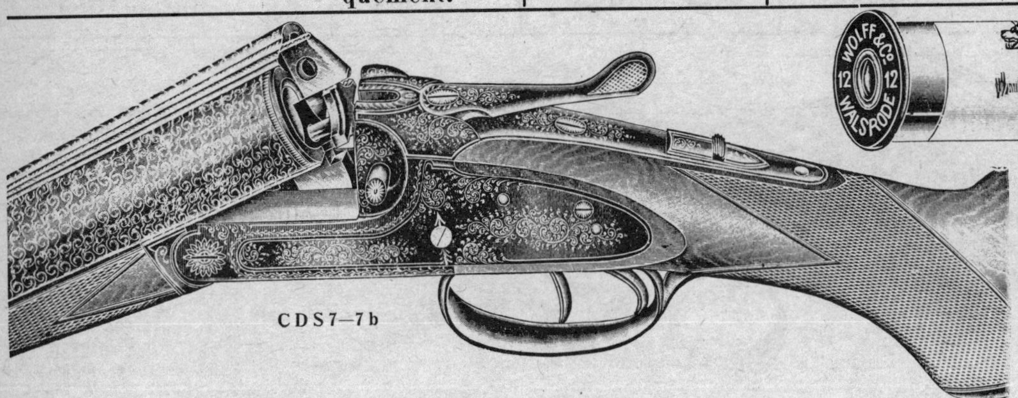

CDS7—7b

Seitenschlosse. Systèmes de côté. Side-locks. Sistemas al lado.

Selbstspanner-Doppelflinte ohne Hähne, Rohre aus feinem Boston-Damast, links choke-bored, **vierfacher Greener Verschluss**, Schiene mattiert, Stahlschlösser, massiv in das Verschlußstück eingepasst, mit rückspringenden Schlagstiften, Garnitur mit feiner englischer Gravierung, Schiebersicherung auf der Scheibe, Holzvorderschaft mit Patentschnäpper, Pistolengriffschaft mit Backe, **garant. gut. Schuss.**

Fusil à 2 coups, s'armant automatiquement, sans chiens, canons du meilleur Damas Boston, choke-bored à gauche, **quadruple verrou Greener,** bande mate, platines acier, avec percuteurs rebondissants, garniture avec élégante gravure anglaise, sûreté à poussoir, devant de bois à pédale patentée, crosse pistolet, à joue, tir supérieur garanti.

Double-barrel, self-cocking hammerless guns. Finest Boston damascus barrels, left choke-bored, **quadruple Greener bolt,** matted rib, steel-locks massively inset in breech block, rebounding pins, mounting with fine English engraving, wooden fore-end with patent catch, pistol grip and cheek piece, guaranteed shooting qualities.

Escopeta de dos tiros, sin gatillos y con tensión automática, cañones del Damasco Boston más fino, izquierdo „choke-bored" **cerradura cuádrupla Greener,** cinta mate, llaves de acero, con inserción maciza en agujas, percutores de retroceso, guarnición con grabado fino inglés, delantera de madera con pestillo privilegiado, puño de pistola y carillo, tiro garantizado.

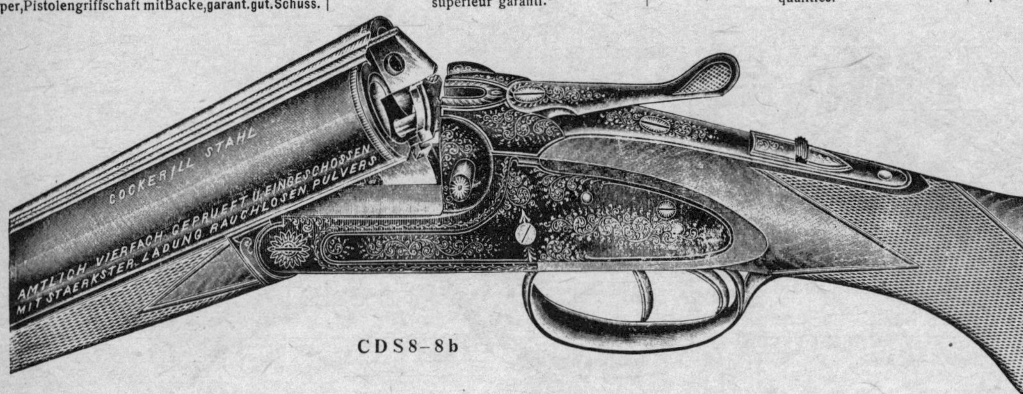

CDS8–8b

Seitenschlosse. Systèmes de côté. Side-locks. Sistemes al lado.

Feinste Coquerill-Stahlläufe, abgeflachter Pulversack, **vierfacher Greener Keilverschluss,** Vorderschaft mit Patentschnäpper, englische Gravur, **voller** Pistolenschaft mit Hornkäppchen, vergoldete Ladeanzeiger, **staatlich rauchlos beschossen mit 4 facher Ladung.**

Canons extra acier Coquerill, quadruple verrou creener, devant à pédale, gravure anglaise, crosse pistolet avec calotte corne, marqueur de chargement doré, **éprouvé officiellement à quadruple chargement de poudre sans fumée.**

Finest Coquerill-steel barrels, flattened chamber, **Greener quadruple bolt,** fore-end with patent catch, English engraving, full pistol-grip with horn cap, gilt indicator. **Government tested with 4 charges of smokeless powder.**

Cañones de acero Coquerill superior, cámara aplatada, cerradura cuádrupla Greener, delantera con pestillo privilegiado, grabado inglés, puño de pistola entero con cantonera de cuerno, indicador dorado. **Probada oficialmente con 4 cargas de pólvora sin humo.**

CDS9—9b

Seitenschlosse. Systèmes de côté. Side-locks. Sistemas al lado.

Läufe aus Birmingham-Damast oder **Ia. Stahl, Silberbänder** am Patronenlager, 4 facher Greener **Keilverschluss,** englische Gravur, bunt gehärtet, **Vorderschaft** à la Purdey, Ladeanzeiger, voller Pistolenschaft.

Canons Damas Birmingham, ou acier extra, bandes argent sur la chambre, quadruple verrou Greener, gravure anglaise, trempé jaspé, devant à la Purdey, marqueur doré, crosse pistolet.

Birmingham damascus or prime steel barrels, silver bands round breech, Greener quadruple bolt, English engraving, variegated case hardening, Purdey's system fore-end, load indicator, full pistol grip.

Cañones de Damasco Birmingham ó acero de primera, rayas de plata sobre la cámara cerradura cuádrupla Greener, grabado inglés guarnicion templada y jaspeada. delantera systema Purdey indicador dorado, caja de pistola entera.

No	CDS7	CDS7a	CDS7b	CDS8	CDS8a	CDS8b	CDS9	CDS9a	CDS9b
†	Cusoge	Cusoges	Cusoget	Cexid	Cexids	Cexidt	Cellorte	Cellortes	Cellortet
Cal.:	12	16	20	12	16	20	12	16	20
Mk.:	128.—	128.—	132.—	138.—	138.—	142.—	133.—	133.—	137.—

Selbstspanner-Doppelflinten „Alfa“ ohne Hähne.

Hammerless à 2 coups „Alfa“ s'armant automatiquement

Double barrel self-cocking hammerless guns „Alfa“.

Escopetas „Alfa“ de dos tiros con tensión automática y sin gatillos.

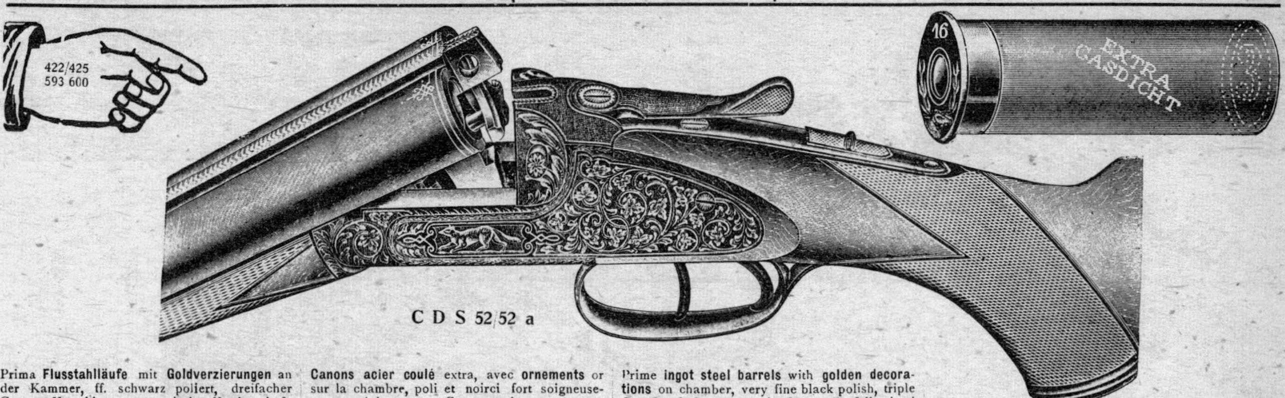

C D S 52/52 a

Prima **Flusstahlläufe** mit **Goldverzierungen** an der Kammer, ff. schwarz poliert, dreifacher Greener Verschluss, automatischer Vorderschaft, voller Pistolengriff mit Hornkäppchen, ziseliertes System, Garnitur englisch eingesetzt, **Laubgravur und Jagdstücke in Goldmedaillons.**

Canons acier coulé extra, avec **ornements** or sur la chambre, poli et noirci fort soigneusement, triple verrou Greener, devant automatique, crosse pistolet avec petite calotte de corne, système ciselé, garniture anglaise, **gravure feuillage et sujets de chasse dans médaillons or.**

Prime **ingot steel barrels** with **golden decorations** on chamber, very fine black polish, triple Greener bolt, automatic fore-end, full pistol grip with horn cap, chased breech, English mounting inlaid **leaf engraving and hunting scenes in golden medallions.**

Cañónes de acero colado extra, con ornamentos de oro sobre la cámara, bien cuidado, triple cerradura Greener, delantera automática, puño de pistola con cantonera de cuerno, sistema cincelado, guarnición inglesa, **grabado de follage y figuras de caza en medallones de oro.**

Bayard.

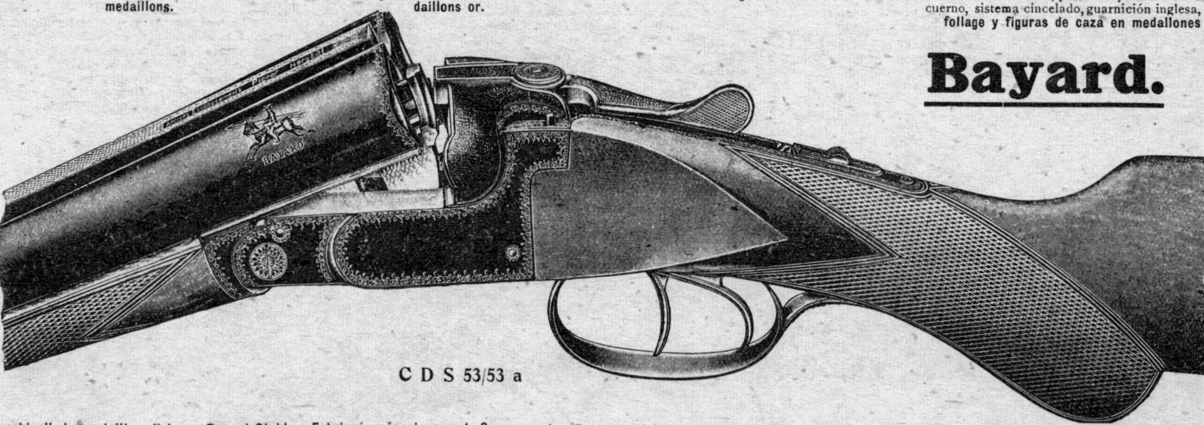

C D S 53/53 a

Maschinell hergestellt. Feinste **Bayard-Stahlläufe** Lauf und Haken aus einem Stück, links Chokebohrung, Zinnlötung, neuster Topbolt-Verschluss, automatische Sicherung, Signalstifte, bunte Härtung, feine Randstichgravur.

Fabriqué mécaniquement. Canons acier Bayard extra, canon et crochet d'une seule pièce, choke à gauche, soudure à l'étain, nouveau verrou Topbolt, sûreté automatique, pointe d'avertissement, trempé jaspé, élégante gravure.

Made by machinery. Finest Bayard steel barrels, barrel and attachment in one piece, left choke bored, tin soldering, latest top bolt lock, automatic safety, indicators, case hardened, fine engraving.

Fabricado mecànicamente, cañón de acero Bayard extra, cañón y gancho de una sola pieza, choke á la izquierda, sondeadura de estaño, nueva cerradura Topbolt, seguridad automática, punta de aviso, templado y jaspeado, elegante grabado

C D S 11/11 a.

Seitenschlösser.

Systèmes de côté.

Side-locks.

Sistemas al lado.

System Baptiste, dreifacher Greener-Verschluss, Ia Krupp'sche Flusstahlläufe, 2 Goldstreifen und Goldeinlagen an der Kammer, guillochierte Schiene, Pistolenschaft, ganzer Hornbügel und Hornkappe, Vorderschaft mit Knopfdrücker, reiche Laubgravierung und **Jagdstücke** auf mattem Grunde in **Gold** eingefasst, engl. Härtung. **Mit rauchlosem Pulver amtlich beschossen.**

Système Baptiste, triple verrou Greener, canons acier coulé Krupp extra, 2 traits or et dorures sur la chambre, bande guillochée, crosse pistolet sous-garde entièrement en corne, calotte de corne, devant à poussoir, **riche gravure feuillage et sujets de chasse sur fond mat bordé d'or,** trempe anglaise. Éprouvé officiellement à la poudre sans fumée.

Baptiste system, triple Greener bolt, first quality Krupp ingot steel barrels, 2 gold stripes and gold inlaid work on the chamber piece, matted rib, pistol grip, horn guard and butt plate, fore-end with press button, rich leaf engraving and **sporting figures in gold on matted ground,** English hardening. Officially tested with smokeless powder.

Sistema Baptiste, cerradura triple Greener, cañones acero de lingote Krupp de primera, con 2 rayas incrustación de oro sobre la cámara, cinta retorcida, puño de pistola, guardamonte y cantonera de cuerno, delantera con botón de empuje, grabado de **hojas copiosos con figuras de caza sobre fondo mate,** con borde de oro, temple inglesa. Probada oficialmente con pólvora sin humo.

No.	C D S 52	C D S 52 a	C D S 53	C D S 53 a	C D S 11	C D S 11 a
†	Cilonora	Cilonoras	Cilomudi	Cilomudis	Cilonise	Cilonises
Cal.	12	16	12	16	12	16
Mark	122.—	122.—	156.—	156.—	180.—	180.—

Selbstspanner-Doppelflinten ,Alfa' ohne Hähne.	Hammerless à 2 coups „Alfa" s'armant automatiquement.		Self cocking double-barrel hammerless gun.	Escopetas sin gatillos ,Alfa', de dos cañones y con tensión automática.

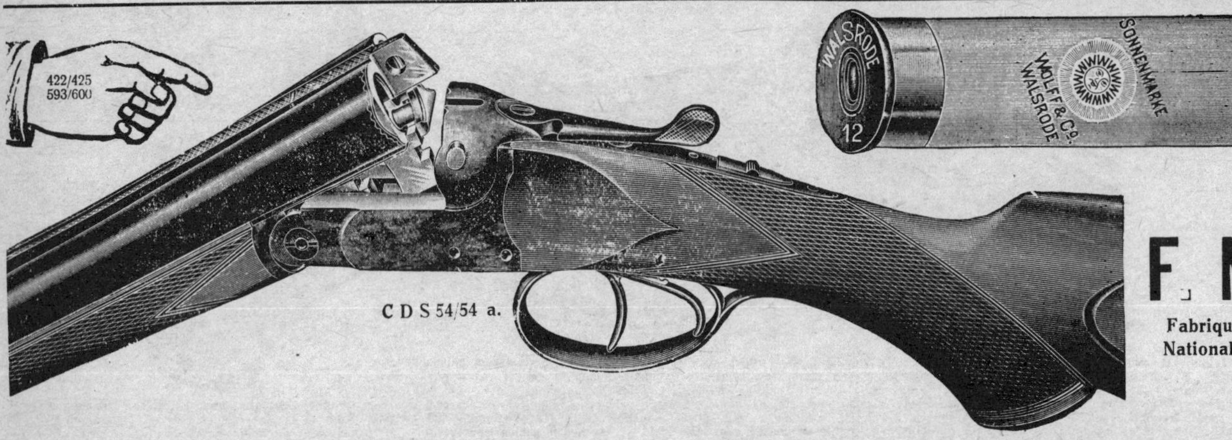

C D S 54/54 a.

F. N.
Fabrique Nationale.

Maschinell hergestellt von der Fabrique Nationale, alle Teile auswechselbar, vierfacher Querriegelverschluss, Basküle mit Seitenbacken, Patentvorderschaft, feiner Nussholzschaft mit Pistolengriff, Backe und Fischhaut, Hornkappe und Hornkäppchen am Griff, mattierte Laufschiene, flache Auflage, links full choke, Ia Schussleistung, rauchlos beschossen.

Fabriqué mécaniquement par la „Fabrique Nationale", toutes les pièces sont interchangeables, quadruble verrou, bascule à coquilles et à ailerons, devant patenté, élégante crosse de noyer avec poignée pistolet, à joue, quadrillé, calotte de la crosse et calotte de la poignée en corne, bande mate, full choke à gauche, tir supérieur, éprouvé à la poudre sans fumée.

Machine made by the Fabrique Nationale, all parts interchangeable, quadruple cross bolt, side wings at breech, patent fore-end, fine walnut stock with pistol grip, checkered cheek, horn cap and small cap on handle. Matted extension rib, flat top, left barrel full choke, al shooting, nitro tested.

Fabricado mecánicamente por la „Fabrique Nationale", todas las piezas son intercambiables, cerradura cuádrupla, báscula de conchas y aletas, delantera patentada, elegante culata de nogal con puño de pistola, de carrillo, labrada, culata de puño de cuerno, cinta mate, full choke á la izquierda, tiro superior y experimentado con la pólvora sin humo.

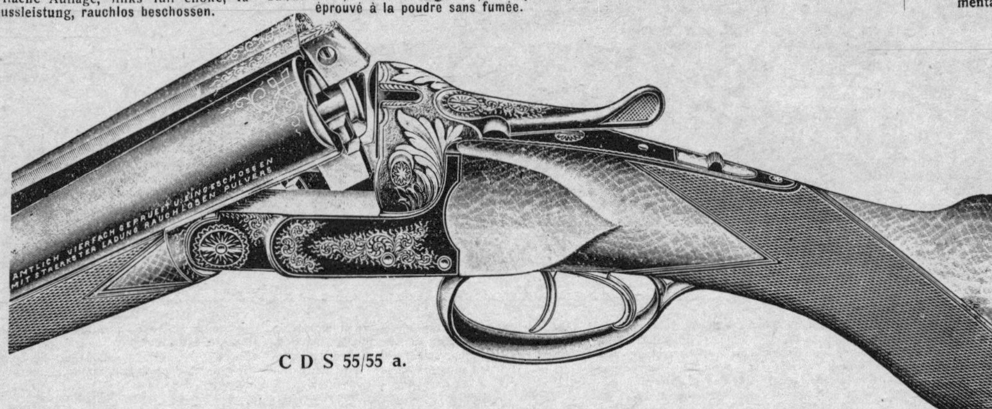

C D S 55/55 a.

F. N.
Fabrique Nationale.

Wie C D S 54 mit Ia Coquerill-Stahlläufen, tiefschwarz poliert, mit Goldarabesken an der Kammer, amtlich 4 fach mit rauchlosem Pulver besohossen, Vorderschatt mit Knopfdrücker, fein gemaserter Nussholzschaft, englische eingesetzte Garnitur, hochfeine englische Gravur und Ziselierung.

Comme C D S 54 avec canons acier extra Coquerill, poli et noir, avec arabesques d'or sur la chambre, quadruplement éprouvé officiellement à la poudre sans fumée, devant à poussoir, élégante crosse en beau noyer madré, garniture anglaise, très élégante gravure anglaise et ciselure.

Like C D S 54 with prime Coquerill steel barrels, polished deep black with golden arabesques on breech, official and four fold nitro test, fore-end with press button, fine bird's eye checkered walnut stock, English mounting inserted, very fine English engraving and chased.

Como C D S 54 con cañones de acero extra Coquerill, pulido, con arabescos de oro sobre la cámara, 4 veces experimentado oficialmente con la pólvora sin humo, delantera de empuje, elegante culata de nogal, hermoso pintado, guarnición inglesa, muy elegante grabado inglés con cinceladura.

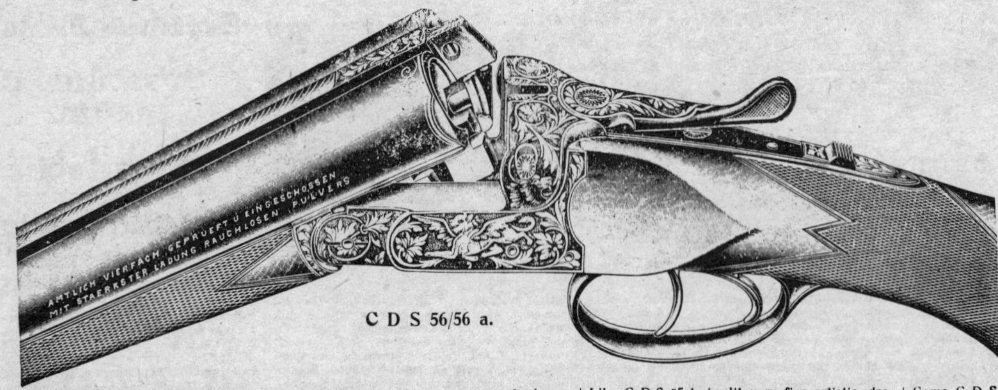

C D S 56/56 a.

F. N.
Fabrique Nationale.

Wie C D S 55, aber mit hochfein ausgeführter, künstlerisch vollendeter Drachengravur.

Comme C D S 55 mais avec gravure de dragon très artistique.

Like C D S 55 but with very fine artistic, dragon engraving.

Como C D S 55, pero con grabado de dragón muy artístico.

No.	C D S 54	C D S 54 a	C D S 55	C D S 55 a	C D S 56	C D S 56 a
†	Selifana	Selifanas	Sefalina	Sefalinas	Senafila	Senafilas
Cal.	12	16	12	16	12	16
Mark	156.—	156.—	204.—	204.—	228.—	228.—

Selbstspanner-Doppelflinten ‚Alfa‘ ohne Hähne.	Hammerless ‚Alfa‘ à 2 coups, s'armant automatiquement.		Self-cocking double-barrel hammerless guns „Alfa“.	Escopetas ‚Alfa‘ de dos cañones, sin gatillos y con tensión automática.

Deutsche Handarbeit aus **Suhler Fabriken. Billige** aber **solide deutsche** Selbstspannergewehre.	Travail à la main allemand, **fabrication de Suhl.** Fusils allemands s'armant automatiquement, **bon marché** mais **solide.**	German hand-make from **„Suhl“ factories. Cheap** but **sound** German self cocking rifle.	Trabajo alemán á mano, **fábricación de Suhl.** Escopetas alemanas que se arman automáticamente, **baratas** pero **sólidas.**

422/425
593/600

CDS 57/57 a

Roux-Verschluss, Nussholzschaft, Pistolengriff, Backe, mattierte Laufschiene, gute **Stahlläufe,** Signalstifte, bunte gehärtete Garnitur, automatische Sicherung auf der Scheibe.	**Verrou Roux,** crosse noyer, crosse pistolet, à joue, bande mate, bons **canons d'acier,** pointe d'avertissement, garniture trempée jaspée, sûreté automatique.	**Roux lock,** walnut stock, pistol grip, cheek, matted extension rib, **fine steel barrels,** indicatoris, case hardened moun ting, automatc safety on neck of butt.	**Cerradura Roux,** culata nogal, empuñadura de pistola, de carrillo, cinta mate, buenos **cañones de acero,** punta de señal, guarnición templada jaspeada, seguridad automática.

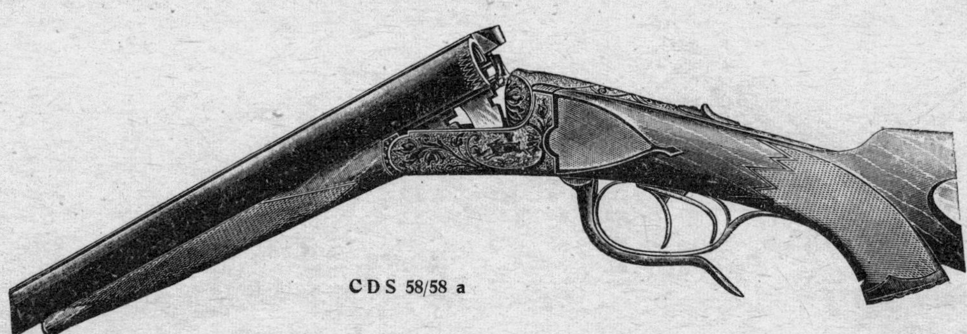

CDS 58/58 a

Wie CDS 57, jedoch **feiner gearbeitet,** gutes Schaftholz, Hornkäppchen am Griff, **feine Blumengravur** mit **Jagdstücken,** Gravur am Patronenlager, Schaft am Griff und Basküllenbacken mit Fischhaut.	Comme **CDS 57,** mais **plus élégamment travaillé,** bon bois, petite calotte de corne à la crosse pistolet, **élégante gravure à fleurs** avec **sujets de chasse,** gravure sur la chambre, bascule à coquilles et à ailerons, crosse pistolet et devant quadrillés.	Like **CDS 57,** but **finer make,** good wood for stock, horn cap on grip, **fine flower engraving** with **hunting scenes,** engraving on breech with side wings and checkered.	Como CDS 57, pero **más elegantemente trabajado,** madera elegante; pequeña culata de cuerno, **elegante grabado de flores con figuras de caza;** grabado sobre la cámara, báscula de chapas y aletas; puño de pistola y delantera labrados.

No.	CDS 57	CDS 57 a	CDS 58	CDS 58 a
†	Rouxshei	Rouxsneis	Rouxgui	Rouxguis
Cal.	12	16	12	16
Mark	158.—	158.—	170.—	170.—

Extra feine Selbstspanner-Doppelflinten „Alfa" ohne Hähne.	Très élégants Hammerless à 2 coups „Alfa" s'armant automatiquement.		Extra fine self-cocking double-barrel hammerless guns „Alfa".	Escopetas extra-finas „Alfa" de dos tiros, con tensión automática y sin gatillos.

Anson & Deeley-Flinten | Fusils Anson & Deeley | Anson & Deeley guns | Fusiles Anson & Deeley

In den deutschen „Suhler" Fabriken gefertigt. | Fabrication de „Suhl". | Made in the German factories at „Suhl". | Fabricación de „Suhl".

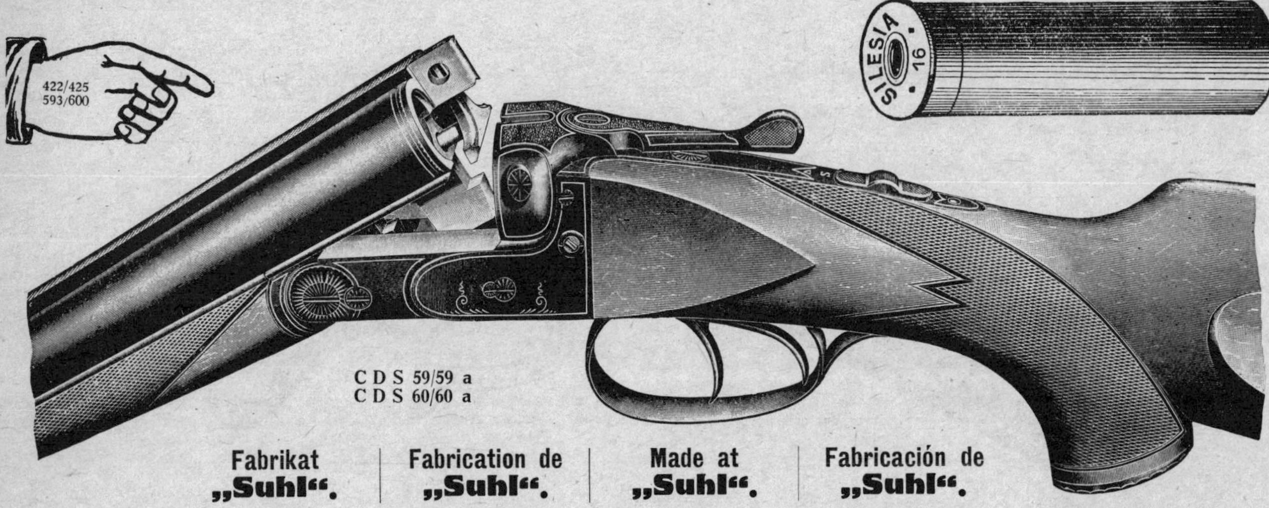

C D S 59/59 a
C D S 60/60 a

Fabrikat „Suhl". | Fabrication de „Suhl". | Made at „Suhl". | Fabricación de „Suhl".

C D S 59/59 a **Kruppscher Flussstahl**, links Choke-Bohrung, **rauchlos beschossen, Greener Verschluss**, Sicherung, Nussholzschaft m. Pistolengriff, Backe, Stichgravur.

C D S 59/59 a **Acier coulé Krupp**, choke à gauche, **éprouvé à la poudre sans fumée, verrou Greener**, à sûreté, crosse noyer avec poignée pistolet et à joue, belle gravure.

C D S 59/59 a **Krupp ingot steel**, left barrel choke bored, **tested with smokeless powder, Greener lock**, safety, walnut stock with pistol grip, cheek, deep engraving.

C D S 59/59 a **Acero colado Krupp**, choke á la izquierda, **probado con la pólvora sin humo, cerradura Greener**, de seguridad, caja de nogal con puño de pistola y de carrillo, hermoso grabado.

C D S 60/60 a Wie Abbildung, jedoch mit **feinstem Schaftholz** und englischer Arabeskengravur.

C D S 60/60 a Suivant l'illustration, mais avec **élégante crosse** bois et gravure anglaise à arabesques.

C D S 60/60 a Like illustration but with finest wooden stock and English arabesque engraving.

C D S 60/60 a Como la ilustración, pero **elegante caja** de madera y grabado inglés de arabescos.

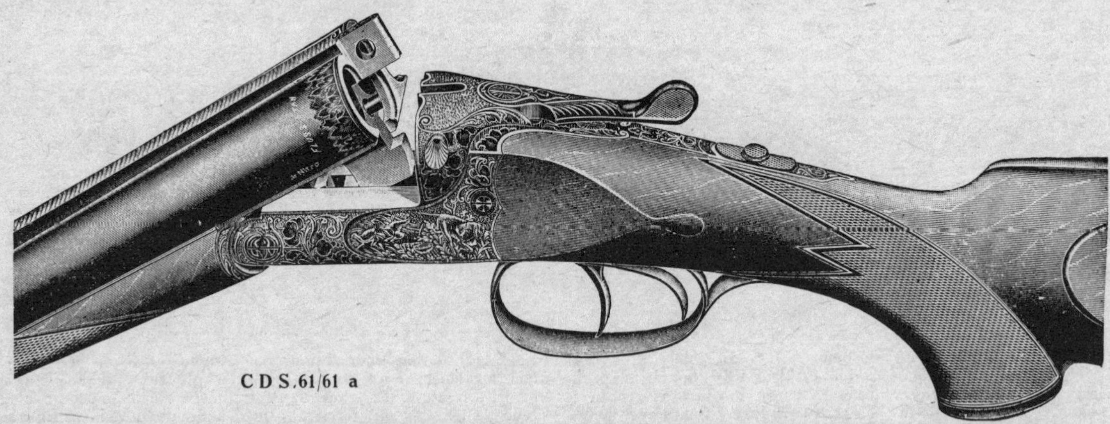

C D S 61/61 a

Fabrikat „Suhl". | Fabrication de „Suhl". | Made at „Suhl". | Fabricación de „Suhl".

Wie C D S 59, ausgebogtes System in **feinerer** Ausführung, schöner Maserölschaft, feine Fischhaut, **Renaissance**-Gravur wie Abbildung.

Comme C D S 59, **élégante** exécution, joli bois madré et huilé, beau quadrillé, gravure **Renaissance** suivant l'illustration.

Like C D S 59, special system but **finer make**, prime stock veined, oiled and checkered, **renaissance** engraving, like illustration.

Como C D S 59, **elegante ejecución** bonita madera veteada, labrado cuidadoso, grabado **Renaissance** como la ilustración.

	C D S 59	C D S 59 a	C D S 60	C D S 60 a	C D S 61	C D S 61 a
†	Mandeesu	Mandeesus	Margeesu	Margeesus	Macheesu	Macheesus
Cal.	12	16	12	16	12	16
Mark	224.—	224.—	240.—	240.—	280.—	280.—

Extra feine Selbstspanner-Doppelflinten „Alfa“ ohne Hähne.	Très élégants Hammerless à 2 coups „Alfa“ s'armant automatiquement.		Extra fine self-cocking double-barrel hammerless guns „Alfa“.	Escopetas extra-finas „Alfa“ de dos tiros y tensión automática, sin gatillos.

Anson & Deeley-Flinten

In den deutschen „Suhler“ Fabriken gefertigt.

Fusils Anson & Deeley

Fabrication de „Suhl“.

Anson & Deeley guns

Made in the german factories at „Suhl“.

Fusiles Anson & Deeley

Fabricación de „Suhl“.

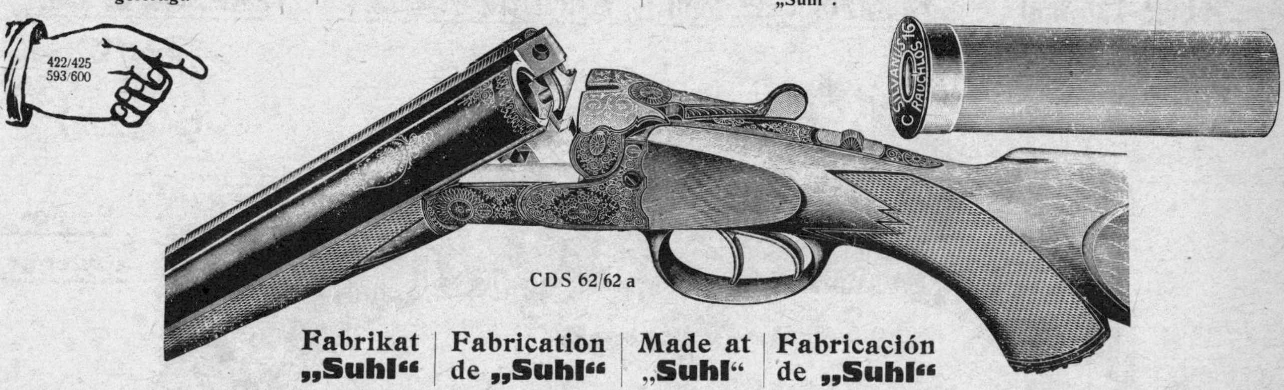

Fabrikat „Suhl“ | **Fabrication de „Suhl“** | **Made at „Suhl“** | **Fabricación de „Suhl“**

Wie C D S 59 aber **allerfeinste** Ausführung, **Seitenbacken**, feinstes Nussbaumschafthotz mit durchbrochener Stahlschaftkappe, fein ausgearbeiteter Griff mit feinster Fischhaut und Hornkäppchen, Hornbügel, sehr **reiche Gravur**, vornehmste **Präzisionsarbeit.**

Comme C D S 59, mais **exécution supérieure**, bascule à **coquilles et ailerons**, élégante crosse de noyer avec calotte acier ajourée, belle poignée quadrillée, avec calotte et sous-garde de corne, **gravure très riche, travail de précision** très remarquable.

Like C D S 59 but **superior make**, side **cheeks**, finest walnut stock, with skeleton butt plate, finely worked grip, checkered and with horn cap, horn trigger guard, **very rich engraving**, most elegantly and precisely worked.

Como C D S 59, pero **ejecución superior**, **báscula de conchas y aletas**, elegante caja de nogal con puño de calado acero, empuñadura cuidada y, labrada, con cantonera y guardamonte de cuerno, **muy rico grabado, trabajo de precisión** muy notable.

„Remo“

Remo-Doppelflinten, hervorragender neuer Verschluss, prima deutsche „Suhler“ Büchsenmacherarbeit.

Fusils à 2 coups „Remo“, **nouveau verrou tout à fait supérieur**, travail extra d'arquebuserie allemande de Suhl.

Remo double barrel guns, superior new lock, made by first class German gunsmiths at Suhl.

Escopetas de 2 tiros „Remo“, nueva cerradura superior, trabajo extra de arcabuceria alemana de Suhl.

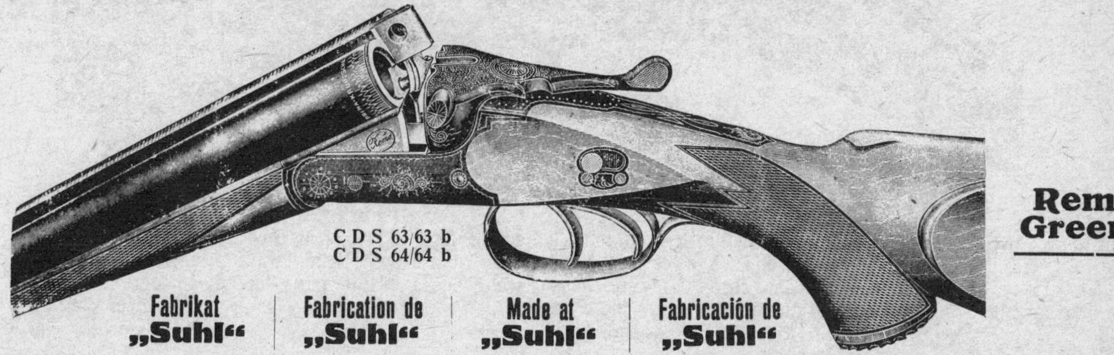

Remo-Greener

Fabrikat „Suhl“ | **Fabrication de „Suhl“** | **Made at „Suhl“** | **Fabricación de „Suhl“**

Prima Kruppstahlläufe, Pistolgriff, Backe, Fischhaut, seitliche Greener-Sicherung, einfache solide Ausstattung, genau wie Abbildung, rauchlos beschossen.

C D S 64/64 b. Wie C D S 63 aber **bessere Ausstattung, feineres Schaftholz, Jagdgravur.**

Canons d'acier Krupp extra, crosse pistolet, à joue, quadrillé, sûreté Greener latérale, exécution simple et solide, exactement suivant l'illustration, éprouvé à la poudre sans fumée.

C D S 64/64 b. Comme C D S 63 **mais meilleure exécution, élégante crosse de bois, gravure de chasse.**

Prime Krupp steel barrels, pistol grip, cheek, checkered Greener safety at side, plain sound make, just like illustration, tested with smokeless powder.

C D S 64/64 b. Like C D S 63 but **better make, finer wooden stock, hunting scene engraved.**

Cañones de acero Krupp extra, puño de pistola, de carrillo, labrada, seguridad Greener lateral, ejecución simple y sólida, como la ilustración, experimentado con pólvora sin humo.

C D S 64/64 b. Como C D S 63 pero **mejor ejecución, elegante caja de madera y grabado de caza.**

	C D S 62	C D S 62 a	C D S 63	C D S 63 a	C D S 63 b	C D S 64	C D S 64 a	C D S 64 b
†	Malkeesu	Malkeesus	Remogree	Remogrees	Remogreet	Remoran	Remorans	Remorant
Cal.	12	16	12	16	20	12	16	20
Mark	340.—	340.—	232.—	232.—	238.—	250.—	250.—	256.—

Extra feine Selbstspanner-Doppelflinten ‚Alfa', ohne Hähne.	Très élégants Hammerless à 2 coups, „Alfa" à s'armant automatiquement.		Extra fine self-cocking double-barrel hammerless guns „Alfa".	Escopetas „Alfa" de dos tiros, tensión automática y sin gatillos.

„Suhler Fabrikat" | „Fabrication de Suhl" | „Manufactured at Suhl" | „Fabricación de Suhl"

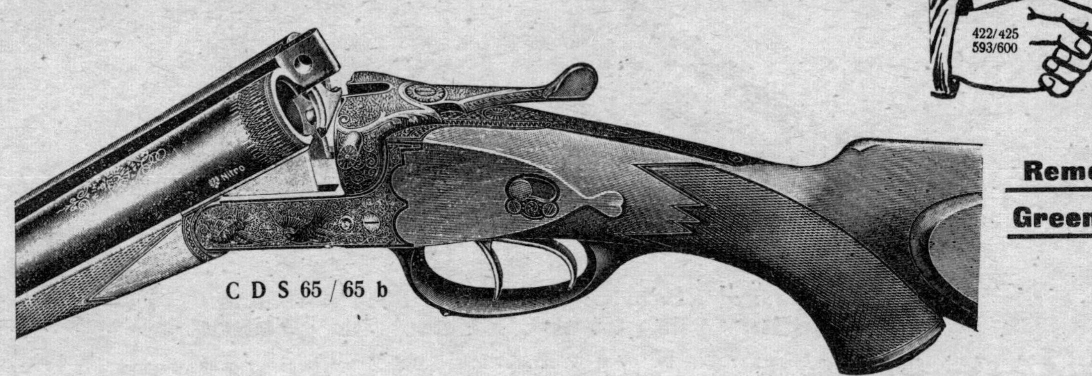

C D S 65 / 65 b

Wie C D S 64, aber **feinstes** Schaftholz, **reichere** Ausstattung, **Renaissance-** oder **englische** Gravur, **schwarze** Garnitur.

Comme C D S 64, mais **très, élégante crosse de bois, exécution** fort **riche,** gravure **Renaissance** ou **anglaise,** garniture **noire.**

Like C D S 64, but finest **wooden stock, richer finish, renaissance** or **English** engraving, **black** mountings.

Como C D S 64, pero muy **elegante caja de madera,** ejecución rica, grabado **Renaissance** ó **inglés** y guarnición **negra.**

„Suhler Fabrikat" | „Fabrication de Suhl" | „Manufactured at Suhl" | „Fabricación de Suhl"

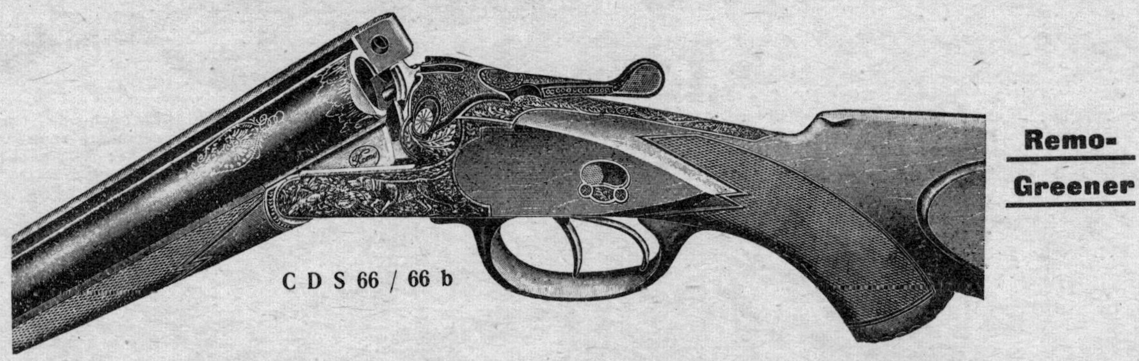

C D S 66 / 66 b

Wie C D S 64, aber **feinste** Ausführung, **Seitenbacken** an der Basküle, Hornbügel, **hochfeine** Jagdgravur, feinste Ausarbeitung aller Teile.

Comme C D S 64, mais **très élégante exécution,** bascule à **coquille** et à **allerons,** sous-garde en corne, gravure chasse **très élégante,** chaque pièce extrèmement bien travaillée.

Like C D S 64, **but finest make, scroll fences,** wings at breech, horn guard, **very fine** hunting scene engraved, all parts finely finished.

Como C D S 64, pero **muy elegante ejecución,** báscula de **conchas** y **aletas,** guardamonte de cuerno, grabado de caza **muy elegante,** cada pieza en la mejor ejecución.

No.	C D S 65	C D S 65 a	C D S 65 b	C D S 66	C D S 66 a	C D S 66 b
†	Remopri	Remopris	Remoprit	Remosta	Remostas	Remostat
Cal.	12	16	20	12	16	20
Mark	284.—	284.—	290.—	334.—	334.—	340.—

Selbstspanner Doppelflinten „Alfa“, ohne Hähne.	Hammerless à 2 coups, „Alfa“, s'armant automatiquement.		Double-barrel, self-cocking, hammerless guns „Alfa“.	Escopetas „Alfa“ de dos canones con tensión automática y sin gatillos.

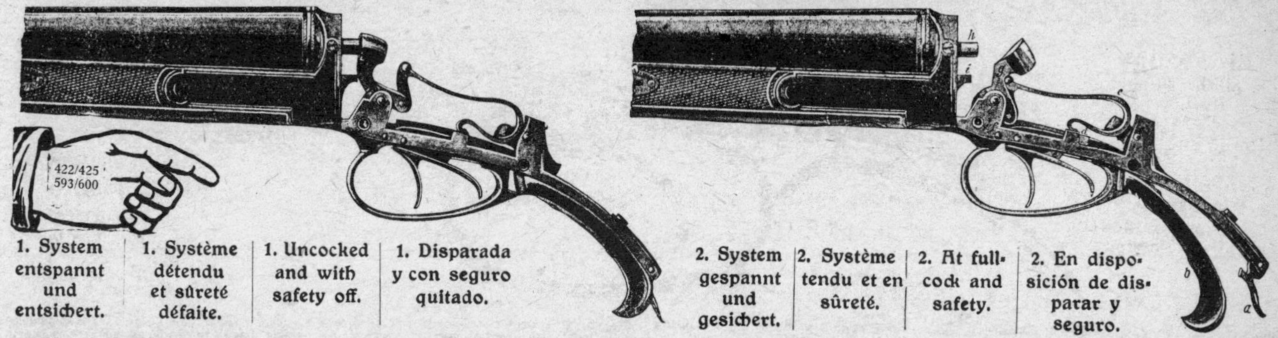

1. System entspannt und entsichert. | 1. Système détendu et sûreté défaite. | 1. Uncocked and with safety off. | 1. Disparada y con seguro quitado.

2. System gespannt und gesichert. | 2. Système tendu et en sûreté. | 2. At full-cock and safety. | 2. En disposición de disparar y seguro.

Patent-Sicherheits-Gewehr.

Das Sichern und Entsichern kann ohne Unbequemlichkeit im Anschlag gehen. Die Sicherung **stellt die Abzüge fest, entspannt die Schlagfeder, nimmt die Hähne vom Schlagbolzen weg.** Entsichert wird das Gewehr, indem man durch festes Umschliessen des Pistolengriffs den Hebel andrückt; dadurch spannt man erst das Schloss und das Gewehr ist schussfertig.

Arme à sûreté patentée.

La mise en sûrete ou en non surêté se fait avec toute facilité lors de l'épaulement de l'arme. La sûreté a pour effet de **tenir immobiles** les **détentes, détend le ressort** du **percuteur et éloigne les chiens de ce dernier.** On défait la sûreté en empoignant fermement la crosse pistolet et en pressant sur le levier; alors le mécanisme s'arme et le fusil est prêt au tir.

Patent Safety gun.

The gun can be put at safety or the reverse whilst aiming, without the slightest inconvenience. The safety device **fixes the triggers, uncocks the hammer springs and takes the hammers off the percussion pins.** — To take off the safety, grasp pistol grip firmly and press on lever. — The lock is now set and the gun ready for firing.

Escopeta de seguridad privilegiada.

El poner el seguro ó el quitarlo mientras que se apunta con la escopeta no tiene inconveniente alguno. — **El seguro fija los fiadores, quita la tensión del muele del percutor y aleja los gatillos de este último.** — Para quitar el seguro se empuña firmemente el puño de pistola y se empuja en la palanca. — Ahora las llaves están en tensión y la escopeta en disposición de disparar.

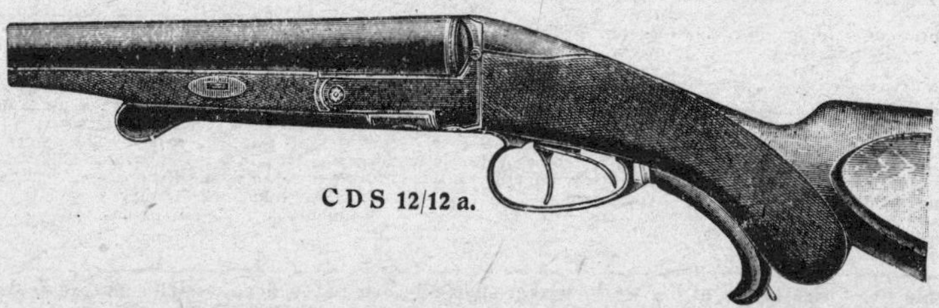

C D S 12/12 a.

Unbedingte Sicherheit. | Sûreté absolue. | Absolute safety. | Seguridad absoluta.

C D S 12/12 a. Flusstahlläufe, Hornhebelverschluss, Pistolgriffschaft, **einfach** graviert.

C D S 13/13 a. Läufe aus **Banddamast** oder **Flusstahl, mittelvoll** graviert, sonst wie C D S 12.

C D S 14/14 a. Wie CDS 13, aber Läufe nach Wahl aus **Bernard** oder **türkischem Damast, voll** graviert.

C D S 15/15 a. Wie CDS 14, **allerfeinste** Arbeit, Horngarnitur, Patentvorderschaft, mit **rauchschwachem Pulver staatlich beschossen,** verlängerte Laufschiene, feine Gravur.

C D S 12/12 a. Canons acier coulé, clef en corne, gravé simplement, crosse pistolet.

CDS 13/13a. Canons Ruban Damas ou **acier coulé,** gravé d'une façon **moyenne,** autrement comme CDS 12.

CDS 14/14a. Comme CDS 13 mais **canons en Damas Bernard ou turc** selon demande, entièrement gravé.

C D S 15/15 a. C D S 14, **travail extra** fin, garniture corne, devant patenté, **éprouvé officiellement à poudre sans fumée,** bande prolongée, élégante gravure.

C D S 12/12 a. Ingot steel barrels, horn lever key, pistol grip, **simple** engraving.

C D S 13/13 a. Ribbon damascus or **ingot-steel barrels, medium** engraving otherwise as C D S 12.

C D S 14/14 a. As CDS 13, but **Bernard** or **Turkish damascus** barrels as desired, **full** engraving.

C D S 15/15 a. As CDS 14, but **finest** workmanship, hornfittings, patent fore-end, officially **tested with smokeless powder,** extension rib, fine engraving.

C D S 12/12 a. Cañones de acero de lingote, palanca de cuerno, puño de pistola, **sencillamente** grabada.

C D S 13/13 a. Cañones de Damasco ó de **acero** de **lingote,** grabado **mediano,** per lo demás como el CDS 12.

C D S 14/14 a. Como CDS 13, pero cañones de **Damasco Bernard ó turco como** se quiera, grabado **completo.**

C D S 15/15 a. Como C D S 14, pero con el **mejor** trabajo, guarnición de cuerno, delantera privilegiada. **Probada oficialmente con pólvora sin humo,** cinta de extensión, grabado fino.

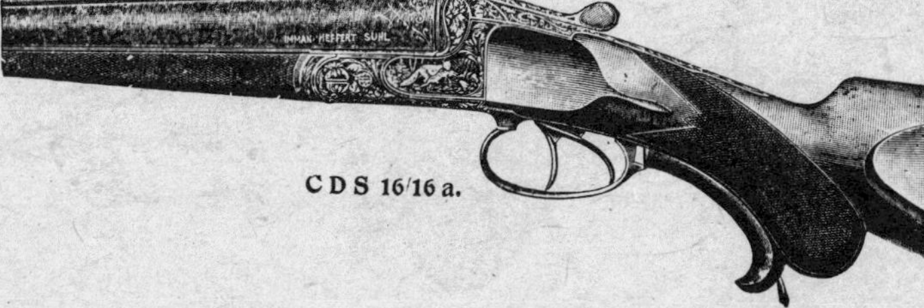

C D S 16/16 a.

Unbedingte Sicherheit. | Sûreté absolue.

Absolute safety. | Seguridad absoluta.

Wie C D S 15, aber mit **Top-lever-**Verschluss, Patentvorderschaft, **mittelvolle,** altdeutsche Gravierung, **staatlich rauchlos beschossen, Ia Handarbeit.**

Comme CDS 15, mais **avec verrou Top-lever,** devant déposé, demie gravure vieux genre allemand, **éprouvé officiellement à la poudre sans fumée,** travail à la main extra.

As CDS 15, but with **Top-lever bolt,** patent fore-end, **medium full,** old German engraving, Government **tested with smokeless powder,** best handwork.

Como CDS 15, pero con **palanca top-lever,** delantera de privilegio, **mediano** grabado alemán-viejo, **probada oficialmente con pólvora sin humo,** trabajo manual de primera or den.

No.	C D S 12	C D S 12 a	C D S 13	C D S 13 a	C D S 14	C D S 14 a	C D S 15	C D S 15 a	C D S 16	C D S 16 a
†	Colir	Coliers	Cundone	Cundones	Cemtar	Cemtars	Castany	Castanys	Cogrine	Cogrines
Cal.	12	16	12	16	12	16	12	16	12	16
Mark	250.—	250.—	275.—	275.—	311.—	311.—	350.—	350.—	360.—	360.—

Selbstspanner-Doppelflinten „Alfa“ ohne Hähne.	Hammerless à 2 coups „Alfa“, s'armant automatiquement.		Self-cocking double-barrel guns „Alfa“ hammerless.	Escopetas „Alfa“ de tensión automática y dos cañones, sin gatillos.

„Einabzug“ bei allen Doppelflinten anzubringen.

„Détente unique“ à appliquer à tous les fusils à 2 coups.

„Single-trigger“ can be adapted to all double barrel guns.

„Sistema con un solo escape“ se puede aplicar á toda escopeta de dos tiros.

Obenstehende Abbildung zeigt den **Einabzug-Mechanismus für Doppelflinten:**

a. ist der Umschaltungsschieber, welcher nach vorn zu schieben ist, wenn der linke Lauf zuerst gefeuert werden soll;

b. ist die patentierte vorzüglich bewährte Vorrichtung zur Verhinderung des gleichzeitigen Losgehens beider Läufe.

Die Umschaltung stellt sich beim Oeffnen des Gewehres selbsttätig auf rechts zurück, da nachdem gewöhnlich wieder der rechte Lauf zuerst gebraucht wird und andernfalls das Zurückstellen vergessen werden könnte. Auf Wunsch wird aber auch die Umschaltung so angebracht, dass der Abzug, wenn auf links gestellt, solange den linken Lauf zuerst bedient, bis der Schieber wieder zurückgeschoben wird. Die Umschaltung kann noch im Anschlag durch den Zeigefinger betätigt werden. Auf Wunsch wird dieselbe auch auf dem Kolbenhals angebracht und ist dann mit dem Daumen zu verstellen.

Beim Einabzug bleibt der Schaft fest in der Hand liegen. Eine kurze Vorwärtsbewegung des Fingers nach dem ersten Schuss genügt, um für den zweiten Schuss fertig zu sein. Der zweite Schuss kann infolgedessen beim Einabzug stets sicherer und wenn nötig, auch schneller abgegeben werden. Ferner kann man sich beim Einabzug nie, wie bei zwei Abzügen, mit dem Finger gegen den vorderen Abzug der Bügel stossen.

L'illustration ci-dessus **montre le mécanisme de détente unique pour fusils à 2 coups:**

a. poussoir qui doit êtrepressé vers le devant quand ou veut d'abord faire feu avec le canon gauche.

b. est le meilleur dispositif, breveté et ayant fait ses épreuves, pour empêcher le feu des deux canons à la fois.

Le poussoir se place automatiquement, lors de l'ouverture du fusil, à droite, parcequ' habituellement c'est d'abord le canon droit qu'on emploie et parcequ'on pourrait oublier de remettre le dit poussoir au point. Sur demande, nous pouvons également faire en sorte que le poussoir, une fois mis à gauche, y demeure et parcouséquent provoque toujours le tir par le canon gauche, jusqu'à ce qu'on le mette à droite. De toute façon, il peut être poussé, à l'aide de l'index, sur n'importe quel côté. Sur demande, le poussoir peut être apposé au cou de la crosse, de sorte que dans ce cas il est à mouvoir àl'aide du pouce. En utilisant notre système à une seule détente, la crosse demeure toujours ferme en main. Il suffit d'un simple petit mouvement du doigt pour que l'arme soit prête à tirer le second coup. De la sorte le second coup peut être tiré avec plus de sûreté et si nécessaire plus rapidement que s'il s'agissait d'un fusil à 2 détentes. Enfin, avec notre système, il est impossible de se heurter le doigt contre la seconde détente, comme dans les fusils à 2 détentes.

The above illustration shows the **single-trigger mechanism for double-barrel guns:**

a. is the reversing button, which must be pressed forward, when the left barrel is to be fired first.

b. is the well tested patent arrangement to prevent the simultaneous discharge of both barrels.

The reversed gear goes back automatically to the right on opening the gun, as the right barrel is the one that would generally be refired first and the setting back might otherwise be forgotten. If so wished the mechanism can be so disposed that when the button is pushed forward, the left barrel continues in play until the button is set back. The reversing button can be manipulated with the forefinger, whilst taking aim. If desired the button can be fixed on the small of the butt and be worked with the thumb. — With a single trigger the stock remains firmly gripped in the hand, a short forward motion of the finger after the first shot is all that is required to be ready for the second. The second shot can therefore be fired with greater steadiness and with greater rapidity, if desired, with a single-trigger. Again with a single trigger it is not possible as in the case of double trigger guns to knock ones finger against the front trigger.

La adjunta ilustración demuestra **el mecanismo de este sistema de un solo escape para escopetas de dos tiros:**

a. es el botón-trasmutador que se debe empujar hacia delante para disparar el cañón izquierdo antes del derecho.

b. es una invención bien aprobada que impide que ambos cañones se disparen de un golpe ó al mismo tiempo.

El trasmutador vuelve automáticamente á la derecha al abrir la escopeta, pues el cañón derecho es el que casi siempre se dispara el primero, y de otro modo seria facil que se le olvidase á uno volver el botón á su posición original. Pero también se puede ajustar el mecanismo para que siga disparando el izquierdo, una vez empujado, el trasmutador hacia delante, hasta que se vuelva á colocar el botón atrás. El botón se puede mover con el índice en el momento de apuntar. Si así se quiere, puede el botón ser colocado encima para ser manejado por el pulgar. Con este sistema la caja queda firme en el pulso, un pequeño movimiento hacia delante del dedo dispone del primer tiro y ya esta todo dispuesta para el segundo. Este puede ser disparado pues con más exactitud y cuando necesario con más rapidez con un fiador solo. Además no es posible con este sistema dar con el índice en el fiador delantero, inconveniente de las escopetas con dos fiadores.

Veranschaulichung des „Einabzug“, montiert auf Doppelflinten.	Système à détente unique, monté sur fusils à 2 coups.	Illustration of the single-trigger-mechanism, mounted on double barrel guns.	Sistema de fiador unico montado sobre fusiles de 2 cañones.

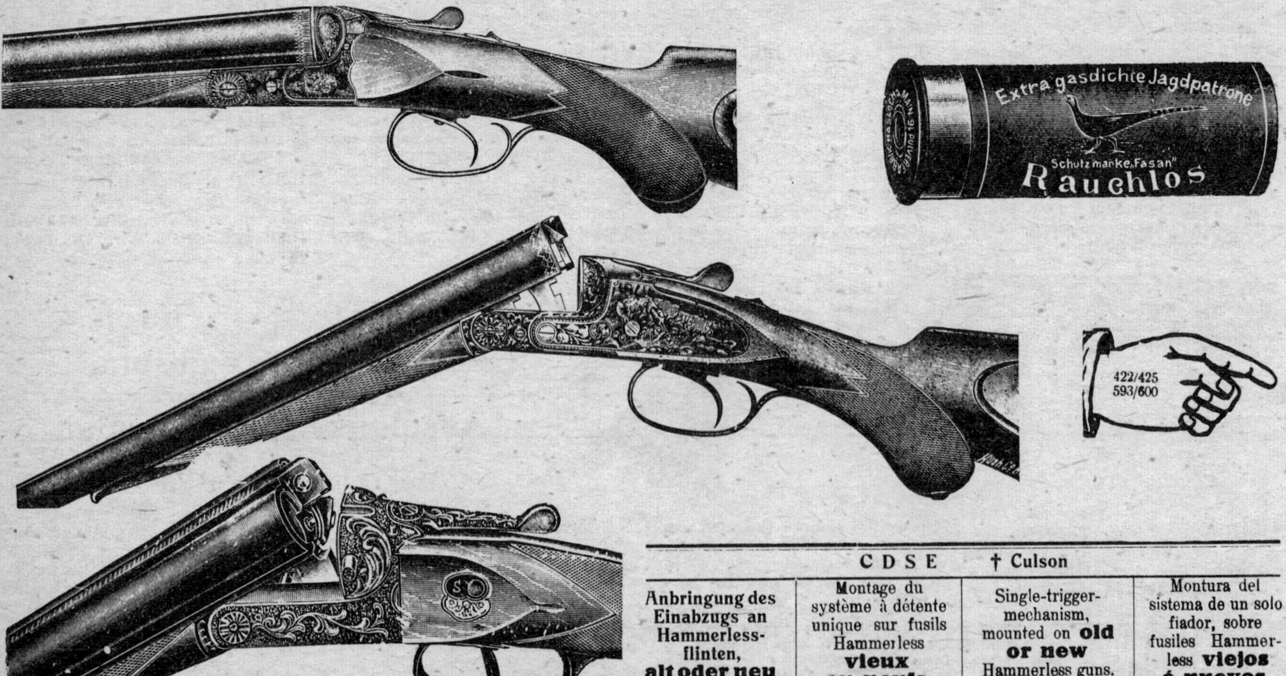

CDSE † Culson

Anbringung des Einabzugs an Hammerless-flinten, **alt oder neu**	Montage du système à détente unique sur fusils Hammerless **vieux ou neufs.**	Single-trigger-mechanism, mounted on **old or new** Hammerless guns.	Montura del sistema de un solo fiador, sobre fusiles Hammerless **viejos ó nuevos.**

Mark **70.—**

Selbstspanner-Doppelflinten „Alfa“ ohne Hähne.	Hammerless à 2 coups „Alfa“ s'armant automatiquement.		Self-cocking double-barrel guns „Alfa“ hammerless.	Escopetas „Alfa“ de tensión automática, de dos cañones y sin gatillos.

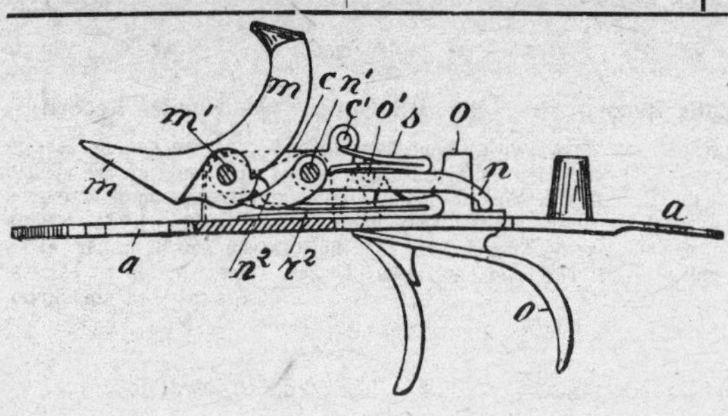

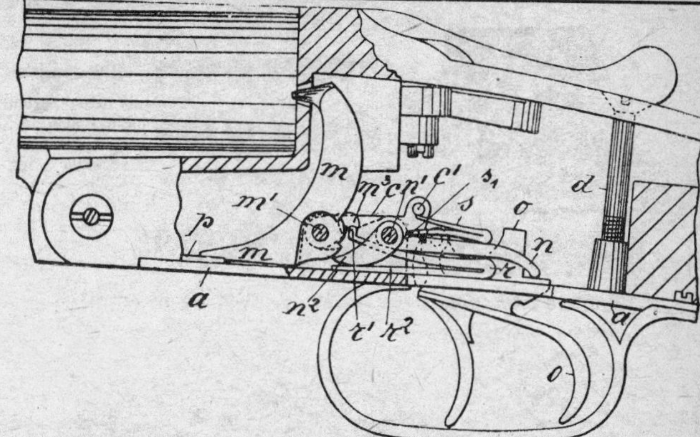

Schlosskonstruktion ‚Alfa‘.

(Verbessertes System Anson & Deeley.)

Bewährte Konstruktion für Selbstspanner-Flinten.

Der **Schlossmechanismus** zeichnet sich durch grosse Einfachheit aus. Die Funktion ist tadellos. Zerlegen, Reinigen und Zusammensetzen des Gewehres und der Schlossteile ist leicht zu bewerkstelligen. Die Einfachheit und Stabilität dieses Schlosses bietet in sich selbst eine Garantie, welche irgendwelche Störungen des Mechanismus gänzlich ausschliesst.

Construction du système ‚Alfa‘

(Système Anson & Deeley perfectionné.)

Construction donnant les meilleurs résultats pour fusils à armement automatique.

Le **mécanisme** se distingue par une grande simplicité. Le fonctionnement est irréprochable. Le démontage, nettoyage et remontage de l' arme et des pièces de la serrure est extrêmement facile. Le simplicité et la stabilité de la serrure sont en soi la meilleure garantie que le mécanisme exclut toute possibilité de dérangements.

Lock-mechanism ‚Alfa‘.

(Improved Anson & Deeley system.)

The best tried arrangement for self-cocking guns.

The mechanism is remarkable for its simplicity. It works irreproachably. The taking to pieces, cleaning and putting together again of the gun and lock parts is easily done. The stability and simplicity of this lock are in themselves a guarantee that any derangement of the parts or mechanism is quite out of the question.

Construcción del sistema ‚Alfa‘.

(Sistema Anson & Deeley perfeccionado.)

Este sistema ha dado los mejores resultados con escopetas de tensión automática.

El mecanismo se distingue de un modo particular por su gran sencillez. El funcionamiento es irreprochable. Nadie halla dificultad alguna en descomponer, limpiar y recomponer una escopeta de esto sistema. La construcción simple y á la vez duradera de estas llaves ofrece por si misma una garantía que no habrá que temer desarreglos del mecanismo.

Konstruktion „Alfa“

CDS 19/19 b

Läufe aus Krupp'schem Flusstahl, dreifacher Verschluss, guillochierte Laufschiene, Sicherung auf dem Kolbenhalse, **englische Arabeskengravur,** voller Pistolgriffschaft, Hornkappe, Patentvorderschaft, **staatlich rauchlos beschossen.**

Canons d'acier coulé Krupp, triple verrou, bande guillochée, sûreté au cou de la crosse, gravure anglaise à arabesques, crosse pistolet, calotte corne, devant déposé, **éprouvé officiellement à la poudre sans fumée.**

Krupp ingot steel barrels, triple bolt, matted rib, safety on the small of the butt, English arabesque engraving, full pistol grip, horn butt plate, patent fore-end, **Government tested with smokeless powder.**

Cañones de acero de lingote Krupp, cerradura triple, cinta retorcida, seguro en el cuello de la caja, grabado inglés con arabescos, puño entero de pistola, cantonera de cuerno, delantera de privilegio, **experimentada oficialmente con pólvora sin humo.**

422/425
593/600

„Konstruktion Alfa“.

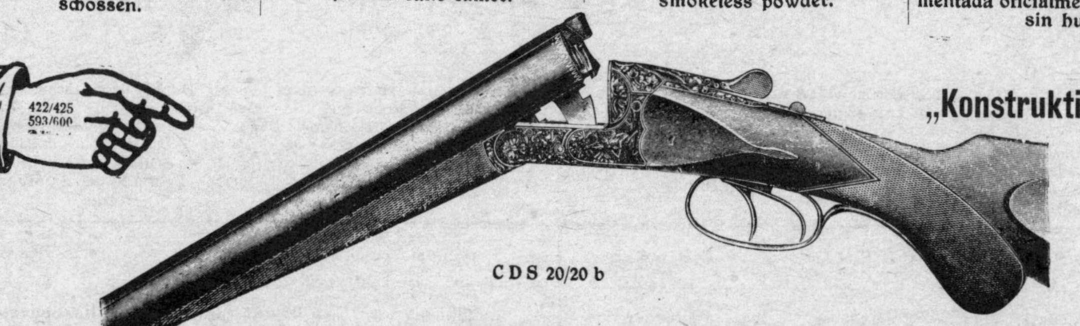

CDS 20/20 b

Wie **C D S 19,** aber in **feinerer** Ausstattung, feinste **altdeutsche Gravierung** usw.

Comme **C D S 19,** mais **en élégante** exécution, élégante **gravure vieux type allemand** etc.

As **C D S 19,** but **finer finish,** finest **old German engraving** etc.

Como el **C D S 19,** pero más **esmeradamente acabado, grabado alemán viejo** superior etc.

No	CDS 19	CDS 19 a	CDS 19 b	CDS 20	CDS 20 a	CDS 20 b
†	Catrost	Catrosts	Catrostt	Caserov	Caserovs	Caserovt
Cal.	12	16	20	12	16	20
Mark	190.—	190.—	194.—	200.—	200.—	204.—

Selbstspanner-Doppelflinten „Alfa“ ohne Hähne.	Hammerles à 2 coups „Alfa“ s'armant automatiquement.		Self-cocking double-barrel hammerless guns „Alfa“	Escopetas de dos tiros „Alfa“ sin gatillos y con tensión automática.

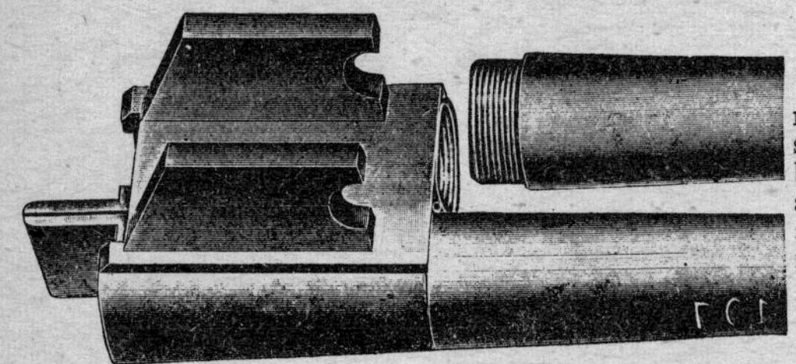

Rekordgewehre mit offen liegenden Verschlusshaken (Beschreibung des Rekord-Systems auf nächster Seite), vorzügliche, billige Waffen für Gebrauch rauchloser Pulver.

Fusils Record avec crochet de verrou restant ouvert (description du système Record à la page suivante), excellentes armes bon marché, pour poudre sans fumée.

Record Guns with open attachment-couplings (description of Record sytem on next page). Excellent and cheap arm for the use of smokeless powder.

Fusiles Record con gancho de cerrojo que se queda abierto (descripción de la sistema Record en la pagina siguiente), armas excelentes y muy baratas, para pólvora sin humo.

Stahlkammerstück. **Pièce de chambre.** **Steel breech block.** **Pieza de cámara de acero.**

422/425
593/600

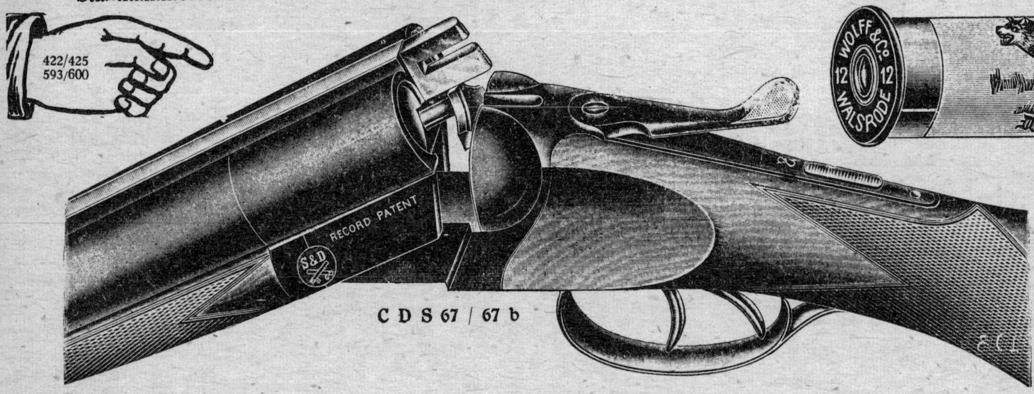

Rekord

C D S 67 / 67 b

Coquerill-Stahlläufe, 30 englische Zoll Lauflänge, links choke bore, verlängerte mattierte Schiene, Toplever-Verschluss, Teile gehärtet und gebläut, Druckknopfvorderschaft und Pistolengriff mit Fischhaut, Sicherung.

Canons acier Coquerill, longueur des canons: 30 pouces anglais, choke bored à gauche, bande mate prolongée, verrou Toplever, pièces trempées et bleuies, devant à poussoir, crosse pistolet quadrillé, sûreté.

Coquerill 30 inch **steel barrels,** left choke bore, matted extension rib, top lever bolt. Case-hardened parts, press button fore-end, checkered pistol-grip, safety.

Cañones de acero Coquerill, longitud de los cañones: 30 pulgadas inglesas, choke bored á la izquierda, cinta mate prolongada, cerrojo Toplever, piezas templadas y azuladas, delantero de empujador, mango-pistola, labrado, seguridad.

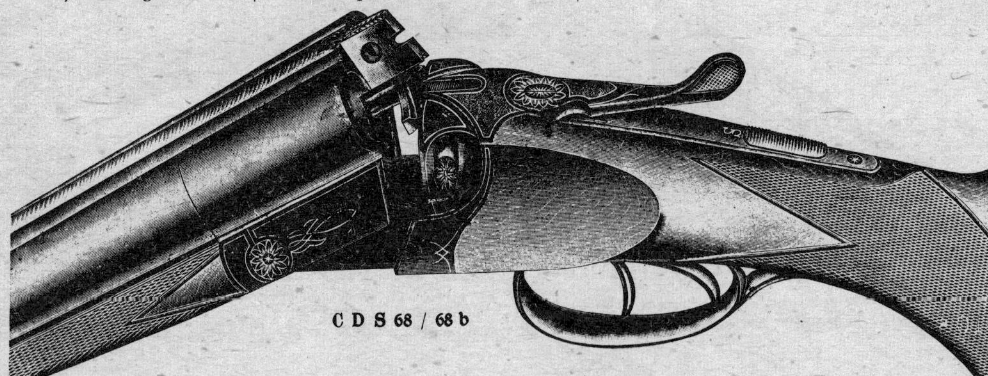

Rekord

C D S 68 / 68 b

Wie C D S 67, aber **Ia Flusstahlläufe,** Top-bolt-Verschluss in Verbindung mit Querriegel, Garnitur mit englischer Kante, Hornkappe, graviert, marmoriert, gehärtet, Vorderschaft mit Patentschnäpper, Pistolengriff, Backe, Fischhaut, **rauchlos beschossen.**

Comme C D S 67, mais **canons acier coulé extra,** fermeture Top-bolt, garniture genre anglais, gravé, trempé, jaspé, devant à pédale, crosse pistolet, à joue, quadrillé, calotte corne, **éprouvé à poudre sans fumée.**

Like C D S 67, **but best ingot steel barrels,** top-bolt in connection with cross-bolt, English engraving, case hardened and marbled, fore-end with patent snapper, pistol-grip, cheek, checkered horn cap, **nitro proved.**

Como C D S 67, pero cañones de **acero de lingote extra,** cierre Top-bolt, guarnición inglés, grabado, templado y jaspeado. Delantero de pedal, mango pistola, de carrillo, labrado, cantonera de cuerno. **Probado para pólvora sin humo.**

No.	C D S 67	C D S 67 a	C D S 67 b	C D S 68	C D S 68 a	C D S 68 b
†	Rekorderi	Rekorderis	Rekorderit	Rekobura	Rekoburas	Rekoburat
Cal.	12	16	20	12	16	20
Mark	105.—	105.—	109.—	152.—	152.—	156.—

Selbstspanner-Doppelflinten „Alfa‘ ohne Hähne.	Hammerless à 2 coups „Alfa“, s'armant automatiquement.		Self-cocking double - barrel guns „Alfa“ hammerless.	Escopetas de dos tiros „Alfa“ con tensión automática y sin gatillos.

„Rekord“

Obige Abbildung zeigt den **Rekordverschluss,** derselbe ist vorzüglich geignet für alle besseren Gewehre, aus welchen **rauchloses Pulver** geschossen werden soll, da er sich selbst bei stärksten Ladungen nicht lockert. Jeder Lauf hat seinen eigenen Verschlusshaken. Garantie für grösste Haltbarkeit und Widerstand.

L'illustration ci-dessus représente le **verrou Record,** qui convient supérieurement aux meilleurs fusils destinés au tir à poudre sans fumée, car il ne bouge pas même avec les plus forts chargements de **poudre sans fumée.** Chaque canon a son propre crochet. Durabilité et résistance garanties.

The above illustration shows the **„Record“** attachment. The same is specially suitable for all better class guns firing **smokeless powder,** as it does not work loose even when the strongest charges are employed. Each barrel has its separate attachment coup lings, warranted for the greatest durability and resistance.

La adjunta ilustración demuestra el enganche **„Record“.** Este es especialmente a propósito para todas las armas de mejor clase empleando **pólvora sin humo,** pues no se afloja aun empleando las cargas máximas. Cada cañón tiene su sistema de enganche separado. Se garantiza la durabilidad y resistencía máximas.

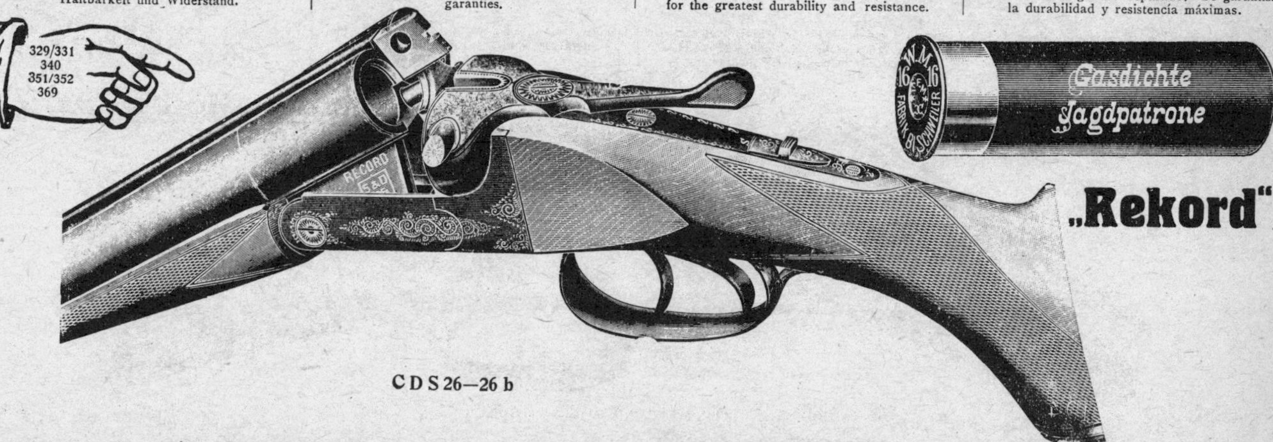

„Rekord“

CDS 26—26 b

CDS 26—26 b. Cal. 12 und 16, Lauflänge bis zu 76 cm, einfache Ausstattung, aber sauber ausgearbeitet, **vereinfachte** Schloss- und Spannkonstruktion, automatische Sicherung, **Pa. Flussstahlläufe,** links choke, rechts 1/4—1/2 choke, gute Schussleistung.

C D S 27—27 b. Mit **echten Krupp-Flusstahlläufen** und mit **doppeltem Riegeleintritt,** sonst wie C D S 26.

C D S 28—28 b. Mit schwarzer, englischer Garnitur nach der Härte und mit **rauchlosem Pulver staatlich geprüft,** sonst wie C D S 27.

C D S 26—26 b. Cal. 12 et 16, longueur du canon jusqu'à 76 cm exécution simple, mais soigneusement travaillé, construction de la serrure et de l'armement simplifiée, sûreté automatique, **canons acier extra coulé,** choke à gauche, à droite 1/4—1/2, choke, tir excellent.

C D S 27—27 b. Avec canons véritable acier Krupp coulé, avec double enclavure du verrou, pour le reste comme C D S 26.

C D S 28—28 b. Avec **garniture anglaise noire** suivant la trempe, **éprouvé officiellement à la poudre sans fumée,** pour le reste, comme C D S 27.

C D S 26—26 b. Cal. 12 and 16, length of barrels up to 76 cm, simply but neatly finished off, simplified lock and cocking arrangement, automatic safety, first qual. ingot steel barrels, left choke, right 1/4—1/2 choke, good shooting qualities.

C D S 27—27 b. With real **Krupp ingot-steel barrels** and **double bolt attachment,** otherwise as C D S 26.

C D S 28—28 b. With black English mounting, according to the hardening, **tested by government with smokeless powder,** otherwise as C D S 27.

C D S 26—26 b. Cal. 12 y 16, longitud de los cañones hasta 76 cm, ejecución simple, pero esmerada, cerradura y tensión simplificadas, seguro automático, cañones acero de lingote de primera, izquierdo „choke“, derecho 1/4 hasta 1/2 choke, tiro excelente.

C D S 27—27 b. Cañones verdadero **de acero lingote Krupp** y **cerrojo de doble entrada,** por lo demás igual al C D S 26.

C D S 28—28 b. Con guarnición inglesa negra según temple, **experimentado oficialmente con pólvora sin humo,** por lo demás igual al C D S 27.

„Rekord“

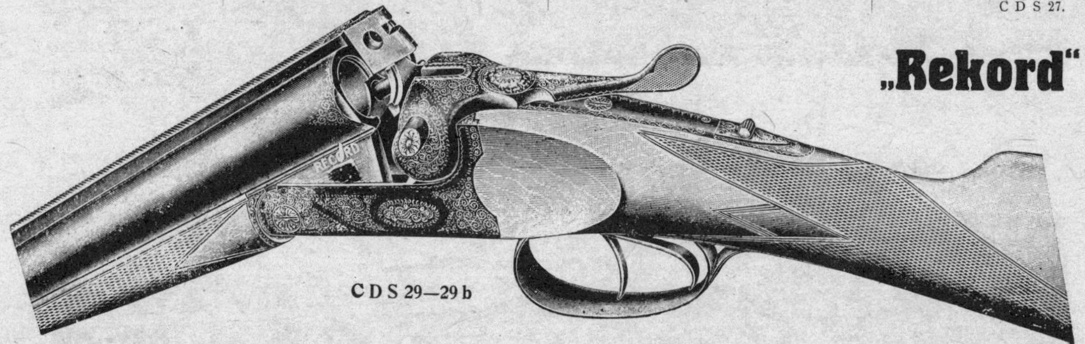

CDS 29—29 b

C D S 29—29 b. Cal. 12 und 16, Lauflänge bis zu 76 cm, **feinere** Ausstattung und sorgsam durchgearbeitet, **doppelter Riegeleintritt,** in der verlängerten Schiene. **Seitenansätze** am System, links choke, rechts 1/4—1/2 choke, mit rauchlosem Pulver staatlich geprüft.

C D S 30—30 b. Mit echten **Krupp-Flusstahlläufen,** und mit **geteiltem automatischen Patronenauswerfer,** sonst wie C D S 29.

C D S 29—29 b. Cal. 12 et 16, longueur du canon jusqu'à 76 cm, exécution **plus élégante** et très soigneusement travaillée, **double enclavure** du verrou, choke à gauche, à droite 1/4—1/2 choke, éprouvé officiellement à la poudre sans fumée.

C D S 30—30 b. Canons véritable acier Krupp, avec **éjecteurs automatiques séparés,** autrement comme C D S 29.

C D S 29—29 b. Cal. 12 and 16, length of barrels to 76 cm, **better finished** and carefully fitted, **double bolt** through extended rib, **sidewings,** left barrel choke, right 1/4—1/2 choke, Government tested with smokeless powder.

C D S 30—30 b. With real **Krupp ingot steel barrels** and **separate automatic ejector,** otherwise as C D S 29.

C D S 29—29 b. Cal. 12 y 16, cañones hasta 76 cm, construcción **más esmerada** y ajuste cuidadoso, **cerrojo doble** atravesando la extensión de la cinta, izquierdo choke, derecho 1/4—1/2 choke, experimentada oficialmente con pólvora sin humo.

C D S 30—30 b. Cañones de **acero lingote de Krupp** legitimo y **eyectores, automáticos separados** sino como el C D S 29.

No.	C D S 26	C D S 26 a	C D S 26 b	C D S 27	C D S 27 a	C D S 27 b	C D S 28	C D S 28 a	C D S 28 b	C D S 29	C D S 29 a	C D S 29 b	C D S 30	C D S 30 a	C D S 30 b
†	Centrut	Centruts	Centrutt	Cidontar	Cidontars	Cidontart	Deiba	Deibas	Deibat	Durcha	Durchas	Durchat	Deher	Dehers	Dehert
Cal.	12	16	20	12	16	20	12	16	20	12	16	20	12	16	20
Mk.	200.—	200.—	212.—	212.—	212.—	224.—	224.—	224.—	236.—	248.—	248.—	260.—	410.—	410.—	422.—

Selbstspanner-Doppelflinten „Alfa“ ohne Hähne.	Hammerless à 2 coups „Alfa“ s'armant automatiquement.		Self-cocking double-barrel „Alfa“ hammerless guns.	Escopedas de dos tiros „Alfa“ tensión automáticas, y sin gatillos.

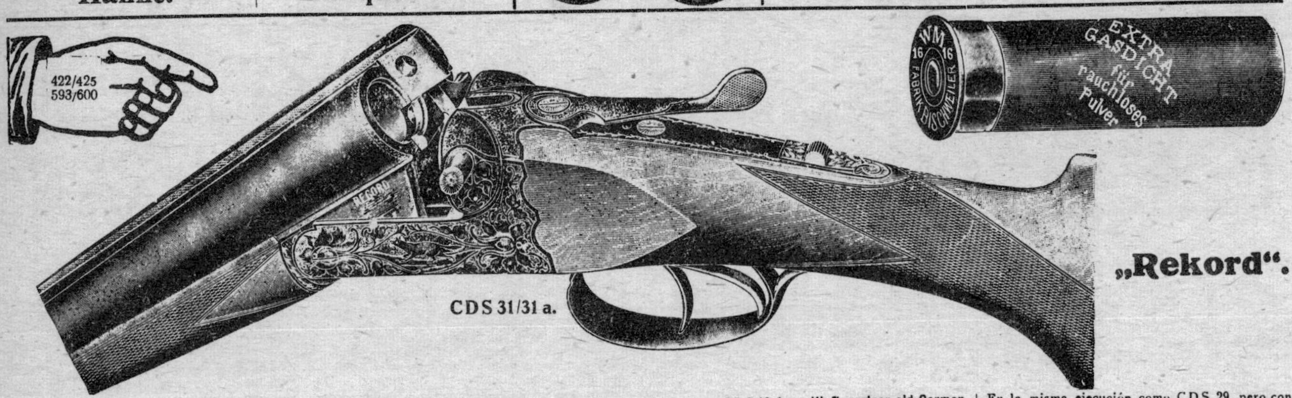

„Rekord“.

CDS 31/31 a.

Ausstattung wie CDS 29, aber mit **feiner, tiefer, altdeutscher Gravur**, besonders **stabil** gearbeitet.	Même exécution que CDS 29, mais **avec élégante gravure à fonds creux vieux genre allemand**, tout particulièrement solidement travaillé.	Details as CDS 29, but **with finer deep old-German engraving**, specially stable construction.	En la misma ejecución como CDS 29, pero con **grabado más fino y hondo alemán-viejo**, construcción especialmente sólida.

Mod. „Monte Carlo“.

Mod. „Monte Carlo“.

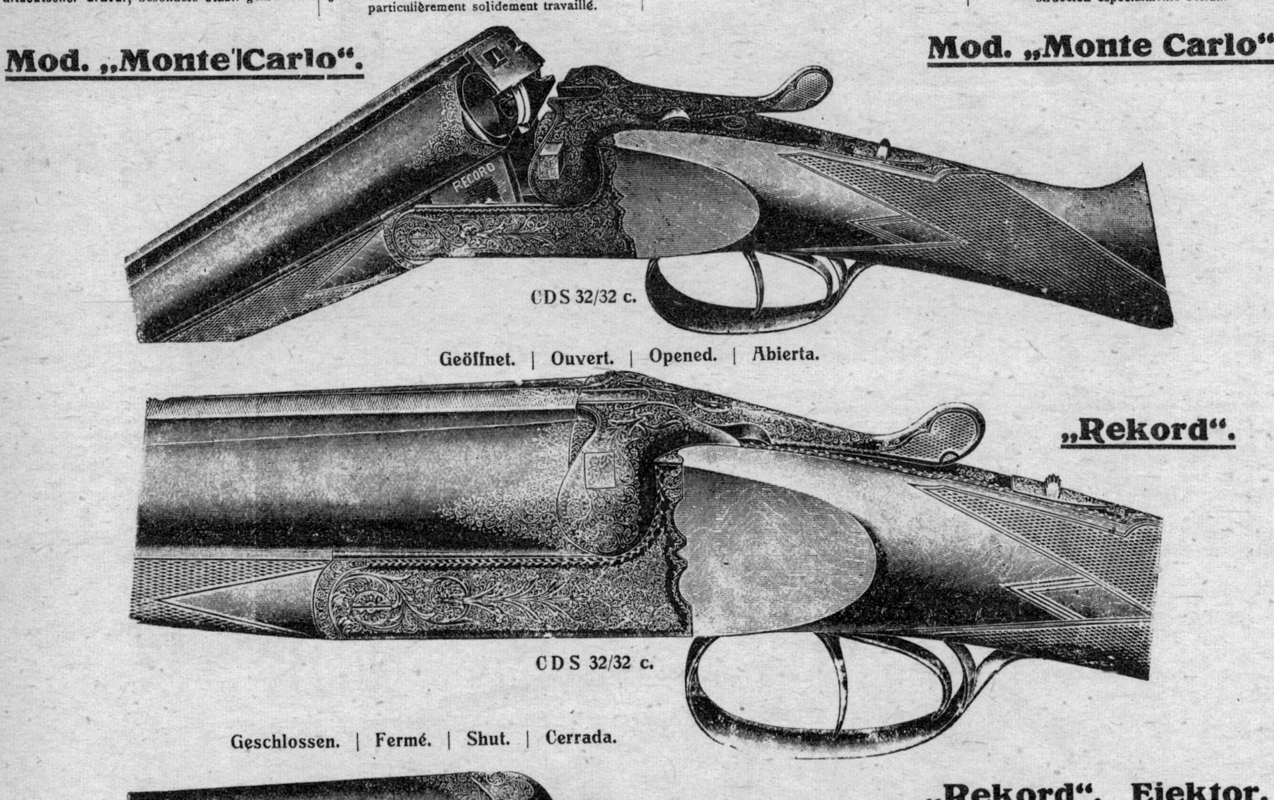

CDS 32/32 c.

Geöffnet. | Ouvert. | Opened. | Abierta.

„Rekord“.

CDS 32/32 c.

Geschlossen. | Fermé. | Shut. | Cerrada.

„Rekord“. Ejektor.

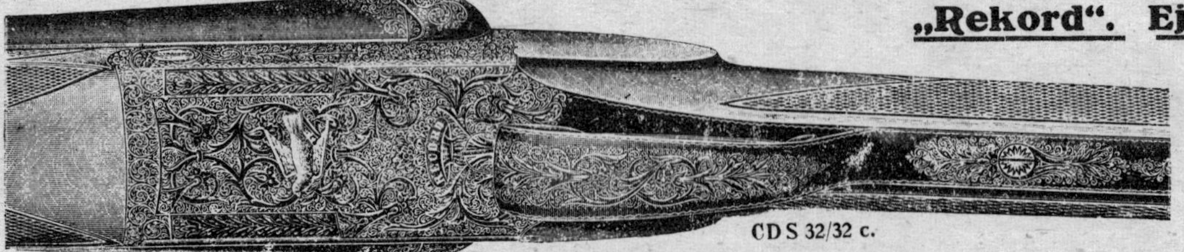

CDS 32/32 c.

Von unten gesehen. | Vue du-dessous. | Under view. | Vista por debajo.

CDS 32/32 a.	Mit der denkbar grössten Präzision gearbeitet, genau wie Abbildung, hochfeine Waffe für Taubenschützen, la Handarbeit.	Travaillé avec la plus haute précision possible, exactement selon l'illustration, arme supérieure pour le tir aux pigeons, travail à la main extra.	Fitted with the greatest possible accuracy, just as illustrated, splendid weapon for pigeon-shooting, high class hand make.	Con ajuste inmejorable, igual á la ilustración, arma excellente para el tiro-de-pichones, trabajo manual de primera orden.
CDS 32 b/32 c.	Genau wie CDS 32, aber mit geteiltem Patronenauswerfer.	Exactement, comme CDS 32, mais avec éjecteurs séparés.	Just like CDS 32, but with separate automatic ejectors.	Del todo igual al CDS 32, pero con eyectores automáticos separados.

No.	CDS 31	CDS 31 a	CDS 32	CDS 32 a	CDS 32 b	CDS 32 c
†	Dema	Demas	Danisch	Danischs	Demgfan	Demgfans
Cal.	12	16	12	12	12	16
Mark	280.—	280.—	490.—	490.—	610.—	610.—

Selbstspanner-Doppelflinten „Alfa“ ohne Hähne.	Hammerless à 2 coups „Alfa“ s'armant automatiquement.		Self-cocking double-barrel guns hammerless.	Escopetas de tensión automática „Alfa“, de dos cañones sin gatillos.

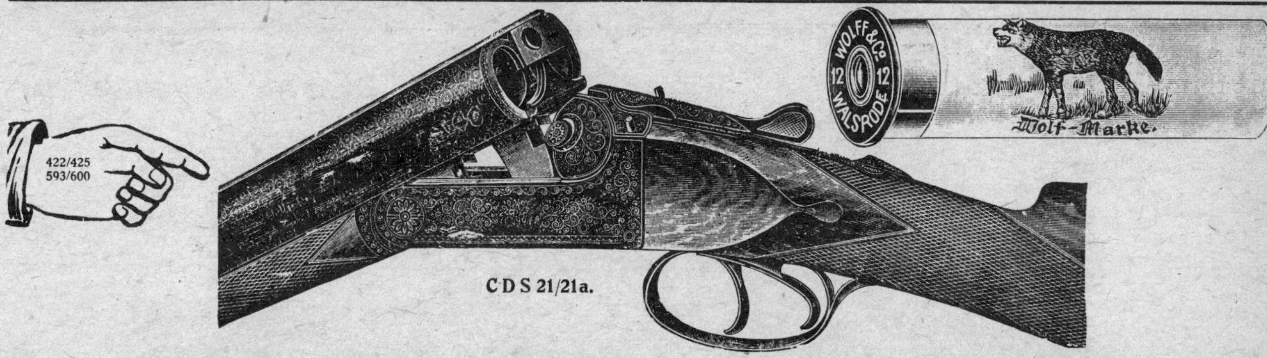

CDS 21/21a.

Hammerless - Doppelflinte, System Anson & Deeley, Cal. 12 oder 16; links choke bored, **Hufnageldamast,** dreifacher Verschluss, verlängerte guillochierte Laufschiene, abnehmbarer Vorderschaft mit Knopfverschluss, automatische Sicherheit, Markenstifte an der Basküle, englische Gravur, marmorierte Garnitur, Pistolengriffschaft oder englische Schäftung.

Fusil à 2 coups **Hammerless,** système Anson & Deeley, Cal. 12 ou 16, choke bored à gauche, Damas clou de fer à cheval, triple verrou, bande guillochée prolongée, devant enlevable à poussoir, sûreté automatique, pointe spéciale à la bascule, gravure anglaise, garniture jaspée, crosse pistolet ou crosse anglaise.

Hammerless double barrel gun, Anson and Deeley system, Cal. 12 or 16, left choke-bored, **hobnail damascus,** triple bolt, matted extended rib, detachable fore-end with press button catch, automatic safety, indicator pins on the bascule, English engraving, marbled mounting, pistol grip or straight stock.

Escopeta sin gatillos **de dos tiros,** sistema Anson & Deeley, Cal. 12 ó 16, izquierdo choke bored, **Damasco clavode herradura,** cerradura triple, cinta retorcida y prolongada, delantera de quita y pon con botón de empuje, seguro automático, agujas indicadoras en la báscula, grabado inglés, guarnición jaspeada empuñadura de pistola ó caja inglesa.

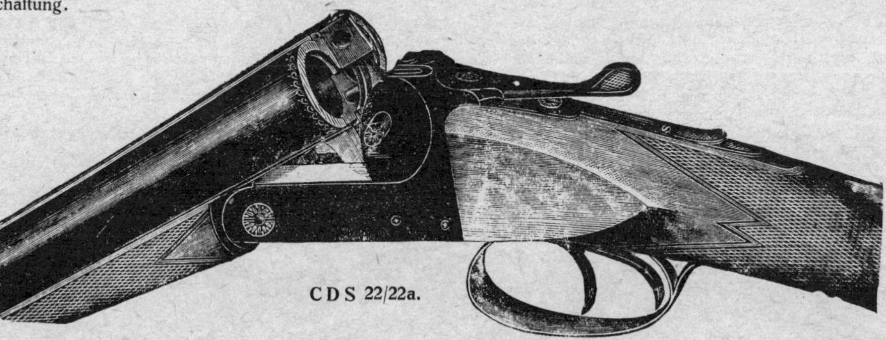
CDS 22/22a.

Hammerless-Doppelflinte, wie CDS 21, aber mit **seitlichen Lappen,** ohne Anzeigestifte, Läufe **aus Kruppschem Flusstahl,** fein guillochierte Schiene.

Fusil à 2 coups **Hammerless,** genre CDS 21, sans pointe d'avertissement, **canons d'acier coulé Krupp,** bande élégamment guillochée.

Double-barrel hammerless gun, like CDS 21, but with **side wings,** without indicator pins, **Krupp steel barrels,** finely matted rib.

Escopeta sin gatillos, de dos tiros como el CDS 21 pero **con alones,** sin agujas indicadoras, **cañones de acero de lingote Krupp,** cinta fina y retorcida.

Konstruktion „Alfa“
(siehe Seite 355)

Construction „Alfa“
(voir page 355)

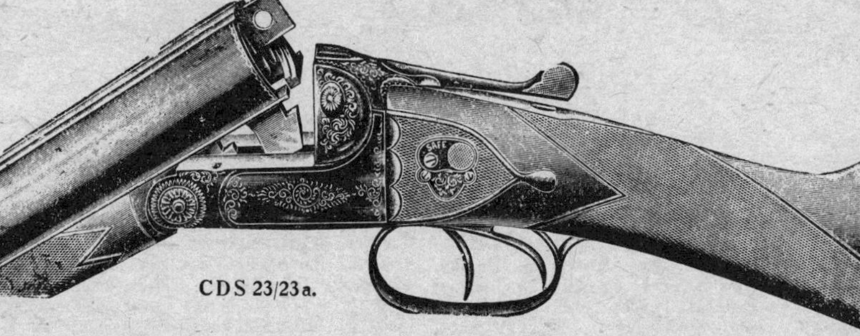
CDS 23/23a.

Action „Alfa“
(see page 355)

Construcción „Alfa“
(véase página 355)

Hammerless-Doppelflinte, stets vorrätig in Cal. 12, 16 und 20. **Pa. Kruppsche Stahlläufe,** 4 facher Greener-Verschluss, links choke-bored, Purdey-Vorderschaft, Schäftung nach Angabe deutsch oder englisch, dreifache guillochierte Laufschiene, speziell für **rauchloses Pulver gefertigt** und **staatlich damit beschossen.** Bügel und Kappe aus Horn, vornehme engl. Gravur.

Fusil à 2 coups Hammerless, toujours en stock dans nos dépôts en Cal. 12, 16 et 20, **canons acier Krupp,** quadruple verrou Greener, choke bored à gauche, devant Purdey, crosse allemande ou anglaise selon préférence, triple bande guillochée, tout spécialement fait pour **la poudre sans fumée et éprouvé officiellement au tir avec cette poudre,** sous-garde et calotte en corne, élégante gravure anglaise.

Double-barrel Hammerless gun, always in stock in Cal. 12, 16 and 20. **First class Krupp steel barrels,** quadruple Greener bolt, left choke-bored, Purdey fore-end, German or English stock as desired, matted triple rib, specially adapted for use with **smokeless powder and tested with same by Government,** trigger-guard and butt plate of horn, high class English engraving.

Escopeta de dos tiros, sin gatillos siempre de provision en los Cal. 12, 16 y 20. **Cañones de acero Krupp superior,** cerradura cuádrupla Greener, izquierdo „choke bored“, delantera Purdey, caja inglesa ó alemana según instrucciones, cinta retorcida, **especialmente construida para la pólvora sin humo** con la cual ha sido **experimentada oficialmente,** guardamento y cantonera de cuerno, grabado inglés esmerado.

No.	CDS 21	CDS 21 a	CDS 22	CDS 22 a	CDS 23	CD 23 a	CDS 23 b
✢	Cerrokte	Cerroktes	Cesor	Cesors	Cidrat	Cidrats	Cidratt
Cal.	12	16	12	16	12	16	20
Mark	216.—	216.—	190.—	190.—	270.—	270.	270. -

Selbstspanner-Doppelflinten „Alfa" ohne Hähne mit automatischem Patronenauswerfer.	Hammerless à 2 coups „Alfa", s'armant automatiquement, avec éjecteur automatique.		Self-cocking double-barrel guns „Alfa" with ejector, hammerless.	Escopetas de dos tiros „Alfa" con tensión y eyector automáticos, hammerless.

„Ejektor-Flinte". | „Fusil à éjecteur". „Ejector gun". | „Escopeta de eyector".

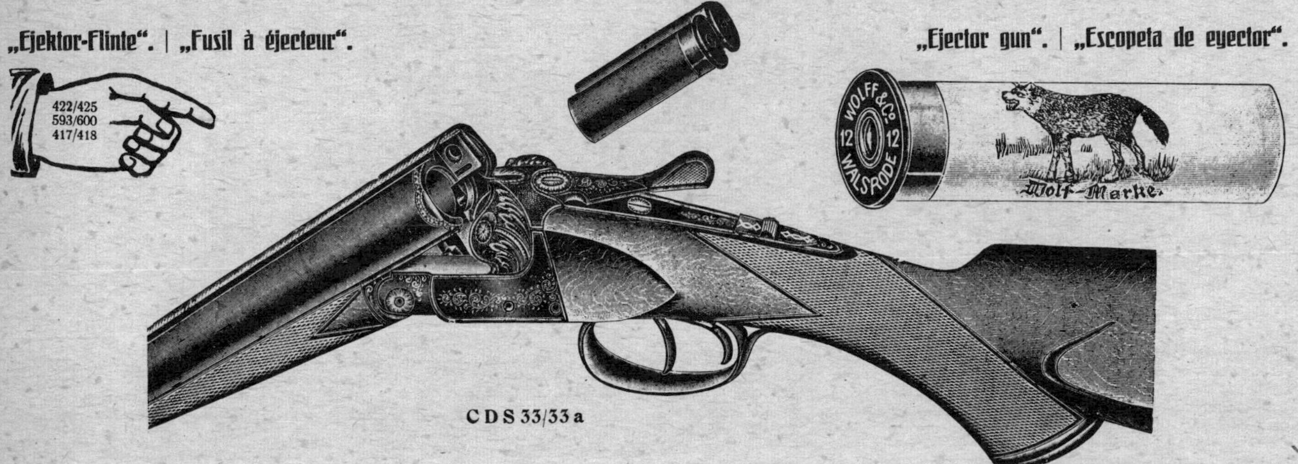

CDS 33/33 a

System Anson & Deeley mit automatischem **zweiteiligen Patronenauswerfer,** prima **Flussstahlläufe,** links choke-bore, Top-bolt-Greener-Verschluss, Basküle mit Seitenbacken, Sicherung, Patentvorderschaft, rauchlos beschossen, englisch graviert, marmoriert gehärtet.

Système Anson & Deeley, avec **éjecteurs automatiques indépendants, canons acier coulé** extra, choke-bore à gauche, verrou Top-bolt Greener, bascule à coquilles et à ailerons, sûreté, devant patenté, éprouvé à la poudre sans fumée, gravure anglaise, trempé jaspé.

Anson & Deeley system with independent **automatic ejectors, best ingot steel barrels,** left choke-bore, Top-bolt Greener lock, scroll fence with side-wings, safety, patent fore-end, nitro proved, English engraving, marbled.

Sistema Anson & Deeley con **eyectores automáticos separados cañones acero de lingote extra,** choke-bore á la izquierda, cierre Top-bolt Greener, báscula de cáscaras, seguridad, delantero privilegiado, experimentado á la pólvora sin humo, grabado inglés, templado jaspeado.

„Fabrique Nationale".

„F N" Ejektorflinte. | Fusil „F N" à éjecteur. | „F N" ejector gun. | Escopeta „F N" de eyector.

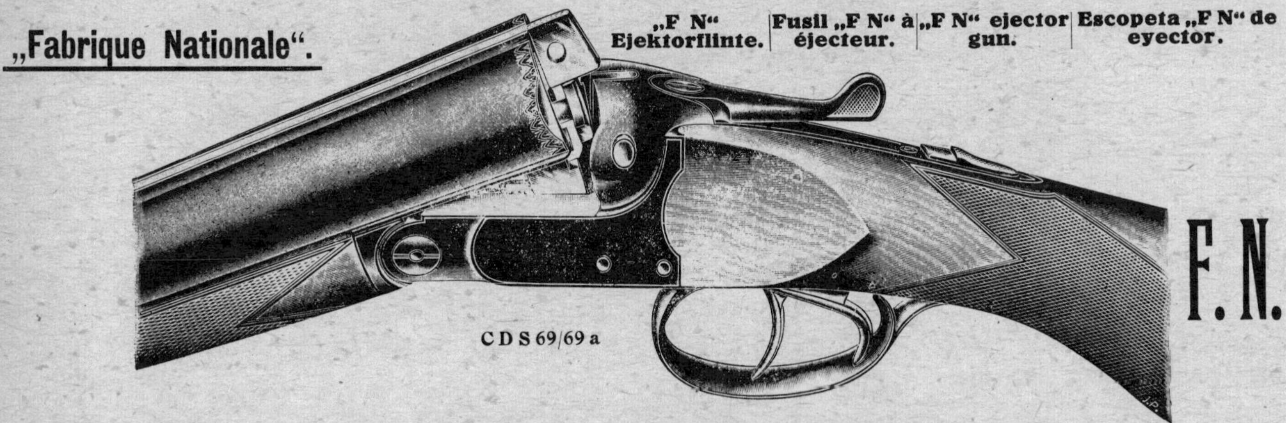

CDS 69/69 a

„Ejektor-Flinte", maschinelle Herstellung der **Fabrique Nationale,** System Anson & Deeley, prima Coquerill-Stahlläufe, tiefschwarz poliert, Patentvorderschaft, Hornkäppchen, englisch eingesetzt, genau wie Abbildung, rauchlos beschossen, **2teiliger englischer Ejektor.**

Fusil à éjecteur, fabriqué à la machine par la **Fabrique Nationale,** système Anson & Deeley, canons **acier Coquerill** extra, devant patenté noir foncé et poli, petite calotte corne, exactement selon l'illustration, éprouvé à la poudre sans fumée, **éjecteurs anglais indépendants.**

„Ejector gun" made by machinery in the **Fabrique Nationale,** system Anson & Deeley, prime **Coquerill steel** barrels, polished deep black, patent fore-end, horn cap, English insertion, nitro tested, independent **English ejectors.**

Escopeta de eyector, fabricada á máquina por la **Fabrique Nationale,** sistema Anson & Deeley, cañones de **acero Coquerill** extra, delantero privilegiado, negro oscuro y pulido, cantonera de cuerno, exactamente según ilustración, experimentado á la pólvora sin humo, **eyectores ingléses separados.**

No.	C D S 33	C D S 33 a	C D S 69	C D S 69 a
†	Dirscham	Dirschams	Dirschuk	Dirschuks
Cal.	12	16	12	16
Mark	310.–	310.–	275.	275.–

Extra feine Selbstspanner - Doppelflinten „Alfa“ ohne Hähne.

Hammerless à 2 coups „Alfa“ extra fins, s'armant automatiquement.

Extra fine self-cocking double-barrel hammerless guns „Alfa“.

Escopetas extra-finas de dos tiros y tensión automática „Alfa“, hammerless.

Modell mit und ohne Ejektor. | **Modèle avec et sans éjecteur.** | **Model with and without ejector.** | **Modelo con y sin eyector.**

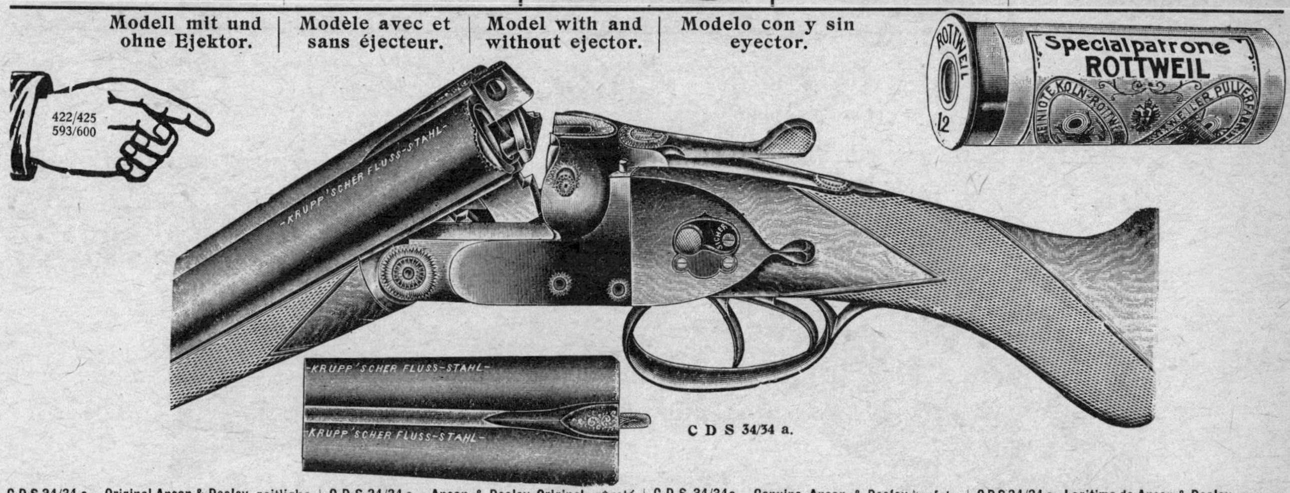

C D S 34/34 a.

C D S 34/34 a. Original Anson & Deeley, seitliche Sicherung, **Krupp'sche Flussstahlläufe m. Reichsadler, fünffacher** vierkantiger Greener Keilverschluss, Anzeigestifte, feine Rosettengravierung, Teile matt schwarz, staatlich 4fach **rauchlos beschossen, mit Ia engl. autom. geteilten Patronenauswerfer.**

C D S 70/70 a. Wie C D S 34, aber ohne Patronenauswerfer.

C D S 34/34 a. Anson & Deeley Original, sûreté latérale, canons acier coulé Krupp avec aigle impérial, quintuple verrou Greener, pointe d'avertissement, élégante gravure à rosette, pièces mates noires, quadruplement éprouvé à poudre sans fumée, avec éjecteurs anglais automatiques indépendants.

C D S 70/70 a. Comme C D S 34, mais sans éjecteur.

C D S 34/34a. Genuine Anson & Deeley, safety at side, **Krupp ingot steel barrels with engraved eagles, quintuple Greener square bolt,** indicator pins, fine rosette engraving, dull black parts, **four fold tested by Government with smokeless powder,** first class English independent automatic ejectors.

C D S 70/70 a. Like C D S 34, but without ejector.

C D S 34/34 a. Legitima de Anson & Deeley, seguro allado, **cañones acero lingote de Krupp con águila imperial, cerradura quintupla de Greener** con cerrojo cuadrado, agujas indicadoras, grabado de rositas fino, piezas de negro mate, **experimentada cuadruplemente per el Gobieco con pólvora sin humo** eyectores ingléses automáticos de primera y separados para cada cañón.

C D S 70/70a. Como C D S 34, pero sin eyector.

Handarbeit mit und ohne Ejektor. | **Travail à la main, avec et sans éjecteur.** | **Hand made with and without ejector.** | **Hecha á mano con y sin eyector.**

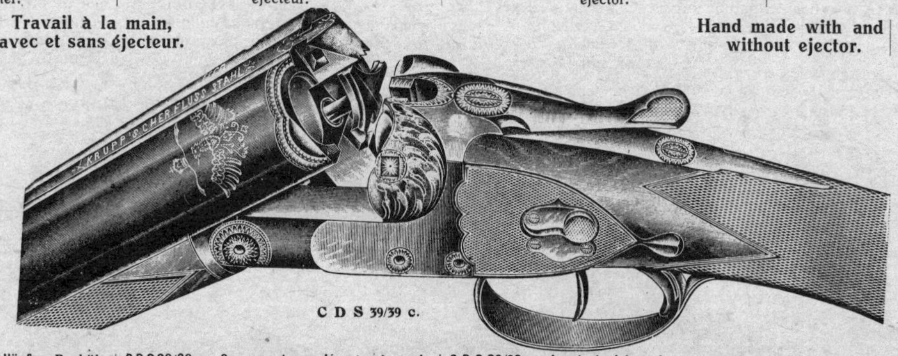

C D S 39/39 c.

C D S 39/39 a. Ia Flussstahlläufe, Basküle mit Seitenbacken, russischer Greener-Verschluss, Patentvorderschaft, ziselierte Basküle, Sicherung à la Greener an der Seite, Garnitur schwarz.

C D S 39 b/39 c. Wie C D S 39, **mit geteiltem englischen Ejektor.**

C D S 39/39 a. Canons acier coulé extra, bascule à coquilles et à ailerons, verrou russe Greener, devant patenté, bascule ciselée, sûreté à la Greener au côté, garniture noire.

C D S 39 b/39 c. Comme C D S 39, **avec éjecteurs anglais indépendants.**

C D S 39/39 a. Ingot steel barrels, scroll fence with side wings, Russian Greener bolt, patent fore-end, Greener safety at side, black mounting.

C D S 39 b/39 c. Like C D S 39, with **independent English ejectors.**

C D S 39/39 a. Cañones acero de lingote extra, báscula de concha, cierre ruso Greener, delantero privilegiado, báscula cincelada, seguridad á la Greener al lado, guarnición negra.

C D S 39 b/39 c. Como C D S 39, con **eyectores ingléses separados.**

Handarbeit mit und ohne Ejektor. | **Travail à la main avec et sans éjecteur.** | **Hand made with and without ejector.** | **Hecha á mano con y sin eyector.**

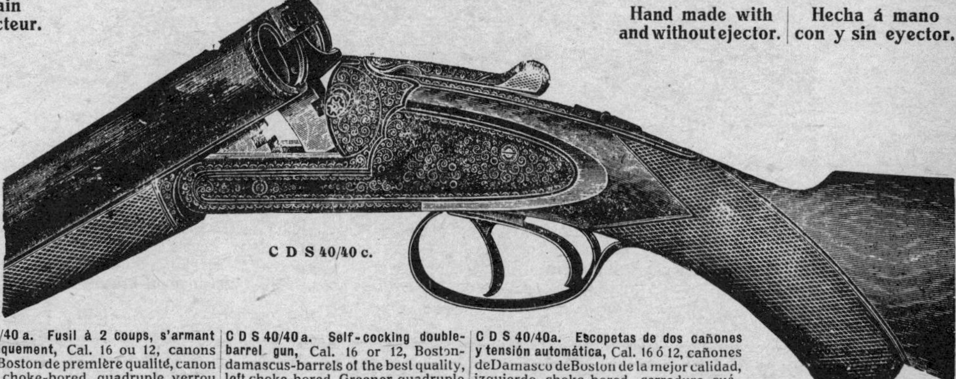

C D S 40/40 c.

C D S 40/40 a. Selbstspanner-Doppelflinte, Cal. 16 oder 12, Boston-Damast-Läufe erster Qualität, linker Lauf choke-bored, vierfacher Greener-Verschluss, automatische Sicherheit, guillochierte Schiene, Pistolenschaft mit Fischhaut, englische Gravierung, marmorierte Garnitur usw. Garantie für grösste Solidität, Leistungsfähigkeit und tadelloses Funktionieren des Mechanismus.

C D S 40 b/40 c. Wie C D S 40, mit zweiteiligem englischen Ejektor.

C D S 40/40 a. Fusil à 2 coups, s'armant automatiquement, Cal. 16 ou 12, canons Damas Boston de première qualité, canon gauche choke-bored, quadruple verrou Greener, sûreté automatique, bande guillochée, crosse pistolet quadrillée, gravure anglaise, garniture jaspée etc. Pleine garantie pour la solidité, le tir et le fonctionnement.

C D S 40 b/40 c. Comme C D S 40, avec éjecteurs anglais indépendants.

C D S 40/40 a. Self-cocking double-barrel gun, Cal. 16 or 12, Boston-damascus-barrels of the best quality, left choke-bored, Greener quadruple bolt, automatic safety, matted rib, checkered pistol grip, English engraving, marbled mounting etc. Perfect solidity and efficiency guaranteed as well as faultless working of the mechanism.

C D S 40 b/40 c. With independent English ejectors.

C D S 40/40a. Escopetas de dos cañones y tensión automática, Cal. 16 ó 12, cañones de Damasco de Boston de la mejor calidad, izquierdo choke-bored, cerradura cuádrupla de Greener, seguro automático, cinta retorcida, puño de pistola labrado, grabado inglés, guarnición marmoreada etc. La solidez perfecta, y funcionamiento eficiente é intachable del mecanismo son garantizados.

C D S 40 b/40 c. Como C D S 40, con eyectores ingléses separados.

No.	C D S 34	C D S 34 a	C D S 70	C D S 70 a	C D S 39	C D S 39 a	C D S 39 b	C D S 39 c	C D S 40	C D S 40 a	C D S 40 b	C D S 40 c
†	Dinader	Dinaders	Dinaderon	Dinaderons	Dorab	Dorabs	Dorabeje	Dorabejes	Dunvater	Dunvaters	Dunvateje	Dunvatejes
Cal.	12	16	12	16	12	16	12	16	12	16	12	16
Mark	370.—	370.—	282.—	282.—	290.—	290.—	410.—	410.—	264.—	264.—	384.—	384.—

Extra feine Selbstspanner-Doppelflinten „Alfa" ohne Hähne.

Hammerless à 2 coups „Alfa" s'armant automatiquement.

Extra fine self-cocking double-barrel hammerless guns „Alfa".

Escopetas extra-finas de dos tiros y tensión automática „Alfa", hammerless.

Handarbeit mit und ohne Ejektor.

Travail à la main, avec et sans éjecteur.

Hand made with and without ejector.

Hecha á mano con y sin eyector.

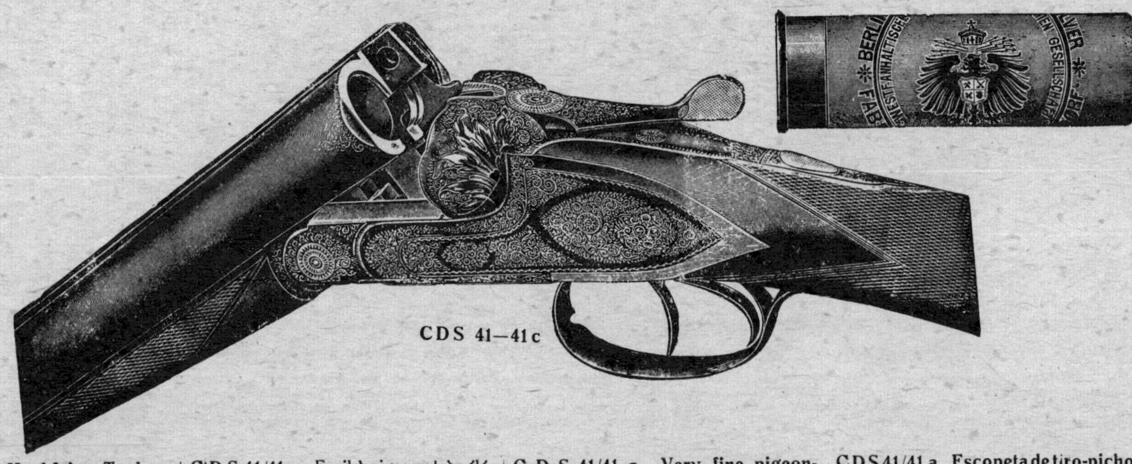

CDS 41—41 c

C D S 41/41 a. Hochfeine Taubenflinte, beste **Diamant-Stahlläufe,** hochfein guillochiert und ziseliert, **staatlich rauchlos beschossen.**

C D S 41 b/41 c. Wie C D S 41, aber mit zweiteiligem englischen Ejektor.

C D S 41/41 a. Fusil à pigeons très élégant, **canons** du **meilleur acier Diamant**, élégamment guilloché et ciselé, **éprouvé officiellement à poudre sans fumée.**

C D S 41 b/41 c. Comme C D S 41, mais avec éjecteurs anglais indépendants

C D S 41/41 a. Very fine pigeon-gun, best **diamond-steel barrels**, splendidly matted, engraved and chased, **government tested with smokeless powder.**

C D S 41 b/41 c. Like C D S 41, but with English independent ejectors.

C D S 41/41 a. Escopeta de tiro-pichones finísima, mejores **cañones de acero Diamante,** hermosamente retorcida y cincelada, **experimentada por el Gobierno** con **pólvora sin humo.**

C D S 41 b/41 c. Como C D S 41 pero con eyectores ingléses separados.

422/425
593/600
421

C D S 35/35 a.

Ejektor-Doppelflinte, Stahlkammerstück, **Flusstahlläufe,** Topbolt-Greener-Verschluss, Seitenbacken an der Basküle, letztere tief ziseliert, Rosettengravur, schwarze Garnitur, **2teiliger englischer Ejektor.**

Fusil à 2 coups avec **éjecteur,** chambre en une seule pièce d'acier, **canons acier coulé,** verrou Topbolt Greener, bascule à coquilles et à ailerons, et profondément ciselée, gravure rosettes, garniture noire, **éjecteurs anglais indépendants.**

Double barrel ejector gun, steel breech block, **ingot steel barrels,** top bolt Greener lock, side-wings at breech, the latter deeply chased, rosette engraving, black mounting, **English** independent **ejectors.**

Escopeta de 2 cañones con eyector, cámara en una sola pieza de acero, **cañones de acero de ligote,** cierre Topbolt Greener báscula de conchas de aletas, báscula profundamente cincelada, grabado de roseta, guarnición negra, **eyectores ingléses** separados.

No.	C D S 41	C D S 41 a	C D S 41 b	C D S 41 c	C D S 35	C D S 35 a
†	Dota	Dotas	Dotaeje	Dotaejes	Darban	Darbans
Cal.	12	16	12	16	12	16
Mk.	340.—	340.—	460.—	460.—	330.—	330.—

Selbstspanner-Doppelflinten „Alfa“ ohne Hähne mit automatischem Patronenauswerfer.	Hammerless à 2 coups „Alfa“, s'armant automatiquement, avec éjecteur automatique.		Selfcocking double-barrel hammerless guns „Alfa“ with automatic ejector.	Escopetas de dos tiros „Alfa“ hammerless contensión y eyectores automáticos.

Handarbeit, Ejektor-Flinte. **Travail à la main, fusil à éjecteur.** **Handmade, ejector gun.** **Trabajo á mano, escopeta de eyector.**

422/425
593/600
421

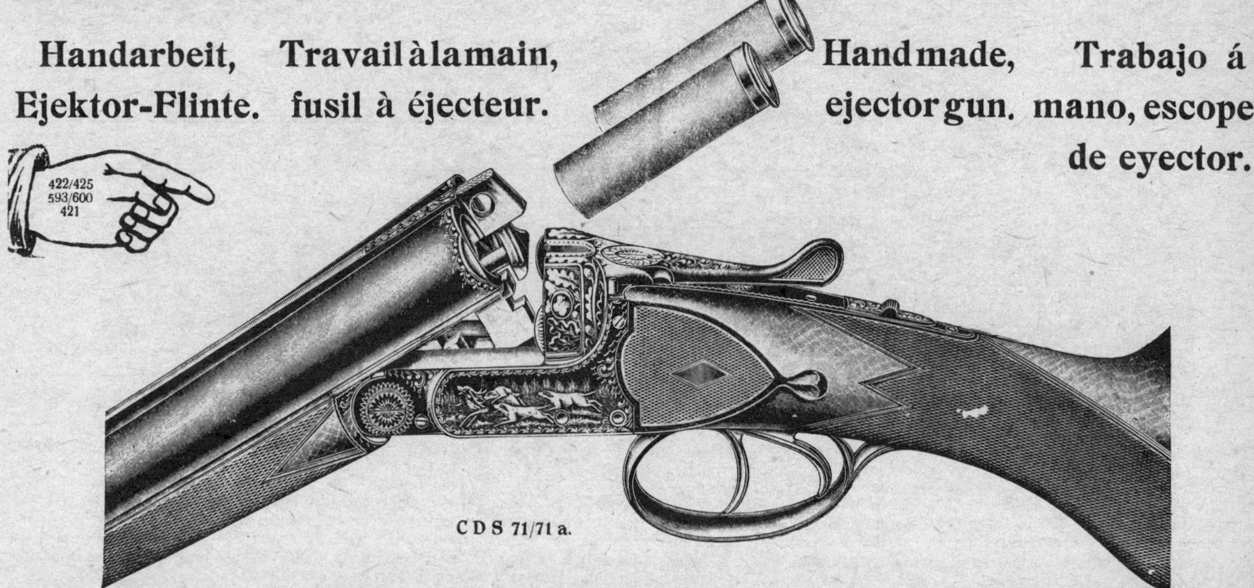

CDS 71/71 a.

Ia Kruppsche Flusstahlläufe hochfein poliert, amtlich 4 fach beschossen mit stärkster Ladung rauchlosen Pulvers, **2 teiliger englischer Patronenauswerfer,** feinster gemaserter Schaft, Fischhaut und Ornamente am Schaft, Signalstifte, englisch eingesetzt, hochfeine Ziselierung auf der Basküle, letztere mit Seitenbacken, Garnitur mit reichhaltiger **Jagdstückgravur.**

Canons acier coulé Krupp extra, très soigneusement poli, quadruplement éprouvé officiellement à fort chargement de poudre sans fumée, **éjecteurs anglais indépendants** élégante crosse bois madré, quadrillée et à ornement, pointe d'avertissement très élégante ciselure, sur la bascule, bascule à coquilles et à ailerons, **garniture** avec **très riche sujet de chasse.**

Best Krupp ingot steel barrels, very finely polished, proved 4 times by government with strongest nitro charge. **English independent ejectors,** finest grained stock, checkered with ornaments on stock, indicators, English insertion, side-wings at breech the latter very finely chased, mounting with **riche hunting-scene engraved.**

Cañones de acero de lingote Krupp extra, muy cuidadosamente pulido, cuadruplicadamente probado con oficialmente pólvora sin humo, **eyectores ingléses separados** elegante caja de madera veteada labrada y de ornamentos, punta de advertencia, cincelado muy elegante sobre la báscula, báscula de conchas y de aletas. **Grabado con rica guarnición de caza.**

Handarbeit. Mit und ohne Ejektor.

Travail à la main. Avec et sans éjecteur.

Hand made, with or without ejector.

Trabajo de mano, con y sin eyector.

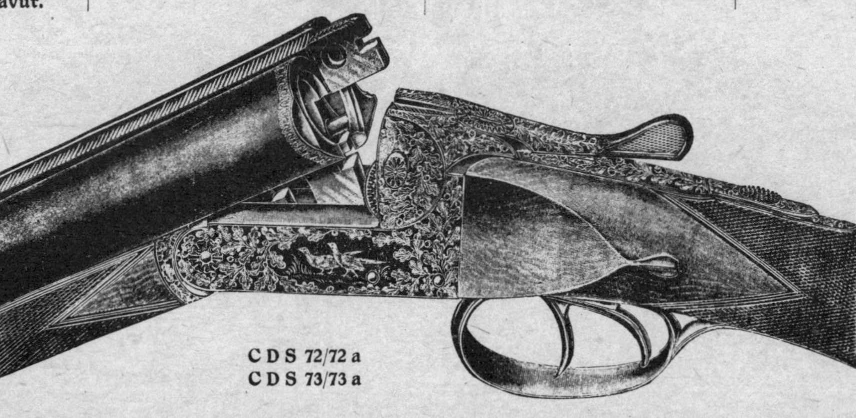

CDS 72/72 a
CDS 73/73 a

CDS72/72a. Fünffacher Topbolt Greener Verschluss, Basküle mit Seitenbacken, links choke, mattierte Schiene, Druckknopfvorderschaft, Sicherung, englischer oder deutscher Schaft, gewetzte Eichenlaubgravur mit **goldenen Jagdstücken,** grau gehärtet.
CDS 73/73 a wie CDS 72 aber mit **2 teiligem englischen Ejektor.**

CDS72/72a. Quintuple verrou Topbolt Greener, bascule à coquilles et à ailerons, choke à gauche, bande mate, devant à poussoir, sûreté, crosse anglaise ou allemande, gravure rameau de chêne, avec **sujets de chasse dorés, trempe grise.**
CDS73/73a comme CDS 72 mais avec éjecteurs anglais indépendants.

CDS72/72a. Quintuple Greener, top bolt with side wings at breech, left choke, matted rib, push down fore-end, safety, English or German stock, oak-leaf engraving, with **golden hunting scenes** hardened grey.
CDS 73/73 a like CDS 72 but with independent English ejectors.

CDS 72/72 a. Quintuplo cierre Topbolt Greener, báscula de conchas y de aletas, choke á la izquierda, cinta mate, delantero de empuje, seguridad, caja inglésa ó alemána, grabado rameado de encina, **con sujetos de caza dorados,** temple gris.
CDS 73/73 a como CDS 72 pero con eyectores ingleses separados.

No.	CDS 71	CDS 71 a	CDS 72	CDS 72 a	CDS 73	CDS 73 a
†	Darbanel	Darbanels	Darbanilo	Darbanilos	Darbanoki	Darbanokis
Cal.	12	16	12	16	12	16
Mark	410.—	410.—	280.—	280.—	400.—	400.—

Selbstspanner-Doppelflinten „Alfa“ ohne Hähne mit automatischem Patronenauswerfer.	Hammerless à 2 coups „Alfa“, s'armant automatiquement, avec éjecteur automatique.		Self-cocking double-barrel hammerless guns.	Escopetas de dos tiros „Alfa“ con tensión y eyectores automáticos, sin gatillos.

Handarbeit, mit und ohne Ejektor. | Travail à la main, avec et sans éjecteur. | Hand made, with and without ejector. | Trabajo á mano, con y sin eyector.

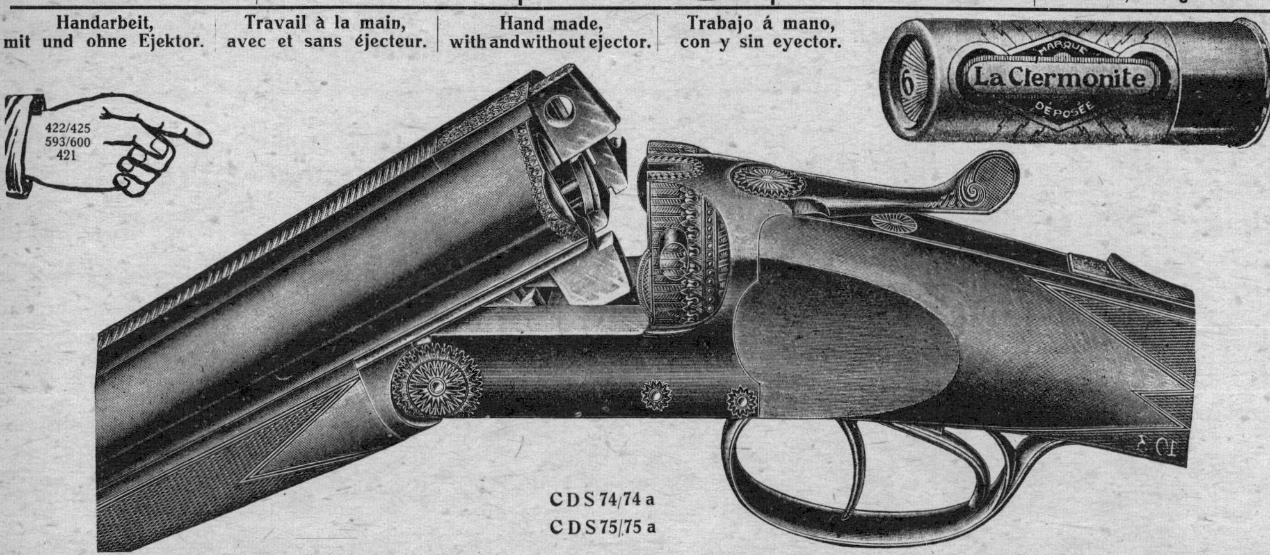

CDS 74/74 a
CDS 75/75 a

CDS 74/74 a. Selbstspanner, System **Anson & Deeley** mit vierfachem Greener-Verschluss, Seitenblenden am System, pa. **Cockerill-** oder **Krupp-Flusstahlläufe,** rechter Lauf halb choke linker Lauf voll choke, Vorderschaft mit Patentschnäpper oder Druckknopf. Muschel und Schrauben mit Rosetten-Gravur und Garnitur **tief-schwarz-**glänzend bronziert nach der Härte.

CDS 74/74 a. Hammerless, véritable **Anson & Deely,** quadruple verrou Greener, ailerons, canons en **acier fin Cockerill ou Krupp,** reforés full choke à gauche et demi choke à droite, devant à auget au poussoir, gravure rosaces des vis et culs de lampe des coquilles, bascule **bronzée noire** aprés la trempe.

CDS 74/74 a. Hammerless, genuine **Anson & Deley** with quadruple Greener bolt, side wings at breech, **best Cockerill or Krupp ingot steel barrels,** right barrel half choke, left barrel full choke, push down fore-end or with patent snapper, scroll fence and screws with rosette engraving, mounting **deep black** and **brightly burnished** after the hardening.

CDS 74/74 a. Hammerless, legítimo **Anson & Deeley,** cuádrupla cerradura Greener, aletas, cañones de **acero fino Cockerill ó Krupp,** full choke á la izquierda y medio choke á la derecha, delantero de presión ó empuje, concha y tornillos grabado de rosetas, **montura negra oscuro bruñida despues el temple.**

CDS 75/75 a, wie CDS 74 aber mit zweiteiligem englischen Ejektor.

CDS 75/75 a, comme CDS 74 mais avec éjecteurs anglais indépendants.

CDS 75/75 a, like CDS 74 but with independent English ejectors.

CDS 75/75 a. Como CDS 74 pero con eyectores ingléses separados.

Handarbeit, mit und ohne Ejektor. | Travail à la main, avec et sans éjecteur. | Hand made, with and without ejector. | Trabajo á mano, con y sin eyector.

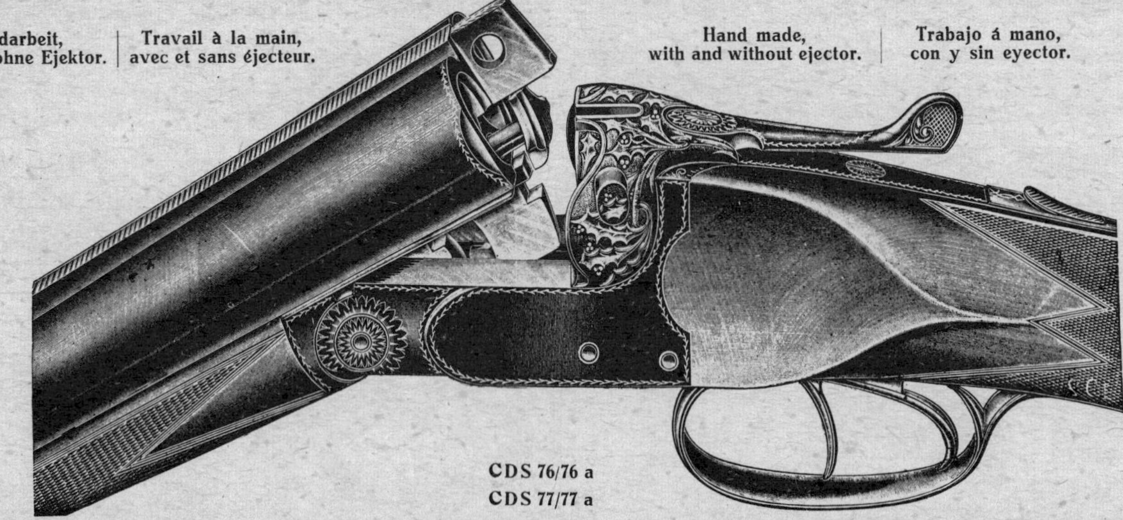

CDS 76/76 a
CDS 77/77 a

CDS 76/76 a. Selbstspanner, System echt **Anson & Deeley** mit **vierfachem Greener-Verschluss,** Basküle mit schön ausgearbeiteter Falze, festonnierter Muschel und Seitenblenden, pa. **Krupp-Flusstahl** oder **Siemens-Martin-Stahlläufe,** rechter Lauf halb choke, linker Lauf voll choke, Vorderschaft mit Patentschnäpper oder Druckknopf, Garnitur mit Kettenstich und Rosetten-Gravur sowie ziselierter Muschel, tief schwarz-glänzend bronziert nach der Härte.

CDS 76/76 a. Hammerless, véritable **Anson et Deeley, quadruple verrou Greener,** bascule à filets festons et ailerons, **canons en acier fin Krupp ou Siemens-Martin,** reforés full choke à gauche et demi choke à droite, devant à poussoir ou auget, gravure rosaces et chaînette, coquilles ciselées, bascule bronzée noire après la trempe.

CDS 76/76 a. Hammerless, genuine **Anson & Deeley,** with **quadruple Greener bolt,** scroll fences, side-wings at breech, best **Krupp ingot steel or Siemens-Martin steel barrels,** right barrel half choke, left barrel full choke, push down fore-end or with patent snap, special mounting and rosette engraving, deep black and brightly burnished after the hardening.

CDS 76/76 a. Hammerless, legítimo **Anson & Deeley, cuádrupla cerradura Greener,** báscula de frenillos, festones y aletas, **cañones de acero fino Krupp ó Siemens-Martin,** full choke á la izquierda y medio choke á la derecha, delantero de presión ó de empuje, grabado de rosetas y cadanita, conchas cinceladas, montura bruñida negra profunda depués del temple.

CDS 77/77 a, wie CDS 76 aber mit 2teiligem englischen Ejektor.

CDS 77/77 a. Comme CDS 76 mais avec éjecteurs anglais indépendants.

CDS 77/77 a, like SDS 76 but with independent English ejectors

CDS 77/77 a, como CDS 76, pero con eyectores ingléses separados.

No.	CDS 74	CDS 74 a	CDS 75	CDS 75 a	CDS 76	CDS 76 a	CDS 77	CDS 77 a
†	Golddia	Golddias	Golidda	Gollidas	Gollido	Gollidos	Goddolia	Goddolias
Cal.	12	16	12	16	12	16	12	16
Mark	280.—	280.—	400.—	400.—	310.—	310.—	430.—	430.—

Selbstspanner-Doppelflinten „Alfa" ohne Hähne mit automatischem Patronenauswerfer.	Hammerless à 2 coups „Alfa", s'armant automatiquement, avec éjecteur automatique.		Self-cocking double-barrel hammerles guns „Alfa" with ejector.	Escopetas de dos tiros „Alfa' con tensión y eyector automáticos, hammerless.

Wie C D S 35, Seite 362, aber hochfeine englische Gravierung, **mit Ejektor.**

Comme C D S 35, page 362, mais gravure anglaise extra élégante, **avec éjecteur.**

Same as C D S 35, page 362, but with very fine English engraving, **automatic ejector.**

Igual al C D S 35, página 362, pero con grabado finísimo inglés, **con eyector.**

422/425
593/600
421

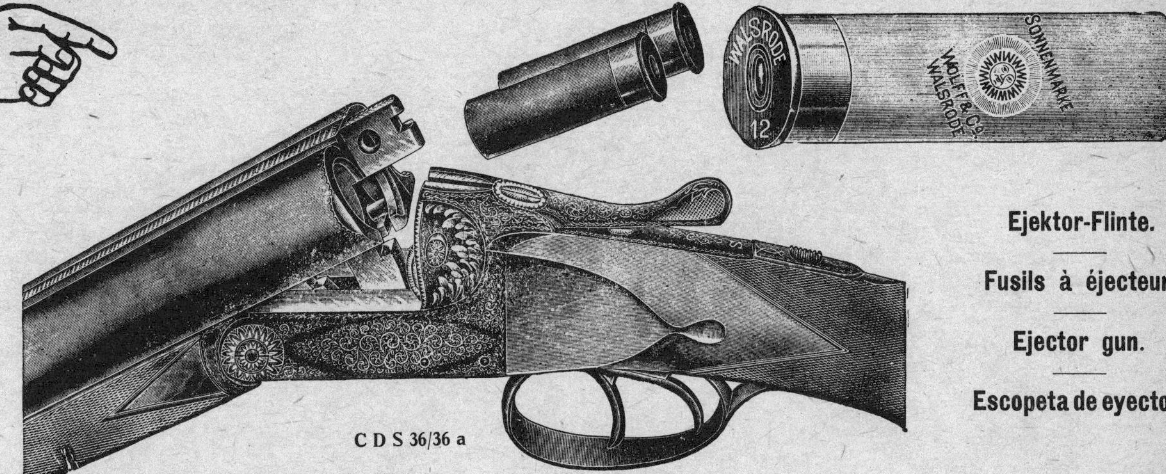

C D S 36/36 a

Ejektor-Flinte.

Fusils à éjecteur.

Ejector gun.

Escopeta de eyector.

C D S 37/37 a.
Hammerless-Doppelflinten System Anson & Deeley, Cal. 16 oder 12; Crollé-Damastläufe, linker full-choke, rechter modified-choke; vierfacher Greener-Verschluss, automatischer Patronenschleuderer (Ejektor) nach bestem englischen System; abnehmbarer Vorderschaft, Greener Sicherheit, Markierstifte, guillochierte Schiene, Schaft mit Backe aus feinstem Maserholz, Fischhaut, ausgeschnittene Stahlkappe, feine englische Gravierung usw.

C D S 37/37 a.
Fusil à 2 coups Hammerless, système Anson & Deeley Cal. 16 ou 12, canons Damas Crollé, full choke à gauche, modifed choke à droite, quadruple verrou Greener éjecteur automatique du meilleur système anglais, devant enlevable, sûreté Greener, crosse à joue du plus beau bois madré, quadrillé, calotte acier, élégante gravur anglaise, pointe d'avertissement, bande guillochée etc.

C D S 37/37 a.
Hammerless double-barrel gun Anson & Deeley system, cal. 16 or 12, Crollé damascus barrels, left full-choke, right modified-choke, Greener quadruple bolt, automatic ejector after best English system; detachable fore-end, Greener safety, indicator pins, matted rib, finest birds-eye, checkered stock with cheek piece, cut-out steel plate, fine English engraving etc.

C D S 37/37 a.
Escopeta sin gatillos de dos tiros, sistema Anson & Deeley, Cal. 16 ó 12, cañones Damasco Crollé, izquierdo full-choke, derecho modified-choke, cerradura cuádrupla de Greener, eyector según el mejore sistema inglés, delantera de quita y pon, seguro de Greener, aguja indicador, cinta retorcida, caja labrada de madera veteada finísima con carrillo, cantonera acero calado, grabado inglés fino etc.

Ejektor-Flinte.

Fusil à éjecteur.

Ejector gun.

Escopeta eyector.

C D S 37/37 a

C D S 38/38 a.
Wie C D S 35, Seite 362, aber mit Einabzug und kombiniertem Verschluss, Ia Arbeit.

C D S 38/38 a.
Comme C D S 35, page 362, mais à détente unique et à fermeture combinée, travail extra.

C D S 38/38 a.
Same as C D S 35, page 362, but with single trigger and combination locking arrangement. First class workmanship.

C D S 38/38 a.
Igual al C D S 35, página 362, pero con un solo escape y cerradura de combinación, trabajo de primer orden.

D C S 38/38 a

Ejektor-Flinte, Einabzug.
Beschreibung siehe Seite 354.

Fusil à éjecteur, à détente unique.
Voir description page 354.

Ejector gun with single trigger.
Description see page 354.

Escopeta de eyector con un solo escape,
Descripción véase página 354.

No.	C D S 36	C D S 36 a	D D S 37	C D S 37 a	C D S 38	C D S 38 a
†	Dausar	Dausars	Dausarri	Dausarris	Delarhe	Delarhes
Cal.	12	16	12	16	12	16
Mark	380.—	380.—	530.—	530.—	470.—	470.—

Selbstspanner-Doppelflinten „Alfa" ohne Hähne mit automatischem Patronenauswerfer. | **Hammerless à 2 coups „Alfa", s'armant automatiquement, avec éjecteur automatique.**

Self-cocking double-barrel hammerless guns „Alfa" with ejector. | **Escopetas de dos tiros „Alfa" con tensión y eyector automáticos, hammerless.**

422/425
593/600
421

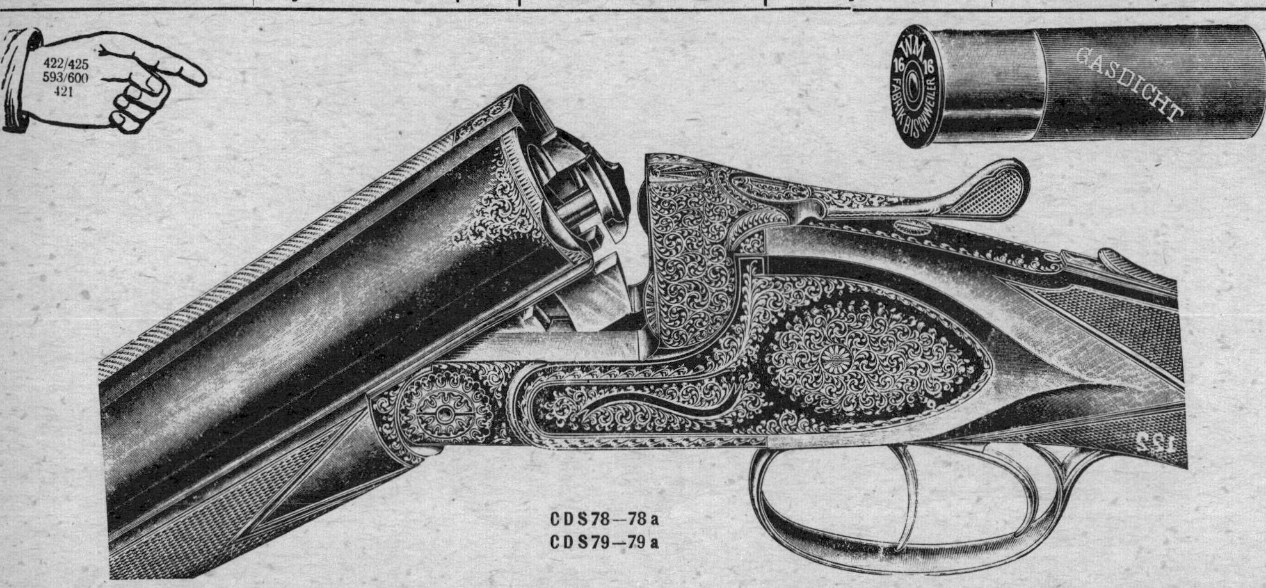

CDS78—78a
CDS79—79a

Handarbeit, mit und ohne Ejektor. | **Travail à la main, avec et sans éjecteur.** | **Hand made, with and without ejector.** | **Trabaja á mano, con y sin eyector.**

CDS78—78a. Selbstspanner, System echt **Anson & Deeley** mit vierfachem Purdey- oder Greener-Verschluss, Basküle mit Seitenblenden und Luxus-Seitenplatten, **Pa. Krupp-Flusstahl** oder **Siemens-Martin-Stahlläufe**; beide Läufe voll choke. Vorderschaft mit Purdey-Druckknopf. Garnitur mit voller, schattierter, echt englischer Gravur; marmoriert gehärtet.

CDS78—78a. Hammerless, veritable **Anson et Deeley,** triple verrou Purdey ou Greener. **bascule à contre platines,** ailerons, canons en **acier fin Krupp ou Siemens-Martin,** reforés full choke des deux coups, devant à poussoir Purdey, gravure fine anglaise fond noir, trempe jaspée.

CDS78—78a. Hammerless, genuine **Anson & Deeley,** with quadruple Purdey or Greener bolt, **side wings** at breech and **fancy side-plates. Best Krupp ingot steel or Siemens Martin steel** barrels; both barrels full choke, fore-end with Purdey push button, mounting with full, deep, real English engraving; marbled. hardened.

CDS78—78a. Hammerless, legítimo **Anson y Deeley.** triple cerradura Purdey ó Greener, **báscula con guarnición lateral de lujo, cañones de acero fino Krupp ó Siemens Martin,** los 2 cañones full choke, delantero de presiòn Purdey, grabado ingles fino fonde negro, temple jaspeado.

CDS79—79a. Wie CDS78, aber mit zweiteiligem englischen Ejektor.

CDS79—79a. Comme CDS78, mais avec éjecteurs anglais indépendants.

CDS79—79a. Like CDS78, but with independent English ejector.

CDS79—79a. Como CDS78, pero con eyectores ingléses separados.

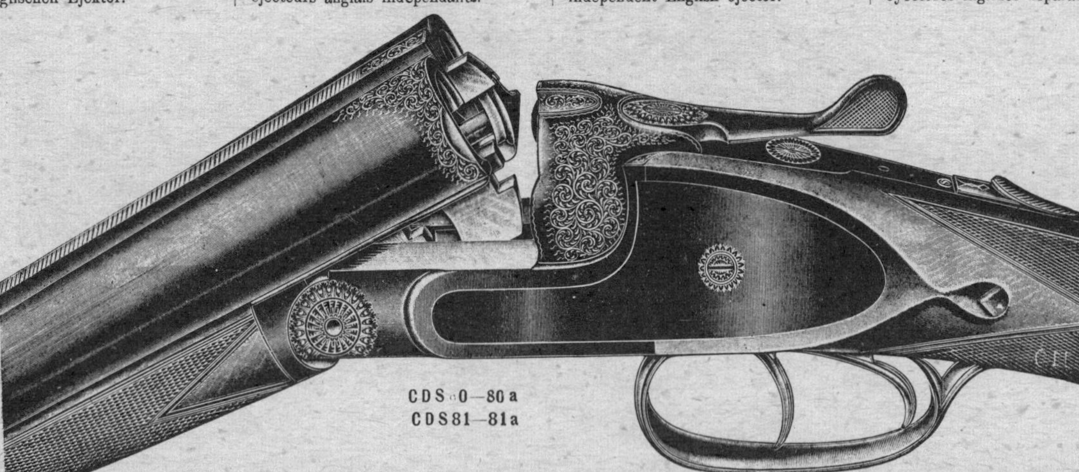

CDS80—80a
CDS81—81a

Handarbeit. mit und ohne Ejektor. | **Travail à la main, avec et sans éjecteur.** | **Hand made, with and without ejector.** | **Trabajo á mano con y sin eyector.**

CDS80—80a. Selbstspanner, System echt **Anson & Deeley** mit vierfachem Purdey- oder Greener-Verschluss, Basküle mit Seitenblenden und Luxus-Seitenplatten. Pa. **Krupp-Flußstahl** oder **Siemens-Martin-Stahlläufe.** Beide Läufe voll choke. Vorderschaft mit Purdey-Druckknopf. Garnitur tief schwarzglänzend bronziert nach der Härte, Schrauben mit sehr feiner Rosetten-Gravur. Muschel mit fein gestochener schattierter englisch. Gravur.

CDS80—80a. Hammerless, véritable **Anson et Deeley,** triple verrou Purdey ou Greener, bascule à contre platines et ailerons, canons en **acier fin Krupp ou Siemens-Martin,** reforés full choke des deux coups; devant à poussoir Purdey, très fine gravure rosace des vis et gravure anglaise prononcée des coquilles, bascule bronzée noir inoxydable après la trempe.

CDS80—80a. Hammerless, genuine **Anson & Deely**, with quadruple Purdey or Greener bolt, side wings at breech and fancy side plates, best **Krupp Ingot steel** or **Siemens Martin steel barrels.** Both barrels full choke, fore-end with Purdey push button. Deep black mounting brightly bronzed after hardening; screws with very fine rosette engraving and very fine deep scroll engraving.

CDS80—80a. Hammerless, legítimo **Anson y Deeley**, triple cerradura Purdey ó Greener, báscula de contra platines y aletas, cañones de **acero fino Krupp ó Siemens Martin**, full choke de los dos cañones; delantero de presión Purdey; grabado muy fino de los tornillos en rosetas y grabado inglés de las conchas, báscula bronceada negra inoxidable despues el temple.

CDS81—81a. Wie CDS80, aber mit zweiteiligem englischen Ejektor.

CDS81—81a. Comme CDS80, mais avec éjecteurs anglais indépendants.

CDS81—81a. Like CDS80, but with independent English ejectors.

CDS81—81a. Como CDS80, pero con eyectores ingléses separados.

No.	CDS78	CDS78a	CDS79	CDS79a	CDS80	CDS80a	CDS81	CDS81a
†	Dimantrou	Dimantrous	Dimantkl	Dimantkis	Dimantfe	Dimantfes	Dimantza	Dimantzas
Cal.	12	16	12	16	12	16	12	16
Mark	510.—	510.—	630.—	630.	470.—	470.—	590.—	590.—

AL  FA

Extra feine Selbstspanner Doppelflinten „Alfa“ ohne Hähne.	Hammerless à 2 coups „Alfa“ extra fins, s'armant automatiquement.	Extra fine self-cocking double-barrel guns „Alfa“ hammerless.	Escopetas „Alfa“ de dos tiros, tensión automática y hammerless.

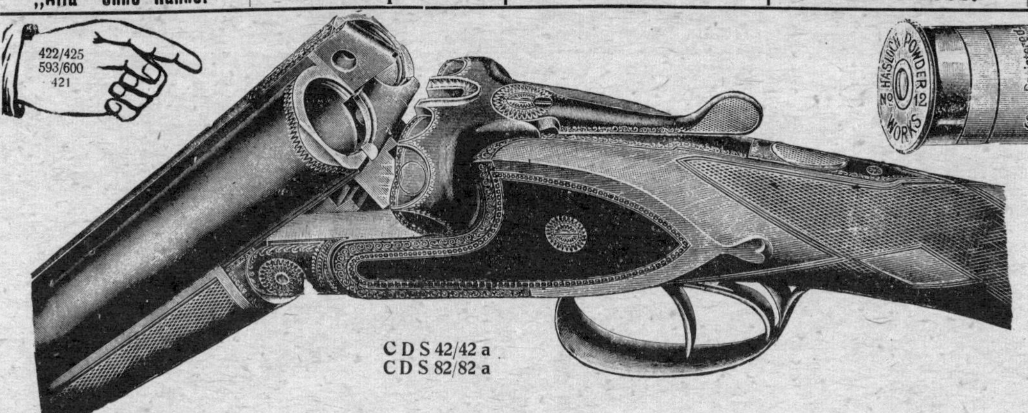

C D S 42/42 a
C D S 82/82 a

Handarbeit mit und ohne Ejektor.

Travail à la main, avec et sans éjecteur.

Hand made with and without ejector.

Trabajo à mano, con y sin eyector.

C D S 42/42 a. Allerfeinste Taubenflinte, wie C D S 41, Seite 362, jedoch alle **Teile tiefschwarz,** vornehmste Rosettengravur, ausziselierte Basküle, hochfeine Präzisionshandarbeit.

C D S 82/82 a. Wie C D S 42, aber mit Ia englischem, 2teiligem Ejektor.

C D S 42/42 a. Fusil extra fin à pigeons, comme C D S 41, page 362, mais **toutes pièces noires,** gravure à rosettes très distinguée, bascule ciselée, travail à la main de haute précision.

C D S 82/82 a. Comme C D S 42 mais avec éjecteus anglais indépendants.

C D S 42/42 a. Very finest pigeon-gun, like C D S 41, page 362, but with **all parts deep black** and finest rosette engraving, cut-out bascule, finest skilled hand workmanship throughout.

C D S 82/82 a. Like C D S 42 but with best English independent ejector.

C D S 42/42 a. La más fina escopeta para tiros-de-pichones, como C D S 41 página 362, pero **todas las piezas negro-oscuras,** grabado de rositas finísimo, báscula cincelada, trabajo y ajuste de mano de primera orden.

C D S 82/82 a. Como C D S 42, pero con eyectores ingléses separados.

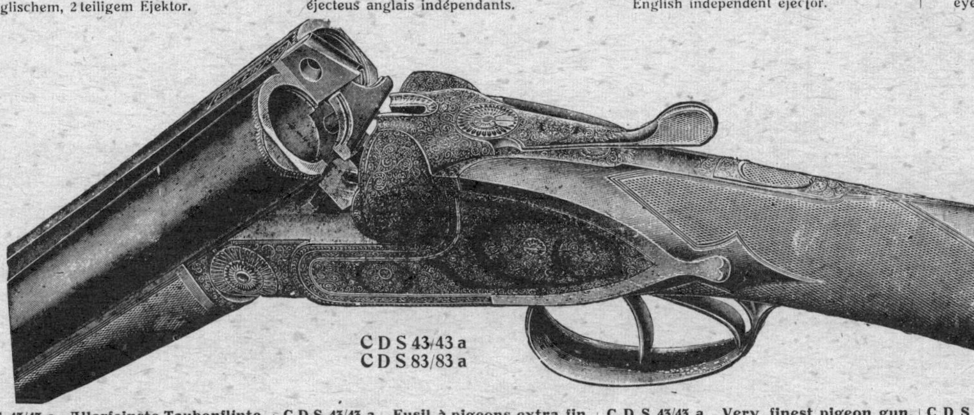

C D S 43/43 a
C D S 83/83 a

Handarbeit mit und ohne Ejektor.

Travail à la main, avec et sans éjecteur.

Hand made with and without ejector.

Trabajo á mano, con y sin eyector.

C D S 43/43 a. Allerfeinste Taubenflinte, feinste Präzisionsarbeit, hochfeine Gravierung, wie Abbildung, sonst wie C D S 42.

C D S 83/83 a. Wie C D S 43, aber mit Ia zweiteiligem, englischem Ejektor.

C D S 43/43 a. Fusil à pigeons extra fin, travail de haute précision, élégante gravure, selon l'illustration, pour le reste comme C D S 42.

C D S 83/83 a. Comme C D S 43 mais avec éjecteurs anglais indépendants.

C D S 43/43 a. Very finest pigeon gun, finest and most accurate fitting, splendid engraving as illustrated, otherwise as C D S 42.

C D S 83/83 a. Like C D S 43 but with best English independent ejector.

C D S 43/43 a. La más fina escopeta para el-tiro-de-pichones, ajuste finísimo y grabado muy escogido, como en la ilustración, por demás como el C D S 42.

C D S 83/83 a Como C D S 43, pero con eyectores ingléses separados.

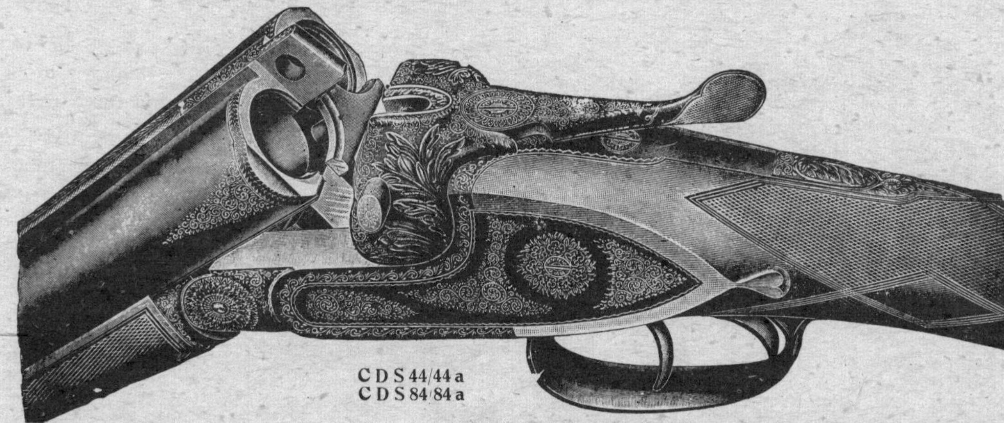

C D S 44/44 a
C D S 84/84 a

Handarbeit mit und ohne Ejektor.

Travail à la main, avec et sans éjecteur.

Hand made with and without ejectors.

Trabajo á mano, con y sin eyector.

C D S 44/44 a. Allerfeinste Taubenflinte, wie C D S 43, jedoch **noch feiner** graviert und Basküle **tief ziseliert.**

C D S 84/84 a. Wie C D S 44, aber mit Ia zweiteiligem, englischem Ejektor.

C D S 44/44 a. Fusil à pigeons extra fin, comme C D S 43, mais encore **plus soigneusement gravé** et bascule **ciselée** à fonds creux.

C D S 84/84 a. Comme C D S 44 mais avec éjecteurs anglais indépendants.

C D S 44/44 a. Very finest pigeon gun, like C D S 43, but **still finer** engraving and **deeply chased** bascule.

C D S 84/84 a. Like C D S 44 but with best independent English ejector.

C D S 44/44 a. Escopeta superior para pichones, como C D S 43, pero grabado **aun más fino** y **báscula hondamente repujada.**

C D S 84/84 a. Como C D S 44, pero con eyector ingléses separados.

No.	C D S 42	C D S 42 a	C D S 82	C D S 82 a	C D S 43	C D S 43 a	C D S 83	C D S 83 a	C D S 44	C D S 44 a	C D S 84	C D S 84 a
†	Derau	Deraus	Derauje	Deraujes	Dorfu	Dorfus	Dorfueje	Dorfuejes	Dabete	Dabetes	Dabeteje	Dabetejes
Cal.	12	16	12	16	12	16	12	16	12	16	12	16
Mark	400.—	400.—	520.—	520.—	450.—	450.—	570.—	570.—	520.—	520.—	640.—	640.—

Extrafeine Selbstspanner-Doppelflinten „Alfa" ohne Hähne.

Hammerless à 2 coups „Alfa" extra fins, s'armant automatiquement.

Extra-fine self-cocking double-barrel guns „Alfa" hammerless.

Escopetas extrafinas de dos cañones y tensión automática hammerless.

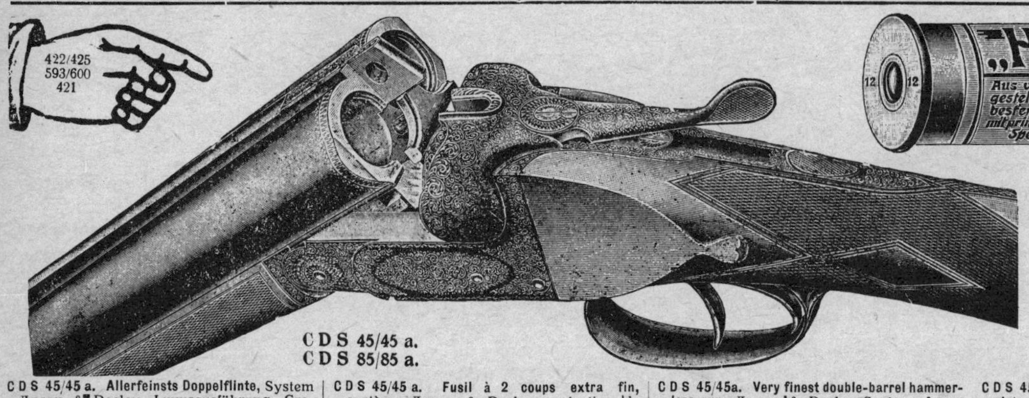

Handarbeit! Mit und ohne Ejektor.

Travail à la main, avec et sans ejector.

Hand made! With and without ejector.

Trabajo á mano, con y sin eyector.

CDS 45/45 a. Allerfeinsts Doppelflinte, System Anson & Deeley, Luxusausführung, Gravierung wie Abbildung, Präzisionshandarbeit, unübertroffen.

CDS 85/85 a. Wie CDS 45, aber mit zweiteiligem englischen Ejektor.

CDS 45/45 a. Fusil à 2 coups extra fin, système Anson & Deeley, exécution de luxe, gravure suivant illustration, travail à la main de haute précision, qualité insurpassée.

CDS 85/85 a. Comme CDS 45, mais avec éjecteurs anglais indépendants.

CDS 45/45a. Very finest double-barrel hammerless gun, Anson & Deeley System, fancy finish, engraving as in illustration, accurate hand fitting, unsurpassed.

CDS 85/85 a. Like CDS 45 but with independent English ejectors.

CDS 45/45 a. Escopeta finísima de dos tiros, sistema Anson y Deeley, grabado como en la ilustración, trabajo manual y ajuste esmerado, inmejorable.

CDS 85/85 a. Como CDS 45, pero con eyectores ingléses separados.

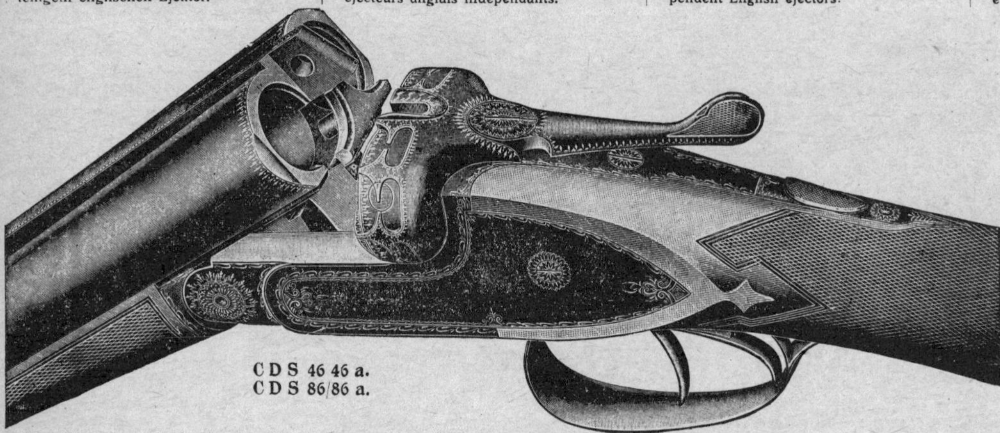

Handarbeit! Mit und ohne Ejektor.

Travail à la main, avec et sans éjecteur.

Hand made! With and without ejector.

Trabajo á mano, con y sin eyector.

CDS 46/46 a. Allerfeinste Doppelflinte, wie CDS 42, jedoch nach Pariser Geschmack graviert und ziseliert.

CDS 86/86 a. Wie CDS 46, aber mit zweiteiligem englischen Ejektor.

CDS 46/46 a. Fusil à 2 coups extra fin, comme CDS 42 mais goût parisien, gravé et ciselé.

CDS 86/86 a. Comme CDS 46, mais avec éjecteurs anglais indépendants.

CDS 46/46 a. Very finest double-barrel gun, like CDS 42, but engraved and chased in Paris fashion.

CDS 86/86 a. Like CDS 46, but with independent English ejector.

CDS 46/46 a. Escopeta finísima de dos tiros como CDS 42 pero grabada y repujada y á la moda de Paris.

CDS 86/86 a. Como CDS 46, pero con eyectores ingléses separados.

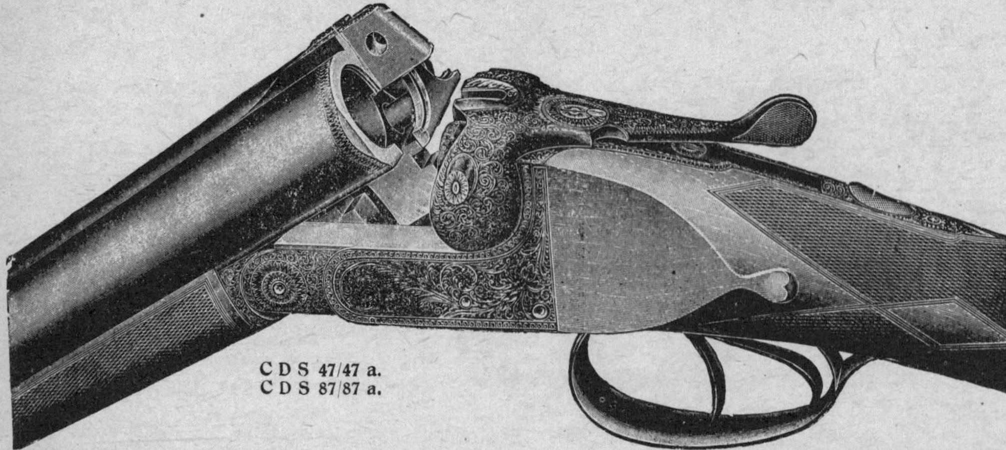

Handarbeit! Mit und ohne Ejektor.

Travail à la main, avec et sans ejector.

Hand made! With and without ejector.

Trabajo á mano, con y sin eyector.

CDS 47/47 a Allerfeinste Doppelflinte, sogenannte „Saphir"-Ausstattung, Laufschiene tiefliegend, Gravur wie Abbildung, sonst wie CDS 45.

CDS 87/87 a. Wie CDS 47, aber mit zweiteiligem englischen Ejektor.

CDS 47/47 a. Fusil à 2 coups extra fin, exécution dite, „Saphir", bande plongeante, gravure comme l'illustration, autrement comme CDS 45.

CDS 87/87 a. Comme CDS 47, mais avec éjecteurs anglais indépendants.

CDS 47/47 a. Very finest double-barrel gun, so called „Saphire" equipment, sunk extension rib, engraving as in illustration, otherwise as CDS 45.

CDS 87/87 a. Like CDS 47, but with independent English ejectors.

CDS 47/47 a. Escopéta de dos tiros finísima, con el equipo llamado „Zafiro" dorso hundido, grabado como el de la ilustración, por lo demás igual al CDS 45.

CDS 87/87 a. Como CDS 47, pero con eyectores ingléses separados.

No.	CDS 45	CDS 45 a	CDS 85	CDS 85 a	CDS 46	CDS 46 a	CDS 86	CDS 86 a	CDS 47	CDS 47 a	CDS 87	CDS 87 a
†	Demcaber	Demcabers	Demcabeje	Demcabejes	Dacleme	Daclemes	Daclemeje	Daclemejes	Difonse	Difonses	Difonseje	Difonsejes
Cal.	12	16	12	16	12	16	12	16	12	16	12	16
Mark	440.—	440.—	560.—	560.—	550.—	550.—	670.—	670.—	500.—	500 —	620.—	620.—

Selbstspanner-Doppelflinten „Alfa“ ohne Hähne mit automatischem Patronenauswerfer.	Hammerless à 2 coups „Alfa“, s'armant, automatiquement, avec éjecteur automatique.		Self-cocking double-barrel hammerless guns with automatic ejector.	Escopetas de dos tiros „Alfa“ hammerless, con tensión y eyectores automáticos.

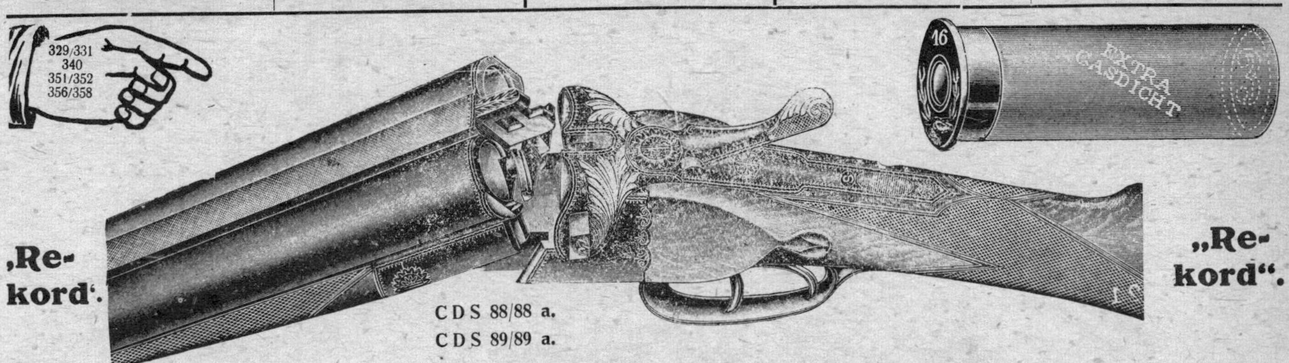

„Rekord“. „Rekord“.

CDS 88/88 a.
CDS 89/89 a.

Handarbeit! Mit u. ohne Ejektor. | Travail à la main, avec et sans éjecteur. | Hand made, with and without ejector. | Trabajo á mano con y sin eyector.

Geschlossen.
fermé.
locked.
cerra.

CDS 88/88 a.
CDS 89/89 a.

CDS 88/88 a.
Feinste 76 cm lange Stahlläufe, **Rekordverschluss,** (Beschreibung Seite 357). Beide Läufe volle Chokebohrung, vierkantiger Greener Querriegel fassonnierte Muscheln, Seitenbacken am System, alle Teile gehärtet und dann **glänzend tiefschwarz** bronziert, feinstes Schaftholz, Teile wie Abbildung tief ziseliert.

CDS 89/89 a.
Wie CDS 88, aber mit **la englischem, zweiteiligem Ejektor.**

CDS 88/88 a.
Canons d'acier extra, longs de 76 cm, **fermeture Record** (description page 357). les 2 canons choke, verrou Greener à 4 angles, coquilles façonnées, coquilles et ailerons au système, toutes pièces **trempées** et ensuite **bronzées au noir brillant,** élégante crosse de bois, pièces à fonds creux suivant l'illustration.

CDS 89/89 a.
Comme CDS 88, mais **éjecteurs anglais indépendants.**

CDS 88/88 a.
Finest steel barrels 76 cm long, **Record bolt** (description see page 357) both barrels full choke bore, quadruple Greener cross bolt, scroll fences, side wings at breech, all parts **hardened** and **then bronzed a bright deep black,** finest wooden stock, parts deeply chased as in illustration.

CDS 89/89 a.
like CDS 88 but with prime **English independent ejectors.**

CDS 88/88 a.
Cañones de acero extra, largos de 76 cm. **Cerradura Record** (descripción página 357) los 2 cañones choke, cierre Greener de 4 ángulos, conchas y aletas al sistema, todas las **piezas templadas** y despues **bronceadas en negro brillante,** elegante mango de madera, piezas cinceladas profundamente según la ilustración.

CDS 89/89 a. Como CDS 88, pero **con eyectores ingléses separados.**

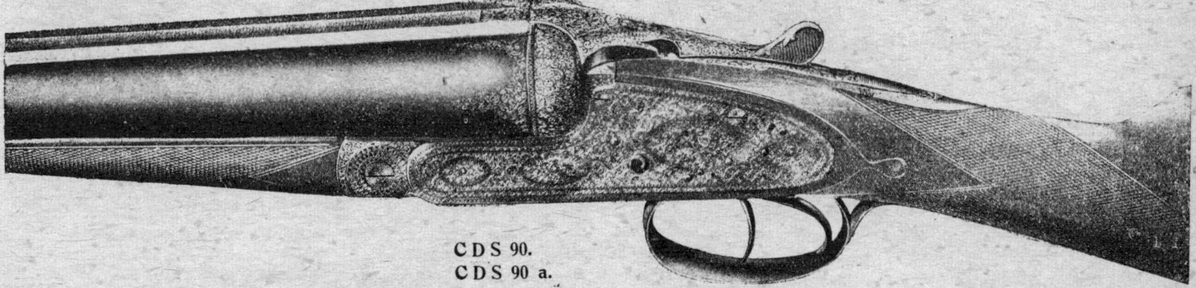

CDS 90.
CDS 90 a.

Handarbeit! Mit Ejektor.
CDS 90/90 a.
Rekord-Selbstspanner mit Schildzapfen-Verschluss, doppelt. seitlich. Laufhaken (in der Basküle verdeckt liegend), feinsten Präzisions-Sicherheits-Seitenschlössern und **automatischem Patronen-Auswerfer.** Verstärktes Verschlussstück, extra starker Greener Vierkant-Riegel, **Rekord Spezialstahlläufe,** Laufhaken und die verlängerte Schiene aus einem Stück mit den Läufen geschmiedet.

Travail à la main avec éjecteur.
CDS 90/90 a.
Hammerless système Record à doubles crochets et tourillons latéraux, crochets entièrement couverts, mécanisme sur platines extra fines genre Holland, **éjecteur automatique,** bascule renforcée, verrou carré, crochets et bout Greener forgés d'une pièce avec les tubes. **Canons d'acier „Special Record“.**

Hand made with ejector.
CDS 90/90 a.
Hammerless system Record with **trunnion bolt, double** and lateral **attachment couplings,** finest precision and safety side-locks, **automatic ejector.** Strengthened breech, Greener quadruple bolt extra strong, **special steel barrels, Record** system couplings and extension rib, forged with the barrels in one piece.

Trabajo á mano, con eyector.
CDS 90/90 a.
Hammerless sistema Record de dobles ganchos y goznes laterales, ganchos enteramente cubiertos, mecanismo extra finos, los cierres **eyector automático,** báscula reforzada, cierre cuadrado, ganchos y cantos Greener forjados de una pieza con los tubos. **Cañones de acero „Special Record“.**

No.	CDS 88	CDS 88 a	CDS 89	CDS 89 a	CDS 90	CDS 90 a
†	Rekauswe	Rekauswes	Rekuesja	Rekuesjas	Rekseije	Rekseijes
Cal.	12	16	12	16	12	16
Mark	430.—	430.—	550.—	550.—	1200.—	1200.—

Selbstspanner-Doppelflinten „Alfa“ ohne Hähne mit automatischem Patronenauswerfer.	Hammerless à 2 coups „Alfa“, s'armant automatiquement, avec éjecteur automatique.		Self-cocking double-barrel hammerless guns „Alfa“ with ejector.	**Escopetas de dos tiros „Alfa“ con tensión, automática y eyectore automático, Hammerless.**

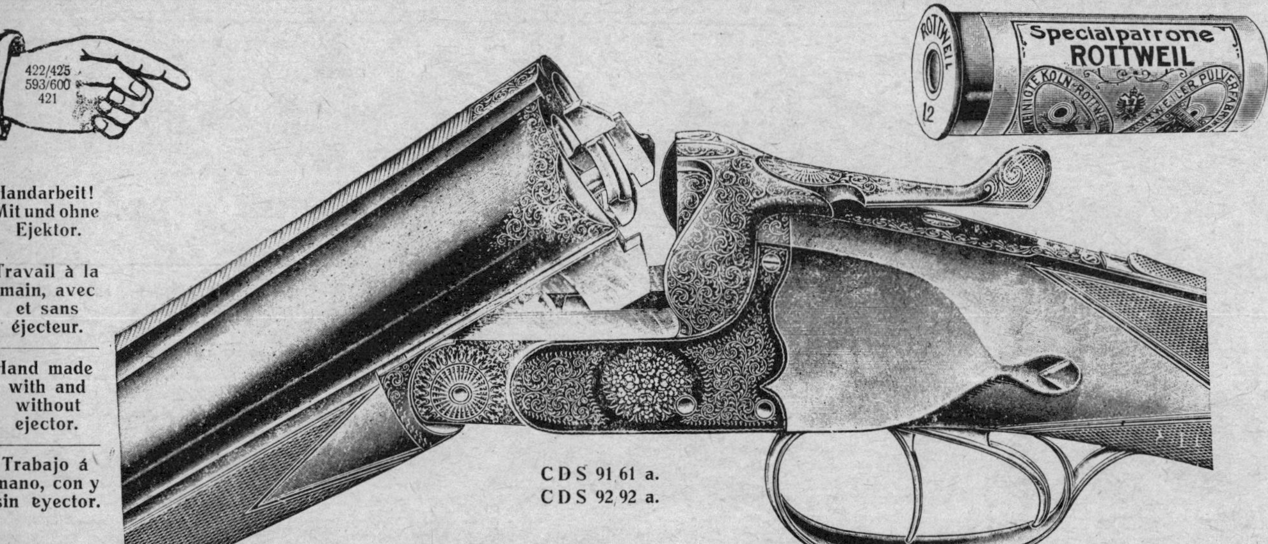

C D S 91/61 a.
C D S 92/92 a.

Handarbeit! Mit und ohne Ejektor.

Travail à la main, avec et sans éjecteur.

Hand made with and without ejector.

Trabajo á mano, con y sin eyector.

C D S 91/91 a.

Selbstspanner, System echt **Anson & Deeley** mit vierfachem Purdey- oder verdecktem Greener-Verschluss, Schlosswerk mit doppelten Sicherheitsstangen. **Pa. Krupp-Flusstahl- oder Siemens-Martin-Stahlläufe.** Beide Läufe voll choke, Vorderschaft mit Purdey-Druckknopf. Garnitur mit reicher englischer **Bouquet-Gravur** und englischer marmorierter Härtung-

C D S 92/92 a.

Wie C D S 91, aber mit prima englischem zweiteiligen Ejektor.

C D S 91/91 a.

Hammerless, véritable système **Anson et Deeley,** quadruple verrou Purdey ou verrou Greener non apparent, platines à doubles gachettes de sûreté, **canons en acier fin Krupp ou Siemens-Martin,** tous deux reforés double full choke, devant à poussoir Purdey, garniture richement **gravée** genre anglais **à bouquets,** trempe jaspée anglaise.

C D S 92/92 a.

Comme C D S 91, mais avec éjecteurs anglais indépendants.

C D S 91/91 a.

Hammerless genuine Anson & Deeley with quadruple Purdey or covered Greener bolt gun-lock with double safety sears. **Prime Krupp ingot steel or Siemens Martin steel harrels.** Both barrels full choke. Purdey push down fore-end. Mounting with rich English **bouquet engraving** and English marbled and hardened.

C D S 92/92 a.

Like C D S 91, but with prime English independent ejector.

C D S 91/91 a.

Hammerless, legitima sistema Anson & Deeley, cuádrupla cerradura Purdey ó cerradura Greener no aparente, cierres de dobles barras de seguridad, **cañónes de acero fino Krupp ó Siemens-Martin,** los dos cañones de doble full choke, delantero de presión Purdey, guarnición ricamente **grabada** en genero inglés **de buquetes,** temple jaspeado inglés.

C D S 92/92 a.

Como C D S 91, pero con eyectores ingléses separados.

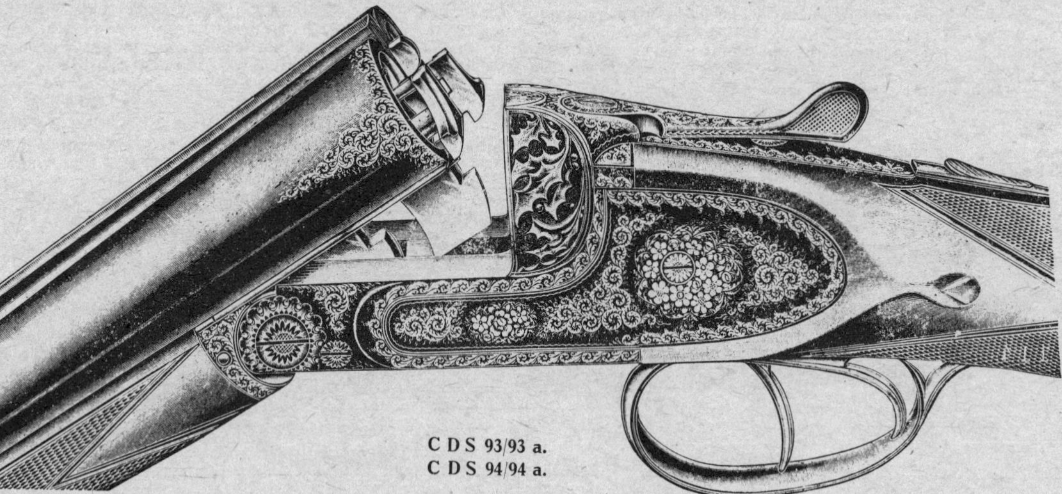

C D S 93/93 a.
C D S 94/94 a.

Handarbeit! Mit und ohne Ejektor.

Travail à la main, avec et sans éjecteur.

Hand made! with and without ejector.

Trabajo á mano con y sin eyector.

C D S 93/93 a.

Selbstspanner, System echt **Anson & Deeley** mit vierfachem Purdey oder verdecktem Greener-Verschluss und **Luxus-Seitenplatten.** Schlosswerk mit doppelten Sicherheitsstangen: vorderer Abzug ausweichend. **Rekord-Spezialztahl-** oder komprimierte **Siemens-Martin-Spezialstahlläufe** Beide Läufe voll choke. Vorderschalt mit Purdey-Druckknopf. Garnitur mit fein ziselierter Muschel, hocheleganter englischer Gravur und englisch marmoriert gehärtet.

C D S 94/94 a.

Wie C D S 93, aber mit prima zweiteiligem englischen Ejektor.

C D S 98/93 a.

Hammerless, véritable système **Anson et Deeley,** quadruple verrou Purdey ou verrou Greener non apparent, bascule de luxe à **contreplatines,** platines à doubles gachettes de sûreté, détente articulée, canons en **acier Record-Spécial** ou Compressed **Siemens-Martin-Special-Steel,** reforés double choke, devant à poussoir Purdey, coquilles finement ciselées, élégante gravure anglaise, trempe jaspée anglaise.

C D S 94/94 a.

Comme C D S 93, mais avec éjecteurs anglais indépendants.

C D S 93/93 a.

Hammerless, genuine **Anson & Deeley,** with quadruple Purdey or covered Greener bolt and **fancy side plates.** Gun-lock with double safety sears; yielding front trigger. **Record special steel** or compressed **Siemens-Martin special steel barrels.** Both barrels full choke. Purdey push down fore-end. Mounting with finely chased scroll, very elegant English engraving and English marbled and hardened.

C D S 94/94 a.

Like C D S 93, but with prime independent English ejector.

C D S 93/93 a.

Hammerless, legítima sistema **Anson & Deeley,** cuádrupla cerradura Purdey ó Greener no aparente, báscula con guarnición lateral de lujo, cierres de dobles, barras de seguridad, escape articulado, **cañones de acero Record-Special** ó Compressed **Siemens-Martin-Special-Steel,** 2 cañones de doble choke, delantero de presion Purdey, conchas finamente cinceladas, elegante grabado inglés, temple jaspeado inglés.

C D S 94/94 a.

Como C D S 93, pero con eyector extra, en 2 partes.

No.	C D S 91	C D S 91 a	C D S 92	C D S 92 a	C D S 93	C D S 93 a	C D S 94	C D S 94 a
†	Schororo	Schororos	Schororje	Schororjes	Schiriri	Schiriris	Schirirje	Schirirjes
Cal.	12	16	12	16	12	16	12	16
Mark	720.—	720.—	840.—	840.—	720.—	720.—	840.—	840.—

Selbstspanner-Doppelflinten „Alfa“ ohne Hähne mit automatischem Patronenauswerfer.	Hammerless à 2 coups „Alfa“ s'armant automatiquement, avec éjecteur automatique.		Self-cocking double-barrel hammerless guns „Alfa“ with ejector.	Escopetas de dos tiros „Alfa“ hammerless con tensión y eyector automáticos.

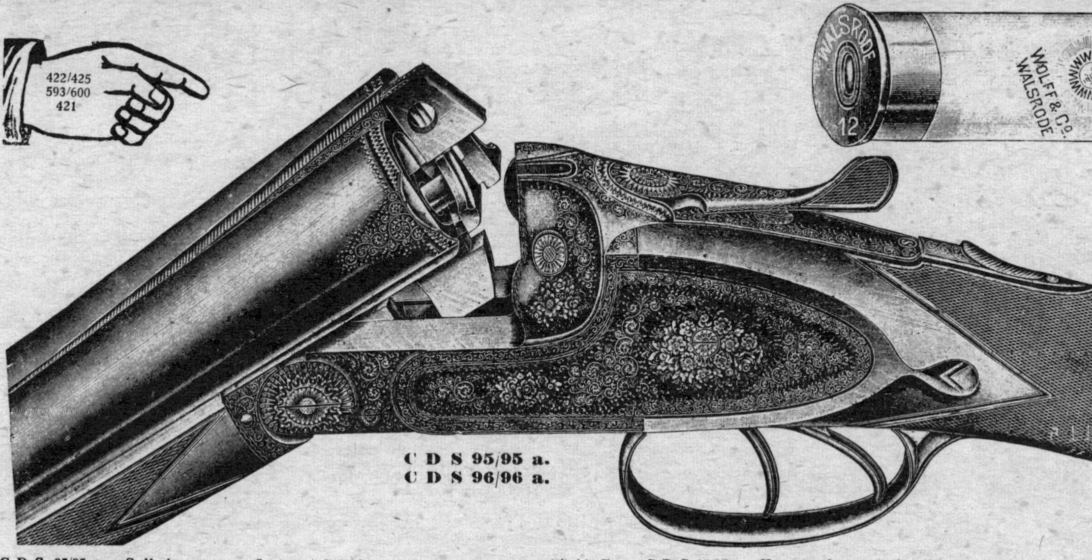

C D S 95/95 a.
C D S 96/96 a.

Handarbeit! Mit und ohne Ejektor.

Travail à la main. Avec et sans éjecteur.

Hand made. With and without ejector.

Trabajo á mano. Con y sin eyector.

C D S 95/95 a. Selbstspanner, System **Anson & Deeley** mit vierfachem Purdey- oder verdecktem Greener-Verschluss, Seitenblenden und Luxus-Seitenplatten, Schlosswerk mit doppelten Sicherheitsstangen; vorderer Abzug ausweichend. **Record-Spezial-Stahlläufe. Beide Läufe voll choke.** Vorderschaft mit Purdey-Druckknopf. Garnitur mit allerfeinster englischer Gravur und englisch marmoriert gehärtet.

C D S 96/96 a. Wie C D S 95, aber mit la zweiteiligem, englischem Ejektor.

C D S 95/95 a. Hammerless, véritable **Anson et Deeley,** triple verrou Purdey ou Greener non apparent, ailerons et contreplatines, platines à doubles gachettes, détente articulée, **canon en acier Special-Record,** reforés double **full choke,** devant à poussoir Purdey, gravure anglaise extra fine, trempe jaspée anglaise.

C D S 96/96 a. Comme C D S 95 mais avec éjecteurs anglais indépendants.

C D S 95/95 a. Hammerless genuine **Anson and Deeley** with quadruple Purdey or covered Greener bolt, side-wings and fancy side plates. Gun lock with double safety sears. Front trigger yielding. **Record special steel barrels,** the latter **both full choke.** Purdey push down fore-end. Mounting with very fine English engraving and English marbled and hardened.

C D S 96/96 a. Like C D S 95 but with prime independent English ejectors.

C D S 95/95 a. Hammerless, legítimo Anson y Deeley, triple cerradura Purdey ó Greener, aletas y con guarnición lateral de lujo, cierres de doble barras, escape articulado, **cañones de acero especial-Record,** 2 cañones de **full choke,** delantero de presión Purdey, grabado inglés extra fino, templado jaspeado inglés.

C D S 96/96 a. Como C D S 95, pero con eyectores ingléses separados.

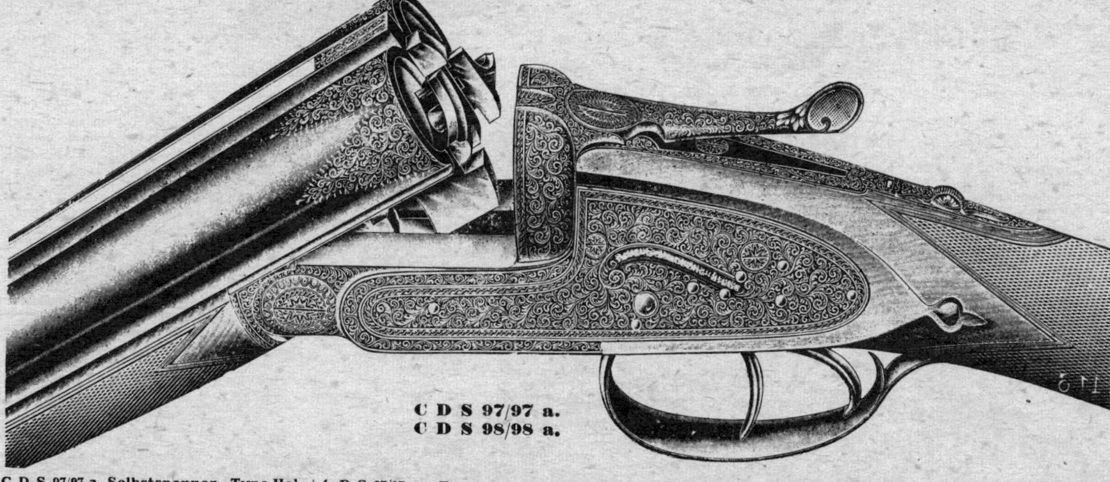

C D S 97/97 a.
C D S 98/98 a.

Handarbeit! Mit und ohne Ejektor.

Travail à la main. Avec et sans éjecteur.

Hand made. With and without ejectors.

Trabajo á mano. Con y sin eyector.

C D S 97/97 a. Selbstspanner „Type Holland“ mit feinsten Sicherheits-Seitenschlössern und vierfachem Purdey-Verschluss. **Record-Spezialstahl-** oder comprimierte **Siemens-Martin-Spezialläufe.** Haken und die verlängerte Schiene aus einem Stück mit den Läufen geschmiedet; beide Läufe voll choke. Vorderschaft mit Purdey-Druckknopf. Garnitur mit reicher englischer Gravur und englisch marmoriert gehärtet.

C D S 98/98 a. Wie C D S 97, aber mit la zweiteiligem, englischem Ejektor.

C D S 97/97 a. Hammerless, genre Holland, avec platines fines, triple verrou Purdey, canons en **acier spécial-Record** ou Compressed **Siemens-Martin-Special-Steel,** crochets et bout de bande venus de forge avec les tubes, reforage double full choke, devant à poussoir Purdey, gravure anglaise élégante et artistique, trempe jaspée anglaise.

C D S 98/98 a. Comme C D S 97 mais avec éjecteurs anglais indépendants.

C D S 97/97 a. Hammerless „Holland type“, with finest safety side locks. **Record-special steel** or compressed **Siemens Martin special steel barrels,** couplings and extension rib forged with the barrels in one piece, both barrels full choke, Purdey push down fore-end. Mounting with rich English engraving and English marbled and hardened.

C D S 98/98 a. Like C D S 97 but with prime independent English ejectors.

C D S 97/97 a. Hammerless tipo Holland con cierres finos, triple cerradura Purdey, cañones de **acero especial Record** ó Compressed **Siemens Martin Special-Steel,** enganche y cabo de cinta forjados cabo con los cañones en una pieza, doble full choke delantero de presión Purdey, grabado inglés elegante y artistico, temple jaspeado inglés.

C D S 98/98 a. Como C D S 97, pero con eyectores ingléses separados.

No.	C D S 95	C D S 95 a	C D S 96	C D S 96 a	C D S 97	C D S 97 a	C D S 98	C D S 98 a
†	Platinxa	Platinxas	Platineje	Platinejes	Plintaxe	Plintaxes	Plintaji	Plintajis
Cal.	12	16	12	16	12	16	12	16
Mark	720.—	720.—	840.—	840.—	1000.—	1000.—	1120.—	1120.—

Selbstspanner-Doppelflinten „Alfa“ ohne Hähne mit automatischem Patronen-Auswerfer.	Fusils à 2 coups „Alfa“ s'armant automatiquement, sans chiens, avec éjecteur automatique.	Self-cocking double-barrel hammerless guns „Alfa“ with ejector.	Escopetas de dos tiros „Alfa“ hammerless con tensión y eyectores automáticos.

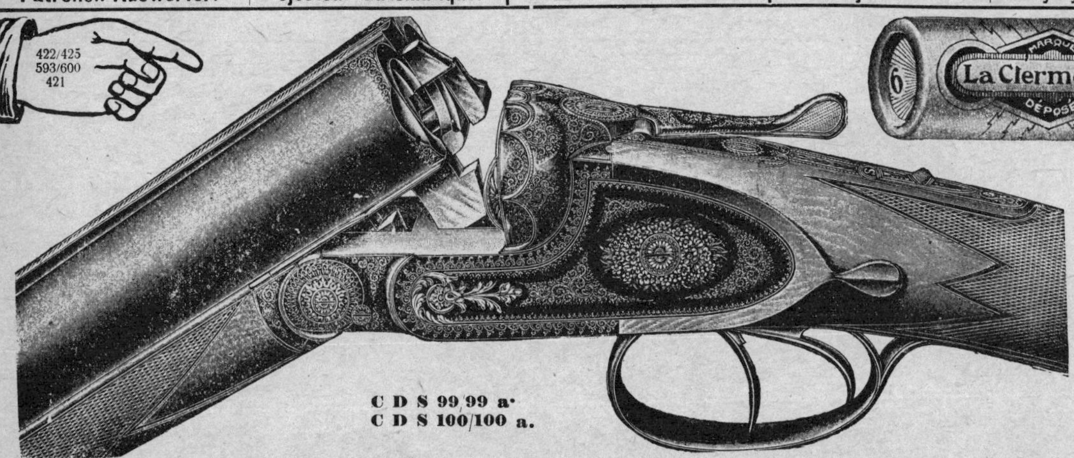

C D S 99/99 a.
C D S 100/100 a.

Taubenflinte. Ohne und mit Ejektor. Handarbeit.

Fusil à pigeons avec et sans éjecteur. Travail à la main.

Pigeon-gun with and without ejector, hammerless. Hand made.

Fusil para pichones, con y sin eyector. Trabajo á mano.

C D S 99/99 a. Original Anson & Deeley System, Purdey-Verschluss und Vorderschaft, beide Läufe full choke, doppelte Sicherheitsstangen, rechter Abzug gebrochen, englischer oder deutscher Schaft, mit reichster engl. **Bouquetgravur, Compound-Cap-Stahlläufe**, fein verzierte Muscheln.

C D S 99/99 a. Système Anson & Deeley Original, fermeture et devant Purdey, les 2 canons full choke, doubles barres de sûreté, crosse anglaise ou allemande, avec **très riche gravure anglaise Bouquet, canons acier Compound Cap**, coquilles élégamment décorées.

C D S 99/99 a. Original Anson & Deeley, Purdey bolt and fore-end, both barrels full choke, double safety sears, right trigger broken, English or German stock, **with richest English bouquet engraving, compound cap steel barrels**, finely chased scroll.

C D S 99/99 a. Sistema Anson & Deeley Original, cerradura y delantero Purdey, los 2 cañones full choke, doble barrilete de seguridad, caja inglése ó alemana, **con muy rico grabado inglés de ramillete inglés, cañones de acero Compound Cap**, conchas elegantemente decoradas.

C D S 100/100 a. Wie C D S 99, aber **mit la 2 teiligem, englischem Ejektor.**

C D S 100/100 a. Comme C D S 99 mais avec éjecteurs anglais indépendants.

C D S 100/100 a. Like C D S 99 but with prime independent English ejectors.

C D S 100/100 a. Como C D S 99, pero con eyectores ingléses separados.

Handarbeit mit Ejektor. Taubenflinte.

Travail à la main, avec éjecteur. Fusil à pigeons.

Hand made with ejector. Pigeon-gun.

Trabajo á mano. Con eyector. Fusil para pichones.

C D S 101/101 a.
C D S 102/102 a.

C D S 101/101 a. Feinste Stahlläufe, englischer Ejektor, dreifacher Purdey-Verschluss, vornehmste englische Schäftung, **Basküle ornamentiert**, englische Gravur à la Greener.

C D S 101/101 a. Canons acier fin, éjecteur anglais, fermeture triple verrou Purdey, piston carré, **bascule carrée, légère gravure anglaise**, pièces trempées jaspées.

C D S 101/101 a. Finest steel barrels, English ejector triple Purdey bolt, elegant English stock, **ornamented scroll fence**, English engraving, Greener safety.

C D S 101/101 a. Cañón de acero fino, eyector automático, cerradura triple Purdey, piston cuadrado, **báscula cuadrada**, ligero **grabado** inglés, piezas templadas jaspeadas.

C D S 102/102 a. Feinste Stahlläufe, wie C D S 101, aber mit **doppeltem, rauchlosem Beschuss**, aber Basküle und Muscheln ganz ausgearbeitet, genau wie Abbildung, reiche Goldornamente, **la zweiteiliger, englischer Ejektor.**

C D S 102/102 a. Canon acier fin, double épreuve surchargée, bascule renforcée par des anglaises, piston Guyot ouvragé, sûreté de côté, doubles faux-corps avec glands, détentes dorées et articulées. **Avec éjecteur automatique.**

C D S 102/105 a. Finest steel barrels like C D S 101 but **twice nitro proved** and scroll fence finely finished as in illustration, rich golden ornaments, **prime English independent ejectors.**

C D H 102/102 a. Cañón de acero fino, doble prueba sobrecargada, báscula reforzada, piston Guyot trabajado, seguridad del costado, dobles falsos-cuerpos con bellota escapes dorados y articulados. **Con eyector automático.**

Taubenflinte. Handarbeit. Mit Ejektor.

Fusil à pigeons. Travail à la main. Avec éjecteur.

Pigeon-gun. Hand made. With ejector.

Fusil para pichones. Trabajo á mano. Con eyector.

C D S 103/103 a.
C D S 104/104 a.

C D S 103/103 a. Feinste Stahlläufe, seitliche Schlösser, doppelte Sicherheitsstangen, dreifacher Purdey-Verschluss, **la englischer 2 teiliger Ejektor, ziseliert, Guirlanden** und englische Gravur, Teile bunt gehärtet und marmoriert.

C D S 103/103 a. Canon acier fin, crochets renforcés, hammerless à platines, double gachettes de sûreté, éjecteur automatique, fermeture triple Purdey, piston garni de vitraux, **fine gravure anglaise**, pièces trempées jaspées.

C D S 103/103 a. Finest steel barrels, side locks double safety sears, triple Purdey bolt, **prime English independent ejectors, chased wreaths** and English engraving, parts case hardened and marbled.

C D S 103/103 a. Cañón acero fino, enganches reforzados, hammerless, cierres laterales, doble barriletes de seguridad, **eyector automático**, cerradura triple Purdey, piston, **adornado** con guirnaldas, grabado fino inglés, piezas templadas jaspeadas.

C D S 104/104 a. Wie C D S 103, aber **für höchste Ladungen** geprüft u. beschossen, **5 facher Purdey-Verschluss, lange Basküle**, genau wie Abbildung, Doppelohren an der Basküle, **goldeingelegte Teile**, Gravur u. Ziselierung genau wie Abbildung, **la 2teil., engl. Ejektor.**

C D S 104/104 a. Canon acier fin, avec surchage, véritable fermeture Purdey, bascule longue, faux-corps, éjecteur automatique, doubles oreillettes et cordons sous la bascule, détente articulée et dorée, pièces trempées jaspées.

C D S 104/104 a. Like C D S 103 but **proved for heaviest charges, quintuple Purdey bolt, long scroll** just as in illustration, double ears at breech, **parts inlaid with gold**, engraved **and chased** as in **illustration, prime independent English ejectors.**

C D S 104/104 a. Cañón de acero fino, **doble prueba sobrecargada, cerradura legitima Purdey, báscula larga, eyector automático**, dobles cordones bajo la báscula, escape articulado y dorado, piezas templadas jaspeadas.

No.	C D S 99	C D S 99 a	C D S 100	C D S 100 a	C D S 101	C D S 101 a	C D S 102	C D S 102 a	C D S 103	C D S 103 a	C D S 104	C D S 104 a
†	Taubengor	Taubengors	Taukingor	Taukingors	Taurungor	Taurungors	Taubakgor	Taubakgors	Taufregor	Taufregors	Tauschgor	Tauschgors
Cal.	12	16	12	16	12	16	12	16	12	16	12	16
Mark	680.—	680.—	800.—	800.—	480.—	480.—	750.—	750.—	670.—	670.—	900.—	900.—

Centralfeuer-Büchsflinten „Alfa" mit Hähnen.

Fusils-carabines „Alfa" à feu central, avec chiens.

Centerfire-rifle and shot guns combined „Alfa" with hammers.

Escopetas-carabinas de fuego central con gatillos, „Alfa".

175 Meter Fleckschuss.

Tir de la plus haute précision à 175 mètres.

175 meters point blank.

De punta en blanco á 175 metros.

C B H 1—C B H 4 c

C B H 1—C B H 1 c. Büchsflinte, Schrotrohr echter **Ruban-Damast,** Kugellauf prima **Stahl,** mit Expresszügen, Standvisier, gute, dauerhafte Stahlrückspringschlösser, Stecher für das Kugelrohr, Nussholzschaft mit Pistolengriff und Backe, einfache Blättergravierung, eine sehr solide und ansehnliche Gebrauchs-Büchsflinte, beste deutsche Handarbeit.

C B H 2—C B H 2 c. Dieselbe Büchsflinte mit **Doppelflinten-Wechselrohren,** aus demselben guten **Damast,** sonst genau wie vorgearbeitet, links choke-bored.

C B H 3—C B H 3 c. Zentralfeuer-Büchsflinte, Schrotlauf bester **Garibaldi-Damast, Kugellauf Krupp'scher Gusstahl** mit Expresszügen, beste Stahlschlösser mit rückspringenden Hähnen, Holzvorderschaft mit Doppelschlüssel, Hornhebel, Pistolenschaft mit Backe; Doppelsilberstreifen und feine Jagdstückgravierung, Garnitur grau gebeizt.

C B H 4—C B H 4 c. Dieselbe wie C B H 3, aber mit **Doppelflinten-Einlegeläufen** aus gutem **Garibaldi-Damast,** links choke-bored.

C B H 1—C B H 1 c. Fusil-carabine, canon à plombs **véritable Ruban Damas,** canon à balle **acier extra,** avec rayures Express, hausse fixe, bons et solides chiens rebondissants, à double détente pour le canon à balle, crosse noyer avec poignée pistolet et joue, gravure feuilles simple, fusil-carabine très solide et excellent à tous les points de vue, travail à la main allemand de supérieure.

C B H 2—C B H 2 c. La même arme, mais avec une paire de canons à plombs interchangeables et du même excellent Damas, pour le reste exactement travaillé comme ci-dessus, choke-bored à gauche.

C B H 3—C B H 3 c. Fusil-carabine à feu central, canon à plombs du **meilleur Damas Garibaldi, canon à balle en acier coulé Krupp** avec rayures Express, excellentes platines d'acier, chiens rebondissants, devant de bois à double clef, levier de corne, crosse pistolet, à joue, doubles traits argent, élégante gravure de chasse, garniture grise.

C B H 4—C B H 4 c. Comme C B H 3, mais avec une paire de canons à plombs interchangeables en bon Damas Garibaldi, choke-bored à gauche.

C B H 1—C B H 1 c. Shot barrel, genuine **Ruban-damascus,** rifle barrel **prime steel** for Express cartridges, open rear sight, good rebounding, durable locks, set-trigger for rifle barrel, walnut stock with pistol grip and cheek, plain leaf engraving, a very solid, handsome and serviceable arm, best German handwork.

C B H 2—C B H 2 c. Same as above but with **double interchangeable shot barrels** of same good **damascus,** left choke-bored.

C B H 3—C B H 3 c. Shot-barrel best **Garibaldi damascus,** rifle barrel **cast Krupp steel** for Express cartridges, best steel locks with rebounding hammers, wooden fore-end with double key, horn lever, pistol grip stock with cheek; double silver stripes and fine hunting scene engraved, grey muntings.

C B H 4—C B H 4 c. Same as C B H 3, buth with double interchangeable shot barrels of good Garibaldi damascus, left choke-bored.

C B H 1—C B H 1 c. Cañón-escopeta de **damasco retorcido,** cañón-carabina-Express rayado, de **acero superior,** doble fiador para cañón carabina, caja de nogal con puño y carrillo, grabado de hojas sencillo, un arma muy sólida hermosa y útil, el mejor trabajo manual alemán.

C B H 2—C B H 2 c. La misma escopeta pero con **dos cañones de perdigones, cambiables** de **Damasco** de la misma buena calidad, izquierdo choke-bored.

C B H 3—C B H 3 c. Cañón-escopeta del mejor **Damasco Garibaldi,** cañón-carabina **acero colado** y Express rayado, llaves de acero superiores con gatillos rebotantes, delantera de madera con doble enganche, palanca de cuerno, puño de pistola y carrillo, rayas de plata dobles y figuras de caza grabadas finas, guarnición gris.

C B H 4—C B H 4 c. Lo mismo que el C B H 3, pero con dos cañones de perdigones cambiables de damasco Garibaldi bueno, izquierdo choke-bored.

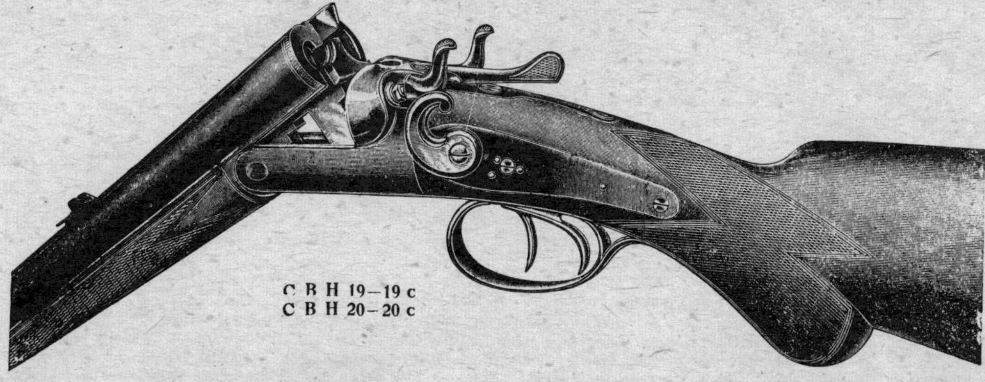

C B H 19—19 c
C B H 20—20 c

C B H 19—19 c. Wie C B H 5 aber **ohne** Gravur und **ohne Stechschloss.**

C B H 20—20 c. Wie C B H 19 aber noch mit einem **Paar Einlegeläufen** für Schrot.

C B H 19—19 c. Comme C B H 5 mais **sans** gravure et **sans double détente.**

C B H 20—20 c. Comme C B H 19 mais **avec une paire de canons** pour plombs **interchangeables.**

C B H 19—19 c. Like C B H 5 but **without** engraving and **without hair-trigger.**

C B H 20—20 c. Like C B H 19 but also with **a pair** of **interchangeable shot-barrels.**

C B H 19—19 c. Como C B H 5 pero **sin grabado** y **sin doble fiador.**

C B H 20—20 c. Como C B H 19, pero con **un par de cañones** de perdigones, **intercambiables.**

No.	C B H 1	C B H 1 a	C B H 1 b	C B H 1 c	C B H 2	C B H 2 a	C B H 2 b	C B H 2 c	C B H 3	C B H 3 a	C B H 3 b	C B H 3 c
†	Domages	Domagest	Domagesx	Domagesz	Dolemir	Dolemirs	Dolemirx	Dolemirz	Dugetir	Dugetirs	Dugetirx	Dugetirz
Cal.	16 × 9,3	12 × 9,3	16 × 11,15	12 × 11,15	16 × 9,3	12 × 9,3	16 × 11,15	12 × 11,15	16 × 9,3	12 × 9,3	16 × 11,15	12 × 11,15
Mark	110	110	110	110	160	160	160	160	140	140	140	140

No.	C B H 4	C B H 4 a	C B H 4 b	C B H 4 c	C B H 19	C B H 19 a	C B H 19 b	C B H 19 c	C B H 20	C B H a	C B H 20 b	C B H 20 c
†	Deteurse	Deteurses	Deteursex	Deteursez	Deteucho	Deteuchos	Deteuchox	Deteuchoz	Deteukla	Deteuklas	Deteuklax	Deteuklaz
Cal.	16 × 9,3	12 × 9,3	16 × 11,15	12 × 11,15	16 × 9,3	12 × 9,3	16 × 11,15	12 × 11,15	16 × 9,3	12 × 9,3	16 × 11,15	12 × 11,15
Mark	206	206	206	206	94	94	94	94	114	114	114	114

Centralfeuer-Büchsflinten „Alfa“ mit Hähnen.

Fusils-carabines „Alfa“ à feu central, avec chiens.

Centerfire rifle and shot guns combined „Alfa“ with hammers.

Escopetas carabinas de fuego central con gatillos „Alfa“.

175 Meter Fleckschuss.

Tir de la plus haute précision à 175 mètres.

175 meters point blank.

De punta en blanco á 175 metros.

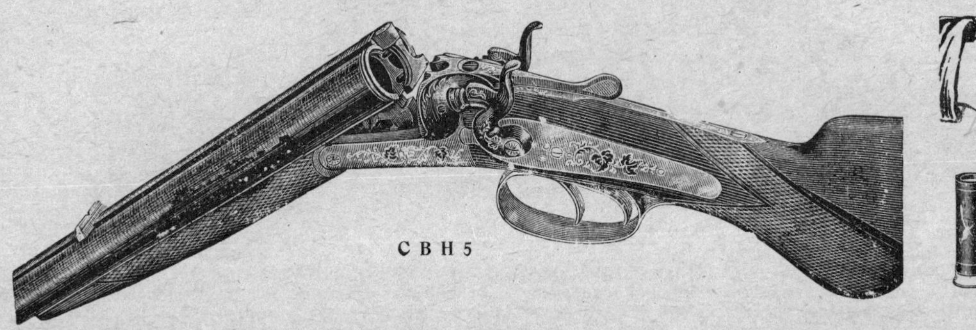

C B H 5

238/243
422/425
444/445
593/600

C B H 5. **Centralfeuer-Büchsflinte,** Schrotlauf prima **Ruban-Damast** mit Silberband, Kugellauf **Krupp'scher Gussstahl** mit Expresszügen, **dreifacher Top-lever-Verschluss** mit Verschlusshebel zwischen den Hähnen; verlängerte, mattierte Laufschiene; Vorderschaft mit Patentschnäpper, gute Stahlschlösser mit rückspringenden Hähnen, rechts Stechschloss, Pistolengriffschaft mit Backe und Fischhaut, Blattgravierung, marmor. Garnitur; **vorzügl. eingeschossen.**

C B H 5. **Fusil-carabine à feu central,** canon à plombs, **Ruban Damas extra** avec bande argent, **canon à balle en acier coulé Krupp** avec rayures Express, **triple verrou top lever,** à clef entre les chiens, bande prolongée mate, devant à pédale, bonnes platines acier avec chiens rebondissants, à double détente à droite, crosse pistolet, à joue, quadrillé, gravure feuilles, garniture jaspée, excellemment réglé au tir.

C B H 5. **Shot barrel** prime **Ruban-Damascus** with silver band, rifle barrel **Krupp cast steel** for Express cartridges, triple top-lever action with lever-bolt between hammers, matted extention rib; fore-end with patent snap, good steel locks with rebounding hammers, set-trigger, for right barrel, checkered pistol-grip stock with cheek, leaf engraving, marbled mounting, **splendid shooting.**

C B H 5. **Escopeta-carabina de fuego central,** cañón de perdigones **Ruban Damasco** con raya de plata, cañón de bala de acero lingote Krupp, con rayaduras Express, triple cerradura top lever con palanca entre los gatillos, cinta prolongada mate, delantera con muelle privilegiado, llaves de acero superior con gatillos rebotantes, fiador doble á la derecha, caja labrada, puño de pistola y carrillo, grabado de hojas, guarnición jaspeada, cuidadosamente probada al tiro.

C B H 6. Genau wie C B H 5, aber mit Doppelflinten-Einlegeläufen aus bestem Garibaldi-Damast, links choke-bored.

C B H 6 Exactement comme C B H 5 mais avec canons de rechange pour plombs, en Damas Garibaldi extra, chocke bored à gauche.

C B H 6. Same as C B H 5, but with double interchangeable shot barrels of best Garibaldi Damascus, left choke-bored.

C B H 6. Exactamente como C B H 5, pero con dos cañones carabina cambiables, damasco Garibaldi superior, izquierdo choke-bored.

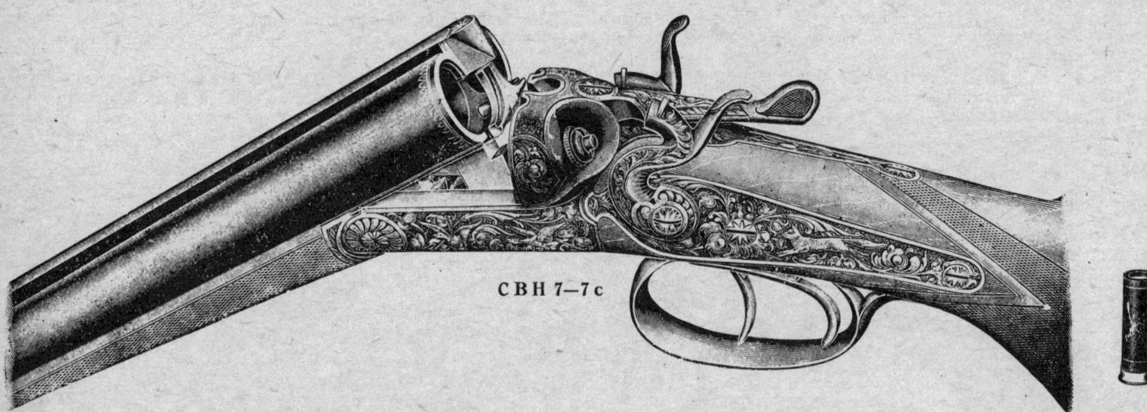

C B H 7—7 c

C B H 7—7 c. **Büchsflinte mit Scott-Verschluss,** beste Stahlläufe, rechts feine Expresszüge, linker Lauf glatt, System mit Hohlmuscheln, feine Rückspringschlosse, rechts Stechschloss, verlängerte Schiene, Pistolengriff, Vorderschaft mit Patentschnäpper, englische Gravur, **Krupp'sche Stahlläufe,** linker Lauf Choke-Bohrung, hübsche Jagdgravierung.

C B H 7—7 c. **Fusil-carabine avec verrou Scott,** canons acier extra, rayures soignées à droite, canon gauche lisse, système à coquilles vides, élégants canons rebondissants, à double détente à droite, bande prolongée, crosse pistolet, devant à pédale déposée, gravure anglaise, **canons acier Krupp,** canon gauche choke, jolie gravure de chasse.

C B H 7—7 c. **Centerfire rifle and shot gun combined, Scott locking system,** best steel barrels, right barrel finely rifled for express cartridges, left barrel smooth, fine rebounding locks, set-trigger for right barrel, extension rib, pistol-grip, fore-end with patent snap, English engraving, **Krupp steel barrels,** left barrel choke-bored, with fine hunting scene engraved.

C B H 7—7 c. **Escopeta carabina de fuego central cerradura Scott,** cañones del mejor acero, derecho Express fino, izquierdo liso, llaves finas de retroceso, fiador doble á la derecha, cinta de extensión, puño de pistola, delantera con muelle de privilegio, grabado inglés, **cañones de acero Krupp,** izquierdo choke-bored, hermosas figuras de caza

No.	C B H 5	C B H 5a	C B H 5b	C B H 5c	C B H 6	C B H 6a	C B H 6b	C B H 6c	C B H 7	C B H 7a	C B H 7b	C B H 7c
†	Dosergan	Doserganx	Dosergant	Doserganz	Dichate	Dichates	Dichatex	Dichatez	Daima	Daimas	Daimar	Daimad
Cal.	16×9,3	12×9,3	16×11,15	12×11,15	16×9,3	12×9,3	16×11,15	12×11,15	16×9,3	12×9,3	16×11,15	12×11,15
Mark	144.—	144.—	144.—	144.—	214.—	214.—	214.—	214.—	160.—	160.—	160.—	160.—

Central-feuer-Büchsflinten „Alfa“ mit Hähnen.	Fusils-carabines „Alfa à feu“ central, avec chiens.		Center-fire rifle and shot guns combined, „Alfa“ with hammers.	Escopetas de fuego-central combinadas con cañón-carabina y gatillos „Alfa“.

175 Meter Fleckschuss. **Tir de la plus haute précision à 175 mètres.** **175 meters point blank.** **De punta en blanco á 175 metros.**

C B H 8—8 c

C B H 8—8 c, Zentralfeuer-Büchsflinte, in der Ausführung wie C B H 7, aber mit Schrotlauf aus **Hufnageldamast,** Kugellauf **Kruppscher Gusstahl** mit Expresszügen, vierfacher Greener-Verschluss, Standvisier mit Klappe, auf 80 bezw. 175 m Fleck schiessend; Pistolenschaft mit Backe und Fischhaut, Hornkappe, fein gewetzte Jagdstückgravierung usw.

C B H 8—8 c, Fusil-carabine à feu central, même exécution que C B H 7, mais avec canon à plombs **en Damas spécial, canon** à balle **acier coulé Krupp,** avec rayures Express, quadruple verrou Greener, hausse fixe avec clapet, tirant avec la plus grande précision de 80 à 175 mètres, crosse pistolet, à joue, quadrillé, calotte corne, élégante gravure sujet de chasse etc.

C B H 8—8 c, Same as C B H 7, but shot-barrel of **Horseshoe-Damascus,** rifle-barrel **Krupp cast steel,** for express cartridges, quadruple Greener lock, rear sight with leaf sighted at 80 and or 175 meters, checkered stock with pistol-grip and cheek-piece, horn cap, mountings with finely engraved hunting scenes etc.

C B H 8 - 8 c, Igual al C B H 7, pero con cañón-escopeta de **Damasco de herradura,** cañón-carabina de **acero colado Krupp,** rayado Express, cerradura cuádrupla Greener, alza con hoja, tirando de punta en blanco de 80 hasta 175 metros, puño de pistola labrado y carrillo, cantonera de cuerno, grabado saliente fino de figuras de caza.

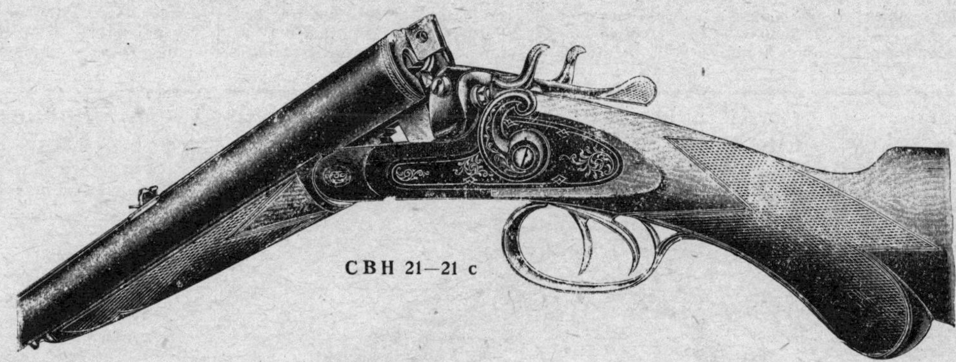

CBH 21—21 c

Vorliegende Schlösser, dreifacher Greener Querriegel-Verschluss, Schaft mit Pistolengriff und Fischhaut, gravierte Garnitur, bunt eingesetzt und gehärtet, kleine Teile gebläut.

Platines à l'avant, triple verrou Greener, crosse pistolet quadrillée, garniture gravée, trempée et jaspée, petites pièces bleuies.

Bar action locks, triple bolt, push down fore-end fastener, engraved, case hardened and blue mountings.

Cierres á medio en la parte delantera, cerradura Greener triple, caja pistola, guarnición grabada, templada y jaspeada, pequeñas piezas azuladas.

No.	C B H 8	C B H 8 a	C B H 8 b	C B H 8 c	C B H 21	C B H 21 a	C B H 21 b	C B H 21 c
†	Damsin	Damsins	Damsink	Damsind	Daimavo	Daimavos	Daimavor	Daimavod
Cal.	16×9,3	12×9,3	16×11,15	12×11,15	16×9,3	12×9,3	16×11,15	12×11,15
Mark	194.—	194.—	194.—	194.—	120.—	120.—	120.—	120.—

Centralfeuer-Büchsflinten mit Hähnen.	Fusils-carabines à feu central, avec chiens.	Center-fire rifle and shot guns combined with hammers.	Escopetas-carabinas de fuego central, con gatillos.
Prima deutsches Fabrikat. „Suhler" Handarbeit.	Fabrication allemande extra. Travail à la main de „Suhl".	Prime German manufacture. Made by hand at „Suhl".	Fabricación alemana extra. Trabajo á mano, de „Suhl".

Deutsche Handarbeit, **„Suhl".** Travail à la main allemand, **„Suhl".** German hand make, **„Suhl".** Trabajo á mano alemán, **„Suhl".**

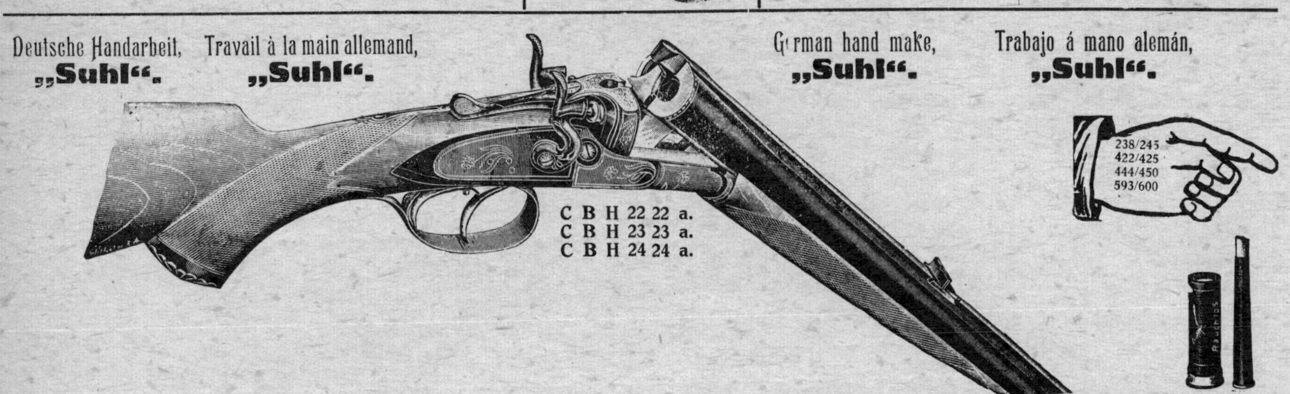

C B H 22/22 a.
C B H 23/23 a.
C B H 24/24 a.

C B H 22/22 a. **Dreifacher toplever Verschluss,** halb vorliegende Schlösser, **Ia Krupp's Stahlläufe,** Pistolengriff mit Hornkäppchen, Backe, feiner Nussholzschaft, Stichgravur, dunkle Garnitur, rechts Stechschloss.

C B H 22/22 a **Triple verrou toplever,** platines à demi à l'avant, **canons acier Krupp extra,** crosse pistolet avec calotte corne, à joue, élégante crosse de noyer, gravure spéciale, garniture foncée, à double détente à droite.

C B H 22/22 a. **Triple top lever** bolt, locks fitted half forward, **prime Krupp steel barrel,** pistol grip with horn cap, fine walnut stock, deep engraving, dark mounting, hair-trigger at right.

C B H 22/22 a. **Triple cerradura Toplever,** cierres á medio en la parte delantera, **cañones de acero Krupp extra,** caja-pistola con cantonera de cuerno, de carrillo, elegante caja nogal, grabado especial, de doble escape á la derecha, montura oscura.

C B H 23/23 a. Wie C B H 22 aber in **besserer** Ausführung, feineres Schaftholz, englische Gravur, Schrotlauf, **rauchlos beschossen.**

C B H 23/23 a. Comme C B H 22, mais dans la **meilleure** exécution, élégant bois, gravure anglaise, canon à plombs, **éprouvé à la poudre sans fumée.**

C B H 23/23 a. Like C B H 22, but **better** make, finer stock, English engraving, shot barrel, **nitro proved.**

C B H 23/23 a. Como CBH 22, pero en la ejecución **más esmerada,** madera elegante, grabado inglés, cañón de perdigones, experimentado **á la pólvora sin humo.**

C B H 24/24 a. Wie C B H 23 aber mit **feiner deutscher Jagdgravur** (ähnlich C B H 27).

C B H 24/24 a. Comme C B H 23, mais avec **élégante gravure de chasse allemande** (similaire à C B H 27).

C B H 24/24 a. Like C B H 23, but **with fine German engraving of hunting scene** (similar to C B H 27).

C B H 24/24 a. Como C B H 23, pero con **grabado elegante de caza alemán** (parecido á C B H 27).

Cal. 9,3 mm — Cal. 8 mm (S.S. 58½ - 8 m/m No 2)

Schwarzpulver und Bleigeschoss.	A poudre noire et à balle de plomb.	Black powder with leaden bullet.	De pólvora negra y de bala de plomo.	Rauchloses Pulver und Mantelgeschoss.	A poudre sans fumée et à balle blindée.	Smokeless powder with mantle bullet.	De pólvora sin humo y de bala blindada.

Deutsche Handarbeit, Suhl. | Travail à la main allemand, Suhl. | German hand make, Suhl. | Trabajo à mano alemán, Suhl.

C B H 25/25 a.
C B H 26/26 a.
C B H 27/27 a.

C B H 25/25 a. Wie C B H 22, aber mit **Greener-Querriegelverschluss.**

C B H 25/25 a. Comme C B H 22, mais avec **verrou Greener.**

C B H 25/25 a. Like C B H 22, but with **Greener cross-bolt.**

C B H 25/25 a. Como C B H 22, pero con **Greener cerrojo,**

C B H 26/26 a. Wie C B H 23, aber mit **Greener-Querriegelverschluss.**

C B H 26/26 a. Comme C B H 23, mais avec **verrou Greener.**

C B H 26/26 a. Like C B H 23, but with **Greener cross-bolt.**

C B H 26/26 a. Como C B H 23, pero con **Greener cerrojo.**

C B H 27/27 a. Wie Abbildung, mit **feinster deutscher Gravur,** sonst wie C B H 26.

C B H 27/27 a. Suivant l'illustration, avec **élégante gravure allemande,** pour le reste comme C B H 26.

C B H 27/27 a. Like illustration with **finest German engraving,** otherwise like C B H 26.

C B H 27/27 a. Conforme á la ilustración, con **elegante grabado alemán,** por lo demás como C B H 26.

No.	CBH 22	CBH 22a	CBH 23	CBH 23a	CBH 24	CBH 24a	CBH 25	CBH 25a	CBH 26	CBH 26a	CBH 27	CBH 27a
†	Fuxbux	Fuxbuxa	Fuxblax	Fuxblaxa	Fuxkrex	Fuxkrexa	Fuxstox	Fuxstoxa	Fuxchix	Fuxchixa	Fuxbauz	Fuxbauza
Cal.	16×9,3	16×8	16×9,3	16×8	16×9,3	16×8	16×9,3	16×8	16×9,3	16×8	16×9,3	16×8
Mk.	190.–	200.–	200.–	210.–	215.–	225.–	215.–	225.–	232.–	242.–	244.–	254.–

Zentralfeuer-Büchsflinten mit Hähnen.
Läufe übereinander.

Fusils-carabines à feu central avec chiens.
canons superposés.

Center-fire rifle and shot-guns combined with hammers.
Barrels over each other.

Escopetas-carabinas e fuego central, con gatillos.
Cañones sobrepuestos.

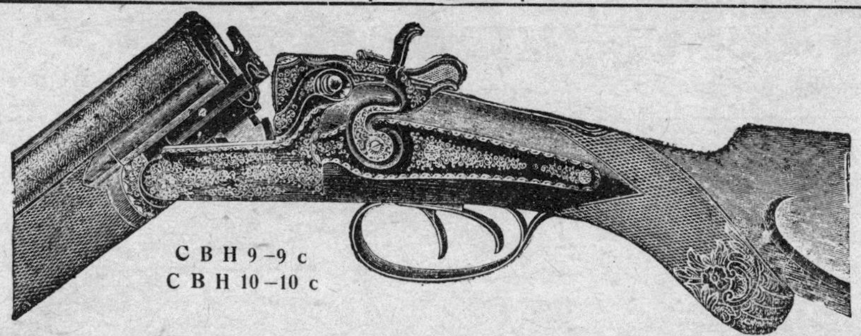

C B H 9–9 c
C B H 10–10 c

C B H 9–9 c, Bock-Büchsflinte mit übereinanderliegenden Läufen, der obere Lauf aus **Birmingham-Damast** mit Choke-Bohrung, guillochierte Schiene, der untere Lauf aus bestem Gussstahl Umlegevisier, Hebel zwischen den Hähnen (Top-Lever), Doppelriegel, abnehmbarer Holzvorderteil mit Pedalverschluss, Stecher, Kettenstichgravur, bunt gehärtet.

C B H 10–10 c, dieselbe, aber **feiner,** der obere Lauf aus **Boston-Damast,** englische Gravur.

C B H 9–9 c, Fusil-carabine avec canons superposés, le canon de dessus est en **Damas Birmingham** et choke, bande guillochée, le canon inférieur est en acier coulé extra, clef entre le chiens (Top-Lever) doubie verrou, devant de bois détachable à pédale, double détente, gravure spéciale, trempé jaspé.

C B H 10–10 c, La même arme, mais plus élégante le canon de dessus en Damas Boston, gravure anglaise.

C B H 9–9 c, Buck-rifle and shot-gun, with 2 barrels, one above the other, the upper barrel of **Birmingham-Damacus,** choke bored with extension rib, the lower barrel of best cast steel, folding sight, lever between hammers (top-lever) double bolt, detachable wooden fore-end with pedal lock, set-trigger, special engraving, case hardened.

C B H 10–10 c, same as above but **finer,** the upper barrel of **Boston Damascus,** English engraving.

C B H 9–9 c, Escopeta-carabina de monte con un cañón encima del otro, el de encima de **Damasco de Birmingham,** choke-bored, con cinta retorcida, el de debajo del mejor acero colado, alza de repliegue, palanca encima entre los gatillos, doble cerrojo, delantera de madera de quita y pón con enganche pedal, fiador doble, grabado punto de cadena, guarnición jaspeada.

C B H 10–10 c, igual pero **más fina,** el cañon de encima de **Damasco Boston,** grabado inglés.

Ia deutsches Fabrikat, Handarbeit „Suhl".

Fabrication allemande extra, travail à la main, de „Suhl".

Prime German manufacture, hand made at „Suhl".

Fabricación alemana extra, trabajo á mano de „Suhl".

C B H 11–11 c

C B H 11–11 c, Bock-Büchsflinte mit Roux-Verschluss, Läufe übereinanderliegend, Schrotlauf, Choke-Bohrung, dreifacher Verschluss, verlängerte Schiene, Patentschnäpper, Pistolengriff, feine **Renaissance-Jagstückgravierung,** feine Handarbeit.

C B H 11–11 c, Fusil-carabine, à verrou Roux, canons superposés, canon à plombs choke, triple verrou, bande prolongée, à pédale, crosse pistolet, **gravure de chasse Renaissance,** élégante travail à la main.

C B H 11–11 c, Buck-rifle and shot-gun with Roux lock, 2 barrels one above the other, shot-barrel, choke-bored, triple bolts, extension rib, patent snap, pistol grip, **fine renaissance hunting-scene engraving,** fine hand-make.

C B H 11–11 c, Escopeta-carabina de monte con un cañón encima del otro, cerradura Roux, cañón-escopeta choke-bored, triple cerradura cinta de extensión, pestillo privilegiado, puño de pistola, **grabado Renaissance** fino de **figuras de caza,** trabajo manual esmerado.

Ia deutsches Fabrikat, Handarbeit „Suhl".

Fabrication allemande extra, travail à la main, de „Suhl".

Prime German manufacture, hand-made at „Suhl".

Fabricación alemana extra, trabajo á mano de „Suhl".

C B H 28–28 c

C B H 28–28 c, Prima Suhler Handarbeit, Kruppsche Flussstahlläufe, dreifacher Toplever-Verschluss, Hornkappe, Pistolengriff mit Käppchen, Fischhaut, dunkle Garnitur, **Schrotlauf rauchlos beschossen,** mit feinerem Schaftholz und **prima deutscher Jagdgravur,** wie Abbildung.

C B H 28–28 c, Travail à la main de Suhl extra, canons d'acier coulé Krupp, triple verrou Toplever, calotte corne, crosse pistolet avec calotte, quadrillé, garniture foncée, **canon plombs éprouvé à la poudre sans fumée,** avec élégant bois, **gravure chasse allemande** suivant illustration.

C B H 28–28 c, Prime Suhl, hand make, ingot steel barrels, triple top lever bolt, horn-cap, pistol **grip** with horn-cap, checkered, dark mounting, **shot barrel, nitro proved.** elegant wooden stock and **fine German hunting scene** engraved as in illustration.

C B H 28–28 c, trabajo á mano Suhl extra, cañones de acero colado Krupp, triple cerrojo Toplever, cantonera de cuerno, mango pistola labrado, guarnición oscura, **cañón de perdigones, experimentado para la pólvora sin humo,** con madera elegante, **grabado alemán de caza** conforme á la ilustración

No.	CBH 9	CBH 9a	CBH 9b	CBH 9c	CBH 9d	CBH 9e	CBH 10	CBH 10a	CBH 10b	CBH 10c	CBH 10d	CBH 10e
†	Dersid	Dersids	Dersidt	Dersidz	Dersidx	Dersidh	Davin	Davins	Davint	Davind	Davinz	Davink
Cal.	16×9,3	16×8	16×11,15	12×9,3	12×8	12×11,15	16×9,3	16×8	16×11,15	12×9,3	12×8	12×11,15
Mark	232.–	240.–	232.–	232.–	240.–	232.–	240.–	248.–	240.–	240.–	248.–	240.–

No.	CBH 11	CBH 11a	CBH 11b	CBH 11c	CBH 11d	CBH 11e	CBH 28	CBH 28a	CBH 28b	CBH 28c	CBH 28d	CBH 28e
†	Dopito	Dopitos	Dopitor	Dopitox	Dopitod	Dopitoh	Depitto	Depittos	Depittof	Depittod	Depittor	Depittol
Cal.	16×9,3	16×8	16×11,15	12×9,3	12×8	12×11,15	16×9,3	16×8	16×11,15	12×9,3	12×8	12×11,15
Mark	220.–	228.–	220.–	220.	228.–	220.–	280.–	288.–	280.–	280.–	288.–	280.–

Centralfeuer Büchsflinten „Alfa“ Selbstspanner.

Fusils-carabines „Alfa“ à feu central, s'armant automatiquement.

Center-fire rifle and shot-guns combined, Mark „Alfa“ selfcocking.

Escopetas-carabinas „Alfa“ de fuego central, armandose automaticamente.

Kleinere Caliber siehe Seite 238/243

Voir page calibres plus petits 238/243

Smaller calibers see page 238/243

Para calibres pequeños véase página 238/243

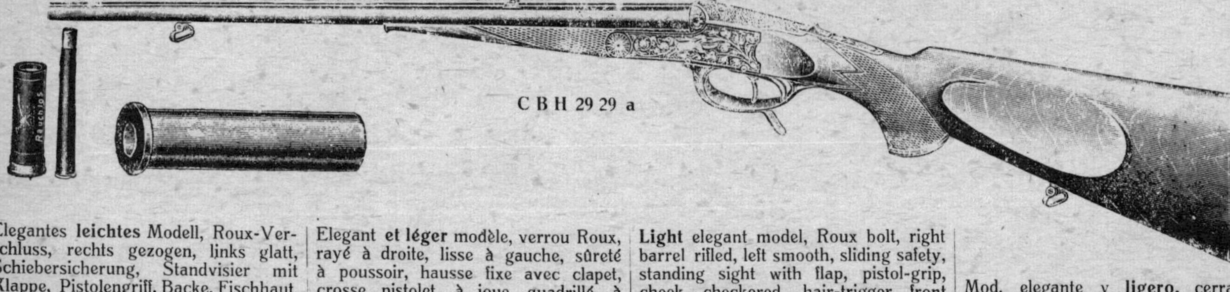

C B H 29 29 a

Elegantes **leichtes** Modell, Roux-Verschluss, rechts gezogen, links glatt, Schiebersicherung, Standvisier mit Klappe, Pistolengriff, Backe, Fischhaut, Stechschloss, Korn mit Silberperle, Schiene guillochiert, **feine Jagdstückgravur, schwarze** Garnitur.

Elegant **et léger** modèle, verrou Roux, rayé à droite, lisse à gauche, sûreté à poussoir, hausse fixe avec clapet, crosse pistolet, à joue, quadrillé, à double détente, point de mire perle argent, bande guillochée, **élégante gravure** sujet de chasse, garniture **noire.**

Light elegant model, Roux bolt, right barrel rifled, left smooth, sliding safety, standing sight with flap, pistol-grip, cheek, checkered, hair-trigger front sight with silver pearl, extension rib, **hunting scene engraved, black** mounting.

Mod. elegante y **ligero,** cerradura Roux, rayado á la derecha, liso á la izquierda, seguridad de presión, alza fija con chapita, mango pistola de carrillo, labrado, de doble fiador, punto de mira perla plata, cinta retorcida, **elegante grabado de caza,** guarnición **negra.**

C B H 30 30 b

Wie C B H 29, jedoch **schweres** Modell mit **englischer** Gravur.

Comme C B H 29, mais **fort modèle** avec gravure anglaise.

Like C B H 29, but **heavy** model with **English** engraving.

Como C B H 29, pero modelo **fuerte** con grabado **inglés.**

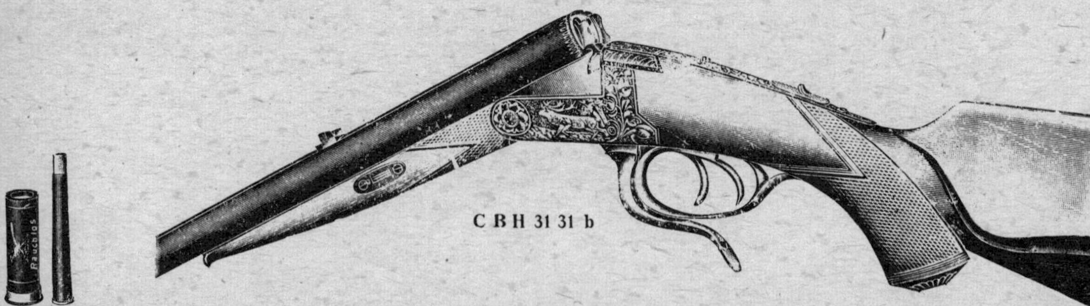

C B H 31 31 b

Wie C B H 30, in feinster Ausführung **schweres gediegenes Modell,** Schraubvisier, Korn mit Silberperle von vorn eingeschoben, Signalstifte, Hornkappe und Pistolengriffkappe aus Horn, Holzvorderschaft mit Schieber, feine Jagdstück-Wetzgravur, **rauchlos beschossen.**

Comme C B H 30, en élégante exécution, **fort modèle solide,** hausse à vis, point de mire perle argent ajusté par devant, pointe d'avertissement, calotte corne, crosse pistolet avec calotte corne, devant de bois avec poussoir, élégante gravure sujet de chasse, **éprouvé à la poudre sans fumée.**

Like C B H 30, very fine make, **heavy solid model,** screw sight at rear, front sight with silver pearl pushed on from front, indicators, horn cap and pistol-grip with horn cap, wooden fore-end with slide, fine hunting scene engraved, **nitro proved.**

Como C B H 30, en elegante ejecución, **modelo fuerte** y **sólido,** alza de tornillo, punto de mira de perla plata y ajustado por delante, punta de aviso, mango pistola, cantonera de cuerno, delantero de madera con presión, elegante grabado de caza, **experimentado á la pólvora sin humo.**

	C B H 29	C B H 29 a	C B H 30	C B H 30 a	C B H 30 b	C B H 31	C B H 31 a	C B H 31 b
†	Schonzeit	Schonzeirf	Schonzold	Schonzoldt	Schonzolf	Schonzepp	Schonzeper	Schonzepol
Cal.	12 mm×9,1×40	12 mm×22 Winch.	32×9,1×40	24×9,1×40	28×9,1×40	28×9,1×40	24×9,1×40	20×9,1×40
Mark	53.–	45.–	130.–	133.–	133.–	162.–	166.–	168.–

Centralfeuer-Doppelflinten „Alfa", Selbstspanner.	Fusils-carabines „Alfa", à feu central, s'armant automatiquement.		Centerfire Rifle and Shotguns combined „Alfa". Selfcocking.	Escopetas de fuego central combinadas con un cañón-carabina y armamento automático, „Alfa".

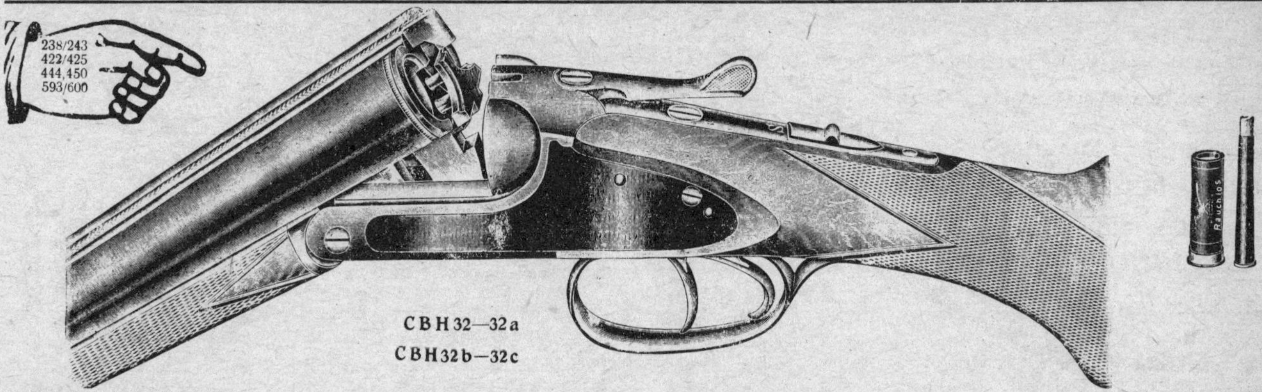

CBH32—32a
CBH32b—32c

CBH32 32a Selbstspanner-Büchsflinte, Sicherung, Stahlläufe, mattierte Schiene, dreifacher Toplever-verschluss, Seitenschlösser, bunt eingesetzte, gehärtete Garnitur, Pistolengriff, Backe Fischhaut.

CBH32b—32c. Wie CBH32, aber mit **Greener Querriegelverschluss.**

CBH32—32a. Fusil-carabine s'armant automatiquement, sûreté, canons acier, bande mate, triple verrou Toplever, garniture trempée jaspée, crosse pistolet, à joue, quadrillé.

CBH32b—32c. Comme CBH32, mais à **verrou Greener transversal.**

CBH32—32a. Self-cocking rifle and shot gun, safety, steel barrels, matted rib, triple top lever bolt, side locks, case hardened mounting, pistol-grip, cheek, checkered.

CBH32b—32c. Like CBH32, but with **Greener cross-bolt.**

CBH32—32a. Escopeta-carabina armándose automáticamente, seguridad, cañones de acero, cinta mate, triple cerradura Toplever, guarnición templada y jaspeada, mango pistola, de carrillo, labrado.

CBH32b—32c. Como CBH32, **cerradura transversal,** lo mismo pero con **Greener.**

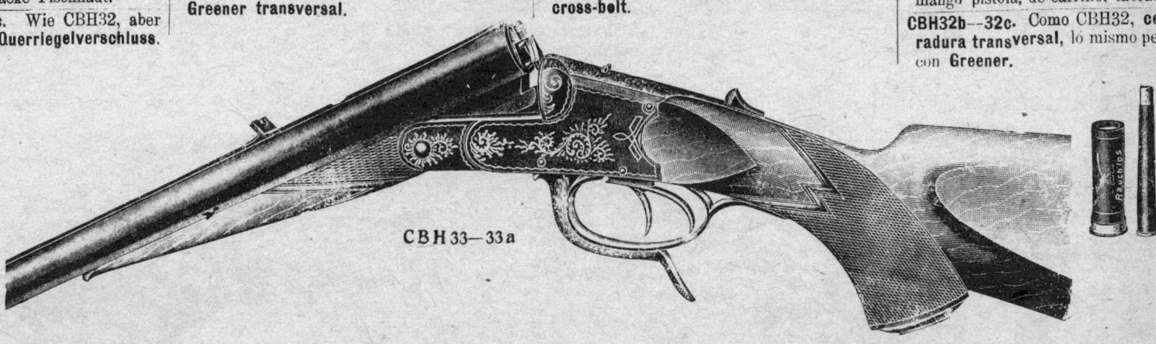

CBH33—33a

Selbstspanner - Büchsflinte, Roux-Verschluss, **Stahlläufe,** Klappvisier, Sicherung, Signalstifte, englische Gravur, Pistolengriff, Backe, Fischhaut.

Fusil-carabine s'armant automatiquement, verrou Roux, **canons acier,** hausse avec clapet, sûreté, pointe d'avertissement, gravure anglaise, crosse pistolet, à joue, quadrillé

Self - cocking rifle and shot - gun, Roux lock, **steel barrels,** flap sight safety, indicators, English engraving, pistol-grip, cheek, checkered.

Escopeta - carabina armándose automáticamente, cerradura Roux, **cañones de acero,** alza con chapita, seguridad, punta de aviso, grabado inglés, mango pistola, de carrillo, labrada.

„Suhl"

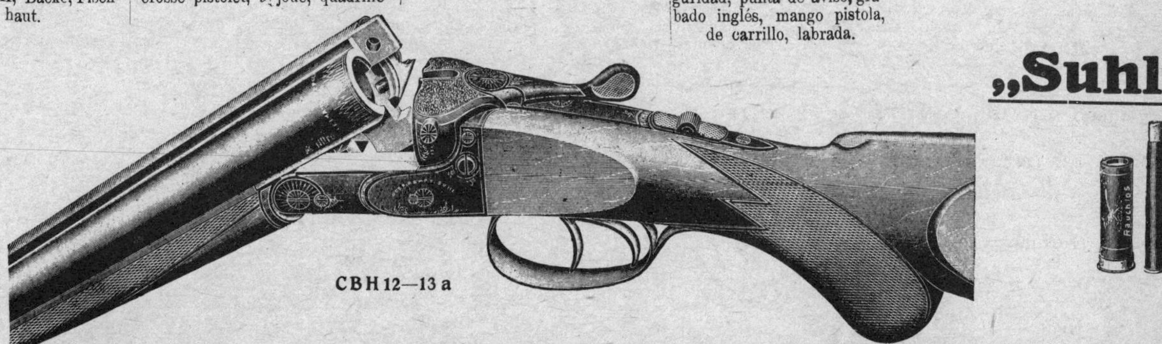

CBH12—13a

CBH12. Selbstspanner-Büchsflinte, Schrotlauf Krupp'scher Flusstahl oder Banddamast, **Kugellauf Krupp'scher Gusstahl; vorliegend** eingepasste Schlösser mit inneren, rückspringenden Hähnen, bestes Stahlgewerk, Spannung durch Ausfallen der Läufe; auf Wunsch automatische oder nicht automatische Schiebersicherung auf der Scheibe, Signalstifte, abnehmbarer Vorderschaft mit Schnappverschluss; rechts Stechschloss, Pistolengriffschaft; einfache, aber geschmackvolle Ausführung.

CBH13. Genau wie CBH12, aber mit **Doppelflintenwechselrohren** aus **la Krupp-Stahl.**

CBH12. Fusil-carabine s'armant automatiquement, canon plombs en acier coulé Krupp ou Ruban Damas, **canon à balle acier coulé Krupp,** platines à l'avant, avec chiens intérieurs rebondissants, excellent acier, armement par le basculage des canons, sûreté à poussoir automatique ou non automatique selon désir, pointe d'avertissement, devant enlevable à pédale, à double détente à droite, crosse pistolet, exécution simple et de très bon goût.

BBH13. Exactement comme CBH12, mais avec **double canon interchangeable, en acier Krupp extra.**

CBH12. Selfcocking rifle and shotgun, shotbarrel Krupp ingot steel or stripe damascus, **riflebarrel Krupp cast steel;** forward fitted locks with interior rebounding hammers, best steel frame, cocked by dropping of barrels, automatic or, if desired, non - automatic safety slide, indicators, detachable fore-end with snap-bolt, set-trigger for right barrel, pistol-grip stock; simple but elegant make.

CBH13. Same as CBH12, but with double **interchangeable barrels** of **prime Krupp steel.**

CBH13. Escopeta-carabina con tensión automática, cañon-escopeta de acero Krupp de lingote ó de Damasco, **cañon-carabina de acero Krupp colado,** llaves delanteras con gatillos interiores de retroceso, del mejor acero, puesta en tensión al caer los cañones, con ó sin seguro automático según pedido, delantera de quita y pon con cerradura de muelle, doble fiador á la derecha, caja con puño de pistola, acabada con sencillez pero con mucho gusto.

CBH13. Igual al CBH12, pero con **2 cañones intercambiables** de acero **primero Krupp.**

No.	CBH32	CBH32a	CBH32b	CBH32c	CBH33	CBH33a	CBH12	CBH12a	CBH13	CBH13a
†	Dogenate	Dogenates	Dogenagres	Dogenakril	Dogenefa	Dogenefas	Dogenor	Dogenors	Dolmate	Dolmates
Cal.	16 × 9,3	16 × 11,15	16 × 9,3	16 × 11,15	16 × 9,3	16 × 8	16 × 9,3	12 × 9,3	16 × 9,3	12 × 9,3
Mk.	124.—	124.—	132.—	132.—	140.—	148.—	250.—	250.—	312.—	312.—

Zentralfeuer Büchsflinten, Selbstspanner.	Fusils-carabines à feu central, s'armant automatiquement.		Center-fire rifle and shot-guns combined, self cocker.	Escopetas-carabinas de fuego central; armándose automáticamente.

Ia Deutsches Fabrikat „**Suhl.**"

Fabrication allemande extra, de „**Suhl**"

Prime German make „**Suhl**"

Fabricación alemana extra, de „**Suhl.**"

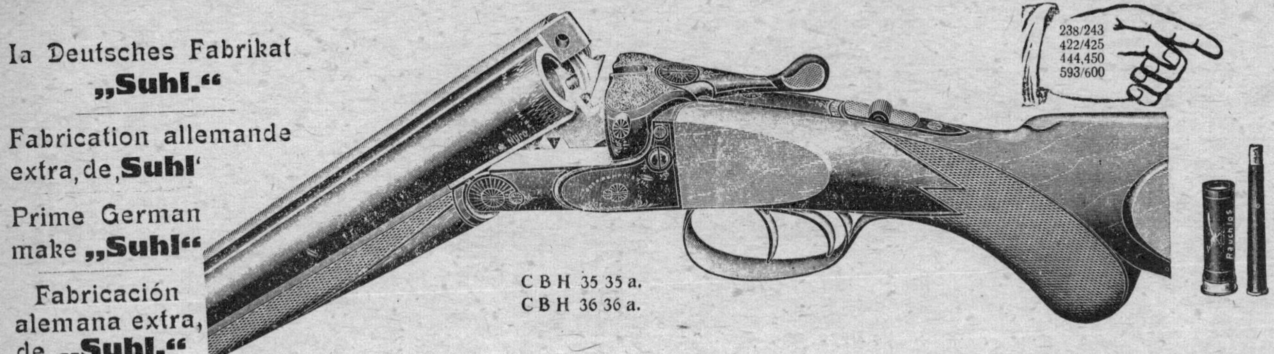

CBH 35 35 a.
CBH 36 36 a.

CBH 35/35 a. **Krupp's Stahlläufe, Greener-Querriegel-Verschluss**, Pistolgriffkante Fischhaut, System Anson & Deeley, dunkle Garnitur, **rauchlos beschossener** Schrotlauf, wie Abbildung.

CBH 36 36 a. Wie CBH 35, aber feiner ausgestattet, englische Gravur etc.

CBH 35/35 a. **Canons acier Krupp, verrou Greener**, crosse pistolet, à joue, quadrillé, système Anson & Deeley, garniture sombre, canon à plombs éprouvé à la **poudre sans fumée**, suivant illustration.

CBH 36/36 a. Comme CBH 35, mais exécution plus soignée, gravure anglaise etc.

CBH 35/35 a. **Krupp steel barrels, Greener cross-bolt**, pistol-grip, cheek, checkered, system Anson & Deeley, dark mounting, shot barrel **nitro proved**, as in illustration.

CBH 36/36 a, like CBH 35 but finer finish, English engraving etc.

CBH 35/35 a **Cañónes de acero Krupp, cerrojo Greener**, mango de pistola, de carrillo, labrada, sistema Anson y Deeley, guarnición oscura, cañon de perdigones **experimentado á la pólvora sin humo**, conforme á la ilustración.

CBH 36/36 a. Como CBH 35, pero ejecución más cuidadosa, grabado inglés etc.

Ia Deutsches Fabrikat „**Suhl.**"

Travail à la main allemand extra de „**Suhl.**"

Prime German make „**Suhl**"

Trabajo á mano alemán, extra, de „**Suhl**"

CBH 36/37 a.

Wie CBH 35, aber **ausgebogtes** System, Renaissance-Gravur mit Jagdstücken, **schwarze** Garnitur.

Comme CBH 35, mais **système cintré**, gravure Renaissance, sujets de chasse, garniture **noire**.

Like CBH 35, but **curved system**, renaissance engraving with hunting scenes, **black** mounting.

Como CBH 35, pero **sistema abovedado**, grabado Renaissance, sujetos de caza, guarnición **negra**.

Ia Deutsches Fabrikat „**Suhl.**"

Travail à la main allemand extra de „**Suhl.**"

Prime German make „**Suhl.**"

Trabajo á mano alemán, extra, de „**Suhl**"

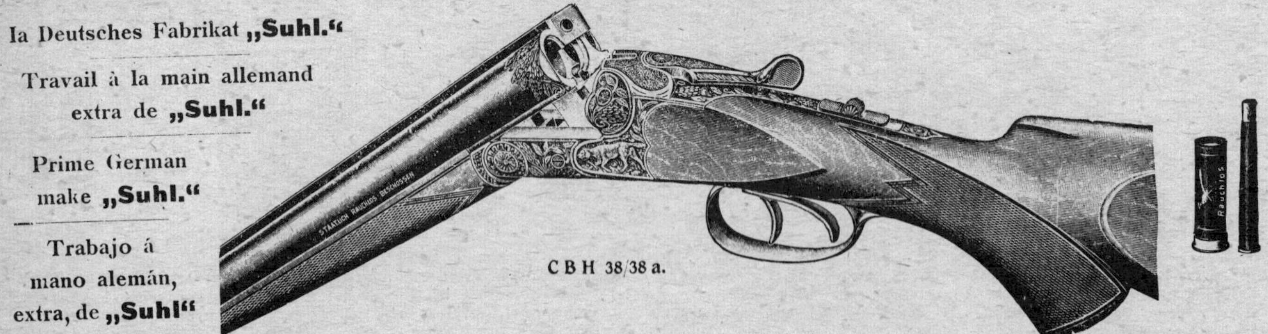

CBH 38/38 a.

Wie CBH 37, aber in **feinster Ausführung**, Ia Schaftholz, Basküle mit **Seitenbacken**, feinste Gravur, **Hornbügel**.

Comme CBH 37, mais en la plus **élégante exécution**, crosse extra de bois, bascule à **coquilles et ailerons**, très belle gravure, **sousgarde de corne**.

Like CBH 37, but **finest make**, prime wooden stock, **wings at breech**, finest engraving, **horn guard**.

Como CBH 37, pero en muy **elegante ejecución**, mango de madera extra, báscula de **conchas y de aletas**, muy bello grabado **guardamonte de cuerno**.

No.	CBH 35	CBH 35 a	CBH 36	CBH 36 a	CBH 37	CBH 37 a	CBH 38	CBH 38 a
†	Rembasmi	Rembasmit	Remsmiba	Remsmibas	Remsmibalt	Remsmibafe	Rembaskul	Rembasbix
Cal.	16×9,3	12×9,3	16×9,3	12×9,3	16×9,3	12×9.3	16×9,3	12×9,3
Mark	280.—	280.—	295.—	295.—	340.—	340.—	400.—	400.—

Central-feuer-Büchsflinten „Alfa“ Selbstspanner.

Fusils-carabines „Alfa“ à feu central, s'armant automatiquement.

Centerfire Rifle Shotguns combined „Alfa“ selfcocking.

Escopetas de fuego central con un cañón-carabina armándose automáticamente.

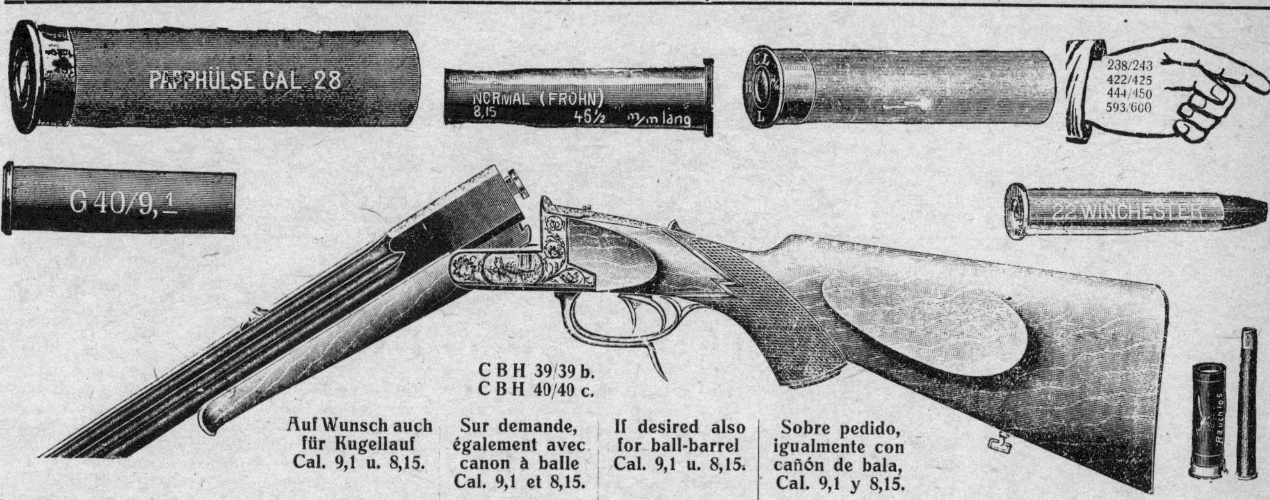

C B H 39/39 b.
C B H 40/40 c.

Auf Wunsch auch für Kugellauf Cal. 9,1 u. 8,15.

Sur demande, également avec canon à balle Cal. 9,1 et 8,15.

If desired also for ball-barrel Cal. 9,1 u. 8,15.

Sobre pedido, igualmente con cañón de bala, Cal. 9,1 y 8,15.

C B H 39/39 c. Ia Gusstahllauf, Schraubvisier, Korn mit Silberperle, Stechschloss, Pistolengriff, Backe, Fischhaut, Signalstift, Sicherung, englische Gravur.

Wie C B H 40/40 c, aber mit Renaissance-Jagdstückgravur, genau wie Abbildung.

C B H 39/39 c. Canon acier coulé extra, hausse à vis, guidon avec perle argent, à double détente, crosse pistolet, à joue, quadrillé, pointe d'avertissement, sûreté, gravure anglaise.

Comme C B H 40/40 c, mais avec sujet chasse gravure Renaissance, exactement selon l'illustration.

C B H 39/39 c. Prime cast steel barrel, screw sight at rear, front sight with silver pearl hair trigger, pistol grip, cheek, checkered, indicator, safety, English engraving.

Like C B H 40/40 c, but with renaissance hunting scene engraved just like illustration.

C B H 39/39 c. Cañón acero colado extra, alza de tornillo, guiador con perla plata, de doble fiador, mango pistola, de carrillo labrad punta de aviso, seguridad, grabado inglés.

Como C B H 40/40 c, pero con sujeto de caza, grabado Renaissance, exactamente según la ilustración.

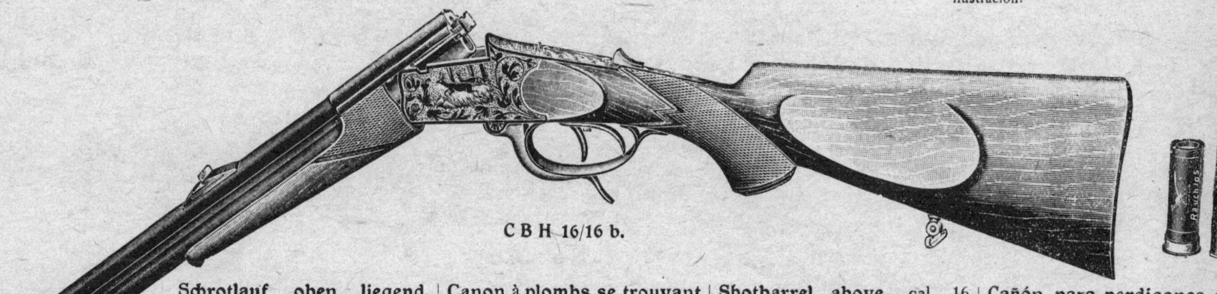

C B H 16/16 b.

Schrotlauf oben liegend, Cal. 16 mit Würgebohrung, **rauchlos beschossen,** Kugellauf 9,3 mm, verlängerte Schiene, guillochiert, doppelter Eintritt, Patentvorderschaft, Drillingsvisier, Korn mit Silberperle, Pistolengriff, Gravierung.

Canon à plombs se trouvant au-dessus, Cal. 16, choke, **éprouvé à la poudre sans fumée,** canon à balle 9,3 mm, bande prolongée guillochée, à double enclavure, devant patenté, hausse comme pour les fusils à 3 canons, guidon avec perle argent, crosse pistolet, gravure.

Shotbarrel above, cal. 16 **choke-bored, fired with smokeless powder,** riflebarrel 9,3 mm, matted extension rib, double bolt action, patent fore-end, three barrel rear sight, front sight with silver pearl, engraving.

Cañón para perdigones encima, cal 16, **choke-bored, experimentado con pólvora sin humo,** cañón carabina 9,3 mm cinta de extensión retorcida, cerradura con cerrojo doble, delantera de privilegio, alza triple, mira con perla de plata, puño de pistola, grabado.

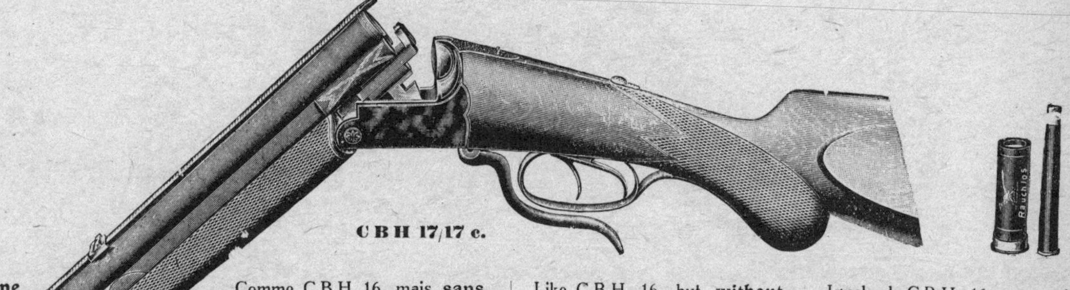

C B H 17/17 c.

Wie C B H 16, jedoch **ohne** Gravur, mit ganz kurzen Läufen wie Carabiner, für **Waldjagd.**

Comme C B H 16, mais **sans** gravure, avec canons très courts' comme une carabine de **chasse en forêt.**

Like C B H 16, but **without** engraving, with short barrels like carbines, for **shooting in woods.**

Igual al C B H 16, pero **sin** grabado, cañones cortitos como los de carabinas para **la caza en bosques y montes.**

No.	C B H 39	C B H 39 a	C B H 39 b	C B H 40	C B H 40 a	C B H 40 b	C B H 16	C B H 16 a	C B H 16 b	C B H 17	C B H 17 a	C B H 17 b	C B H 17 c
†	Ebetalei	Ebetaleis	Ebetaleit	Ebetaleix	Ebetaleik	Ebetaleih	Ebeta	Ebetas	Ebetat	Eheit	Eheits	Eheitz	Eheith
Cal.	12mm×22 Winch.	28×22 Winch.	24×22 Winch.	12mm×22 Winch.	28×22 Winch.	24×22 Winch.	16×9,3	16×8	16×11,15	16×9,3	16×8	16×11,15	12×9,3
Mark	142.—	142.—	142.—	156.—	156.—	156.—	251.—	262.—	254.—	240.—	248.—	240.—	210.—

Centralfeuer-Büchsflinten „Alfa", Selbstspanner.	Carabines-fusils „Alfa" à feu central, s'armant automatiquement.	Centerfire Rifle and Shot-guns combined „Alfa", selfcocking.	Carabinas-escopetas „Alfa" de fuego central, armandose automaticamente.

„Suhler" Handarbeit. | Travail à la main de „Suhl". | Hand made at „Suhl". | Trabajo á mano, de „Suhl".

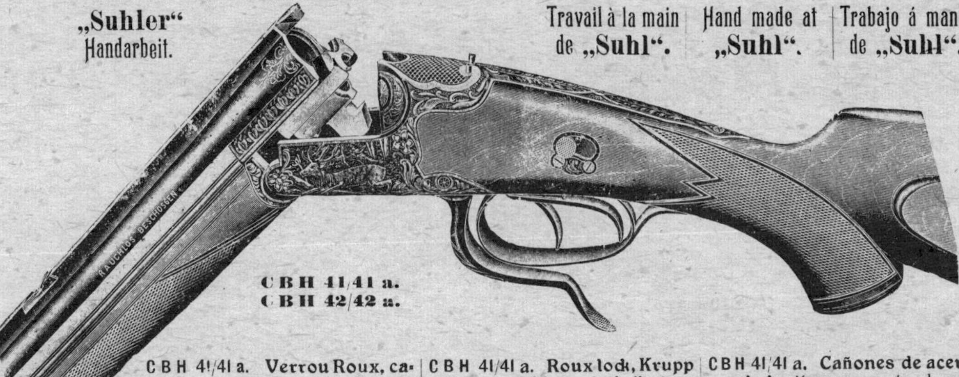

CBH 41/41 a.
CBH 42/42 a.

CBH 41/41 a. Roux-Verschluss, Kruppsche Flussstahl-Stahlläufe, Signalstifte, Greener-Sicherung, Pistolengriff mit Hornkäppchen, Backe, Hornkappe, Fischhaut, Schrotlauf rauchlos beschossen, kleine englische Gravur.

CBH 42/42 a. Wie CBH 41, aber mit **feinster geschmackvoller Jagdgravur,** wie Abbildung.

CBH 41/41 a. Verrou Roux, canons acier coulé Krupp, pointe d'avertissement, sûreté Greener, crosse pistolet avec calotte corne, à joue, calotte corne, quadrillé, canon à plombs éprouvé à poudre sans fumée, petite gravure anglaise.

CBH 42/42 a. Comme CBH 41, mais avec **gravure de chasse du meilleur goût,** suivant l'illustration.

CBH 41/41 a. Roux lock, Krupp ingot steel barrels, indicators, Greener safety, pistol-grip with horn cap, cheek butt with horn cap, checkered, shot barrel nitro proved, small English engraving.

CBH 42/42 a. Like CBH 41, but with **finest elegant hunting scene** engraved, like illustration.

CBH 41/41 a. Cañones de acero colado Krupp, punta de advertencia, seguridad Greener, mango pistola de carrillo, cantonera de cuerno, labrado, cañon de perdigones experimentado con pólvora sin humo, grabado inglés.

CBH 42/42 a. Como CBH 41, pero **con grabado de caza del mejor gusto,** con arreglo á la ilustración.

„Suhler" Handarbeit. | Travail à la main de „Suhl". | Hand made at „Suhl". | Trabajo á mano, de „Suhl".

CBH 43/43 a.

Kruppstahlläufe, dreifacher Toplever-Verschluss, mattierte Schiene, seitliche Schlosse, Stecher, Signalstifte, feine englische Gravur mit gewetzten Jagdstücken, Patentvorderschaft, Pistolengriff, Backe, Hornkappe, Fischhaut.

Canons acier Krupp, triple verrou Toplever, bande mate, à double détente, pointe d'avertissement, élégante gravure anglaise, sujets de chasse, devant patente, crosse pistolet, à joue, calotte corne, quadrillé.

Krupp steel barrels, triple toplever bolt, matted rib, locks at side, hair-trigger, indicators, fine English engraving with hunting scenes, patent fore-end, pistol-grip, cheek, horn cap, checkered.

Cañones de acero Krupp, triple cerroja Toplever, cinta mate, de doble fiador, punta de advertencia, elegante grabado inglés, sujetos de caza, delantero privilegiado, mango pistola, de carrillo, cantonera de cuerno, labrado.

CBH 18/18 a.

Suhl!

Spezialbockbüchsflinte ohne Hahn, a Krupp-Stahlläufe, verlängerte guillochierte Laufschiene, feiner Pistolenschaft mit Hornkappe und Hornbügel, Patentvorderschaft, doppelter Riegelverschluss mit Hebel auf der Scheibe, Signalstifte auf der Scheibe, Schiebesicherung auf dem Kolbenhals, Standvisier mit 1 Klappe und Perlkorn von vorn eingeschoben, engl. oder Jagdgravierung, **rauchlos beschossen.**

Carabine-fusil spéciale, sans chien, canons acier Krupp, bande prolongée guillochée, élégante crosse pistolet avec calotte corne, sous-garde corne, devant patenté, double verrou, avec clef, pointe d'avertissement, sûreté à poussoir au cou de la crosse, hausse fixe avec clapet, gravure anglaise ou sujet de chasse, **éprouvé à la poudre sans fumée.**

Special hammerless Bock-rifle and shotgun, prime Krupp steel barrels, matted extension rib, fine pistol-grip with horn cap and horn guard, patent fore-end. toplever action with double wedge lock, indicators sliding safety on neck of butt, standing rear sight with one flap and pearl front sight slid on from front. English or hunting scene engraving, **fired with smokeless powder.**

Escopeta-carabina especial, sin gatillos, cañones acero de primera Krupp, cinta prolongada retorcida, puño de pistola fino con cantonera y guardamonte de cuerno, delantera de privilegio, palanca encima con cerradura de cuña doble, aguja de aviso, seguro en el cuello de la caja, alza con una hoja y mira de perla que se empuja hacia atrás, grabado inglés ó de figuras de caza, **experimentado con pólvora sin humo.**

No.	CBH 41	CBH 41 a	CBH 42	CBH 42 a	CBH 43	CBH 43 a	CBH 18	CBH 18 a
†	Eledbluk	Eledbluks	Eledblukt	Eledblukx	Eledblukd	Eledblukg	Eled	Eleds
Cal.	16×9,3	12×9,3	16×9,3	12×9,3	16×9,3	12×9,3	16×9,3	12×9,3
Mark	270.—	270.—	290.—	290.—	330.—	330.—	314.—	314.—

Central-feuer-Büchsflinten „Alfa", Selbstspanner.

Fusils-carabines „Alfa" à feu central, s'armant automatiquement.

Centerfire rifle and shot-guns combined „Alfa", self-cocking.

Carabinas-fusiles „Alfa" de fuego central, armándose automáticamente.

Prima Suhler Handarbeit.

Travail à la main extra, de Suhl.

Prime Suhl hand make.

Trabajo à mano extra, de Suhl.

238/243
422/425
444/445
450
593/600

C B H 43 b/43 c.

Prima Kruppsche Flusstahlläufe, Sicherung à la Greener, dreifacher Toplever Verschluss, Patentvorderschaft, Schrotlauf **rauchl. beschossen,** Hornbügel, Pistolengriff mit Hornkäppchen, Backe Fischhaut, Hornkappe, **geschmackvolle Jagdgravur** wie Abbildung.

Canons acier Krupp extra, sûreté à la Greener, triple verrou toplever, devant patenté, canon à plombs **éprouvé à la poudre sans fumée,** sous-garde en corne, crosse pistolet avec calotte en corne, à joue, quadrillé, calotte en corne, **gravure de chasse** de très bon goût suivant illustration.

Prime Krupp ingot steel barrels Greener safety, triple toplever bolt, patent fore-end, shot-barrel **nitroproved** horn guard, pistol grip with horn cap, cheek checkered, butt with horn cap, **elegant hunting scene** engraving as in illustration.

Cañones de acero „Krupp" extra, seguridad á la Greener, triple cerradura toplever, delantero privilegiado, cañón de perdigones **experimentado con la pólvora sin humo,** salva-guardia de cuerno, mango pistola con culata de cuerno, de carrillo, labrado, culata de cuerno, **grabado de caza** de muy buen gusto,[1] con arreglo á la ilustración.

Prima ‚Suhler' Handarbeit.

Travail à la main extra, de ‚Suhl'.

Prime ‚Suhl' hand make.

Trabajo de mano extra, de ‚Suhl'.

C B H 44.

„Patent-Verschluss", hervorragend bewährt für **stärkste Ladung rauchlosen Pulvers, Ia Kruppstahlläufe,** rauchlos beschossen, Korn m. Silberpunkt, Standvisier mit Klappe, Stechschloss, Greener Sicherung, englische Gravur, Teile dunkel eingesetzt, wird in **jedem gewünschten Caliber** gefertigt, am Lager in 16×9,3×72.

„Fermeture patentée" tout spécialement apte **aux plus forts chargements de poudre sans fumée,** canons d'acier Krupp extra, **éprouvé à la poudre sans fumée, guidon avec point d'argent, hausse fixe avec clapet, à double détente, sûreté Greener, gravure anglaise,** pièces trempées jaspées, **en n'importe quel calibre,** approvisionnement en Cal. 16×9,3×72.

„Patent bolt" has proved an excellent arm for the heaviest charges of smokeless powder, prime Krupp steel barrels, nitro proved, front sight with silver point rear sight with flap, hair trigger Greener safety, English case hardened engraving, parts made **in any caliber** desired, stocked in 16×9,3×72.

Cerroja privilegiada, todo especialmente **apto para los cargamentos más fuertes de pólvora sin humo, cañones de acero „Krupp" extra, experimentado con la pólvora sin humo, guiador con punta de plata, alza fija con chapita, de doble fiador,** seguridad Greener, grabado inglés, piezas templadas jaspeadas, en cualquier calibre, existencia en cal. 16×9,3×73.

C'B H 45.

360 EXPRESS

Kugel-Einsteckrohr.

Zum Einschieben in Flintenläufe **Cal. 12, 16 oder 20.** Damit kann man **jede** Doppelflinte schnell in eine Büchsflinte verwandeln. Der Lauf ist 50 cm lang, vorzüglich gezogen, hat Patronenzieher. Wir liefern ihn zum **gleichen** Preis in jedem **anderen Caliber.**

Tube pour le tir à balle.

Doit être **poussé** dans les canons **de fusils** Cal 12, 16 ou 20 et change ainsi sur le champ **tout** fusil de chasse en carabine. Le canon de cet instrument mesure 50cm de long, il est soigneusement rayé et possède un extracteur. Nous le livrons, dans n'importe quel **calibre, au même prix.**

Spare barrel for ball.

for pushing into the barrels of guns. **Cal. 12, 16 or 20.** By means of same **every** double barreled gun can quickly be converted into a combined rifle and shot gun. The barrel is 50 cm long, splendidly rifled and has ejector. We supply it at the **same price** in **any other caliber.**

Tube para el tiro de bala.

Debe ser empujado en los cañones **de escopetas** Cal. 12, 16 ó 20, y cambia así **toda** escopeta de caza en carabina. El cañón de este instrumento mide 50 cm de largo; tiene un rayado muy cuidadoso y posée un extractor. Los vendemos en **cualquier calibre** por el mismo precio.

No.	C B H 43 b	C b H 43 c	C B H 44	C B H 45
†	Cebolugra	Cebolugras	Cebolupat	Ceboeintek
Cal.	16×9,3	12×9,3	16×9,3	9,3×57
Mark	330.—	330.—	510.—	45.—

Centralfeuer-Doppelbüchsen ‚Alfa', mit Hähnen.

Fusils à balle „Alfa" à 2 coups, et à feu central, avec chiens.

Centerfire double-barrel rifles ‚Alfa', with hammers.

Escopetas „Alfa" de fuego central y de dos canones con gatillos.

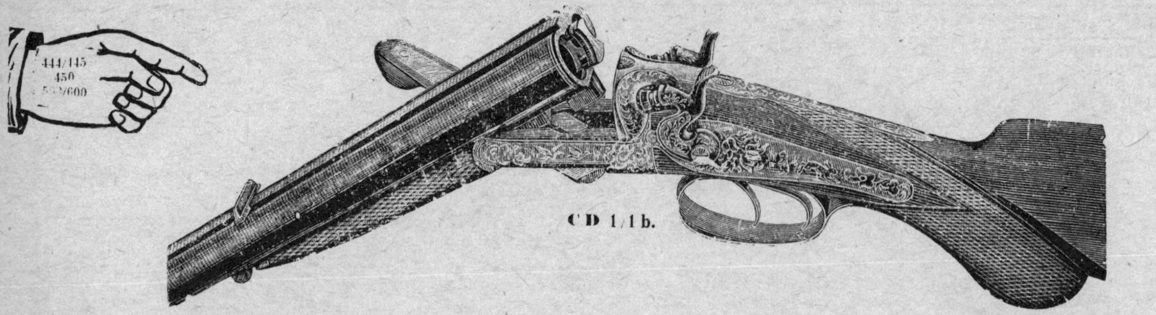

CD 1/1 b.

Zentralfeuer - Doppelbüchse mit Läufen aus bestem **Krupp'schen Gussstahl,** Holzvorderschaft mit darunter liegendem in Horn gekleideten Verschlusshebel, mattierte Laufschiene, feinste Rückspringschlösser, Garnitur einfach graviert und gehärtet.

Carabine à 2 coups, à feu **Central,** canons **acier coulé Krupp extra,** devant de bois avec levier revêtement corne, bande mate, chiens rebondissants, garniture trempée et gravée simplement.

Centerfire double barrel rifles with barrels of **best Krupp cast steel,** wooden fore-end with horn covered lever bolt underneath, matted extension rib, finest rebounding locks, simple mounting engraved and hardened.

Escopetas fuego-central de dos cañones del mejor acero colado Krupp, delantera de madera, bajo la cual se halla la palanca cubierta de cuerno, dorso de estera, llaves superiores de retroceso, guarnición sencilla grabada y templada.

„Suhl"

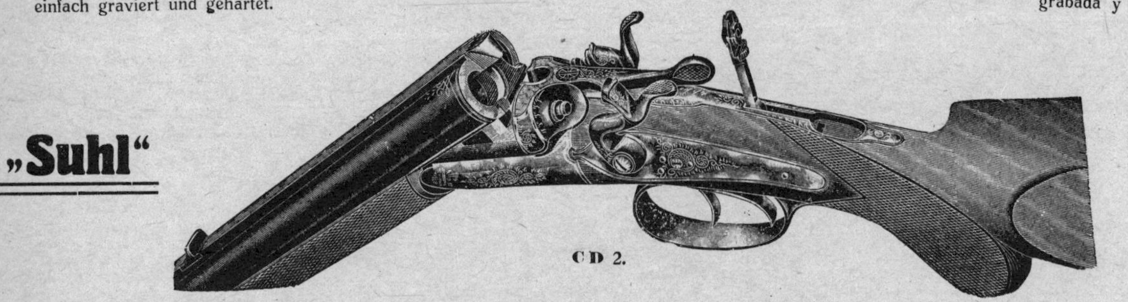

CD 2.

Express - Doppelbüchse, Cal. 450. Prima Stahlläufe mit feinen **Expresszügen**. Toplever-Verschluss, Hebel zwischen den Hähnen, Doppelriegel, verlängerte Schiene, Muschelsystem. la rückl. Rückspringschlösser, Patentschnäpper, **Doppelbüchsenstecher,** Umlegdiopter, Standvisier mit 1 Klappe, Garnitur englisch graviert, feiner Maserschaft mit Pistolengriff und Backe. Bestes Material, vorzüglicher Schuss, **prima „Suhler" Fabrikat.** Auf Bestellung wird vorstehende **Doppelbüchse** auch in **anderen** Calibern angefertigt, doch ist dann eine Lieferzeit von ca. 8 Wochen erforderlich.

Carabine Express à 2 coups, Cal. 450, canons acier extra à **rayures Express** très soignées, fermeture Toplever, clef entre les chiens, double verrou bande prolongée, à coquilles, chiens rebondissants, à **double détente spéciale,** diopteur pliant, hausse fixe avec clapet, garniture anglaise gravée, beau bois madré, avec crosse pistolet et à joue, matériel extra, tir excellent, **fabrication extra de Suhl.** Sur demande nous livrons la carabine cidessus dans d'autres calibres, mais alors il faut un délai de 8 semaines environ.

Express double-barrel rifle, Cal 450. Prime steel barrels for **express cartridges.** Toplever action, lever between hammers, double bolt, extension rib, prime back-action rebounding locks, patent snaps, **set-triggers for both barrels,** folding sight vane, standing sight with one flap, mounting with English engraving, finely grained pistol-grip stock with cheek. Best material, splendid shooting, **prime Suhl make.** When ordered, the above double barrel rifle is supplied also in other calibers, but a term of delivery of about 8 weeks is then necessary.

Carabina ‚Express' de dos cañones de acero de primera y rayados „Express" fino, Cal. 450. Palanca entre los gatillos. Cuña doble, cinta extendida, con conchas, llaves superiores de cola y retroceso, delantera con pestillo de privilegio, **doble escape para cada cañón,** diópter de repliegue, alza con una hoja, grabado inglés, caja veteada fina con puño y carrillo, primer material, tiro excepcional, **fabricación Suhl de la.** Si se desea, esta carabina en otros calibres será entregado con un plazo de ocho semanas próximamente.

„Suhl"

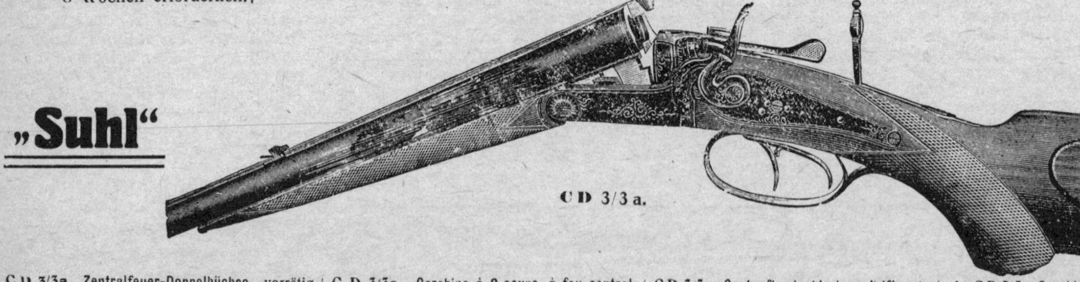

CD 3/3 a.

C D 3/3a. Zentralfeuer-Doppelbüchse, vorrätig in Cal. 9,3×72, Läufe aus **Krupp'schem Gussstahl** mit Expresszügen; dreifacher Toplever-Verschluss mit Verschlusshebel zwischen den Hähnen; verlängerte mattierte Laufschiene; feine Rückspringschlösser, doppeltes Stechschloss; Holzvorderschaft, mit Patentschnäpper, Pistolgriffschaft mit Backe und Fischhaut, **Diopter,** Standvisier mit Klappe, Korn mit Silberpunkt von vorn eingeschoben, marmorierte Garnitur mit englischer Gravierung.

C D 3/3a. Carabine à 2 coups, à feu central, approvisionnement en Cal. 9.3×72, **canons acier extra Krupp** avec rayures Express, triple verrou Toplever et clef entre les chiens, bande mate prolongée, chiens extra rebondissants, à double détente, spéciale, devant de bois à pédale patentée, crosse pistolet avec joue et quadrillé, **diopteur,** hausse fixe avec clapet, guidon avec point ragent, garniture jaspée, avec gravure anglaise.

C D 3/3a. Center fire double-barrel rifle, stocked in Cal. 9,3×72, **barrel of Krupp cast steel for express** cartridges; triple Toplever action with lever bolt between hammers; matted **extension** rib, fine rebounding locks, double set-triggers; wooden fore-end with patent snap, checkered pistol-grip stock with cheek, **sight vane,** standing sight with flap, front sight with silver point pushed on from front, **marbled mounting** with English engraving.

C D 3/3a. Carabina fuego-central de dos cañones, existencia en Cal. 9,3×72, **cañones rayados „Express", de acero colado Krupp, cerradura triple** con palanca entre los gatillos, cinta mate prolongada, llaves finas de retroceso, doble fiador para cada caño, delantera de madera con pestillo de privilegio, caja con puño labrado y carillo, **diópter,** alza con hoja, mira con perla de plata que se empuja hacia atrás, guarnición marmoreada con grabado inglés.

C D 4/4a. Zentralfeuer-Doppelbüchse wie vorstehend, **aber mit vierfachem Greener Verschluss mit Querriegel,** Patronenmagazin usw., feiner Gravur und Ausstattung.

C D 4/4a. Carabine à 2 coups, à feu central, comme cidessus, mais **quadruple fermeture Greener avec verrou transversal, magazin** à cartouches etc. gravure et exécution élégantes.

CD 4/4a. Centerfire double-barrel rifle, as above but with **quadruple Greener locking system with** crossbolt. Cartridge magazine etc., fine engraving and finish.

CD 4/4a. Carabina-fuego-central de dos cañones, como C D 3, pero **con cerradura cuádrupla de Greener,** con cerrojo de traviesa, almacén para cartuchos etc. grabado y decoración finas.

No.	C D 1	C D 1 a	C D 1 b	C D 2	C D 3	C D 3 a	C D 4	C D 4 a
†	Griste	Gristes	Gristet	Fibrak	Feblar	Feblars	Focar	Focars
Cal.	9,3×9,3	8×8	11,15×11,15	450×450	9,3×9,3	8×8	9,3×9,3	8×8
Mark	210.—	230.—	210.—	230.—	230.—	250.—	290.—	310.—

Central-feuer-Doppelbüchsen „Alfa“ mit Hähnen.

Fusils „Alfa“ à balle, à 2 coups et à feu central, avec chiens.

Centerfire rifle, 2 barrels, „Alfa“, with hammers.

Escopetas á bala de 2 cañones „Alfa“ de fuego central, con gatillos.

444/445
450
593/600

Prima **„Suhler“** Handarbeit. | Travail à la main de **„Suhl‘** extra. | Prime **„Suhl“** hand make. | Trabajo á mano, de **„Suhl“** extra.

CD 9 9 b.

Toplever-Verschluss, 3fach, verstärkter Systemkasten, **halb vorliegende Schlösser**, Ia Kruppsche Stahlläufe, geschmackvolle englische Gravur, Standvisier mit Klappe auf 100—175 Meter, Stechschlösser, Pistolengriff mit Hornkäppchen, Backe, Hornkappe, Fischhaut, Patentvorderschaft.

Verrou Toplever, triple boite renforcée, **platines demi-à-l'avant**, canons acier Krupp extra, gravure anglaise de très bon goût, hausse fixe avec clapet à 100—175 mètres, à double détente, crosse pistolet avec calotte corne, à joue, calotte corne, quadrillé, devant patenté.

Toplever bolt, triple, strengthened breech, **locks fitted half forward**, prime Krupp steel barrels, elegant English engraving, standing sight with leaf for 100—175 meters, hair-triggers, pistolgrip with horn cap, cheek, butt with horn cap, checkered, patent fore-end.

Cerrojo Toplever, triple caja reforzada, **cierres á medio** en la parte **delantera**, cañones de acero Krupp extra, grabado inglés de muy buen gusto, alza fija con chapita de 100—175 metros, de doble escape, mango pistola con cantonera de cuerno, de carrillo, labrada, delantero privilegiado.

Prima **„Suhler“** Handarbeit. | Travail à la main, de **„Suhl“** extra. | Prime **„Suhl“** hand make. | Trabajo á mano, de **„Suhl“** extra.

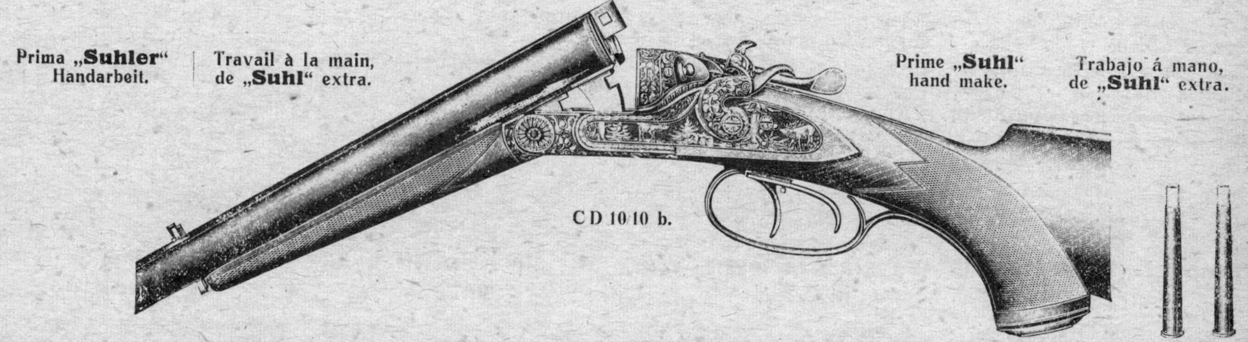

CD 10/10 b.

Wie CD 9/9 b aber **ganz vorliegende Schlösser**, 4facher Greener Keilverschluss, System mit Muscheln, mattierte Schiene, Standvisier mit Klappe, **Ia Gravur mit Jagdstücken** wie Abbildung.

Comme CD 9/9 b, mais **platines complètement à l'avant**, quadruple verrou Greener, à coquilles, bande mate, hausse fixe avec clapet, **gravure extra avec sujet de chasse** suivant l'illustration.

Like CD 9/9 b, but **locks quite forward**, quadruple Greener bolt, breech with scroll fence, matted rib, standing sight with leaf, fine **engraving** with **hunting scenes as in illustration**.

Como CD 9/9 b, pero **cierres completamento en la parte delantera**, cerrojo cuádruplo Greener, de conchas, cinta mate, alza fija con chapita, **grabado** extra **con sujetos de alza** con arreglo á la ilustración.

Prima **„Suhler“** Handarbeit. | Travail à la main, de **„Suhl“** extra. | Prime **„Suhl“** hand make. | Trabajo á mano, de **„Suhl“** extra.

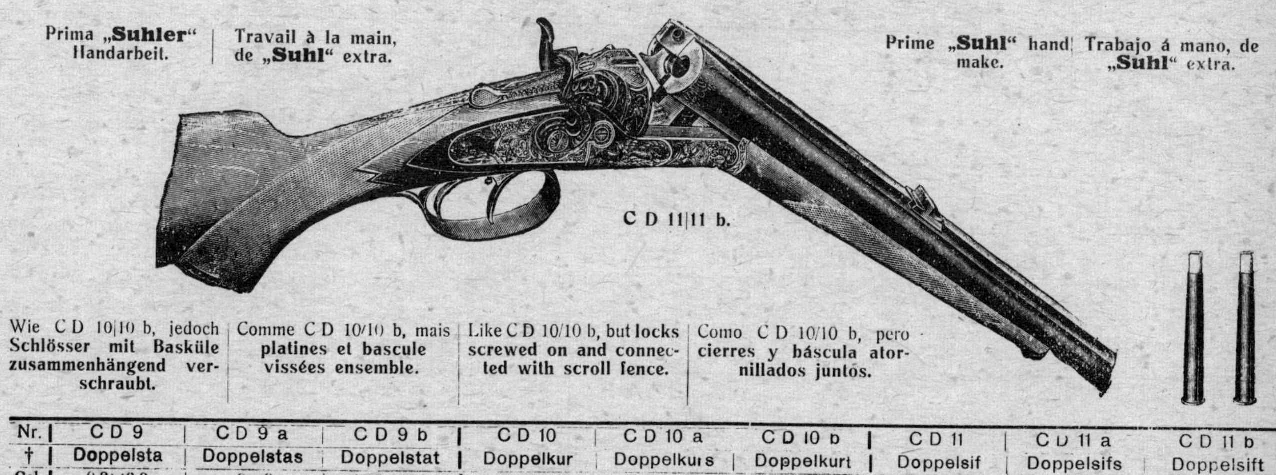

CD 11/11 b.

Wie CD 10/10 b, jedoch **Schlösser mit Basküle zusammenhängend verschraubt.**

Comme CD 10/10 b, mais **platines et bascule vissées ensemble.**

Like CD 10/10 b, but **locks screwed on and connected with scroll fence.**

Como CD 10/10 b, pero **cierres y báscula atornillados juntos.**

Nr.	CD 9	CD 9 a	CD 9 b	CD 10	CD 10 a	CD 10 b	CD 11	CD 11 a	CD 11 b
†	Doppelsta	Doppelstas	Doppelstat	Doppelkur	Doppelkurs	Doppelkurt	Doppelsif	Doppelsifs	Doppelsift
Cal.	9,3×9,3	8×8	11,15×11,15	9,3×9,3	8×8	11,15×11,15	9,3×9,3	8×8	11,15×11,15
Mk.	240.—	260.—	240.—	290.—	310.—	290.—	260.—	280.—	260.—

Centralfeuer-Doppelbüchsen „Alfa", Selbstspanner.	Fusils à balle „Alfa" à 2 coups, à feu central, s'armant automatiquement.		Centerfire double-barrel Rifles „Alfa", self-cocking.	Carabinas de fuego central y de dos cañones con armamento automático ‚Alfa'.

Prima **„Suhler"** Handarbeit. | Travail à la main extra, de **„Suhl"**. | Prime **„Suhl"** hand make. | Trabajo á mano, extra, de **„Suhl"**.

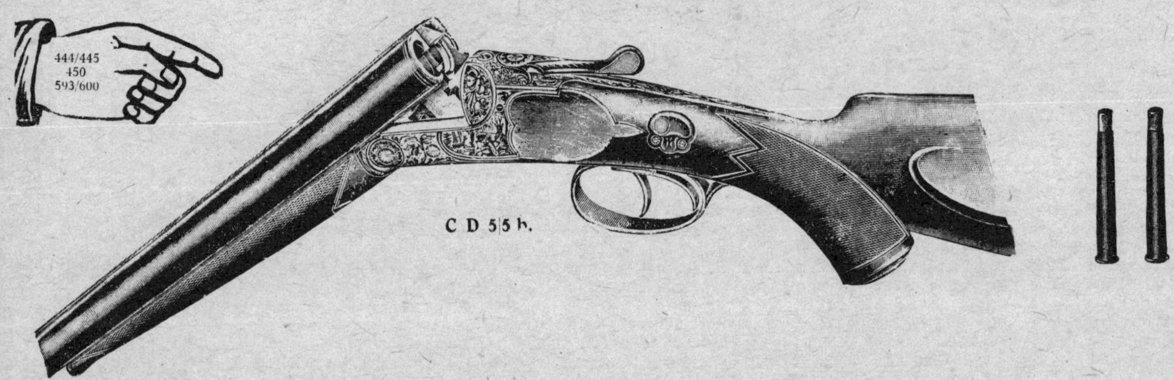

C D 5/5 b.

Kruppsche Stahlläufe, Sicherung, dreifacher Toplever Verschluss, Patentvorderschaft, Pistolengriff mit Hornkäppchen, Backe, Fischhaut, Hornkappe, **englische Gravur** mit **Jagdstücken,** Teile dunkel eingesetzt.

Canons acier Krupp, sûreté, **triple verrou toplever,** devant patenté, crosse pistolet avec calotte corne, à joue, quadrillé, calotte corne, **gravure anglaise** avec **sujets de chasse,** pièces jaspées noires.

Krupp steel barrels, safety, triple top lever bolt, patent fore-end, pistol-grip, with horn cap, cheek checkered, horn cap, English engraving with **hunting scenes,** parts dark, case hardened.

Cañones de acero Krupp, seguridad, triple cerrojo toplever, delantero privilegiado, mango pistola de carrillo, labrado, cantonera de cuerno, **grabado inglés,** con **sujetos de caza,** piezas jaspeadas, negras.

Prima „Suhler" Handarbeit. | **Travail à la main extra, de „Suhl".** | **Prime „Suhl" hand make.** | **Trabajo á mano, extra, de „Suhl".**

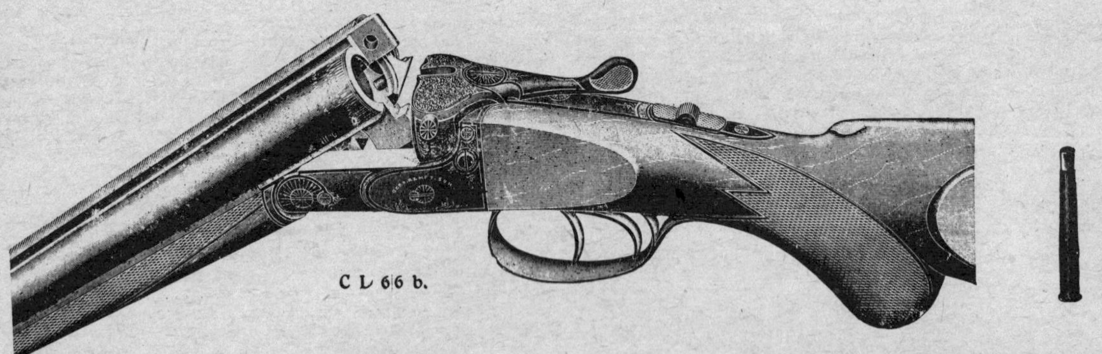

C D 6/6 b.

C D 6/C D 6 b. Wie C D 5/5 b aber mit **Greener Querriegel-Verschluss,** ff. Gravur, **rauchlos beschossen.**

C D 6/C D 6 b. Comme C D 5/5 b mais avec **verrou Greener,** élégante gravure, éprouvé à la **poudre sans fumée.**

C D 6/C D 6 b. Like C D 5/5 b but with **Greener cross-bolt** very fine engraving, **nitro tested.**

C D 6/C D 6 b. Como C D 5/5 b, pero con **cerradura Greener, elegante** grabado, **experimentado con la pólvora sin humo.**

No.	C D 5	C D 5 a	C D 5 b	C D 6	C D 6 a	C D 6 b
†	**Fidach**	**Fidachs**	**Fidacht**	**Fassig**	**Fassigs**	**Fassigt**
Caliber	9,3 × 9,3	8 × 8	450 × 450	9,3 × 9,3	8 × 8	450 × 450
Mark	**320.–**	**340.–**	**320.–**	**360.–**	**380.–**	**360.–**

Central-feuer-Doppelbüchsen „Alfa", Selbstspanner.	Fusils à balle „Alfa" à 2 coups à feu central, s'armant automatiquement.		Centerfire double-barrel rifles „Alfa", self-cocking.	Escopetas doble cañones „Alfa" de fuego central, armándose automáticamente.

Prima „Suhler" Handarbeit. | **Travail à la main extra, de „Suhl".** | **Prime „Suhl" hand make.** | **Trabajo á mano extra, de „Suhl".**

C D 12 / 12 b.

Wie C D 6 / 6 b, aber **Original System Anson & Deeley,** Hornbügel, Seitenbacken am System, vornehme englische Gravur, **Sicherung à la Greener.**

Comme C D 6 / 6 b, mais **système Original Anson & Deeley,** sous-garde de corne, coquilles et ailerons, élégante gravure anglaise, **sûreté à la Greener.**

Like C D 6 / 6 b, but **original system Anson & Deeley,** horn underguard, side wings at breech, elegant English engraving, **Greener safety.**

Como C D 6 / 6 b, pero **sistema original Anson & Deeley,** guardamonte de cuerno, conchas y aletas, elegante grabado inglés, **seguridad á la Greener.**

Prima „Suhler" Handarbeit. | **Travail à la main de „Suhl" extra.** | **Prime „Suhl" hand make.** | **Trabajo á mano extra, de „Suhl".**

444/445
450
593/600

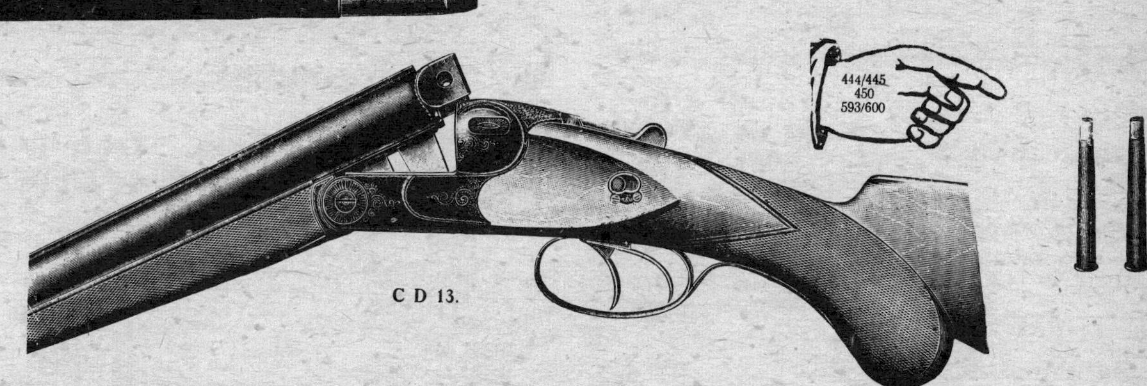

C D 13.

Patentverschluss für **stärkste Ladung rauchlosen Pulvers,** Sicherung à la Greener, **Krupp's Hartstahlläufe,** Ia Stechschlösser, Pistolengriff, Backe, Hornkappe, dunkle Garnitur, vornehme englische Gravur.

Fermeture déposée, pour **forts chargements à poudre sans fumée,** sûreté à la Greener, **canons acier Krupp,** à double détente extra, crosse pistolet, à joue, calotte corne, garniture sombre, élégante gravure anglaise.

Patent bolt for **heaviest charge of smokeless powder,** Greener safety, **Krupp's** special **steel barrels,** best hair locks, pistol-grip, cheek, horn cap, dark mounting, elegant English engraving.

Cerrojo patentado para **cargamentos fuertes** de **pólvora sin humo,** seguridad à la Greener, **cañones de acero Krupp,** de doble fiador extra, mango pistola, de carrillo, guarnición oscura, elegante grabado inglés, cantonera de cuerno.

Obige Doppelbüchsen werden in jedem gewünschten Caliber bis zu Ladungen von 4 Gramm Nitroblättchen-Pulver geliefert.

Les carabines à 2 coups ci-dessus sont délivrées dans tout calibre demandé avec chargement à poudre sans fumée allant jusqu'à 4 grammes.

The above double barrel rifles are supplied in any caliber desired for charges with up to 4 grammes nitro powder.

Las carabinas de 2 cañones arriba indicadas se provéen en todos los calibres deseados y con cargamento de pólvora sin humo hasta 4 gramos.

No.	C D 12	C D 12 a	C D 12 b	C D 13
†	**Fassigde**	**Fassighi**	**Fassigko**	**Rotwistax**
Cal.	9,3 × 9,3	8 × 8	450 × 450	➸ ➤
Mark	**470.—**	**490.—**	**470.—**	**500.—**

Centralfeuer-Doppelbüchsen „Alfa", Selbstspanner.	Fusils à balle „Alfa" à 2 coups à feu central, s'armant automatiquement.		Centerfire double-barrel rifles „Alfa". Self-cocking.	Escopetas de doble cañones ‚Alfa' de fuego central, armándose automáticamente.

Prima Suhler Handarbeit. **Travail à la main de Suhl extra.** **Prime Suhl hand make.** **Trabajo á mano de Suhl extra.**

444/445
450
593/600

C D 14.

‚Ideal-Verschluss'. ‚Fermeture Ideal'. ‚Ideal bolt'. ‚Cerradura Ideal'.

Ideal-Verschluss für stärkste Ladung rauchlosen Pulvers, System Anson & Deeley, **4 facher Greener-Querriegel-Verschluss,** prima Krupp's Hartstahlläufe, Pistolengriff, Backe, Patentvorderschaft, Sicherung, feine Stechschlösser, dunkle Garnitur, englische Gravur.

Fermeture Ideal, pour fort chargement à poudre sans fumée, système Anson & Deeley, **quadruple verrou Greener,** canons acier extra Krupp, crosse pistolet, à joue, devant patenté, sûreté, à double détente, garniture sombre, gravure anglaise.

Ideal bolt for heaviest charge of smokeless powder, Anson & Deeley system, **quadruple Greener cross bolt,** prime Krupp steel barrels, pistol grip, cheek, patent fore-end, safety, fine hair locks, dark mounting, English engraving.

Cerradura Ideal para cargamento fuerte de pólvora sin humo, sistema Anson & Deeley, **cerrojo cuádruple Greener,** cañones de acero extra Krupp, mango pistola, de carrillo, delantero patentado, seguridad, de doble fiador, montura oscura, grabado inglés.

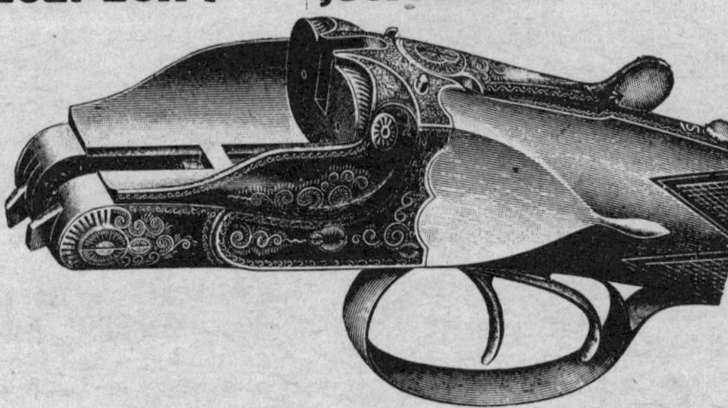

Prima „Suhler" Handarbeit. **Travail à la main de „Suhl" extra.**

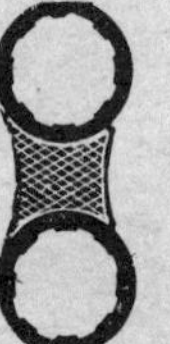

Prime „Suhl" hand make. **Trabajo á mano de „Suhl" extra.**

System „Stendebach".

C D 15.

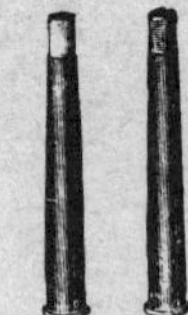

Läufe übereinander.

„Stendebach"-Verschluss für **allerstärkste Ladungen rauchlosen Pulvers, Krupp's** verdichtete **Stahlläufe,** mattierte Laufschiene, Korn mit Silberpunkt, Hebel über dem Abzugsbügel, **la Stechschlösser,** Signalstifte, Patentvorderschaft, bunt eingesetzte Garnitur, Gravur wie Abbildung, deutsche Schäftung.

Canons superposés.

Verrou „Stendebach", **pour très forts chargements de poudre sans fumée, canons acier comprimé Krupp,** bande mate, guidon avec point argent, clef au-dessus de la sous-garde de détente, **à double détente,** pointe d'avertissement, devant patenté, garniture jaspée trempée, gravure suivant illustration, crosse allemande.

Barrels over each other.

„Stendebach" bolt **for very heaviest charges of smokeless powder, Krupp's compressed steel barrels,** matted extension rib, front sight with silver point, lever over trigger guard, prime **hair locks,** indicators, patent fore-end, blue mountings, case hardened, engraving as in illustration, German stock.

Cañones sobrepuestos.

Cerradura „Stendebach", **para cargamentos muy fuertes de pólvora sin humo,** cañones acero Krupp, cinta mate, guiador con punta plata, llave encima del guardamente, doble fiador, punta de aviso, delantero patentado, guarnición jaspeada templada, grabado con arreglo á la ilustración, culata alemana.

Obige Doppelbüchsen werden in jedem gewünschten Caliber bis zu Ladungen von 4 Gramm Nitroblättchen-Pulver geliefert.	Les carabines à 2 coups ci-dessus sont délivrées, dans tout calibre demandé, avec chargement à poudre sans fumée allant jusqu'à 4 grammes.	The above double barrel rifles are supplied in any caliber desired for charges with up to 4 grammes nitro powder.	Las carabinas de 2 cañones arriba indicadas se provéen en todos los calibres deseados y con cargamento de pólvora sin humo hasta 4 gramos.

No.	C D 14	C D 15
†	Rotwislux	Rotwiskox
Cal.	→	→
Mark	660.—	720.—

Centralfeuer-Drillinge „Alfa", mit Hähnen.

Fusils à 3 coups „Alfa" et à feu central, avec chiens.

Centerfire three-barrel gun „Alfa", with hammers.

Escopetas con gatillos de tres-cañones y fuego central, „Alfa".

422/425 | 444/445 | 450 | 593/600

„Suhl"

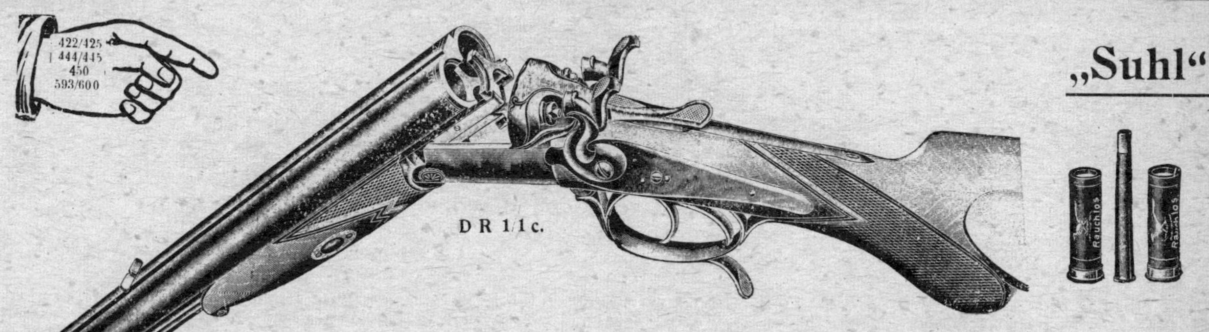

D R 1/1c.

Centralfeuer-Dreiläufer, genau wie vorstehende Abbildung, **mit Ia Krupp'schen Stahlläufen** Cal. 16×16 und 9,3×72, schraffierter Schiene, verzierter Kante, Umlege-Federvisier, Korn mit Silberpunkt und von vorn eingeschoben, links choke-bore, Roux-Verschluss, System mit Muscheln und Federbolzen, Umstellhebel für den Kugellauf auf der Scheibe, mit besten Stahlrückspringschlössern, rechts Rückstecher, Vorderschaft mit Fischhaut und Schieber, Schaft mit Pistolengriff, Backe und Eisenkappe. Garnitur bunt gehärtet, ohne Gravierung. **Einfache, aber solide und geschmackvolle Bauart.** Bestes Suhler Fabrikat mit vorzüglicher Schussleistung.

Fusils à 3 coups, à feu central, exactement selon l'illustration, canons acier Krupp extra, Cal. 16×16 et 9,3×72, bande à hachures, hausse à ressort pliante, guidon avec point d'argent et ajusté par devant, choke à gauche, verrou Roux, système à coquilles, clef sur le cou de la crosse pour le tir à balle, avec chiens extra rebondissants, à la condition qu'on presse d'abord vers le devant à double détente à la droite, devant quadrillé et poussoir, crosse pistolet, à joue, calotte de fer, garniture trempée jaspée, sans gravure. Construction simple mais solide et de très bon goût. Fabrication supérieure de Suhl, tir supérieur.

Centerfire three barrel, just as in above drawing, **with prime Krupp steel barrels,** cal. 16×16 and 9,3×72, matted rib, decorated edge, folding rear sight, front sight with silver point pushed on from front, left barrel choke-bored. Roux action and spring bolt. Lever changing to rifle between hammers, with best steel rebounding locks, set-trigger for right barrel, fore-end with checkered slide, pistol-grip stock, cheek and iron cap. Case-hardened mounting without engraving. **Simple but solid and handsome construction.** Best Suhl workmanship and splendid shooting.

De fuego-central y tres-cañones como en la ilustración, **con cañones de acero Krupp superior,** cal. 16×16 y 9,3×72, dorso de estera con borde adornado, alza de repliegue, mira con punta de plata y empujada hacia atrás, izquierdo „choke-bored". Cerradura Roux, sistema cou conchas y fiadores de resorte, palanca entre los gatillos para hacer funcionar el tiro carabina, mejores llaves de acero de retroceso, doble fiador á la derecha, delantera labrada con botón de empuje, caja con puño de pistola, carrillo, plancha de hierro, guarnición jaspeada sin grabado, **construcción sencilla pero solida y graciosa,** fabricación Suhl de Ia, con tiro excepcional.

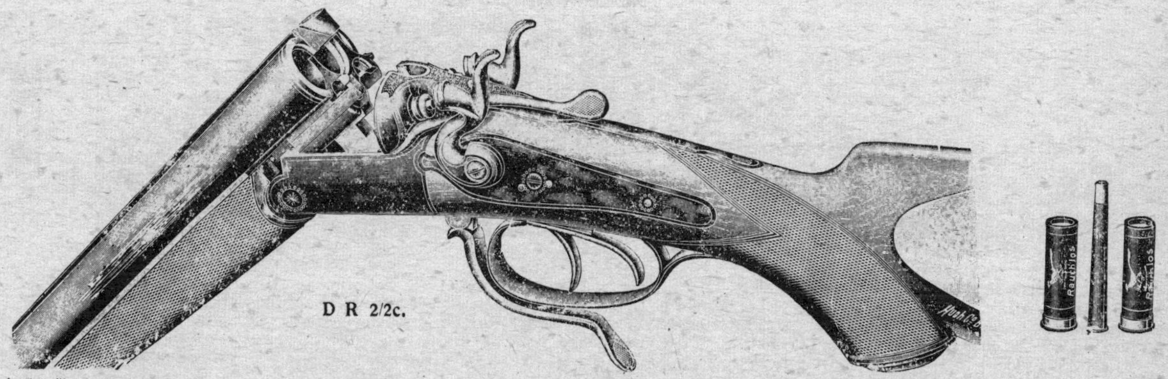

D R 2/2c.

Wie D R I, aber übergreifende Laufschiene, Patent-Vorderschaft, rauchlos staatlich beschossen, auch in anderen Calibern bei entsprechender Lieferzeit.

Comme D R I, mais bande saisissable à la main, devant patenté, éprouvé à la poudre sans fumée, également dans d'autres calibres mais alors délai de livraison en conséquence.

Like D R I, but extension-rib with bite, patent fore-end, Government tested with smokeless powder, supplied also in other calibers in appropriate term of delivery.

Como D R I, pero con dorso extendido para agarrar en la mano, delantera de privilegio, experimentada por el gobierno con pólvora sin humo. Se proporciona también en otros calibres con plazos de etrega correspondientes.

D R 3/3 c.

Wie D R 2 mit Schieber-, oder Patent-Vorderschaft, hochfeiner Gravur und Ausstattung mit Diopter.

Comme D R 2 avec poussoir ou devant patenté, très élégantes gravure et exécution, avec dioptеur.

Like D R 2 with slide or patent fore-end, very fine engraving and finish, with diopter.

Como D R 2 con delantera de corredera ó de privilegio, grabado y equipo finísimos, con diópter.

No.	D R I	D R I a	D R I b	D R I c	D R 2	D R 2 a	D R 2 b	D R 2 c	D R 3	D R 3 a	D R 3 b	D R 3 c
†	Felaure	Felaures	Felaured	Felaurer	Ferel	Ferels	Fereld	Ferelk	Fichtel	Fichtels	Fichteld	Fichtelk
Cal.	16×16×9,3	16×16×11,15	12×12×9.3	12×12×11,15	16×16×9,3	16×16×11,15	12×12×9,3	12×12×11,15	16×16×9,3	16×16×11,15	12×12×9,3	12×12×11,15
Mark	172.—	172.—	174.—	174.—	184.—	184.—	186.—	186.—	214.—	214.—	216.—	216.—

Centralfeuer-Drillinge „Alfa", mit Hähnen.	Fusils à coups „Alfa', et à feu central, avec chiens.	Centerfire three-barrel Guns „Alfa", with hammers.	Escopetas de tres cañones y fuego central con gatillos „Alfa".

„Suhl"

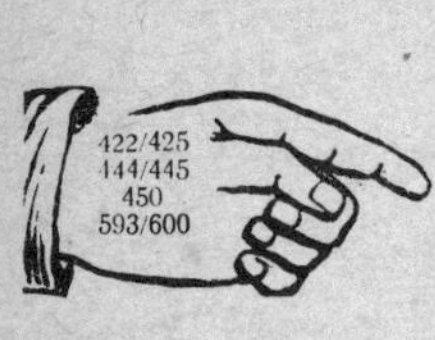

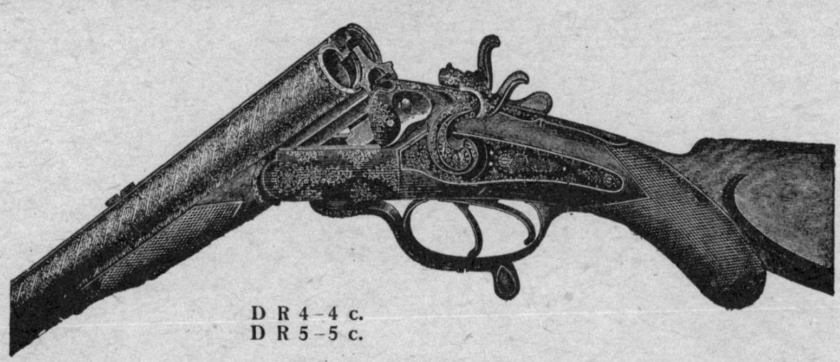

D R 4–4 c.
D R 5–5 c.

D R 4. Drilling, Nussverschluss, beste Wittener oder Kruppsche Flusstahlläufe, prima Schloss, Pistolengriffschaft aus hübschem Maserholz, Stichgravierung, einfache aber saubere Ausführung, System mit übergreifender Laufschiene.

D R 4. Fusil à 3 coups, verrou Nuss, canons acier Wittener ou **Krupp,** serrure extra, crosse pistolet, joli bois madré, gravure spéciale, exécution simple mais élégante, bande saisissable à la main.

D R 4. Three-barrel with **nut action, Wittener or Krupp ingot steel barrels,** prime locks, pistol-grip stock of nicely grained wood, deep engraving, simple but neat finish, extension rib with bite.

D R 4. Escopeta de tres cañones, con cerradura-Nuss, cañones del mejor acero de lingote Krupp ó Wittener, llaves de primera, caja de madera fina veteada con puño de pistola, grabado hondo, acabado sencillo pero elegante, cinta extendida de enganche.

D R 5. Wie D R 4, Läufe aus **Bostondamast, Silberarabesken,** englische Gravur, hochfein ausgearbeitet, Patentvorderschaft, sonst wie oben.

D R 5. Comme D R 4, canons **Damas Boston, arabesques d'argent,** gravure anglaise, très élégamment travaillé, devant déposé, pour le reste comme ci-dessus.

D R 5. Like D R 4, barrels of **Boston damascus, silver arabesques,** English engraving, very fine execution, patent fore-end, otherwise as above.

DR5. Igual al DR4, cañones de **Damasco de Boston, arabescos de plata,** grabado inglés, ejecución esmeradísima, delantera de privilegio, por lo demás igual al D R 4.

D R 6–6 c.

Genau wie D R 4, jedoch mit **geschmackvoller Jagdgravierung** wie Abbildung, **staatlich rauchlos beschossen.** Auf Wunsch auch in jedem anderen Caliber.

Exactement comme D R 4, mais gravure de chasse pleine de bon goût suivant l'illustration, éprouvé officiellement à la poudre sans fumée, sur demande, dans n'importe quel autre calibre.

Exactly like D R 4, but with handsome hunting scene engraved as in drawing, tested by state for smokeless firing. Supplied also in any other caliber, if desired.

Del todo igual al D R 4, pero con grabado hermoso, de figuras de caza como en la ilustración, experimentada con pólvora sin humo, por el Gobierno, según pedido se entrega también en otros calibres.

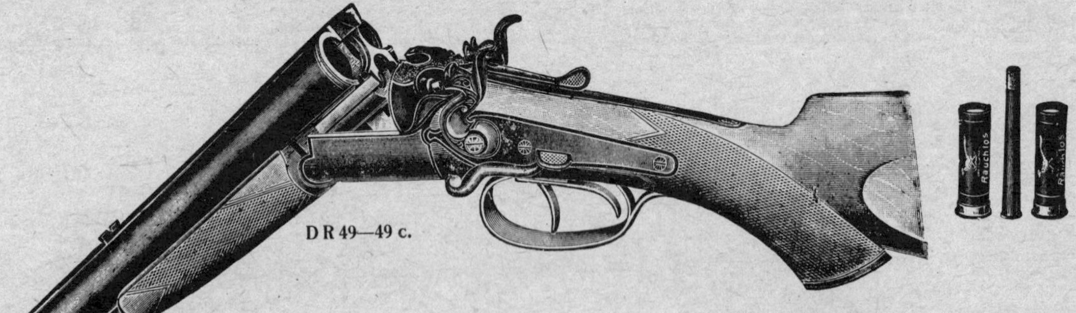

D R 49–49 c.

Kruppsche Stahlläufe, mattierte Schiene, Patentschnäpper, **Seitenhebelverschluss,** links choke, **rauchlos beschossen,** Garnitur bunt eingesetzt, gehärtet, Pistolengriff, Backe, Fischhaut, Hornkappe.

Canons acier Krupp, bande mate, **clef latérale,** choke à gauche, **éprouvé à la poudre sans fumée,** garniture jaspée trempée, crosse pistolet, à joue, quadrillé, calotte corne.

Krupp's steel barrels, matted rib, patent snap, **side lever** bolt, left choke, **nitro proved,** mounting case hardened and blued, pistol grip, checkered, cheek, horn cap.

Cañones de acero Krupp, cinta mate, llave lateral, choke a la izquierda, **experimentado con la pólvora sin humo,** guarnición jaspeada templada, puño pistola, de carrillo, labrado, cantonera de cuerno.

No.	D R 4	D R 4 a	D R 4 b	D R 4 c	D R 5	D R 5 a	D R 5 b	D R 5 c	D R 6	D R 6 a	D R 6 b	D R 6 c	D R 49	D R 49 a	D R 49 b	D R 49 c
†	Falden	Faldens	Faldent	Faldend	Fegir	Fegirs	Fegirt	Fegirk	Ferminde	Fermindes	Fermindet	Ferminder	Faldenrio	Faldenrios	Faldenriot	Faldenriol
Cal.	16×16 9,3	16×16 11,15	12×12 9,3	12×12 11,15	16×16 9,3	16×16 11,15	12×12 9,3	12×12 11,15	16×16 9,3	16×16 11,15	12×12 9,3	12×12 11,15	16×16 9,3	16×16 11,15	12×12 9,3	12×12 11,15
Mk.	196.—	196.—	198.—	198.—	220.—	220.—	222.—	222.—	224.—	224.—	226.—	226.—	196.—	196.—	198.—	198.—

Centralfeuer-Drillinge „Alfa", mit Hähnen.

Fusils à 3 coups „Alfa" à feu central, avec chiens.

Centerfire three barrels gun „Alfa", with hammers.

Escopetas de 3 cañones „Alfa" de fuego central, con gatillos.

422/425
444/445
450
593/600

D R 7/7 e.

Drilling, Cal. 16 oder 12, links choke bored. Schrotläufe aus **Krupp'schem Flusstahl,** Kugellauf **Gusstahl** mit Expresszügen: Kugelstellung zwischen den Hähnen oder Schieberchen auf dem Kolbenhals; **side-lever-Verschluss** mit verlängerter, mattierter Laufschiene, gute Rückspringschlösser usw.; sonstige Ausführung wie D R 6, Gravur wie Abbildung.

Fusil à 3 canons cal. 16 ou 12, choke à gauche, **canons à plombs en acier coulé Krupp, canon à balle en acier coulé** avec rayures Express, transmutation pour le tir à balle entre les chiens ou par poussoir sur le cou de la crosse, verrou side lever, bande prolongée mate, excellents chiens rebondissants etc. pour le reste même exécution que D R 6, gravure selon l'illustration.

Three-barrel, Cal. 16 or 12, left barrel choke bored. **shot-barrels** of **Krupp ingot steel, rifle-barrel cast steel** for express cartridges, changing to rifle between barrels or by slide on neck. side lever bolt, with enlarged, matted extension rib, good rebounding locks etc.; other details as D R 6, engraving as in drawing.

Tres cañones, Cal. 16 ó 12, izquierdo choke-bored. **cañones-ecopeta** de **acero Krupp de lingote, cañón-carabina** de acero **colado,** rayado „Express" cambio de cartuchos entre los gatillos ó por medio de boton de empuje en el cuello de la caja, palanca de traviesa, dorso extendido de estera, llaves buenas de retroceso etc., otros detalles como D R 6, grabado como en la ilustración.

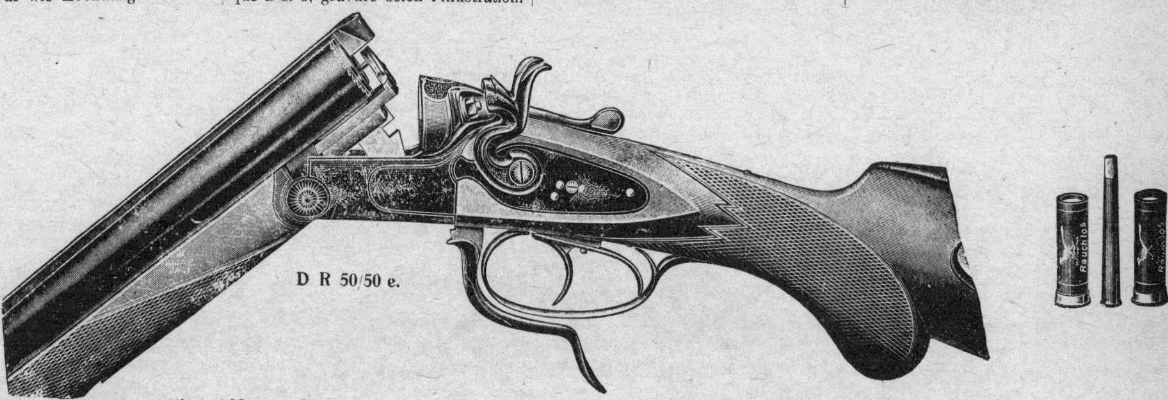

D R 50/50 e.

Roux-Verschluss, verlängerte mattierte Laufschiene, **Prima Kruppscher Flussstahl,** links choke bore, Stechschloss, **kurze prima Rückspringschlösser,** Patentvorderschaft, englische Gravur, marmoriert gehärtet, deutsche Schäftung, **rauchlos beschossen.**

Verrou Roux, bande prolongée mate, **acier coulé Krupp extra,** choke à gauche, à double détente, **chiens courts rebondissants** extra, devant patenté, gravure anglaise, trempé jaspé, crosse allemande, **éprouvé à la poudre sans fumée.**

Roux bolt matted extension rib, **prime Krupp ingot steel** barrels, left choke bore, hair-lock, prime **short rebounding locks,** patent fore-end, English engraving, marbled, German stock, **nitro proved.**

Cerradura „Roux" cinta mate prolongada, **acero colado Krupp extra,** choke á la izquierda, de doble escape, **gatillos cortos rebotantes extra,** delantero patentado, grabado inglés, templado jaspeado, caja alemana, **experimentado** con la **pólvora sin humo.**

Luxus-Modell.

Modèle de luxe.

Fancy model.

Modelo de lujo.

D R 51/51 e.

Roux-Verschluss, vorliegende Schlösser, la Kruppsche Flusstahlläufe, **rauchlos beschossen,** Pistolengriff mit Hornkäppchen, **Patronenmagazin** für 4 Kugelpatronen im Schaft, hochfeine Ausstattung, **automatisches** Visier, vornehmste Jagdgravur, genau wie Abbildung, Hornkappe ff. Fischhaut.

Verrou Roux, platines à l'avant, canons acier coulé Krupp extra, éprouvé à la poudre sans fumée, crosse pistolet avec calotte corne, **magazin à cartouches** (pour 4 cartouches à balle) dans la crosse, très élégante exécution, **hausse automatique,** gravure chasse fort distinguée, exactement suivant l'illustration, calotte corne, quadrillé.

Roux bolt, front action locks prime Krupp ingot steel barrels, nitro proved, pistol grip with horn cap, **magazine** for 4 ball **cartridges** in stock, very finely finished, **automatic sight,** elegant hunting scene, engraved as in illustration. horn cap, finely checkered.

Cerradura Roux, cierres en el delantero, cañones de acero colado Krupp extra, experimentado con la pólvora sin humo, mango pistola con cantonera de cuerno, **almacén de cartuchos** (para 4 cartuchos de bala) en el puño, elegante ejecución, **alza automática,** grabado de caza muy distinguido como la ilustración, oulata de cuenro, labrada.

No	D R 7	D R 7a	D R 7b	D R 7c	D R 7d	D R 7e	D R 50	D R 50a	R D 50b	D R 50c	D R 50d	D R 50e	D R 5l	D R 5l a	D R 5l b	D R 5l c	D R 5l d	D R 5l e
†	Flecho	Flechos	Flechot	Flechok	Flechor	Flechox	Fleckau	Flechkaus	Flechkaut	Flechkaur	Flechkauk	Flechkaux	Flechlei	Flechleis	Flechleit	Flechleik	Flechleir	Flechleix
Cal.	16×16 9,3	16×16 8	16×16 11,15	12×12 9,3	12×12 8	12×12 11,15	16×16 9,3	16×16 8	16×16 11,15	12×12 9,3	12×12 8	12×12 11,15	16×16 9,3	16×16 8	16×16 11,15	12×12 9,3	12×12 8	12×12 11,15
Mark	220.—	240.—	220.—	220.—	240.—	220.—	210.—	218.—	210.—	210.—	218.—	210.—	260.—	280.—	260.—	260.—	280.—	260.—

Centralfeuer-Drillinge „Alfa", mit Hähnen.	Fusils à 3 coups „Alfa" et à feu central, avec chiens.		Centerfire three-barrel Guns „Alfa", with hammers.	Escopetas „Alfa" de fuego central con tres-cañones y gatillos.

„Suhl"

422/425
444/445
450
593/600

D R 8/8 c.

Wie D R 7, jedoch in allen Teilen hochfein ausgearbeitet, ca. 3 Kilo schwerer Drilling, feine tiefe deutsche Gravur, Patent-Vorderschaft, **Krupp'sche Stahlläufe.**

Comme D R 7, mais soigneusement travaillé pièce par pièce, poids: environ 3 K, élégante gravure allemande à fonds creux, devant patenté, **canons acier Krupp.**

Like D R 7, but finely finished throughout, weight about 3 Kilos, fine deep German engraving, patent fore-end, **Krupp steel barrels.**

Como D R 7, pero ejecución esmeradisima en todas partes, peso unos: 3 Kilos, grabado hondo alemán fino, delantera de priviligio, **cañones de acero Krupp.**

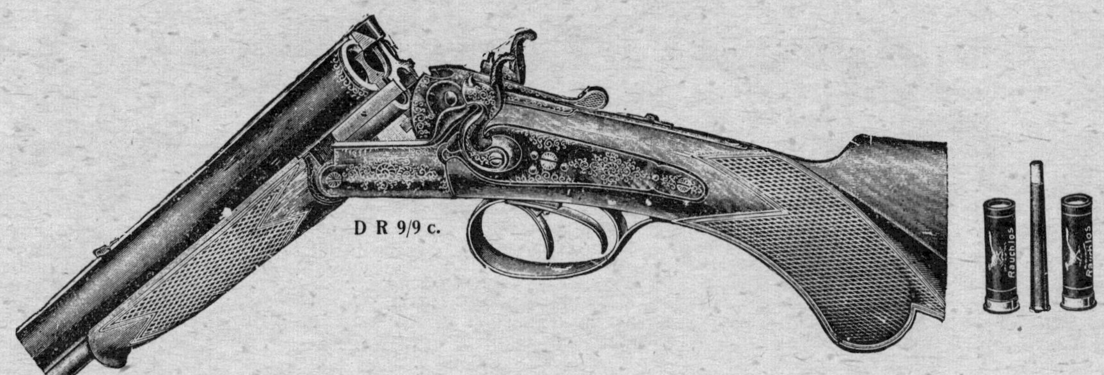

D R 9/9 c.

Drilling nach vorstehender Zeichnung, beste **Büchsenmacherhandarbeit,** mit doppeltem Keileintritt und verlängerter Laufschiene, Verschlusshebel auf der Scheibe zwischen den Hähnen, Umstellung des Schrot- und Kugellaufes durch Schieber auf der Scheibe, Pistolgriffschäftung, hübsches Schaftholz, geschmackvolle englische Gravierung, Garnitur bunt gehärtet, Gewicht ca. 2¾ Kilo, vorzügliche Schussleistung, ein sehr eleganter, handlicher Drilling.

Fusil à 3 coups suivant illustration ci-dessus, excellent travail d'arquebuserie à la main, double enclavement, bande prolongée, clef entre les chiens, transmutation pour le tir à balle et à plombs au moyen de poussoir, crosse pistolet, joli bois, gravure anglaise de très bon goût, garniture trempée, jaspée, poids: environ 2 K ¾, excellent tir, très élégant fusil à 3 coups, bien en main.

Three-barrel as in above drawing, best gunsmith's handwork, with double wedge and extension rib, lever between hammers, changing of shot and rifle-barrel by slide on neck, pistol-grip, nice wooden stock, handsome English engraving, case hardened mounting, weight about 2¾ Kilos, splendid shooting, a very elegant and handy three-barrel.

Tres cañones, como ilustración, trabajo manual de los mejores artesanos escopeteros, cuña doble y cinta de extensión, palanca entre loo gatillos, cambio de cartucho por medis de empuje en el cuello de la caja, puño de pistola, caja de madera fina, grabado inglés elegante, guarnición templada jaspeada. Peso, unos 2¾ Kilos próximamente, tiro superior, escopeta de tres-cañones muy elegante y cómoda.

No.	D R 8	D R 8 a	D R 8 b	D R 8 c	D R 9	D R 9 a	D R 9 b	D R 9 c
†	Flekan	Flekans	Flekant	Flekand	Flisar	Flisars	Flisart	Flisard
Cal.	16×16 9,3	16×16 11,15	12×12 9,3	12×12 11,15	16×16 9,3	16×16 11,15	12×12 9,3	12×12 11,15
Mark	**224.–**	**224.–**	**226.–**	**226.–**	**200.–**	**200.–**	**202.–**	**202.–**

Central-feuer-Drillinge „Alfa“, mit Hähnen.

Fusils à 3 coups „Alfa“ et à feu central, avec chiens.

Centerfire three-barrel guns „Alfa“, with hammers.

Escopetas „Alfa“ de fuego central, con tres-cañones y gatillos.

Wie D R 9, aber Läufe aus **Boston-damast**, Silberarabesken auf den Läufen, I a Handarbeit, flach angepasste Basküle.

Comme D R 9, mais canons **Damas Boston**, arabesques argent sur les canons, travail à la main extra, bascule plate.

Like D R 9, but barrels of **Boston Damascus** with silver arabesques, prime handmake, flat fitted bascule.

Como el D R 9, pero los cañones de **Damasco Boston** con arabescos de plata, trabajo manual de primera, báscula plana.

Drilling, Cal. 16 oder 12, links choke-bored, Schrotläufe aus Kruppschem Flusstahl, Kugellauf Gusstahl mit Expresszügen, Kugelstellung durch Schieberchen auf dem Kolbenhals, **dreifacher top-lever-Verschluss**; verlängerte mattierte Laufschiene; sehr gute Rückspringschlösser etc., sonstige Ausführung wie D R 9, staatlich **rauchlos beschossen**, deutsche Stichgravur.

Fusil à 3 coups, Cal. 16 ou 12, choke à gauche, canons à plombs en acier coulé Krupp, canon à balle acier coulé avec rayures Express, transmutation pour le tir à balle au moyen d'un petit poussoir situé sur le cou de la crosse, **triple verrou top-lever**, bande mate prolongée, excellents chiens rebondissants etc., même exécution que D R 9, **éprouvé à poudre sans fumée**, gravure spéciale allemande.

Three-barrel, cal. 16 or 12, left barrel choke-bored, shot-barrels of Krupp ingot steel, rifle-barrel cast steel for express cartridges, change of barrel by slide on neck, **triple top-lever bolt**, matted extension-rib; very fine rebounding locks etc., other details as D R 9, Governement **tested for smokeless powder**, deep German engraving.

Tres-cañones, cal. 16 ó 12 izquierdo choke-bored, cañones escopeta de acero Krupp de lingote, cañón-carabina de acero colado con rayados „Express“, cambio de cartucho por pasador, en el cuello, cerrojo triple top-lever, dorso de estera, cierres de retroceso muy buenas, misma ejecución como D R 9, **experimentada con pólvora sin humo por** el Gobierno, grabado alemán hondo.

No.	D R 10	D R 10 a	D R 10 b	D R 10 c	D R 11	D R 11 a	D R 11 b	D R 11 c
†	Fleron	Flerons	Fleronk	Fleront	Fleskoll	Fleskolls	Fleskollt	Fleskolld
Cal.	16×16 9,3	16×16 11,15	12×12 9,3	12×12 11,15	16×16 9,3	16×16 11,15	12×12 9,3	12×12 11,15
Mark	220.—	220.—	222.—	222.—	228.—	228.—	230.—	230.—

Centralfeuer-Drillinge „Alfa", mit Hähnen.	Fusils à 3 coups „Alfa" et à feu central, à chiens.		Centerfire three-barrel guns „Alfa", with hammers.	Escopetas „Alfa" de fuego central, trescañones y con gatillos.

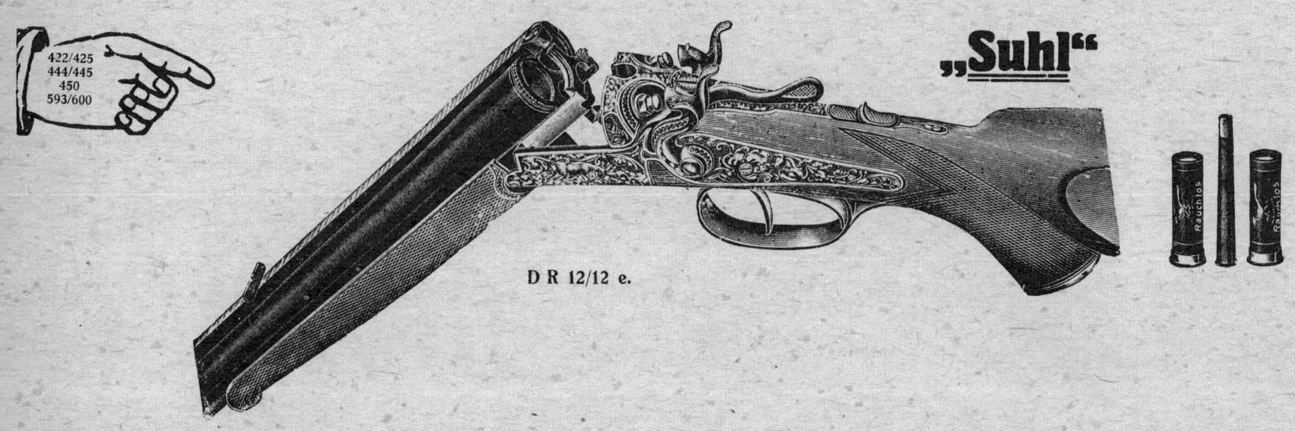

D R 12/12 e.

Drilling, genau wie D R 13, aber mit Federvisier, Gewicht ca. 3 kg, aus **Ia Kruppschem Gussstahl.**

Fusil à 3 coups, exactement comme D R 13 mais avec hausse à ressort, poids environ 3 K., **acier coulé Krupp extra.**

Three-barrel, just like D R 13, but wit spring sight, weight about 3 Kos., **of prime Krupp cast steel.**

Tres-cañones, igual al D R 13, pero con alza de muelle, peso unos 3 Kilos próximamente, **de acero colado de primera.**

D R 13/13 e.

Toplever-Dreiläufer mit automatischem Visier, welches sich beim Umstellen auf Kugelschuss von selbst aufrichtet, Läufe aus **Prima Kruppschem Flusstahl,** Schrotläufe Cal. 16 oder 12, Kugellauf mit Expresszügen. Umschaltung durch Schieber auf dem Kolbenhalse, System mit Muscheln, feine altdeutsche gewetzte Blättergravierung mit Jagdstücken, in allen Teilen aufs feinste gearbeitet, das beste, was in deutschen Fabrikaten geboten werden kann, Gewicht ca. 3 kg.

Fusil à 3 canons Toplever, avec hausse automatique, qui lors de la transmutation pour le tir à balle se met en place d'ellemême, canons **acier coulé Krupp extra,** canons à plombs en Cal. 16 ou 12, canon à balle à rayures express, transmutation par poussoir situé sur le cou de la crosse, système à coquilles, gravure feuille vieux genre allemand avec sujets de chasse, toutes pièces soigneusement travaillées, le meilleur type de fabrication allemande qui puisse être offert, poids environ 3 K.

Top-lever three-barrel with automatic rear sight, which rises automatically when changing to rifle shot, barrels **of prime Krupp ingot steel,** shot-barrels Cal. 16 or 12, rifle-barrel for express cartridges. Change of barrel by slide on neck, fine old German leaf engraving with hunting scene, finest finish throughout, the best three-barrel turned out by German factories, weight about 3 Kos.

Escopeta de tres cañones, Top lever, con alza automática que se ajusta automaticamente al poner el cañón carabina en posición. Cañones del **mejor acero Krupp de lingote,** cañones escopeta Cal. 16 ó 12, cañón-carabina rayado Express. Cambio de cartucho por medio de pasador en el cuello — grabado alemán antiguo de hojas con figuras de caza — todas las partes de ejecución esmeradisima — Lo mejor que las fábricas alemanas pueden ofrecer, peso uno 3 Kilos próximamente.

	D R 12	D R 12 a	D R 12 b	D R 12 c	D R 12 d	D R 12 e	D R 13	D R 13 a	D R 13 b	D R 13 c	D R 13 d	D R 13 e
†	Fletun	Fletuns	Fletunt	Fletund	Fletunk	Fletunx	Flustan	Flustans	Flustank	Flustant	Flustanz	Flustand
Cal.	16×16 9,3	16×16 8	16×16 11,15	12×12 9,3	12×12 8	12×12 11,15	16×16 9,3	16×16 8	16×16 11,15	12×12 9,3	12×12 8	21×12 11,15
Mark	228.—	236.—	228.—	230.—	238.—	230.—	240.—	248.—	240.—	242.—	250.—	242.—

Centralfeuer-Drillinge „Alfa", mit Hähnen.

Fusils à 3 coups „Alfa" et à feu central avec chiens.

Centerfire three-barrel guns „Alfa", with hammers.

Escopetas de fuego central „Alfa" con tres-cañones y gatillos.

D R 14-14 e.

Drilling, 3facher Greener Verschluss, **Flussstahlläufe,** bessere Rückspring-Stahlschlösser, feine **altdeutsche Blättergravur** mit Jagdstücken, Suhler Patentschnäpper, Hornbügel, Hornkappe, Hornkäppchen.

Fusil à 3 coups, triple verrou Greener, **canons acier coulé,** chiens d'acier extra rebondissants, **élégante gravure à feuilles vieux genre allemand** avec sujets de chasse, sous-garde de corne, calotte et petite calotte de corne.

Three-barrel, triple Greener bolt, **ingot steel barrels,** fine rebounding steel locks, **fine old German leaf engraving** with hunting scene, Suhl patent snap, horn guard, large and small horn caps.

Tres-cañones, cerrojo Greener triple **cañones de acero de lingote,** mejores llaves de acero de retroceso, **grabado fino de hojas alemán-antiguo** con figuras de caza, pestillo de privilegio Suhl, guardamonte y cantoneras de cuerno.

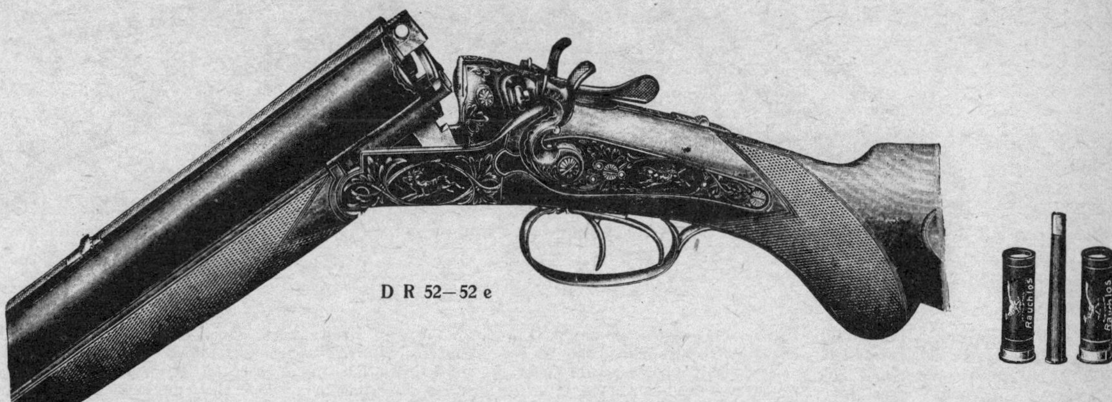

D R 52—52 e

Stahlläufe, Federvisier, Purdey-Vorderschaft, dreifacher **Greener Querriegelverschluss,** deutsche Schäftung, mattierte Schiene, Garnitur dunkel eingesetzt, Jagdstückgravur, Umschaltung für Kugel durch Schieber.

Canons acier, hausse à ressort devant Purdey, **triple verrou Greener,** crosse allemande, bande mate, garniture sombre jaspée, gravure sujets de chasse, transmutation pour le tir à balle au moyen de poussoir.

Steel barrels, spring sight, Purdey fore-end, **triple Greener cross bolt,** German stock, matted rib, dark case hardened mountings, hunting scene engraved, change of barrel by slide.

Cañones de acero, alza de resorte y delantero Purdey, **triple cerrojo Greener,** mango alemán, cinta mate, guarnición templada, jaspeada oscura, grabados de caza, transmutación para el tiro de bala por medio de empuje.

No.	D R 14	D R 14 a	D R 14 b	D R 14 c	D R 14 d	D R 14 e	D R 52	D R 52 a	D R 52 b	D R 52 c	D R 52 d	D R 52 e
†	Farmele	Farmeles	Farmelet	Farmeler	Farmelek	Farmelex	Farmaja	Farmajas	Farmajat	Farmajar	Farmajak	Farmajax
Cal.	16×16 9,3	16×16 8	16×16 11,15	12×12 9,3	12×12 8	12×12 11,15	16×16 9,3	16×16 8	16×16 11,15	12×12 9,3	12×12 8	12×12 11,15
Mark	272.—	280.—	272.—	274.—	282.—	274.—	230.—	238.—	230.—	232.—	240.—	232.—

Centralfeuer-Drillinge „Alfa“, mit Hähnen.	Fusils à 3 coups „Alfa“ à feu central avec chiens.		Centerfire three barrel guns „Alfa“, with hammers.	Escopetas de fuego-central ‚Alfa‘ con 3 cañones y gatillos.

D R 53 53 e.

Wie D R 52, jedoch **feiner gearbeitet,** Basküle mit **Seitenbacken,** reichere Gravur, Patronenkammern mit Silbereinlagen, Umschaltung für Kugel durch Schieber.	Comme D R 52, mais plus **élégamment travaillé,** bascule **à coquilles et ailerons,** riche gravure, chambre à cartouches avec ornements argent, transmutation pour le tir à balle au moyen de poussoir.	Like D R 52, but **finer finish, wings at breech,** richer engraving, cartridge chamber with silver insertion, change of barrel by slide.	Como D R 52, pero **elegantemente trabajado, báscula de conchas y aletas,** rico grabado, cámara de cartuchos con ornamentos de plata, transmutación para el tiro de bala por medio de empuje.

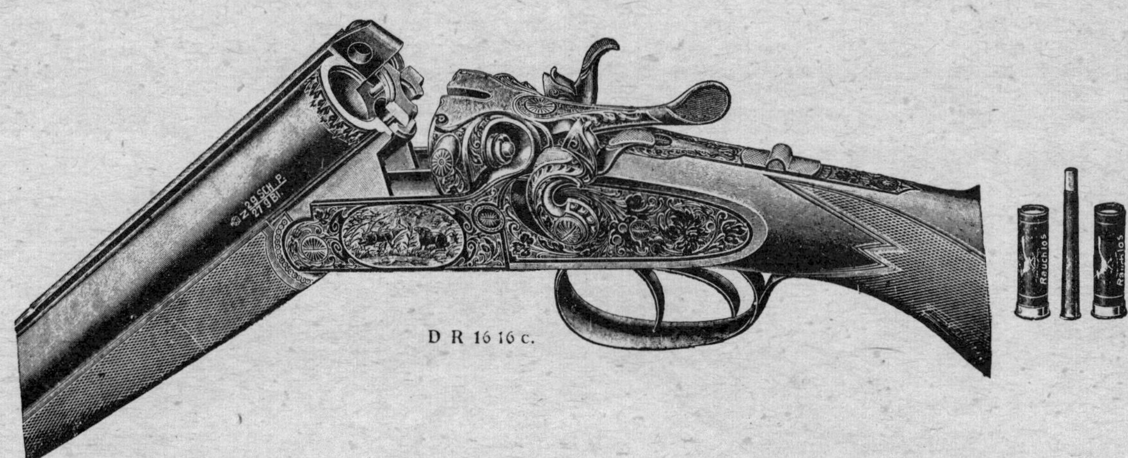

D R 16 16 c.

Schrotläufe **Krupp'scher Flussstahl,** links choke-bore, Kugellauf Gussstahl. Im Verschlusskasten eingepasste gute Schlösser, umlegbares Federvisier, Korn von vorn eingeschoben, Schrotläufe Cal. 16 oder 12, Kugellauf beliebiges Caliber, Schrotläufe **staatlich mit rauchschwachem Pulver geprüft,** gediegene Ausarbeitung, hochfeine Ausstattung, Rekord-Verschluss (Beschreibung s. Seite 357).	Canons à plombs **acier coulé Krupp,** choke-bored à gauche, canon à balle acier coulé, bonnes platines, hausse à ressort pliante, guidon ajusté par devant, canons à plombs Cal. 16 ou 12, canon à balle dans le calibre préféré, canons à plombs **éprouvés à la poudre sans fumée,** travail fini, excellente exécution, verrou Record (voir description page 357).	Shot barrels **Krupp ingot steel,** left choke-bored, rifle-barrel cast steel. Good locks fitted into case, folding rear sight, front sight slides on from front, shot-barrels cal. 16 or 12, rifle-barrel any caliber, shot barrels government **tested for smokeless firing,** solid make, very fine finish, Record lock (description see page: 357).	**Cañones para perdigones de acero Krupp de lingote,** izquierdo choke-bored, cañón-carabina de acero colado, llaves buenas ajustadas, alza con muelle y repliegue, visera ajustada por delante. Cañones para perdigones cal. 16 ó 12, cañón-carabina de cualquier calibre que se desea, cañones escopeta **experimentados con pólvora sin humo,** construcción solida, acabado muy fino, cerrojo Record (descripción página 357).

No.	D R 53	D R 53 a	D R 53 b	D R 53 c	D R 53 d	D R 53 e	D R 16	D R 16 a	D R 16 b	D R 16 c
†	Farmogo	Farmogos	Farmogot	Farmogol	Farmogon	Farmogok	Firbronge	Firbronges	Firbronget	Firbrongel
Cal.	16×16 9,3	16×16 8	16×16 11,15	12×12 9,3	12×12 8	12×12 11,15	16×16 9,3	16×16 11,15	12×12 9,3	12×12 11,15
Mark	250.—	258.—	250.—	252.—	260.—	252.—	346.—	346.—	348.—	348.—

Centralfeuer-Drillinge „Alfa", mit Hähnen.	Fusils à 3 coups „Alfa" à feu central et avec chiens.		Centerfire three barrel guns „Alfa", with hammers.	Escopetas de fuego central ‚Alfa' con 3 cañones y gatillos.

Luxus Modell. | **Modèle de luxe.** | **Fancy model.** | **Modelo de lujo.**

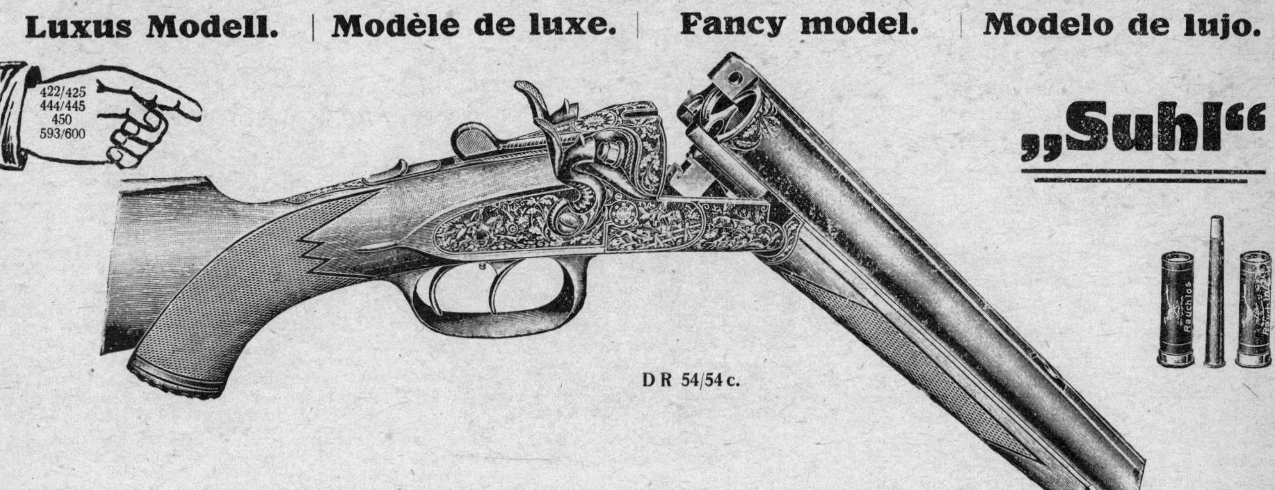

D R 54/54 c.

Prima **Kruppsche Flussstahlläufe**, vierfacher Greener Querriegel-Verschluss, Patent-Vorderschaft, Pistolengriff mit Hornkäppchen, Backe, Fischhaut, Hornkappe, Umstellung durch Schieber, **rauchlos beschossen, automatisches** Visier, **Hornbügel**, hochfeine altdeutsche Gravur mit Jagdstücken, dunkel eingesetzt, **allerfeinste Suhler Handarbeit.**

Canons acier coulé Krupp extra, quadruple verrou Greener, devant patenté, crosse pistolet avec calotte corne, à joue, quadrillé, calotte corne, transmutation à poussoir, **éprouvé à poudre sans fumée, hausse automatique**, sous-garde corne, très élégante gravure vieux genre allemand, sujets de chasse, trempé jaspé foncé, **très élégante travail à la main de Suhl.**

Prime **Krupp ingot steel barrels**, quadruple Greener cross bolt, patent fore-end, pistol-grip with horn cap, cheek, checkered, horn cap, change of barrel by slide, **nitro proved, automatic sight**, horn underguard, very fine old German engraving with hunting scenes, dark case hardened mounting, **very fine Suhl hand make.**

Cañones de acero colado extra Krupp, cerrojo cuádruplo Greener, delantero patentado, mango pistola con cantonera de cuerno, de carrillo, labrado, transmutación de empuje, **experimentado con pólvora sin humo, alza automática**, guardamonte de cuerno, elegante grabado alemán, **muy bueno trabajo á mano de Suhl**, templado jaspeado oscuro.

Doppelbüchsen-Drillinge. | **Double carabine à 3 canons.** | **Double barrel rifle with shot barrels.** | **Carabina doble de 3 cañones.**

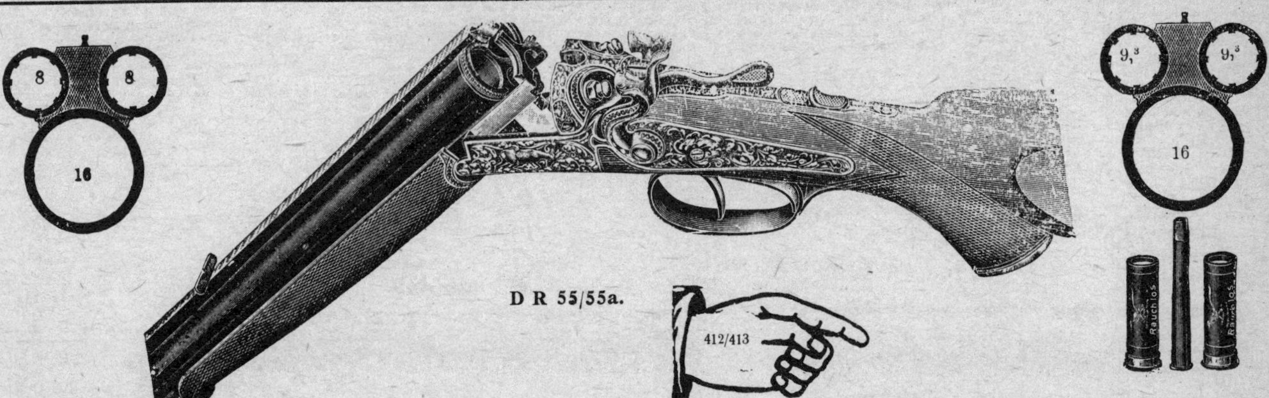

D R 55/55a.

Doppelbüchsen-Drilling, Ausstattung wie D R 12, aber 2 Kugelläufe oben und 1 Schrotlauf unten, prima **„Suhler" Handarbeit.**

Double carabine à 3 canons, même exécution que D R 12, mais à 2 canons à balle à la partie supérieure et 1 canon à plombs au-dessous, **travail à la main de „Suhl"** extra.

Double barrel rifle with shot barrel, finished like D R 12, but 2 barrels for ball on top and 1 barrel for shot underneath, **prime „Suhl" hand make.**

Escopeta doble de 3 cañones, la misma ejecución que D R 12, pero de 2 cañones de bala en la parte superior, 1 cañón de perdigones debajo, **trabajo á mano extra de „Suhl".**

No.	D R 54	D R 54 a	D R 54 b	D R 54 c	D R 55	D R 55 a
†	Firbjanu	Firbjanus	Firbjanut	Firbjanux	Firbgusto	Firbgustox
Cal.	16×16 9,3	16×16 11,15	12×12 9,3	12×12 11,15	9,3×9,3 16	8×8 16
Mark	320.—	320.—	322.—	322.—	300.—	325.—

„Frank“-Drilling mit abnehmbarem Kugellauf.

Fusils à 3 coups „Frank“ avec canon à balle enlevable.

„Frank“ three-barrel gun with detachable rifle-barrel.

Escopetas tres-cañones „Frank“ con cañón-carabina de quita y pón.

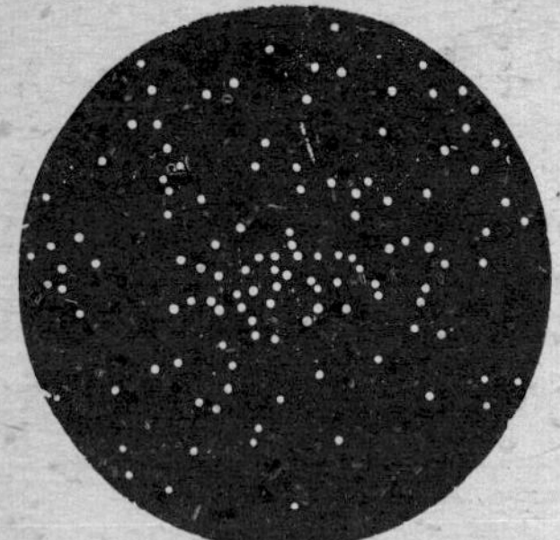

Schrot 3 auf 35 Meter. | Tir à plombs 3 à 35 mètres. | Shot 3 at 35 meters. | Tiro de perdigones 3 á 35 metros.

Schrot 7 auf 35 Meter. | Tir à plombs 7 à 35 mètres. | Shot 7 at 35 meters. | Tiro de perdigones 7 á 35 metros.

Dieser Drilling ersetzt Doppelflinte, Büchsflinte, Büchse und Drilling. — Patente in allen Staaten, I. Preise auf allen Ausstellungen.

Cette arme remplace fusil à 2 coups, fusil-carabine, carabine et fusil à 3 coups Déposé dans tous les pays premiers prix dans toutes les Expositions.

This three-barrel is a substitute for double barrel guns, rifle and shotgun combined, and threebarrel. — Patented in all countries. First prices at all Exhibitions.

Esta escopeta con tres cañones reemplaca las escopetas dos-cañones, tres cañones y con cañón carabina. — Patente-de-privilegio en todos los paises. — Primer premio en todas las Exposiciones.

Durch Abnehmbarkeit des Kugellaufes lässt sich der Frank-Drilling schnell in eine leichte Flinte und umgekehrt in einen Drilling verwandeln.

Einzige Universalwaffe des 20. Jahrhunderts.

Seit 20 Jahren im praktischen Gebrauch.

Ueber 2000 Exemplare. — Volle fünfjährige Garantie.

Wegen Freilage der Läufe hervorrag. im Schuss.

Vorzüge des Frank-Drillings.

Infolge der Freilage des Kugellaufes und der damit verbundenen Ausschwingung desselben (Vibration) ist diese Waffe dem Platzen nie ausgesetzt, wie ein Drilling mit angelötetem Kugellauf.

Daher das sicherste Gewehr der Neuzeit!

Beweis: Der 8 mm-Kugellauf eines Frank-Drillings wurde auf der Kgl. Beschussanstalt in Suhl mit 3 gr. Nitroblättchenpulver beschossen und gestempelt.

Darauf wurde der Kugellauf mit Weichlot angelötet und in diesem Zustande mit dem gleichen Quantum Nitroblättchenpulver wiederum ven derselben Kgl. Beschussanstalt beschossen, wobei er zersprang. — **Attest der Kgl. Beschussanstalt liegt vor.**

Ein Beweis, dass sich die Lage des Kugellaufes trotz stärkster Inanspruchnahme nicht verändert, ist nachstehendes Original-Attest der Kgl. Beschussanstalt in Suhl:

Königliche Beschussanstalt — Journal No. 646. 95.

Der Büchsenlauf des von Ihnen vorgelegten Drilling-Gewehres No. 9356 mit abnehmbarem Kugellauf ist nach der gesetzlichen Prüfung mit Schwarzpulver und Nitropulver Ihrem Wunsche gemäss noch mit 1000 Gebrauchspatronen — Nitropulver-Halbmantelgeschoss — beschossen worden. Der Schlossmechanismus funktionierte tadellos. Lauf und Verschluss sind intakt geblieben. gez.: Fritsche, Direktor.

En raison de l'enlèvement facile du canon à balle de ce fusil à 3 coups „Frank“, celui-ci peut être très aisément transformé en un léger fusil à 2 coups et reconstitué en fusil à 3 coups.

La seule arme universelle du 20. siècle.

Depuis plus de 20 ans répandu dans le commerce.

Plus de 2000 pièces fabriquées. — Garanti pleinement pour 5 ans.

Tir exceptionnel en raison de la position libre des canons.

Avantages du fusil à 3 coups „Frank“.

Par suite de la position libre du canon à balle, les vibrations résultant du tir n'influent pas sur l'arme comme dans les autres canons.

De là l'arme la plus sûre des temps modernes.

Par exemple: Le canon à balle de 8 mm d'un fusil à 3 coups Frank fût éprouvé par le Banc Royal d'Epreuves à Suhl avec chargement de 3 grammes de poudre en paillettes sans fumée, et poinçonné. Ce canon à balle fut ensuite soudé et dans cet état à nouveau éprouvé par le Banc d'Epreuves de Suhl. avec le même chargement de poudre, où il éclata. — **Nous en avons en mains l'attestation du Banc Royal d'Epreuves de Suhl.**

Une preuve que, malgré ces expériences fort dures, le canon à balle ne se trouve pas le moins du monde ébranlé est donnée par l'attestation originale suivante du Banc d'Epreuves de Suhl:

Banc Royal d'Epreuves de Suhl.
Journal-No. 646, 95.

Le canon à balle du fusil à 3 coups „Frank“ No. 9356 avec canon à balle enlevable, présenté par vous, a été, suivant votre désir, après l'épreuve légale à poudre noire et sans fumée, éprouvé par le tir de 1000 cartouches demi-blindées, chargées à poudre sans fumée. Le mécanisme a fonctionné de la meilleure façon, canon et serrure sont demeurés intacts.
signé: Fritsche, Directeur.

By detaching the rifle barrel the Frank three-barrel can quickly be converted into a light gun and vice versa into a three barrel.

Only universal arm of the 20th century.

— 20 years used. —

More than 2000 specimens. - Full 5 years guarantee.

Splendid shooting owing to free position of barrels.

Advantages of the Frank three barrel.

Owing to the free position of the rifle-barrel and the vibration connected therewith this arm is never in danger of bursting, as in the case of a three-barrels with soldered rifle-barrel.

Consequently the safest rifle of modern times!

Proof: The 8 mm-rifle barrel of a Frank three barrel was fired in the Royal Testing Establishment at Suhl with 3 gr. nitro-powder and stamped.

The rifle barrel was then soldered on with tin-solder and fired again in this condition with the same quantity of nitro-powder by the Royal Testing Establishment, on which occasion it burst. **Certificate of the Royal Testing Establishment at hand.**

A proof that the rifle-barrel does not alter its position, although put to the most severe test is given by the following original report of the Royal Testing Establishment at Suhl:

Royal Testing Establishment. — Day-book No. 646. 95.

After the legally prescribed trial with black and nitro-powder the detachable rifle barrel of the three-barrel rifle No. 9356, submitted by you, has also-in accordance with your desire — been tested with 1000 cartridges — nitro-powder half mantle bullet. The locking mechanism acted perfectly. The barrel and bolt remained intact.
signed: Fritsche, Director.

Quitando el cañón-carabina se convierte facilmente la escopeta tres cañones Frank en escopeta ligera y al revés en tres-cañones.

— La única arma universal de sigle XX. —

Leva 20 años de uso práctico.

Más de 2000 ejemplares. — Plena garantia de 5 años.

Tiro excepcional por causa de la posición libre de los cañones.

Ventajas de la escopeta tres-cañones Frank.

Por causa de la posición libre del cañón-carabina y la vibración consecuente no se hallan en peligro de estallar como las escopetas con cañones carabina soldados. — **Por consecuencia es la escopeta más segura de la actualidad;**

He aqui la Prueba: El cañón-carabina de una escopeta tres-cañones Frank fué tirado con 3 gramos nitro-pólvora y marcado en el Real Establecimiento para probar las armas en Suhl. Luego el mismo cañón fué soldado con soldadura de estaño y en este estado fué tirado otra vez en el mismo Establecimiento con igual carga y — estalló! — **Acompaña el certificado del Real Establecimiento.**

El siguiente certificado del Real Establecimiento en Suhl para probar las armas prueba que la posición del cañon-carabina no se cambia por severos que sean las condiciones exigidas.

Real Establecimiento de ensayos. — No. de Journal 646. 95.

El cañón-carabina de quita y pon de la escopeta tres cañones No. 9356 sometido por Vd. después de los ensayos de ordenanza con pólvora negra y nitro-pólvora fué tirado tambien, en atención á los deseos expresados por Vd, con mil cartuchos nitro-pólvora con proyectiles media capa. El mecanismo funcióno perfectamente. El cañón y la cerradura quedaron intactos.
(firmado) Fritsche, Director.

444/445
450

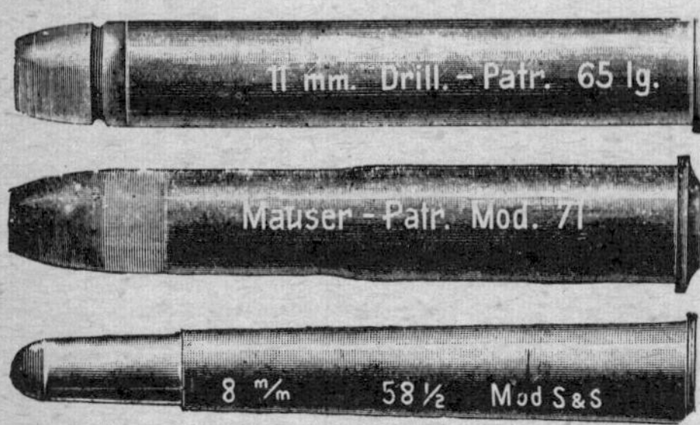

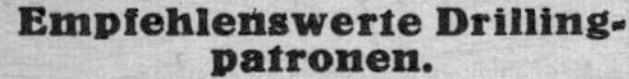

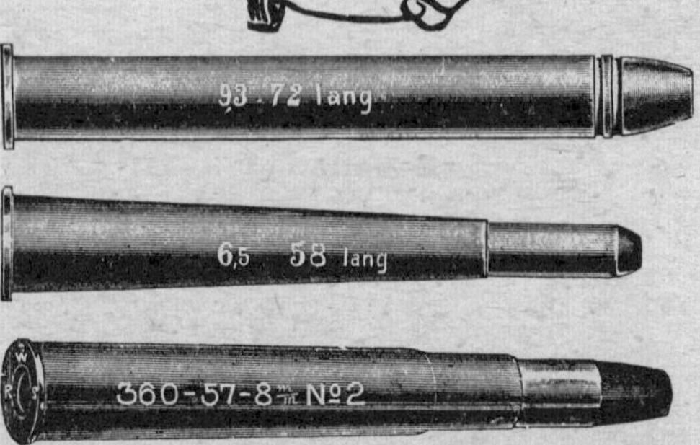

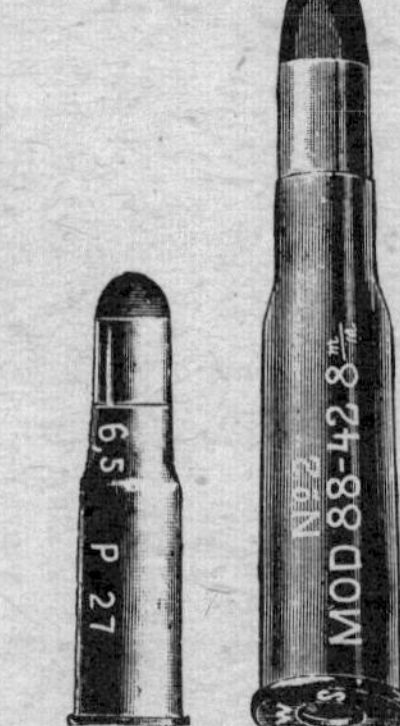

Empfehlenswerte Drilling-patronen.

Alle Drillinge werden für obige Sorten Patronen auf Bestellung gefertigt. Kugellauf für rauchloses Pulver und Mantelgeschoss kostet, wo nicht vorgesehen, mehr Mk. 20.—

Cartouches recommandées pour fusils à 3 canons.

Sur demande, tous les fusils à 3 canons sont fabriqués pour les sortes de cartouches ci-dessus Sauf indication contraire, le canon à balle, adapté pour le tir à poudre sans fumée et à balle blindée, coûte 20.— mares en plus.

Recommendable three barrel cartridges.

All three barrel guns made for above kinds of cartridges if ordered. Rifle barrel for smokeless powder and mantle bullet costs Mk. 20.— extra.

Cartuchos recommendables para escopetas tres-cañones.

Todas las escopesas-tres-cañones pueden ser fabricadas para el empleo de estos cartuchos cuando asi pedidas. Cañón-carabina para pólvora sin humo y proyectil con capa cuesta Mk. 20.— extra.

Frank-Drilling mit abnehmbarem Kugellauf.

Fusils à 3 coups „Frank“ avec canon à balle enlevable.

Frank three-barrel gun with detachable rifle-barrel.

Escopeta tres-canones „Frank“ con cañon-carabina de quita y pon.

422/425
444/445
450
593/600

411/412

Patent ‚Frank'.

„Suhl“

D R 17/17 a.
D R 18/18 a.

Abnehmbarer Kugellauf.

D R 17/17 a. Drilling, Schrotlauf aus **Krupp'schem resp. Wittener Flussstahl,** Kugellauf Krupp'scher Gussstahl, dreifacher Roux-Verschluss mit Verschlusshebel auf dem Abzugsbügel liegend; verlängerte mattierte Laufschiene, abnehmbarer Vorderschaft mit Schnappverschluss, **halb oder ganz automatisches** Umlegevisier, Rückstecher, Pistolengriff mit Backe, geschmackvolle, altdeutsche Gravierung, in allen Teilen sehr sauber gearbeitet und vorzüglich schiessend.

Canon à balle enlevable.

D R 17/17 a. Fusil à 3 coups, **canon à plombs en acier Krupp ou Wittener coulé, canon à balle en acier fondu Krupp,** triple verrou Roux, clef au-dessus de la sous-garde de détente, bande mate prolongée, devant enlevable, **hausse demi ou entièrement automatique,** à double détente si on presse d'abord les détentes sur le devant, crosse pistolet, à joue, gravure du meilleur goût vieux genre allemand, soigneusement travaillé pièce par pièce, tir de tout premier ordre.

Detachable rifle barrel.

D R 17/17 a
Three-barrel, shot barrel of Krupp or Wittener ingot steel, rifle-barrel Krupp cast steel, Roux lock with lever bolt over trigger guard, matted extension rib, detachable fore-end with snap lock, **half or entirely automatic rear sight,** back set-trigger, pistol-grip with cheek, handsome old German engraving, very neat work throughout and splendid shooting.

Cañón-carabina de quita y pon.

D R 17/17a. Escopeta de tres-cañones, cañon escopeta **de acero de lingote Krupp ó Wittener, cañón carabina de acero colado Krupp.** Cerradura Roux con palanca en el guardamonte, cinta mate prolongada delantera de quita y pon con pestillo, **alza automática** ó medio automática, doble fiador de cola, puño de pistola y carrillo, grabado elegante alemán-antiguo, trabajo esmeradísimo de todas las piezas y tiro excepcional.

D R 18/18 a.
Genau wie D R 17, jedoch mit ganz automatischem Visier.

D R 18/18 a.
Exactement comme D R 17 mais avec hausse entièrement automatique.

D R 18/18 a.
Just like D R 17, but with entirely automatic rear sight.

D R 18/18 a.
Igual al D R 17, pero con alza del todo automática.

Patent ‚Frank'.

„Suhl“

D R 19/19 a.
D R 20/20 a.

Abnehmbarer Kugellauf.

D R 19/19 a. Wie D R 17, aber mit **dreifachem Topleververschluss,** mit Verschlusshebel zwischen den Hähnen, Umschaltung durch Schieberchen auf dem Kolbenhalse (siehe Abbildung).

D R 20/20 a. Wie D R 19, jedoch mit ganz automatischem Visier.

Canon à balle enlevable.

D R 19/19 a. Comme D R 17/17 a mais avec triple verrou Toplever, clef entre les chiens, transmutation au moyen d'un petit poussoir situé au cou de la crosse (voir illustration).

D R 20/20 a. Comme D R 19 mais avec hausse entièrement automatique.

Detachable rifle-barrel.

D R 19/19 a. Like D R 17, but with triple Topleverlock, lever between hammers change of barrels through slide on neck (see drawing).

D R 20/20 a. Like D R 19, but entirely automatic rear sight.

Cañón-carabina de quita y pon.

D R 19/19 a. Como el D R 17, pero con cerradura triple Toplever (palanca entre los gatillos) transmutación del tiro por medio de pasador en el cuello de la caja (véase la ilustracion).

D R 20/20 a. Como D R 19, pero con alza de todo automática.

No.	D R 17	D R 17 a	D R 18	D R 18 a	D R 19	D R 19 a	D R 20	D R 20 a
†	Fertole	Fertoles	Frenze	Frenzes	Furtale	Furtales	Freila	Freilas
Cal.	16×16 9,3	12×12 9,3	16×16 9,3	12×12 9,3	16×16 9,3	12×12 9,3	16×16 9,3	12×12 9,3
Mark	350.—	352.—	380.—	382.—	470.—	472.—	492.—	494.—

Frank-Drilling mit abnehmbarem Kugellauf.	Fusils à 3 coups „Frank" avec canon à balle enlevable.		„Frank" three-barrel gun with detachable rifle-barrel.	Escopetas trescañones „Frank" concañón-carabina de quita y pon.

Patent „Frank"

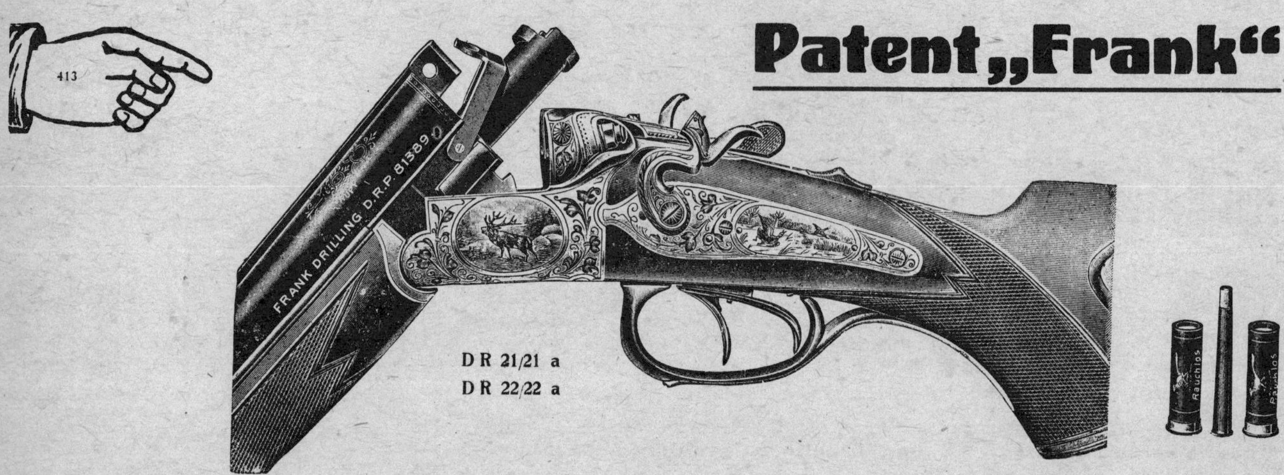

D R 21/21 a
D R 22/22 a

Abnehmbarer Kugellauf.	Canon à balle enlevable.	Detachable rifle-barrel.	Cañón-carabina de quita y pon.
D R 21/21a. Wie D R 19, jedoch mit **vierfachem Greener Querriegelverschluss und Hornbügel** (siehe Abbildung).	**D R 21/21a.** Comme D R 19, mais avec **quadruple verrou Greener, sous-garde de corne** (suivant illustration).	**D R 21/21a.** Like D R 19, but with **quadruple Greener cross-bolt and horn guard** (see drawing).	**D R 21/21a.** Como D R 19, pero con **cerradura transversal cuádrupla de Greener y guarda monte de cuerno** (véase la ilustración).
D R 22/22a. Wie D R 21, jedoch mit ganz automatischem Visier.	**D R 22/22a.** Comme D R 21, mais avec hausse entièrement automatique.	**D R 22/22a.** Like D R 21, but with entirely automatic rear sight.	**D R 22 22a.** Como D R 20, pero con alza del todo automática.

D R 22 c—D R 22 f

Vierling | Fusil à 4 canons | Four-barrel gun | Escopeta de 4 cañones

Vierling, Ausführung wie D R 3, aber **2 Kugel-, 2 Schrotläufe, Doppelstecher,** Patentvorderschaft (für andere Ausführungen verlange man Spezialofferte).

Fusils à 4 canons, même exécution que D R 3, mais avec **2 canons à balle et 2 canons à plombs, à double détente de haute précision,** devant patenté (pour d'autres exécutions prière de demander offres spéciales).

Four-barrel gun, same as D R 3, but with **2 barrels for shot and 2 barrels for ball, hair-trigger,** patent fore-end (for deviating requirements special offers on demand).

Escopeta de 4 cañones, la misma ejecución que D R 3, pero con **2 cañones de bala y 2 cañones de perdigones de doble fiador, de alta precisión,** delantera patentada (para otras ejecuciones rogamos pidan ofertas especiales.

No.	D R 21	D R 21 a	D R 22	D R 22 a	D R 22 c	D R 22 d	D R 22 e	D R 22 f
†	Fertwohen	Fertwohens	Fromda	Fromdas	Viefsiha	Viefsihak	Viefsihal	Viefsihax
Cal.	16×16 9,3	12×12 9,3	16×16 9,3	12×12 9,3	9,3×22 Winch 16×16	9,3×6,5×27 P 16×16	9,3×9,3 16×16	8×8 16×16
Mark:	510.—	512.—	532.—	534.—	400.—	408.—	400.—	420.—

Centralfeuer-Drilling „Alfa", Selbstspanner.

Fusils à 3 coups „Alfa" à feu central, s'armant automatiquement.

Centerfire three-barrel guns „Alfa", self-cocking.

Escopetas tres-cañones „Alfa" de fuego-central y tensión automática.

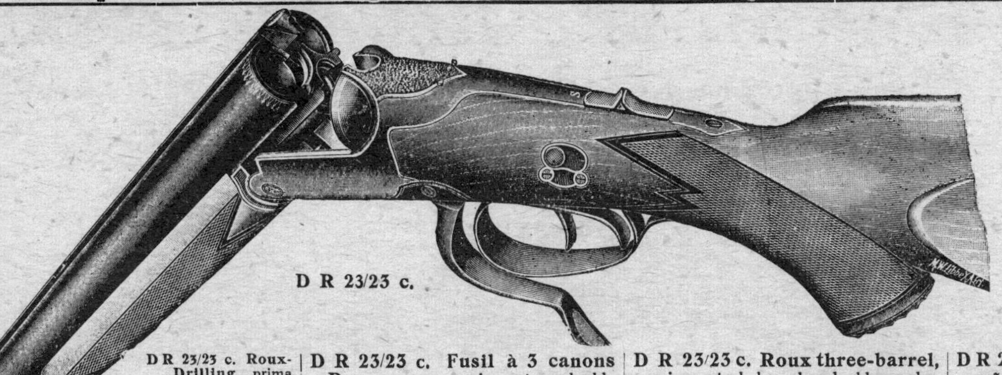

D R 23/23 c.

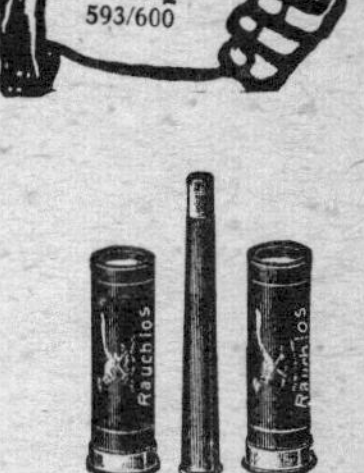

D R 23/23 c. Roux-Drilling, prima Stahlläufe, doppelter Keil-Eintritt, verlängerte, mattierte Laufschiene, Vorderschaft mit Patentschnäpper, beste Stahlgewerk-Rückspringschlösser, hübscher dunkler Maserschaft mit Pistolgriff und Käppchen, Federumlegevisier, Korn mit Siberpunkt; einfacher solider Gebrauchsdrilling. Sicherung an der Seite.

D R 23/23 c. Fusil à 3 canons Roux, canons acier extra, double enclavure, bande mate prolongée, percuteurs acier rebondissants, joli bois, devant à pédale, crosse pistolet avec calotte, hausse spéciale, guidon avec point argent, arme très solide, sûreté latérale.

D R 23/23 c. Roux three-barrel, prime steel barrels, double wedge and matted extension rib, fore-end with patent snap, best steel rebounding locks, nice dark striped, stock with pistol grip and cap, spring folding rear sight, front sight with silver point, simple, solid, serviceable three-barrel, safety at side.

D R 23/23 c. Tres cañones Roux, cañones acero de primera, cuña doble y cinta de extensión, delantera con pestillo de privilegio, llaves repercutoras del mejor acero, caja de madera fina, oscura veteada con puño de pistola y capillo, alza de repligue con muelle, mira con punta de plata. Escopeta tres-cañones sencilla, solida y útil, seguro al lado.

D R 24/24 c. Roux - Drilling, genau wie vorstehend beschrieben, jedoch mit rauchlosem Beschuss, Pistolschäftung mit Hornkappe und Käppchen, kleine englische Gravierung, ein eleganter leichter Drilling.

D R 24/24 c. Fusil à 3 coups Roux, exactement comme décrit cidessus, mais éprouvé à la poudre sans fumée, crosse pistolet avec calotte corne, petite gravure anglaise. Elégant fusil, très léger.

D R 24/24 c. Roux three-barrel, same as above, but for firing smokeless powder, pistol grip stock with large and small horn caps, small English engraving; an elegant light three-barrel.

D R 24/24 c. Tres-cañones Roux, comó anterior pero experimentado con pólvora sin humo, caja con puño de pistola, cantonera de cuerno, pequeño grabado inglés, tres-cañones elegante y ligera.

D R 25/25 c.

Roux-Drilling, wie D R 24, aber in besserer Ausführung, feine Pistolgriffschäftung, geschmackvolle **Jagd-Wetzgravierung,** genau wie Abbildung.

Fusil à 3 coups Roux, comme D R 24 mais en meilleure exécution, élégante crosse pistolet, **gravure sujet de chasse** du meilleur goût, exactement suivant l'illustration.

Roux three-barrel, like D R 24, but better finish, fine pistol-grip stock, handsome **hunting scene engraved,** just like drawing.

Tres-cañones Roux, comó D R 24 ejecución más esmerada, caja fina con puño de pistola, **grabado hermoso de figuras de caza,** comó en la ilustración.

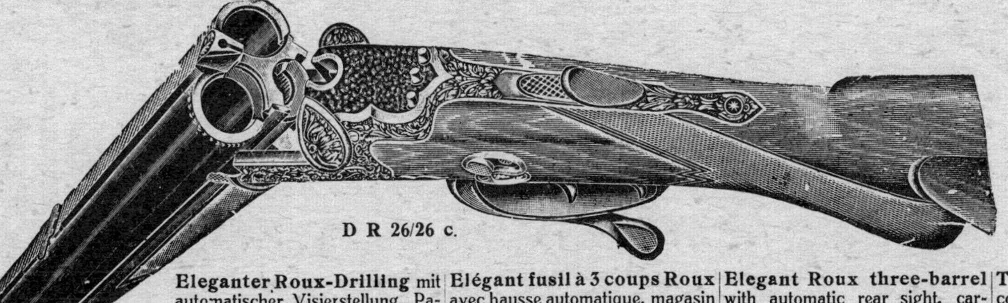

D R 26/26 c.

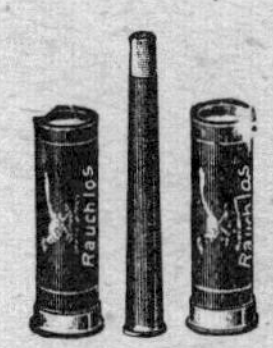

Eleganter Roux-Drilling mit automatischer Visierstellung, Patronenmagazin, hochfeine Jagdgravur, genau gearbeitet wie Mod. D R 25, jedoch **alle Teile aufs sorgfältigste ausgearbeitet,** bestes Schaftholz etc.

Elégant fusil à 3 coups Roux avec hausse automatique, magasin à cartouches, très élégante gravure de chasse, exactement travaillé comme le Mod. D R 25, mais **toutes pièces absolument finies,** excellente crosse bois etc.

Elegant Roux three-barrel with automatic rear sight, cartridge magazine, very fine hunting scene engraved, made just like model D R 25, but **carefully finished throughout,** best wooden stock etc.

Tres-cañones elegante Roux con alza automática, almacén de cartuchos, grabado finísimo de figuras de caza, construcción igual á la del D R 25, pero **ajuste esmera dísimo** de las varias piezas, caja de madera muy fina etc.

No.	D R 23	D R 23 a	D R 23 b	D R 23 c	D R 24	D R 24 a	D R 24 b	D R 24 c	D R 25	D R 25 a	D R 25 b	D R 25 c	D R 26	D R 26 a	D R 26 b	D R 26 c
†	Frossig	Frossigs	Frossigt	Frossigk	Fudire	Fudires	Fudiret	Fudirek	Fragul	Fraguls	Fragult	Fragulk	Forfur	Forfurs	Forfurt	Forfurd
Cal.	16×16 9,3	16×16 8	12×12 9,3	12×12 8	16×16 9,3	16×16 8	12×12 9,3	12×12 8	16×16 9,3	16 16 8	12×12 9,3	12×12 8	16×16 9,3	16×16 8	12×12 9,3	12×12 8
Mark	255.—	263.—	255.—	263.—	267.—	275.—	267.—	275.—	273.—	281.—	273.—	281.—	304.—	312.—	304.—	312.—

Centralfeuer-Drillinge „Alfa" Selbstspanner.	Fusils à 3 canons „Alfa" et à feu central, s'armant automatiquement.		Centerfire three-barrels „Alfa" self-cocking.	Fusiles de 3 cañones „Alfa" de fuego central, con tensión automática.

Einabzug. Seite 354. | **à une seule détente.** Page 354. | **Single trigger.** Page 354. | **De 1 solo escape.** Paginá 354.

422/425
444/445
450
593/600

D R 56/56 c

Ausführung wie D R 26, aber mit automatischer Kugelsicherung und **Einabzugs-Vorrichtung** für die Schrotläufe. Beschreibung dieser Vorrichtung auf **Seite 354.**

Même exécution que D R 26 mais avec sûreté automatique pour la balle et **détente unique** pour les canons à plombs. Description de cette détente **page 354.**

Make just like D R 26 but with automatic ball safety, and **single trigger** contrivance for the shot barrels. Description of this contrivance see **page 354.**

Las misma ejecución que D R 26, pero con seguridad automática para la bala, **escape único** para los cañones de perdigones. Descripción de este escape en la página **354.**

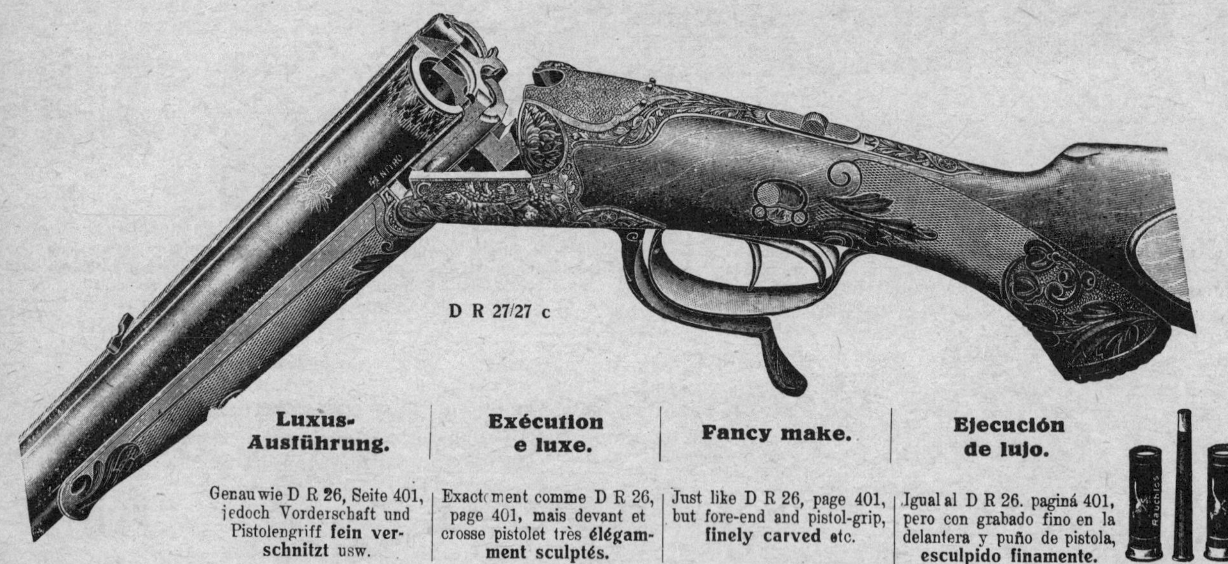

D R 27/27 c

Luxus-Ausführung. | **Exécution e luxe.** | **Fancy make.** | **Ejecución de lujo.**

Genau wie D R 26, Seite 401, jedoch Vorderschaft und Pistolengriff **fein verschnitzt** usw.

Exactement comme D R 26, page 401, mais devant et crosse pistolet très **élégamment sculptés.**

Just like D R 26, page 401, but fore-end and pistol-grip, **finely carved** etc.

Igual al D R 26. paginá 401, pero con grabado fino en la delantera y puño de pistola, **esculpido finamente.**

Rauchlos

No.	D R 56	D R 56 a	D R 56 b	D R 56 c	D R 27	D R 27 a	D R 27 b	D R 27 c
†	Eunuka	Eunukas	Eunukal	Eunukax	Fugen	Fugens	Fugent	Fugenk
Cal.	16×16 9,3	16×16 8	12×12 9,3	12×12 8	16×16 9,3	16×16 8	12×12 9,3	12×12 8
Mark	380.—	388.—	380.—	388.—	320.—	328.—	320.—	328.—

Central-feuer-Drillinge „Alfa“, Selbstspanner.

Fusils à 3 canons „Alfa“ et à feu central s'armant automatiquement.

Centerfire three-barrel guns „Alfa“, self-cocking.

Escopetas tres-cañones „Alfa“ de fuego central con tensión automática.

Greener-Verschluss.

Verrou Greener.

Greener bolt.

Cerradura Greener.

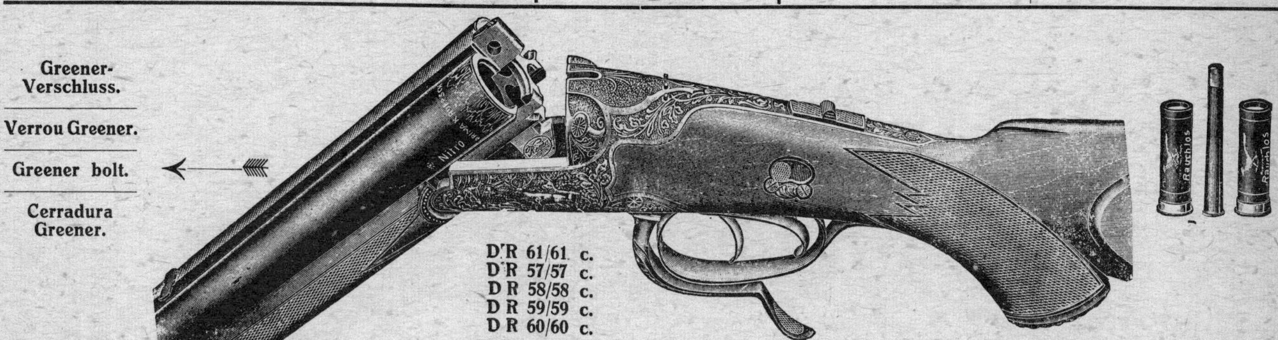

D R 61/61 c.
D R 57/57 c.
D R 58/58 c.
D R 59/59 c.
D R 60/60 c.

Mit Greener-Verschluss

D R 57—57 c sonstige Ausführung wie D R 23, Seite 401.
D R 58—58 c sonstige Ausführung wie D R 24, Seite 401.
D R 59—59 c sonstige Ausführung wie D R 25, Seite 401.
D R 60—60 c sonstige Ausführung wie D R 26, Seite 401.
D R 61—61 c sonstige Ausführung wie D R 27, Seite 402.

Avec verrou Greener.

D R 57—57 c même exécution que D R 23, page 401.
D R 58—58 c même exécution que D R 24, page 401.
D R 59—59 c même exécution que D R 25, page 401.
D R 60—60 c même exécution que D R 26, page 401.
D R 61—61 c même exécution que D R 27, page 402.

with Greener bolt.

D R 57-57 c otherwise make like D R 23, page 401.
D R 58—58 c otherwise make like D R 24, page 401.
D R 59-59 c otherwise make like D R 25, page 401.
D R 60—60 c otherwise make like D R 26, page 401.
D R 61—61 c otherwise make like D R 27, page 402.

Con cerradura „Greener“.

D R 57—57 c la misma ejecución que D R 23, paginá 401.
D R 58—58 c la misma ejecución que D R 24, paginá 401.
D R 59—59 c la misma ejecución que D R 25, paginá 401.
D R 60—60 c la misma ejecución que D R 26, paginá 401.
D R 61—61 c la misma ejecución que D R 27, paginá 402.

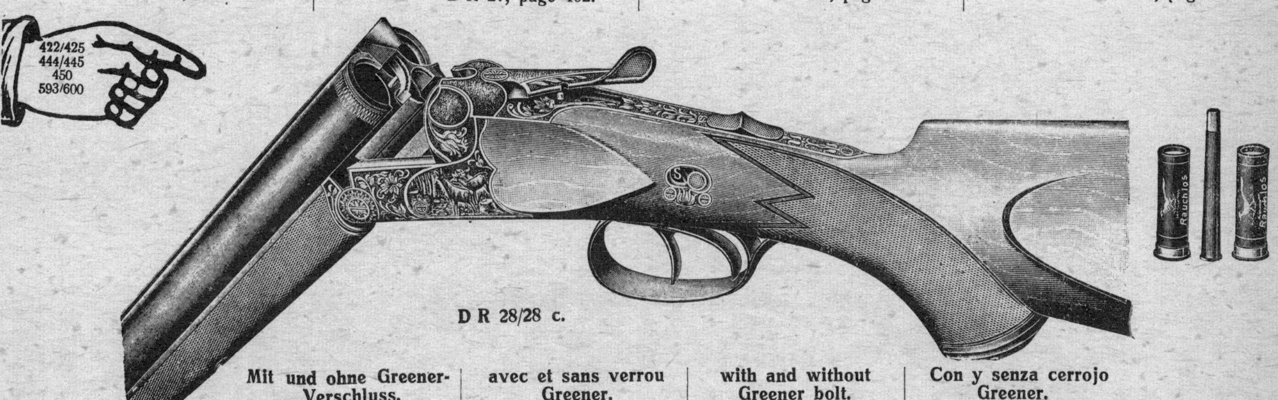

D R 28/28 c.

Mit und ohne Greener-Verschluss. | **avec et sans verrou Greener.** | **with and without Greener bolt.** | **Con y senza cerrojo Greener.**

D R 28—28 c. **Selbstspanner-Drilling** mit 3 auf dem Abzugsblech liegenden Schlössern, die sich gleichzeitig beim Ausfall der Läufe spannen. Die Umstellung zum Kugelschuss geschieht durch Schieber auf der Scheibe; Greener-Sicherung, **Kruppsche Flusstahlläufe,** Topleververschluss, Pistolgriffschäftung, kleine englische Gravierung.

Fusil à 3 canons, s'armant automatiquement, avec 3 systèmes placés près de la détente et qui s'arment lors du basculage des canons. La transposition pour le tir à balle se fait au moyen d'un poussoir, sûreté Greener, canons acier Krupp fermeture Top lever, crosse pistolet, petite gravure anglaise.

Self cocking three-barrel with 3 locks on trigger-guard, which are cocked simultaneously on dropping of barrels, the change to rifle-barrel is effected by slide on neck, Greener safety, **Krupp ingot steel barrels,** top-lever action, pistol-grip stock, small English engraving.

Tres-cañones con tensión automatica y tres llaves en la chapa de los escapes que se ponen en tensión al caer de los cañones, transmutación de cañones para tirar con bala por medio de pasador en el cuello de la caja, seguro de Greener, **cañones acero de lingote Krupp,** cerrojo Top lever con palanca caja con puño de pistola, grabado, inglés pequeño.

D R 29—29 c. **Selbstspanner-Drilling** wie vorher, aber mit Greenerverschluss, automatischer Visierstellung, Patronenmagazin und Jagdgravierung.

DR 29—29 c. Fusil à 3 canons s'armant automatiquement, comme cidessus, mais cvec fermeture Greener, hausse automatique, magasin à cartouches et gravure chasse.

Self-cocking three-barrel as above, but with Greener lock, automatic rear sight, cartridge magazine with hunting scene engraved.

Tres-cañones con tensión automática como D R 28, pero con cerrojo Greener, alza automática, cartuchera, grabado de figuras de caza

No.	D R 57	D R 57 a	D R 57 b	D R 57 c	D R 58	D R 58 a	D R 58 b	D R 58 c	D R 59	D R 59 a	D R 59 b	D R 59 c	D R 60	D R 60 a
†	Eunupo	Eunupos	Eunupot	Eunopox	Eunuvi	Eunuvis	Eunuvit	Eunuvix	Eunulu	Eunulus	Eunulut	Eunulux	Eunuse	Eunuses
Cal.	16×16 9,3	16×16 8	12×12 9,3	12×12 8	16×16 9,3	16×16 8	12×12 9,3	12×12 8	16×16 9,3	12×12 8	12×12 9,3	12×12 8	16×16 9,3	16×16 8
Mark	300.—	308.—	300.—	308.—	328.—	336.—	328.—	336.—	346.—	354.—	346.—	354.—	350.—	358.—

No.	D R 60 b	D R 60 c	D R 61	D R 61 a	D R 61 b	D R 61 c	D R 28	D R 28 a	D R 28 b	D R 28 c	D R 29	D R 29 a	D R 29 b	D R 29 c
†	Eunuset	Eunusek	Eunurst	Eunurki	Eunurka	Eunurke	Fittero	Fitteros	Fitterot	Fisserox	Gera	Geras	Gerat	Gerad
Cal.	12×12 9,3	12×12 8	16×16 9,3	16×16 8	12×12 9,3	12×12 8	16×16 9,3	16×16 8	12×12 9,3	12×12 8	16×16 9,3	16×16 8	12×12 9,3	12×12 8
Mark	350.—	358.—	370.—	378.—	370.—	378.—	320.—	328.—	320.—	328.—	380.—	388.—	380.—	388.—

Centralfeuer-Drillinge „Alfa", Selbstspanner.	Fusils à 3 canons „Alfa" et à feu central, s'armant automatiquement.		Centerfire three-barrel guns „Alfa", self-cocking.	Escopetas tres-cañones „Alfa" de fuego central con tensión automática.

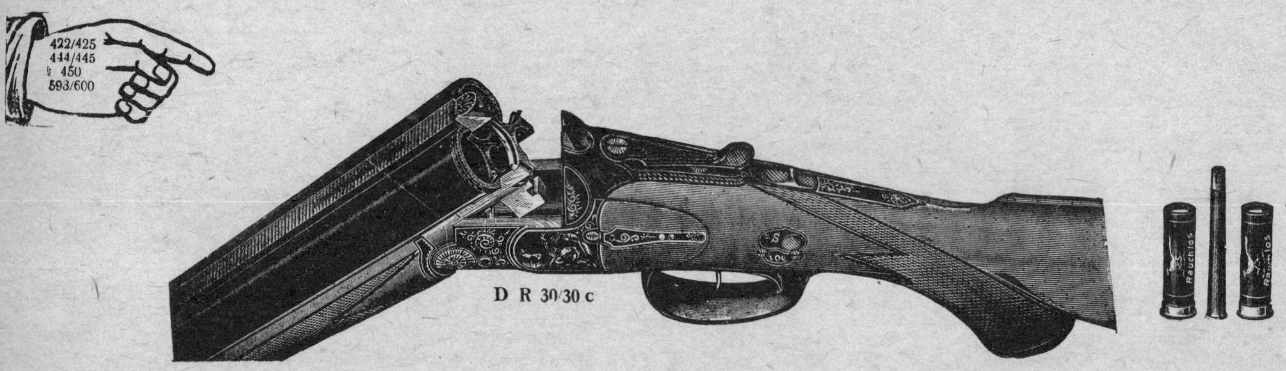

D R 30/30 c

Selbstspanner-Drilling, Konstruktion wie D R 28. Seite 403, **ganz automatisches Visier, Bügel aus Horn, Krupp'sche Flusstahlläufe,** seitliche Schaftverstärkungen durch Metalleinlagen, Ia Handarbeitwaffe.

Fusil à 3 canons, s'armant automatiquement, même construction que D R 28, page 403, **hausse automatique, sousgarde en corne, canons acier Krupp, plaquettes** de métal latérales pour le renforcement de la crosse, travail à la main de premier ordre.

Self cocking three-barrel, construction like DR 28, page 403, **entirely automatic rear sight, horn guard, Krupp ingot steel barrels,** stock strengthened at side by metal insertions, prime hand-made arm.

Tres-cañones con tensión automática, construida comó D R 28, página 403, **alza absolutamente automática, guardamonte de cuerno, cañones de acero-lingote Krupp,** caja reforzada en los lados por cantoneras de metal, arma construida por el mejor trabajo manual

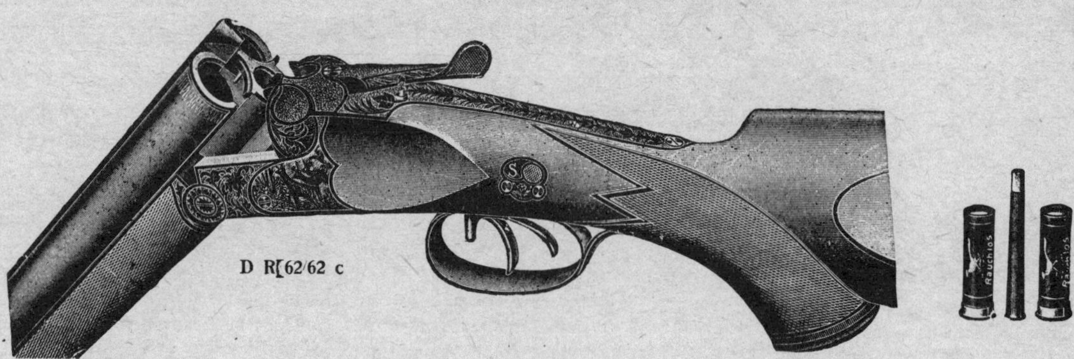

D R 62/62 c

Wie DR 28, Seite 403, **ganz automatisches Visier, Jagdgravur, Magazin** im Schaft und mit **Einabzugs-Vorrichtung** für die Schrotläufe (Beschreibung siehe Seite 354), sowie extra automatischer Kugelsicherung.

Comme DR 28, page 403, **hausse automatique, gravure sujet de chasse, magazin** dans la crosse, **détente unique** pour les canons à plombs (Voir description page 354), sûreté automatique pour balle.

Like D R 28, page 403, **sight entirely automatic, hunting scene** engraved, **magazine** in stock and „with **single trigger** contrivance" for the shot barrels (description see page 354), also special automatic safety for ball.

Como DR 28 página 403, **alza automática,** grabado sujeto de caza, **almacén** en el puño, **escape único** para los cañones de perdigones (ver descripción página 354), también seguridad automática para bala.

No.	D R 30	D R 30 a	D R 30 b	D R 30 c	D R 62	D R 62 a	D R 62 b	D R 62 c
†	Gertan	Gertans	Gertant	Gertank	Gertanxi	Gertanxis	Gertanxit	Gertanxil
Cal	16×16 9,3	16×16 8	12×12 9,3	12×12 8	16×16 9,3	16×16 8	12×12 9,3	12×12 8
Mark	**400.—**	**408.—**	**400.—**	**408.—**	**420.—**	**428.—**	**420.—**	**428.—**

Centralfeuer-Drillinge „Alfa“ Selbstspanner.

Fusils à 2 canons „Alfa“, et à feu central, s'armant automatiquement.

Centerfire three-barrel „Alfa“ guns self-cocking.

Escopetas tres-cañones „Alfa“ de fuego central, con tensión automática.

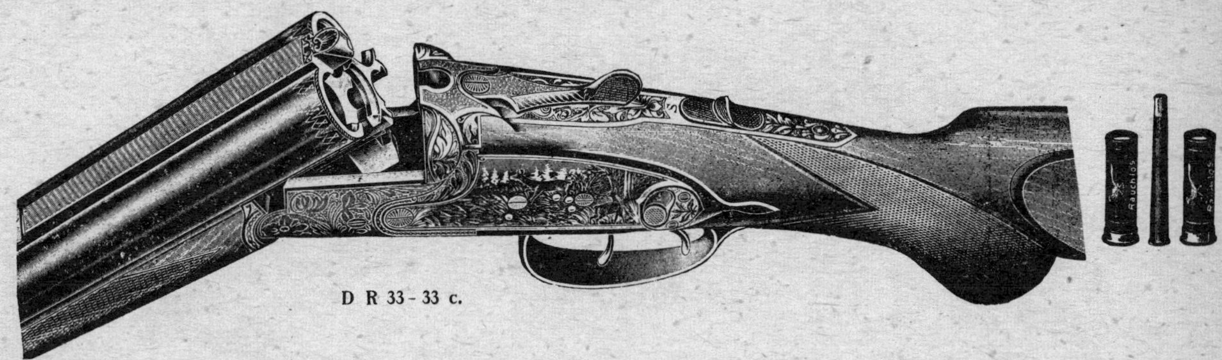

D R 33 - 33 c.

D R 33—33 c. Selbstspanner-Drilling mit 3 Schlössern, von denen 2 seitlich auf Schlossblechen und das 3. Schloss auf dem Abzugsblech montiert sind. Prima Kruppsche Stahlläufe, Greenersicherung. Umstellung zum Kugelschuss durch Schieber auf der Scheibe, Pistolengriffschäftung aus feinstem Schaftholz, kleine englische Gravierung.

D R 34—34 c. Selbstspanner-Drilling wie vorher, aber mit **Greenerverschluss**, automatischer Visierstellung, Patronenmagazin, hochfeine Jagdgravierung, ein feines, elegantes Jagdgewehr.

D R 33—33 c. Fusils à 3 canons s'armant automatiquement, à 3 systèmes dont 2 de côte et le 3e au-dessus des détentes, canons acier extra Krupp, sûreté Greener, transmutation pour le tir à balle au moyen de poussoir au cou de la crosse, crosse pistolet, petite gravure anglaise.

D R 34—34 c. Fusil à 3 canons, s'armant automatiquement, comme ci-dessus, mais avec verrou Greener, hausse automatique, magasin à cartouches, élégante gravure de chasse, très belle arme de chasse.

D R 33—33 c. Self-cocking three-barrel with 3 locks, 2 mounted on side plates and the third on trigger guard. Prime Krupp steel barrels, Greener safety, change to rifle barrel by slide on neck, pistolgrip stock of finest wood, small English engraving.

D R 34—34 c. Self-cocking three-barrel as above, but with **Greener lock,** automatic rear sight, cartridge magazine, a fine elegant sporting rifle.

D R 33—33 c. Tres-cañones con tensión automática, tres cierres, 2 montadas en las placas de los lados y la tercera sobre la chapa del escape, cañones acero Krupp de primera, seguro Greener, cambio de cartucho per medio de pasador en el cuello, caja de madera muy fina, con puño de pistola, grabado pequño inglés.

D R 34—34 c. Tres-cañones, tensión automática como D R 34, pero con cerrojo Greener, alza automática, almacén de cartuchos, escopeta de caza fina y elegante.

D R 32– 32 c.

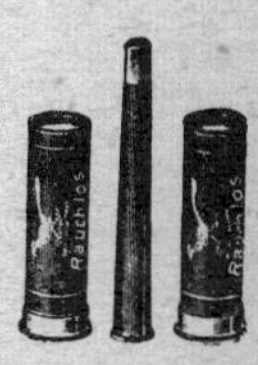

Selbstspanner - Drilling mit Seitenschlössern, **dreifacher Scott - Verschluss,** Anzeigestifte, Läufe aus **Ia Bernard - Damast, Goldarabesken, Eichenlaubgravur,** Pistolengriffschaft, Kappe aus Horn, Patentvorderschaft, Silberschildchen am Schaft.

Fusil à 3 canons, s'armant automatiquement, systèmes de côte, triple verrou Scott, pointes d'avertissement, canons extra Damas Bernard, arabesques or, gravure feuillage de chêne, à crosse pistolet, calotte corne, devant patenté, petit écusson d'argent sur la crosse.

Self-cocking three-barrel with sidelocks, **triple Scott lock,** indicators, barrels of prime **Bernard-damascus, gold arabesques, oak leaf engraving** pistol-grip stock, horn cap, patent fore-end, silver plate on stock.

Tres-cañones con tensión automática, llaves transversales, indicadores, **cerradura triple Scott,** cañones de **Damasco Bernard primera, con arabescos de oro, grabado hojas de roble,** caja con puño de pistola y cantonera de cuerno, delantera de privilegio, placa de plata en la caja.

No.	D R 33	D R 33 a	D R 33 b	D R 33 c	D R 34	D R 34 a	D R 34 b	D R 34 c	D R 32	D R 32 a	D R 32 b	D R 32 c
†	Genogen	Genogens	Genogent	Genogenk	Geretan	Geretans	Geretant	Geretank	Gefillag	Gefillags	Gefillagt	Gefillagk
Cal.	16×16 9,3	16×16 8	12×12 9,3	12×12 8	16×16 9,3	16×16 8	12×12 9,3	12×12 8	16×16 9,3	16×16 8	12×12 9,3	12×12 8
Mk.	390.—	398.—	390.—	398.—	440.—	448.—	440.—	448.—	410.—	418.—	410.—	418.—

Centralfeuer-Drillinge „Alfa" Selbstspanner.	**Fusils à 3 canons „Alfa" à feu central, s'armant automatiquement.**		**Centerfire three-barrel guns „Alfa" self-cocking.**	**Escopetas de 3 cañones „Alfa" de fuego central y tensión automática.**

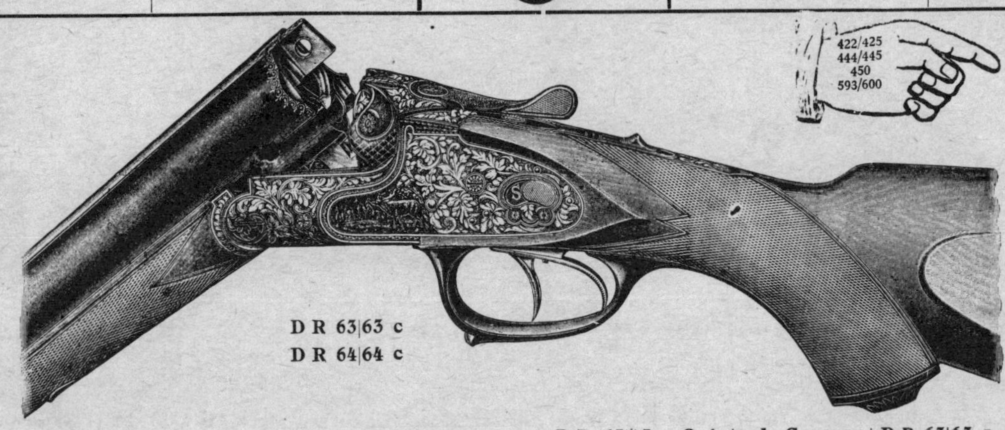

D R 63|63 c
D R 64|64 c

D R 63|63 c. Fünffacher Greener-Verschluss, Basküle mit Seitenbacken, Signalstifte, System mit 2 Schlössern, extra Kugelsicherung, Greener Sicherung für die Schrotläufe, la Stahlläufe, **altdeutsche Jagdstückgravur,** deutscher Schaft.

D R 64|64 c. Wie D R 63, aber mit 3 Schlössern, Spezial-Stahlläufe, **Hornbügel,** Hornkäppchen etc.

D R 63|63 c. Quintuple verrou Greener, bascule à coquilles et ailerons, pointes d'avertissement, 2 systèmes, sûreté spéciale pour le tir à balle, sûreté Greener pour les canons à plombs, canons acier extra, gravure **sujet de chasse vieux genre allemand,** crosse allemande.

D R 64|64 c. Comme D R 63, mais à 3 systèmes, canons spéciaux d'acier, **sous-garde corne,** petite calotte de corne.

D R 63|63 c. Quintuple Greener bolt, wings at breech indicators, breech with 2 locks, special safety for ball, Greener safety for the shot barrels, prime steel barrels, **old German hunting scene engraved,** German stock.

D R 64|64 c. Like D R 63 but with 3 locks, special steel barrels, **horn underguard,** horn cap etc.

D R 63|63 c. Quintuplo cerrojo Greener, báscula de conchas y aletas, puntas de aviso, 2 sistemas, seguridad especial para el tiro de bala, seguridad Greener para cañones de perdigones, cañones de acero, **grabado y caja alemanes.**

D R 64|64 c. Comó D R 63, pero de 3 sistemas, cañones de acero especiales, **guardamonte cuerno,** culata cuerno.

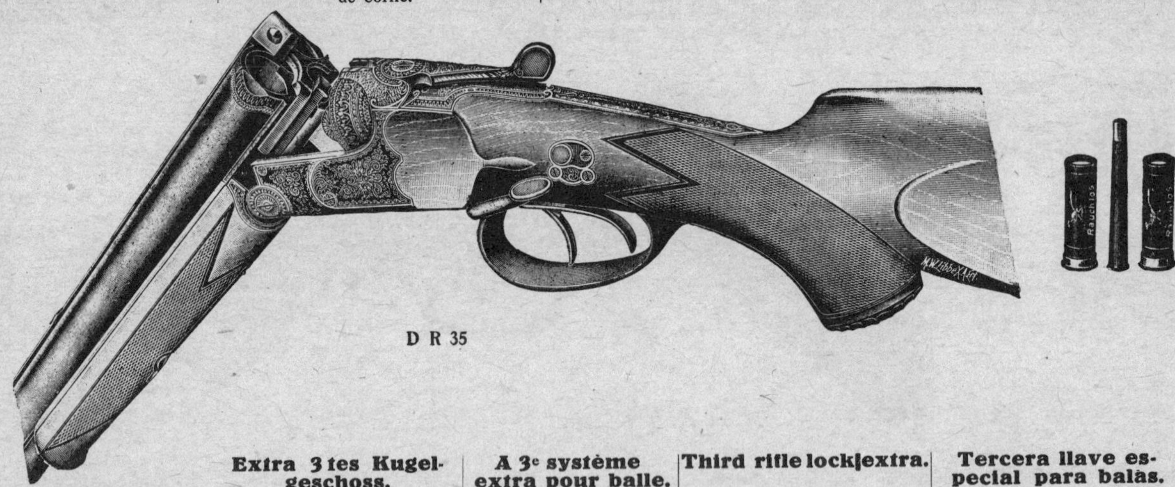

D R 35

Extra 3tes Kugelgeschoss. | **A 3e système extra pour balle.** | **Third rifle lock extra.** | **Tercera llave especial para balas.**

Seblstspanner-Drilling, elegant ausgeführtes Jagdgewehr, Greenerverschluss, **Kruppsche Flusstahlläufe** mit fein verzierter Stahlmarke, **automatische Visierstellung, Hornbügel,** hochfein ausgearbeitete Gravierung, **Patent-Patronenmagazin,** bestes Schaftholz, extra drittes Kugelschloss, welches durch links angebrachten Seitenhebel erst beim Gebrauch gespannt wird.

Fusil à 3 canons, s'armant automatiquement, arme de chasse d'exécution très soignée, verrou Greener **canons acier Krupp avec marque élégamment ornée, hausse automatique, sous-garde corne,** gravure extra élégante, **magasin à cartouches** patenté, excellent bois, 3e système spécial pour le tir à balle, système qui s'arme au moyen du levier situé à gauche.

Self-cocking three-barrel, elegantly finished sporting rifle, Greener lock, **Krupp ingot steel barrels** with nicely decorated steel mark, **automatic rear sight, horn guard,** finely finished engraving, **patent cartridge magazine,** best wooden stock, special (third) rifle lock, which by means of the lever, fixed on left side, is cocked only when in use.

Tres cañones, tensión automática, escopeta de caza de ejecución esmerada, cerrojo Greener, **cañones de acero-lingote Krupp** con marca finamente adornada, **alza automática guardamonte de cuerno,** grabado esmeradisimo, **almacén para cartuchos,** caja de madera superior, tercera llave especial para el cañón-carabina que sólamente se pone en tensión cuando se necesita y esto por medio de la palanca situada en el lado izquierdo.

No.	D R 63	D R 63 a	D R 63 b	D R 63 c	D R 64	D R 64 a	D R 64 b	D R 64 c	D R 35	D R 35 a	D R 35 b	D R 35 c
†	Genokau	Genokaus	Genokaul	Genokauf	Genofei	Genofeis	Genofeit	Genofeik	Garbar	Garbars	Garbart	Gar ark
Cal.	16×16 9,3	16×16 8	12×12 9,3	12×12 8	16×16 9,3	16×16 8	12×12 9,3	12×12 8	16×16 9,3	16×16 8	12×12 9,3	12×12 8
Mark	410.—	418.—	410.—	418.—	450.—	458.—	450.—	458.—	440.—	448.—	440.—	448.—

Centralfeuer-Drillinge „Alfa", Selbstspanner.

Fusils á 3 canons „Alfa" et à feu central, s'armant automatiquement.

Centerfire three barrel guns „Alfa", self-cocking.

Escopetas de 3 cañones „Alfa" de fuego central y tensión automática.

422/425 444/445 450 593/600

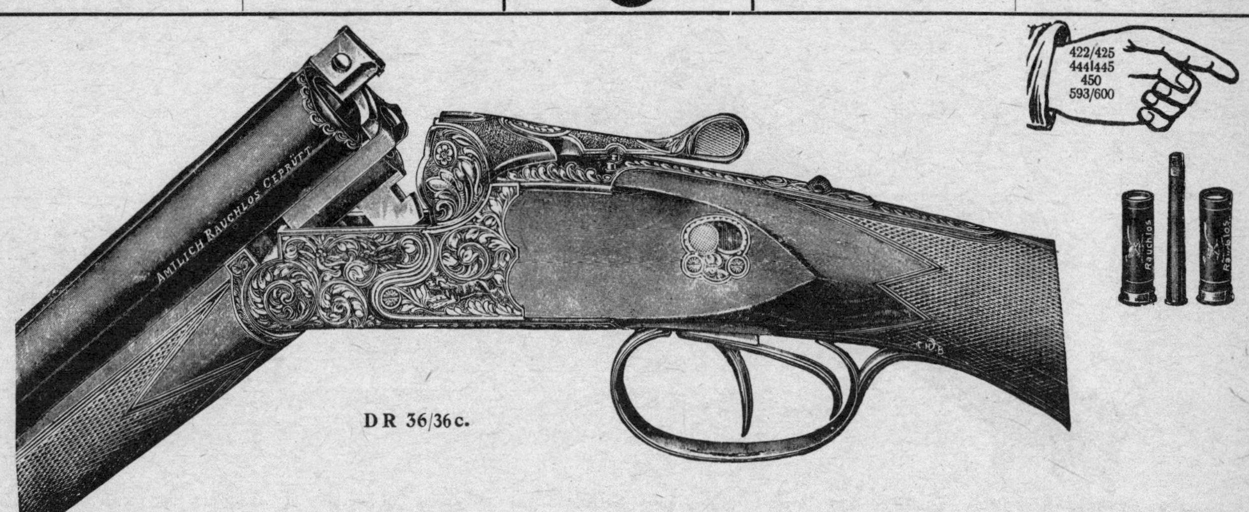

D R 36/36 c.

Selbstspanner-Drilling, Läufe aus la **Wittener, Krupp-** oder **Radialstahl,** links choke-bore, rechts verbesserte Zylinderbohrung, Kugellauf fein gezogen, Silberperlkorn, Umlegevisier, verlängerte, mattierte Schiene, mit **4 fachem Greenerquerriegel-Verschluss,** Hebel auf der Scheibe, Garnitur mit Kettenstich graviert, bunt gehärtet, Vorderschaft mit Schnäpper, Rückstecher für den Kugelschuss, Pistolengriffschaft mit Hornkappe uud Käppchen, Patronenmagazin am Riemenbügel. **Gewicht ca. 3 Kilo.**

Fusils à 3 canons s'armant automatiquement, canons extra en **acier Wittener, Krupp** ou **Radial,** choke à gauche, forage cylindrique perfectionné à droite, canon à balle soigneusement rayé, point de mire argent, hausse couchable, bande mate prolongée, quadruple verrou Greener, clef au cou de la crosse, garniture à ornaments gravés, trempé jaspé, devant à pédale, à la condition qu'on presse d' abord la détente sur le devant à double détente pour le canon à balle, crosse pistolet avec calotte corne, petite calotte corne, magasin à cartouches à l'anneau à bretelle, **poids environ 3 Kilo.**

Self cocking three barrel, barrels of fine **Wittener, Krupp** or **Radial steel,** left choke-bored, right improved cylindrical bore, fine rifled-barrel, front sight with silver point, folding rear sight, matted extension rib, with **quadruple Greener cross-bolt lock,** lever on neck, mounting with special engraving, case hardened, fore-end with snapper, back trigger for rifle-barrel, pistol-grip, stock with horn cap and small cap, cartridge-magazine on swivel, **weight about 3 Kilos.**

Tres-cañones con tensión automática, cañones de **acero fino Krupp, Wittener ó Radial,** izquierdo choke-bored, derecho rayado cilindrico mejorado, cañón-carabina fino, mira con punta de plata, alza de repliegue, dorso mate, **cerradura Greener cuádrupla con cerrojo transversal,** palanca en el cuello, montura con grabado especial punto de cadena, aceración jaspeada, delantera con pestillo, fiador de cola para el tiro con bala, caja con puño de pistola, cantonera de cuerno, almacén de cartuchos en el porta-fusil, **pesa unos 3 Kilos** próximamente.

Luxus-Modell. | Modèle de luxe. | Fancy model. | Modelo de lujo.

Vertikal-Verschluss.
Verrou vertical.
Vertical block bolt.
Cerradura vertical.

D R 65/65 c.

Hervorragender Verschluss für Gebrauch starker Ladungen rauchlosen Pulvers.
Krupp'scher Flussstahl, rauchlos beschossen, links choke-bore, deutsche Schäftung, extra Kugelschloss spannt sich beim Umstellen durch Schieber, **automatisches** Visier, Greener Sicherung, feine englische Gravur, Teile dunkel gehärtet, feinste Handarbeit in allen Teilen, genau wie Abbildung.

Le meilleur des verroux pour tir à forts chargements, de poudre sans fumée.
Canons acier coulé Krupp, éprouvé à la poudre sans fumée, choke à gauche, crosse allemande, le système extra pour tir à balle s'arme au moyen du poussoir, hausse **automatique,** sûreté Greener, élégante gravure anglaise, pièces trempées sombres, excellent travail à la main dans chacune des pièces, exactement selon l'illustration.

Excellent bolt for strong charges of smokeless powder.
Krupp's ingot steel, nitro proved, left choke-bore, German stock, special rifle-lock which cocks by means of slide when changing, **automatic sight,** Greener safety, fine English engraving, case hardened, all parts finest hand make, just as in illustration.

La mejor de las cerraduras para tiro de fuertes cargamentos de pólvora sin humo.
Cañón Krupp colado, experimentado con la acero pólvora sin humo choke à la izquerda, puño alemán, el sistema extra para el tiro con bala se arma por medio de presión, **alza automática,** seguridad Greener, elegante grabado inglés, piezas templadas oscuras, excelente grabado á mano en cada una de las piezas, exactamente comó la ilustración.

No.	D R 36	D R 36 a	D R 36 b	D R 36 c	D R 65	D R 65 a	D R 65 b	D R 65 c
†	Gergol	Gergols	Gergolt	Gergolk	Garbagol	Garbagols	Garbagolt	Garbagolk
Cal.	16×16×9,3	16×16×8	12×12×9,3	12×12×8	16×16×9,3	16×16×8	12×12×9,3	12×12×8
Mark	380.—	388.—	380.—	388.—	800.—	820.—	800.—	820.—

Centralfeuer-Drillinge „Alfa", Selbstspanner.	Fusils à 3 canons „Alfa" et à feu central, s'armant automatiquement.		Centerfire three-barrel guns „Alfa", self-cocking.	Escopetas tres-cañones „Alfa" de fuego central, con tensión automática.

D R 37|37 c

Selbstspanner-Drilling, Schrotläufe aus **Krupp'schem Gewehrlaufstahl, Kugellauf Gusstahl,** linker Schrotlauf choke bore, 4facher Toplever-Greener-verschluss, feine Schäftung, Vorderschaft mit Patentschnäpper, Kugelumstellung mittels Schieber auf dem Kolbenhalse, seitliche Greenersicherung, Schrotläufe mit rauchschwachem **Pulver staatlich geprüft,** feine Jagd- oder Arabeskengravur.

Fusil à 3 coups, s'armant automatiquement, canons à plombs en **acier Krupp pour canon de fusils,** canon à balle **acier coulé,** canon à plombs gauche choke, quadruple verrou Greener toplever, élégante crosse, devant à pédale patentée, transmutation pour le tir à balle au moyen de poussoir au cou de la crosse, sûreté latérale Greener canons plombs **éprouvés officiellement à la poudre sans fumée,** élégante gravure chasse ou à arabesques.

Selfcocking three-barrel, shot-barrels of Krupp rifle-barrel steel, rifle-barrel cast steel, left shot-barrel choke bored, quadruple toplever Greener lock, fine stock, fore-end with patent snap, change to rifle-barrel by slide on neck, Greener safety at side, shot-barrels Government **tested smokeless powder,** fine hunting scene or arabesque engraving.

Tres-cañones con tensión automática. cañones perdigoneros **de acero Krupp para cañones de fusil,** izquierdo choke bored, **cañón-carabina de acero colado,** cerradura Greener cuádrupla con palanca sobre el cuello, seguro Greener á la izquierda, cañones perdigoneros **experimentados por el gobierno con pólvora sin humo,** grabado fino de figuras de caza ó con arabesco.

Rekord-Verschluss. Seite 357.	**Fermeture Record.** Page 357.	**Record-lock.** Page 357.	**Cerradura Record.** Página 357.

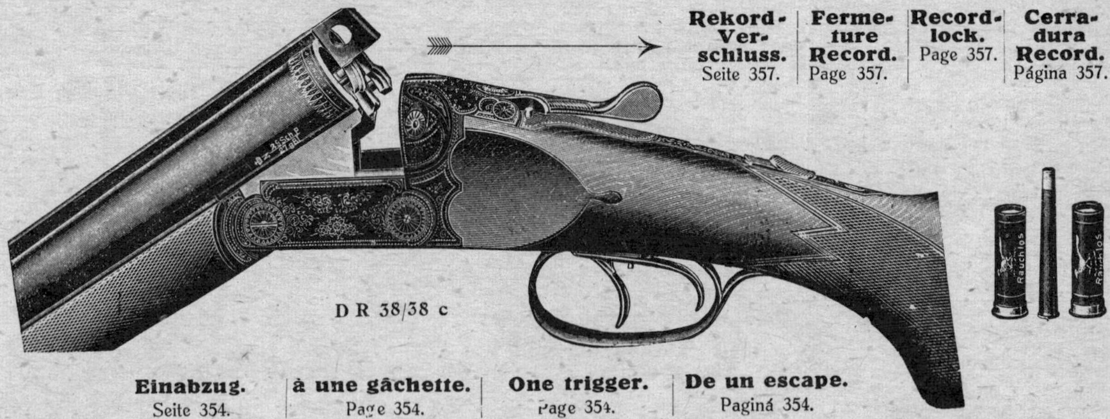

D R 38|38 c

Einabzug. Seite 354.	**à une gâchette.** Page 354.	**One trigger.** Page 354.	**De un escape.** Paginá 354.

Selbstspanner-Drilling mit Rekordverschluss, geteiltem Patronenschieber, Schrotläufe aus **Kruppschem Flusstahl,** Kugellauf Gusstahl, linker Schrotlauf choke-bore, Pistolengriffschaft oder englische Schäftung, Schiebersicherung auf dem Kolbenhals oder seitliche Greenersicherung, Schrotläufe mit **rauchschwachem Pulver staatlich geprüft,** englische Arabeskengravur, **Einabzug** für die Schrotläufe.

Fusil à 3 canons, s'armant automatiquement, avec fermeture Record, poussoir à cartouches divisé, canons à plombs en **acier coulé Krupp, canon à balle acier coulé,** canon gauche à plombs choke, crosse pistolet ou crosse anglaise, sûreté à poussoir au cou de la crosse ou sûreté latérale Greener, canons à plombs **officiellement éprouvés à la poudre sans fumée,** gravure anglaise à arabesques, une seule gachette pour les canons à plombs.

Selfcocking three-barrel with Record lock, divided cartridge slide, shot barrels of **Krupp ingot steel,** rifle-barrel cast steel, left shot-barrel choke-bore, pistolgrip stock or English stock, slide safety on neck or Greener safety at side, shot-barrels Government **tested with smokeless powder,** English arabesque engraving, **single trigger** for shot barrels.

Tres cañones, tensión automática, cerradura Record, pasador cartuchos dividido, cañones-perdigoneros de **acero-lingote, Krupp,** izquierdo choke-bore, cañón-carabina **acero colado,** caja inglesa ó con puño de pistola, seguro de empuje en el cuello ó seguro Greener á la ezquierda, cañones-perdigoneros **experimentados con pólvora sin humo** por el Gobierno, grabado arabesco inglés **un solo escape** para los cañones perdigoneros

	D R 37	D R 37 a	D R 37 b	D R 37 c	D R 38	D R 38 a	D R 38 b	D R 38 c
†	Gesome	Gesomes	Gesomet	Gesomek	Garsteme	Garstemes	Garstemet	Garstemek
Cal.	16×16×9,3	16×16×8	12×12×9,3	12×12×8	16×16×9,3	16×16×8	12×12×9,3	12×12×8
Mark	450.–	458.–	450.–	458.–	530.–	538.–	530.–	538.–

Centralfeuer Drillinge „Alfa" Selbstspanner.	Fusils à 3 coups „Alfa", et à feu central, s'armant automatiquement.	Centerfire three-barrel guns „Alfa" self-cocking.	Escopetas tres-cañones „Alfa" de fuego central, con tensión automática.

„Ejektor". „Ejecteur". „Ejector". „Eyector".

422/425 444/445 450 593/600

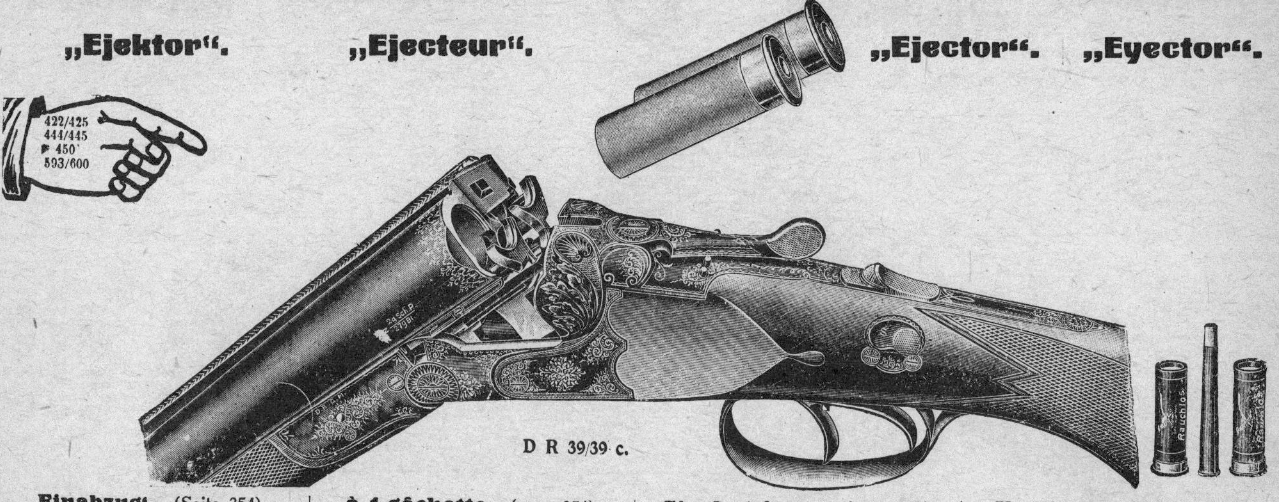

D R 39/39 c.

„Einabzug". (Seite 354). Selbstspanner m. Topleververschluß, im System wie die Drillinge D R 37, aber noch mit **Ejektor für die beiden oberen Läufe,** Greenerriegel, Schrotläufe aus **Krupp'schem Spezialstahl** oder **Wittener Exzelsiorstahl,** linker oder beide Läufe choke-bore, Einabzug für die Schrotläufe oder Umschaltung zwischen rechten Schrot- u. Kugellauf durch Schieber auf dem Kolbenhals, **selbsttätiges** Visier, englische Schäftung oder deutscher Backenschaft, hochfeines Schaftholz, Eisen- oder Hornbügel, hochelegante englische Arabesken- oder ganz **erhabene Jagdgravierung,** gediegenste Ausarbeitung aller Teile, **Einabzug** für die Schrotläufe.

à 1 gâchette. (page 354). S'armant automatiquement, avec **fermeture Toplever,** même système que les fusils à 3 coups D C 27, **mais avec éjecteur pour les 2 canones supérieurs, verrou Greener,** canons à plombs en **acier Krupp spécial** ou **en acier Excelsior Witten,** choke au canon gauche ou aux deux canons, une seule gâchette pour les canons à plombs ou transmutation entre le canon droit à plombs et le canon à balle au moyen du poussoir au cou de la crosse, **hausse automatique,** crosse anglaise ou allemande à joue, joli bois, sous-garde fer ou corne, très élégante gravure anglaise à arabesques ou gravure sujet de chasse à fonds creux, très soigneusement travaillée pour chaque pièce, à détente unique pour les canons **à** plombs.

Single trigger. (page 354). Self-cocking **with top-lever bolt,** same system as three-barrels D R 37, but with **ejector for the two upper barrels,** Greener bolt, shot barrels of **special Krupp steel** or **Wittener Excelsior steel,** left or both barrels choke-bore, single trigger for shot barrels or change between right shot and rifle barrel by means of slide on neck, **automatic rear sight.** English or German stock the latter with cheek, of very fine wood, iron or horn guard, very elegant English arabesque or hunting scene engraved in relief, solid workmanship throughout. **Single trigger** for the shot barrels.

Un fiador. (página 354). Escopeta de tensión **automática** con palanca sobre el cuello de la caja, igual sistema al de la escopeta tres cañónes D R 37, pero con **eyectores para los dos cañónes de encima,** cerrojo Greener, cañón-perdigonero de **acero Krupp especial** ó de **acero Excelsior de Witten,** izquierdo ó ambos choke-bored, un escape para ambos cañónes perdigoneros ó con cambio entre cañón perdigonero de la derecha y cañón-carabina por medio de pasador en el cuello, **alza automática,** caja inglesa ó alemana, esta última con carrillo, de madera finísima, guardamonte de hierro ó cuerno, arabescos ingleses muy elegantes ó figuras de caza en relieve, trabajo solido en todas las partes. **Un escape** para los cañónes perdigoneros.

Patent-Verschluss	Verrou patenté	Patent lock	Cerradura privilegiada

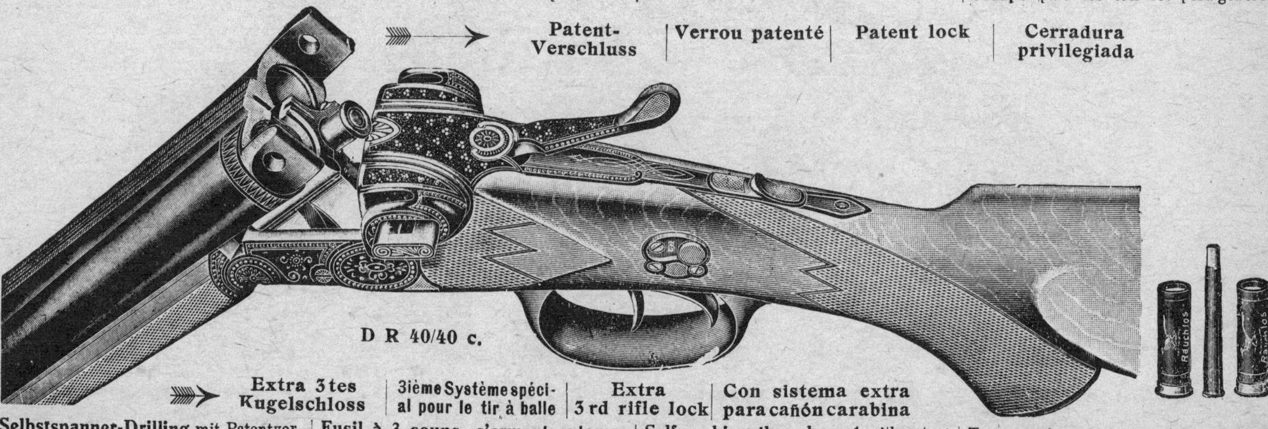

D R 40/40 c.

Extra 3tes Kugelschloss	3ième Système spécial pour le tir à balle	Extra 3 rd rifle lock	Con sistema extra para cañón carabina

Selbstspanner-Drilling mit Patentverschluss, prima **Krupp'sche Flussstahlläufe,** mit 3 Schlössern, die beim Ausfall der Läufe gespannt werden, Umstellung **zum** Kugelschuss durch Spannhebel am Abzug, Greenersicherung. Pistolengriffschäftung aus feinstem Nussbaumholz, **kleine** engl. Gravierung; ein moderner Selbstspanner-Drilling mit **hervorragender Schussleistung,** Schlosskonstruktion wie bei **D R 35,** Seite 406.

Fusil à 3 coups, s'armant automatiquement avec fermeture patentée, **canons acier coulé Krupp,** à 3 systèmes, s'armant quand les canons basculent, transmutation pour le tir à balle, par levier à la sous-garde, sûreté Greener, crosse pistolet en joli noyer, petite gravure anglaise. Fusil à 3 coups très moderne et **à tir insurpassable,** même construction de serrure qu'au **D R 35,** page 406.

Self-cocking three-barrel with patent lock, **prime Krupp ingot steel barrels,** with 3 locks which are cocked on dropping of barrels, change to rifle-barrel by lever on trigger, Greener safety, pistol-grip stock of best walnut, small English engraving, a modern self-cocking three-barrel **with excellent shooting,** construction of lock as with **D R 35,** page 406.

Tres cañónes con tensión automática y cerradura privilegiada, **cañónes superiores de acero lingote Krupp,** con tres llaves puestas en tensión por la caida de las cañónes, transmutación para bala por medio de una palanca en escape, seguro de Greener, caja del mejor nogal con puño de pistola, grabado pequeño inglés Una escopeta de tres-cañónes moderna con tensión automática y **tiro excepcional,** construcción de las llaves como el **D R 35,** página 406.

No.	D R 39	D R 39 a	D R 39 b	D R 39 c	D R 40	D R 40 a	D R 40 b	D R 40 c
†	Gerongel	Gerongels	Gerongelt	Gerongelk	Ganunge	Ganunges	Ganunget	Ganungel
Cal.	16×16 9,3	16×16 8	12×12 9,3	12×12 8	16×16 9,3	16×16 8	12×12 9,3	12×12 8
Mark	840.—	848.—	840.—	848.—	460.—	468.—	460.—	468.—

Centralfeuer-Drillinge „Alfa“, Selbstspanner.	Fusils à 3 canons „Alfa“ et à feu central, s'armant automatiquement.		Centerfire three-barrel guns „Alfa“, Self-cocking.	Escopetas de tres-cañones „Alfa“ de fuego central, con tensión automática.

Patent-Verschluss. | Fermeture patentée. | Patent bolt. | Cerrojo patentado.

422/425
444/445
450
593/600

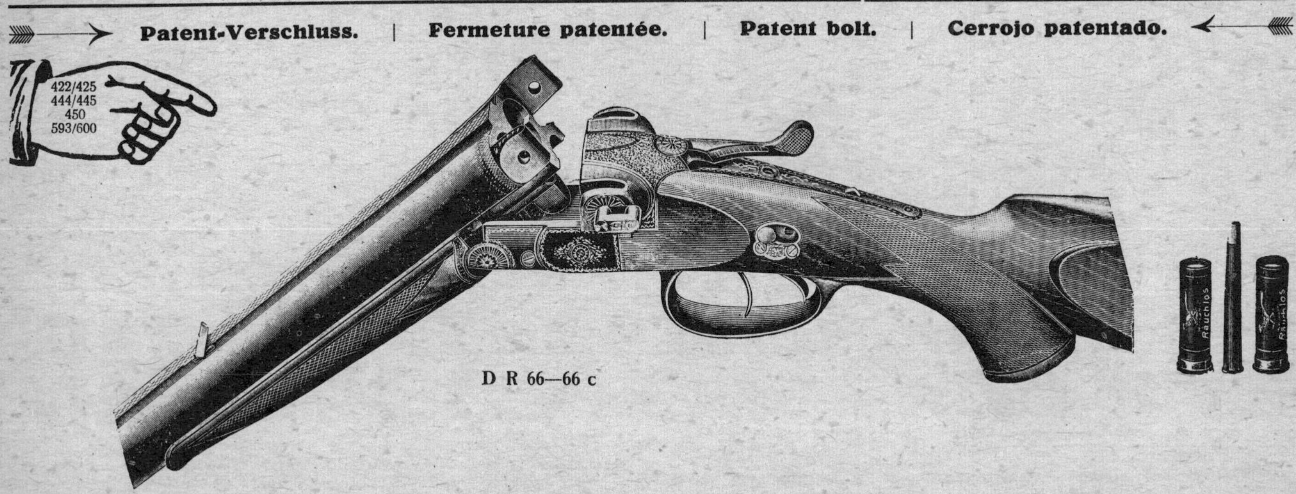

D R 66—66 c

Wie D R 40—40 c, Seite 409, aber alle drei Schlösser **gleichzeitig** spannend, Umschaltung durch Schieber auf der Scheibe.

Einabzug.
Seite 354.

Comme D R 40—40 c, page 309, mais les 3 systèmes s'armant en **même temps**, transmutation au moyen de poussoir.

à 1 gâchette.
Page 354.

Like D R 40—40 c, page 409, but all 3 locks cocking **simultaneously** by slide on neck.

Single trigger.
Page 354.

Como D R 40—40 c, paginá 409, pero los 3 sistemas se arman al **mismo tiempo**, transmutación por medio de pasador.

Un escape.
Paginá 354.

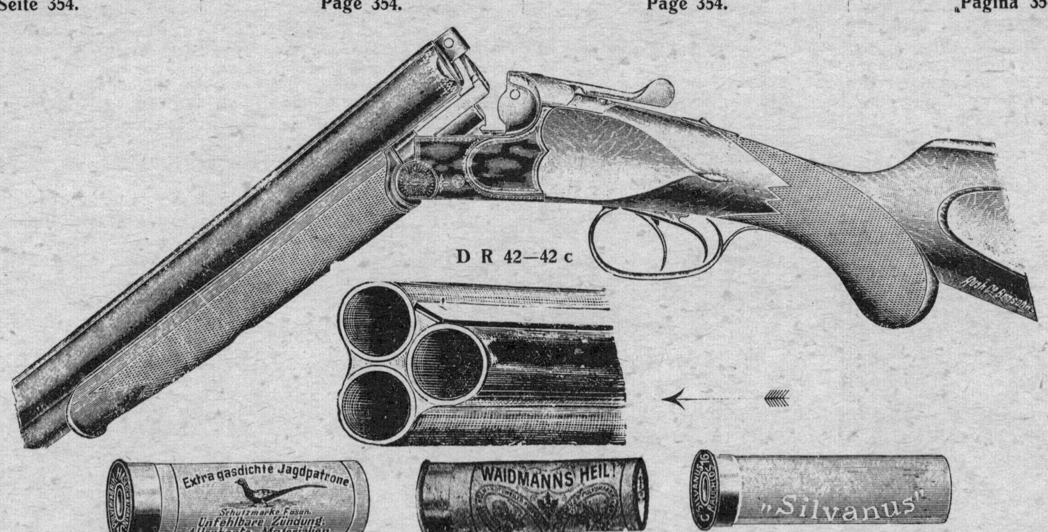

D R 42—42 c

3 Schrotläufe.
Ausführung wie **D R 39** Seite 409, aber ohne Gravur, beste Waffe als **Ersatz für Repetier-Flinten,** Gewicht $3^1/_2$ Kilo.

à 3 canons à plombs.
Même exécution que **D R 39** page 409, mais sans gravure, l'arme remplaçant le mieux les **fusils à répétition,** Poids: 3 K $^1/_2$.

3 shot barrels.
Same make as **D R 39**, page 409 but without engraving, best **substitute for repeating guns,** weight $3^1/_2$ Kilos.

de 3 cañones perdigoneros.
Construcción igual al **D R 39** paginá 409, pero sin grabado, **sustituye** lo mejor á las **armas de repetición,** peso $3^1/_2$ Kilos.

No.	D R 66	D R 66 a	D R 66 b	D R 66 c	D R 42	D R 42 a	D R 42 b	D R 42 c
†	Gaminko	Gaminkos	Gaminkol	Gaminkok	Gestilom	Gestiloms	Gestilomt	Gestilomk
Cal.	16×16 9,3	16×16 8	12×12 9,3	12×12 8	12	16	20	24
Mark	496.—	504.—	496.—	504.—	480.—	480.—	480.—	480.—

„Frank"-Drillinge Selbstspanner.	Fusil à 3 coups „Frank" s'armant automatiquement.	„Frank" three-barrels Self-cocking.	Tres-cañones „Frank" con tensión automática.

„Patent Frank" „Abnehmbarer Kugellauf". — „Frank" canon à balle enlevable. — „Frank's Patent" „detachable rifle-barrel". — „Patente de Frank" „Cañon-carabina de quita y pon".

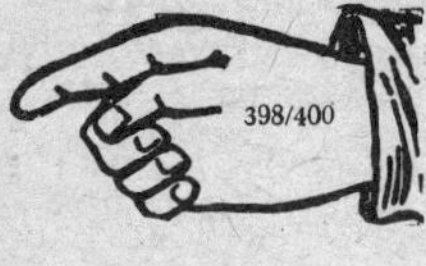

398/400

422/425 444/445 593/600

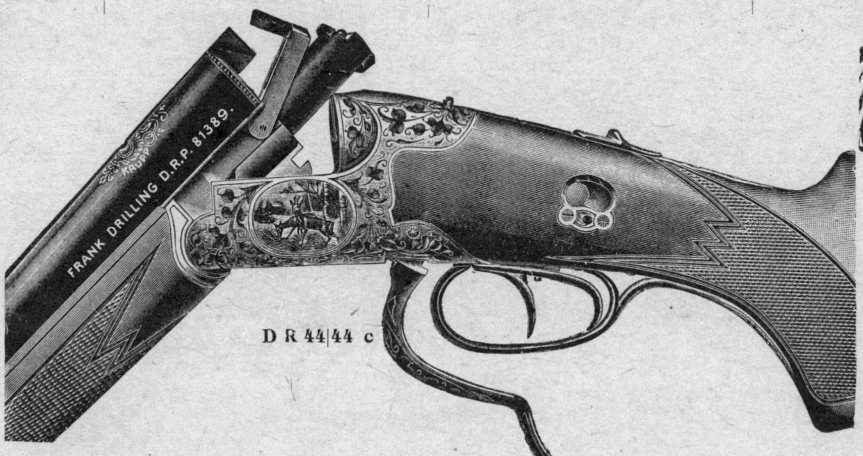

D R 44/44 c

D R 44/44 c. Frank-Hammerless-Drilling mit Roux-Verschluss in jedem gewünschten Caliber, vorrätig in Cal. 16×16×9,3×72, wie obige Abbildung.

D R 44/44 c. Fusils à 3 canons „Frank" Hammerless, avec verrou Roux, dans n'importe quel calibre, en magasin dans les calibres suivants: 16×16×9,3×72, suivant l'illustration ci-dessus.

D R 44/44 c. Frank-Hammerless three barrel with Roux lock in any caliber desired, stocked in cal. 16×16×9,3×72, as in above drawing.

D R 44/44 c. Tres-cañones Frank sin gatillos, con cerradura Roux, en cada calibre que se quiera: Cal. 16×16×9,3×72, en almacén, comó la ilustración.

D R 45/45 c. Derselbe wie D R 44, jedoch **mit ganz automatischem Visier,** welches mit der Umschaltung auf Kugel steht und fällt.

D R 45/45 c. Le même fusil que D R 44 mais avec hausse entièrement automatique, changeant suivant qu'on tire à plombs ou à balle.

D R 45/45 c. The same three-barrel as D R 44, but **with entirely automatic rear sight,** rising and falling when barrel changes to rifle.

D R 45/45 b. Tres cañones igual al D R 44, alza **del todo automática que sube ó baja,** según la transmutación por balas á plomos.

„Frank" „Abnehmbarer Kugellauf". — „Frank" canon à balle enlevable. — „Frank's Patent" „detachable rifle-barrel". — „Patente de Frank" „Cañón-carabina de quita y pon".

D R 46/46 c

Schrotläufe aus bestem, verdichteten **Krupp'schen Fluss-** oder **Exzelsior-stahl,** Caliber nach Belieben, links choke-bored, ganz automatisches Visier, dreifacher Toplever-Verschluss, mit Hebel auf dem Kolbenhalse liegend; abnehmbarer Vorderschaft mit Schnappverschluss, Greener-Sicherung linksseitig im Kolbenhalse; feiner Maserschaft mit Pistolengriff und ganzem Hornbügel, geschmackvolle englische Ausstattung, in allen Teilen äusserst solid und sauber gearbeitet, vorzüglich schliessend.

Canons à plombs du meilleur **acier coulé Krupp ou Excelsior,** calibre selon demande, choke à gauche, hausse entièrement automatique, triple verrou toplever, clef au cou de la crosse, devant à pédale enlevable, sûreté Greener au côté gauche, joli bois madré, crosse pistolet, sous-garde entièrement en corne, exécution anglaise du meilleur goût, toutes pièces travaillées avec le plus grand soin, tir supérieur.

Shot-barrels of best condensed **Krupp ingot or Excelsior steel,** caliber as desired, left choke-bored, entirely automatic rear sight, triple top-lever bolt, with lever on neck, detachable fore-end with snap lock, Greener safety at left side in neck, finely grained stock with pistol-grip and horn guard, handsome English finish, solid and neat work throughout, splendid shooting.

Cañones-escopeta **del mejor acero lingote Krupp comprimido ó Excelsior** del calibre que se quiera, izquierdo choke-bored, alza del todo automática, cerradura triple toplever con palanca en el cuello de la caja, delantera de quita y pon con pestillo, seguro Greener á la izquierda del cuello, caja fina de madera veteada con puño de pistola y guardamonte entero de cuerno, ejecución inglesa elegante, trabajada en todas las piezas de la manera más sólida y bonita, tiro superior.

No.	D R 44	DR 44 a	D R 44 b	D R 44 c	D R 45	D R 45 a	D R 45 b	D R 45 c	D R 46	D R 46 a	D R 46	D R 46 c
†	Gavend	Gavends	Gavendt	Gavendk	Guteng	Gutengs	Gutengt	Gutengd	Gavelt	Gavelts	Gaveltd	Gaveltk
Cal.	16×16×9,3	16×16×8	12×12×9,3	12×12×8	16×16×9,3	16×16×8	12×12×9,3	12×12×8	16×16×9,3	16×16×8	12×12×9,3	12×12×8
Mark	450.—	470.—	450.—	470.—	500.—	520.—	500.—	520.—	550.—	570.—	550.—	570.—

„Frank"-Drillinge Selbstspanner.	Fusil à 3 coups „Frank", s'armant automatiquement.		„Frank" three-barrels, Self-cocking.	Tres-cañones „Frank" con tensión automática.

„Patent Frank", „Abnehmbarer Kugellauf".	„Frank", „Canon à balle enlevable".	„Frank's Patent" „detachable rifle-barrel."	„Patente de Frank" „Cañón-carabina de quita y pon."

422/425
444/445
450
593/600

398/400

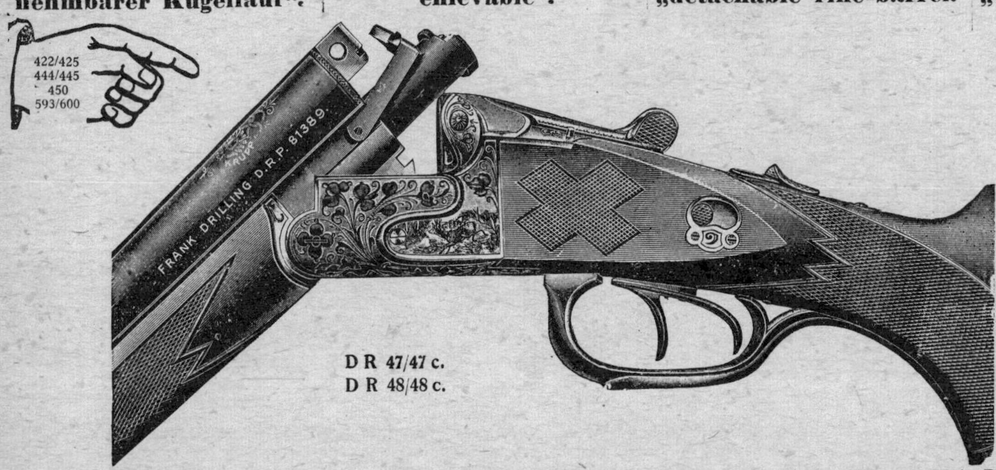

D R 47/47 c.
D R 48/48 c.

D R 47/47 c. Gängigstes Modell, wie D R 46, stets vorrätig, **hervorragend bewährt**, mit Greener Querriegel-Verschluss, für **stärkste** Ladungen **rauchlosen Pulvers** (s. Abbildung).	D R 47/47 c. Modèle le plus courant, comme D R 46, toujours en magasin, **à fait ses preuves de la façon la plus brillante**, verrou Greener, pour le tir **avec les plus forts chargements de poudre sans fumée** (voir l'illustration).	D R 47/47 c. **Best selling model** like D R 46, always in stock, **well proved**, with Greener cross-bolt lock **for heaviest charges of smokeless powder** (see drawing).	D R 47/47 c. El modelo de más aceptación, de esta escopeta como de la anterior hay siempre existencias en almacén, bien probada en la praxis, cerradura con cerrojo transversal de Greener para las cargas más fuertes de pólvora sin humo (véase la ilustración).
D R 48/48 c. Genau wie D R 47, **mit ganz automatischem Visier**, welches mit dem Umschaltschieber steht und fällt.	D R 48/48 c. Exactement comme D R 47 **avec hausse entièrement automatique**, qui se meut selon qu'on tire à balle ou à plombs.	D R 48/48 c. Just like D R 47, **with entirely automatic sight**, rising when changing to rifle barrel by means of slide.	D R 48/48 c. Igual al D R 47, **con alza del todo automática** que sube á baja según los cambios de cartuchos.

Centralfeuer-Drillinge „Alfa" Selbstspanner.	**Fusils à 3 canons „Alfa" à feu central, s'armant automatiquement.**	**Centerfire three barrel guns „Alfa" self-cocking.**	**Escopetas de 3 cañones „Alfa" de fuego-central, tensión automática.**
Doppelbüchsen-Drilling. 2 Kugelläufe, 1 Schrotlauf.	**Fusil à 3 canons dont** 2 pour balle et 1 à plombs.	**Double barrel rifle with shot barrel.** 2 rifle barrels, 1 barrel for shot.	**Escopeta de 3 cañónes de los cuales.** 2 son para bala y 1 perdigonero.

8
8
16

D R 67/67 a.

422/425
444/445
450
593/600

396/397

Konstruktion und Ausführung genau wie D R 30, Seite 404, aber **2 Kugelläufe, 1 Schrotlauf, Doppelstecher.**	Mêmes construction et exécution que le D R 30, page 404, mais: **2 canons à balle, 1 canon à plombs, à double détente de la plus haute précision.**	Construction and finish just like D R 30, page 404, but: **2 rifle barrels, 1 barrel for shot, double hair trigger.**	La misma ejecución y construcci que el D R 30, página, pero: **2 cañónes de bala, 1 cañón perdigonero, de doble escape, de la más alta precisión.**

No.	D R 47	D R 47 a	D R 47 b	D R 47 c	D R 48	D R 48 a	D R 48 b	D R 48 c	D R 67	D R 67 a
†	Guwel	Guwels	Guwelt	Guweld	Goleme	Golemes	Golemet	Golemed	Hadoburi	Hadoburis
Cal.	16×16 9,3	16×16 8	12×12 9,3	12×12 8	16×16 9,3	16×16 8	12×12 9,3	12×12 8	9,3×9,3 16	8×8 16
Mark	620.—	640.—	620.—	640.—	650.—	670.—	650.—	670.—	510.—	530.—

Centralfeuer Vierlinge „Alfa", Selbstspanner.	Fusils à 4 canons „Alfa" à feu central, s'armant automatiquement.		Centerfire four barrel „Alfa" guns, self-cocking.	Escopetas de 4 cañones „Alfa" de fuego central, y tensión automática.

D R 68|68 b.

2 Kugelläufe, 2 Schrotläufe.

Fünffacher Scottverschluss, 4 Schlösser, **Krupp'sche Stahlläufe,** Basküle mit Seitenbacken, Hornkappe, Hornkäppchen, **Doppelstecher,** Hornbügel, englische Gravur oder Jagdgravur, Lauf mit Silbereinlage, deutscher Schaft, Greener Sicherung.

2 canons à balle, 2 canons à plombs.

A quintuple verrou Scott, 4 systèmes, **canons acier Krupp,** bascule à coquilles et ailerons, calotte corne, petite calotte corne, à double détente de la plus haute précision, sous-garde corne, gravure anglaise, ou gravure de chasse, canons avec ornements argent, crosse allemande, sûreté Greener.

2 rifle barrels, 2 barrels for shot

Quintuple Scott bolt, 4 locks, **Krupp steel barrels,** wings at breech, horn cap and smaller horn cap on pistol grip, double hair trigger, horn underguard, English engraving or hunting scene engraved, silver inlaid barrel, German stock, Greener safety.

2 cañones de bala, 2 cañones perdigoneros.

De 5 cerrojos Scott, 4 sistemas, **cañones de acero Krupp,** báscula de conchas y de aletas, de doble escape de las más alta precisión, guardamonte y cantonera de cuerno, grabado inglés ó grabado de caza, cañones con ornamentos de plata, mango alemán, seguridad Greener.

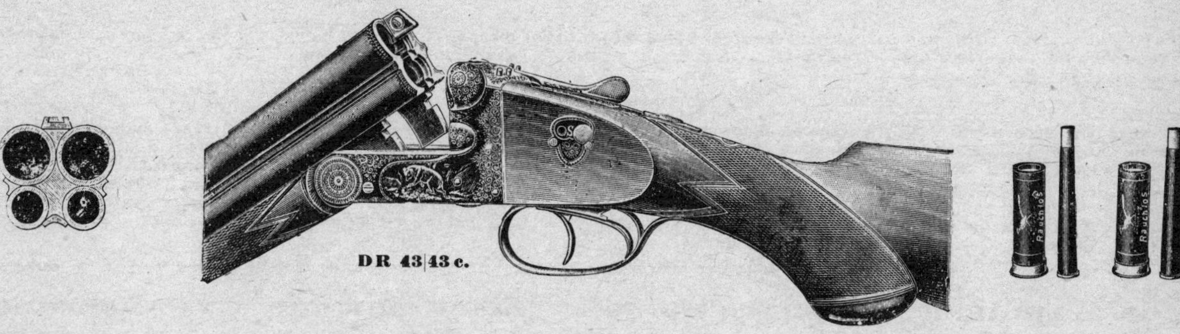

DR 43|43 c.

2 Kugelläufe, 2 Schrotläufe.

Selbstspanner-Vierling. Konstruktion und Ausstattung wie bei dem Drilling D R 37, Seite 408, Umstellung auf Kugelläufe durch Schieber auf dem Kolbenhalse.

2 canons à balle, 2 canons à plombs.

Fusil à 4 canons, s'armant automatiquement, mêmes construction et exécution que le fusil à 3 canons D R 37, page 408, transmutation pour le tir à balle au moyen de poussoir situé au cou de la crosse.

2 rifle barrels, 2 shot barrels.

Self-cocking four barrel, construction and finish as in three-barrel D R 37, page 408, change to rifle-barrels by slide on neck.

2 cañones para perdigones, 2 cañones para bala.

Escopeta de cuatro-cañones, tensión automática, construcción y equipo como en el caso de la escopeta tres cañones DR 37, página 408, transmutación para tiro de bala por medio de un pasador en el cuello de la caja.

No.	D R 68	D R 68 a	D R 68 b	D R 43	D R 43 a	D R 43 b	D R 43 c
†	Havierux	Havierul	Havieruk	Gitred	Gitreds	Gitredl	Gitredz
Cal.	9,3×9,3 / 16×16	8×8 / 16×16	11,15×11,15 / 16×16	9,3×9,3 / 16×16	8×8 / 16×16	9,3×9,3 / 12×12	8×8 / 12×12
Mk.	480.—	540.—	520.—	540.—	565.—	540.—	565.—

Flinten-Schiesspulver. | Poudres à fusils. | Gunpowder for guns. | Pólvoras para fusiles.

Körnungen von schwarzem Schiesspulver. | Granulation des poudres noires. | Grainage of black gunpowder. | Granulación de pólvoras negras.

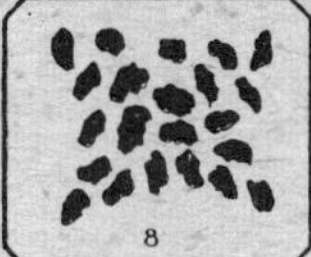

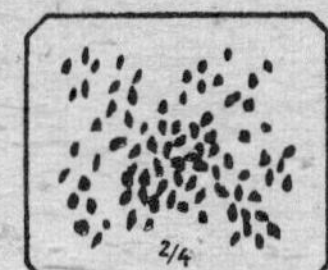

A = 1. Qualität.	Qualité 1.	Quality 1.	Qualidad 1.
B = 2. „	„ 2.	„ 2.	„ 2.
C = 3. „	„ 3.	„ 3.	„ 3.

30/33
442/443

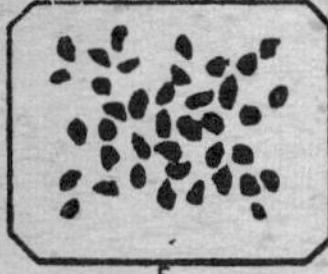

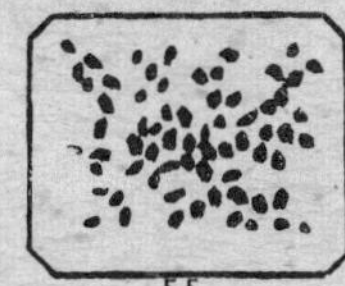

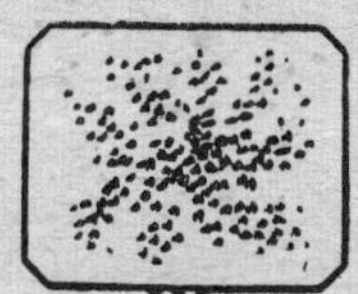

1/4 lb. engl. P 38—P 40. | 1/2 lb. engl. P 41—P 43. | 1/1 lb. engl. P 44—P 46

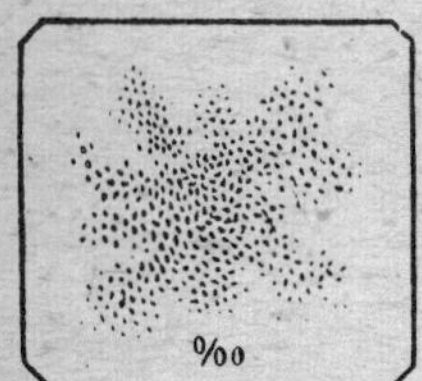

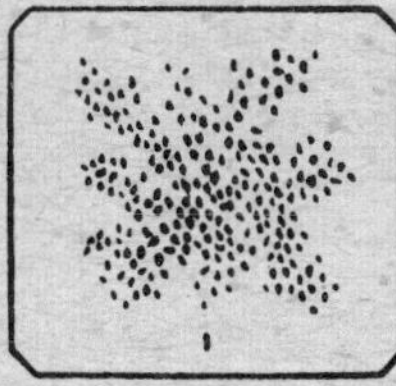

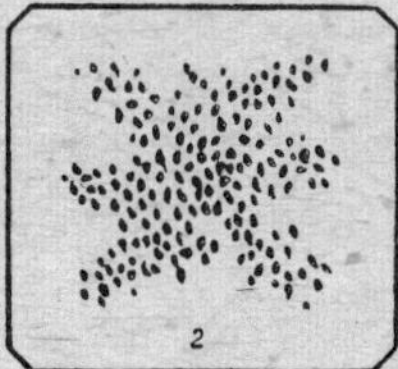

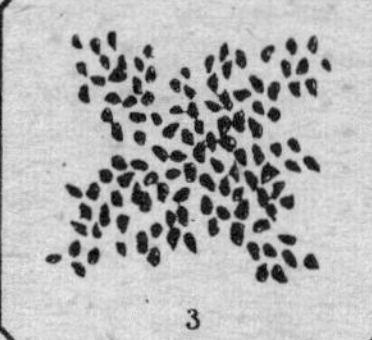

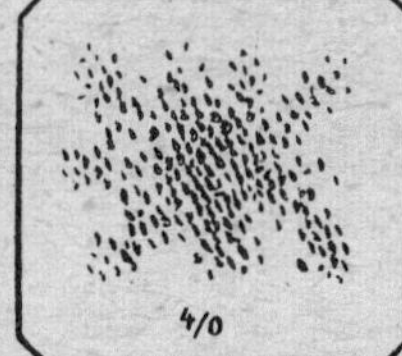

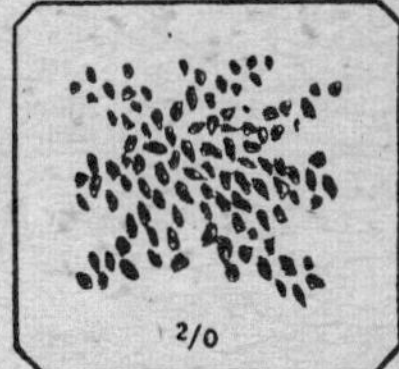

Billigere Pulverarten siehe unter Kriegswaffen-Schiesspulver Seite 30—32.

Voir poudres meilleur marché page 30—32 sous la rubrique armes de guerre.

For cheaper kinds of gunpowder see military arms page 30—32.

Pólvoras más baratas véase página 30—32 en las pólvoras de guerra.

Bei Aufträgen ist stets die gewünschte „Körnung" für Schwarzpulver anzugeben. Bei grossen Orders verlange man Spezial-Offerte unter folgenden Angaben: Packung — Bestimmungsland — Quantum.

Sur la commande prière de toujours indiquer la grosseur des grains désirée, pour poudre noire. Prière de demander offres spéciales pour importantes commandes en indiquant, emballage, pays destinataire et quantité.

When ordering the grainage desired for black powder must always be stated. In the case of large orders please ask for special offer giving following particulars: packing — destination — quantity.

Se ruega indiquen siempre en el pedido la dimensión deseada de los granos para pólvora negra. Rogamos pidan ofertas especiales para pedidos importantes indicando: embalage, sitio de destino y cantidad.

Schwarzpulver | Poudre noire | Black powder | Pólvora negra

Marke:
Marque:
Brand:
Marca:

Köln Rottweil — Diana — Alfa

No.	P 38	P 39	P 40	P 41	P 42	P 43	P 44	P 45	P 46
†	Perbo	Perbes	Persil	Perco	Perhu	Perva	Bugel	Bucos	Buba
Qualität	A	B	C	A	B	C	A	B	C
Packungsart	In rotlackierten Blechflaschen mit Aufdruck: à 1/4 lb englisch in Kisten à 50 kg netto.			In rotlackierten Blechflaschen mit Aufdruck: à 1/2 lb englisch in Kisten à 50 kg netto.			In rotlackierten Blechflaschen mit Aufdruck: à 1/1 lb englisch in Kisten à 50 kg netto.		
genre d'emballage	En bouteilles de fer blanc vernies rouges, contenant: 1/4 de livre anglaise, en caisses de 50 k net.			En bouteilles de fer blanc vernies rouges, contenant: 1/2 livre anglaise, en caisses de 50 k net.			En bouteilles de fer blanc vernies rouges, contenant: 1 livre anglaise, en caisses de 50 k net.		
Kind of package	In red varnished tin flasks with printing: 1/4 lb English in cases of 50 kg net..			In red varnished tin flasks with printing; 1/2 lb English in cases of 50 kg net.			In red varnished tin flasks with printing: 1 lb English in cases of soky net.		
modo de embalage	En botellas de hierro blanco barnizadas de rojo conteniendo: 1/4 de libra inglesa, en cajas de 50 k neto.			En botellas de hierro blanco barnizadas de rojo, conteniendo: 1/2 libra inglesa, en cajas de 50 k neto.			En botellas de hierro blanco barnizadas de rojo, conteniendo: 1 libra inglesa, en cajas de 50 k neto.		
per 100 lbs. Mark	264.—	242.—	200.—	239.—	217.—	175.-	218.—	196.—	154.—

Flinten-Schiesspulver. | Poudres à fusils. | Gunpowder for guns. | Pólvoras para fusiles.

Rauchloses Flinten-Schiesspulver zum Selbstladen von Schrotpatronen.

Poudre **sans fumée** à fusils pour charger soi-même les cartouches à plombs.

Smokeless gunpowder for loading of shot-cartridges.

Pólvora **sin humo** para cargar por si solo los cartuchos de perdigones.

Hasloch.

1/2 Kilo-Packung. — Poids 1/2 Kilo.
1/2 Kilo canisters. — Peso 1/2 Kilo.

P 47

50 gr-Packung. Emballage par 50 gr. 50 gr packages. Peso 50 gr.

P 48

Rottweil.

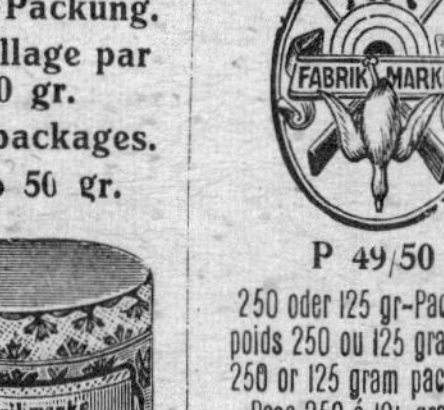

P 49/50

250 oder 125 gr-Packung. poids 250 ou 125 grammes. 250 or 125 gram packages. Peso 250 ó 125 gramos.

ARKAP

P 51/P 52

Troisdorf.

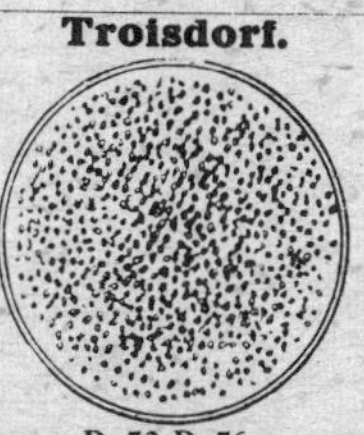

P 53/P 56

Wolf-Walsrode.

P 57/P 61

Berlin.

P 62/P 63

Diana.

P 63 a | P 63 b/P 63 c

Billigere Pulversorten siehe unter Kriegswaffen-Schiesspulver Seite: 30/32.

Voir poudres meilleur marché page 30/32 sous la rubique armes de guerre.

For cheaper kinds of gunpowder see military arms page: 30 32.

Pólvoras más baratas véase página 30/32 en las pólvoras de guerra.

Bei Aufträgen ist stets die gewünschte „Körnung" für Schwarzpulver anzugeben. Bei grossen Orders verlange man Spezial-Offerte unter folgenden Angaben: **Pakkung — Bestimmungsland — Quantum.**

Sur la commande prière de toujours indiquer la grosseur des grains désirée pour poudre noire. Prière de demander offres spéciales pour importantes commandes en indiquant: **emballage, pays destinataire et quantité.**

When ordering the grainage desired for black powder must always be stated. In the case of large orders please ask for special offer giving following particulars: **packing — destination — quantity.**

Se ruega indiquen siempre en el pedido la dimensión deseada de los granos para pólvora negra. Rogamos pidan ofertas especiales para pedidos importantes indicando: **embalage, sitio de destino y cantitad.**

Rauchloses Pulver. | Poudre sans fumée. | Smokeless powder. | Pólvora sin humo.

	Hasloch		Rottweil			
	Kornpulver. en grains. grained powder. en granos.		Blättchen. en feuilles. flake powder. de hojas.		Arkap. Arkap. Arkap. Arkap.	
No.	P 47	P 48	P 49	P 50	P 51	P 52
†	Fas	Fasz	Rottz	Rottzu	Rottzux	Rottzuxu
Qual.	A	A	A	A	B	B
Packungsart	In Dosen à 1/2 kg	in Paketen à 50 gr	in Dosen à 250 gr	in Dosen à 125 gr	in Dosen à 250 gr	in Dosen à 125 gr
genre d' emballage	en boîtes d' 1/2 Kilo	en paquets de 50 gr	en boîtes de 250 gr	en boîtes de 125 gr	en boîtes de 250 gr	en boîtes de 125 gr
Kind of package	in boxes of 1/2 Kilo	in packages of 50 gr	in boxes of 250 gr	in boxes of 125 gr	in boxes of 250 gr	in boxes of 125 gr
modo de embalage	en cajas de 1/2 Kilo	en paques de 50 gr	en cajas de 250 gr	en cajas de 125 gr	en cajas de 250 gr	en cajas de 125 gr
per 1 kg Mark	14.—	14.—	20.—	20.—	13.20	14.40

	Troisdorf				Wolf-Walsrode				
	Kornpulver. poudre en grains. grained powder. en granos.				Schultze-Kornpulver. poudre en grains Schultze. Schultze grained powder. en granos Schultze.				
No.	P 53	P 54	P 55	P 56	P 57	P 58	P 59	P 60	P 61
†	Troiszt	Troisztu	Troiszta	Troiszte	Wolf	Wolfz	Wolfzu	Wolfzul	Wolfzult
Qual.	A	A	A	A	A	A	A	A	A
Packungsart	In Seidenbeuteln und Blechbüchsen à 1 kg	1/2 kg	1/4 kg	1/10 kg	in Beuteln à 1 kg	In Paketen à 1/2 kg	1/4 kg	1/8 kg	1/10 kg
genre d' emballage	en sacs soie et boîtes de fer blanc de 1 kg	1/2 kg	1/4 kg	1/10 kg	en sacs de 1 kg	en paquets de 1/2 kg	1/4 kg	1/8 kg	1/10 kg
Kind of package	in silk bags and tin canisters of 1 kg	1/2 kg	1/4 kg	1/10 kg	in bags of 1 kg	in parcels of 1/2 kg	1/4 kg	1/8 kg	1/10 kg
modo de embalage	En bolsas de seda y cajas de hierro blanco de 1 kg	1/2 kg	1/4 kg	1/10 kg	en bolsas de 1 kg	en paquetes de 1/2 kg	1/4 kg	1/8 kg	1/10 kg
per 1 kg Mark	16.50	18.—	19.—	21.50	16.—	16.—	16.—	16.—	16.—

	Berlin		Cramer & Buchholz, „Diana"		
	Korn. en grains grained. en granos.	Blättchen en feuilles. flaked. de hojas.	Kornpulver. grained powder	en grains. en granos.	
No.	P 62	P 63	P 63 a	P 63 b	P 63 c
†	Bergrosna	Bergrisni	Diarall	Diaseff	Diasonn
Qual.	A	A	A	A	A
Packungsart	in Blechbüchsen à 1 kg	1 kg	in Paketen à 50 gr	in dekorierten Blechdosen à 200 gr	250 gr
genre d' emballage	en boîtes de fer blanc de 1 kg	1 kg	en paquetes de 50 gr	en boîtes de fer blanc décoré 200 gr	250 gr
Kind of package	in tin canisters of 1 kg	1 kg	in packages of 50 gr	in decorated canisters 200 gr	250 gr
modo de embalage	en cajas de hierro blanco de 1 kg	1 kg	en paquetes de 50 gr	en cajas de hierro blanco de 200 gr	250 gr
per 1 kg Mark	20.—	20.—	14.40	18.60	18.—

Zündhütchen für Schrotpatronen. | Capsules pour cartouches à plombs. | Caps for shot-cartridges. | Cápsulas para cartuchos de perdigones.

Weitere Zündhütchen siehe unter „Militärpatronen“ Seite: 128 u. 186. | **Voir les autres capsules sous la rubrique „cartouches militaires“ page: 128 et 186.** | **For other caps see „military cartridges“ page: 128 and 186.** | **Véase las otras cápsulas entre los cartuchos, de guerra página: 128 y 186.**

No.	Z 1	Z 1 a	Z 25	Z 26	Z 27	Z 28	Z 29	Z 30	Z 31	Z 32	Z 33	Z 34	Z 35	Z 36	Z 37	Z 38	Z 39
†	Mezun	Mezkuf	Mezstark	Pazun	Pazurk	Pazurst	Pazupan	Pazuwot	Pazugest	Hanzun	Hanzunch	Hanzullo	Hanzulli	Hanzubli	Hanzulei	Hanzulox	Hanzustif
	Zündhütchen, **Modell 71,** für Schrotpatronen			**Für Papphülsen**				**Pariser** Zünder für rauchloses Pulver Rottweil, Müllerite, Walsrode etc.	**Oester-reichisches** Patent-Zündhütchen	**Für Hahngewehre ohne Pulver zu schiessen mit Ladung:**					**Lefaucheux**		
	aus Messing	aus Kupfer	mit verstärkter Ladung	Cal. 4,45 lackiert	Cal. 6,5 lackiert	Cal. 6,5 Stanniol-decke	Cal. 6,5 für rauchloses Pulver			2 fach	4 fach	6 fach	8 fach	10 fach	ge-wöhn-liche	mit Stanniol-decke	Hütchen, lange zum Aufsetzen auf Stift
	Capsule, **modèle 71,** pour cartouches à plombs			**Pour douilles de carton**				Capsule **parisienne** pour poudre sans fumée Rottweil, Mullerite, Walsrode etc.	Capsule **autrichienne** patentée	**Pour armes à chiens pour tir sans poudre, nombre de chargement:**					**Lefaucheux**		
	en laiton	en cuivre	à charge-ment renforcé	Cal. 4,45 verni	Cal. 6,5 verni	Cal. 6,5 à paillon staniol	Cal. 6,5 pour poudre sans fumée			2×	4×	6×	8×	10×	ordi-naire	à paillon staniol	Longue capsule pour broche
	Caps, **model 71,** for shot-cartridges			**For cardboard shells**				**Parisian** caps for smokeless powder Rottweil, Muellerite, Walsrode etc.	Patent **Austrian** caps	**For shooting without powder in hammer guns, charged:**					**Lefaucheux**		
	of brass	of copper	with increased charge	Cal. 4,45 varni-shed	Cal. 6,5 varni-shed	Cal. 6,5 tin-foil cover	Cal. 6,5 for smokeless powder			double	4 fold	6 fold	8 fold	10 fold	ordi-nary	with tin-foil cover	Caps long for putting on pin
	Capsula, **modelo 71,** para cartuchos de perdigones			**Para cartuchos de cartón vacios**				Cápsula **parisién** para pólvora sin humo Rottweil, Mullerite Walsrode etc.	Cápsula **austriaca** patentada	**Para armas de gatillos, para tiros sin pólvora, número de cargamento:**					**Lefaucheux**		
	de latón	de cobre	de cargamento reforzado	Cal. 4,45 barni-zado	Cal. 6,5 barni-zado	Cal. 6,5 de cubierta staniol	Cal. 6,5 para pólvora sin humo			2×	4×	6×	8×	10×	ordi-nario	de cubierta staniol	Cápsula larga para broche
per 1000 Mk.	4.—	4.—	4.50	4.10	4.80	5.—	5.20	15.50	7.60	6.60	7.20	8.40	9.60	12.—	3.—	4.20	3.60

Schrot.

Die Abbildungen sind in natürlicher Grösse.

Die fetten Zahlen geben die Stärken in Millimeter an.

Die Zahlen links sind die Bezeichnungen des Schrotes.

Plombs.

Illustrations en grosseur naturelle.

Les chiffres gras indiquent la grosseur en millimètres.

Les numéros se trouvant à gauche servent à désigner les plombs.

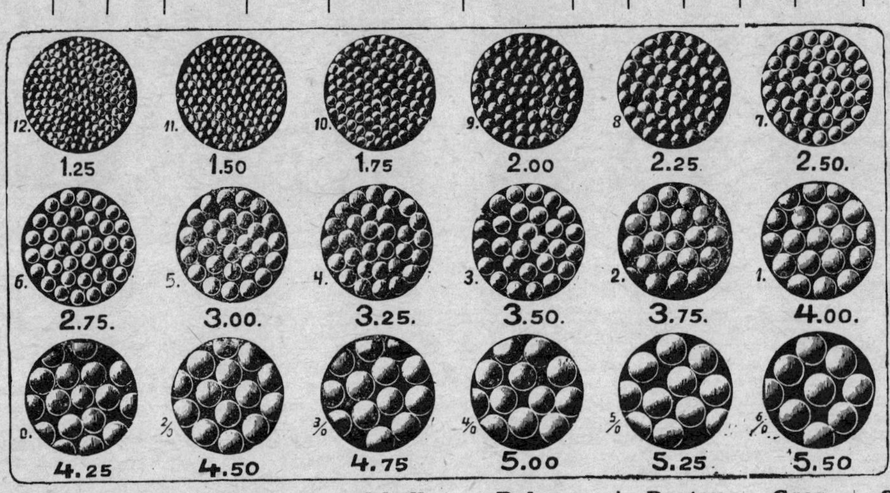

Shot.

The drawings represent the actual size.

The fat figures represent the sizes in milimeters.

The figures to the left are the specification of the shot.

Perdigones.

Los grabados representan el tamaño natural.

Las cifras grandes representan los tamaños en milimetros.

Las cifras de la izquierda son la especificación del tiro.

Rundkugeln. Balles rondes. Round ball. Balas redondas. | **Posten. Gros plombs. Shot. Perdigónes.**

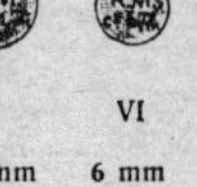

	Cal. 12	Cal. 16	Cal. 20	Cal. 24	Cal. 28	Cal. 32	No. I	II	III	IV	V	VI
							10 mm	9 mm	8 mm	7 mm	$6^1/_2$ mm	6 mm
Stück per Kilo / Nombre de balles par kilo / Balls per Kilo / Piezas en el Kilo	28	38	44	50	68	80	170	200	280	500	532	800

Der Preis des Schrotes ist veränderlich und unterliegt dem Steigen und Fallen des Bleimarktes. Man hole deshalb bei grossen Orders „telegraphisch“ Spezial-Offerte ein.

Le prix des plomb est variable et dépend de la baisse ou de la hausse du marché. Prière donc pour d'importantes commandes de nous demander par câble offre speciale.

The price of the shot varies and is subject to the fluctuations of the lead-market, therefore in the case of large orders please cable for special offer.

El precio del los perdigones variá y depende de la bajada y subida del mercado. Para grandes pedidos se ruega nos pidan por cable ofertas especiales.

†	Weichshot	Weifushot	Weizishot	Shotkist	Shotpost	Shothard	Shotkurn
	Prima deutsches Weichschrot fest verpackt mit Nummer und Marke in Säcken von:			Fass- oder Kistenpackung auf Wunsch kostet pro Kiste, die bis ca. 100 Kg fast:	**Posten** No. I—VI, gröbere Schröte als 6/0, erhöhen den Preis um:	**Hartschrot** erhöht den Preis um:	**Rundkugeln** in Säcken à $12^1/_2$ Kg kosten:
	10—$12^1/_2$ Kg	5—9 Kg	$2^1/_2$—4				
	Plomb allemand extra emballé en sacs, revétus de numéros et marque, de:			Emballage en tonneau ou en caisse, coûte par caisse contenant jusqu'à environ 100 K.:	**Plombs** No. I—VI, plus gros que 6/0 sont plus chers de:	**Plombs comprimés** augmentation de M.:	**Balles rondes** en sacs de 12 K. 1/2 coûtent:
	10—12 K. 1/2	5—9 K.	$2^1/_2$—4 K.				
	Best German soft shot packet firmly in sacks with number and brand:			Packed in barrels or chests if desired, chests holding up to about 100 Kg. cost:	**Shot** No. I—VI, for larger sizes than 6/0 there is an additional charge of:	**Hard shot** cost additional:	**Round ball** in sacks of $12^1/_2$ Kg. cost:
	10—$12^1/_2$ Kg.	5—9 Kg.	$2^1/_2$—4 Kg.				
	Perdigón alemán extra embalado en sacos, revestidos de números y marca, de:			Emballaje en tonel ó en caja, cuesta por caja que contiene hasta próximamente 100 Kg	**Perdigones,** más grandes que el 6/0 son más caros de:	**Perdigones comprimidos,** aumentación de M.:	**Balas redondas** en sacos de 12 K. 1/2 cuestan:
	10—12 Kg. 1/2	5—9 Kg.	$2^1/_2$—4 Kg.				
per 100 kg Mark	72.— **S O**	73.50 **S O**	75.— **S O**	2.50 **S O**	6.— **S O**	8.— **S O**	82.— **S O**

Bleigeschosse für glatte Flintenläufe. | Balles de plomb pour canons de fusils lisses. | Leaden bullets for smooth gun-barrels. | Balas de plomo para cañones de escopetas lisas.

No.				
G G L 1—1 b	„Witzleben-Geschoss 1906“.	„Balle Witzleben 1906“.	„Witzleben bullet 1906“.	„Bala Witzleben 1906“.
G G L 2—2 b	„Ideal-Geschoss“.	„Balle Ideal“.	„Ideal bullet“.	„Bala Ideal“.
G G L 3—3 b	„Witzleben-Geschoss 1911“.	„Balle Witzleben 1911“.	„Witzleben bullet 1911“.	„Bala Witzleben 1911“.
G G L 4—4 b	„Brennecke-Geschoss“.	„Balle Brennecke“.	„Brennecke bullet“.	„Bala Brennecke“.
G G L 5—5 b	„5 teilig“.	„en 5 pièces“.	„in 5 parts“.	„en 5 piezas“.
G G L 6—6 b	„7 teilig“.	„en 7 piéces“.	„en 7 parts“.	„en 7 piezas“.
G G L 7—7 b	„Oberhammer Geschoss.“	„Balle Oberhammer“.	„Oberhammer bullet“.	„Bala Oberhammer“.

No.				
G G L 8—8 b	„Witzleben-Granaten-Geschoss mit Stahlspitze.“	„Balle-obus Witzleben avec pointe acier“.	„Witzleben-shell bullet with steel point“.	„Bala obus Witzleben con punta de acero.“
G G L 9—9 b	„Witzleben-Granaten-Geschoss“.	„Balle-obus Witzleben.“	„Witzleben-shell.“	„Bala-obus Witzleben.“
G G L 10—10 b	„Bleigeschoss mit Ringen.“	„Balle de plomb à cercles.“	„Leaden bullets with rings.“	„Bala de plomo de circulo.“
G G L 11—11 b	Geschoss Mod. F B.	Balle mod. F B.	Bullet mod. F B.	Bala mod. F B.
G G L 12—12 b	Konzentrator-Rund-Kugel mit Papphülle.	Balle cylindrique Conzentrator avec enveloppe de carton.	Conzentrator round ball with cardboard shell.	Bala cilindrica Conzentrator con sobre de papel.
G G L 13—13 a	„Ideal-Stahl-“ kerngeschoss m. Stahlspitze. Die Führungsschraube kommt in das Pulver.	Balle à noyau d'acier „Ideal“ avec pointe d'acier. La vis conductrice va dans la doudre.	Steel kernel bullet ‚Ideal‘ with steel point. The guide-screw goes into the powder.	Bala de acero, ‚Ideal‘ con punta de acero. El tornillo conductor va en la pólvora.

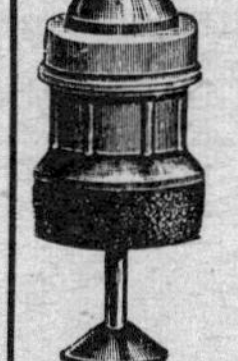

No.	†	Cal.	pro 100 Mark
G G L 1	Watz	12	19.—
G G L 1 a	Watzt	16	18.—
G G L 1 b	Watzl	20	18.—
G G L 2	Witz	12	22.80
G G L 2 a	Witzt	16	21.60
G G L 2 b	Witzl	20	21.60
G G L 3	Wetz	12	17.80
G G L 3 a	Wetzt	16	16.80
G G L 3 b	Wetzl	20	16.80
G G L 4	Wotz	12	20.80
G G L 4 a	Wotzt	16	19.80
G G L 4 b	Wotzl	20	19.80
G G L 5	Wutz	12	15.—
G G L 5 a	Wutzt	16	14.—
G G L 5 b	Wutzl	20	14.—
G G L 6	Watza	12	15.—
G G L 6 a	Watzat	16	14.—
G G L 6 b	Watzal	20	14.—
G G L 7	Wetze	12	7.—
G G L 7 a	Wetzet	16	6.—
G G L 7 b	Wetzel	20	6.—
G G L 8	Gran	12	SO
G G L 8 a	Grant	16	
G G L 8 b	Granl	20	
G G L 9	Grana	12	21.—
G G L 9 a	Granat	16	20.—
G G L 10	Granafib	12	pro Kg 1.50
G G L 10 a	Granafibt	16	1.50
G G L 10 b	Granafibs	20	1.50
G G L 11	Granifob	12	30.—
G G L 11 a	Granifobt	16	30.—
G G L 11 b	Granifobs	20	30.—
G G L 12	Granecon	12	15.50
G G L 12 a	Granecont	16	12.—
G G L 12 b	Granecons	20	12.—
G G L 13	Wetzestak	12	42.—
G G L 13 a	Wetzestif	16	40.—

Messinghülsen für Schrotcaliber. | Douilles de laiton pour calibres à plombs. | Brass shells for shot calibers. | Cartuchos de latón para calibres de perdigones.

Lefaucheux.

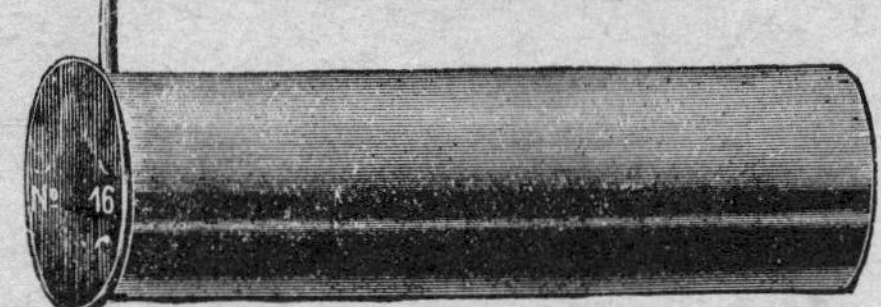

H 26—H 30

Leichte Qualität. | Qualité courante. | Light quality. | Calidad corriente.

H 31—H 35

Schwere Qualität. — Qualité extra. Heavy quality. Calidad extra

H 37

H 39

H 42

H 44

H 45

Kurz und schwer. | Court et extra. | Short and heavy. | Corto y extra.

H 46—H 48

Messing-Exerzierpatrone mit beweglichem Zündhütchen für Hammerless-Gewehre. | Cartouche d'exercice en laiton, avec capsule mobile, pour fusils Hammerless. | Brass practice-cartridges with adjustable cap for Hammerless rifles. | Cartucho de latón de ejercicio con cápsula movible, para fusiles Hammerless.

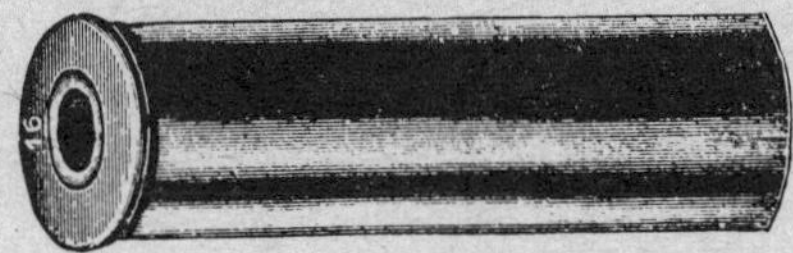

H 49-H 51

No.	H 26	H 27	H 28	H 29	H 30	H 31	H 32	H 33	H 34	H 35	H 36	H 37	H 38	H 39	H 40	H 41	H 42	H 43	H 44	H 45	H 46	H 47	H 48	H 49	H 50	H 51
†	Lefax	Lefaxt	Lefaxd	Lefaxk	Lefaxz	Leicht	Leichtz	Leichts	Leichtd	Leichtk	Galt	Galtu	Galtus	Galtux	Galtuk	Galtuz	Galtuh	Galtun	Galtur	Galtuf	Impu	Impust	Impurx	Exat	Exatz	Exatd
Cal.	12	16	20	24	28	12	16	20	24	28	4	8	10	12	14	16	20	24	28	32	12	16	20	12	16	20
pro 1000 Mk.	340.—	280.—	270.—	250.—	250.—	144.—	132.—	132.—	132.—	132.—	840.—	440.—	240.—	181.—	181.—	165.—	150.—	150.—	150.—	120.—	181.—	165.—	150.—		pro 2	
																								3.50	3.50	3.50

Lefaucheux-Papp-Patronenhülsen für Schrotgewehre. | Douilles de carton Lefaucheux pour fusils à plombs. | Lefaucheux cardboard cartridge shells for shot guns. | Cartuchos vacios de cartón Lefaucheux para escopetas de perdigones.

No.	Messingbeschlag hoch: Hauteur de la garniture de laiton: Height of brass mounting: Altura de la montura en latón:		in Farben: en couleurs: in colours: en colores:
Q 1	5 mm	GARANTIE 16 16	Grün oder rotbraun. Vert ou rouge brun. Green or red-brown. Verde ó rojo oscuro.
Q 2	7 mm	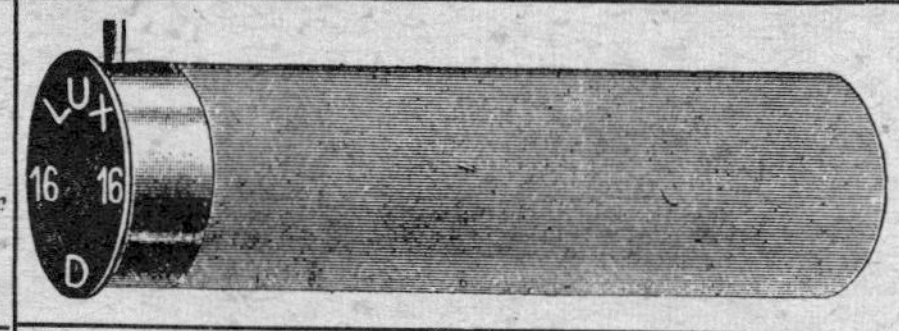 LUX 16 16 D	Braun. Brun. Brown. Oscuro.
Q 3, Q 4	7 mm	Q 3: FORTUNA 16 16 K; Q 4: GARANTIE 16 16 B	Rot oder grün. Rouge ou vert. Red or green. Rojo ó verde.
Q 5, Q 6	7 mm	Q 5: GERMANIA C. 16; Q 6: 16	Q 5. Orange. Orange. Orange. Naranja. Q 6. Rot oder grün. Rouge ou vert. Red or green. Rojo ó verde.
Q 7	7 mm	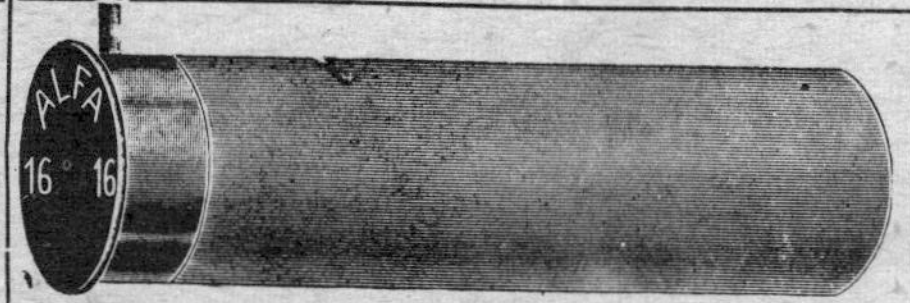 ALFA 16 16	Braun. Brun. Brown. Oscuro.
Q 8	7 mm	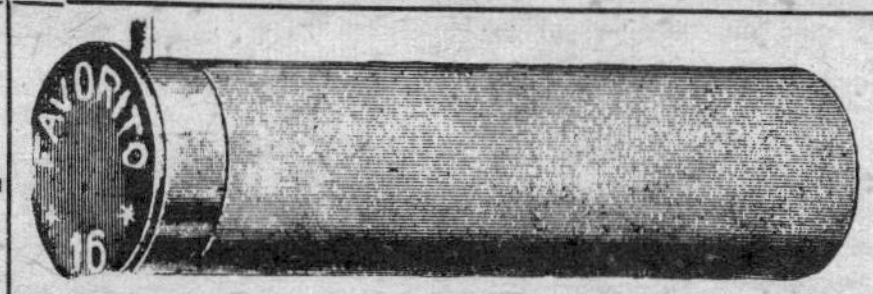 FAVORITO 16	Rot oder grün. Rouge ou vert. Red or green. Rojo ó verde.
Q 9	8 mm	 TREFF 16 16 B; Aus vorzüglichem Material sorgfältigst angefertigt. Patronenhülsenfabrik Bischweiler i. E.	Hellblau. Bleu clair. Light blue. Azul claro.
Q 10, Q 11	8 mm	Q 10: JAGD 16 16 B; Q 11: WM 16 16	Q 10. Braun Brun. Brown. Oscuro. Q 11. Rot oder grün. Rouge ou vert. Red or green. Rojo ó verde.

No.	Messingbeschlag hoch: Hauteur de la garniture de laiton: Height of brass mounting: Altura de la montura en latón:			in Farben: en couleurs: in colours: en colores:
Q 12, Q 13	8 mm		 491/507; Q 12: 16 16; Q 13: DIANA 16 16 B	Q 12. Rosa oder grün. Rose ou vert. Pink or green. Rosa ó verde. Q 13. Grau. Gris. Grey. Gris.
Q 14	8 mm	Gasdicht. à l'épreuve des gaz. Gas-proof. á la prueba de gas.	16 16; GASDICHTE PATRONE	Grün oder grau. Vert ou gris. Green or grey. Verde ó gris.
Q 15	8 mm	Gasdicht. à l'épreuve des gaz. Gas proof. á la prueba de gas.	 ALFA 16 16; Extra Gasdicht	Grün oder braun. Vert ou brun. Green or brown. Verde ó oscuro.
Q 16	8 mm	Gasdicht. à l'épreuve des gaz. Gas-proof. á la prueba de gas.	 KONDOR 16 16 D; Jagd-Patronenhülse Qualität gasdicht. Garantirt versagerfrei aus bestem Materialhergestellt und vollkommen gasdicht mit innerem Metallmantel.	Grün oder braun Vert ou brun. Green or brown. Verde ó oscuro.
Q 17	8 mm	Gasdicht. à l'épreuve des gaz. Gas-proof. á la prueba de gas.	 16 16; Extra gasdichte PH. F. B. Garantirt Patronen-Hülse	Braun. Brun. Brown. Oscuro.
Q 18	8 mm	Gasdicht. à l'épreuve des gaz. Gas-proof. á la prueba de gas.	 DIANA 16 16 B; Extra gasdichte PH. F. B. Garantirt Patronen-Hülse	Braun. Brun. Brown. Oscuro.
Q 19	8 mm	Gasdicht. à l'épreuve des gaz. Gas-proof. á la prueba de gas.	 STAHL 16; Gasdichte Patronenhülse „Stahl" mit innerer Metallbekleidung	Blau. Bleu. Blue. Azul.

Die Hülsen sind mit Zündhütchen versehen u. à 100 in Papier verpackt. Auf Wunsch werden die Hülsen mit Zubehör, das heisst je 100 Filzpfropfen und 100 weissen Deckeln, geliefert. Mehrpreis Mk. 3.— per Mille. † „zh" anhängen.

Les douilles sont munies de capsules et contenues en carton de 100 pièces. Sur demande nous livrons avec les douilles les accessoires, c'est à dire, pour 100 douilles, 100 bourres de feutre et 100 couvercles blancs. Augmentation de M. 3.— par mille. † ajouter „zh" au mot codique.

The shells are provided with caps and packed 100 in paper boxes. On application the shells are supplied with accessories i. e. every 100 shells with 100 felt wads and 100 white cardboards. Additional price Mk. 3.— per 1000. Add „zh" to code-word.

Los cartuchos están provistos de cápsulas y están metidos en cartones de 100 piezas. Si se pide también proveemos los accesorios, es decir, para 100 cartuchos, 100 tacos y coberteras blancas. Aumento de M. 3.— por mil. † añadir „zh" al código.

No.			Q 1	Q 2	Q 3	Q 4	Q 5	Q 6	Q 7	Q 8	Q 9	Q 10	Q 11	Q 12	Q 13	Q 14	Q 15	Q 16	Q 17	Q 18	Q19
Code anhängen. à ajouter aux mots codiques Add to code-word. Para añadir ó las palabras del código.	†		Garill	Garillux	Fortul	Gerusl	Germal	Hirsall	Luxal	Selborl	Treffonl	Jadexl	Wamexl	Calexarl	Danexl	Gasebl	Gekorl	Gekondl	Gateil	Gadanl	Garell
+ a	Cal. 10	Mk.	—	—	—	47.—	—	47 —	47 —	47.—	—	—	60 —	47.—	—	68.—	68.—	—	—	—	—
+ b	Cal. 12	Mk.	25.50	30.—	30.—	30.—	30.—	30.—	30.—	30.—	34.—	34.—	44.—	30.—	34 —	52.—	52.—	52.—	52.—	56 —	60.—
+ c	Cal. 14	Mk.	25.50	30.—	30 —	30.—	—	30.—	30.—	30.—	—	—	44.—	30.—	—	52 —	52.—	—	—	—	—
+ d	Cal. 16	Mk.	22.—	26.50	26 50	26.50	26 50	26.50	26.50	26.50	30.50	30.50	40. —	26.50	30.50	48 —	48.—	48 -	48.—	52.—	56.—
+ e	Cal. 18	Mk.	22.—	26.50	26.50	26.50	—	26.50	26 50	26.50	—	—	40.—	26.50	—	48.—	48.—	—	—	—	—
+ f	Cal. 20	Mk.	22.—	26 50	26.50	26.50	26.50	26.50	26.50	26.50	30.50	30.50	40 —	26.50	30.50	48 —	48.—	48.—	—	52.—	—
+ g	Cal. 24	Mk.	22.—	26.50	26.50	26 50	—	26.50	26.50	26.50	—	—	40.—	26.50	—	48.—	48.—	—	—	—	—
+ h	Cal. 28	Mk.	22.—	26.50	26.50	26.50	—	26.50	26.50	26.50	—	—	40.—	26.50	—	48.—	48.—	—	—	—	—

pro 1000

Centralfeuer-Papp-Patronenhülsen für Schrotgewehre. | Douilles de carton, à feu central, pour fusils à plombs. | Central-fire cartridge shells of cardboard for shot guns. | Cartuchos vacíos de cartón, de fuego central, para escopetas de perdigones.

No.	Messingbeschlag hoch: / Hauteur de la garniture de laiton: / Height of brass mounting: / Altura de la montura de latón:	in Farben / en couleurs / in colours / en colores
Q 20	5 mm	grün oder rotbraun / vert ou rouge brun / green or red brown / verde ó rojo oscuro.
Q 21	5 mm	grün oder rotbraun / vert ou rouge brun / green or red brown / verde ó rojo oscuro.
Q 22	7 mm	rot oder grün / rouge ou vert / red or green / rojo ó verde.
Q 23	7 mm	braun / brun / brown / oscuro.
Q 24	7 mm	grün oder rot / vert ou rouge / green or red / verde ó rojo.
Q 25	7 mm	braun / brun / brown / oscuro.
Q 26	7 mm	orange / orange / orange / naranja.
Q 27	7 mm	rot oder grün / rouge ou vert / red or green / rojo ó verde.
Q 28	7 mm	rot oder grün / rouge ou vert / red or green / rojo ó verde.
Q 29	8 mm	hellblau / bleu clair / light blue / azul claro.
Q 30	8 mm	braun / brun / brown / oscuro.
Q 31	8 mm	rot oder grün / rouge ou vert / red or green / rojo ó verde.
Q 32	8 mm	rosa oder grün / rose ou vert / pink or green / rosa ó verde.
Q 33	8 mm	grau / gris / grey / gris.
Q 34	Teschner Papier-Hülsen. / Douilles de carton. / Teschner paper shells. / Cartuchos de cartón.	grün / vert / green / verde.
Q 35	Nur in kleinsten Calibern. / Seulement dans les plus petits calibres. / In smallest calibres only. / Solamente en los calibres más pequeños.	grün oder rot / vert ou rouge / green or red / rojo ó verde.

491/507

Aus vorzüglichem Material sorgfältigst angefertigt. Patronenhülsenfabrik Bischweiler.

Die Hülsen sind mit Zündhütchen versehen und à 100 in Papier verpackt. Auf Wunsch liefern wir auch Zubehör, d. h. per 100 Hülsen je 100 Pfropfen und weisse Deckel, Mehrpreis Mk. 3.— per 1000. + „zh" anhängen.

Les douilles sont munies de capsules et emballées en papiers par 100 pièces. Sur demande nous livrons aussi les accessoires, c'est à dire pour 100 douilles, 100 bourres et couvercles blancs. Augmentation de M. 3.— par mille. + Ajouter „zh" au mot télégraphique.

The shells are provided with caps and packed in quantities of 100 in paper. Upon application we supply also with accessories with every 100 shells, 100 wads and white cardboards. Additional price M. 3.— per 1000, + add „zh" to code-word.

Los cartuchos están provistos de cápsula y embalados en sobres de 100 piezas. Según pedido también, proveemos los accesorios, es decir, para 100 cartuchos, 100 tacos y cobertas blancas. Aumento de precio M. 3.— por mil. Añadir + „zh" al código.

Code anhängen: / Ajouter aux mots codiques: / add to code word: / Añadir á las palabras del código:		No.	Q 20	Q 21	Q 22	Q 23	Q 24	Q 25	Q 26	Q 27	Q 28	Q 29	Q 30	Q 31	Q 32	Q 33	Cal.	Q 34	Cal.	Q 35
		†	Garok	Gerak	Fortu	Fortuxil	Gerus	Laxul	Germa	Selbor	Hirsal	Treffon	Jadex	Wamex	Calexar	Danex		Calexcoll		Greena
+ a	pro 1000	Cal. 10	M. —	—	—	—	49.—	52.—	52.—	—	—	—	48.—	60.—	—	65.+	0	60.—	32	32.—
+ b		„ 12	M. 27.60	27.60	32.40	32.40	32.40	34.40	34.40	34.40	37.50	43.—	35.—	40.—	40.—	45.—	1	60.—	14 mm	32.—
+ c		„ 14	M. 27.60	27.60	—	—	32.40	34.40	—	—	37.50	—	35.—	40.—	40.—	45.—	3	60.—	13 mm	32.—
+ d		„ 16	M. 24.40	24.40	28.40	28.40	28 40	30.40	30.40	30.40	33.10	38.—	32.—	35.—	35.—	40.—	4	60.—	12 mm	32.—
+ e		„ 18	M. —	24.40	—	—	28.40	30.40	—	—	—	—	32.—	35.—	—	—	5	60.—	9,1×40	32.—
+ f		„ 20	M. 24.40	24.40	28.40	28.40	28 40	30.40	30.40	30.40	33.10	38.—	32.—	35.—	35.—	40.—	6	60.—	—	—
+ g		„ 24	M. —	28.40	—	—	28.40	30.40	—	—	—	—	32.—	35.—	—	—	7	60.—	—	—
+ h		„ 28	M· —	28.40	—	—	28.40	30.40	—	—	—	—	32.—	35.—	—	—	8	60.—	—	—

Centralfeuer-Papp-Patronenhülsen für Schrotgewehre, **gasdicht.**	Douilles de carton, à feu central, pour fusils à plombs, à l'épreuve des gaz.	Central-fire cartridge shells of cardboard for shot guns, gas tight.	Cartuchos vacios de cartón, de fuego central, para escopetas de perdigones.

No.	Messingbeschlag hoch: / Hauteur de la garniture de laiton: / Height of brass mounting: / Altura de la montura en latón: mm	in Farben: / en couleurs: / in colours: / en colores:	No.	Messingbeschlag hoch: / Hauteur de la garniture de laiton: / Height of brass mounting: / Altura de la montura en latón: mm	in Farben: / en couleurs: / in colours: / en colores:
Q 36	8 mm	grün oder grau / vert ou gris / green or grey / verde ó gris	Q 43	8 mm	blau / bleu / blue / azul
Q 37	8 mm	blau / bleu / blue / azul	Q 44	9 mm	orange / orange / orange / naranja
Q 38	8 mm	braun / brun / brown / oscura	Q 45	8 mm	orange / orange / orange / naranja
Q 39	8 mm	Grün oder braun / vert ou brun / green or brown / verde ó oscuro	Q 46	9 mm	grün / vert / green / verde
Q 40	8 mm	braun / brun / brown / oscuro	Q 47	12 mm	rot oder violett / rouge ou violet / red or violet / rojo ó violeta
Q 41	8 mm	braun oder grün / brun ou vert / brown or green / oscuro ó verde	Q 48	26 mm	rot und schwarz oder grün und weiss / rouge et noir ou vert et blanc / red and black or green and white / rojo y negro ó verde y blanco
Q 42	8 mm	braun / brun / brown / oscuro	Q 49	60 mm	rot / rouge / red / rojo

491/507

Die Hülsen sind in Pappkartons à 100 St. verpackt und **mit** Zündhütchen versehen.

Les douilles sont contenues en cartons de 100 pièces et **munies de** capsule.

The shells are packed in quantities of 100 in cardboard boxes and **provided with** caps.

Los cartuchos vacios están en cartones de 100 piezas y **provistos de** cápsula.

code anhängen: / à ajouter aux mots codiques: / add to code words: / para añadir á las palabras del código:	No.	Q 36	Q 37	Q 38	Q 39	Q 40	Q 41	Q 42	Q 43	Q 44	Q 45	Q 46	Q 47	Q 48	Q 49
	†	Gaseb	Gasegrei	Gasetell	Gekor	Gatel	Gakondt	Gadan	Garei	Gases	Gabes	Gader	Gaza	Gasdi	Games
+ a	pro 1000 Cal. 10 Mark	70.70	70.70	—	—	—	—	74.50	—	—	—	—	—	—	—
+ b	„ 12 „	51.80	51.80	45.—	45.—	55.50	55.50	55.50	55.50	48.70	48.70	72.50	88.40	87.50	147.50
+ c	„ 14 „	51.80	51.80	—	—	55.50	—	55.50	—	—	—	—	—	—	—
+ d	16 „	48.—	48.—	41.—	41.—	50.50	50.50	50.50	50.50	43.70	43.70	67.50	80.—	76.20	130.—
+ e	„ 18 „	48.—	48.—	—	—	50.50	—	50.50	—	—	—	—	—	—	—
+ f	„ 20 „	48.—	48. -	—	41.—	50.50	—	50.50	50.50	43.70	43.70		80.—	76.20	—
+ g	„ 24 „	48.—	48.—	—	41.—	50.50	—	50.50	—	—	—	—	—	—	—
+ h	„ 28 „	48.—	48.—	—	41.--	50.50	—	50.50	—	—	—	—	—	—	—

Fertige Schrotpatronen mit Schwarzpulver.

Cartouches de chasse à plombs chargées à poudre noire.

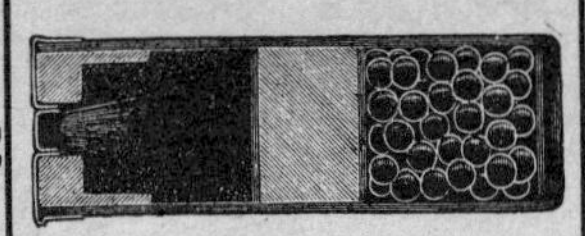

Ready loaded shot cartridges with black powder.

Cartuchos de caza de perdigones cargados de pólvora negra.

491/507

No.		in Farben / en couleurs / in colours / en colores
Q 50	Garantie	grün oder rot, / vert ou rouge, / green or red, / verde ó rojo.
Q 51	Hasloch	grün, vert, green, verde.
Q 52	Germania	rot, rouge, red, rojo.
Q 53	B M D III	braun, brun, brown, oscuro.
Q 54	Rottweil	blau, bleu, blue, azul.
Q 55	Hussa	grau, gris, grey, gris.
Q 56	Horrido	grau, gris, grey, gris.
Q 57	Fasan II	gelb, jaune, yellow, amarillo.
Q 58	Adler II	braun, brun, brown, oscuro.
Q 59	Halali	grün, vert, green, verde.
Q 60	Tell	braun, brun, brown, oscuro.
Q 61	Teutonia	grün, vert, green, verde.
Q 62	Diana II	rot, rouge, red, rojo.
Q 63	Krone	grau, gris, grey, gris.

Die Patronen werden **mit** oder **ohne** Schrot geladen geliefert. Die in Klammern genannten Preise und Telegrammbezeichnungen betreffen Patronen **ohne** Schrot, die anderen **mit** Schrot geladene. Die Patronen sind à 10 oder 25 St. in Karton verpackt.

Les cartouches sont livrées **avec** plombs ou **sans** plombs. Les prix et indications télégraphiques se trouvant entre parenthèses concernent des cartouches **sans** plombs, les autres concernent des cartouches **avec** plombs. Les cartouches sont en cartons de 10 ou 25 pièces.

The cartridges are supplied loaded **with** or **without** shot. The prices and telegraphic specifications in brackets apply to cartridges **without** shot, the cartridges loaded **with** shot are packed 10 or 25 in cardboard boxes.

Los cartuchos se provéen con perdigones ó sin perdigones. Los precios é indicaciones telegráficas que estón entre paréntesis conciernen á los cartuchos sin perdigones, los otros conciernen á los cartuchos con perdigones. Los cartuchos están en cartones de 10 ó 25 piezas.

Code anhängen: / à ajouter aux mots codiques: / add to code-words: / para añadir á las palabras del código:	†		No.	Q 50	Q 51	Q 52	Q 53	Q 54	Q 55	Q 56	Q 57	Q 58	Q 59	Q 60	Q 61	Q 62	Q 63
				Fegpat	Fasu	Fegpatzi	Fegpatso	Rotas	Hussa	Horri	Farot	Farotzi	Farotzka	Farotzlo	Farotzne	Farotzzu	Kroni
+ a (f)	pro 1000	Cal. 12	Mark:	100 (66)	110 (84)	100 (80)	110 (90)	112 (93)	104 (85)	112 (100)	118 (94)	112 (88)	102 (72)	108 (78)	110 (76)	136 (117)	112 (93)
+ b (g)	pro 1000	„ 16	„	90 (62)	98 (72)	88 (64)	96 (72)	96 (77)	88 (56)	100 (80)	106 (80)	96 (72)	92 (67)	95 (69)	100 (72)	120 (102)	96 (64)
+ c (h)	pro 1000	„ 20	„	90 (62)	98 (72)	—	—	96 (77)	—	100 (80)	106 (80)	—	92 (67)	—	—	120 (102)	96 (64)
+ d (i)	pro 1000	„ 24	„	—	—	—	—	96 (77)	—	—	—	—	92 (67)	—	—	—	—
+ e (k)	pro 1000	„ 28	„	—	—	—	—	96 (77)	—	—	—	—	92 (67)	—	—	—	—

Fertige Schrotpatronen mit Schwarzpulver. | Cartouches de chasse à plombs chargées, à poudre noire.

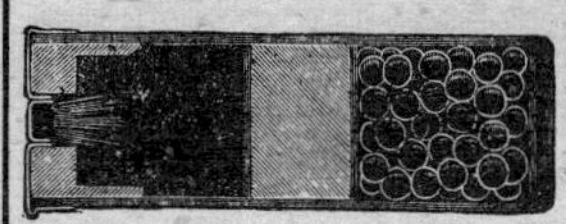

Ready loaded shot cartridges with black powder. | Cartuchos de caza de perdigones cargados, de pólvora negra.

491/507

No.		in Farben / en couleurs / in colours / en colores
Q 64	Waldheil	grau, gris, grey, gris.
Q 65	Füllhorn II	grau oder grün, gris ou vert, grey or green, gris ó verde.
Q 66	Adler I	grün, vert, green, verde.
Q 67	Waidmannsheil	braun, brun, brown, oscuro.

Fertige Schrotpatronen mit rauchlosem Pulver. | Cartouches de chasse à plombs chargées, à poudre sans fumée. | Ready loaded shot cartridges with smokeless powder. | Cartuchos de caza de perdigones cargados, de pólvora sin humo.

No.		in Farben / en couleurs / in colours / en colores
Q 68	 Nimrod	rot, rouge, red, rojo.
Q 69	Greif	blau, bleu, blue, azul.
Q 70	B M D II	blau, bleu, blue, azul.
Q 71	Saxonia	rot, rouge, red, rojo.
Q 72	Güttler	rot, rouge, red, rojo.
Q 73	C & B	gelb, jaune, yellow, amarillo.
Q 74	Specht	rosa, rose, pink, rosa.
Q 74 a	Silvanus	blau, bleu, blue, azul.
Q 75	Clermonite	grün, vert, green, verde.
Q 76	Diana	blau, bleu, blue, azul.

Die Patronen werden **mit** oder **ohne** Schrot geladen geliefert. Die in Klammern genannten Preise und Telegrammbezeichnungen betreffen Patronen **ohne** Schrot, die anderen **mit** Schrot geladene. Die Patronen sind à 10 oder 25 Stück im Karton verpackt.

Les cartouches sont livrées **avec** plombs ou **sans** plombs. Les prix et indications télégraphiques se trouvant entre parenthèses concernent des cartouches **sans** plombs, le autres concernent des cartouches **avec** plombs. Les cartouches sont en cartons de 10 ou 25 pièces.

The cartridges are supplied loaded with or without shot. The prices and telegraphic specifications in brackets apply to cartridges **without** shot the others are loaded **with** shot. The cartridges are packed 10 or 25 in cardboard boxes.

Los cartuchos se provéen con perdigones y sin perdigones. Los precios é indicaciones telegráficas que se encuentran entre paréntesis, conciernen á los cartuchos sin perdigones, los otros conciernen á los cartuchos con perdigones. Los cartuchos están en cartones de 10 ó 25 piezas.

code anhängen: / à ajouter aux mots codiques: / add to code words: / Para añadir á las palabras del código:	†	No.	Q 64	Q 65	Q 66	Q 67	Q 68	Q 69	Q 70	Q 71	Q 72	Q 73	Q 74	Q 74 a	Q 75	Q 76
			Kronisch	Kronixz	Kronista	Wald	Nod	Bleg	Blebimd	Blegsai	Bleggut	Blegdia	Grer	Grersilva	Grerpech	Grerdia
+ a (f)	pro 1000	Cal. 12 Mark	114(84)	112(80)	136(112)	136(118,80)	142(114)	126(118)	125(99)	152(120)	160(136)	136(112)	130(110)	120(90)	152(128)	160(136)
+ b (g)		„ 16 „	104(78)	100(74)	120(96)	120(102,80)	128(104)	112(88)	110(91)	138(112)	144(120)	120(96)	115(90)	104(78)	138(114)	144(120)
+ c (h)		„ 20 „	104(78)	—	120(96)	120(102,80)	—	—	—	138(112)	144(120)	120(96)	—	—	138(114)	144(120)
+ d (i)		„ 24 „	104(78)	—	120(96)	120(102,80)	—	—	—	—	—	—	—	—	—	—
+ e (k)		„ 28 „	104(78)	—	105(81)	112(96)	—	—	—	—	—	—	—	—	—	—

Fertige Schrotpatronen mit rauchlosem Pulver.	Cartouches de chasse à plombs chargées, à poudre sans fumée.	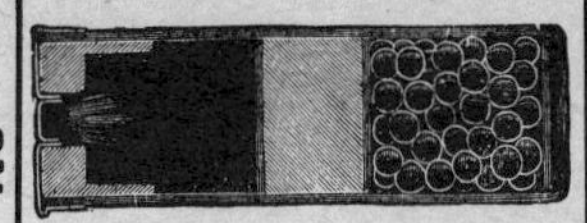	Ready loaded shot cartridges with smokeless powder.	Cartuchos de caza de perdigones cargados, y de pólvora sin humo.

No		in Farben / en couleurs / in colours / en colores	No.		in Farben / en couleurs / in colours / en colores
Q 77	Special F	grau oder grün / gris ou vert / grey or green / gris ó verde	Q 83	Waidmannslust	rot / rouge / red / rojo
Q 78	Berlin	lachsfarbig / saumon / salmon colored / salmón	Q 84	N	orange / orange / orange / naranja
Q 79	Fasan	rot / rouge / red / rojo	Q 85	Normal	rot / rouge / red / rojo
Q 80	Jagdkönig	violett / violet / violet / violeta	Q 86	Normal II „Browning“	rot / rouge / red / rojo
Q 81	Steinbock	rot / rouge / red / rojo	Q 87	Walsrode	braun / brun / brown / oscuro
Q 82	Eilers	rot / rouge / red / rojo	Q 88	Wolf	gelb / jaune / yellow / amarillo

491/507

Die Patronen werden **mit** oder **ohne** Schrot geladen geliefert. Die in Klammern genannten Preise und Telegrammbezeichnungen betreffen Patronen **ohne** Schrot, die anderen **mit** Schrot geladene. Die Patronen sind **à** 10 oder 25 Stück in Karton verpackt.

Les cartouches sont livrées **avec** plombs ou **sans** plombs. Les prix et indications télégraphiques se trouvant entre parenthèses concernent des cartouches **sans** plombs, le autres concernent des cartouches **avec** plombs. Les cartouches sont en cartons de 10 ou 25 pièces.

The cartridges are supplied loaded with or without shot. The prices and telegraphic specifications in brackets apply to cartridges **without** shot, the others are loaded **with** shot. The cartridges are packed 10 or 25 in cardboard boxes.

Los cartuchos se provéen con perdigones y sin perdigones. Los precios é indicaciones telegráficas que se encuentran entre paréntesis conciernen á los cartuchos sin perdigones, los otros conciernen á los cartuchos con perdigones. Los cartuchos están en cartones de 10 ó 25 piezas.

		No.	Q 77	Q 78	Q 79	Q 80	Q 81	Q 82	Q 83	Q 84	Q 85	Q 86	Q 87	Q 88
code anhängen: à ajouter aux mots codiques: add to code-words: Para añadir á las palabras del código:		†	Grerfuh	Grerber	Tirox	Tiroxke	Barm	Saxa	Barims	Hilus	Blicks	Turaks	Krak	Wolza
+ a (f)	pro 1000	Cal. 12 Mark	166 (134)	176 (152)	154 (122)	170 (136)	138 (106)	164 (132)	170 (134)	146 (108)	164 (132)	180 (148)	176 (144)	136 (112)
+ b (g)	pro 1000	„ 16 „	150 (124)	160 (136)	138 (108)	152 (122)	124 (98)	150 (124)	156 (126)	130 (100)	150 (124)	160 (132)	160 (128)	128 (104)
+ c (h)	pro 1000	„ 20 „		160 (136)	138 (108)	150 (122)	—	—	156 (126)	130 (100)	—	160 (132)	160 (128)	128 (104)
+ d (i)	pro 1000	„ 24 „		160 (136)	138 (108)	—	—	—	156 (126)	130 (100)	—	—	—	—
+ e (k)	pro 1000	„ 28 „		160 (136)	138 (108)	—	—	—	156 (126)	130 (100)	—	—	—	—

Fertige Schrotpatronen mit rauchlosem Pulver. | Cartouches de chasse à plombs chargées à poudre sans fumée. | Ready loaded shot cartridges with smokeless powder. | Cartuchos de caza de perdigones cargados, y de pólvora sin humo.

No.		in Farben / en couleurs / in colours / en colores	No.		in Farben / en couleurs / in colours / en colores
Q 89	B M D I	rot, rouge, red, rojo.	Q 93	Rottweil I	rot, rouge, red, rojo.
Q 90	Müllerite I	rot, rouge, red, rojo.	Q 94	Eley E C	lachsfarbig, saumon, salmon colored, salmón.
Q 91	Müllerite II	rotbraun, rouge brun, reddish brown, rojo oscuro.	Q 92	Eley Schultze	lachsfarbig, saumon, salmon colored, salmón.
Q 92	Müllerite III	lila, lilas, lilac, lila.	Q 96	Rottweil O	ganz Messing mit roter Pappe, entièrement en laiton avec carton rouge, of brass entirely, with red cardboard, enteramente de latón, con carton rojo

Q 97	Express	rot rouge red rojo

Die Patronen werden **mit** oder **ohne** Schrot geladen geliefert. Die in Klammern genannten Preise und Telegrammbezeichnungen betreffen Patronen **ohne** Schrot, die anderen **mit** Schrot geladene Patronen. Die Patronen sind à 10 oder 25 Stück im Carton.

Les cartouches sont livrées chargées **avec** plombs ou **sans** plombs. Les prix et indications télégraphiques se trouvant entre parenthèses concernent des cartouches **sans** plombs, les autres concernent des cartouches **avec** plombs. Les cartouches sont en cartons de 10 ou 25 pièces.

The cartridges are supplied ready loaded with or without shot. The prices and telegraphic specifications in brackets apply to cartridges **without** shot, the others are loaded **with** shot. The cartridges are packed 10 or 25 in cardboard boxes.

Los cartuchos se libran cargados con perdigones ó sin perdigones. Los precios e indicaciones telegráficas se hallan entre paréntesis concerniendo á los cartuchos sin perdigones los otros concerniendo á los cartuchos con perdigones. Los cartuchos están en cartones de 10 ó 25 piezas.

Feuerwerks-Patronen. | Cartouches pour feu d'artifice. | Firework Cartridges. | Cartuchos para fuegos artificiales.

Gefahrlos aus jedem Centralfeuergewehr zu schiessen. | Se tire sans danger avec n'importe arme à feu central. | Can be fired without danger from any Center Fire Rifle. | Se pueden disparar sin peligro con cualquier escopeta de fuego central

Q 98

code anhängen: / à ajouter aux mots codiques: / add to code-words: / Para añadir á las palabras del código:		No. †	Q 89 Rosa	Q 90 Suwils	Q 91 Resit	Q 92 Hulicz	Q 93 Helius	Q 94 Toxirt	Q 95 Siwult	Q 96 Wezilt	Q 97 Ipars	Q 98 Festor
+ a (f)	pro 1000	Cal. 12 Mark	125 (99)	136 (107)	176 (147)	152 (123)	184 (158)	175 (143)	175 (143)	240 (216)	176 (155)	220.—
+ b (g)		„ 16 „	110 (91)	120 (95)	160 (134)	136 (110)	168 (144)	175 (143)	175 (143)	224 (200)	160 (140)	200.—
+ c (h)		„ 20 „	—	120 (95)	160 (134)	136 (110)	168 (144)	152 (128)	152 (128)	224 (200)	—	—
+ d (i)		„ 24 „	—	—	—	—	160 (144)	143 (116)	143 (116)	—	—	—
+ e (k)		„ 28 „	—	—	—	—	160 (144)	143 (116)	143 (116)	—	—	—

Centralfeuer-Büchsen Marke „Alfa“. | Carabines „Alfa“ à feu central. | Centerfire rifles „Alfa“. | Escopetas de fuego-central „Alfa“.

B 1—1 b

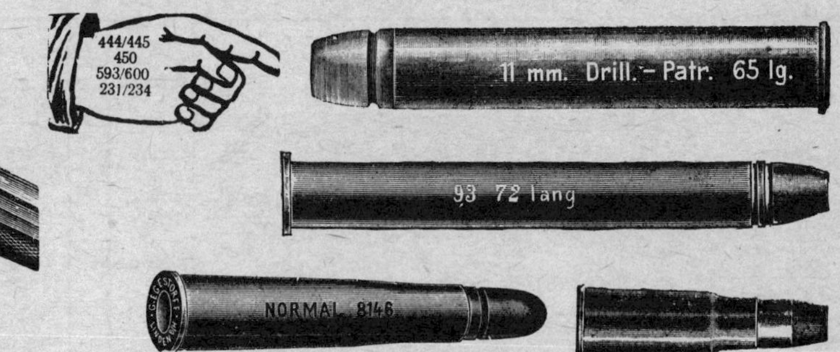

B1—1b Lancaster Pirsch-Büchse, mit Hornhebel auf Holzvorderschaft mit Neusilberplatte gleitend, bestes Stahlgewerk-Rückspringschloss, gutes Stechschloss, Schaft mit Pistolgriff oder Halbhornbügel, Garnitur einfach graviert, marmoriert gehärtet.

B 2—2 b. Scott-Pirschbüchse, Hebel auf der Scheibe, doppelter Keil-Verschluss, verlängerte, ins System eingreifende mattierte Laufschiene, **prima Stechschloss,** Schaft mit Pistolgriff und Backe.

B 1—1b Carabine de chasse Lancaster, clef corne sur le devant de bois avec plaque vieil argent, excellents chiens d'acier rebondissants, à double détente extra, crosse pistolet ou demie sous-garde corne, garniture gravée simplement, trempé, jaspé.

B 2—2b. Carabine de chasse Scott clef, double enclavement, bande mate prolongée, commençant à partir du système, **à double détente extra,** crosse pistolet, à joue.

B 1—1 b Lancaster sporting rifle, with horn lever sliding on wooden fore-end with German silver plate, best steel rebounding lock, good set-trigger, stock with pistol grip or half horn guard, mounting simply engraved, case hardened.

B 2—2 b. Scott sporting rifle, lever on neck, double-wedge lock, and matted extension rib. extending into system, **prime set-trigger,** stock with pistol grip and cheek.

B 1—1b Fusil de caza Lancaster, con palanca de cuerno corredera en la delantera de madera con placa de plata alemana, llave de retroceso del mejor acero y trabajo, doble escape bueno, caja con puño de pistola ó guardamonte medio cuerno, montura con grabado sencillo, templada, jaspeada.

B 2—2 b. Fusil de caza Scott, palanca en el cuello, cuña doble, cinta extendida mate con enganche en el sistema, **doble escape fino,** caja con puño de pistola y carrillo.

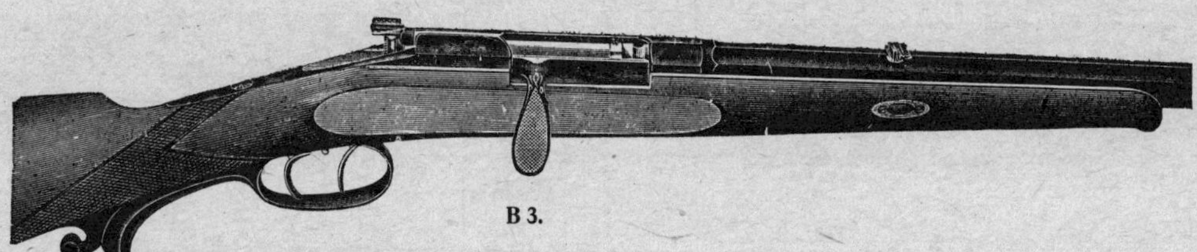

B 3.

Feine Mauser - Pirschbüchse, mit kantigem prima Stahllauf mit Expresszügen für die Patrone Cal. 9,3×57. System **mit Sicheruug,** mit **gebogenem Griff,** prima **Stechschloss,** Halbschaft mit Hornhalbbügel, Garnitur marmoriert gehärtet. Standvisier mit 1 Klappe, Korn mit Silberpunkt, eingeschossen auf 80 und 120 m. **Vorzügliche Schussleistung. Prima Material in allen Teilen und beste deutsche Arbeit.**

Elégante carabine de chasse Mauser, canon à angles en acier extra, avec rayures Express, pour cartouche cal. 9,3×57, système **avec sûreté, à levier, courbe,** à double détente extra, devant non prolongé, demie sous-garde corne, garniture trempée jaspée, hausse fixe à clapet, guidon à point argent, réglé au tir de 80 à 120 m. **Tir supérieur. Chaque pièce est du meilleur matérial. Le meilleur travail allemand.**

Fine Mauser sporting rifle, prime cornered steel barrel with express rifling for cartridges cal. 9,3×57, breech **with safety, with bent bolt,** half pistol-grip with horn, prime set-trigger, case-hardened mounting. Rear elevating sight, front sight with silver point, tested at 80 and 120 meters. **Splendid shooting. Best material throughout and best German workmanship.**

Fusil de caza Mauser fino, cañón esquinado de acero superior, rayado „Express“ para cartuchos cal. 9,3×57, sistema **con seguro,** con palanca replegada, **doble escape de primera,** medio puño de pistola de cuerno, montura aceración marmoreada, alza con una hoja, mira con punta de plata, probado de 80 hasta 120 metros. **Tiro excepcional. Todas las piezas de los mejores materiales y del mejor trabajo alemán.**

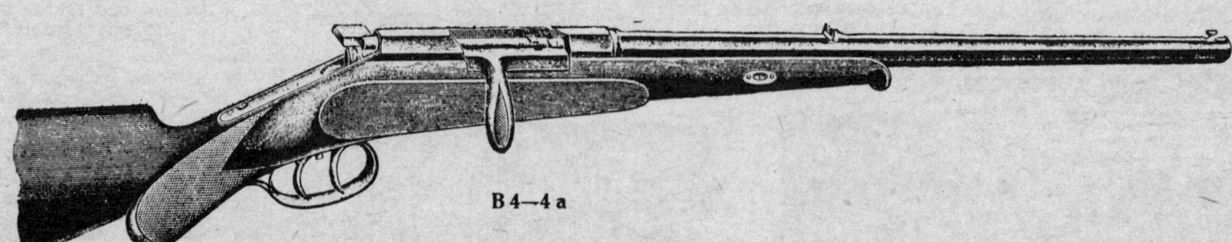

B 4—4 a

Genau wie B 3, aber mit **Pistolengriff.**

Exactement comme B 3, mais **crosse pistolet.**

Just like B 3, but **with pistol-grip.**

Igual al B 3, pero **con puño de pistola.**

No.	B 1	B 1 a	B 1 b	B 2	B 2 a	B 2 b	B 3	B 4	B 4 a
†	Gaba	Gabas	Gabat	Gebal	Gebals	Gebalt	Gekalig	Gedom	Gedomk
Cal.	11,5×65	8,15×46½	9,3×72	11,15×65	8,15×46½	9,3×72	9,3×72	9,3×72	6,5×27
Mk.	150.—	150.—	150.—	168.—	168.—	168.—	75.—	77.—	80.—

Central-feuer-Büchsen Marke „Alfa“. | Carabines marque „Alfa“ à feu central. | Centerfire rifles „Alfa“. | Fusiles „Alfa“ de fuego-central.

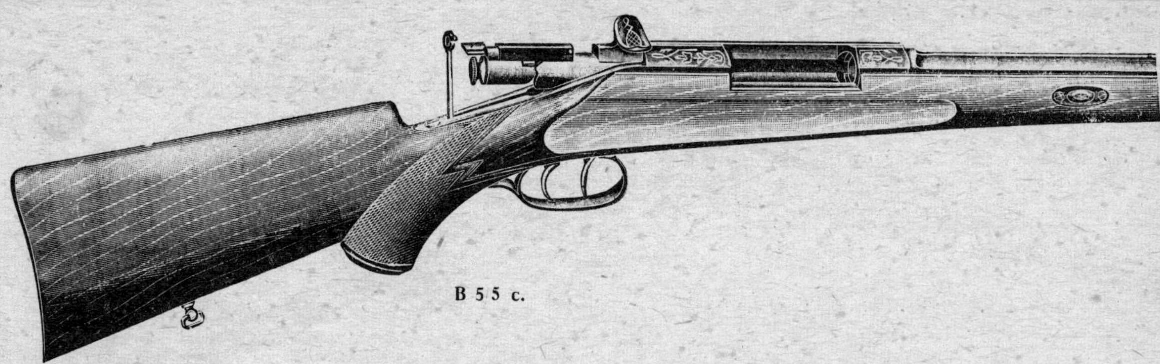

B 5 5 c.

Genau wie B 4, aber **hochfeine Blättergravur und Diopter.**

Exactement comme B 4, mais **très élégante gravure à feuilles et appareil dioptrique.**

Just like B 4, but **very fine leaf engraving and diopter.**

Igual al B 4, pero con **grabado finísimo de hojas y diópter.**

444/445
450
593/600
231/231

B 6.

Selbstspanner-Pirschbüchse, Gussstahllauf, Cal. 8 mm Normalpatrone, Spannung durch Verschlusshebel, Drehsicherung, Stecher, Pistolgriffschaft, Standvisier mit Klappe, Korn mit Silberpunkt; eingeschossen auf 80 und 120 Meter, etwas graviert, bunter Einsatz.

Carabine de chasse s'armant automatiquement, canon acier fondu Cal. 8 mm cartouche normale, armement par le levier de fermeture, sûreté en cercle, à double détente, crosse pistolet, hausse fixe avec clapet, guidon à point d'argent, réglé au tir de 80 à 120 mètres, un peu gravé, incrustation jaspée.

Self-cocking sporting rifle, cast steel barrel, Cal. 8 mm standard cartridge, cocking by means of lever bolt, turning safety, set-triger, pistol-grip stock, elevating rear sight with leaf, front sight with silver point, tested at 80 and 120 meters, slightly engraved, coloured insertion.

Fusil de caza con tensión automática, cañón acero colado, Cal. 8 mm cartucho normal, puesta en tensión por medio de la palanca de la cerradura, seguro de rotacion, doble escape, caja con puño de pistola, alza con hoja, mira con punta de plata, probada de 80 hasta 120 metros, sencillamente grabada, inserción en colores.

B 7/7 b.

Bügelspanner-Pirschbüchse, sehr beliebtes, leistungsfähiges Jagdgewehr, auf 60—80 m eingeschossen, mit Expresszügen, **Stecher,** prakt. Sicherung, Klappvisier und Neusilber-Perlkorn. Gewicht ca. 2,700 kg. Schaft mit Pistolgriff.

Carabine de chasse s'armant par la sous-garde, arme de chasse très appréciée et excellente, réglé au tir de 60 à 80 mètres, à rayures Express, **à double détente,** sûreté pratique, hausse à clapet, guidon point vieil argent, poids environ 2 K 700, crosse pistolet.

Sporting rifle cocked by lever under guard, very popular efficient sporting rifle, tested at 60—80 m, with express rifling, **set-trigger,** practical safety, folding rear sight, front sight with German silver point. Weight about 2,700 kg. Pistol-grip stock.

Fusil de caza, puesto en tensión por medio de la palanca debajo del guardamonte, fusil de caza eficiente y muy apreciado, probado á los 60—80 metros, rayado Express **doble escape,** alza de repliegue, mira con punta de plata alemana, seguro práctico, peso de unos ca. 2,700 Kilos. Caja con puño de pistola.

No.	B 5	B 5 a	B 5 b	B 5 c	B 6	B 7	B 7 a	B 7 b
†	Geffal	Geffals	Geffalt	Geffalk	Gorbar	Gürang	Gürangs	Gürangt
Cal.	11,15×52	9,3×72	8,15×46	6,5×27	8,15×46½	11,15×65	9,3×72	8,15×46½
Mark	80.—	80.—	80.—	85.—	70.—	72.—	72.—	72.—

Centralfeuer-Büchsen Marke „Alfa". | Carabines marque „Alfa" à feu central.

Centerfire rifles „Alfa". | Fusiles „Alfa" de fuego-central.

444/445 450 593/600 231/234

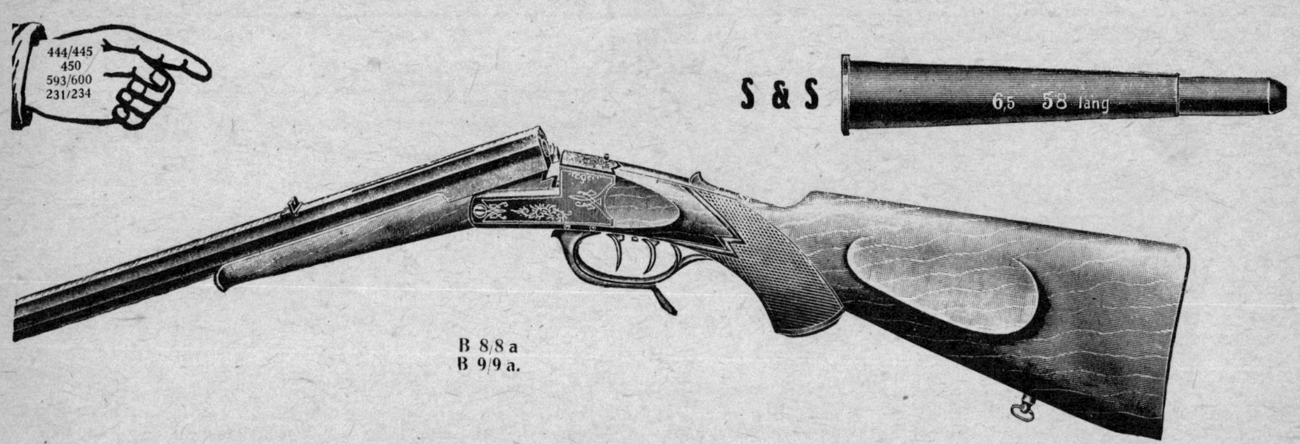

B 8/8 a
B 9/9 a.

B 8/8a. Selbstspanner-Büchse, Roux-Verschluss, einfache gediegene Konstruktion, Cal. 8 oder 9,3 mm, Pistolengriff, Sicherheit, Klappvisier, Korn mit Silberperle, **englische Gravierung,** neues elegantes Modell.

B 8/8a. Carabine de chasse s'armant automatiquement. verrou Roux, construction simple et solide, cal. 8 ou 9,3 mm, crosse pistolet, sûreté, hausse à clapet, guidon point argent, **gravure anglaise,** nouveau modèle très élégant.

B 8/8 a. Self-cocking rifle, Roux lock, simple solid construction, cal. 8 or 9,3 mm, pistol-grip, safety, folding rear sight, front sight with silver point, **English engraving,** new elegant model.

B 8/8 a. Fusil con tensión automática, cerradura Roux, construcción sencilla y solida, cal. 8 ó 9,3 mm, puño de pistola, seguro, alza de repliegue, mira con punto de plata, **grabado inglés,** modelo nuevo y elegante.

B 9/9 a. Cal. 6,5×27 oder 6,6×48, für Mantelgeschoss und Blättchenpulver, sonst wie B 8.

B 9/9a. Cal. 6,5×27 ou 6,6×48 pour balle à revêtement et poudre en feuillles, pour le reste, comme B 8.

B 9/9 a. Cal. 6,5×27 or 6,6×48, for mantle bullets and nitro powder, otherwise like B 8.

B 9/9 a. Cal. 6,5×27 ó 6,6×48, para pólvora sin humo y proyectiles blindados, por lo demás como B 8.

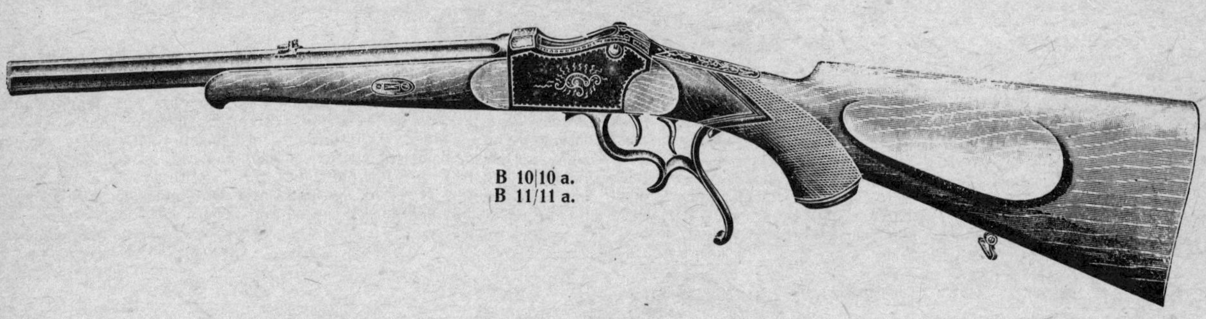

B 10/10 a.
B 11/11 a.

B 10/10 a. Bügelspanner-Büchse, System **Martini,** Kasten freiliegend, Klappvisier, Korn mit Silberperle, ohne Diopter, englische Gravierung, Hornkappe, Pistolengriff und Sicherheit, Schiene guillochiert.

B 10/10a. Carabine s'armant par la sous-garde, système **Martini,** boîte indépendante, hausse à clapet, guidon point argent, sans appareil dioptrique, gravure anglaise, calotte corne, crosse pistolet, sûreté, bande guillochée.

B 10/10 a. Rifle cocked by lever under guard, Martini independent, system chamber, folding rear sight, front sight with silver point, without diopter, English engraving, horn cap, pistol grip and safety, extension rib.

B 10/10 a. Fusil armándose por medio de la palanca debajo del guardamonte, sistema **Martini,** cámara independiente, alza de repliegue, mira con punta de plata, sin diópter, grabado inglés, plancha de talón de cuerno, puño de pistola, seguro, dorso de estera.

B 11/11 a. Mit **Schweizervisier, Nadelkorn, Steigdiopter, ohne** Sicherheit, sonst wie B 10.

B 11/11 a. Avec **hausse suisse, point de mire spécial, appareil dioptrique mobile, sans sûreté,** pour le reste comme B 10.

B 11/11 a. With **Swiss rear sight, needle front sight, elevating diopter, without** safety, otherwise like B 10.

B 11/11 a. Con **alza Suiza, mira de aguja, diópter de alza, sin seguro** por lo demás igual al B 10.

No.	B 8	B 8a	B 9	B 9 a	B 10	B 10 a	B 11	B 11 a
†	**Gelgan.**	**Gelgans.**	**Jelle.**	**Jelles.**	**Galintare.**	**Galintares.**	**Ganerbe.**	**Ganerbes.**
Cal.	9,3×72	8,15×46½	6,5×27 P	S. & S. 6,6×48	11,15×65	9,3×72	11,15×65	9,3×72
Mark	**72.—**	**72.—**	**80.—**	**80.—**	**87.—**	**87.—**	**96.—**	**96.—**

Central-feuer-Büchsen Marke „Alfa".

Carabines „Alfa" feu central.

Centerfire rifles „Alfa".

Fusiles de fuego central Marca „Alfa."

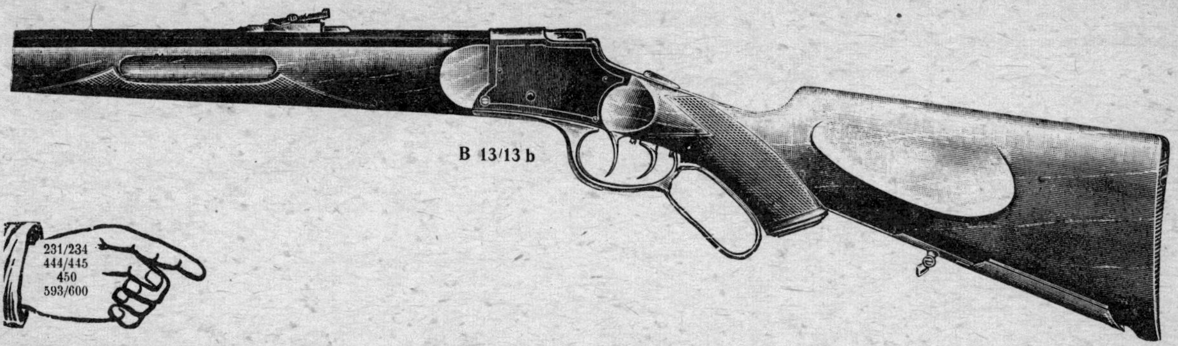

B 13/13 b

231/234
444/445
450
593/600

Extra starkes Modell für kräftige Ladungen. **Feststehender Lauf,** welcher nach Oeffnen des Verschlusses frei liegt, Klappvisier, Korn mit Silberperle, Schiene guillochiert, englische Gravierung, mit Patronenmagazin und langem Vorderschaft.

Modèle extra fort pour forts chargements. **Canon fixe,** qui se trouve libre quand on ouvre l'arme, hausse à clapet, guidon point argent, bande guillochée, gravure anglaise, magasin à cartouches avec devant prolongé.

Extra strong model for heavy charges. **Fixed barrel,** which is free upon opening of lock. Elevating rear sight, front sight with silver point, extension rib, English engraving, with cartridge magazine and long fore-end.

Modelo extra-fuerte para cargas mayores, **cañón fijo** pue se suelta al abrir la cerradura, alza de repliegue, mira con perlita de plata, cinta retorcida, grabado inglés con cartuchera y delantera larga.

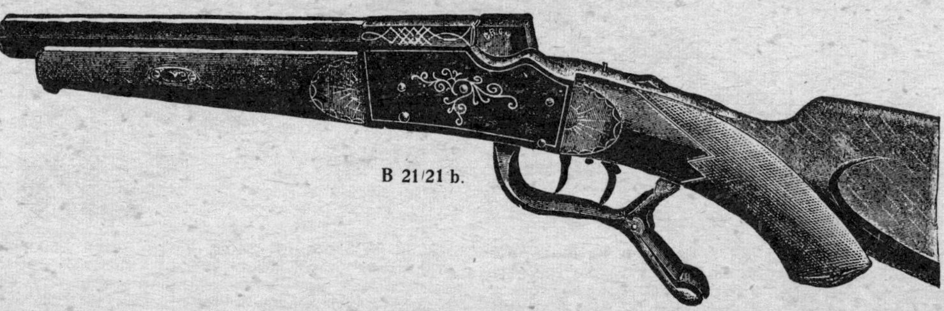

B 21/21 b.

Selbstspanner-Büchse, Blockverschluss, feststehender Lauf, Klappvisier, Korn mit Silberperle, bestes Schaftholz, Ia Stechschloss, mit Sicherung, Signalstift, englische Gravur, Pistolengriff.

Carabine s'armant automatiquement, fermeture à bloc, canon fixe, hausse à clapet, guidon point argent, joli bois, à double détente extra, à sûreté, pointe d'avertissement, gravure anglaise, crosse pistolet.

Self-cocking rifle, block-lock, fixed barrel, elevating rear sight, front sight with pearl, best wooden stock, prime set-trigger with safety, indicators, English engraving, pistol-grip.

Fusil de tensión automática, cerradura bloc, cañón fijo, alza de repliegue, perlita de plata en la mira, caja de madera superior, escape doble de primera, con seguro é indicador, grabado inglés, puño de pistola.

B 22/22 b

Wie B 21 aber Korn von **vorne** eingeschoben, **vornehme Jagdgravur** genau wie Abbildung.

Comme B 21 mais point de mire ajusté **par devant, élégante gravure de chasse,** exactement selon illustration.

Like B 21 but front sight pushed on from **front, elegant hunting scene engraved,** same as in illustration.

Como B 21 pero punta de mira ajustada **por delante; elegante grabado de caza** exactamente como la ilustración.

No.	B 13	B 13 a	B 13 b	B 21	B 21 a	B 21 b	B 22	B 22 a	B 22 b
†	Gonsa	Gonsas	Gonsat	Gardereber	Garderebis	Garderebut	Gonsagra	Gonsagras	Gonsagrat
Cal.	11,15 × 65	9,3 × 72	8,15 × 46¹/₂	11,15 × 65	9,3 × 72	8,15 × 46¹/₂	11,15 × 65	9,3 × 72	8,15 × 46¹/₂
Mark	180.—	180.—	180.—	96.—	96.—	96.—	108.—	108.—	108.—

Centralfeuer-Büchsen Marke „Alfa".	Carabines „Alfa" à feu central.		Centerfire rifles „Alfa".	Fusiles de fuego central Marca „Alfa".

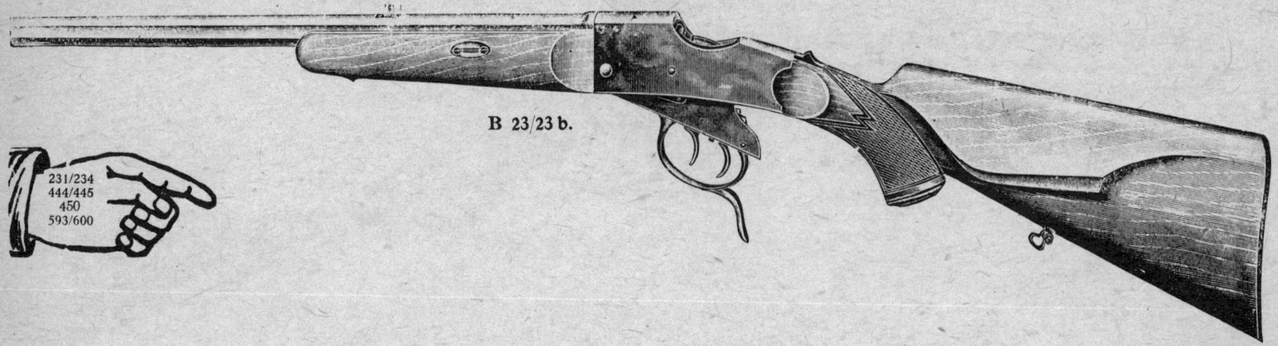

B 23/23 b.

231/234
444/445
450
593/600

Feststehender Lauf, Klappvisier, Korn mit Perle, Stechschloss, Sicherung Teile englisch grau eingesetzt und gehärtet, Pistolengriff mit Fischhaut, **Schweizer Backe.**

Canon fixe, hausse à clapet, point de mire perle, à double détente, sûreté, pièces grises anglaises, trempées jaspées, crosse pistolet, quadrillé **à joue suisse.**

Fixed barrel, elevating rear sight, front sight with pearl, hair-trigger, safety, English grey parts, case hardened, checkered pistol grip, **Swiss cheek.**

Cañón fijo, alza de chapa, punta de mira perla, de doble escape, seguridad, piezas grises inglesas y jaspeadas templadas, puño de pistola, labrado y de **carrillo suizo.**

B 16/16 a.
B 17.

B 16/16 a. Selbstspanner - Pirschbüchse mit Roux-Verschluss, Signalstift und Sicherungsschieber auf der Scheibe, mit vorzüglichem Stechschloss, Pa. Stahllauf achtkantig, mit Standvisier mit Klappe, Perlkorn mit Neusilberpunkt, Doppelsilberstreifen, fein gezogen, für Schwarzpulver-Patrone 9,3×72, obere Lauffläche mattiert, Nussbaum-Maserschaft mit Pistolengriff, Backe und Eisenkappe, Garnitur bunt gehärtet.

B 16/16a. Carabine s'armant automatiquement à verrou Roux pointe d'avertissement et sûreté à poussoir, à double détente extra, canon octogone en acier de première qualité, hausse fixe à clapet, point de mire vieil argent, doubles traits argent, soigneusement rayé, pour cartouche à poudre noire 9,3×72, partie supérieure du canon mate, crosse joli noyer madré avec crosse pistolet, joue et calotte de fer, garniture trempée jaspée.

B 16/16a. Self-cocking sporting rifle with Roux lock, indicators and safety slide on neck, with excellent set-trigger, prime octagon steel barrel, elevating rear sight, front sight with German silver point. Double silver stripes, finely rifled, for black powder cartridges 9.3×72, top part of rib matted, bird's eye walnut stock with pistol grip, cheek and iron cap, casehardened mounting.

B 16/16a. Escopeta de caza con tensión automática y cerradura Roux, indicador y seguro de pasador en el cuello de la caja, de doble escape excepcional, cañón octagonal de acero de primera, alza con hoja, mira con punto de plata alemana, rayas dobles de plata, rayado fino para cartuchos de pólvora negra 9,3×72, la superficie de encima del cañón esterada, caja de nogal, jaspeada con puño de pistola, carrillo y cantonera de hierro. Montura induración jaspeada.

B 17. **Selbstspanner - Pirschbüchse** wie vorstehend, aber für Patrone **6,5×27**, für 0,7 g rauchloses Blättchenpulver und 1/1 oder 2/3 Mantelgeschoss.

B 17. **Carabine s'armant automatiquement,** comme ci-dessus, mais pour cartouche **6,5×27** pour 0,7 g de poudre sans fumée en feuilles et balle à 2/3 ou entièrement blindée.

B 17. **Self-cocking** sporting rifle as above, but for cartridge, **6,5×27,** for 0,7 g smokeless nitro-powder and 1/1 or 2/3 mantled bullet.

B 17. **Escopeta de caza** con tensión automática como el B 16, pero para cartuchos **6,5×27,** para 0,7 g nitro-pólvora sin humo y proyectiles del todo ó dos tercios blindados.

B 18/18 a.

B 18/18a. Genau wie B 16, aber **hochfein graviert,** wie Abbildung.

B 18/18a. Exactement comme B 16 **mais élégamment gravé,** suivant illustration.

B 18/18a. Just like B 16, but **very fine engraving,** as in cut.

B 18/18a. Igual al B 16, pero con **grabado muy fino** como en la ilustración.

B 19. Genau wie B 17, aber **hochfein graviert,** wie Abbildung.

B 19. Exactement comme B 17 mais **élégamment gravé,** suivant l'illustration.

B 19. Just like B 17, but **very fine engraving,** as in cut.

B 19. Igual al B 17, pero **con grabado muy fino** como en la ilustración.

No.	B 23	B 23 a	B 23 b	B 16	B 16 a	B 17	B 18	B 18 a	B 19
†	Gonsabri	Gonsabris	Gonsabrit	Girdame	Girdames	Gertomele	Gormisan	Gormisant	Girmutar
Cal.	11,15×65	9,3×72	8,15×46 1/2	9,3×72	8,15×46 1/2	6,5×27 P	9,3×72	8,15×46 1/2	6,5×27 P
Mark	94.—	94.—	94.—	68.—	68.—	74.—	75.—	75.—	81.—

Central-feuer-Büchsen „Alfa“.	Carabines „Alfa“ à feu central.	Centerfire rifles „Alfa“.	Carabinas „Alfa“ de fuego central.

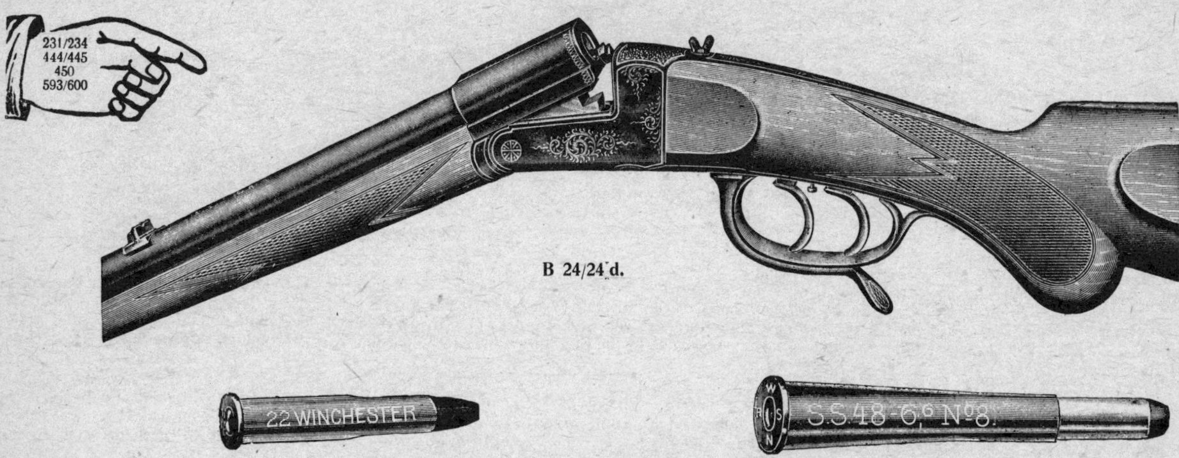

B 24/24 d.

Prima Stahllauf, **sauberste solideste Arbeit,** Standvisier mit Klappe, Korn mit Silberpunkt, massiver Laufhaken, Riegel-Roux-Verschluss, in 2 Teile zerlegbar, **Flügelsicherung,** Signalstift, Pistolengriff, Fischhaut, Backe, Hornkappe, Ia Stechschloss, englische Gravur, marmoriert gehärtet.

Canon acier extra, travail **extrêmement soigné et solide,** hausse fixe à clapet, pointe de mire argent, crochet de canon massif, verrou Roux, démontable en deux pièces, **sûreté à ailes,** pointe d'avertissement, crosse pistolet, quadrillé, à joue, calotte corne, à double détente, gravure anglaise, trempé jaspé.

Prime steel barrel, **very neat sound** make, elevating rear sight, with flap, front sight with silver point, massive couplings, Roux lock, can be divided in two pieces, **wing safety,** indicator, pistol-grip, checkered, cheek, horn cap, fine hair-trigger, English engraving, case hardened and marbled.

Cañón de acero extra, trabajo **bien cuidado y sólido,** palanca fija de chapita, punta de mira de plata, crochete de cañón macizo, cerradura Roux, desmontable en 2 piezas, **seguridad de alas,** puño de pistola, labrado, de carrillo, de doble escape, grabado inglés, templado y jaspeado.

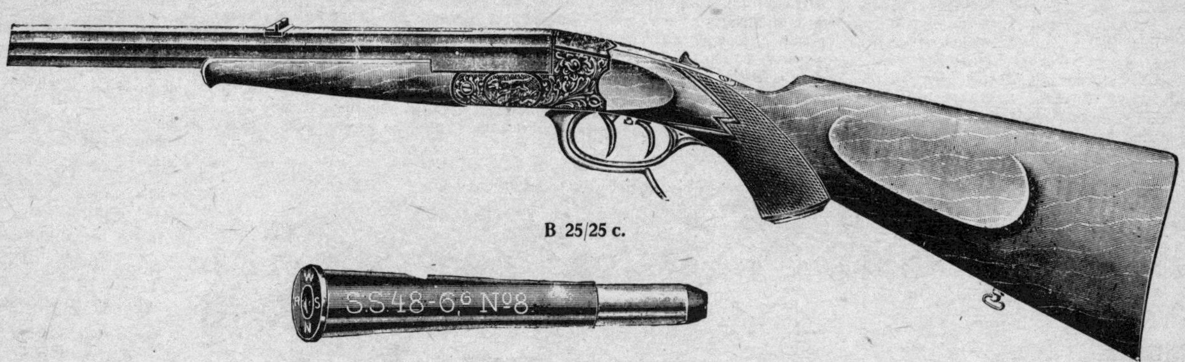

B 25/25 c.

Roux-Verschluss, Stahllauf, Stechschloss, abnehmbarer Vorderschaft, Standvisier mit Klappe, Perlkorn, Sicherung auf der Scheibe, Pistolengriff, Backe, Fischhaut, **feine Jagdstückgravur.**

Verrou Roux, canon acier, à double détente, devant enlevable, hausse fixe à clapet, point de mire perle, sûreté au cou de la crosse, crosse pistolet, à joue, quadrillé, **élégante gravure de chasse.**

Roux lock, steel barrel, hair-trigger, detachable fore-end, elevating rear sight, leaf front sight with pearl, safety on breech, pistol grip, cheek, checkered, **fine hunting-scene engraved.**

Cerradura Roux, cañón de acero, de doble escape, delantera levantable, alza fija de chapa, punto de miro de perla, seguridad en el cuello de la culata, puño de pistola, de carrillo, labrado, **elegante grabado de caza.**

No.	B 24	B 24 a	B 24 b	B 24 c	B 24 d	B 25	B 25 a	B 25 b	B 25 c
†	Gertozuke	Gertozukes	Gertozuket	Gertozukel	Gertozukek	Befusku	Befuskus	Befuskut	Befuskul
Cal.	8,1×46	Winch. 22 Ctrf.	9,3×72	6,5×27 P	S & S 8×48	8,15×46½	9,3×72	6,5×27 P	S & S 6,6×48
Mk.	102.—	102.—	102.—	108.—	111.—	70.—	70.	76.—	78.—

Centralfeuer-Büchsen „Alfa“. | Carabines „Alfa“ à feu central.

Centerfire rifles „Alfa“. | Carabinas „Alfa“ de fuego central.

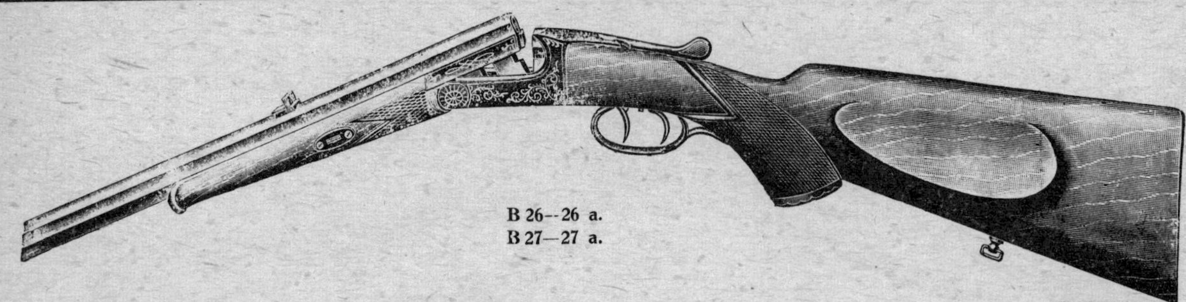

B 26—26 a.
B 27—27 a.

B 26—26 a.
Scott-Verschluss, spannt sich durch Oeffnungshebel, Stechschloss, Standvisier mit Klappe, Perlkorn, Pistolengriff, **englische** Gravierung, guillochierte Schiene.

B 27—27 a.
Wie B 26, hinten kantig, vorn rund, durchgehende Schiene, **feine Jagdstückgravur.**

B 26—26 a.
Verrou Scott, s'arme au moyen de la clef, à double détente, hausse fixe à clapet, point de mire perle, crosse pistolet, **gravure anglaise,** bande guillochée.

B 27—27 a.
Comme B 26, octogone par derrière, rond par devant, bande d'un bout à l'autre, **élégante gravure sujet de chasse.**

B 26—26 a.
Scott-lock, is cocked by means of lever, hair-trigger, elevating rear sight with leaf, front sight with pearl, pistol grip, **English engraving,** extension rib.

B 27—27 a.
like B 26, octagon at rear, round in front, extended rib, **fine hunting scene engraved.**

B 26—26 a.
Cerradura Scott. Se arma por medio de la llave, de doble escape, alza fija de chapa, punta de mira perla, puño de pistola, **grabado inglés,** cinta retorcida.

B 27—27 a.
Comó B 26, octógono por detrás, redondo por delante, cinta de un lado á otro, **elegante** grabado con sujeto de caza.

B 28—28 b.

Konstruktion wie bei Selbstspannerflinten, Schloss spannt sich durch Niederkippen des Laufes, Schiebersicherung, I a Stahllauf, Signalstift, zerlegbar, Standvisier mit Klappe, Korn mit Silberpunkt, I a **Stechschloss,** in allen Teilen **feinste Arbeit,** deutscher Schaft, Jagdgravur.

Même construction que chez les fusils à armement automatique, l'armement s'opère lors du basculage du canon, sûreté à poussoir, canon acier extra, pointe d'avertissement, démontable, hausse fixe à clapet, point de mire argent, **à double détente extra, excellent travail,** crosse allemande, gravure chasse.

Construction as in self cocking guns, the rifle is cocked by dropping of barrel, safety by slide, prime steel barrel, indicator, can be taken to pieces, elevating rear sight, leaf front sigth with silver point, **prime hair-trigger,** finest workmanship throughout German stock. hunting scene engraved.

La misma construcción que con los fusiles de armamento automático, el armamento se opera por la báscula del cañón. Seguridad de pasador, cañón de acero extra, punta de aviso, desmontable, alza fija de chapa, punta de mira de plata, de **doble escape extra,** excelente trabajo, caja grabado alemana, de caza.

Stendebach-Verschluss.
Verrou Stendebach.
Stendebach lock.
Cerradura Stendebach.

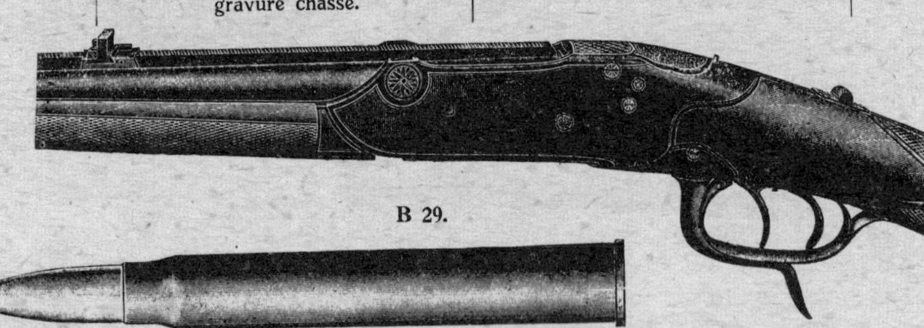

In jedem Caliber lieferbar
livré en tous calibres.
supplied in all calibers.
se provée en todos los calibres.

B 29.

Cal. 8 mm No. 514.

Für stärkste Ladungen rauchlosen Pulvers bis 4 Gramm Nitroblättchen. Präzisionswaffe ersten Ranges, I a Kruppstahl, Roux-Verschluss, Patentvorderschaft, Signalstift, Teile tiefschwarz, Stichgravur, deutscher Schaft, wird in allen Calibern geliefert, vorrätig in Cal. 8 mm No. 514 für 4 g Nitroblättchen-Pulver.

Pour les plus forts chargements à poudre sans fumée allant jusqu'à **4 grammes de poudre sans fumée en feuilles.** Arme de précision de premier ordre, acier Krupp extra, verrou Roux, devant patenté, pointe d'avertissement, pièces noir foncé, gravure à points, crosse allemande, fabriqué en tous calibres, en magasin en Cal. 8 mm No. 514 pour 4 grammes poudre sans fumée.

For strongest charges of smokeless powder up to 4 grammes nitro powder. First class precision-gun, prime Krupp steel, Roux lock, patent fore-end, indicator, deep black parts, fine engraving, German stock, supplied in all calibers, stocked in cal. 8 mm No. 514 for 4 gr. nitro powder.

Para los cargamentos más fuertes de pólvora sin humo alcanzando hasta **4 gramos de pólvora sin humo en hojas.** Arma de precisión de primer órden, acero Krupp extra, cerradura Roux, delantera patentada, punta de aviso y piezas negras, grabado de puntas, caja alemana, fabricado en todos los calibres, existencia en Cal. 8 mm No. 514 para 4 gramos pólvora sin humo.

No.	B 26	B 26 a	B 27	B 27 a	B 28	B 28 a	B 28 b	B 29
†	Befutzal	Befutzals	Befutzalk	Befutzalf	Befuchil	Befuchils	Befuchilk	Befunketz
Cal.	8,15×46 R	9,3×72	8,15×46 R	9,3×72	9,3×72	6,5×27 P	22 Winch. Ctrf.	8 mm (514)
Mark	**96.—**	**96.—**	**112.—**	**112.—**	**106.—**	**116.—**	**106.—**	**490.—**

Scheibenbüchsen „Alfa“. | Carabines de cible „Alfa“. | Target rifles „Alfa“. | Escopetas para tirar al blanco „Alfa“.

Mauser. **Mauser.**

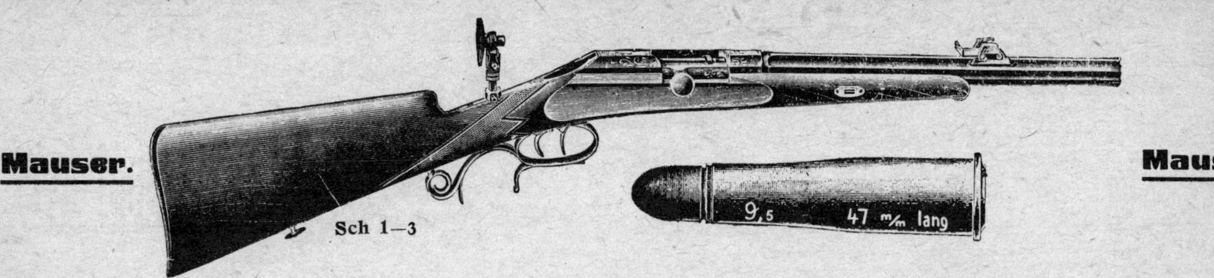

Sch 1—3

Sch 1. Gute kräftige Mauserscheibenbüchse, Stahlrohr, Cal. 9½×47 mm, mit Drallzügen, graviert, bunt gehärtet, vorzüglichem Stecher, **schweizer Visier, Perlkorn, abnehmbarem Diopter,** deutscher Backenschäftung, ca. 7¼—7½ Pfd. schwer, gut eingeschossen.

Sch 2. Mauserscheibenbüchse, Stahlrohr mit **Visierschiene,** Cal. 9½×47 mm, mit Drallzügen, bunt gehärtete Garnitur mit **Silbereinlage,** vorzüglichem Stecher, schweizer Visier, Perlkorn, abnehmbarem Diopter, deutscher Backenschäftung, ca. 7½—7¾ Pfund schwer.

Sch 3. Wie Sch 2, aber Cal. 8,1×46mm.

Sch 1. Bonne et solide carabine de cible Mauser, canon acier, Cal. 9½×47 mm, rayé, gravé, trempé et jaspé, à double détente extra, **hausse suisse,** guidon point perle, appareil dioptrique enlevable, crosse allemande à joue, pesant environ 7 livres ¼ à 7½, soigneusement réglé au tir.

Sch 2. Carabine de cible Mauser, canon acier à bande, Cal. 9½×47 mm, rayé, trempé et jaspé, garniture avec incrustation argent, excellente double détente, hausse suisse, guidon point perle, appareil dioptrique enlevable, crosse allemande à joue, pesant environ 7 livres ½ à ¾.

Sch 3. Comme Sch 2, mais Cal. 8,1×46mm.

Sch 1. Good strong Mauser Rifles, steel barrel, cal. 9½×47 mm, rifled, engraved, case-hardened, excellent set-trigger, Swiss rear sight, front sight with pearl, detachable diopter, German stock with cheek, weight about 7¼—7½ lbs, well tested.

Sch 2. Mauser practice rifle, steel chamber with sight slide cal. 9½×47 mm, rifled, case-hardened mounting with inlaid silver excellent set-trigger, Swiss rear sight, front sight with pearl, detachable diopter, German stock with cheek, weight about 7½—7¾ lbs.

Sch 3. Like Sch 2, but cal. 8,1×46 mm.

Sch 1. Fusiles Mauser buenos y fuertes para tirar al blanco, cañón de acero Cal. 9½×47 mm, con rayado; grabado, aceración jaspeada, doble escape excelente, alza Suiza, mira con perlita, diópter separable, caja con carrillo alemán, pesa unas 7¼—7½ libras — tiro bien ajustado.

Sch 2. Fusiles Mauser para tirar al blanco, cañón de acero, alza con pasador, cal. 9½×47 mm, rayado, montura con aceración jaspeada é inserción de plata, doble escape excelente, alza suiza, mira con perlita, diópter separable, caja alemana con carrillo, pesa unas 7½-7¾ libras próximamente.

Sch 3. Como Sch 2, pero Cal. 8,1×46 mm.

231/234
519/520
444/446
450
593/606

„Mauser“. **„Mauser“.**

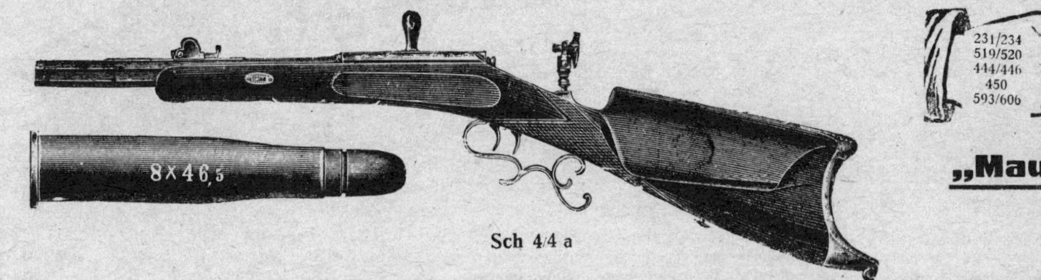

Sch 4/4 a

Mauserscheibenbüchse, Stahlrohr, Cal. 9½×47 mm oder 8 mm (8,1×46), graviert, bunt gehärtet, vorzüglicher Stecher, **schweizer Visier, schweizer Diopter,** Visierschiene, **schweizer** Schäftung, ca. 8½—8¾ Pfd. schwer.

Carabine de cible Mauser, canon acier, Cal. 9½×47 mm ou 8 mm (8,1×46), gravé, trempé et jaspé, excellente détente double, **hausse suisse, appareil dioptrique suisse,** à bande, **crosse suisse,** pesant environ 8 livres ½ ou ¾.

Mauser practice rifle, steel barrel, cal. 9½×47 mm or 8 mm (8,1×46), engraved, case-hardened, splendid set-trigger, **Swiss rear sight, Swiss sight slide diopter, Swiss stock,** weight about 8½—8¾ lbs.

Fusiles Mauser para tirar al blanco, cañón de acero cal. 9½×47 mm ó 8 mm (8,1×46), grabado, aceración jaspeada, doble escape excelente, **alza suiza, diópter suiza,** alza con pasador, **caja suiza,** pesa unas 8½—8¾ libras próximamente.

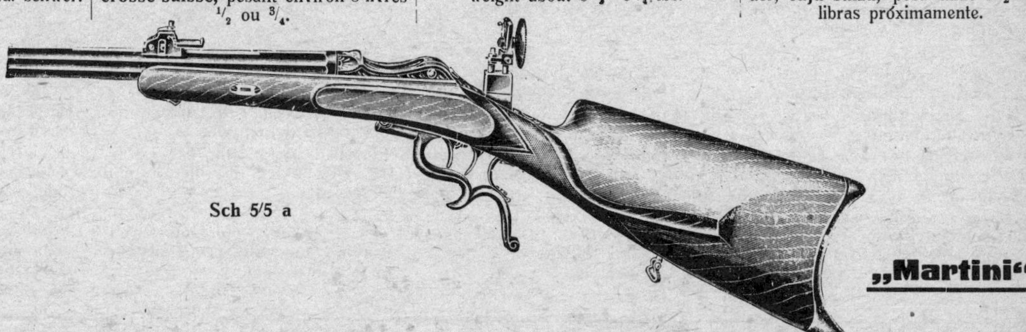

Sch 5/5 a

„Martini“. **„Martini“.**

Martini (Kessler) Scheibenbüchse, Stahlrohr, Cal. 9½×47 oder 8 mm (8,1×46), dunkel brüniert, mit vorzüglichem Stecher, **schweizer Visier,** Perlkorn, Steigdiopter, Expresszügen und schweizer Schäftung, Gravur mit Silbereinlage, ca 8¼—9 Pfd. schwer.

Carabine de cible Martini (Kessler), canon acier, cal. 9½×47 ou 8 mm (8,1×46), brunissage sombre, excellente détente double, **hausse suisse,** guidon point perle, **appareil dioptrique** enlevable, rayures Express, crosse suisse, gravure avec incrustation argent, pesant environ 8 livres ¼ à 9.

Martini (Kessler) practice rifle, steel barrel, cal. 9½×47 or 8 mm (8,1×46) dark polish, with excellent set-trigger, **Swiss rear sight,** front sight with pearl, rising diopter, express rifling and Swiss engraving inlaid with silver, weight about 8¼—9 lbs.

Fusiles Martini (Kessler) para tirar al blanco, cañón de acero cal. 9½×47 ó 8 mm (8,1×46), bruñido oscuro, doble escape excelente **alza suiza,** mira con perlita, diópter de alza, rayado „Express“, caja suiza, grabado con incrustación de plata, pesa unas 8¼—9 libras próximamente.

No.	Sch 1	Sch 2	Sch 3	Sch 4	Sch 4 a	Sch 5	Sch 5 a
†	**Hintalen**	**Handwark**	**Hesol**	**Hinflang**	**Hinflangs**	**Henka**	**Henkas**
Cal.	9½×47	9½×47	8,1×46	9½×47	8,1×46	9½×47	8,1×46
Mark	**66.—**	**75.—**	**75.—**	**80.—**	**80.—**	**92.—**	**92.—**

Scheibenbüchsen „Alfa“. | Carabines de cible „Alfa“ | Practice rifles „Alfa“. | Escopetas „Alfa“ para el tiro al blanco.

Sch 30/30 a
Sch 31/31 a
Sch 32/32 a

Original Aydt.

Sch 30/30a. Wie Sch 25 aber mit Tiroler Schaft mit Daumenkanzel.

Sch 31/31a. Wie Sch 30 aber mit hochfeiner, altdeutscher Wetzgravur.

Sch 32/32a. Wie Sch 31 aber mit gefalztem Lauf und Lauf-Abnahme-Vorrichtung.

(Wir fertigen alle Aydt-Büchsen, auch nur 5 kg schwer, zum gleichen Preis an.)

Sch 30/30a. Comme Sch 25 mais crosse tyrolienne avec place pour le pouce.

Sch 31/31a. Comme Sch 30 mais gravure vieux genre allemand.

Sch 32/32a. Comme Sch 31 mais avec canon à côtes et détachable.

(Nous livrons aussi toutes les carabines Aydt, pesant seulement 5 kg, au même prix.)

Sch 30/30a. Like Sch 25 but with Tyrolese stock with thumb rest.

Sch 31/31a. Like Sch 30 but with very fine old German engraving.

Sch 32/32a. like Sch 31 but with grooved barrel and arrangement for taking barrel off.

(We supply also all Aydt rifles at a weight of 5 kg for the same price.

Sch 30/30a. Comó Sch 25 pero culata tirolesa con sitio para el pulgar.

Sch 31/31a. Comó Sch 30 pero grabado viejo alemán.

Sch 32/32a. Comó Sch 31 pero con cañón de ranuras y desplegable.

(También vendemos todas las carabinas Aydt, que pesan 5 kg, al mismo precio.

Sch 12/12 a
Sch 13/13 a
Sch 14/14 a
Sch 15/15 a
Sch 16/16 a

Aydt.

Sch 12/12a. Scheibenbüchse, System Aydt, für Normalpatrone 8 mm (8,1×46½) mit ff. Patentsteigdiopter, Supportvisier, auswechselbarem Perl- und Feldkorn mit seitlicher Halteschraube, Visierschiene. **ff. 3faches** Stechschloss, besonders feine Expresszüge, Schweizer Schäftung, vorzüglich eingeschossen, ca. 11 Pfund schwer, mit Goldaufschrift System Aydt, ohne Gravierung inkl. Reservefeder.

Sch 13/13a. Aydtbüchse, wie Sch 12 aber mit **Kettenstichgravierung.**

Sch 14/14a. Aydtbüchse, wie Sch 13 aber mit **Laufabnahmevorrichtung.**

Sch 15/15a. Aydtbüchse, wie Sch 12 aber mit **hochfeiner, altdeutscher Gravierung.**

Sch 16/16a Aydtbüchse, wie Sch 15 mit **hochfeiner, altdeutscher Gravierung, aber mit gefalztem Lauf und Laufabnahmevorrichtung.**

Sch 12/12a. Carabine de cible, **système Aydt** pour cartouche normale 8 mm (8,1×46½) avec diopteur mobile, hausse à support, point de mire interchangeable, vis latérale, bande, **à double détente**, à rayures Express tout particulièrement soignées, crosse suisse, réglé au tir d'une manière supérieure, pesant environ 11 livres, en lettres d'or système Aydt, sans gravure, ressort de réserve.

Sch 13/13a. Comme Sch 12 mais avec **gravure spéciale.**

Sch 14/14a. Comme Sch 13 mais **canon détachable.**

Sch 15/15a. Comme Sch 12 mais avec **gravure très élégante vieux genre allemand.**

Sch 16/16a. Carabine Aydt, comme Sch 15, avec **gravure très élégante vieux genre allemand, canon à côtes et détachable.**

Sch 12/12a. Practice rifle, Aydt system, for standard cartridge 8 mm (8,1×46½) with patent elevating diopter, support sight, interchangeable pearl and field sights, with screw at side, sighting rib, **fine triple hair-trigger**, fine express rifling, Swiss stock, well targeted, weight about 11 lbs with gold letters Aydt system, without engraving, extra main spring.

Sch 13/13a. Aydt rifle, like Sch 12, but with **point engraving.**

Sch 14/14a. Aydt rifle, like Sch 13, but with **detachable** barrel.

Sch 15/15a. Aydt rifle, like Sch 12, but **with extra fine old German engraving.**

Sch 16/16a. Aydt rifle, like Sch 15, **with extra fine old German engraving but with grooven detachable barrel.**

Sch 12/12a. Fusil para tirar al blanco, sistema Aydt, para cartuchos normales 8 mm (8,1×46½) con diópter de alza finísimo y privilegiado, miras de perla ó campo de recambio con tornilio al lado, alza con soporte y dorso **triple escape**, muy fino, rayado Express especialmente fino, caja suiza, tiro muy bien ajustado, pesa unas once libras, inscripción de oro Systema Aydt, sin grabado, incluyendo muelle de reserva.

Sch 13/13a. Fusil Aydt, comó Sch 12, pero con **grabado punto de cadena.**

Sch 14/14a. Fusil Aydt, comó Sch 13 pero con **arreglo para quitar el cañón.**

Sch 15/15a. Fusil Aydt, comó Sch 12 **pero con grabado superior alemán-antiguo.**

Sch 16/16a. Fusil Aydt, comó Sch 15 **pero con grabado superior alemán-antiguo y ranuras finas en el cañón, con erreglo para quitar el cañón.**

No.	Sch 30	Sch 30a	Sch 31	Sch 31a	Sch 32	Sch 32a	Sch 12	Sch 12a	Sch 13	Sch 13a	Sch 14	Sch 14a	Sch 15	Sch 15a	Sch 16	Sch 16a
†	Husongsch	Husongst	Hufatelko	Hufaltelli	Hufaltelfu	Hufatelsa	Husong	Husongs	Hautel	Hautels	Hufatel	Hufatels	Hebau	Hebaus	Hifaur	Hifaurs
Cal.	9,5×47	8,1×46	9,5×47	8,1×46	9,5×47	8,1×46	9,5×47	8,1×46	9,5×47	8,1×46	9,5×47	8,1×46	9,5×47	8,1×46	9,5×47	8,1×46
Mark	201.—	201.—	218.—	218.—	251.—	251.—	160.—	160.—	165.—	165.—	190.—	190.—	180.—	180.—	215.—	215.—

Scheibenbüchsen „Alfa". | Carabines de cible „Alfa". | Target rifles „Alfa". | Carabinas de blanco „Alfa".

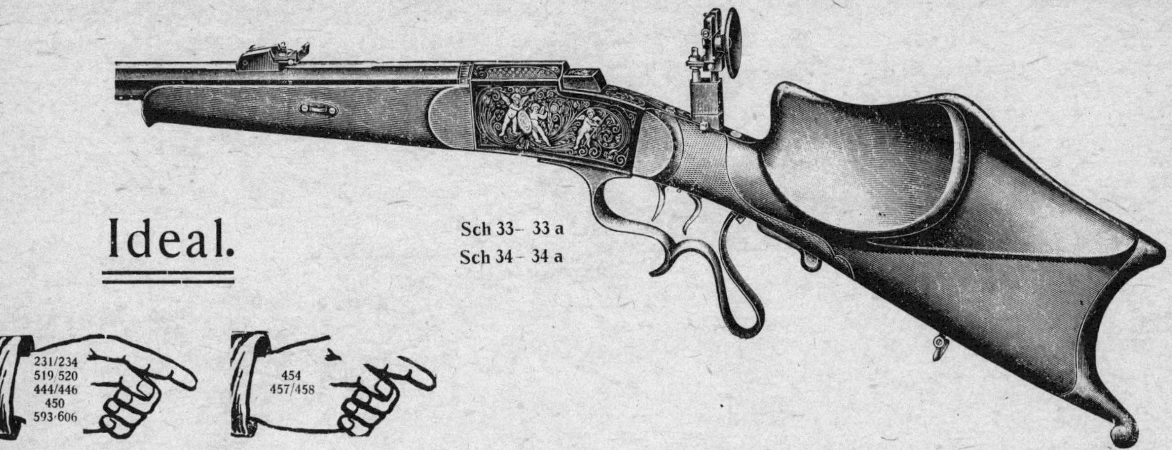

Ideal.

Sch 33—33 a
Sch 34—34 a

231/234 519/520 444/446 450 593/606

454 457/458

Sch 33—33 a. Teile geschmiedet, **Ia Gußstahllauf,** feinste **Hohlfelderzüge,** Visierschiene, **Steigdiopter** mit verstellbarer Gabel, Support-Federvisier, auswechselbares Sattelkorn, Ia Stechschloss, Schweizerschaft, Garnitur mit **Stichgravur.**

Sch 34—34 a. Wie Sch 33, aber mit feinstem **dreifachen Stechschloss,** vollem **Tirolerschaft,** geschmackvolle **Wetzgravur,** mattierte Schiene, prima Handarbeit.

Sch 33—33a. Pièces forgées, **canon acier coulé extra, soigneuserayé,** bande, **diopteur mobile,** point de mire interchangeable, à double détente extra, crosse anglaise, **garniture gravée.**

Sch 34—34 a. Comme Sch 33, mais **à double détente de haute précision, crosse tyrolienne** pleine, gravure du meilleur goût, bande mate travail à la man extra.

Sch 33—33 a. Forged parts, **prime cast steel barrel, finest hollow rifling,** sight-rib, **elevating diopter** with adjustable fork, support sight with spring, interchangeable saddle-sight, prime hair-trigger, Swiss stock, mounting **with point engraving.**

Sch 34—34 a. Like Sch 33, but **with finest triple hair-trigger** full **Tyrolese stock, elegant engraving, matted rib,** prime handmake.

Sch 33—33 a. Piezas forjadas, **cañón acero colado extra, cuidadosamente rayado,** cinta, punta de mira intercambiable, de doble ascape extra, caja inglesa, **montura grabada.**

Sch 34—34 a. Comó Sch 331, pero **de escape doble de alta precisión, caja tirolesa llena,** grabado del mejor gusto, cinta mate y trabajo á mano extra.

Aydt-Reform.

Sch 35—35 a

Sch 35—35 a. Genau wie Abbildung, **altdeutsche Gravur,** Schweizerschaft, **Supportvisier,** auswechselbares Feld- und Perlkorn, Gusstahllauf, Steigdiopter, **Ia Stechschloss.** Die **Schlosskonstruktion** ist **neu,** das Schloss bleibt beim **Schiessen stets sauber,** Lauf lässt sich von **hinten** reinigen.

Sch35—35a. Exactement selon l'illustration, **gravure vieux genre allemand,** crosse suisse, **hausse à support,** point de mire interchangeable, canon acier coulé, diopteur mobile, **à double détente extra. Cette construction est toute nouvelle,** le système **demeure bien propre après le tir,** le canon est nettoyable **par derrière.**

Sch 35—35 a. Just like illustration **old German engraving,** Swiss stock, **support sight,** interchangeable field, and pearl sight, cast steel barrel, elevating diopter, prime hair-trigger. **The lock is of new construction, the lock always keeping clean after shooting,** the barrel can be cleaned from the **rear.**

Sch 35—35 a. Exactamente, comó la ilustración, **grabado viejo alemán, caja suiza,** punta de mira intercambiable, cañón de acero colado **de doble escape extra, construcción, del todo nueva,** el sistema queda muy limpio **después del tiro,** el cañón se puede limpiar **por detrás.**

No.	Sch 33	Sch 33 a	Sch 34	Sch 34 a	Sch 35	Sch 35 a
†	Ribeisal	Ribeitel	Ribeikos	Ribeirum	Ribeifax	Ribeisch
Cal.	$9^{1}/_{2}$×47	8,15×46	$9^{1}/_{2}$×47	8,15×46	$9^{1}/_{2}$×47	8,15×46
Mark	210.—	210.—	250.—	250.—	176.—	176.—

Zimmerstutzen.	Tir de salon.		Indoor rifles.	Tiro de salón.

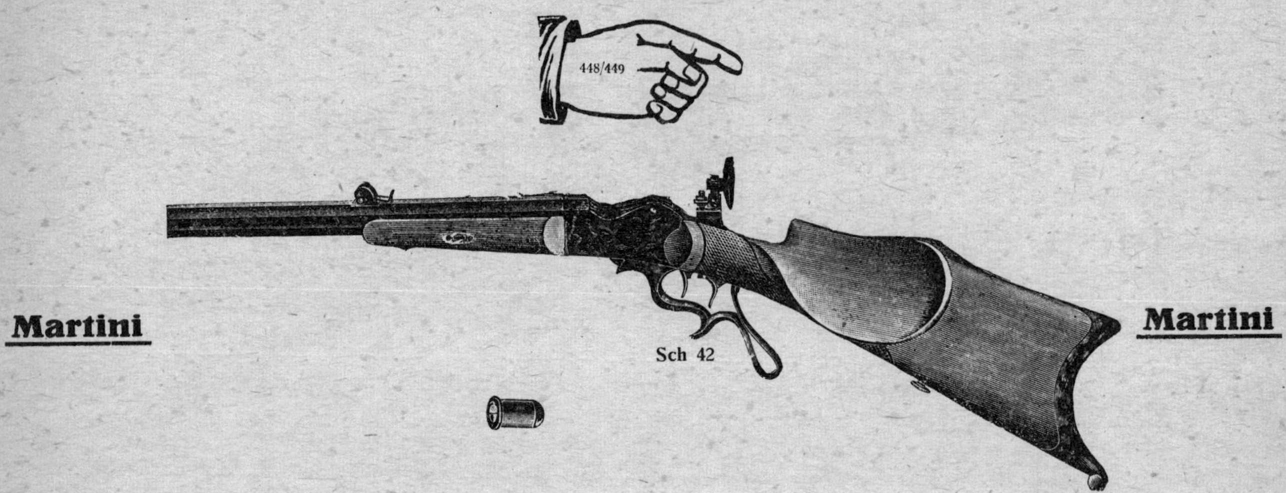

Martini — Sch 42 — **Martini**

Ausführung wie Sch 41, aber **massiver, ganzer Systemkasten**, dreifacher Ia Stecher, **Tirolerschaft** mit **Daumenauflage.**

Même exécution que Sch 41, mais **boîte de système massive,** à double détente de haute précision, **crosse tyrolienne avec place pour le pouce.**

Make same as Sch 41, but **entire and massive breech-block,** best triple hair-trigger, **Tyrolese stock with thumb rest.**

La misma ejecución que Sch 41, **pero caja de sistema maciza** de doble escape alta precisión, **caja tirolesa con sitio para el pulgar.**

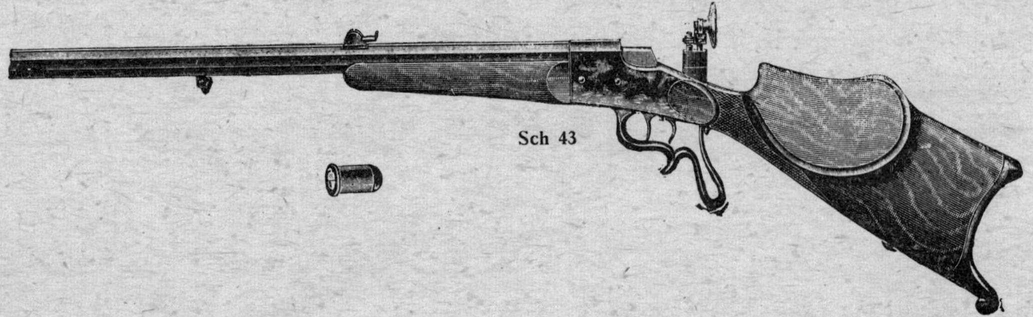

Sch 43

Vertikal Block.

Feinstes Modell, Vertikal-Blockverschluss, feiner **Steigdiopter,** Schweizer Visier, Perlkorn, dreifacher Ia Stecher, Tirolerschaft mit Daumenkanzel, marmoriert, gehärt.

à bloc vertical.

Modèle très élégant, fermeture à bloc vertical, excellent **diopteur mobile,** hausse suisse point de mire perle, à double détente de haute précision, crosse tyrolienne avec place pour le pouce, trempé et jaspé.

Vertical block.

Finest model vertical block lock, fine **elevating diopter,** Swiss pearl sight in front, prime triple hair-trigger, Tyrolese stock, with thumb rest, case hardened and marbled.

De bloc vertical.

Modelo muy elegante, cierre de bloc vertical, excelente dioptador movil, alza suiza, punta de mira perla, doble escape alta precisión, culata tirolesa con sitio para el pulgar, templado y jaspeado.

No.	Sch 42	Sch 43
†	Unizellko	Unizeîta
Cal.	4 mm	4 mm
Mark	98.—	108.—

P 64

Ia Pulver zum Selbstladen v. Büchsenpatronen. | Poudre extra pour charger soi-même les cartouches à carabines. | Ia powder for loading of rifle-cartridges oneself. | Pólvora extra para cargar por si mismo los cartuchos de carabinas.

P 64 / P 65

*Schwarzes Nassbrand - Pulver.

***Poudre noire. „Nassbrand"** | ***Black powder. „Nassbrand"** | ***Pólvora negra. „Nassbrand"**

P 64

P 64/P 65. Die verschiedenen Körnungen. | P 64/P 65. Les différentes grosseurs de grains. | P 64/P 65. The different grainings. | P 64/P 65. Las diferentes dimensiones de granos.

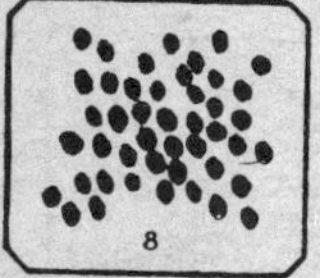
8

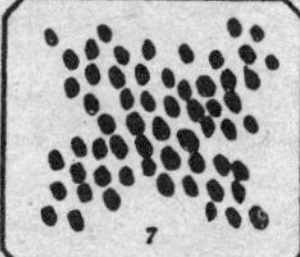
7

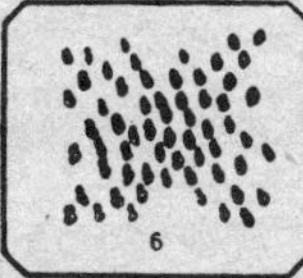
6

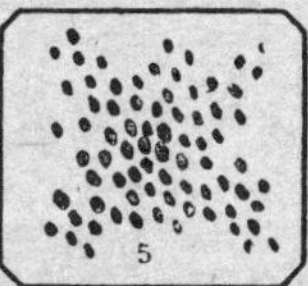
5

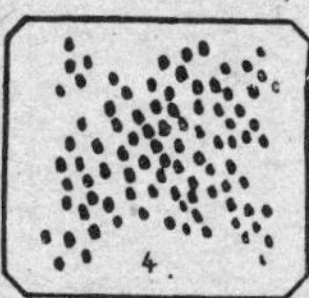
4

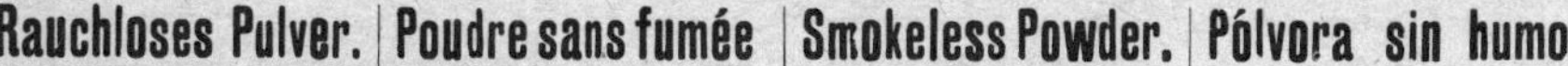

Rauchloses Pulver. | Poudre sans fumée | Smokeless Powder. | Pólvora sin humo.

P 66

P 67

Rottweil.

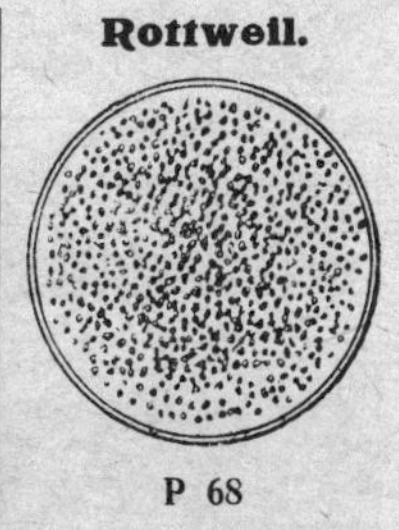

P 68

Berlin.

P 74

Walsrode.

P 75

Rottweil.

P 69

Troisdorf.

P 70—73

Cramer & Buchholz.

P 75 a

Cramer & Buchholz.

P 75 a

*Bei Aufträgen ist stets die gewünschte Körnung und Packung anzugeben. Bei rauchlosen Pulvern bitten wir stets um Angabe ob für: 1.) Bleigeschosse, 2.) Mantelgeschosse, 3) welches Caliber. — Andere Pulversorten siehe Seite 30/31 und 414/415.

*Sur chaque commande prière d'indiquer toujours la grosseur des grains et l'emballago désirés. Quand il ságit de poudre sans fumée prière d'indiquer si cést: 1.) pour balle de plomb, 2.) pour balle blindée, 3.) pour quel calibre. — Voir les autres sortes de poudre page 30/31 et 414/415.

*When ordering always give the graining and packing desired. In the case of smokeless powders please state always whether for: 1.) Leader bullets, 2.) Mantle bullets, 3.) Which caliber. — For other kinds of powder see page 30/31 and 414/415.

*Se ruega indiquen en cada pedido las dimensiones de los granos y el embalaje deseados. Cuando se trota de pólvora sin humo se ruega indiquen si es: 1.) para bala de plomo, 2.) para bala blindada, 3.) para quécalibre. — Vease otras suertes de pólvora en la página 30/31 y 414/415.

Marke:	Nassbrand		Hasloch		Rottweil P	Rottweil 5	Troisdorf				Berlin	Walsrode	Cramer & Buchholz
Marque Brand Marca	A Diana A Köln Rottweil B Alfa		gekörnt en grains in grains en granos		gekörnt en grains in grains en granos	Blättchen en paillettes in flakes en lenjetuelas	Blättchen en paillettes in flakes en lenjetuelas				Blättchen en paillettes in flakes en lentejuelas	rund körnig granulé rond round grains granelado redondo	rund körnig, nach Mass z. laden. granulé rond, semployant à la mesure. | round grains for loading according to measure. granulado redondo, empleandose á medida
No.	P 64	P 65	P 66	P 67	P 68	P 69	P 70	P 71	P 72	P 73	P 74	P 75	P 75 a
†	Nasal	Nasbe	Fasan	Fasanhalb	Roteilux	Roteilabe	Troiszt	Tran	Trarat	Troisis	Berlbupu	Walsruner	Desepura
Qual.	A	B	A		A	A	A				A	A	A
Packungsart	in Paketen à 100 gr		in Dosen à 500 gr	in Paketen à 50 gr	in Dosen à 125 gr	in Dosen à 125 gr	in Blechbüchsen mit Seidenbeutel à 1 kg	à 1/2 kg	à 1/4 kg	à 1/10 kg	in Blechbüchs. à 1 kg	in Blechbüchs. à 1 kg	in Paketen à 50 gr
genre d'emballage	en paquets de 100 gr		en boîtes de 500 gr	en paquets de 50 gr	en boîtes de 125 gr	en boîtes de 125 gr	en boîtes de fer blanc avec bourse desoie, pesant à 1 kg	à 1/2 kg	à 1/4 kg	1/10 kg	en boîtes de fer-blanc d' 1 kg	en boîtes de fer blanc d' 1 kg	en paquets de 50 gr
Kind of packing	in packages of 100 gr		in boxes of 500 gr	in packages of 50 gr	in boxes of 125 gr	in boxes of 125 gr	in tins with silk bag weighing 1 kg	1/2 kg	1/4 kg	1/10 kg	in tins of 1 kg	in tins of 1 kg	in packages of 50 gr
Modo de embalaje	en paquetes de 100 gr		en cajas de 500 gr	en paquetes de 50 gr	en cajas de 125 gr	en cajas de 125 gr	en cajas de hojalata y bolsa de seda que pesa á 1 kg	á 1/2 kg	á 1/4 kg	á 1/10 kg	en cajas de hierro blanco de 1 kg	en cajas de hierro blanco de 1 kg	en paquetes de 50 gr
per kg Mk.	4.80	4.60	14.—	14.—	17.—	20.—	18.—	20.—	21.—	24.—	20.—	20.—	13.—

Geladene Kugelpatronen mit Bleigeschoss.

Für Büchsen, Scheibenbüchsen, Büchsflinten, Drillinge.

Cartouches à balle chargées, avec balle de plomb.

Pour carabines, carabines de cible, fusils-carabines, fusils à 3 canons.

Loaded ball cartridges with leaden bullet.

For rifles, target rifles, rifle and shot guns combined, three barrel guns.

Cartuchos de bala cargados, con bala de plomo.

Para carabinas, carabinas de blanco, fusiles-carabinas, fusiles de 3 cañones.

19/27 178/183 475/477

Caliber	Marking	No.	Caliber	Marking	No.
297/230 Morris	297/230	T 1	9,0×47 Mauser	9,0-47	T 26
297/230 long Morris	297/230 LONG	T 2	9,3×57 Express	360 EXPRESS	T 11
22 Winch. (5,6×35 mm)	22 WINCHESTER	T 3	9,3×70 Express	EXPRESS 360/70D № 72 V	T 27
300 long	300 lang	T 4	9,3×72 Express	9,3 mm Drill. Patr. 72 lg	T 12
32 Winch. M 73	32 WINCHESTER	T 5	9,3×82 Nimrod	NIMROD 82/9,3 № 21	T 28
38 Winch. M 73	38 WINCHESTER	T 6	9,3×82 Express		T 29
44 Winch. M 73	44 WINCHESTER MODEL 1873	T 7	9,5×47 Mauser	9,5 47 m/m lang	T 9
8,15×46½ Normal	NORMAL-PATRONE (FROHN) 46½/15 — Schwarzpulver / Poudre noire / Black powder / Pólvora negra: T 8; Rauchlos / Poudre sans fumée / Smokeless / Pólvora sin humo: T 8a	T 8 / T 8a	10×47 Mauser		T 29 a
8,15×46½ S	8,15-46½ „S" — Schwarzpulver / Poudre noire / Black powder / Pólvora negra: T 8b; Rauchlos / Poudre sans fumée / Smokeless / Pólvora sin humo: T 8c	T 8b / T 8c	10×52 Mauser	M 52/10 c № 14 b	T 30
7,9 M. 88 „Blei" „Plomb" „Lead" „Plomo"	MOD. 88/8 m/m № 82 B — Schwarzpulver / Poudre noire / Black-powder / Pólvora negra: T 23; Rauchlos / Poudre sans fumée / Smokeless / Pólvora sin humo: T 23 a	T 23 / T 23 a	10,5×47 Mauser	MB 47/10½ b № 48	T 31
7,9 M. 88 „Rand & Blei" „Bord & plomb" „Rim & lead" „Borde & plomo"	MOD. 88/8 m. RAND № 82 B — Schwarzpulver / Poudre noire / Black powder / Pólvora negra: T 24; Rauchlos / Poudre sans fumée / Smokeless powder / Pólvora sin humo: T 24 a	T 24 / T 24 a	10,5×52 Mauser	MB 52/10½ c № 42	T 32
9,1×40 Express	G 40/9,1 № Sh 38 lg.	T 25	11×52 Express	11 mm. Drill.-Patr. 52 lg.	T 13

No.	T 1	T 2	T 3	T 4	T 5	T 6	T 7	T 8	T 8a	T 8b	T 8c	T 23	T 23 a	T 24	T 24 a
†	Mor	Mory	Mar	Marp	Mart	Marf	Maru	Maro	Marole	Maroki	Marora	Moryly	Morylia	Morylus	Morylua
per 1000 Mark	40	44	95	69	95	100	98	120	128	130	138	150	162	150	162

No.	T 25	T 26	T 11	T 27	T 12	T 28	T 29	T 9	T 29 a	T 30	T 31	T 32	T 13
†	Morysch	Morysti	Mard	Mardcha	Marda	Mardaxt	Mardaxtu	Marz	Marztis	Marzteff	Marzkinn	Marzzes	Mardu
per 1000 Mark	120	160	160	200	200	235	235	150	165	165	165	165	175

Geladene Kugelpatronen m. Bleigeschoß.

Für Büchsen, Scheibenbüchsen, Büchsflinten, Drillinge.

Cartouches à balle chargées, avec balle de plomb.

Pour carabines, carabines de cible, fusils-carabines, fusils à 3 canons.

Loaded ball cartridges with leaden bullet.

For rifles, target rifles, rifle and shot guns combined, three barrel guns.

Cartuchos de bala cargados con bala de plomo.

Para carabinas, carabinas de blanco, fusiles-carabinas, fusiles de 3 cañones.

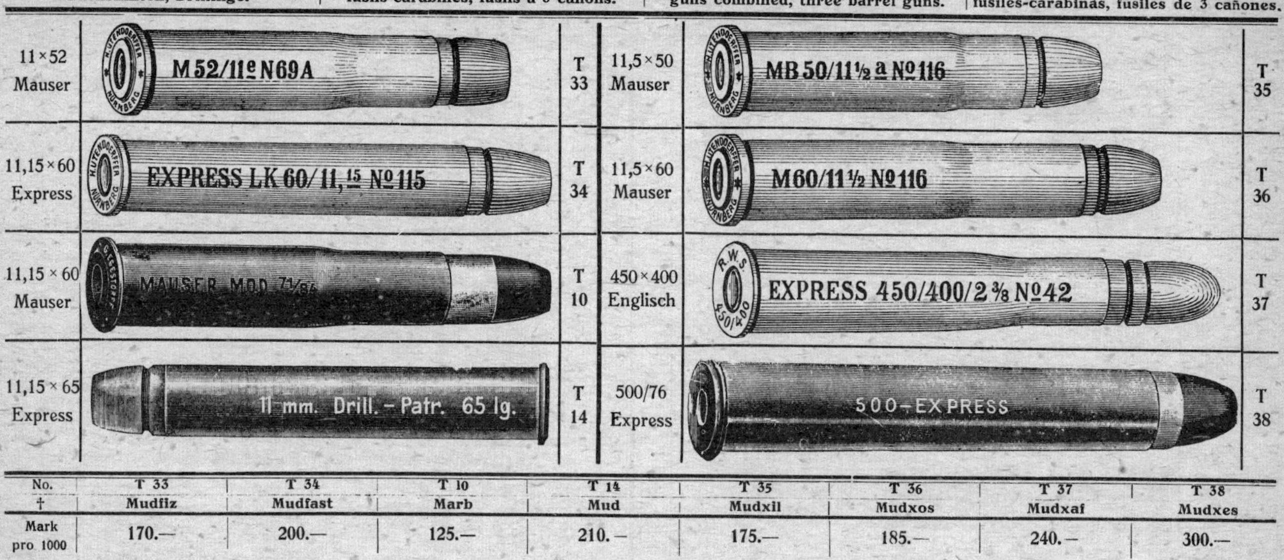

No.	T 33	T 34	T 10	T 14	T 35	T 36	T 37	T 38
†	Mudfiz	Mudfast	Marb	Mud	Mudxil	Mudxos	Mudxaf	Mudxes
Mark pro 1000	170.—	200.—	125.—	210.—	175.—	185.—	240.—	300.—

Messinghülsen für Büchsen, Büchsflinten, Drillinge und Scheibenbüchsen.

Douilles de laiton pour carabines, fusils-carabines, fusils à 3 canons et carabines de cible.

Brass shells for rifles, rifle and shotguns combined, three barrel rifles and targed rifles.

Cartuchos de latón para carabinas, fusiles-carabinas, fusiles de 3 cañones y carabinas de blanco.

Kaliber	Aufschrift	No.
5,3×22 Mauser	Z 22/5,3 d	H 3
6×17 Mauser	Z 17/6 d	H 4
22 Winchester (35,5×5,6)	W 22.35,5/5,6	H 52
6,5×27 Mauser	P 27/6,5	H 5
7×25 Mauser	Z 25/7,K	H 6
Winchester 32 (32×33,8)	32 WINCHESTER	H 53
7×38 Mauser	R.P 38/7b	H 7
380×8 Mauser	R 380/8	H 54
380 long Express	R 380 LANG	H 55
8,15×46½ Normal	NORMAL 46,5/8,15	H 8
8,15×52 long	F. LANG 52/8,15	H 9
Mod. 8 ohne Rand sans bord without rim sin borde	MOD. 88-8 m/m	H 56
Mod. 8 mit Rand avec bord with rim con borde	M 88 A	H 2
8,1×72 Brennecke	BRENNEKE 72/8,1	H 13
8,25×57 Express	EXPRESS 360/57-8,25	H 12
9,1×40 Express	G 40/9,1	H 10
9×36 Mauser	RP 36/9b	H 57
9,35×45 Express	EXPRESS 360/45-9,3D	H 58

420/421

Die Hülsen werden ohne Zündhütchen geliefert. | Les douilles sont délivrées sans amorce. | The shells are supplied without caps. | Los cartuchos vacíos se provéen sin cebo.

No.	H 3	H 4	H 52	H 5	H 6	H 53	H 7	H 54	H 55	H 8	H 9	H 56	H 2	H 13	H 12	H 10	H 57	H 58
†	Hi	Ho	Hixt	Hu	Hav	Hoxt	Hev	Huxt	Haviv	Hiv	Hov	Hevev	He	Havi	Have	Huv	Huvuv	Havixt
per 1000 Mk.	72.—	72.—	65.—	85.—	72.—	72.—	90.—	68.—	68.—	86.—	100.—	90.—	90.—	155.—	112.—	82.—	88.—	110.—

Messinghülsen für Büchsen, Büchsflinten, Drillinge und Scheibenbüchsen.

Douilles de laiton pour carabines, fusils-carabines, fusils à 3 canons et carabines de cible.

Brass shells for rifles, rifle- and shot-guns combined, three barrel rifles and target rifles.

Cartuchos de latón para carabinas, fusiles-carabinas, fusiles de 3 cañones y carabinas de blanco.

9,3 D×57 Express	EXPRESS 360/57-9,3 D	H 14
9,3 E×57 Express	EXPRESS 360/57-9,3 E	H 59
9,3 D×70 Express	EXPRESS 360/70-9,3 D	H 60
9,3 E×70 Express	EXPRESS 360/70-9,3 E	H 61
9,3 D×72 Express		H 15
9,35×80 Express	EXPRESS 360/80-9,3 D	H 62
9,35×72 Nimrod	NIMROD 72/9,3	H 63
9,35×82 Nimrod	NIMROD 82/9,3	H 16
9,5×47 Mauser	MB 47/9,5⅝a	H 11
10×47 Mauser		H 64
10×52 Mauser	M52/10e	H 65
10,5×47 Mauser	MB47/10½b	H 66
10,5×52 Mauser	M52/10½e	H 67
11,1×52 Mauser	M52/11e	H 68
11,15×60 Mauser	MAUSER 60/11,15	H 1
11,15×52 Express	EXPRESS LK52/11,15	H 18
11,15×60 Express	EXPRESS LK60/11,15	H 19
11,15×65 Express	EXPRESS LK 65/11,15	H 20
11,5×50 Mauser	MB 50/11,5a	H 17
450×400 Express	EXPRESS 450/400/2⅜	H 69
450×60 Express	EXPRESS 450/60D	H 70
450×82½ Express	EXPRESS 450/82½ D	H 71
500×52 Express	EXPRESS 500/52D	H 72
500×60 Express	EXPRESS 500/60D	H 73
500×76 Express	EXPRESS 500/76 E.	H 74

Die Hülsen werden **ohne** Zündhütchen geliefert. | Les douilles sont délivrées sans amorce. | The shells are supplied without caps. | Los cartuchos vacios se provéen sin cebo.

No.	H 14	H 59	H 60	H 61	H 15	H 62	H 63	H 16	H 11	H 64	H 65	H 66	H 67	H 68	H 1	H 18	H 19	H 20	H 17	H 69	H 70	H 71	H 72	H 73	H 74
†	Havo	Havoxt	Havisch	Havosch	Havu	Havuxt	Havurst	Heva	Hava	Hevaxt	Hevach	Havacht	Havalkt	Havanft	Ha	Hevi	Hevo	Hevu	Heve	Hevuxt	Hevezt	Hevokf	Hevilst	Hevusch	Hevugti
p. 1000 Mark	115	115	144	144	144	170	156	170	105	105	105	105	105	105	116	120	132	132	112	165	165	240	240	240	240

Gepresste Bleigeschosse für Büchsen, Büchsflinten, Drillinge, Scheibenbüchsen etc.	Balles de plomb comprimées pour carabines, carabines-fusils, fusils à 3 canons, carabines de cible etc.	Compressed leaden bullets for rifles, rifles and shot-guns combined, three barrel guns, target rifles etc.	Balas de plomo cómprimido para carabinas, carabinas-fusiles, fusiles de 3 cañones, carabinas de blanco etc.

Qual. A. Stiegele.

No.	St. 6,6	6,6	84 A	D 8,11	B 8,17	W B 1	105 U	98	St. 4	A E	St. 6	N $^{1}{}_{1}{}^{1}$	100	82 H	82 A	68	S 16	112 U	67	D 8,40
Cal.	6,60	7	7,2	8,11	8,15	8,20	8,20	8,20	8,0	8,15	8,20	8,20	8,20	8,20	8,20	8,20	8,20	8,30	8,30	8,40
Preisstufe | Echelle des Prix. Scale of prices. | Escala de los precios.	5	6	6	4	4	3	4	4	6	4	3	3	4	4	4	4	4	4	4	4
† Code	+ a	+ a	+ b	+ a	+ b	+ st	+ c	+ d	+ c	+ e	+ a	+ b	+ f	+ g	+ h	+ i	+ k	+ l	+ m	+ n

28/29
416
493/494

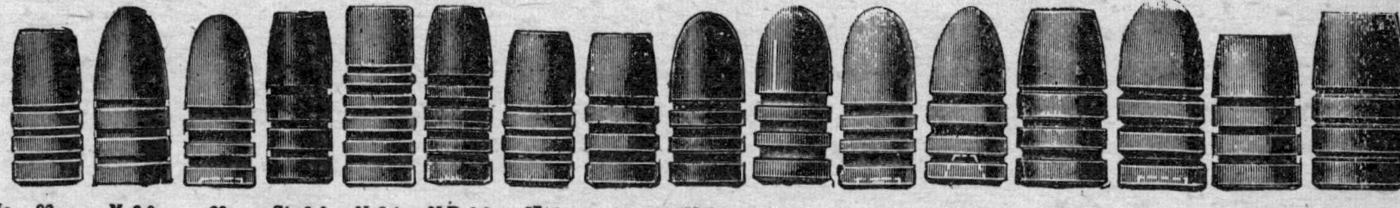

No.	92	M 9,0	29	St. 9,3	N 2,1	N R 9,3	J"15	95	H 21	18	15	10	115 U	38	69 A	70
Cal.	9,13	9,—	9,13	9,30	9,3	9,30	9,40	9,40	9,7	9,7	9,9	10,2	11,15	11,20	11,20	11,65
Preisstufe. | Echelle des prix. Scale of prices | Escala de los precios.	3	3	3	3	2	2	3	3	3	3	2	2	1	1	1	1
† Code	+ c	+ d	+ e	+ f	+ a	+ b	+ g	+ h	+ i	+ k	+ c	+ d	+ a	+ b	+ c	+ d

Qual. B Egestorff.

No.	6,^{7}A	7 T	5 P	5 J	8146	16	105	29	9,^{3}R	15 J	18	21 H	10	69	12	11,^{5} S
Cal.	7	7,1	8,2	8,3	8,3	8,37	8,4	9,05	9,35	9,4	9,7	9,75	10,2	11,15	11,2	11,5
Preisstufe. | Echelle des prix. Scale of prices. | Escala de los precios.	7	7	3	4	4	3	4	3	2	3	3	3	2	1	1	1
† Code	+ a	+ b	+ l	+ o	+ p	+ m	+ r	+ n	+ e	+ o	+ p	+ r	+ f	+ e	+ f	+ g

Qual. C Utendörffer.

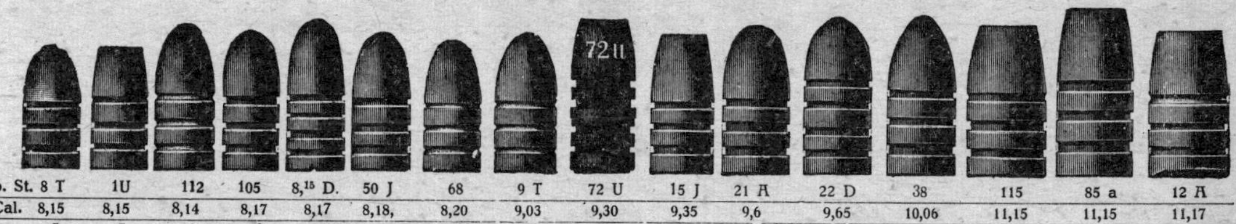

No.	St. 8 T	1U	112	105	8,^{15} D.	50 J	68	9 T	72 U	15 J	21 A	22 D	38	115	85 a	12 A
Cal.	8,15	8,15	8,14	8,17	8,17	8,18,	8,20	9,03	9,30	9,35	9,6	9,65	10,06	11,15	11,15	11,17
Preisstufe | Echelle des prix. Scale of prices | Escala de los precios.	5	5	4	4	4	4	4	3	2	3	3	2	2	1	1	1
† Code	+ b	+ c	+ s	+ t	+ u	+ v	+ w	+ s	+ g	+ t	+ u	+ h	+ i	+ h	+ i	+ k

Qual. D Heinze.

No.	6 F	5 J	1 J	16	9 R	9 S	4 T	23	21 B	45 B	63	81 G	83	78	93	99
Cal.	6,7	8,15	8,10	8,10	9,05	9,3	9,58	9,60	9,55	10,06	10,44	11,05	11,15	11,12	11,42	11,55
Preisstufe | Echelle des prix. Scale of prices | Escala de los precios.	7	4	4	4	3	3	3	3	3	2	2	1	1	1	1	1
† Code	+ c	+ x	+ y	+ z	+ v	+ w	+ x	+ y	+ z	+ k	+ l	+ l	+ m	+ n	+ o	+ p

Es sind nur die gangbarsten Geschosse abgebildet und stehen Abbildungen sämtliche Geschosse der betr. Fabriken franko zu Diensten.

Für Telegramme. Der Codebuchstabe des Geschosses ist an den Code der Stufe anzuhängen, z. B. Geschoss 115 U = Edorf † a = **„Edorfa“**

Ci-dessus ne sont illustrées que les balles les plus courantes. Nous nous faisons un plaisir, sur demande, d'envoyer illustration de toutes les autres balles existantes.

Pour télégrammes. Il faut ajouter la lettre du code de la balle au mot télégraphique marquant la série, Ex: Balle 115 U = Edorf † a = **„Edorfa“.**

Only the most saleable bullets are depicted above and upon application illustrations of all the bullets of the factories concerned are supplied free of charge.

For cables. The code-word of the bullet must be added to the code of scale e. g. bullet 115 U = Edorf † a = **„Edorfa“.**

Aqui arriba no indicamos madamás que las balas más corrientes. Si se desea, también podemos enviar ilustación de las demás balas existentes.

Para telegramas Es necessario añadir la letra del código á la palabra telegráfica marcando la serie. Ex: Bala 115 U = Edorf † a = **„Edorfa“.**

Stufe	1 † Edorf	2 † Stege	3 † Udorf	4 † Egesdu	5 † Utenda	6 † Stigio	7 † Heinzo
No. Qual. A	115 U, 38—69 A, 70	2,1, N R 9,3, 15, 10	W B 1, St 6, N $^{1}{}_{1}{}^{1}$, 92, M 9,0, 29 St 9,3, J 15, 95, H 21, 29. 18	D 8,11, A E, B 8,17, 105 U, 98, 100 82H, 82A, 68, S16, 112U, 67, D8 10	St 66, 8 T	66, 84 A, St 4	
No. Qual. B	69, 11,15 S, 12, 11,5 S	9,3 R, 10	5 P, 16, 29, 15 J, 18, 21 H	5 J, 8146, 105			6,7 A, 7 T
No. Qual. C	115, 85 A, 12 A	22 D, 38, 72 U	9 T, 15 J, 21 a	112, 105 U, 8,15 D, 5 J, 68	8 T, 10		
No. Qual. D	81 G, 83, 78, 93, 99	45 B, 63	9 R, 9 S, 4 T, 23, 21 B	5 J, 1 J, 16			6 F
per 100 kg Mk.	132.—	136.—	140.—	144.—	152.—	176.—	204.—

Gepresste Bleigeschosse für Jagd- und Scheibenzwecke. | Balles de plomb comprimées pour chasse et tir à la cible. | Compressed leaden bullets for sporting and practice purposes. | Balas de plomo comprimido para caza y tiro al blanco.

426 Pfropfenmaterial für Kugelpatronen. | Bourres pour cartouches à balle. | Wad material for ball cartridges. | Tacos para cartuchos de bala.

5644 a | 5635 | 5640 | 5642 | 5644

No.	5635	5640	5642	5644	5644 a
†	Pusu	Puta	Pana	Puna	Puax
	Papppfropfen	Schlußscheibchen	Teerdeckel	Wachspfropfen	Wachspfropfen beiderseitig mit Pappscheiben
	in allen Büchsencalibern. Caliber ist bei der Order genau anzugeben.				
	Bourre de carton	Rondelle finale	Couvercle goudron	Bourre cire	Bourre cire avec rondelle carton des 2 côtés.
	dans tous les calibres de carabine. Le calibre est à indiquer sur chaque commande.				
	Cardboard wads	Cardboards	Tarred covers	Wax wads	Wax wads with cardboards on both sides.
	in all rifle-calibers. When ordering the exact caliber must be given.				
	Taco de cartón	Rodaja final	Cobertera de alquitrán	Taco de cera	Taco de cera con rodaja de cartón á los 2 costados
	en todos los calibres de carabina. El calibre hay que indicarlo en cada pedido.				
per 1000 Mk.	1.—	0.50	0.75	6.60	7.60

Expansionsgeschosse mit Kupferröhrchen. | Balles à Expansion avec petits tubes de cuivre. | Hollow bullets with small copper tubes. | Balas de espansión con tubos de cobre.

19/27 28/29 416 493/494

Nr. B Cal. 8,20 | Nr. Z Cal. 9,10 | Nr. C Cal. 9,35 | Nr. X Cal. 9,65 | Nr. A Cal. 10,10 | Nr. J Cal. 11,15 | Nr. K Cal. 11,56 mm

Geschosse für Winchester 22 etc. Balles pour Winchester 22 etc. Bullets for Winchester 22 etc. Balas para Winchester 22 etc.

130

Cal. 5,60 | Cal. 5,97 mm

Eilers Randkegel-Geschosse. Balles coniques Eilers. Eilers conical rim bullets. Ballas conicas Eilers.

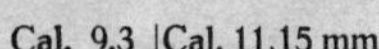

Cal. 8,20 | Cal. 9,3 | Cal. 11,15 mm

Bleigeschosse mit Papierumwicklung. Balles de plomb avec garniture de papier. Leaden bullets with paper covering. Balas de plomo con montura de papel.

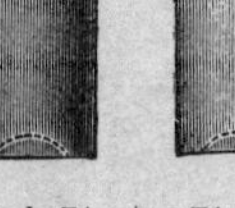

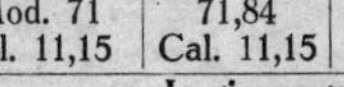

Mod. 71 Cal. 11,15 | 71,84 Cal. 11,15 | Ia/M 88 Cal. 8 mm

Modell 88, Hartblei. Mod. 88, plomb dur. model 88, hard lead. Mod. 88, plomo duro.

82 H Cal. 8 mm

Eilers Randkegelgeschosse m. Papierumwicklung. Balles coniques Eilers avec garniture de papier. Eilers conical rim bullets paper patched. Balas cónicas Eilers con montura de papel.

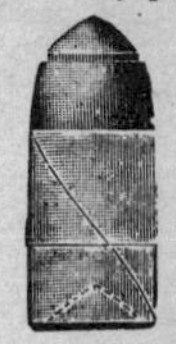

Cal. 8,20 | Cal. 9,30 | Cal. 11,15 mm

Bleiteilmantelgeschosse. Balles de plomb semi-blindées. Leaden Bullet partly mantled. Balas de plomo en parte blindadas.

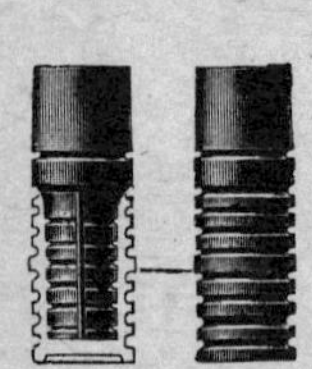

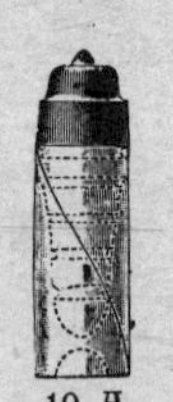
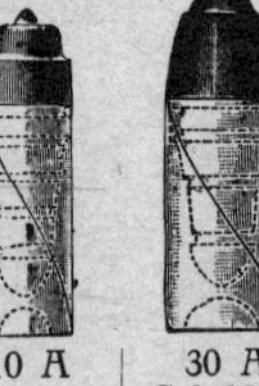
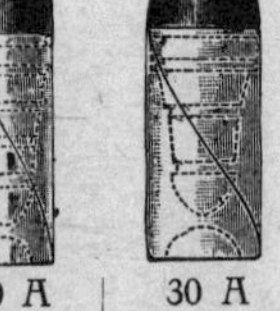

No. 8 Cal. 8,00 | 10 A Cal. 8,00 | 30 A Cal. 93 mm

Legierungsgeschosse. — Balles en alliage. Alloyed Bullets. — Balas Alloy.

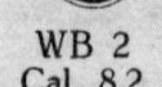

WB 1 Cal. 8 2 | WB 2 Cal. 8,2 | WB 3 Cal. 8,2 mm

Stahlkerngeschoss. — Balles noyau acier. Steel kernel Bullets. — Balas huesa de acero

13 Cal. 8,2 mm | 35 Cal. 9,3 mm

	Expansiongeschosse mit Kupferröhrchen. / Balles expansives avec petit tube de cuivre. / Hollow bullets with small copper tubes. / Balas expansivas con pequeño tubo de cobre.						
No. u. Cal.	8,20	9,10	9,35	9,65	10,10	11,15	11,65
†	Stakoxkti	Stakozte	Stakolt	Stakoff	Stakonn	Stakova	Stakozbe
per	kg	kg	kg	kg	kg	kg	kg
Mark	3.60	3.—	3.—	3.—	3.—	3.—	3.—

	Geschosse für Winchester, 22 Centralfeuer etc. / Balles pour Winchester 22, à percussion centrale etc. / Bullets for Winchester 22 centerfire etc. / Balas para Winchester 22 de percusion central etc.		Eilers Randkegelgeschosse. / Balles coniques Eilers. / Eilers conical rim bullets. / Balas cónicas Eilers.		
No. u. Cal.	5,60	5,97	8,20	9,3	11,15
†	Colorx	Colorz	Color	Colort	Colors
per	kg	kg	kg	kg	kg
Mark	2.40	2.60	2.20	2.10	2.—

	Bleigeschosse mit Papierumwicklung / Balles de plomb avec de garniture de papier / Leaden bullets with paper covering / Balas de plomo con montura de papel				Eilers Randkugelgeschosse mit Papierumwicklung / Balles coniques Eilers avec de garniture de papier / Eilers conical rim bullets with paper covering / Balas cónicas Eilers con montura de papel		
No. u. Cal.	Mod. 71 / 11,15	Mod. 71/74 / 11,15	Mod. 88 / 8	Mod. 88 / 82 H	8,20	9,30	11,15
†	Legerx	Legerz	Legertiz	Legertux	Bleinv	Bleinf	Bleind
per	kg	kg	100	kg	100	100	100
Mark	1.56	1.56	3.60	1.60	3.40	3.—	2 80

	Brennecke Geschosse: Bleiteilmantel / Balles Brennecke en plomb, semi-blindées / Brennecke bullets lead partly mantled / Balas Brennecke de plomo, semi blindadas			Legierung / alliage / alloyed / ligo			Stahlkern / noyau acier / steel kernel / hueso acero	
No. u. Cal.	8 / 8	10 A / 8	30 A / 9,3	WB1 / 8,2	WB2 / 8,2	WB3 / 8,2	13 / 8,2	35 / 9,3
†	Blein	Bleins	Bleint	Leger	Legers	Legert	Stako	Stakon
per	100	100	100	100	100	100	100	100
Mark	8.—	9.20	10.—	2.10	2.10	2.25	17.25	17.25

Munition für Zimmerstutzen. | Munitions pour tir de salon. | Ammunition for Indoor rifles. | Municiones para tiro de salón.

Gepresste Zimmerstutzen-Kugeln in Schachteln à 125 Gramm.

Balles comprimées pour tir de salon, en boîtes de 125 grammes.

Compressed balls for indoor guns in boxes of 125 grams.

Balas comprimidas para tiro de salón, en cajas de 125 gramos.

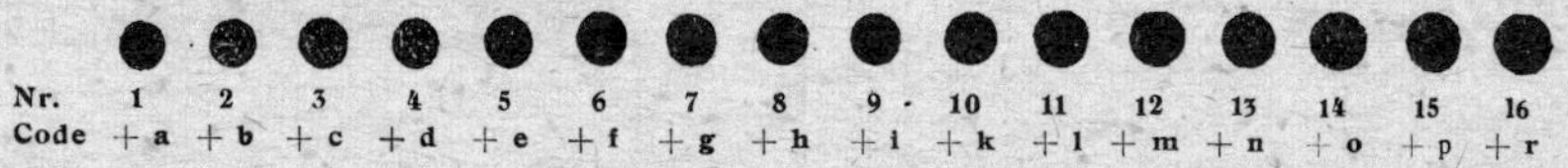

Nr.	1	2	3	4	5	6	7	8	9	10	11	12	13	14	15	16
Code	+ a	+ b	+ c	+ d	+ e	+ f	+ g	+ h	+ i	+ k	+ l	+ m	+ n	+ o	+ p	+ r

Bei **telegraphischer** Bestellung von **Zimmerstutzenkugeln** ist **der Codebuchstabe an** das Codewort **„Zimu"** anzuhängen, z. B. Kugeln Nr. 9 = Zimu + i = „Zimui".

Pour commande **télégraphique** de **balles de salon** il y a lieu d'ajouter la lettre du code au mot codique. Ex Balle No. 9 = Zimu + i = „Zimui".

When **telegraphing** order for balls for **indoor rifles** the code letter must be added to the codeword „Zimu" e. g. balles No. 9 = Zimu + i = „Zimui".

Para órdenes **telegráficas** en **balas para tiro de salón,** añadir la letra del código á la palabra codiga. Por ejemplo: Bala No. 9 = Zimu + i = „Zimui".

Zimmerstutzen-Zündhütchen extra stark à bombe No. 3. | **Amorces pour tir de salon, extra fortes, à bombe No. 3** | **Caps for indoor rifles extra strong according to shell No. 3** | **Cebos para tiro de salón, extra fuertes de bómba No. 3**

Z 40

Zielmunition Mod. 88, 5 mm. | **Munition de cible Mod. 88 5 mm.** | **Target ammunition mod. 88 5 mm.** | **Munición de blanco mod. 88 5 mm.**

Z 45

Zimmerstutzen-Randzünder, 4 mm. | **Capsules à percussion annulaire pour tir de salon, 4 mm.** | **Rim fire caps for indoor rifles, 4 mm.** | **Capsulas de percusión anular, para tiro de salón, 4 mm.**

Z 41

Z 42

kurz | court | short | corto

Z 43

Z 44

lang | long | long | largo

	Gepresste Kugeln	Zündhütchen à bombe für Zimmerstutzen	Randzünder				Zielmunition, Modell 88
	Balles comprimées	Amorces a bombe pour tir de salon	Amorces à percussion annulaire				Munition de cible, Mod. 88
	Compressed bullets	Caps for indoor rifles	Rime fire fuses				Target ammunition, mod. 88
	Balas comprimidas	Cebos de bomba para tiro de salón	Cebos de percusión anular				Munición de blanco, mod. 88
	No. 1—16	Z 40	Z 41	Z 42	Z 43	Z 44	Z 45
	Zimu	Zimuzud	Rochro	Ro	Rullx	Ru	Reto
	pro 125 Gramm	pro 1000	pro 1000				pro 1000
Mark	0.40	4.60	8.10	10.10	8.70	10.70	10.—

Metallpatronen für Kipplaufgewehre.

„Rauchloses Pulver" und „Mantelgeschoss".

Cartouches métalliques pour fusils à canon basculant.

à poudre sans fumée et balles blindées.

Metal cartridges for rifles with drop barrels.

„Smokeless powder" and mantle bullet.

Cartuchos metálicos para armas con delantera pasador.

Para pólvora sin humo y balas blindadas.

19/27
178/183
444/445
464/465
475/477

Cartridge	Inscription	No.
P 27 × 6,5 mm	P27-6,5 Nº 2	T 15
G 40 × 6,5 mm	G 40/6,5 Nº 8/18	T 39
Mod. 88 Cal. 6,6 mm m. R.	MOD. 88/6,6 m. RAND Nº 8	T 40
S. S. 48 × 6,6 mm	SS 48-6,6 Nº 8	T 17
S. S. 58½ × 6,6 mm	S. S. 58½-6,6 Nº 8	T 16
Mod. 88 42 × 8 mm m. R.	Nº 2 MOD 88-42 8 m/m	T 18
Mod. 88 52 × 8 mm m. R.	MOD. 88/52/8 Nº 5/26	T 41
Mod. 88 57 × 8 mm m. R.	MOD 88-57-8 Nº 12	T 21
S. S. 48 × 8 mm	SS 48-6,6 Nº 8	T 42

Cartridge	Inscription	No.
S. S. 58½ × 8 mm	8 m/m 58½ Mod S&S	T 19
360 × 57 × 8 mm	360-57-8 m/m Nº 2	T 20
Mod. 88 9 mm m. R.	M. 88 Rand 9 m/m Nº 7	T 43
S. S. 58½ × 9 mm	SS 58½/9 m/m Nº 2/26	T 44
74,7 × 9,3 mm (474 A)		T 48
G 45 × 10,75 mm	G 45/10,75 Nº 2/25	T 45
G 52 × 10,75 mm	G 52 - 10,75 Nº 2	T 22
G 60 × 10,75 mm	G 60/10,75 Nº 8/25	T 46
G 65 × 10,75 mm	G 65-10.75 oh. Rd. Nº OE-25	T 47

Wir liefern die Patronen **wenn nicht anders vorgeschrieben** mit ½ **Mantel,** doch kosten **alle Sorten** Mantelgeschosse den **gleichen Preis, ausgenommen Expansionsgeschoss,** die den Preis mit Mk. 15 per 1000 erhöhen † ex anhängen.

Sauf indication contraire du client, nous livrons les cartouches avec balles **demi-blindées.** Cependant **le prix est le même pour les balles** entièrement blindées, **exception faite des balles à Expansion** qui coûtent **M. 15** en plus par mille, † ajouter dans ce cas ex.

Unless **otherwise prescribed** we supply the cartridges with **half mantled** bullets, but **all kinds** of mantle bullets **with the exception of hollow bullets cost the same;** the latter cost additional M. 15 per 1000 when ordering these add † ex to code-word.

Salvo indicación contraria del cliente, proveemos los cartuchos con balas **medio blindadas.** Sin embargo **el precio es el mismo para** las balas enteramente blindas, **con excepción** de las balas **de Expansion,** que cuestán **M. 15** más por mil. Añadir en est caso, † ex.

Wir liefern auch alle Sorten nicht hier angeführter Munition zu Originalpreisen.

Nous livrons également toutes les autres cartouches ne figurant pas ici et ce aux prix originaux de la fabrique.

We supply also at original prices all kinds of ammunition not mentioned here.

Igualmente proveemos los demás cartuchos, que no figuran aqui y á los precios originales de la fabrica.

No.	T 15	T 39	T 40	T 17	T 16	T 18	T 41	T 21	T 42	T 19	T 20	T 43	T 44	T 48	T 45	T 22	T 46	T 47
†	Kra	Kravt	Kraxti	Kri	Kre	Kro	Kroos	Krel	Krelva	Kru	Kral	Krallfa	Krallzi	Kralltos	Krallkuv	Kril	Krilki	Krilfif
per 1000 Mark	186.—	186.—	260.—	290.—	300.—	230.—	250.—	220.—	290.—	290.—	250.—	260.—	300.—	300.—	290.—	300.—	330.—	345.—

Nickel- u. Kupfermantelgeschosse für Metallpatronen. | Balles à revêtement nickel et cuivre pour cartouches métalliques. | Nickel and copper mantled bullets for metal cartridges. | Balas de revestimiento de niquel y cobre para cartuchos metalicos.

6,5 mm — 6,6 mm — 8 mm

mittel | lang | S | Greiss | Eilers | Gründig | Schrader-Stahlkern à noyau d'acier steel kernel hueso de acero. | Teilkern noyau partiel kernel in part hueso en partes.

OE 2 6 8 PO P8 OE 8 6 0 2 6 8

8 mm

117 0 · M/88A · M/88B · M/88C · M/88D · M/88E · M/88F · M/88G · M/88H · M/88L · M/88O · M/88P · M/88V · M/88W · M/88R · M/88T · M/88Q · M/88S

Mod. 88, Cal. 9 mm — Cal. 9,3 mm — Cal. 10,75 mm

lang | long | long | largo | mittel moyen medium mediano | 23 mm

Schrader-Stahlkern á noyau d'acier steel kernel hueso de acero

OE I 7 I 7S OE 9,3 0 12

Kupfermantelgeschosse. | Balles à revêtement de cuivre. | Copper mantled bullets. | Balas de revestimiento de cobre.

Teschner

Cal. 6,6 mm | 8,1 mm | Mod. 88, 8 mm | 9,3 mm | 9,3 mm | 11,15 mm | 11,5 mm | 12,5 mm | Cal. 500

1 2 3 4 5 6 7 8 9 10

19/27

Teilmantel Revêtement partiel | partly mantled revestimiento en partes | Ganzm. blindé | full mantle blindado | Teilm. semi-blinde | partly mantled blindado | Ganzm. blindé | full mantle blindado | Teilmantel | semi-blindé | partly-mantled | semi-blindado

Funk

a — Bleispitze extrêmité de plomb leaden point de punta de plomo

b — Ganzmantel blindé full mantle blindado

c — Bleispitze extrêmité de plomb leaden point de punta de plomo

d — Offener Bleikern. noyau plomb à découvert open leaden kernel hueso de plomo descubierto.

e — Grosse Bleispitze grosse extrêmité de plomb large leaden point punta de plomo

f — Stahlkernspitze pointe noyau acier steel kernel point punta de hueso de acero

g — Stahlkernmit Hohlraum. noyau acier avec excavation steel kernel with hollow space hueso de acero con excavacion.

h — Bleispitze extrêmité de plomb leaden point punta de plomo

i — Offener Bleikern noyau plomb à découvert openleaden kernel. hueso de plomo descubierto

	Caliber 6.5 und 6,6 mm									Diverse Cal. 8 mm / Divers cal 8 mm		divers cal. 8 mm / diversas cal. 8 mm				Alle Sorten 8 mm Mod.88 / Toutes les sortes 8 mm „									All kinds cal. 8 mm mod. 88 / Todas las clases de cal. 8mm mod.88								
No.	OE	2	6	8	PO	P8	OE	8	6	SO	Greiß 2	Eilers 6	Gründig 8	Schrader 8	Teilkern, noyau partiel, kernel in part, hueso en partes, 8	O	A	B	C	D	E	F	G	H	L	O	P	V	W	R	T	Q	S
†	Adek	Adeb	Ades	Adet	Aded	Adeg	Adeh	Adei	Adep	Adel	Adem	Aden	Adeo	Ader	Adeu	Adev	Adew	Adex	Adez	Afab	Afad	Afae	Afaf	Afag	Afah	Afai	Afak	Afal	Afam	Afan	Afao	Afap	Afar
Cal.	6,6	6,6	6,6	6,6	6,5	6,5	6,6	6,6	6,6	8	8	8,1	8	8	8	8	8	8	8	8	8	8	8	8	8	8	8	8	8	8	8	8	8
lang, long, largo mm:	23	23	23	23	17	16	31	31	31	28	23	25	25	23	26	31	31	31	31	31	31	26	25	21	31	26	31	31	31	26	31	31	31
Mark pro 1000:	72	75	60	60	60	60	90	80	80	60	125	85	110	110	140	60	60	60	60	60	60	75	75	70	72	60	60	60	60	72	80	85	75

	Cal.: 9 mm						9,3			10,75	Teschner Kupfermantel. / Teschner copper mantle.				Revêtement cuivre Teschner. / Balas de revestimiento dé cobre Teschner.						Funk Kupfermantel. / Funk copper mantle.				Revêtement cuivre Funk. / Revestimiento de cobre Funk.				
No.	OE	I	7	I	7S	OE	Schrader	0	12	X	1	2	3	4	5	6	7	8	9	10	a	b	c	d	e	f	g	h	i
†	Axust	Axuz	Axux	Axuw	Axuv	Axuu	Axut	Axus	Axur	Axup	Axuo	Axun	Axum	Axul	Axuk	Axui	Axuh	Axug	Axuf	Axue	Axud	Axub	Afaz	Afax	Afaw	Afav	Afau	Afat	Afas
Cal.	9	9	9	9	9	9	9,3	9,3	9,3	10,75	6,6	8,1	8	8	9,3	9,3	11,15	11,15	12,5	500	8	8	9,3	9,3	9,3	9,3	9,3	11,15	11,15
lang, long, largo mm:	31	31	31	26	25	25	23	31	31	25	23	23	20	23	23	20	20	20	20	20	23	23	20	20	20	23	20	20	20
Mark pro 1000:	80	70	70	70	80	100	120	85	85	90	100	100	100	100	100	100	110	110	130	130	90	90	110	110	110	140	140	130	130

Repetier-büchsen „Mauser".	Carabines à répétition „Mauser".		Repeating Rifles „Mauser".	Esco-petas „Mauser" de repetición.

Schloss Mod. 88 (Durchschnitt).
Mécanisme Mod, 88 (section).
Mechanism of lock Mod. 88 (Section).
Mecanismo de cerradura Mod.88(Seccion).

Mod. 88

Das deutsche Militärgewehr, Mod. 88.

Der immensen Rasanz wegen vorzüglichste Pirschbüchsen für grosse Reviere und Gebirge. Fleckschuss mit Standvisier auf 50—200 Meter, mit Klappvisier auf 300—400 Meter.

Die Gewehre Mod. 88 sowohl als auch die Pirschbüchsen sind nach dem übereinstimmenden Urteil hervorragender und erfahrener Jäger eine **Waffe für Jagd**, besonders auch auf **grössere Raubtiere,** trotz des kleinen Calibers. Die Treffsicherheit, Rasanz und grosse Durchschlagskraft, welche durch die sehr starke Ladung und die eigenartige Konstruktion der Züge im Lauf erreicht wird, sowie die Wirkung auf Wild ist grossartig. Die Büchsen sind mit grossem Erfolge auf Füchse und anderes Raubzeug, sowie Rehe, Hirsche, Gemsen und Elche geführt. Man schiesst bis auf 200 Meter mit demselben Visier, für weitere Entfernung ist die kleine Klappe vorhanden.

Fusil militaire allemand Mod. 88.

Par sa trajectoire extrêmement rasante, cette arme est la meilleure carabine de chasse pour longue portée et en montagne. Tir de la plus haute précision avec hausse fixe de 50 à 200 mètres et avec hausse à clapet de 300 à 400 mètres.

Le fusil Mod. 88, de même que la carabine de chasse, sont, de l'avis unanime des chasseurs les plus compétents, des **armes de chasse** supérieures, **surtout pour la chasse aux grands fauves,** malgré la réduction du calibre. La sûreté du tir, la trajectoire rasante, la force énorme de pénétration, qualités qui procèdent du très fort chargement et des rayures spéciales du canon l'effet foudroyant produit sur le fauve sont véritablement remarquables et hors de pair. Les carabines sont employées très avantageusement dans la chasse au renard et autres carnassiers, ainsi qu'aux chevreuils, aux chamois, aux élans etc. On tire tel quel jusqu'à une distance de 200 mètres, plus loin il faut faire usage du clapet de la hausse.

The German Military Rifle, Mod. 88.

Owing to its flat trajectory the best sporting rifle for large beats and in mountainous regions. Point blank range of 50—200 meters with rear sight, 300—400 meters with elevating leaf sight.

The rifles mod. 88 as well as the sporting rifles are regarded by prominent and experienced sportsmen **as proper weapons for shooting purposes, especially for large game,** despite their small caliber. The accuracy, flat trajectory and great penetration of same, attained by the very heavy charge and the peculiar rifling of the barrel, as well as their effect upon game is marvelous. The rifles are very efficient for shooting foxes and other beasts of prey, as well as deer, stags, chamois and elks. Up to 200 meters the same sight is employed, for longer range the elevating leaf sight.

El arma militar de Alemania, Mod. 88.

Por su trayecto llano es el mejor arma para cacerías de mucha extensión y en los montes. Le punta en blanco á 50—200 metros con alza y á 300—400 metros con alza con hoja.

Los fusiles del modelo 88 así comó los de caza son considerados, por cazadores de eminencia y experiencia, **comó armas muy propias á la caza, especialmente la de fieras mayores,** á pesar de sus pequeño calibre. El acierto en el tiro, trayecto llano y penetración que por medio de la carga fuerte y el rayado especial del cañón se alcanza, así comó el efecto producido en las fieras son verdaderamente maravillosos. Las carabinas son de gran efecto en la caza de zorros y otros animales de rapiña así comó corzos, ciervos, gamuzas etc. Hasta unos 200 metros se emplea la misma alza, para distancias mayores hay que servirse de la hoja.

Mod. 88

R G 1

R G 1. Infanterie-Repetier-Gewehr, Mod. 88, Cal. 8 mm, unser jetziges in der Armee eingeführtes Militärgewehr, **5schüssig, vollständig kriegsbrauchbar, beschossen und zuverlässig eingeschossen,** ganze Länge ca. 1,15 m.

R G 1. Fusil d'Infanterie allemande à répétition, Mod. 88, cal. 8 mm, type introduit dans l'armée allemande actuellement, **à 5 coups, bon pur le service de guerre, éprouvé et soigneusement réglé au tir,** longueur totale: environ 1 m 15.

R G 1. Infantry repeating rifle, Mod. 88, cal. 8 mm, the military rifle now used in the German Army, **5 shot, in perfect condition for war purposes, correctly sighted and tested,** entire lenght about 1,15 m.

R G 1. Fusil de infanteria alemana de repetición, Mod. 88, cal. 8 mm, el fusil actualmente introducido en le ejercito alemán, **de 5 tiros, en disposición perfecta para el servicio de guerra, comprobado y sometido á pruebas exactas,** longitud total de unos 1,15 metros.

R G 2. Genau wie R G 1, aber aus **deutschen Kriegsbeständen,** wenig gebraucht, garantiert vorzüglich im Schuss.

Bei grossen Quantitäten in R G 2 verlange man Spezial-Offerte (siehe Kriegswaffen).

R G 2. Exactement comme R G 1 mais **provenant des dépôts mititaires allemands,** peu usagés, excellent tir garanti.

Pour d'importantes quantités en R G 2, prière de demander offre spéciale (voir armes de guerre).

R G 2. Just like R G 1, but **from German war supplies,** little used, excellent shooting guaranteed.

For larger quantities of R G 2 ask for special quotation (see war supplies).

R G 2. Igual al R G 1, pero **de las existencias de guerra de Alemania,** poco usada, excellentes calidades de tiro garantidas.

Para cantidades mayores de R G 2, pidase por condiciones especiales (véase armas de guerra).

No.	R G 1	R G 2
†	Ganubed	Gexborda
Cal.	8 mm — Mod. 88	8 mm — Mod. 88
Mark	108.—	64.—

Repetier-carabiner Mauser. | Carabines à répétition Mauser.

Repeating carbines Mauser. | Carabinas de repetición Mauser.

Prima-neue Ware. | Marchandise neuve extra. | Prime new article. | Articulos nuevos de primera.

RG7—7b

Modell 88.

RG7—7b. Kavallerie-Repetier-Karabiner, Modell 88, Cal. 8 mm, in guter Ausführung, mit Riemenklammer, Schlössteile marmoriert gehärtet, Visier mit kleiner Klappe, **besonders vorteilhaftes Modell,** empfehlenswert zur Ausrüstung von Expeditionen.

RG8—8b. Genau wie RG7, aber mit Stechschloss.

RG7—7b. Carabine à répétition de Cavalerie, Modèle 88, Cal. 8 mm, excellente exécution, porte-bretelle, pièces de mécanisme trempées jaspées, hausse avec clapet, **modèle particulièrement avantageux,** à recommander spécialement pour l'armement d'expéditions.

RG8—8b. Exactement comme RG7, mais à double détente.

RG7—7b. Cavalry repeating carbine, model 88, cal. 8 mm, good finish, with swivels at side, lock parts case hardened, rear sight with small leaf, **especially serviceable model** for the equipment of expeditions.

RG8—8b. Same as RG7, but with hairtrigger.

RG7—7b. Carabina de repetición de caballeria, Modelo 88, cal. 8 mm, ejecución buena, con anillos al lado, montura aceración jaspeada — alza con hojita, modelo de ventajas excepcionales, muy recomendable para el equipo de expediciones.

RG8—8b. Igual al RG7, pero con doble fiador.

MDF30

Wie RG7, jedoch aus **Regierungsbeständen, gebraucht,** aber in **gutem, kriegsbrauchbaren Zustand.**

Comme RG7, mais **provenant des magasins de l'armée, usagé mais en bon état pour le service de guerre.**

Like RG7, but **from government supplies used but in condition serviceable for war.**

Comó RG7, pero **proviene de los almacénes del ejército, usado, pero el buen estado para el servicio de guerra.**

MDF30a

Wie MDF30, aber auf **neu aufgearbeitet** mit **Riemenbügeln,** gut eingeschossen, **Teile neu brüniert,** Schaft **poliert.**

Comme MDF30, mais **remis à neuf,** avec **anneaux à courroie,** soigneusement réglé au tir, **pièces brunies à nouveau,** bois **poli.**

Like MDF30, but **renovated** with **swivels,** well proved, **parts newly bronzed, polished** stock.

Comó MDF30, pero **nenovados,** con anillos de correa, bien experimentado al tiro, **piezas bruñidas de nuevo,** culata **pulida.**

MDF30b

Wie MDF30a, aber mit **Ia. Stechschloss.**

Comme MDF30a, mais à **double détente extra.**

Like MDF30a, but with **prime hair trigger.**

Comó MDF30a, pero **de doble escape.**

MDF30c

Vetterli-Vitali.

MDF30c. Vetterli-Vitali Carabiner, Cal. 10,4 mm, wie Abbildung, 110 cm lang, 60 cm Lauflänge, 5 Schuss, Geschwindigkeit 534 m.

MDF30c. Carabine Vetterli-Vitali, cal. 10.4 mm, suivant l'illustration, long de 110 cm longueur du canon 60 cm à 5 coups, vitesse de la balle 534 m.

MDFc. Vetterli Vitali-carbine, cal. 10,4 mm, as in illustration, 110 cm long, length of barrel 60 cm, 5 shots, velocity 534 m.

MCF30c. Carabina Vetterli-Vitali, cal. 10,4 mm, según la ilustración, larga de 110 cm, longitud del cañón 60 cm, de 5 tiros, ligereza de la bala 534 m.

No.	RG7	RG7a	RG7b	RG8	RG8a	RG8b	MDF30	MDF30a	MDF30b	MDF30c
†	Gaferle	Gaferles	Gaferlet	Gofenge	Gofenges	Gofenget	Nimus	Nimugu	Nimuste	Nimutali
Cal.	Mod. 88 — 8 mm	Mod. 88 — 7 mm	Mod. 88 — 9 mm	Mod. 88 — 8 mm	Mod. 88 — 7 mm	Mod. 88 — 9 mm	Mod. 88 — 8 mm	Mod. 88 — 8 mm	Mod. 88 — 8 mm	10,4 mm
Mk.	95.—	95.—	100.—	105.—	105.—	110.—	56.—	62.—	72.—	52.—

Repetierbüchsen Mauser „Modell 88“.

Carabines à répétition Mauser „Modèle 88“.

Repeating rifles Mauser „model 88“.

Carabinas de repetición Mauser „Modelo 88“.

Wehrmannbüchse Modell 88. | Carabine Wehrmann Modèle 88. | Wehrmanns rifle model 88. | Carabinas Wehrmann Modelo 88.

R G 21

Wie R G 1, aber zum **Scheibenschießen. Deutsche Uebungswaffe** zum Schiessen mit Militärgewehr und **billiger Scheibenbüchsenmunition,** eingerichtet für die **Normalpatrone.** Cal. 8,15×46½.

Comme R G 1, mais **pour le tir à la cible. Arme allemande d'exercice pour** le tir au fusil de guerre, **avec munition de cible bon marché,** adapté pour **la cartouche normal.** Cal. 8,15×46½.

Like R G 1, but **for target shooting. German arm for practice** with military rifle and cheap target rifle **ammunition,** adapted **for normal cartridge.** Cal. 8,15×46½.

Comó R G 1, pero **para el tiro al blanco. Arma alemana de ejercicio** para el tiro con fusil de guerra **y munición de blanco barata,** adaptado para el cartucho **normal.** Cal. 8,15×46½.

R G 17/17 b
R G 18/18 b

R G 17/17 b. Repetierbüchse Mod. 88, Schloss und Konstruktion genau wie auf Seite 452 beschrieben, aber mit **Halbschaft,** Pistolengriff, Standvisier und Klappe bis **300 Meter,** Riemenbügel, **runder Lauf, Feldkorn,** Stechschloss.

R G 18/18 b. Wie R G 17/17 b, aber **ohne Stechschloß.**

R G 17/17 b. Carabine à répétition Mod. 88, même mécanisme et construction que ceux décrits page 452, mais avec **devant non prolongé,** crosse pistolet, hausse fixe à clapet pour jusqu'à **300 mètres,** anneaux pour courroie, **canon rond, point de mire spécial,** à double détente.

R G 18/18 b. Comme R G 17/17 b, **mais à simple détente.**

R G 17/17 b. Repeating rifle mod. 88, lock and construction same as described on page 452, but with **half stock,** pistol-grip, standing sight and leaf up to **300 meters.** Swivels, **round barrel, field sight,** hair trigger.

R G 18/18 b. Like R G 17/17 b, but **without hair trigger.**

R G 17/17 b. Carabina de repetición Mod. 88, cerradura y construcción como descritos página 452, pero **con delantera no prolongada,** puño de pistola, alza fija de chapa hasta **300 metros,** anillos, **cañón redondo, punto de mira especial, de doble fiador.**

R G 18/18 b. Comó R G 17/17 b, pero **de simple fiador.**

Andere Visiere siehe Seite 462. | **Voir d'autres hausses page 462.** | **For other sights see page 462.** | **Ver otras alzas página 462.**

R G 19/19 b
R G 20/20 b

R G 19/19 b. Wie R G 17/17 b **mit Stechschloß,** Pistolengriff und Vorderschaftholz mit **Fischhaut,** Garnitur schwarz, **flacher Griff,** Kornsattel und Silberpunktkorn, **Horneinlage** am Vorderschaft, elegant und sauber.

R G 20/20 b. Wie R G 19/19 b, **aber ohne Stechschloß.**

R G 19/19 b. Comme R G 17/17 b **à double détente,** crosse pistolet et devant de bois quadrillés, garniture noire, **crosse plate,** guidon point argent, **garniture de corne** au devant, élégant et solide.

R G 20/20 b Comme R G 19/19 b, **mais à simple détente.**

R G 19/19 b. Like R G 17/17 b, **with hair-trigger,** pistol-grip and checkered fore-end, black mounting, **flat grip,** saddle sight with silver point in front, **horn insertion** on fore-end, elegant and neat.

R G 20/20 b. Like R G 19/19 b, but **without hair-trigger.**

R G 19/19 b. Comó R G 17/17 b, **de doble fiador,** puño de pistola y delantera de madera labradas, montura negra, **culata plana,** guia punta de plata, **montura de cuerno** en la delantera, elegante y sólido.

R G 20/20 b. Comó R G 19/19 b, **pero de simple fiador.**

No	R G 21	R G 17	R G 17 a	R G 17 b	R G 18	R G 18 a	R G 18 b	R G 19	R G 19 a	R G 19 b	R G 20	R G 20 a	R G 20 b
†	Afikal	Afikon	Afikons	Afikont	Afifik	Afifiks	Afifikt	Afisel	Afisels	Afiselt	Afirun	Afiruns	Afirunt
Cal.	8,15×46½ Normal	8 mm	7 mm	9 mm	8 mm	7 mm	9 mm	8 mm	7 mm	9 mm	8 mm	7 mm	9 mm
Mark	110.—	112.—	112.—	114.—	106.—	106.—	108.—	130.—	130.—	132.—	120.—	120.—	122.—

Repetiergewehre Mauser. | Fusils à répétition Mauser. | Repeating rifles Mauser. | Fusil de repetición Mauser.

Modell 88.

161/465
593/600
4/18

R G 3—R G 3c.

Repetier-Pirschbüchse, mit Schloss und Mehrladevorrichtung wie bei unserem jetzigen Militärgewehr, **ff. Stechschloss,** Büchsenvisierung, Riemenbügel, kantiger Gussstahllauf ohne Mantel, Cal. 8 mm, für Militärpatrone mit ganz oder $^3/_4$-Mantelgeschoss, Schaft geölt mit Pistolengriff, Backe, Fischhaut, **garantiert guter Schuss,** besonders empfehlenswerte Waffe für **Hochwildjagden,** garantiert bestes Fabrikat.

Carabine de chasse à répétition, avec mécanisme et chargement multiple exactement comme chez le fusil militaire allemand actuel, **à double détente** extra, pièces de mire de carabine, anneaux de bretelle, canon octogone acier fondu sans revêtement. Cal. 8 mm, pour cartouche militaire aux $^3/_4$ ou entièrement blindée, crosse huilée avec poignée pistolet, à joue, quadrillé, **tir supérieur garanti,** particulièrement recommandable pour la chasse aux fortes bêtes, excellente fabrication garantie.

Repeating sporting rifle, lock and mechanism exactly like the present German military rifle, **best hair-trigger,** rifle sights, swivels, octagon cast steel barrel without mantle, cal. 8 mm, for military cartridge with full or $^3/_4$ mantle bullet, oiled stock with pistol grip cheek, checkered, **good shot guaranteed,** specially recommended for **shooting large game,** best make guaranteed.

Fusil de caza de repetición, cerradura y mecanismo de carga múltiple exactamente iguales al fusil actual del ejercitó alemán, llave con doble fiador superior, alza de carabina, porta-fusiles, cañón octagonal sin capa de acero colado, cal. 8 mm, para cartuchos militares con proyectiles del todo ó tres cuatros blindados, caja aceitada con puño de pistola y carrillo labrados, tiro garantizado, arma especialmente recomendada para la caza mayor, garantizado de la mejor fabricación.

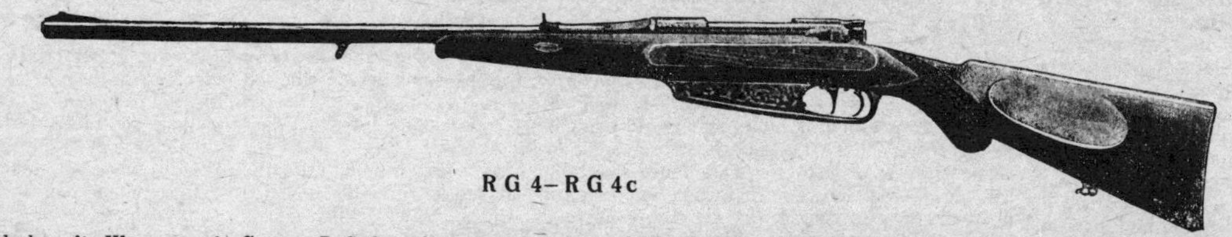

R G 4—R G 4c

Wie R G 3, jedoch **mit Klappe** auf Mehrlademechanismus.

Comme R G 3, mais **avec clapet** sur le mécanisme à chargement multiple.

Like R G 3, but **with spring cover** on repeating mechanism.

Comó R G 3, pero **con chapa** en el mecanismo de carga múltiple.

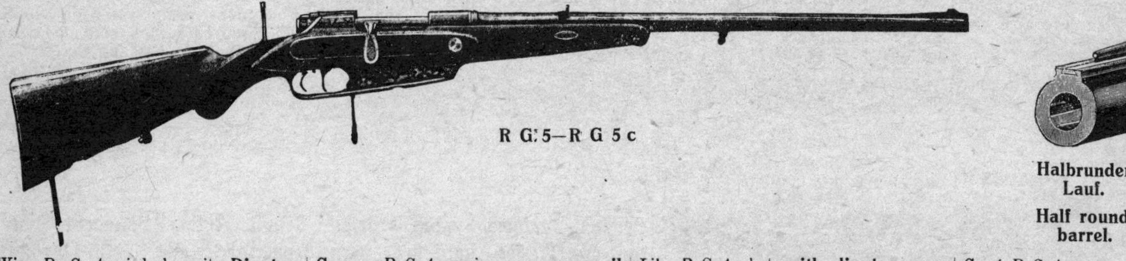

R G 5—R G 5c

Halbrunder Lauf. | **Canon semi-rond.**

Half round barrel. | **Cañón medio redondo.**

Wie R G 4, jedoch mit **Diopter, Patronenmagazin** im Schaft, **hochfein graviert,** halbrunder Lauf, grauer Einsatz der Schlossteile.

Comme R G 4, mais **avec appareil dioptrique, magazin à cartouches** dans le bois, **soigneusement gravé,** canon semi-rond, garniture grise sur les pièces de l serrure.

Like R G 4, but **with diopter, cartridge magazine in stock, very finely engraved,** half round barrel, grey insertion on lock parts.

Comó R G 4, pero **con diópter, cartuchera en la caja, grabado muy fino,** cañón medio redondo, montura gris

R G 6—R G 6c

Dieselbe Büchse wie R G 4. mit **Vorderschaft bis zur Mündung** gehend, achtkantiger Stahllauf, Länge des Laufes 45 cm, ganze Länge der Büchse 96 cm.

Même carabine que R G 4, **avec devant de bois allant jusqu'à l'embouchure du canon,** canon octogone d'acier, longueur du canon 45 cm, longueur totale de la carabine 96 cm.

The same rifle as R G 4, **with fore-end up to muzzle,** octagon steel barrel, length of latter 45 cm, entire length of rifle 96 cm.

El mismo fusil que el R G 4, **con delantera extendida hasta la boca,** cañón octagonal de acero y 45 cm de largo, longitud total del fusil 96 cm.

No.	R G 3	RG 3a	RG 3b	RG 3c	R G 4	R G 4a	R G 4b	R G 4c	R G 5	R G 5a	R G 5b	R G 5c	R G 6	R G 6a	R G 6b	R G 6c
✝ Mod. 88	Giberg	Gibergs	Gibergt	Gibergk	Gadek	Gadeks	Gadekt	Gadeko	Gedileih	Gedileihs	Gedileiht	Gedileihk	Gudeld	Gudelds	Gudeldt	Gudeldh
Cal.	8 mm	6,5 mm	7 mm	9 mm	8 mm	6,5 mm	7 mm	9 mm	8 mm	6,5 mm	7 mm	9 mm	8 mm	6,5 mm	7 mm	9 mm
Mk.	120.–	120.–	120.–	122.–	127.–	127.–	127.–	129.–	170.–	170.–	170.–	172.–	156.–	156.–	156.–	158.–

Mauser-Repetiergewehre Mod. 98.

Fusils à répétition Mauser Mod. 98.

Mauser repeating rifles Mod. 98.

Fusiles Mauser de repetición Mod. 98.

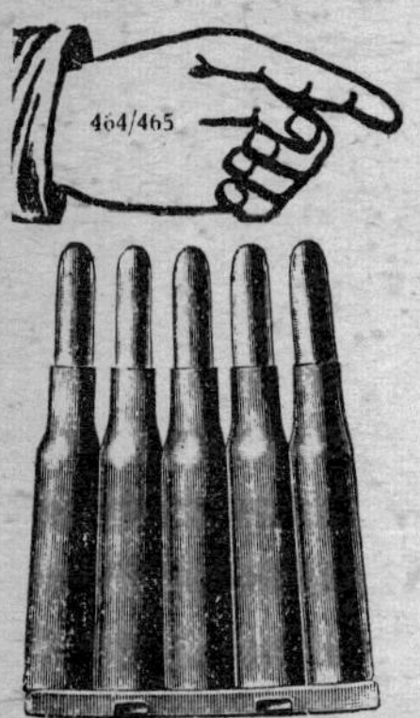

Fig. II.

Fig. I.

Mausergewehr Modell 98. Fusil Mauser Mod. 98. Mauser rifle 98 Model. Fusil Mauser Modelo 98.

Beste Waffe für alle Sorten Wild.

Geöffnet, gespannt und gesichert wird die Büchse wie das Mausergewehr Mod. 88. Will man das Gewehr laden, so steckt man den 5 Patronen haltenden Ladestreifen in die an der Hülse angebrachte Aussparung (Fig I.) und drückt mit dem Daumen die Patronen in das im Schafte befindliche Magazin (Fig. II.) und entfernt den Ladestreifen, wodurch die Büchse schussfertig ist. **Bei leerem Magazin kann die Büchse auch als Einzellader benutzt werden, dagegen aber kann man auch jede abgeschossene Patrone in dem gefüllten Magazin nach Belieben ersetzen.**

La meilleure arme pour toutes les sortes de gibier.

Cette carabine s'ouvre, s'arme et se met en sûreté tout comme le fusil Mauser mod. 88. Veut-on charger l'arme, on enfonce le chargeur muni des 5 cartouches dans le chambre (voir figure I) on presse avec le pouce les cartouches dans le magasin se trouvant dans la crosse, (fig. II) et on retire le chargeur. La carabine se trouve alors prête au tir.
Le magasin étant vide, l'arme peut tirer à 1 coup, de même quand le magasin est plein on peut remplacer au fur et à mesure les cartouches tirées.

Best weapon for all kinds of game.

The opening, cocking and safety of this rifle are the same as in the 88 mod. Mauser. To load put the clip containing 5 cartridges into the opening of the chamber (Fig. I) press the cartridges with the thumb into the magazine in stock (Fig. II) and remove the clip, after which the rifle is ready for shooting.
When the magazine is empty the rifle may also be used as a single loader whilst a spent cartridge can always be replaced in the filled magazine.

La mejor arma para toda clase de caza.

El abrir, poner en tensión y seguro se efectuan de la misma manera que en el fusil Mauser mod. 88. Para cargar el fusil se coloca la barra con los 5 cartuchos en la apertura de la cámara (Fig. I) y se empujan los cartuchos con el pulgar dentro de la cartuchera situada en la caja (Fig. II) quitando al mismo tiempo la barra, ahora está el fusil listo para ser disparado.
Con la cartuchera vacía se puede usar el fusil como uno de un tiro ó se puede reemplazar cada uno de los cinco cartuchos con un nuevo después de cada tiro.

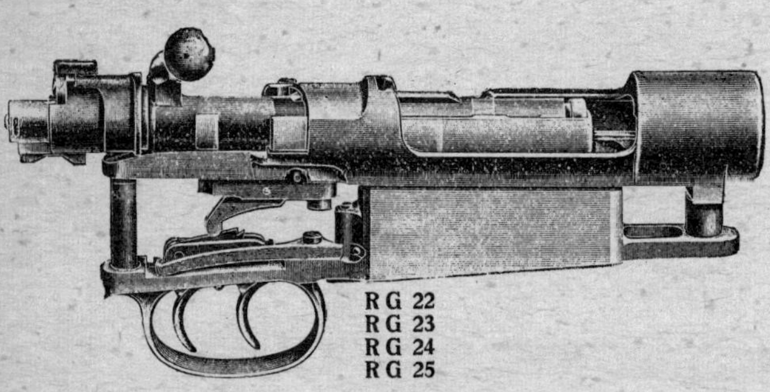

R G 22
R G 23
R G 24
R G 25

Original-Systeme aus der Waffonfabrik Mauser. | **Systèmes originaux provenant de la fabrique Mauser.** | **Genuine Action from the small arms factory Mauser.** | **Sistema original de la fábrica Mauser.**

Alle von uns in den Handel gebrachten Mausergewehre Mod. 98 sind mit diesem Originalsystem versehen.

Wir geben auch die Systeme wie folgt ab:
R G 22 mit Abzug und **Druckpunkt,**
R G 23 mit **nicht** ausgefrästem Stecherkästchen,
R G 24 mit **ausgefrästem** Stecherkästchen,
R G 25 mit **Stecher.**

Toutes les armes Mauser mod. 98, mises dans le commerce par nous, sont munies de ce système Original Mauser.

Nous livrons aussi ces systèmes comme suit:
R G 22 avec **détente** et **point à pression,**
R G 23 avec boîte à double détente **non fraisée,**
R G 24 avec boîte à double détente **fraisée.**
R G 25 **à double détente.**

All the Mauser rifles mod. 98 placed by us on the market, are provided with this original breech.

We furnish also the breeches as follows:
R G 22 with **trigger** and **tuching point**
R G 23 with hair-trigger case **but not bored,**
R G 24 with hair-trigger case, **ready bored,**
R G 25 with **hair-trigger.**

Todas las armas Mauser mod. 98 puestas por nosotros en el mercado están provistas de este sistema original Mauser.

También proveemos estos sistemas como sigue:
R G 22 con **escape y punta de presión,**
R G 23 con caja de escape **no alimada,**
R G 24 con caja de escape **alimada.**
R G 25 de **doble escape.**

	R G 22	R G 23	R G 24	R G 25
	† Afiabdru	† Afinofra	† Afifraste	† Afistecho
Mark	90.—	90.—	92.—	100.—

Mauser-Repetiergewehre Mod. 98 und 1906. | Fusils à répétition Mauser Mod. 98 et 1906. | Mauser repeating rifles Mod. 98 and 1906. | Fusiles de repetición Mauser Mod. 98 y 1906.

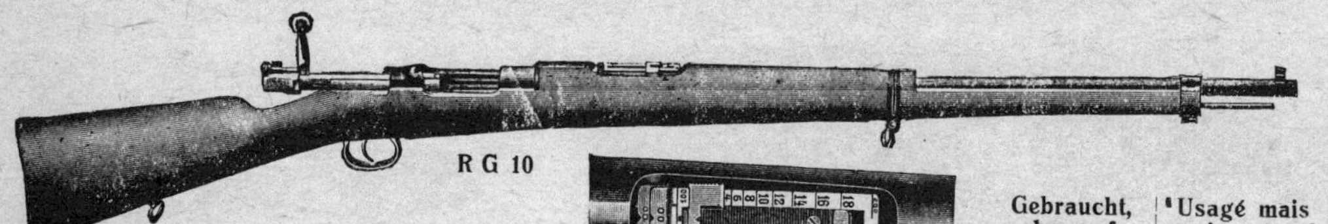

R G 10

Modell 93.

Gebraucht, aber aufgearbeitet. | Usagé mais remis à neuf. | Used but renovated. | Usado, pero renovado.

Mauser-Infanterie-Gewehr Mod. 93, Caliber 7 mm, Ladeweise und Konstruktion wie bei den in Argentinien, Brasilien, Chile, Mexiko, Südafrika, Uruguay usw. eingeführten Modellen, **auf 2000 Meter eingeschossen,** mit verstellbarem Visier. Das im Schaft befindliche, nach unten verschlossene Patronenmagazin wird von oben vermittels des bekannten Mauserschen Ladestreifens gefüllt und nimmt die Patronen in Zickzacklagerung auf.

Fusil d' infanterie mod. 93, cal. 7 mm, mode de chargement et construction comme dans les modèles introduits en Argentine, au Brésii, au Chili, au Mexique, en Afrique du Sud, dans l' Uruguay, portant avec sûreté **à 2000 mètres,** avec hausse réglable. Le magasin à cartouches se trouvant dans le système et qui se met en place par en bas s'emplit au moyen du chargeur Mauser bien connu et reçoit les cartouches en zigzag et ce par en haut.

Mauser infantry rifle mod. 93, cal. 7 mm, method of loading and construction same as with the models adopted in Argentine, Brazil, Chile, Mexico, South Africa, Uruguay, etc., sighted up **to 2000 meters,** with adjustable sight. The magazine, contained in the stock is loaded from above by means of the well known cartridge clip and takes the cartridges in a zigzag position.

Fusil Mauser de infantería modelo 93, calibre 7 mm, método de carga y construcción comó en los modelos adoptados por la Argentina, el Brasil, Chile, Mejico, el Africa del Sud, el Uruguay etc., probado **á 2000 metros, con alza movible.** La cartuchera situada en la caja se llena por arriba y por medio de la barra de carga Mauser, tan conocida, los cartuchos entran con un movimiento zig-zag.

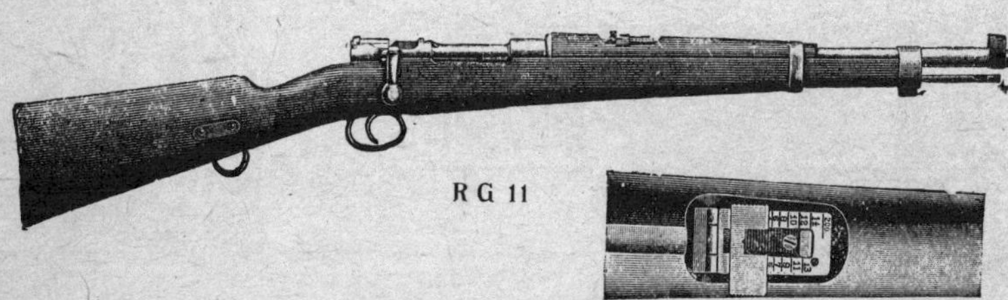

R G 11

Modell 93.

Gebraucht, aber aufgearbeitet. | Usagé mais remis à neuf. | Used but renovated. | Usado, pero renovado.

Mauser-Kavallerie-Karabiner Mod. 93, Caliber 7 mm. Mit gleichem Mechanismus, wie beim Infanterie-Gewehr Modell 97/98, **auf 1400 Meter** eingeschossen, mit verstellbarem Visier.

Carabine Mauser de cavalerie mod. 93, cal. 7 mm. Avec le même mécanisme que le fusil d'infanterie mod. 97/98, portant avec **sûreté à 1400 mètres,** avec hausse réglable.

Mauser cavalry carbine model 93, caliber 7 mm. Same description as infantry rifle, 97/98 model tested at range **of 1400 meters,** with adjustable sight.

Fusil Mauser de cabalería, modelo 93 calibre 7 mm. Igual construcción que el fusil de infanteria 97/98, probado **à 1400 metros** con alza de ajuste.

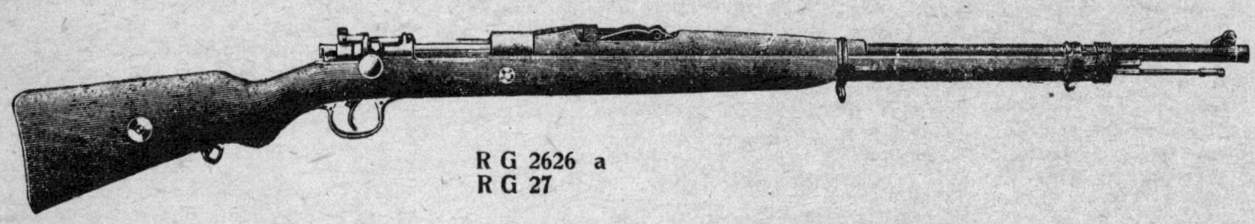

R G 2626 a
R G 27

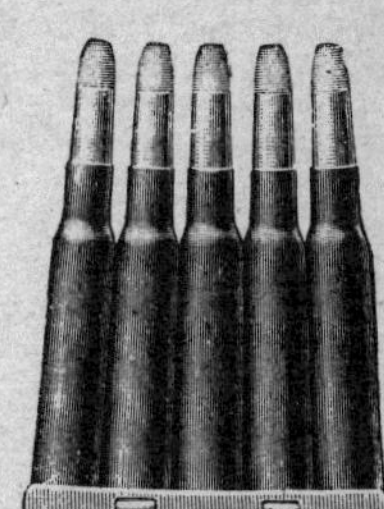

Modell 98/1906.

R G 26/26 a **Deutsches Armeemodell,** la Regierungs-Qualität, **fünfschüssig,** Fabriksstempel, neuestes Visier, nagelneue Fabrikation, Cal. 7 mm und 8 mm.

R G 27 Wie R G 26, aber **türkisches Armeemodell, Cal. 7,65 mm.**

R G 26/26 a **Modèle de l'armée allemande,** qualité originale gouvernementale extra, **à 5 coups,** timbre de fabrique, nouvelle hausse, complètement neuf, cal. 7 mm et 8 mm.

R G 27 Comme R G 26, mais **modèle de l'armée turque, cal. 7,65 mm.**

R G 26/26 a **German army model,** best original government quality, **five shots,** factory stamp, latest sight, brand new make, cal. 7 mm and 8 mm.

R G 27 Like R G 26, but **Turkish army model, cal. 7,65 mm.**

R G 26/26 a **Modelo del ejército alemán,** calidad original gobernamental, **de 5 tiros,** sello de fabrica, alza nueva, completamente nuevo, cal. 7 mm y 8 mm.

R G 27 Como R G 26, **pero modelo del ejército turco, cal. 7,65 mm.**

No.	R G 10	R G 11	R G 26	R G 26 a	R G 27
†	Guneis	Gonez	Guneiden	Guneidenz	Guneiwehr
Cal.	7 mm	7 mm	7 mm	8 mm	7,65 mm
Mark	80.–	84.–	150.–	150.–	150.–

Original Mauser-Gewehre Mod. 98.

Fusil Mauser Original Mod. 98.

Original Mauser rifles mod. 98.

Fusil Mauser original Modelo 98.

Wehrmannsbüchse Mod. 98. | **Carabine Wehrmann Mod. 98.** | **Wehrmann's rifle mod. 98.** | **Carabina Wehrmann, Mod. 98.**

Wie R G 26, aber für Scheibenschützen zum Ueben mit Armeewaffe auf dem Scheibenstand für die billige Munition 8,15×46½ Normal.

Comme R G 26, mais pour tir à la cible, pour s'exercer au tir de guerre, avec la munition bon marché 8,15×46½ normal.

Like R G 26 but for target shooting for practising with army rifle at the shooting gallery with cheap ammunition 8,15×49½ normal.

Comó R G 26, pero para tiro al blanco, para ejercitarse en el tiro de guerra, con munición barata 8,15×46½ normal.

Original-Mauser-Gewehre Mod. 98
mit Fabrikstempel, ganz und gar in der Waffenfabrik Mauser hergestellt.
No. R G 12—R G 31 b.

Fusils Mauser originaux Mod. 98
avec timbre de fabrique, entièrement manufacturé à la Fabrique Mauser.
No. R G 12 usqu'au No. R G 31 b.

Original Mauser rifles mod. 98
with factory stamp, made entirely in the small arms factory Mauser.
No. R G 12 to No. R G 31 b.

Fusil Mauser Original Mod. 98
con sello de fábrica, enteramente manufacturado en la fábrica Mauser.
No. R G 12 hasta el No. R G 31 b.

R G 12/12 a.
Repetier-Pirschbüchse Mauser Mod. 98/1907. Original Militär-Modell. Cal. 8 oder 9 mm, Prima Stahllauf, rund, mit Standvisier und Klappe, **vorzüglich eingeschossen auf 100 u. 200 m.** Schloss mit gebogenem Kammerknopf, das ganze System ist elegant schwarz, Nussholz-Maserschaft mit Fischhaut. Alle Teile sind aus denkbar bestem Material gefertigt und auf Spezialmaschinen sauber und genau ausgearbeitet, daher ist vorstehende Pirschbüchse eine elegante, dauerhafte und zuverlässige Waffe, für deren tadellose Funktion und Schussleistung garantiert wird.

In Cal. 9 mm ist vorstehende Büchse zur Jagd auf Grosswild, wie Büffel, Löwen, Tiger, Elefanten usw., besonders geeignet und zu empfehlen.

R G 12 b/12 c.
Wie vor aber mit Stechschloss.

R G 12/12 a.
Carabine de chasse à répétition Mauser Mod. 98/1907. Modèle Militaire original. Cal. 8 ou 9 mm. Canon acier extra rond, avec hausse fixe et clapet, soigneusement réglé au tir de 100 à 200 mètres, système avec levier courbe, système entièrement noir, beau bois madré quadrillé, toutes les pièces sont faites du meilleur matériel et travaillées avec le plus grand soin à l'aide de machines toutes spéciales de sorte que la carabine de chasse ci-dessus est une carabine élégante, durable et tout à faif supérieure, dont le fonctionnement et le tir sont absoluement garantis comme de premier ordre.

La carabine ci-dessus en Cal. 9 mm est tout particulièrement apte à la chasse aux fauves comme bufles, lions, tigres, éléphants etc.

R G 12 b/12 c.
Comme ci-dessus, mais avec double détente.

R G 12/12 a.
Repeating sporting rifle Mauser 98/1907 Model. Original military model. Cal. 8 or 9 mm, prime steel barrel, round, with folding rear sight, carefully tested at range of 100 and 200 meters, lock with bent chamber button; grained and checkered walnut stock. Very best material throughout. Being neatly and accurately fitted by special machinery this sporting rifle is an elegant, durable and reliable weapon, and its faultless working and shooting are fully guaranteed.

With cal. 9 mm this rifle can be specially recommended for the big sporting game such, as buffaloes, lions, tigers, elephants etc.

R G 12 b/12 c.
Like before but with hair trigger.

R G 12/12 a.
Fusil de caza de repetición Mauser modelo 98/1907. Modelo militar original. Cal. 8 ó 9 mm, cañón redondo de acero superior, con alza de repliegue, probado muy exactamente á 100 y 200 metros, cerradura con palanca retorcida, todo negro elegante, caja de nogal veteado y labrado. Todas las piezas son hechas de los materiales absolutamente mejores, acabadas lisas y ajustadas con precisión por medio de marquinaria especial. Por eso es este fusil un arma elegante, duradera y segura cuyo funcionamiento y buen tiro se garantizan.

Para la caza mayor, como la de búfalos, leones, tigres, elefantes etc., se recomienda de un modo especial este fusil en calibre 9 mm.

R G 12 b/12 c.
Comó arriba, pero con doble fiador

No.	R G 28	R G 12	R G 12 a	R G 12 b	R G 12 c
†	Guneixols	Gunegtung	Gunegtungs	Axufrio	Axufrios
Cal.	8,15×46½ mm	Mod. 88 8 mm	9 mm	8 mm	9 mm
Mark	140.—	140.—	140.—	155.—	155.—

Original Mauser Gewehre Mod. 98.

Fusil Mauser Original Mod. 98.

Original Mauser rifles mod. 98.

Fusil Mauser original Modelo 98.

Original-Mauser-Gewehre Mod. 98 mit Fabrikstempel, ganz und gar in der Waffenfabrik Mauser hergestellt. (No. R G 12 bis No. R G 31 b.)

Fusils Mauser Original Mod. 98 avec timbre de fabrique, entièrement manufacturé à la Fabrique Mauser. (No. R. G. 12 jusqu'à No. R G 31 b.)

Original Mauser rifles mod. 98 with factory stamp, made entirely in the small arms factory Mauser. (No. R G 12 to No. R G 31 b.)

Fusil Mauser original Mod. 98 con sello de fábrica, enteramente manufacturado en la fábrica Mauser. (No. R G 12 hasta el No. R G 31 b.)

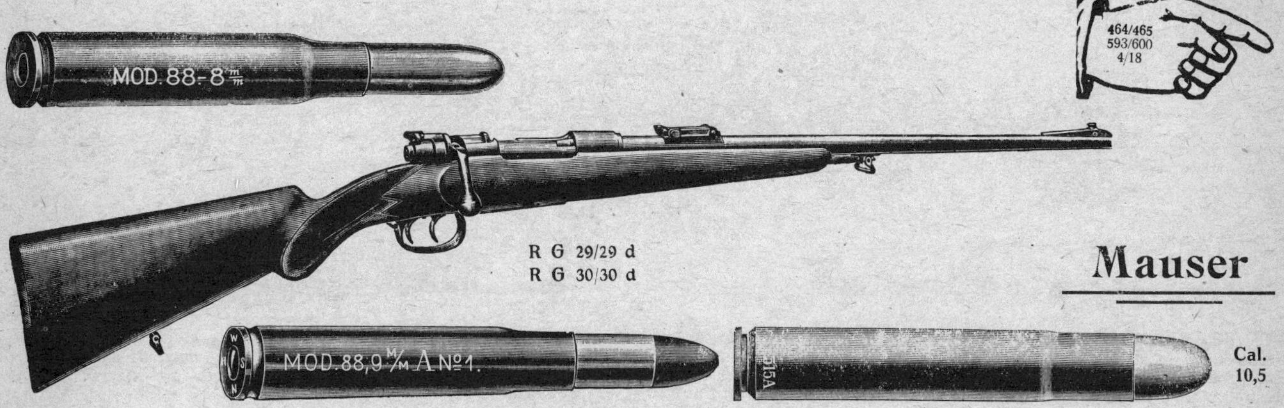

R G 29/22 d „**Luxus-Modell**", alle Teile **tiefschwarz**, Pistolengriff, Fischhaut, Stechschloss, Riemenbügel, **1000 Meter Visier**, Korn mit Silberpunkt, 1a Arbeit.

R G 30/30 d. Wie R G 29, aber **ohne Stecher.**

R G 29/29 d. Modèle de luxe, toutes pièces noires foncées, crosse pistolet quadrillée, à double détente, anneaux de courroie, **hausse à 1000 mètres,** guidon à point argent, travail extra.

R G 30/30 d. Comme R G 29, mais **à simple détente.**

R G 29/29 d. Fancy-model all parts deep black, pistol-grip, checkered, swivels, sighted **to 1000 meters,** front sight with silver point, prime make.

R G 30/30 d. Like R G 29, but **without hair-trigger.**

R G 29/29 d. Modelo de lujo y todas las piezas negras oscuras, empuñadura de pistola, labrado, de doble escape, anillos de correa, alza hasta **1000 metros,** punta de plata y trabajo extra.

R G 30/30 d. Como R G 29, **pero con simple escape.**

R G 16/16 b. Wie R G 29/29 d mit halbem Pistolengriff, aber **Ganzschaft,** Visier bis 1000 m, **„Trapper-Modell".**

R G 31/31 b. Wie R G 16/16 b, aber **ohne Stechschloß.**

R G 16/16 b. Comme R G 29/29 d avec demie crosse pistolet, mais **devant prolongé,** hausse jusqu'à 1000 mètres, **Modèle „Trapper".**

R G 31/31 b. Comme R G 16/16 b, mais **à simple détente.**

R G 16/16 b. Like R G 29/29 b with half pistol-grip, but **with stock in one piece over entire length,** sighted up to 1000 meters, **trapper model.**

R G 31/31 b. Like R G 16/16 b, but **without hair-trigger.**

R G 16/16 b. Igual al R G 29/29 b con medio puño de pistola, **caja prolongada.** Alza hasta los 1000 metros, Modelo **„Trapper".**

R G 31 31 b. Como R G 16/16 b, pero **con simple escape.**

No.	R G 29	R G 29 a	R G 29 b	R G 29 c	R G 29 d	R G 30	R G 30 a	R G 30 b	R G 30 c	R G 30 d	R G 16	R G 16 a	R G 16 b	R G 31	R G 31 a	R G 31 b
†	Axublas	Axublast	Axublaff	Axublanu	Axublarv	Axublatt	Axublall	Axublagh	Axublaki	Axublaro	Axupist	Axupilk	Axupifo	Axupizd	Axuprit	Axufril
Cal. Mod. 88:	6,6 mm	7 mm	8 mm	9 mm	10,5 × 68 mm	6,6 mm	7 mm	8 mm	9 mm	10,5 × 68 mm	7 mm	8 mm	10,5 × 68 mm	7 mm	8 mm	10,5 × 68 mm
Mark	200.—	200.—	200.—	200.—	300.—	180.—	180.—	180.—	180.—	280.—	210.—	210.—	310.—	190.—	190 —	290 —

Repetierbüchsen, Mod. 1909.

Carabines de chasse à répétition Mod. 1909.

Repeating rifles, model 1909.

Carabinas de repetición Mod. 1909.

Magazinklappe mit Patentverschluss.

Magazin à clapet avec fermeture patentée.

Magazine flap with patent bolt.

Almacén con palanca y cerradura privilegiada.

zu R G 31 c—33 e

Untenstehende Büchsen sind mit einem **Hebelchen an der Magazinklappe** zum schnelleren Entladen versehen. Man kann dadurch von **oben und unten** laden.

Les carabines ci-dessous sont munies **d'un petit levier au clapet du magasin** pour décharger plus rapidement. On peut ainsi charger **de par en haut et de par en bas.**

The rifles below are provided **with a small lever on the magazine** for the quicker unloading. This enables one to load **from above or from below.**

Las carabinas abajo indicadas están provistas de una **pequeña palanca en la caja** para descargar más rápidamente. De este modo se puede **cargar por arriba y por abajo.**

R G 31 c—31 e

Prima **Kruppstahl,** runder Lauf 58 cm lang, Feldkorn auf mattiertem Sattel, Standvisier für 100—200 Meter, Klappe für 300 Meter Druckpunkt, geölter Nussbaumschaft, Pistolengriff, Fischhaut, Eisenkappe, Riemenbügel, alle Teile schwarz, ganze Länge 112 cm, Gewicht ca. 3,150 kg.

Canon rond **en acier Krupp** extra, et long de 58 cm, point de mire spécial, sur selle mate, hausse fixe à 100—200 mètres, clapet pour la distance de 300 mètres, point à pression, crosse noyer huilé, poignée pistolet, quadrillé, calotte de fer, anneaux de courroie, toutes pièces noires, longueur totale 1 m 12, poids environ 3 K 150.

Prime **Krupp steel,** round barrel 58 cm long, field front sight on matted saddle, standing rear sight for 100—200 meters, leaf for 300 meters. Press spot, oiled walnut stock, pistol grip, checkered, iron cap swivels, all parts black, entire length 112 cm, weight about 3,150 kg.

Cañón redondo **en acero Krupp** extra, largo de 58 cm, punto de mira especial, alza fija de 100 á 200 metros, chapa para la distancia de 300 metros, punto de presión, culata de nogal huntada de aceite, empuñadura de pistola, labrada, cantonera de hierro, anillos de correa, todas las piezas negras, longitud total 1 m 12, Peso próximamente 3 K 150.

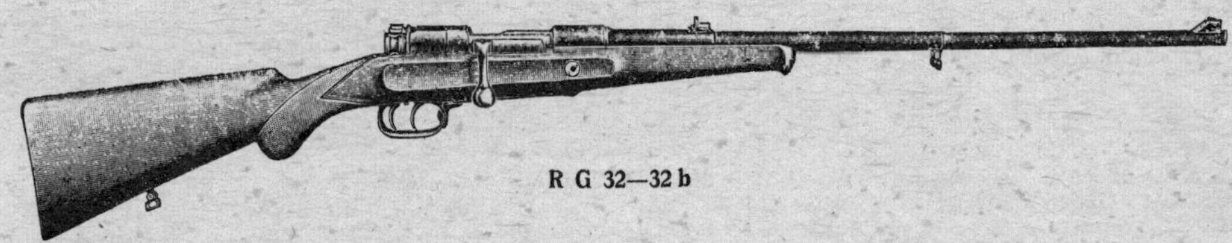

R G 32—32 b

Wie R G 31—31 e aber mit **besser ausgearbeitetem** Schaft mit flachen Seitenleisten, **Stechschloss** und mit **Backe.**

Comme R G 31—31 e **mais plus soigneusement travaillé,** devant à côtés plats, **à double détente et à joue.**

Like R G 31—31 e. but better finish stock with flat side clamps, **hair-lock, and with cheek.**

Comó R G 31—31 e, pero más cuidadosamente trabajado, delantera plana en los costados, **de doble escape y de carrillo.**

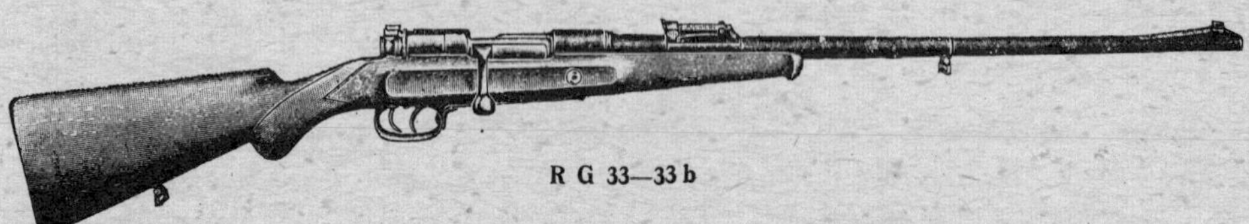

R G 33—33 b

Wie R G 32—32 b mit **langem Silberpunktkorn** auf langem mattierten Sattel, neues **Visier mit Schieber** von **50—1000 Meter.**

Comme R G 32—32 b avec **long point argent** sur long support mat, nouvelle **hausse à poussoir de 50 à 1000 mètres.**

Like R G 32—32 b with **long silver pointed** front sight on long matted saddle, new rear sight with **slide from 50—1000 meters.**

Comó R G 32—22 b con **punta larga de plata,** sobre soporte largo, mate **alza nueva,** con corredera **de 50 á 1000 metros.**

No.	R G 31 c	R G 31 d	R G 31 e	R G 32	R G 32 a	R G 32 b	R G 33	R G 33 a	R G 33 b
†	Bazfrau	Bazkind	Bazblei	Bazrohr	Baztint	Bazfede	Bazrot	Baztief	Bazhoch
Cal.	7	8	9	7	8	9	7	8	9
Mark	144.—	144.—	144.—	156.—	156.—	156.—	173.—	173.—	173.—

Mauser Repetierbüchsen Mod. 98 mit achtkantigem Lauf.	Carabines à répétition Mauser Mod. 98 à canon octogone.		Mauser repeating rifles model 98 with octagonal barrel.	Escopetas de repetición Mauser Mod. 98 de cañón octogono.

G R 13/13 c.

464/465 593/600 4/18

„Fünf Schuss". | „à 5 coups." | „five shot". | „de cinco tiros".

Neueste und beste Repetier-Pirschbüchse Modell 98, System Mauser, Cal. 8 oder 7 mm, mit allen Neuerungen und Verbesserungen, das Schloss spannt sich beim Oeffnen. Tadellose und sauberste Arbeit, vorzügliche Schussleistung, bestes Stechschloss, Standvisier und Klappe, Lauf aus extra gutem **verdichteten Krupp'schen Gusstahl,** Schiene und Hülse mattiert, Systemteile marmoriert, Gewicht der Büchse ca. 3,2 kg. Länge ca. 110 cm, Lauf **achtkantig.**

Nouvelle et excellente carabine de chasse à répétition Mod. 98, système Mauser, Cal. 8 ou 7 mm, réunissant toutes les nouveautés et tous les perfectionnements, le mécanisme s'arme quand on ouvre la carabine, travail de premier ordre, tir supérieur, double détente extra, hausse fixe à clapet, canon en acier fondu et comprimé Krupp extra anneau et bande mate, pièces du système jaspées, poids de la carabine environ 3 k 2, longueur environ 1 mm 10, canon **octogone.**

Latest and best repeating sporting rifle, 98 model, Mauser system, cal. 8 or 7 mm, with all improvements, the lock cocks on opening. Most accurate workmanship, splendid shooting, best hair trigger, open folding rear sight, **octagon** barrel of extra fine, condensed, Krupp cast steel, matted rib, case hardened mountings. Weight of rifle about 3,2 kg. Length about 110 cm.

El último y mejor fusil de repetición, sistema Mauser Modelo 98. Cal. 8 ó 7 mm, con todos los mejoramientos recientes, armándose al abrir, trabajo esmeradísimo é inmejorable, tiro exceptional, mejor doble escape, alza con hoja, cañón del mejor acero condensado Krupp, cinta mate piezas de aceración marmoreada, peso del fusil **unos 3,2 Kilos, próximamente,** longitud unos 110 cm, cañón **octagonal.**

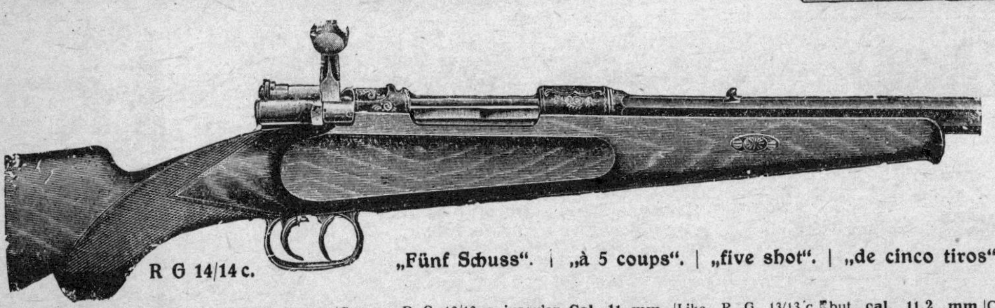

R G 14/14 c. „Fünf Schuss". | „à 5 coups". | „five shot". | „de cinco tiros".

Wie R G 13/13 c aber bis Cal. 11,2 mm **für 4—5 g Nitropulver,** stärkste Ladung für Dickhäuter.

Comme R G 13/13 c jusqu'en **Cal. 11 mm, pour 4 à 5 grammes** de poudre sans fumée, très forts chargements, pour pachidermes.

Like R G 13/13 c but **cal. 11,2 mm for 4—5 g nitro powder,** heaviest charge for pachyderms.

Como R G 13/13 c, pero en **Cal. 11,2 mm para 4—5 g nitro pólvora,** la mayor carga para paquidermos.

R. G. 13a/13e. „Fünf Schuss". | „à 5 coups". | „five shot". | „de cinco tiros".

Genau wie R G 13/13 c, aber **kürzerer** Lauf, vom Vorderschaft ab rund, sehr handliche Waffe, **erhöhte Laufschiene.**

Exactement comme R G 13/13 c, mais canon **plus court,** rond à partir de l'extrêmité du devant, arme très en main, **bande exhaussée.**

Just like R G 13/13 c, but **shorter** barrel, round from fore-end, very handy rifle, **elevated rib.**

Igual al R G 13/13 c, pero con el cañón **más corto** y redondo de la delantera hasta la boca, fusil muy cómodo, **cinta alzada.**

R G 34/34 b.

Spezial-Modell für England und Süd-Afrika. Ia Kruppscher runder Stahllauf 80 cm lang, Korn mit Silberpunkt, **auswechselbares Feldkorn,** Pistolengriff und Vorderschaft mit Fischhaut, **Horneinlage, Drehhebel** am Magazin, **Neusilberschild** am Schaft, Visir mit **2 Klappen** und **Schiebevisier bis 1200 yards, Kornschoner aus Stahlblech,** Teile schwarz, System mit Stempel **„Waffenfabrik Mauser".**

Modèle spécial pour l'Angleterre et l'Afrique du sud. Canon **rond acier Krupp** extra, long de 80 cm, guidon à point **argent et point spécial interchangeable,** crosse pistolet et devant quadrillés, **garniture de corne, levier en cercle** au magasin, écusson **vieil argent** à la crosse, hausse **à 2 clapets, se mettant jusqu'à 1200 yards. Protecteur du point de mire en fer blanc aciéré.** Pièces noires, système avec le timbre: **„Waffenfabrik Mauser".**

Special model, for England and South Africa. Best **Krupp** round steel barrel 80 cm long, front sight with silver point **and interchangeable field sight,** pistol grip and checkered fore-end **horn inlaid, turning lever** on magazine, **German silver** plate on stock. Rear sight with **2 leaves** and **push sight up to 1200 yards. Steel plate sight protector,** black parts breech stamped **„Waffenfabrik Mauser".**

Modelo especial para Inglatera y para el Africa del Sur. Cañón redondo de acero **Krupp** extra, de 80 cm de largo, punta de plata, puño de pistola y delantera labrados, **montura de cuerno, palanca en la caja cargadora, escudete de plata alemán** en la culata, alza de **2 chapas, alcanzando hasta 1200 yardas. Protector del punto de mira de hierro blanco acerado,** piezas negras sistema con sello timbre: **„Waffenfabrik Mauser".**

Ausser den angegebenen Calibern liefern wir die Büchsen Mod. 98 auch noch in folgenden Calibern:
† Codebuchstaben sind anzuhängen.

Nous livrons les carabines Mod. 98, en dehors des calibres indiqués, dans les calibres suivants: † Les lettres códiques suivantes sont à ajouter.

Besides the calibers mentioned we supply the rifles mod. 98 also in the following calibers: † code-letters must be added.

Además de los calibres indicados proveemos también las carabinas Mod. 98 en los calibres siguientes: † Las letras del código siguientes hay que añadir.

Cal.	6,5	7,65	8 mm (öster.)	275 (engl.)	315 (engl.)	318 (engl.)	333 (engl.)
	† Ka	† Ke	† Ki	† Ko	† Ku	† st	† rf

No.	R G 13	R G 13 b	R G 13 c	R G 14	R G 14 a	R G 14 b	R G 14 c	R G 13 a	R G 13 d	R G 13 e	R G 34	R G 34 a	R G 34 b
†	Golag	bawras	bawtaf	Geigfefe	bawtil	bawist	bawilk	Gagle	bawitts	bawifft	bawinn	bawirrt	bawibb
Cal.	8 mm	7 mm	6,6 mm	11,2×72 mm	9 mm	9,3 mm	10,75 mm	8 mm	7 mm	6,6 mm	7 mm	8 mm	9 mm
Mark	196.—	200.—	204.—	220.—	196.—	216.—	220.—	196.—	200.—	204.—	270.—	270.—	270.—

Visiere für Mod. 88 & Mod. 98.	Hausses pour Mod. 88 & Mod. 98.	Sights for Mod. 88 & Mod. 98.	Alzas para Mod. 88 & Mod. 98.

Mod. 88 & Mod. 98

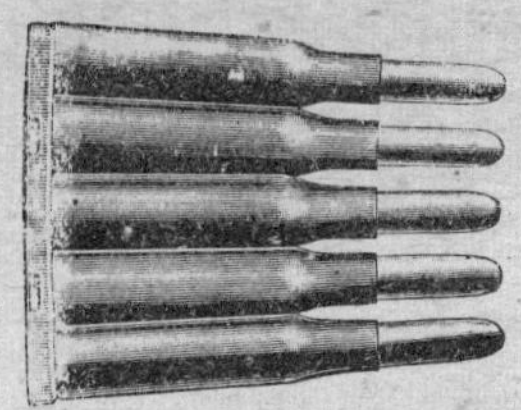

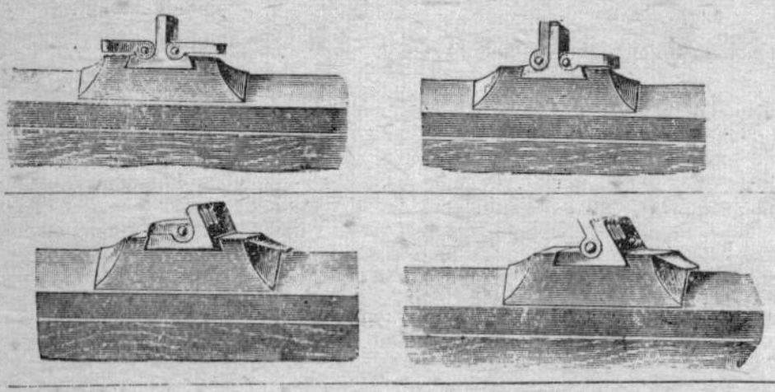

Gradestehendes Visier mit 2 Klappen bei unseren Repetierbüchsen Mod. 88 u. 98.	Hausse à gradins avec 2 clapets, s'adaptant à nos carabines à répétition Mod. 88 & 98.	Upright sight with 2 leaves on our repeating rifles Mod. 88 & 98.	Alza de gradas con 2 hojas, adaptándose á nuestras carabinas de repetición Mod. 88 & 98.
Schräges Visier mit 1 Klappe bei unseren Repetierbüchsen Mod. 88 & 98.	Hausse oblique avec 1 clapet, s'adaptant à nos carabines à répétition Mod. 88 & 98.	Slanting sight with one leaf on our repeating rifles Mod. 88 & 98.	Alza oblicua con 1 hoja, adaptándose á nuestras carabinas de repetición Mod. 88 & 98.

Korn mit Silberperle bei unseren Repetierbüchsen Mod. 88 & 98.	Point de mire avec perle argent, s'adaptant à nos carabines à répétition Mod. 88 & 98.	Front sight with silver bead on our repeating rifles Mod. 88 & 98.	Punto de mira con perla plata adaptándose á nuestras carabinas de repetición Mod. 88 & 98.

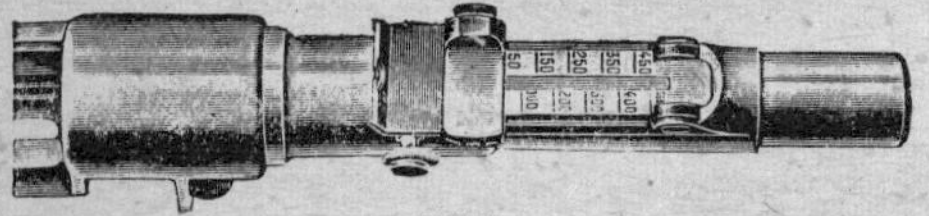

R G V 1.

R G V 1. Einteilung b. 500 Meter, verstellbares Visier.	R G V 1. Hausse réglable, allant jusqu'à 500 mètres.	R G V 1. Adjustable sight up to 500 meters.	R G V 1. Alza movible con ajuste hasta 500 metros.

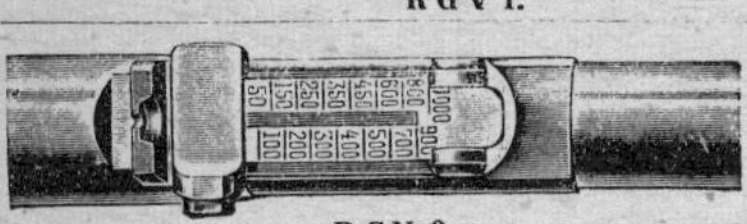

R G V 2.

R G V 2. Feststehende Klappe, Schiebervisier bis 1000 Meter.	R G V 2. Clapet fixe, hausse à poussoir jusqu'à 1000 mètres.	R G V 2. Standing rear sight with slide up to 1000 meters.	R G V 2. Alza con pasador hasta mil metros.

R G V 3.

R G V 3. Standvisier mit 2 Federklappen, Schieber bis 1000 Meter.	R G V 3. Hausse fixe avec 2 clapets à ressort, poussoir jusqu'à 1000 mètres.	R G V 3. Rear sight with 2 leaves and spring, slide up to 1000 meters.	R G V 3. Alza con 2 hojas y muelle, pasador hasta 1000 metros.

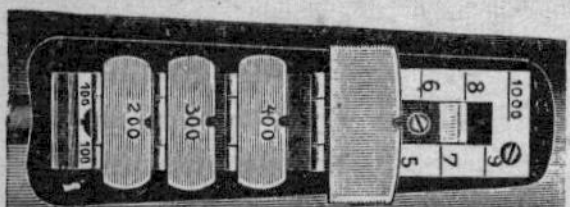

R G V 4.

R G V 4. Standvisier mit 3 Federklappen, Schiebervisier bis 1000 Meter.	R G V 4. Hausse fixe avec 3 clapets à ressort, hausse à poussoir jusqu'à 1000 mètres.	R G V 4. Rear sight with 3 leaves and spring, slide up to 1000 meters.	R G V 4. Alza con 3 hojas y muelle pasador hasta 1000 metros.

R G V 5.

R G V 5. Standvisier mit 3 Federklappen, Schiebervisier bis 2000 Meter.	R G V 5. Hausse fixe avec 3 clapets à ressort, hausse à poussoir jusqu'à 2000 mètres.	R G V 5. Rear sight with 3 leaves and spring, slide up to 2000 meters.	R G V 5. Alza con 3 hojas y muelle pasador hasta 2000 metros.

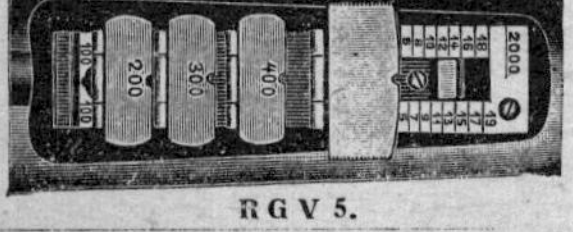

RGV 6.

R G V 6. Standvisier mit 3 Federklappen.	R G V 6. Hausse fixe avec 3 clapets à ressort.	R G V 6. Rear sight with 3 leaves and spring.	R G V 6. Alza con 3 hojas y muelle.

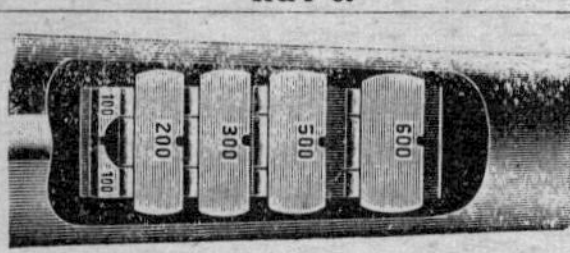

R G V 7.

R G V 7. Standvisier mit 4 Federklappen.	R G V 7. Hausse fixe avec 4 clapets à ressort.	R G V 7. Rear sight with 4 leaves and spring.	R G V 7. Alza con 4 hojas y muelle.

R G V 2.

R G V 1—R G V 7 liefern wir auf Wunsch be allen Repetierbüchsen Mod. 88 und Mod. 98 mit untenstehendem Preisaufschlag. Bei Telegrammen ist das Wort hinter die bestellte Büchse zu setzen.

R G V 1—R G V 7 sont apposés sur demande sur toutes les carabines à répétition Mod. 88 et 98 et ce moyennant les augmentations de prix ci-dessous. Dans les télégrammes il faut ajouter le mot codique après celui de la carabine commandée.

R G V 1—R G V 7 we supply, if desired, with all repeating rifles, models 88 and 98 for an additional charge as mentioned hereunder. When telegraphing the word must be placed behind the rifle ordered.

R G V 1—R R V 7 están fijadas según deseo sobre todas las carabinas de repetición Mod. 88 y 98 y mediante las aumentaciones del precio abajo indicado. Para las telegramas hay que añadir la palabra del código detrás de la carabina pedida.

No.	R G V 1	R G V 2	R G V 3	R G V 4	R G V 5	R G V 6	R G V 7
†	Galbo	Gumese	Gomenkel	Gemso	Ganche	Ganoral	Gineke
Mark	15.—	15.—	15.—	16.—	16.—	7.—	10.—

Repetiergewehre Mauser und Mannlicher Schönauer. | Fusils à répétition Mauser et Mannlicher Schönauer. | Repeating rifles Mauser and Mannlicher Schönauer. | Fusiles de repetición Mauser y Mannlicher Schönauer.

Mauser.

Modell 1911.
Modèle 1911.
Model 1911.
Modelo 1911.

Neuheit!
Nouveauté
Novelty!
Novedad

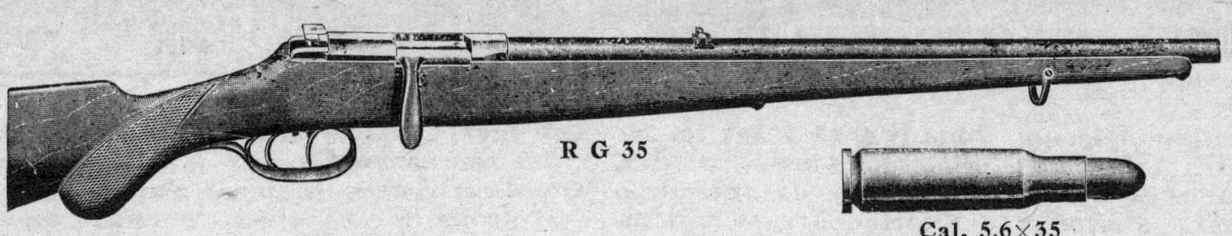

R G 35

Cal. 5,6×35

Fünf Schuss, Gewicht 2 Kilo, Cal. 5,6×35, rauchloses Pulver und Kupfermantelgeschoss, Ia Stahllauf, Korn mit Silberpunkt und Schraubvisier, Flügelsicherung, Stechschloss, 3/4 Schäftung, Teile sckwarz brüniert, Pistolengriff, Fischhaut, Backe.

A 5 coups, poids 2 K., **cal. 5,6×35,** poudre sans fumée et pour balle blindée cuivre, canon acier extra, guidon point argent, hausse à vis, sûreté à aile, à double détente, devant 3/4, pièces noires, crosse pistolet, quadrillé, à joue.

Five shots, weight 2 Kilos, **cal. 5,6×35, smokeless powder and copper mantled bullet,** prime steel barrel, front sight with silver point and screw sight, hair lock 3/4 stock, parts bronzed black, pistol grip, checkered, cheek.

De 5 tiros, peso 2 K., **cal. 5,6×35,** pólvora sin humo y para bala blindada de cobre. Cañón de acero extra guía punta plata alza de tornido, seguridad de ala, de doble fiador, delantera 3/4, piezas negrás, bruñidas, puño de pistola, labrado, de carrillo.

Mod. 1905

Mod. 1910

Mod. 1903

Mod. 1908

Mannlicher-Schönauer.

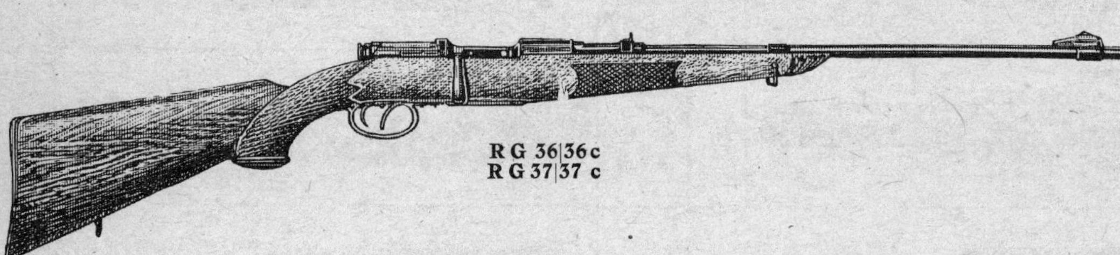

R G 36|36 c
R G 37|37 c

Modell: } 1903
Modèle: } 1905
Model: } 1908
Modelo: } 1910

R G 36/36 c. Prima Stahllauf, Visier mit Klappe **für 300 Meter,** Länge ca. 1 m, Gewicht ca. 3 kg, Kolbenkappe mit Klappe, enthaltend einen mehrteiligen Putzstock, Nussholzschaft, Pistolengriff, Backe, Fischhaut, alle Teile tiefschwarz **mit** oder **ohne Stecher,** Halbschaft.

R G 36/36c. Canon acier extra, **hausse à clapet à 300 mètres,** longueur environ 1 m, poids environ 3 K., calotte de crosse avec clapet contenant 1 baguette à nettoyer de plusieurs pièces, bois noyer, crosse pistolet, à joue, quadrillé, toutes pièces noires foncées, **avec détente double ou simple,** devant non prolongé.

R G 36/36 c. Prime steel barrel, sight **with leaf to 300 meters,** length about 1 m, weight about 3 kg, heel plate with flap containing wiping-rod in several parts, walnut stock, pistol grip, cheek, checkered, all parts deep black, **with or without hair trigger,** half stock.

R G 36/36 c. Cañón de acero extra, alza de chapa **de 300 metros,** 1 m próximamente de longitud. Peso 3 k., próximamente, caja de chapa colocada en la culata conteniendo: 1 baqueta de limpior de varias piezas, culata de nogal, puño de pistola, de carrillo, labrado, todas las piezas negras, oscuro, **con doble fiador ó simple,** delantero no prolongado.

R G 37/37c wie R C 36/36c, **aber in 2 Teile zerlegbar.**

R G 37/37c comme G R 36/36c, mais démontable en 2 pièces.

R G 37/37 c like R G 36/36 c, but divisible in 2 pieces.

R G 37/37 c comó R G 36/36 c, pero desmontable en 2 piezas.

Mannlicher-Schönauer.

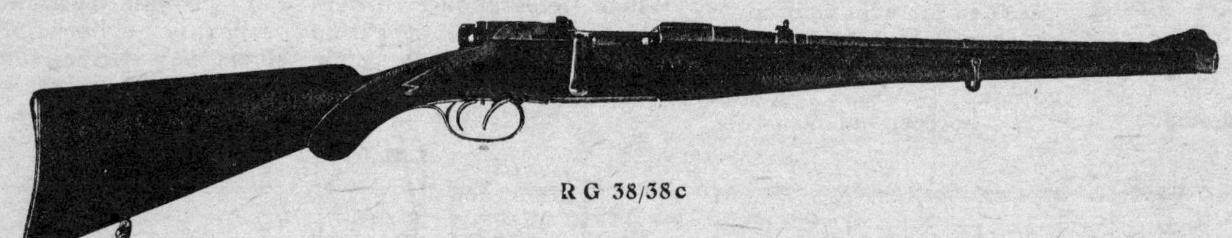

R G 38/38 c

Modell: } 1903
Modèle: } 1905
Model: } 1908
Modelo: } 1910

R G 38/38c. Wie R G 36/36 c, aber **ganz geschäftet.**

R G 38/38 c. Comme R G 36/36 c, **devant prolongé.**

R G 38/38 c. Like R G 36 36c, but **with whole stock.**

R G 38/38 c. Comó 36/36 c, pero **delantera prolongada.**

No.	R G 35	R G 36	R G 36 a	R G 36 b	R G 36 c	R G 37	R G 37 a	R G 37 b	R G 37 c	R G 38	R G 38 a	R G 38 b	R G 38 c
†	Bauman	Baufrau	Bauthal	Bauberg	Bauberst	Baufluss	Bauland	Baustad	Baustatt	Baugrab	Baurose	Bautulp	Bautulch
Cal. M. Sch.	5,6 35mm	6½ mm	8 mm	9 mm	9½ mm	6½ mm	8 mm	9 mm	9½ mm	6½ mm	8 mm	9 mm	9½ mm
Mark	152.—	260.—	260.—	260.—	260.—	285.—	285.—	285.—	285.—	260.—	260.—	260.—	260.—

Metallpatronen für Repetierbüchsen, Mantelgeschoss und rauchloses Pulver.	Cartouches métalliques pour carabines à répétition, blindées et à poudre sans fumée.	Metal cartridges for repeating rifles, mantled bullet and smokeless powder.	Cartuchos metálicos, blindados y de pólvora sin humo, para carabinas de repetición.

Wir bringen die gängigsten Geschosse in Abbildung. Die Patronen werden auch mit anderen Mantelgeschossen geliefert, wie auf Seite 451 angeführt.

Nous reproduisons ici les balles les plus courantes, mais nous livrons aussi ces cartouches avec d'autres balles à revêtement comme le montre la page 451.

The most saleable bullets are represented here. These cartridges are supplied also with other mantled bullets as shown on page 451.

Reproducimos aquí las balas más corrientes, pero proveemos también los cartuchos con balas de otro revestimiento, comó lo demuestra la página 451.

Cal.		No.	Cal.		No.
Cal. 5,6×35	19/27 178/183 444/445 450 Kupfermantel. — Revêtement cuivre. — Copper mantled. — Revestimiento de cobre. —	R 53	Mauser Mod. 93 7 mm	7 m/m MAUSER	R 7
Mannlicher Schönauer 6,5		R 3	Mauser Mod. 93 7 mm	Original Patrone Mod. 93 7 m/m	R 7 (9)
Mauser Mod. 88 6,6	MOD. 88-57-6 c N° 0 E	R 5	Mauser Mod. 93 7 mm	MOD. 93/7 m/m N° 7	R 7 (7)
Mauser Mod. 88 6,6	M. 88-57-6 c/m N° 2	R 5 (2)	Mannlicher Schönauer 8 mm	8 M/M MANNLICHER METAL CASED BULLET	R 54
Mauser Mod. 88 6,6	MOD. 88-57-6 c N° 8	R 5 (8)	Mauser Mod. 88 8 mm		R 43 (S)

Weitere Patronen siehe auch Seite 19/23.

Rahmen und Streifen siehe Seite 26.

Bei telegraphischen Bestellungen von Patronen auf Rahmen oder Streifen ist der Codebuchstabe dem Codewort anzuhängen.

Voir d'autres cartouches page 19/23.

Voir lames-chargeurs, magasins-chargeurs page 26.

Pour commandes télégraphiques de cartouches sur lames-chargeurs et magasins-chargeurs, il faut ajouter au mot codique la lettre codique correspondante.

For other cartridges see also page 19/23.

For magazine cases and clips see also page 26.

When telegraphing orders for cartridges in magazine cases or on clips the code letter must be added to the code-word.

Ver otros cartuchos página 19/23.

Ver caja de cintas página 26.

Para pedidos telegráficos de cartuchos sobre caja de cintas hay que añadir á la palabra del código la letra correspondiente.

No.	R 53	R 3	R 5	R 5 (2)	R 5 (8)	R 7	R 7 (9)	R 7 (7)	R 54	R 43 (S)
Code †	Smihast	Ost	Melod	Melodt	Melodk	Spani	Spanif	Spanil	Bao	Wilmk
Mark per 1000	170.—	210.—	260.—	260.—	260.—	190.—	190.—	190.—	260.—	220.—
auf Rahmen / sur étuis-chargeurs / in magazine cases / sobre cajas de cintas — per 1000 + z	—	—	270.—	270.—	270.—	205.—	205.—	205.—	—	230.—
auf Streifen / sur lames-chargeurs / on clips / sobre hojas de cintas — per 1000 + h	—	224.—	280.—	280.—	280.—	210.—	210.—	210.—	280.—	240.—

Metallpatronen für Repetierbüchsen, Mantelgeschosse und rauchloses Pulver.	Cartouches métalliques pour carabines à répétition, blindées et à poudre sans fumée.	Metal cartridges for repeating rifles, mantled bullets and smokeless powder.	Cartuchos metálicos para carabinas de repetición, blindados y de pólvora sin humo.

	No.		No.
Mauser Mod. 88 8 mm	R 8	Mannlicher Schoenauer 9 mm	R 57 (9)
Mauser Mod. 88 8 mm	R 8 (2)	Mannlicher Schoenauer 9,5 mm	R 57a
Mauser Mod. 88 8 mm	R 8 (7)	Mauser G 63 9,3 mm	R 12
Mauser Mod. 88 9 mm	R 11 (1)	Mauser 10,5 × 68	R 61
Mauser Mod. 88 mm	R 11 (7)	Mauser G 63 10,75 mm	R 58
Mauser Mod. 88 9 mm	R 11 (7S)	Mauser Cal. 11,2 mm	R 59
Mauser Mod. 88 mm 63	R 56	Mauser 11,2 mm ×72 (5 g)	R 60

Weitere Patronen siehe auch Seite 19/23.
Rahmen und Streifen siehe Seite 26.

Bei telegr. Bestellungen von Patronen auf Rahmen oder Streifen ist der Codebuchstabe dem Codewort anzuhängen.

Voir d'autres cartouches page 19/23.
Voir lames-chargeurs et magasins-chargeurs page 26.

Pour commandes telégraphiques de cartouches sur lames-chargeurs et magasins-chargeurs, il faut ajouter au mot codique la lettre codique correspondante.

For other cartridges see also page 19/23.
For magazine cases and clips see page 26.

When telegraphing orders for cartridges in magazine cases or on clips the code letter must be added to the code-word.

Ver otros cartuchos página 19/23.
Ver caja de cintas página 26.

Para pedidos telegraficos de cartuchos sobre caja de cintas hay que añadir á la palabra del código la letra correspondiente.

No.	R 8	R 8 (2)	R 8 (8)	R 11 (1)	R 11 (7)	R 11 (7S)	R 56	R 57	R 57 a	R 12	R 61	R 58	R 59	R 60
Code †	Wilm	Wilmt	Wilmd	Baora	Baoki	Baofu	Baorv	Baote	Baoteke	Indu	Krallmau	Baono	Baoch	Baoxt
Mark per 1000	190.—	190.—	190.—	190.—	190.—	190.—	320.—	250.—	290.—	312.—	340.—	345.—	312.—	345.—
…f Rahmen / …r étuis-chargeurs / … magazine cases / …bre cajas de cintas } per 1000 † Z	200.—	200.—	200.—	200.—	200.—	200.—	330.—	—	—	—	—	—	—	—
…f Streifen / …r lames-chargeurs / … clips / …bre hojas de cintas } per 1000 † h	210.—	210.—	210.—	210.—	210.—	210.—	340.—	270.—	310.—	337.—	365.—	370.—	337.—	370.—

Amerikanische Repetierbüchsen Stevens & Savage.	Carabines à répétition américaines Stevens & Savage.	American repeating rifles Stevens & Savage.	Escopetas de repetición americanas Stevens & Savage.

Stevens.

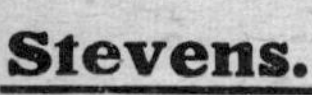

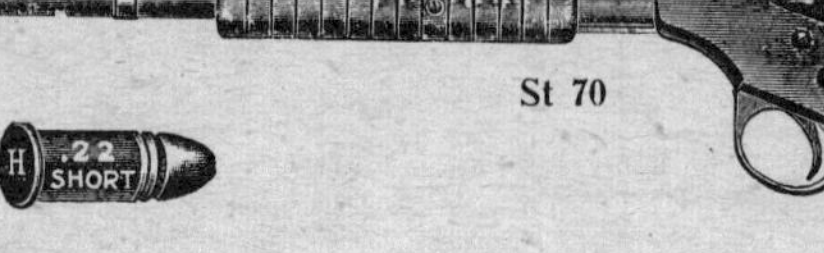

St 70

Stevens.

Repetierbüchse mit **sichtbarem** Mechanismus. Kaliber: 22 short, **fünfzehnschüssig,** Lauf ca. 51 cm lang. Ganze Länge 89 cm, Gewicht ca. 2 Kilo. Geölter Nussbaumschaft, Gleitvorderschaft, eingesetzte gehärtete Schlossteile, Kolbenkappe aus Horn.

Carabines à répétition à mécanisme **visible.** Cal. 22 short, à **quinze coups,** longueur du canon: environ 51 cm, longueur totale: 89 cm, poids: environ 2 Kilogs, crosse noyer huilé, devant mobile, pièces de serrure trempées, calotte de crosse en corne.

Repeating rifle, visible loading, ammunition 22 short, will handle **15 cartridges,** 20 inches round barrel, extreme length 35 inches. Weight $4^1/_2$ pounds engl. Varnished stock and slide handle, case hardened frame, horn buttplate.

Escopetas de repetición, con mecanismo visible, Cal. 22, á **quince tiros,** largura del cañón: próximamente 51 cm, largura total: 89 cm, peso próximamente 2 Kilos, culata de nogal untada en aceite, delantera móbil, piezas de cerradura templadas, casca de culata cuerno.

Modell 1903.

Savage.

A R 3

Siebenschüssig.

Savage-Repetierbüchse, Modell 1903, 61 cm achtkantiger Lauf, eingerichtet für Patronen **Cal. 22 short long, long rifle,** Pistolengriffschaft, Sicherung, mit auswechselbarem Rahmen-Magazin, (2 Magazine für je **7 Patronen** werden jedem Gewehr beigegeben; man ladet jedesmal ein Magazin in den Kasten). Die Büchse ist leicht auseinandernehmbar durch einfaches Losschrauben einer Handschraube, Gewicht ca. 2,3 Kilo.

à 7 coups.

Carabine à répétition Savage. Mod. 1903, canon octogone long de 61 cm, tirant les cartouches **cal. 22 short, long, long rifle,** crosse pistolet, sûreté, avec magasin interchangeable (2 magasins à **7 cartouches** chacun sont donnés avec chaque arme, on met chaque fois un magasin dans le mécanisme). La carabine est facilement démontable simplement par le dévissage d'une vis à main. Poids: environ 2 K 3.

Seven shot.

Savage repeating rifle, 1903 Model, 61 cm, octagon barrel, takes cartridge **22 short, long, long rifle;** pistol grip stock, safety, with interchangeable frame magazine (2 magazines for each **7 cartridges** are supplied with every rifle; one magazine is always loaded in the case) The rifle is easily taken to pieces by the simple loosening of a hand screw. Weight about 2,3 Kilo.

De Siete tiros.

Escopeta de repetición Savage. Modelo 1903. Cañón octagonal de 61 cm dispuesto-para cartuchos de **Cal. 22 short, long, long rifle,** puño de pistola, seguridad, con cuadro cartuchero de recambio (2 cartucheras para llevar **7 cartuchos** cada una se incluyen con cada escopeta, se carga cada vez una cartuchera en la caja). La escopeta puede desmontarse facilmente sólo con destornillar un tornillo de mano.

Modell 1909.

Savage.

A R 20

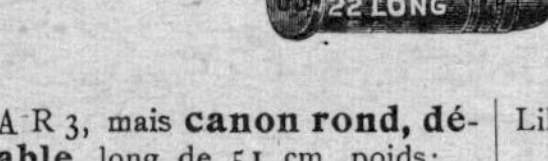

Wie A R 3, aber **runder, abnehmbarer,** 51 cm langer Lauf, Gewicht ca. 2 kg.

Comme A R 3, mais **canon rond, détachable,** long de 51 cm, poids: environ 2 K.

Like A R 3, but **round detachable barrel,** 51 cm long, weight about $4^1/_2$ pounds Engl.

Como A R 3, pero **cañón redondo separable,** largo de 51 peso: próximamente 2 K.

Modell 1911. Savage.

A R 21 a

Savage-Repetierbüchse, Modell 1911, **20 Schuss,** 20 " engl. langer Lauf, Mauserverschluss, durch den Schaft zu laden, zerlegbar.

Carabine à répétition „Savage" modèle 1911, **à 20 coups.** Longueur du canon 20 pouces anglais, fermeture Mauser, à charger par la crosse; démontable.

Repeating rifle „Savage" model 1911, **20 shot,** length of barrel 20 " English, Mauser system to load in the stock.

Escopeta de repetición „Savage" modelo 1911, **de 20 tiros.** Largura del cañón 20 " inglesas, sistema Mauser, de carga por la caja, separable.

No.	St 70	A R 3	A R 20	A R 21	A R 21 a
†	Stevse	Getem	Getemto	Getemmag	Getemmelf
Cal.	22 shot	22 short, 22 long long rifle	22 short, 22 long long rifle	Magazine zu chargeurs pour magazine for cargadores para } A R 3 A R 30	22 short
Mark	44.—	88.—	70.—	1,60	41.—

Amerikanische Repetierbüchsen „Savage".	Carabines américaines à répétition „Savage".		American repeating rifles „Savage".	Escopetas americanas de repetición „Savage".

Die Savage-Büchse, welche sich bereits gut eingeführt hat, ist eine einläufige Repetierbüchse für 6 Schuss. Das Repetieren geschieht ohne abzusetzen im Anschlage, und können die Schüsse, wenn eingeübt, so schnell wie der zweite Schuss bei einem Doppelgewehr erfolgen. Funktion, Dauerhaftigkeit und Schusspräzision sind vorzüglich. Alle Teile sind tiefschwarz glänzend brüniert.

La carabine Savage, qui est très avantageusement introduite, est une arme à répétition à 6 coups à 1 canon. Elle tire à répétition sans qu'on ait besoin d'épauler à nouveau et avec un peu d'exercice les coups peuvent se succéder aussi rapidement que le second coup d'un fusil à 2 canons. Le fonctionnement, la résistance et le tir sont tout à fait supérieurs. Toutes les pièces sont noir brillant foncé.

The Savage rifle, which is already well known, is a single barrel repeating rifle for 6 shots. The repeating is effected with gun at shoulder, and with a little practice the shots can be fired as rapidly as the second shot of a double-barrel. The working, durability and shooting are excellent. All parts are bronzed a deep bright black.

La escopeta Savage que en la actualidad goza de una aceptación muy grande es un fusil de repetición de un cañón y 6 tiros. La repetición obra sin interupción y en el acto de apuntar, pues con un poquito de práctica se pueden disparar los tiros tan pronto comó el segundo cañón de una escopeta-dos-cañones. Tiene una función, durabilidad y certeza de tiro excepcionales. Todas las piezas son bruñidas de un negro brillante.

Savage.

Modell 1899.

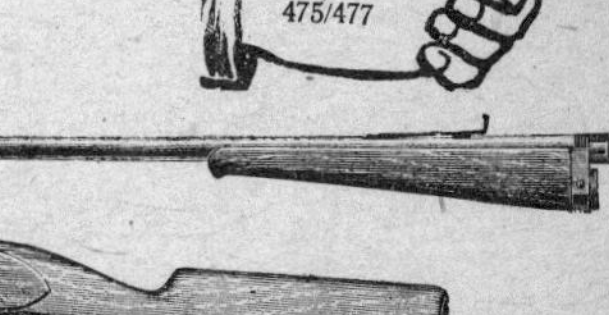

AR 1/1 d.

6 Schuss. | à 6 coups. | 6 shots. | de 6 tiros.

AR 22/22 d.

AR 1.

Savage-Büchse, runder Lauf, Keilkorn, verstellbares Visier, Lauflänge 66 cm, Gewicht 3 Kilo 400 Gramm.

A R 22/22 d.

Wie A R 1 aber in 2 Teile zerlegbar.

AR 1.

Carabine Savage, canon rond, hausse mobile, guidon en coin, longueur du canon: 66 cm, poids: 3 K 400.

A R 22 22 d.

Comme A R 1 mais démontable en 2 pièces.

AR 1.

Savage rifle, round barrel, knife blade front and elevating rear sight, length of barrel 66 cm, weight 3 Kilos 400 g.

A R 22/22 d.

Like A R 1 but detaerable in 2 parts.

AR 1.

Escopeta Savage, cañón redondo, mira de lamina y alza movible, longitud del cañón 66 cm, peso 3 Kilos 400 g.

A R 22/22 d.

Comó A R 1 pero separable en 2 partes.

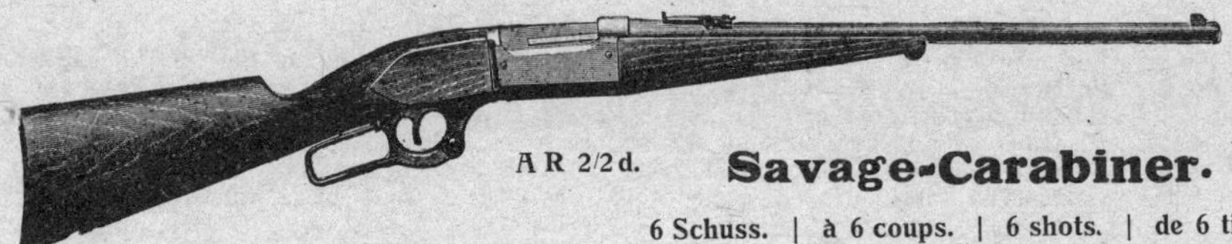

A R 2/2 d.

Savage-Carabiner.

6 Schuss. | à 6 coups. | 6 shots. | de 6 tiros.

Carabiner.
Genau wie A R 1, aber leichter, Lauflänge 51 cm, Gewicht 3 kg 200 g.

Mousqueton.
Exactement comme A R 1, mais plus léger, longueur du canon: 51 cm, poids: 3 K 200.

Carbine.
The same as A R 1, but lighter, length of barrel 51 cm, weight 3 Kilos 200 g.

Carabina.
Igual al A R 1, pero más ligero, longitud del cañón 51 cm, peso 3 Kilos 200 g.

Savage.

A R 23/23 d.

6 Schuss. | à 6 coups. | 6 shots. | de 6 tiros.

Genau wie A R 1, aber 51 cm langer Lauf, Gewicht 2,75 kg.
Federleichtes Modell.

Exactement comme A R 1, mais canon long de 51 cm, poids: 2 K 75.
Modèle extrêmement léger.

Just like A R 1, but barrel 51 cm long, weight 2,75 kg.
Very light model.

Exactamente comó A R 1, pero cañón de 51 cm de largo, peso 2,75 kg.
Modelo extremadamente ligero.

No.	A R 1	A R 1 a	A R 1 b	A R 1 c	A R 1 d	A R 22	A R 22 a	A R 22 b	A R 22 c	A R 22 d	A R 2	A R 2 a	A R 2 b	A R 2 c	A R 2 d	A R 23	A R 23 b	A R 23 d
+	Gastede	Gastedes	Gastedet	Gastedek	Gastedel	Gastedeir	Gastedeirs	Gastedeirt	Gastedeirk	Gastedeirl	Gustredel	Gustredels	Gustredelt	Gustredelk	Gustredell	Gustreli	Gustrelit	Gustrelik
Cal.	303	38×55	30×30	32×40	25×35	303	38×55	30×30	32×40	25×35	303	33×55	30×30	32×40	25×35	303	30×30	25×35
Mark	128.—	128.—	128.—	128.—	128.—	146.—	146.—	146.—	146.—	146.—	125.—	125.—	125.—	125.—	125.—	154.—	154.—	154.—

Amerikanische Repetierbüchsen „Standard".	Carabines à répétition américaines „Standard".	American repeating rifles „Standard".	Escopetas de repetitión americanas „Standard".

Standard.
Mod. M.

339 g.
339 h.
339 i.

Standard.
Mod. M.

339 g	339h	339i
Caliber 35 auto	30-30 auto	25-35 auto
Länge 106 cm	106 cm	106 cm
Gewicht 3,1 kg	3,1 kg	3,1 kg
Anz. der Schüsse: 6	6	6

Zubehör: Putzstrick mit Entnickelbürste, 1 Schraubenzieher in Patronenhülse. Ohne Werkzeug mit einigen Griffen zu zerlegen.

339 g	339 h	339 i
Calibre 35 auto	30-30 auto	25-35 auto
Longueur 106 cm	106 cm	106 cm
Poids 3 K. 1	3 K. 1	3 K. 1
Nombre de coups: 6	6	6

Accessoires: Grattoir muni d'une brosse nickel, 1 tourne-vis dans une douille. Démontable sans outils en quelques instants.

339g	339h	339i
Caliber 35 auto	30-30 auto	25-35 auto
Length 106 cm	106 cm	106 cm
Weight 3,1 kg	3,1 kg	3,1 kg
Number of shots: 6	6	6

Accessories: cleaning string with brush, 1 screw-driver in cartridge shell. Can easily be taken to pieces without tools.

339g	339h	393i
Calibre 35 auto	30-30 auto	25-35 auto
Longitud 106 cm	106 cm	106 cm
Peso 3 K. 1	3 K. 1	3 K. 1
Núm. de tiros: 6	6	6

Accesorios: varilla, cepillo, 1 dobla tornillo en un cartucho vacio. Desmontable sin útiles en algunos instantes.

339 g	339 h	339 i
† Stapeda	† Stapemit	† Stapeklei
In **2 Teile zerlegbar,** Nußbaumschaft, Sicherung, Lauf und Teile **amerikanisch schwarzblau,** Cal. 35 auto	Wie 339 g aber **Cal. 30—30** auto	Wie 339 g aber **Cal. 25 – 35** auto
Démontable en **2 pièces,** crosse de noyer, sûreté, canon et pièces **bleu américain,** cal. 35 auto	Comme 339 g mais **cal. 30—30** auto	Comme 339 g mais **cal. 25—35** auto
Detachable in **2 pieces,** walnut stock, safety, barrel and **parts blue black, American style,** cal. 35 auto	Like 339 g but **cal. 30—30** auto	Like 339 g but **cal. 25—35** auto
Desmontable en **2 piezas,** culata de nogal, seguridad, cañón y **piezas azul americano**	Como 339 g pero **cal. 30—30** auto	Como 339g pero **cal. 25—35** auto
Mark 199.—	**Mark 199.—**	**Mark 199.—**

Amerik. Repetierbüchsen „Marlin".	Carabines américaines à répétition „Marlin".		American Repeating Rifles „Marlin".	Escopetas americanas de repetición „Marlin".

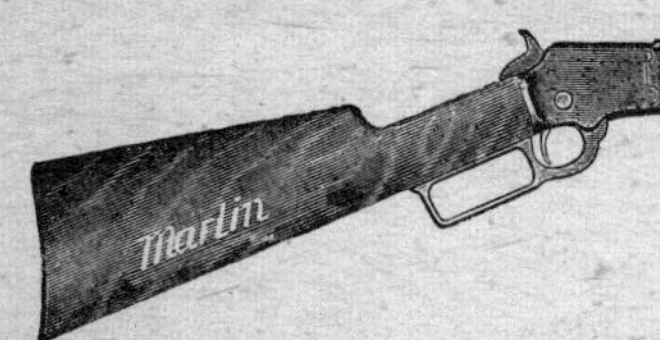

AR 14.

Marlin.

.22 SHORT	.22 LONG	.22 L. RIFLE
25 Schuss à 25 coups 25 shots 25 tiros	20 Schuss à 20 coups 20 shots 20 tiros	18 Schuss à 18 coups 18 shots 18 tiros.

61 cm langer Lauf, Gewicht 2,500 Kilo, gleichmässig für **alle drei** oben abgebildete Patronen brauchbar, sonst in der Art wie **AR 5**, jedoch Repetition durch Bügel.

Canon long de 61 cm, poids 2,500 Kilo tirant indistinctement les 3 cartouches illustrées ci-contre, pour le reste dans le genre de AR 5 mais répétition au moyen de la sous-garde.

Barrel 61 cm long, weight 2,500 Kilos, for above 3 cartridges, which can be used indifferently, otherwise like **AR 5**, but repeating through guard.

Cañón 61 cm, peso 2,500 Kilos, se pueden emplear indiferentemente las tres clases de cartuchos adjuntas, por lo demás comó **AR 5**, pero con repetición por medio del guarda monte.

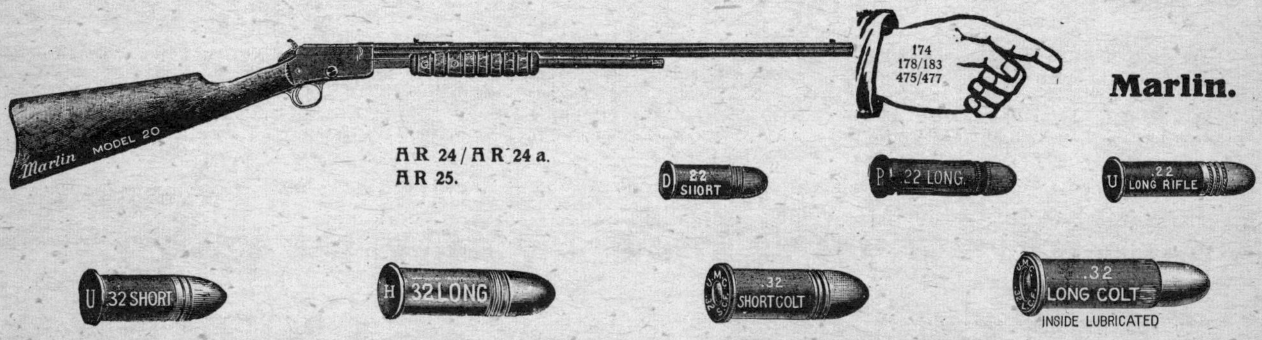

Marlin.

AR 24 / AR 24 a.
AR 25.

AR 24 wie AR 14 **gleichzeitig für je 15 short, 12 long oder 11 longrifle Patronen, sehr leicht in 2 Teile zerlegbar,** runder Lauf.

AR 24 a desgleichen aber **mit kantigem** Lauf.

AR 25 wie AR 14 (Mod. 1892) runder Lauf **in Cal. 32. Durch Auswechseln des Schlagbolzens kann man ganz nach Wahl Randfeuer- od. Centralfeuer-**Patronen schiessen.

AR 24 comme AR 14 **en même temps pour les cartouches 15 short 12 long ou 11 long rifle, très léger,** démontable **en 2 pièces,** canon rond.

AR 24 a le même type **mais canon octogone.**

AR 25 comme AR 14 (Mod. 1892) canon rond **Cal. 32 en changeant le percuteur on peut tirer indistinctement avec cartouches à percussion annulaire ou centrale.**

AR 24 like AR 14, **at the same time for 15 short, 12 long cartridges or 11 long rifle cartridges very light, detachable in 2 parts,** round barrel.

AR 24 a the same but **with octagonal barrel.**

AR 25 like AR 14 (mod. 1892) round barrel in **Cal. 32. By changing the striker one can fire rim or central fire cartridges according to desire.**

AR24 comó AR 14, **al mismo tiempo** para **los cartuchos 15 short, 12 long ó 11 long rifle,** muy **ligero, desmontable en 2 piezas,** cañón redondo.

AR 24 a el mismo tipo, **pero cañón octógono.**

AR 25 comó AR 14 (Mod. 1892) cañón redondo **Cal. 32, cambiando el percutor se puede tirar indistintamente con cartuchos de percusión anular ó central.**

AR 26 / AR 26a.

Marlin.

Siebenschüssig, abnehmbarer Lauf, in alle Teile **ohne** Werkzeug zerlegbar, Spezialstahl, Gewicht ca. 2,2 kg, Lauflänge ca. 51 cm.

à 7 coups, canon enlevable, démontable en toutes pièces **sans** outil, acier spécial, poids environ 2,2 Kg, longueur du canon environ 51 cm.

Seven shots detachable barrel all parts can be taken asunder **without** tools, special steel, weight about 2,2 kg. Length of barrel about 51 cm

De 7 tiros, cañón levantable, desmontable en todas las piezas **sin** útiles, acero especial, peso 2,2 Kilos próximamente. Longitud del cañón 51 cm próximamente.

No.	AR 14	AR 24	AR 24 a	AR 25	AR 26	AR 26 a
†	Hubsal	Hubsalte	Hubsalko	Hubsalvi	Hubsalfa	Hubsalnu
Cal.	25 short 22 long 22 long rifle	22 short 22 long 22 long rifle	22 short 22 long 22 long rifle	32 short & long R. F. & C. F.	25—20 Marlin	32—20 Marlin
Mark	95.—	62.—	82.—	90.—	108.—	108.—

Amerikanische Repetierbüchsen „Marlin“.

Carabines de chasse américaines à répétition „Marlin“.

American repeating rifles „Marlin“.

Carabinas americanas de repetición „Marlin“.

AR 15/15a
AR 17/17a

AR 15/15 a. Repetier-Carabiner für obige 2 Caliber, 12 **Schuss**, 51 cm langer Lauf, Gewicht 2,700 Kilo.

AR 16/16 a. Wie AR 15 für **14 Schuss**, 61 cm langer Lauf, Gewicht 3,150 Kilo.

AR 15/15a. Carabine à répétition pour les 2 calibres ci-contre, à **12 coups**, canon long de 51 cm, poids 2,700 kilos.

AR 16/16a. Comme AR 15 à **14 coups**, canon long de 61 cm, poids 3,150 kilos.

AR 15/15 a. Repeating carbine for above 2 calibers, **12 shots**, barrel 51 cm long, weight 2,700 kilos.

AR 16/16 a. Like AR 15 for **14 shots**, barrel 61 cm long, weight 3,150 kilos.

AR 15/15 a. Carabina de repetición para los 2 calibres adjuntos; de **12 tiros**, cañón de 51 cm, peso 2,700 kilos.

AR 16/16a. Comó AR 15 pero **14 tiros**, cañón de 61 cm, peso 3,150 kilos.

AR 16/16a
AR 18/18a

AR 17/17a. Repetier-Carabiner für obige 2 Caliber, 12 **Schuss**, 51 cm langer Lauf, Gewicht 2,700 Kilo.

AR 18/18a. Wie AR 17 für 14 Schuss, 61 cm langer Lauf, Gewicht 3,150 Kilo.

AR 17/17a. Carabine à répétition pour les 2 calibres ci-contre à **12 coups**, canon de 51 cm, poids 2,700 kilos.

AR 18/18 a. Comme AR 17 à **14 coups**, canon long de 61 cm, poids 3,150 Kilos.

AR 17/17 a. Repeating carbine for above 2 calibers, **12 shots**, barrel 51 cm long, weight 2,700 kilos.

AR 18/18 a. Like AR 17 for 14 shots, barrel 61 cm long, weight 3,150 kilos.

AR 17/17 a. Carabina de repetición para los dos calibres adjuntos; de **12 tiros**; cañón de 51 cm, peso 2,700 kilos.

AR 18/18a. Comó AR 17 pero **14 tiros**, cañón de 61 cm, peso 3,150 kilos.

Amerikanische Repetierbüchse nach **System Mauser.**

Carabine de chasse américaine à répétition d'après le **système Mauser.**

American Repeating Rifle **Mauser system.**

Fusil de repetición americano, **sistema Mauser.**

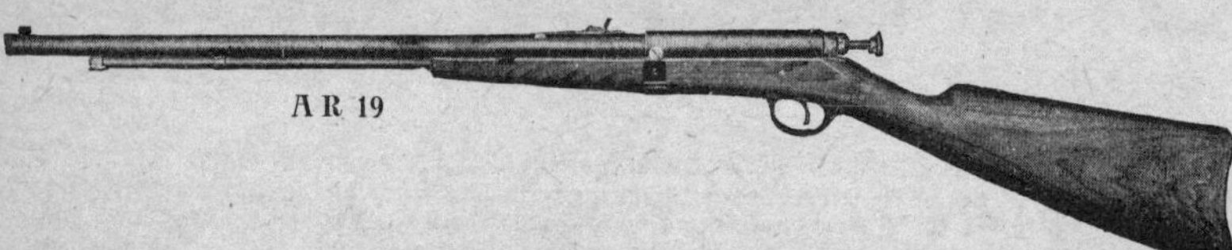

AR 19

16 Schuss	12 Schuss	12 Schuss
16 coups	12 coups	12 coups
16 shots	12 shots	12 shots
16 tiros	12 tiros	12 tiros

Amerikanisches **Repetier**-Büchschen nach System **Mauser** für **3 verschiedene Patronen** passend; es können also vorstehende Patronen Cal. 22 short, long und extralong je nach Belieben verwendet werden. Das unterm Lauf befindliche Magazinrohr fasst von 22 short 15 Patronen, von 22 long und 22 extralong 12 Patronen. Das Büchschen ist **sehr leicht zu zerlegen; durch Lösung einer einzigen Schraube ist der Lauf mit einem Handgriff ohne jedes Werkzeug sofort abzunehmen** und ebenso schnell wieder einzusetzen. Das Gewehrchen hat den vorzüglich bewährten Mauserverschluss und die Repetition erfolgt nach dem Prinzip der Mausergewehre; die abgeschossene Hülse wird durch die seitliche Oeffnung ausgeworfen. Der starke Stahllauf hat feine Züge, und wird für präzisen Schuss volle Garantie übernommen. Das Federvisier ist verstellbar (sogen. Treppenvisier). Die Herstellung dieses Gewehrchens erfolgt auf maschinellem Wege, und sind daher alle Teile sauber und genau ausgearbeitet. Sehr empfehlenswertes, für vielseitige Verwendung geeignetes Büchschen.

Carabine américaine à répétition d'après le système Mauser, **tirant 3 cartouches différentes**, c'est à dire tirant à volonté et indistinctement les 3 cartouches ci-dessus, cal. 22 short, long et extra long. Le tube-magasin, se trouvant au-dessous du canon, peut contenir 15 cartouches 22 short, ou 12 cartouches long ou extra long. **La carabine est extrêment facile à démonter, le canon s'enlève, d'un coup de main, sans aucun outil, après qu'on à défait une seule vis et se replace aussi rapidement.** Cette arme est munie de l'excellent verrou Mauser. La répétition se produit également d'après le principe des fusils Mauser. La douille vide est expulsée par une ouverture latérale. Le canon en acier, très solide, est soigneusement rayé. La précision du tir est garantie comme étant de premier ordre. La hausse à ressort est ajustable. La carabine est fabriquée mécaniquement et par conséquent toutes les pièces en sont travaillées avec la plus grande précision et de la meilleure façon. Carabine très recommandable et d'application multiple.

Small American **repeating rifle, Mauser** system, **taking 3 different cartridges;** thus the 3 above cartridges, cal. 22 short, long and extra long can be used as may be desired. The magazine tube beneath the barrel holds 15 of the 22 short cartridges and 12 of the 22 long and 22 extra long cartridges. The small rifle is taken to pieces very easily. By loosening a single screw the barrel can be taken off immediately in one movement without any tool and quickly put on again. The rifle has the well proved Mauser lock and the repeating is effected on the principle of the Mauser rifle, the empty shell is ejected through the opening at side. The strong steel barrel is finely rifled and accurate shooting fully guaranteed. The spring rear sight is adjustable. This small rifle being made by machinery is neatly and accurately finished throughout. It can be recommended as adaptable for many purposes.

Pequeño fusil Americano de **repetición** sistema **Mauser, sirve para tres cartuchos diferentes;** pudiéndose pues emplear según deseo los cartuchos adjuntos cal. 22 short, long ó extra long. La cartuchera en forma de tubo que se halla debajo del cañón puede contener 15 cartuchos 22 short, ó 12 cartuchos 22 long ó 22 extra long. El fusil puede ser separado con facilidad en dos partes sin herramienta alguna sólo con destornillar un tornillo é igualmente fácil es recomponerle. Tiene la cerradura tan probada del fusil Mauser; efectuandose la repetición según el sistema Mauser y los cartuchos vacios son expulsados por la abertura en el lado. El cañón fuerte de acero tiene un rayado muy fino y se garantiza plenamente la precisión de tiro de esta arma. El alza con muelle es ajustable. Este fusil pequeño hecho por maquinaria tiene todas sus partes ajustadas con precisión y esmeradamente acabadas. Es en alto grado recomendable por su aplicación variada.

No.	AR 15	AR 15 a	AR 16	AR 16 a	AR 17	AR 17 a	AR 18	AR 18 a	AR 19
†	Hekan	Hekanz	Hesin	Hesinz	Heisare	Heisarez	Hegal	Hegalz	Hikal
Cal.	25-20 Mod. 92	32 WCF	25-20 Mod. 92	32 WCF	38 WCF	44 WCF Mod. 73	38 WCF	44 WCF Mod. 73	22 short, 22 long 22 long rifle
Mark	84.–	84.–	86.–	86.–	84.–	84.–	86.–	86.–	58.–

Amerikanische Repetierbüchsen „Winchester". | Carabines à répétition américaines „Winchester". | American Repeating „Rifles Winchester". | Escopetas de repetición americanas „Winchester".

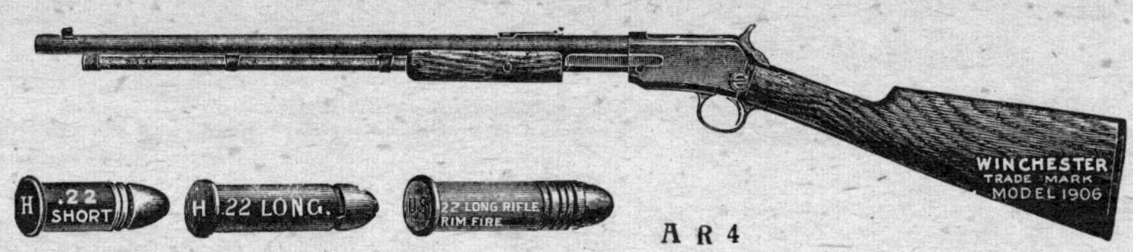

A R 4

Winchester.

Modell 1906.

Runder abnehmbarer 51 cm langer Lauf, Gewicht ca. 2,2 kg, Caliber **short** = 15 Schuss, long = 12 Schuss, long rifle = 12 Schuss, gleichmässig für alle 3 Patronensorten verwendbar.

Canon rond, détachable et long de 51 cm, poids: environ 2 K 2, **à 15 coups avec la cartouche 22 short, à 12 coups avec les cartouches 22 long ou long Rifle, tirant indistinctement ces 3 cartouches.**

Round detachable barrel 51 cm long, weight about 2,2 kg, caliber short = **15 shots, long = 12 shots, long rifle = 12 shots can be used indifferently for all 3 kinds of cartridges.**

Cañón redondo desplegable y largo de 51 cm, peso: próximamente 2,2 Kilos, **de 15 tiros con el cartucho 22 short, de 12 tiros con los cartuchos 22 long ó long rifle, tirando indistintamente estos cartuchos.**

A R 5—5 a

22 short	22 long	22 Winchester R F
15 Schuss.	12 Schuss.	10 Schuss.
à 15 coups.	à 12 coups.	à 10 coups.
15 shots.	12 shots.	10 shots.
15 tiros.	12 tiros.	10 tiros.

Modell 1890.

Genau wie A R 4, aber für **22 short und 22 long,** je nach Wunsch brauchbar; das Gewehr wird auch für die Patronen 22 Winchester R F (siehe Abbildung) geliefert, Lauflänge 61 cm, Gewicht ca. 2,6 Kilo, **abnehmbarer Lauf.**

Exactement comme A R 4 mais tirant **22 short et 22 long** indistinctement, la carabine est également délivrée pour les cartouches 22 Winchester R F (voir illustration), longueur du canon: 61 cm, poids environ 2 K 6, **canon détachable.**

Just like A R 4, **but for 22 short and 22 long,** as may be desired; the rifle is also supplied for the cartridge 22 Winchester R F (see illustration), length of barrel 61 cm, weight about 2,6 Kilos, **detachable barrel.**

Igual al A R 4, pero tirando indistintamente **los cartuchos 22 short y 22 long** también se proporciona para los cartuchos 22 long, (véase ilustración) longitud del cañón 61 cm, peso unos 2,6 Kilos, **cañón de quita y pon.**

A R 6—6 b
A R 7—7 a

Winchester.

A R 6—6 b. Repetierkarabiner, für abgebildete Patronen, 51 cm langer Lauf, Gewicht 2,600 Kilo, **12 Schuss.**

A R 6 a—6 c. Genau wie A R 6, Gewicht 3,100 Kilo, 61 cm langer Lauf, **14 Schuss.**

A R 6—6 b. Carabine à répétition, pour les cartouches ci-contre illustrées. canon long de: 51 cm, poids 2 K 600, **à 12 coups.**

A R 6 a—6 c. Exactement comme A R 6, poids 3 K 100, canon de 61 cm long, **à 14 coups.**

A R 6—6 b. Repeating carbine, for cartridges as in cut, barrel 51 cm long, weight 2,600 Kilos, **12 shots.**

A R 6 a—6 c. Just like A R 6, weight 3,100 Kilos, barrel 61 cm long, **14 shots.**

A R 6—6 b. Carabina de repetición, para los cartuchos en la ilustración adjunta, cañón 51 cm, peso 2,600 Kilos, **12 tiros.**

A R 6 a—6 c. Igual al A R 6, peso 3,100 Kilos, longitud 61 cm **14 tiros.**

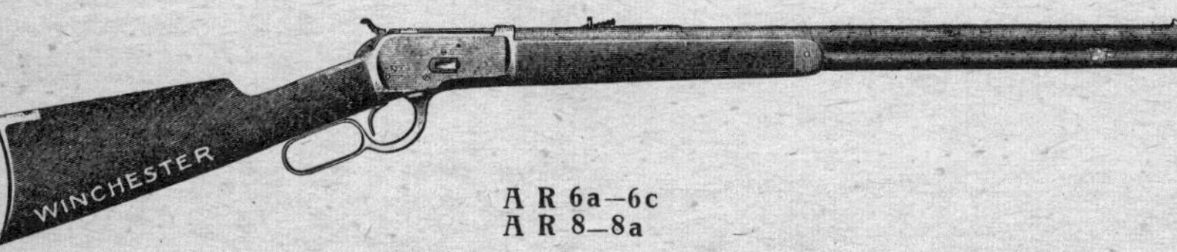

A R 6 a—6 c
A R 8—8 a

Winchester.

A R 7—7 a. Repetierkarabiner für abgebildete Patronen, für **12 Schuss,** genau wie A R 6.

A R 8—8 a. Für **14 Schuss,** genau wie A R 6 a, für obige beiden Caliber.

A R 7—7 a. Carabine à répétition pour les cartouches ci-contre illustrées, **à 12 coups,** exactement comme A R 6.

A R 8—8 a. A 14 coups, exactement comme A R 6 a, pour les 2 calibres ci-dessus.

A R 7—7 a. Repeating carbine for cartridges as in cut, for **12 shots,** just like A R 6.

A R 8—8 a. For 14 shots, just like A R 6 a, for both the other calibers.

A R 7—7 a. Carabina de repetición para los cartuchos en la ilustración adjunta. **12 tiros,** igual al A R 6.

A R 8—8 a. Para 14 tiros, igual al A R 6 a, para ambos calibres arriba.

A R 27—28 a

A R 27—27 a. Wie A R 6 a—6 c aber mit abnehmbarem Lauf.

A R 28—28 a. Wie A R 8—8 a aber mit abnehmbarem Lauf.

A R 27—27 a. Comme A R 6 a—6 c mais avec canon enlevable.

A R 28—28 a. Comme A R 8—8 a mais avec canon enlevable.

A R 27—27 a. Like A R 6 a—6 c but with detachable barrel.

A R 28—28 a. Like A R 8—8 a but with detachable barrel.

A R 27—27 a. Comó A R 6 a pero con cañón desplegable.

A R 28—28 a. Comó A R 8—8 a pero con cañón desplegable.

No.	A R 4	A R 5	A R 5 a	A R 6	A R 6 b	A R 6 a	A R 6 c	A R 7	A R 7 a	A R 8	A R 8 a	A R 27	A R 27 a	A R 28	A R 28 a
†	Gusend	Gotan	Gotanz	Gatend	Gatendz	Gutela	Gutelaz	Gitreb	Gitrebz	Gowet	Gowetz	Gowetab	Gowetabz	Gowetabne	Gowetabnez
Cal.	22 short 22 long 22 long rifle	22 short 22 long	22 W R F	25—20 W C F	32 W C F	25—20 W C F	32 W C F	38 W C F	44 W C F Mod. 73	38 W C F	44 W C F Mod. 73	25—20 W C F	32 W C F	38 W C F	44 W C F Mod. 73
Mk.	63.—	82.—	82.—	90.—	90.—	94.—	94.—	90.—	90.—	94.—	94.—	130.—	130.—	130.—	130.—

Amerikanische Repetierbüchsen „Winchester".	Carabines à répétition américaines „Winchester".		American repeating rifles „Winchester".	Escopetas de repetición americanas „Winchester".

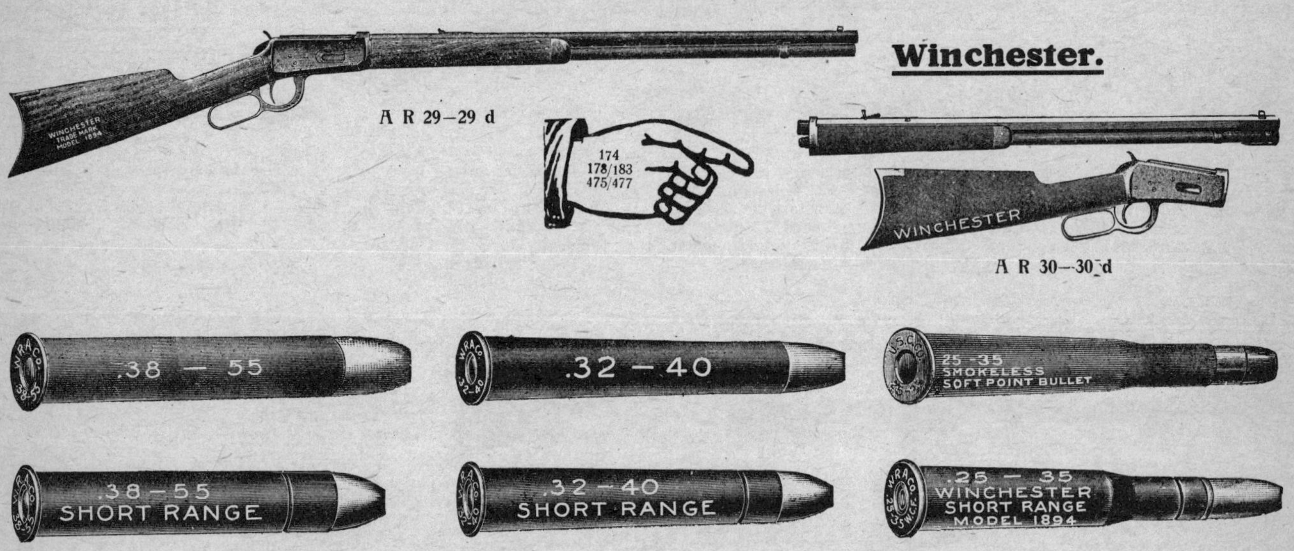

A R 29–29 d. Runder 66 cm langer Lauf, Gewicht je nach Caliber zirka 3,5—3,6 Kilo, Nickelstahl, **9 Schuss.**

A R 30—30 d. Wie vor, aber mit **abnehmbarem Lauf.**

A R 29—29 d. Canon rond long de 66 cm, poids suivant le calibre, environ 3,5 à 3,6 Kilo, acier-nickel, **à 9 coups.**

A R 30—30 d. Comme ci-dessus mais **avec canon détachable.**

A R 29—29 d. Round barrel 66 cm long, weight according to caliber about 3,5—3,6 Kilo, nickel steel, **9 shots.**

A R 30—30 d. As above but **with detachable barrel.**

A R 29—29 d. Cañón redondo de 66 cm de largo. Peso según el calibre, próximamente, 3,5 à 3,6 Kilos, acero niquel, de **9 tiros.**

A R 30—30 d. Cómo arriba pero **con canón despegable.**

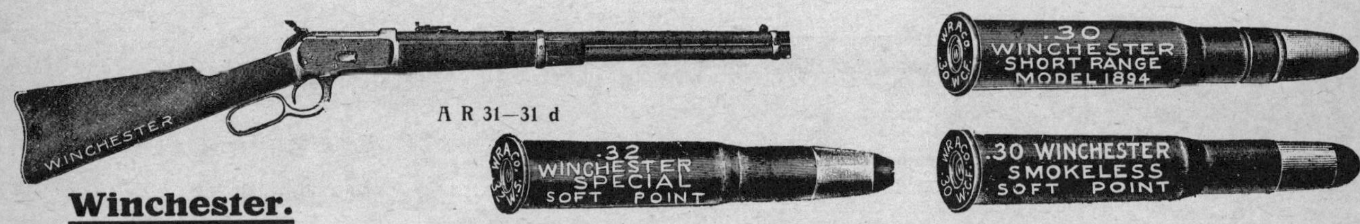

Runder Lauf von 51 cm Länge, Gewicht je nach Caliber **2,8—2,9 Kilo, 7 Schuss.**

Canon rond, long de 51 cm, poids, suivant le calibre, de K. **2,8 à 2,9, à 7 coups.**

Round barrel 51 cm long, weight according to caliber **2,8 to 2,9 Kilos, 7 shots.**

Cañón redondo, de 51 cm de largo, peso según el **calibre 2,8 à 2,9 Kilos, de 7 tiros.**

No.	A R 29	A R 29 a	A R 29 b	A R 29 c	A R 29 d	A R 30	A R 30 a	A R 30 b	A R 30 c	A R 30 d	A R 31	A R 31 a	A R 31 b	A R 31 c	A R 31 d
†	Babfach	Babfafd	Babfals	Babfark	Babfast	Babfaa	Babfao	Babfai	Babfae	Babfau	Bapzit	Bapzan	Bapzok	Bapzef	Bapzal
Cal.	25 - 35	30 W	32 W Sp	32—40	38—55	25—35	30 W	32 W Sp	32—40	38—55	25—35	30 W	32 W Sp	32—40	38—55
Mk.	120.—	120.—	120.—	96.—	96.—	145.—	145.—	145.—	129.—	129.—	108.—	108.—	108.—	90.—	90.—

Amerikanische Repetierbüchsen Winchester.

Carabines à répétition américaines Winchester.

American repeating rifles Winchester.

Escopetas de repetición americanas Winchester.

174
178/183
475/477

A R 10—10 c
A R 32—32 a

Winchester.

A R 33—33 c A R 34—34 a

A R 10—10 c Runder Lauf von 66 cm Länge, 8 Schuss, Gewicht 3,7 Ko.

A R 32—32 a **Leichtes Modell** wie A R 10 aber 56 cm Lauf, Gewicht ca. 3 Ko.

A R 33—33 c Wie A R 10 aber **abnehmbarer Lauf.**

A R 34—34 a Wie A R 10 aber 56 cm Lauf, Gewicht ca. 3,2 Ko., **abnehmbarer Lauf.**

A R 10—10 c Canon rond, long de 66 cm, à 8 **coups**, poids environ 3,7 Ko.

A R 32—32 a **Modèle léger**, comme A R 10 mais canon de 56 cm, poids environ 3 Ko.

A R 33—33 c Comme A R 10 mais **canon détachable.**

A R 34—34 a Comme A R 10 mais canon de 56 cm, poids environ 3,2 Ko., **canon détachable.**

A R 10—10 c Round barrel 66 cm long, 8 **shots**, weight about 3,7 Ko.

A R 32—32 a **Light model**, like A R 10 but barrel 56 cm long, weight about 3 Ko.

A R 33—33 c Like A R 10 but **detachable barrel.**

A R 34—34 a Like A R 10 but barrels 56 cm weight about 3,2 Ko., detachable barrel.

A R 10—10 c Cañón redondo de 66 cm de largo, **de 8 tiros**, peso próximamente 3,7 Ko.

A R 32—32 a **Módelo ligero**, como A R 10 pero cañón de 56 cm, peso 3 Ko. próximamente.

A R 33—33 c Comó A R 10 pero **cañón despegable.**

A R 34—34 a Comó A R 10, pero cañón de 56 cm, peso 3,2 Ko. próximamente, **cañón despegable.**

A R 35—35 c
A R 36—36 c

Winchester.

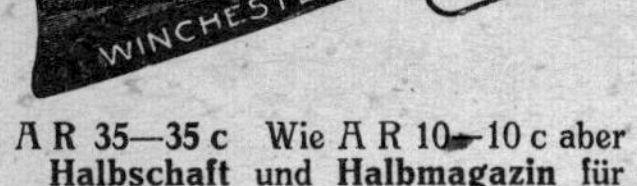

A R 9 - 9 c

A R 35—35 c Wie A R 10—10 c aber **Halbschaft und Halbmagazin** für **4 Schuss.**

A R 36—36 c Wie A R 35—35 c **aber abnehmbarer Lauf.**

A R 9—9 c Karabiner, runder 56 cm langer Lauf, Gewicht ca. 3,6 Ko. 6 Schuss.

A R 35—35 c Comme A R 10—10 c mais **devant non prolongé**, ½ **magazin pour 4 coups.**

A R 36—36 c Comme A R 35—35 c mais **canon détachable.**

A R 9—9 c Carabine à canon rond de 56 cm, poids environ 3,6 Ko., à **6 coups.**

A R 35—35 c Like A R 10—10 c but **half stock** and **half magazine** for **4 shots.**

A R 36—36 c Like A R 35—35 c **but detachable barrel.**

A R 9—9 c Carbine round barrel 56 cm long, weight about 3,6 Ko., **6 shots.**

A R 35—35 c Comó A R 10—10 c, **pero delantero no prolongado,** ½ **cartuchera para 4 tiros.**

A R 36—36 c Comó A R 35—35 c **pero cañón despegable.**

A R 9—9 c Carabina de cañón redondo de 56 cm, peso 3,6 Ko. próximamente, **de 6 tiros.**

No.	A R 10	A R 10 a	A R 10b	A R 10 c	A R 32	A R 32 a	A R 33	A R 33 a	A R 33 b	A R 33 c	A R 34	A R 34 a
†	Geiwede	Geiwedes	Geiwedet	Geiwedek	Bapzuk	Bapsu	Bapso	Bapsi	Bapse	Bapsa	Bapuk	Bapof
Cal.	45 70 405	45—70 500	45—90 300	50—110 300	45—70 405	45—70 500	45—70 405	45—70 500	45—90 300	50—110 300	45—70 405	45—70 500
Mark	118.—	118.—	118.—	118.—	152.—	152.—	152.—	152.—	152.—	152.—	182.—	182.—

No.	A R 35	A R 35 a	A R 35 b	A R 35 c	A R 36	A R 36 a	A R 36 b	A R 36 c	A R 9	A R 9 a	A R 9 b	A R 9 c
†	Bapit	Bapes	Bapal	Bapu	Bapo	Bapi	Bape	Bapa	Gerew	Gerews	Gerewt	Gerewk
Cal.	45—70 405	45—70 500	45—90 300	50—110 300	45—70 405	45—70 500	45—90 300	50—110 300	45—70 405	45—70 500	45—90 300	50—110 300
Mark	118.—	. 118.—	118.—	118.—	152.—	152.—	152.—	152.—	114.—	114.—	114.—	114.—

Amerikanische Repetierbüchsen = Winchester. =	Carabines à répétition américaines = Winchester. =		American repeating rifles = Winchester. =	Escopetas de repetición americanas = Winchester. =

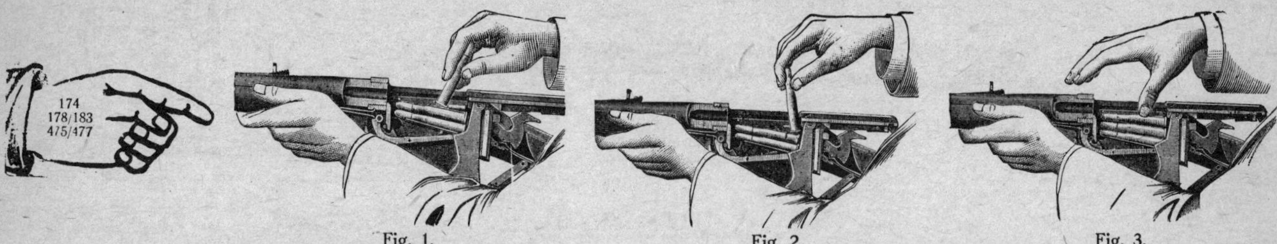

Fig. 1. Fig. 2. Fig. 3.

Ladeweise des Magazin.s Modell 1895. | Mode de chargement du modèle 1895. | Manner of loading magazine, model 1895. | Modó de cargamento del modelo 1895

Winchester.

MODELL 1895.

A R 37/37 a.

Runder Lauf von 71 cm Länge, Nickelstahl, **6 Schuss,** Gewicht ca. 3,7 kg.

Canon rond long de 71 cm, acier-nickel, **à 6 coups,** poids environ 3 K. 7.

Round barrel 71 cm in length, nickel steel, **6 shots,** weight about 3,7 kg.

Canon redondo de 71 cm de largo, acero de niquel, **de 6 tiros,** peso: 3 K. 7 aproximadamente.

Winchester.

MODELL 1895.

A R 38/38 a.

Runder Lauf von 56 cm Länge, **6 Schuss,** Gewicht ca. 3,6 kg, Nickelstahl.

Canon rond long de 56 cm, **à 6 coups,** poids environ 3 K. 6, acier-nickel.

Round barrel 56 cm in length, **6 shots,** weight about 3,6 kg, nickel steel.

Cañón redondo de 56 cm de largo, **de 6 tiros,** peso: aproximadamente 3 K. 6, acero niquelado.

Winchester.

MODELL 1895.

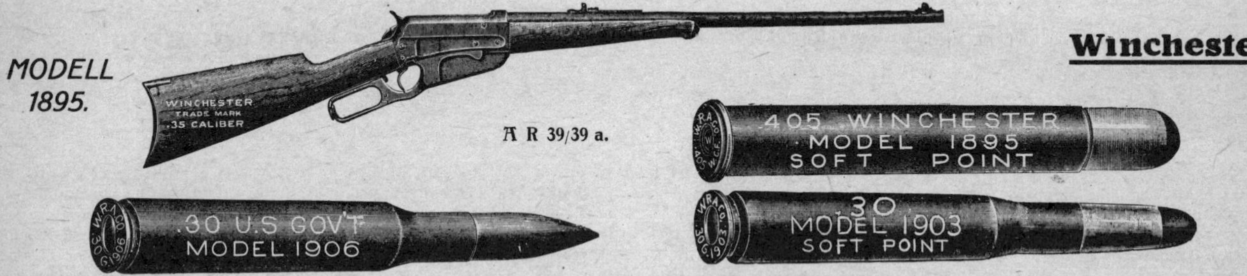

A R 39/39 a.

Runder, 61 cm langer Lauf, Nickelstahl, Gewicht ca. 3,8 kg, **5 Schuss.**

Canon rond long de 61 cm, acier-nickel, poids: environ 3 K. 8, **à 5 coups.**

Round barrel 61 cm long, nickel steel, weight 3,8 kg, **5 shots.**

Cañón redondo de 61 cm de largo, acero niquelado, peso: 3 K. 8 aproximadamente, **de 5 tiros.**

No.	A R 37	A R 37 a	A R 38	A R 38 a	A R 39	A R 39 a	A R 39b
†	Bamerka	Bamerle	Bamerfi	Bamerto	Bamersu	Bamerch	Bamernk
Cal.	30 U S A	30 U S A P	30 U S A	30 U S A P	30 U S G Mod. 1903	,30 U S G P Mod. 1906	405 W C F Mod. 1905
Mark	182.—	182.-	181.	181.	182.	182.	182.—

Original-Patronen für amerik. Repetierbüchsen. | **Cartouches Orginales pour carabines à répétition américaines.** | **Original cartridges for American Repeating Rifles.** | **Cartuchos originales para escopetas de repetición americanas.**

Cartridge	Marking	No.	No.
25—20 W C F Mod. 92	.25-20 WINCHESTER MODEL 1892	W 10	W 11 +
25—20 W C F	25-20	W 12	W 13 +
32 Ideal	.32 IDEAL	W 14	
32 extra long W C F	.32 EXTRA LONG	W 15	
32 W C F	.32 WINCHESTER	W 17	W 18 +
32—20 — 100 Marlin Safety	.32-20-100 MARLIN SAFETY	W 19	W 20 +
38 W C F	.38 WINCHESTER	W 21	W 22 +
44 W C F Mod. 73	.44 WINCHESTER MODEL 1873	W 23	W 24 +
44—40 —217 Marlin Safety	.44-40-217 MARLIN SAFETY	W 25	W 26 +
6 mm U. S. Navy	6 M/M U.S. NAVY		W 27 +
25—35 W. Sh. R. Mod. 94	.25 — 35 WINCHESTER SHORT RANGE MODEL 1894		W 28 +

Cartridge	Marking	No.
25—35 W. Sm. Mod. 94	.25 — 35 WINCHESTER SMOKELESS MODEL 1894	W 29 +
25—35 —117 Savage Sm. M. C. B.	.25-35-117 SAVAGE SMOKELESS SOFT POINT BULLET	W 30 +
25—35 —117 Savage Sm. S. P. B.	25-35 SMOKELESS SOFT POINT BULLET	W 31 +
30 U. S. Army P. B.	30 U.S. ARMY POINTED BULLET MODEL 1907	W 32 +
30 U. S. Govt Mod. 1903	.30 U.S. GOV'T MODEL 1903	W 33 +
30 U. S. Govt Mod. 1906	.30 U.S. GOV'T MODEL 1906	W 34 +
30 Winchester Sm. S. P.	.30 WINCHESTER SMOKELESS SOFT POINT	W 35 +
30 Winchester Sh. R. Mod. 94	.30 WINCHESTER SHORT RANGE MODEL 1894	W 36 +
30 U. S. Army Kr. Sm.	30 U.S. ARMY KRAG SMOKELESS	W 37 +
30 U. S. Army Sh. R.	.30 U.S. ARMY SHORT RANGE	W 38 +

Weitere amerikanische Patronen siehe auch Seit 127 und 178/83.

Die mit + bezeichneten Nummern sind mit **rauchlosem** Pulver und **Mantelgeschoss**, die anderen mit **Schwarzpulver** und **Bleikugel** geladen.

Preise für Hülsen-Geschosse und Zündhütchen teilen wir, da selten verlangt, von Fall zu Fall auf Anfrage mit.

Voir d'autres cartouches américaines page 127 et 178/83.

Les numéros marqués du signe + sont à poudre **sans fumée** et à **balle blindée. Les autres** sont à **poudre noire** et **à balle de plomb.**

Nous indiquons les prix des douilles, balles et capsules seulement de cas à cas sur demande, étant donné que ces prix sont rarement désirés.

For further American cartridges see also page 127 and 178/83.

The numbers marked + are loaded with **smokeless** powder and **mantled bullet. the others with black powder** and **leaden bullet.**

Prices for shells, bullets and caps we quote from case to case upon application, same being seldom in request.

Ver otros cartuchos americanos página 127 y página 178/83.

Los números marcados con la señal + son de pólvora **sin humo** y de **bala blindada. Los otros** son **de pólvora negra** y **de bala de plomo.**

Indicámos los precios de los cartuchos vacios, balas y cápsulas solamente de cuando en cuando, debido á la rareza de estos pedidos.

No.	W 10	W 11	W 12	W 13	W 14	W 15	W 17	W 18	W 19	W 20	W 21	W 22	W 23	W 24
†	Ehiro	Eholi	Ehusa	Ehafi	Ehillo	Ehussi	Ehurch	Ehstri	Ehstel	Ehstrif	Ehstro	Ehllen	Ehlfun	Ehlgau
per 1000 Mark	81.40	100.—	88.—	108.—	100.—	90.—	81.40	100.—	81.40	100.—	94.—	118.—	94.—	118.—

No.	W 25	W 26	W 27	W 28	W 29	W 30	W 31	W 32	W 33	W 34	W 35	W 36	W 37	W 38
†	Ehrau	Ehmild	Ehnard	Ehlax	Ehzork	Ehtrif	Ehtross	Ehkohn	Ehlevi	Ehabra	Ehstutz	Ehfried	Ehwilm	Ehpool
per 1000 Mark	94.—	118.—	290.—	176.—	192.—	192.—	192.—	290.—	320.—	320.—	220.—	176.—	290.—	186.—

Original-Patronen für amerik. Repetierbüchsen.

Cartouches Originales pour carabines américaines à répétition.

Original cartridges for american Repeating Rifles.

Cartuchos originales para escopetas americanas de repetición.

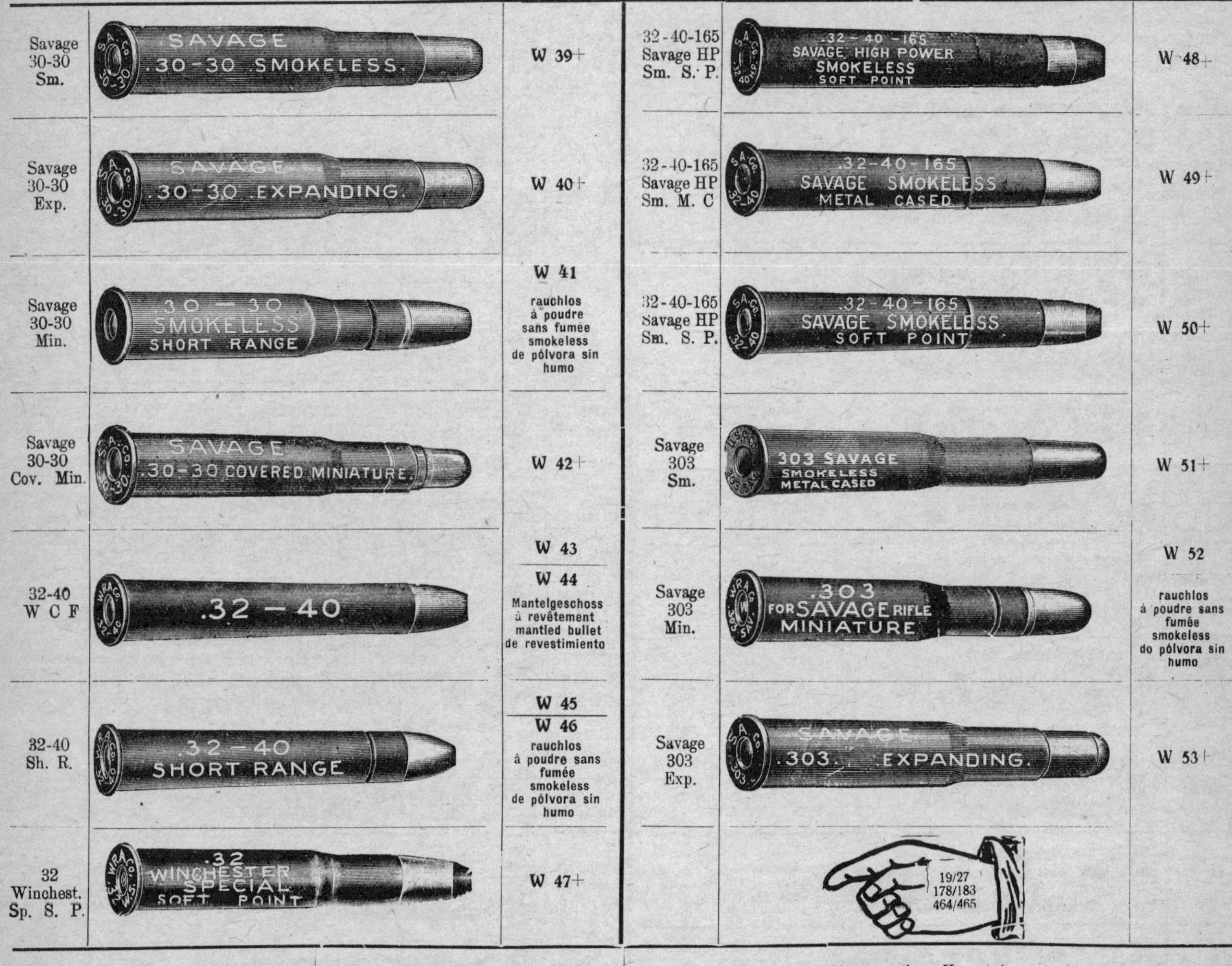

Weitere Amerikanische Patronen siehe auch Seite **127** und Seite **178/83.**

Voir d'autres cartouches américaines page **127** et page **178/83.**

For further American cartridges see also page **127** and page **178/83.**

Ver otrós cartuchos americanas pagina **127** y página **178/83.**

Die mit + bezeichneten Nummern sind mit **rauchlosem** Pulver und **Mantelgeschoss,** die anderen mit **Schwarzpulver und Bleikugel** geladen. **„High Velocity" heisst stärkste rauchlose Pulverladung und Mantelgeschoss.**

Les numéros marqués du signe + **sont** à poudre **sans fumée et à balle blindée. Les autres sont à poudre noire et à balle de plomb. „High Velocity"** signifie **fort chargement de poudre sans fumée et balle blindée.**

The numbers marked + are loaded with smokeless powder and **mantled bullet the others with black powder and leaden bullet. „High Velocity" signifies heaviest charge of smokeless powder and mantled bullet.**

Los números marcados con la señal + son de pólvora **sin humo y de bala blindada. Los otros** son de **pólvora negra y de bala de plomo. „High Velocity" significa cargamento fuerte de pólvora sin humo y bala blindada.**

Preise für Hülsen-Geschosse und Zündhütchen teilen wir, da selten verlangt, von Fall zu Fall auf Anfrage mit,

Nous indiquons les prix des douilles, balles et capsules séparées seulement sur demande de cas à cas, étant donné la rareté de ces demandes.

The prices for shells, bullets and caps are quoted from case to case upon application same being seldom in request.

Indicamos los precios de los cartuchos vacios, balas y capsulas separados solamente en pedido de cuando en cuando debido á la rareza de estos pedidos.

	W 39	W 40	W 41	W 42	W 43	W 44	W 45	W 46	W 47	W 48	W 49	W 50	W 51	W 52	W 53
	Daslina	Daspetro	Dasbenz	Dasstern	Dasmond	Dassonn	Dasstral	Dasdist	Daskrau	Dasblum	Dashorn	Dasmesser	Dasgabel	Dasloffe	Dastass
pro 1000 Mark	222.—	222.—	174.—	204.—	158.—	162.—	158.—	164.—	222.—	222.—	222.—	222.—	222.—	176.—	222.—

Original-Patronen für amerik. Repetierbüchsen.	Cartouches Originales pour carabines américaines à répétition.	Original cartridges for American Repeating Rifles.	Cartuchos originales para escopetas americanas de repetición.

Weitere amerikanische Patronen siehe auch Seite 127 und Seite 178/83.

Voir d'autres cartouches américaines page 127 et page 178/83.

For further American cartridges see also page 127 and page 178/83.

Ver otros cartuchos americanas, página 127 y página 178/83.

Die mit + bezeichneten Namen sind mit rauchlosem Pulver und Mantelgeschoss, die anderen mit Schwarzpulver und Bleikugeln geladen. Die „High Velocity" heisst „stärkste rauchlose Pulverladung und Mantelgeschoss".

Les numéros marqués du signe + sont à poudre sans fumée et à balle blindée. Les autres sont à poudre noire et à balle de plomb. „High Velocity" signifie fort chargement de poudre sans fumée et balle blindée.

The numbers marked + are loaded with smokeless powder and mantled bullet the others with black powder and leaden bullet. „High velocity" signifier heaviest charge of smokeless powder and mantled bullet.

Los números marcados con la señal + son de pólvora sin humo y de bala blindada. Los otros son de pólvora negra y de bala de plomo. „High velocity" significa cargamento fuerte de pólvora sin humo y bala blindada.

Preise für Hülsen-Geschosse und Zündhütchen teilen wir, da selten verlangt, von Fall zu Fall auf Anfrage mit.

Nous indiquons les prix des douilles, balles et capsules séparées seulement sur demande de cas à cas, étant donné la rareté de ces demandes.

The prices for shells, bullets and caps we quote from case to case upon application, same being seldom in request.

Indicamos los precios de los cartuchos vacios, balas y capsulas separados solamente, en pedido de cuando en cuando debido á la rareza de estos pedidos.

No.	W 54	W 55	W 56	W 57	W 58	W 59	W 60	W 61	W 62	W 63	W 64	W 65	W 66	W 67	W 68	W 69	W 70	W 71	W 72	W 73	W 74	W 75	W 76	W 77	W 78
†	Daswase	Dastint	Dasblei	Daslinal	Daslosch	Dasstemp	Dasgumm	Dasbell	Dasdunk	Dasweis	Dasswar	Dasgrau	Dasrott	Dasblau	Dasgelb	Dasfri	Dastro	Dastis	Daspel	Daslab	Dassu	Dasti	Dasfo	Dasbe	Daska
per 1000 Mark	206.—	270.—	280.—	280.—	192.—	198.—	232.—	268.—	192.—	350.—	204.—	204.—	204.—	210.—	244.—	280.—	222.—	226.—	260.—	210.—	215.—	274.—	260.—	280.—	320.—

Ziel-Fernrohre „Voigtlaender".	Télescopes „Voigtlaender".	Sighting Telescopes „Voigtlaender".	Telescopio de apunte „Voigtlaender".

Skopare.

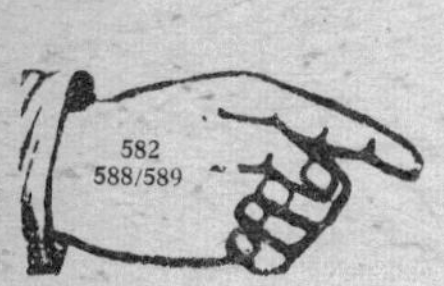

8 cm Augenabstand, ausserordentlich lichtstark, grosses Gesichtsfeld, für jedes Auge verstellbar, scharfes Bild, keine Ränder, unveränderliches Abkommen stabil gegen Druck und Stoss, kein Lockerwerden der Gläser, hochfein schwarz emailliert.

à 8 cm de l'oeil, à lumière très vive, champ visuel très large, réglable pour n'importe quelle vue, donne aux images une grande netteté, sans bords, dispositif fixe, résiste aux pressions et aux heurts, les verres demeurent fixés ferme aux parois, élégamment noirci et émaillé.

8 cm distance from eye, very strong light, large field, adjustable to any eyesight, clear sight, no border, unchangeable disc, proof against pressure and recoil, no loosening of the glasses, very fine black enamelling.

8 cm distante del ojo, claridad fuerte, radio de vista grande, con ajuste para todos las vistas, vista clara sin orilla, discos de apunte invariables, firmes contra presión y retroceso, no se aflojan las monturas de los cristales, esmalte negro muy fino.

Voigtlaender. — Skopar „Beta".

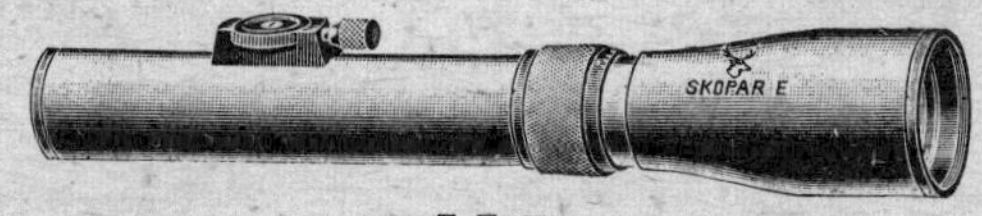

Z F 1

Vergrösserung: 2,5 fach.
Objektivöffnung: 20,6 mm.
Helligkeit: 70.
Länge: 28,2 cm.
Gewicht: nur 350 gr.
Gesichtsfeld auf 100 Meter: 15,5 m.
Neues, leichtes, sehr lichtstarkes Modell.
Zubehör: 2 Lederschutzdeckel.

Grossissement: 2 fois 5.
Ouverture de l'objectif: 20,6 mm.
Clareté: 70
Longueur: 28,2 cm.
Poids: seulement 350 gr.
Champ de vue à 100 m: 15 m 5.
Dernier modèle très léger et fort lumineux.
Accessoires: 2 couvercles de cuir.

Enlargement: 2,5 fold.
Opening of object glass: 20,6 mm.
Degree of clearness: 70.
Length: 28,2 cm.
Weight: only 350 gr.
At 100 m range of view: 15,5 m.
Latest, light, model very clear strong light.
Accessories: 2 leather protection lids.

Aumento: 2,5 veces.
Abertura del objetivo: 20,6 mm.
Claridad: 70.
Longitud: 28,2 cm.
Peso: solamente 350 gr.
Radio de vista de 100 metros: 15 m 5.
Modelo nuevo, muy ligero y fuertemente luminoso.
Accesorios: 2 coberteras de cuero.

Voigtlaender. — Skopar „E".

Z F 22

Vergrösserung: **3 fach.**
Objektivöffnung: 18 mm.
Helligkeit: 53
Länge: 25,4 cm.
Gewicht: 400 gr.
Gesichtsfeld auf 100 m: 14,5 m.
Zubehör: 2 Lederschutzdeckel.

Grossissement: **triple.**
Ouverture de l'objectif: 18 mm.
Clareté: 53.
Longueur: 25 cm 4.
Poids: 400 gr.
Champ visuel à 100 m: 14 m 5.
Accessoires: 2 couvercles de cuir.

Enlargement: 3 fold.
Opening of object glass. 18 mm.
Degree of clearness: 53.
Length: 25,4 cm.
Weight: 400 gr.
At 100 m range of view: 14,5 m.
Accessories: 2 leather protection lids.

Aumento: **triple.**
Abertura del objetivo: 18 mm.
Claridad: 53.
Longitud 25 cm 4.
Peso: 400 gr.
Radio de 100 m vista: 14 m 5.
Accesorios: 2 coberteras de cuero.

Voigtlaender. — Skoparette.

Z F 22 a

Vergrösserung: 2,5 fach.
Objektiv-Oeffnung: 16 mm.
Länge: 22,5 cm.
Gewicht 200 gr. ←
Gesichtsfeld auf 100 Meter: 10 m.
Grosses Gesichtsfeld, für jedes Auge einstellbar, scharf, widerstandsfähig, Platin-Absehen, die in den Tropen nicht rosten. **Sehr lichtstark! Leicht!**
Preis inkl. 2 Lederschutzdeckel.

Grossissement: 2 fois 5.
Ouverture de l'objectif: 16 mm.
Longueur: 22 cm 5.
Poids: 200 gr. ←
Champ visuel à 100 mètres: 10 m.
Grand champ visuel, réglable suivant chaque vue, ne rouille pas aux tropiques.
Très lumineux! Léger!
Prix avec 2 couvercles de cuir.

Enlargement: 2,5 fold.
Opening of object-glass: 16 mm.
Length: 22,5 cm.
Weight: 200 gr. ←
At 100 meters range of view: 10 m.
Large range of view, adjustable for **every** eye, keen, very strong, platinum eye-pieces, which do not rust in the tropics. **Very luminous! Light!**
Price includes 2 leather covers.

Aumento: 2,5 veces.
Abertura del objetivo: 16 mm.
Longitud: 22 cm 5.
Peso: 200 gr. ←
Radio de 100 metros: 10 m.
Gran radio, arregeable según cada vista, que no se eumohece en los paises tropicales. **Muy luminoso! Ligero!**
Precio con 2 oberteras de cuero.

No.	Z F 1	Z F 22	Z F 22 a
†	Heigaren	Heigaxt	Skoparett
Mark	140.—	140.—	133.—

Ziel-Fernrohre „Voigtlaender".	Télescopes „Voigtlaender".	Sighting Telescopes „Voigtlaender".	Telescopios de apunte „Voigtlaender".

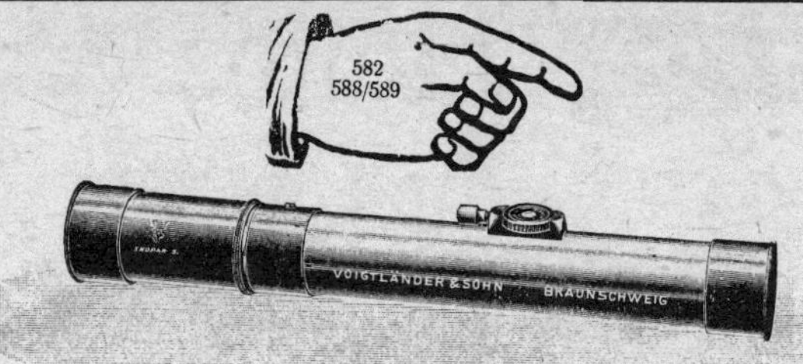

Z F 2—Z F 23.

Voigtlaender. Skopar VIII.

Z F 2.

Vergrösserung: 5 fach.
Objektivöffnung: 30 mm.
Helligkeit: 48.
Länge: 29,8 cm.
Gewicht: 525 gr.
Gesichtsfeld auf 100 Meter 9 Meter.
Zubehör: 2 Lederschutzdeckel.

Z F 23.

Vergrösserung: 8 fach.
Objektivöffnung: 34 mm.
Helligkeit: 20.
Länge: 35 cm.
Gewicht: 655 gr.
Gesichtsfeld auf 100 Meter: 6 Meter.
Zubehör: 2 Lederschutzdeckel.

Z F 2.

Grossissement: 5 fois.
Ouverture de l'objectif: 30 m.
Clareté: 48.
Longueur: 29,8 cm.
Poids: 525 gr.
Champ visuel à 100 m: 9 m.
Accessoires: 2 couvercles de cuir.

Z F 23.

Grossissement: 8 fois.
Ouverture de l'objectif: 34 mm.
Clareté: 20.
Longueur: 35 cm.
Poids: 655 gr.
Champ visuel à 100 m: 6 m.
Accessoires: 2 couvercles de cuir.

Z F 2.

Enlargement: 5 fold.
Opening of object glass: 30 mm.
Degree of clearness: 48.
Length: 29,8 cm.
Weight: 525 gr.
At 100 m range of view: 9 m.
Accessories: 2 leather protection lids.

Z F 23.

Enlargement: 8 fold.
Opening of object glass: 34 mm.
Degree of clearness: 20.
Length: 35 cm.
Weight: 655 gr.
At 100 m range of view: 6 m.
Accessories: 2 leather protection lids.

Z F 2.

Aumento: 5 veces.
Abertura del objetivo: 30 m.
Claridad: 48.
Longitud: 29,8 cm.
Peso: 525 gr.
Radio de vista de 100 m: 9 m.
Accesorios: 2 coberteras de cuero.

Z F 23.

Aumento: 8 veces.
Abertura del objetivo: 34 cm.
Claridad: 20.
Longitud: 35 cm.
Peso: 655 gr.
Radio de vista de 100 m: 6 m.
Accesorios: 2 coberteras de cuero.

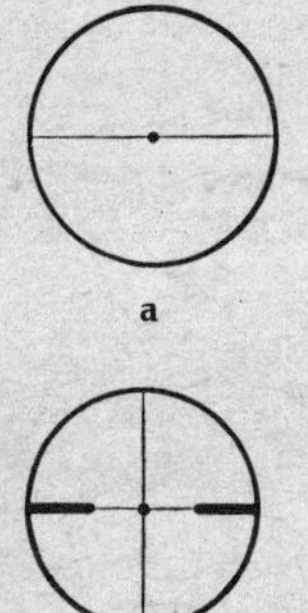
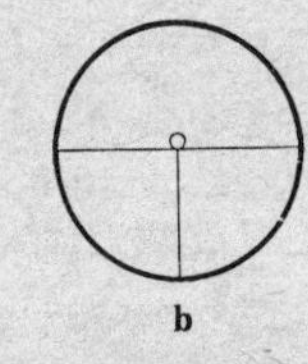
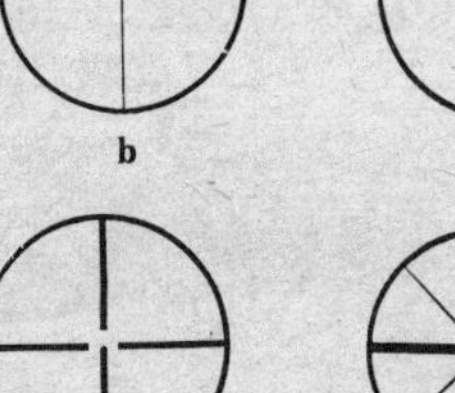
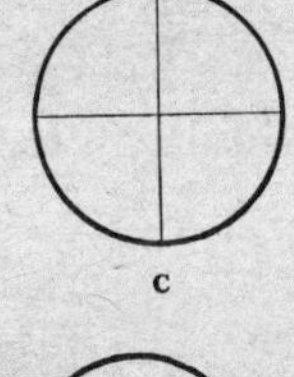
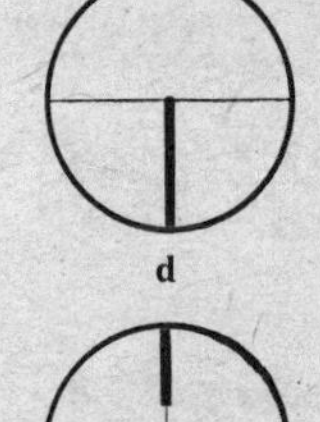
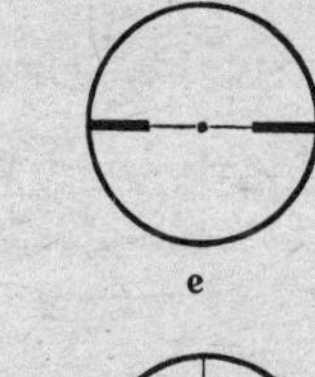
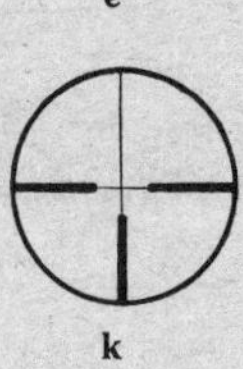

a b c d e

f g h i k

Die Voigtlaender-Zielfernrohre werden zum **gleichen** Preis mit einem der **obigen** Abkommen Nr. **a—d** geliefert. Wird **e—k** gewünscht, so tritt der unten angegebene **Aufschlag** ein. Bei telegr. Orders ist das Zeichen des Abkommens **a—k an** das Telegrammwort des Fernrohres **anzuhängen. Ein ganz neues** Abkommen a—d kostet **M. 6.**— per Stück, aber Nr. e—k erhöht untenstehende Preise um **M. 4.**— per Stück.

Tous les télescopes Voigtlaender sont livrés **sans augmentation de prix avec les dipositifs de a—d,** si on désirait **les systèmes de e—k,** on devrait payer les **augmentations** ci-dessous. Pour les commandes télégraphiques il faut **ajouter au** mot codique les lettres **a—k** des dispositifs ci-dessus. **Les dispositifs entièrement neufs** a—d coûtent M. **6.**— la pièce, mais les no e—k entraînent une augmentation de M. **4.**— par pièce sur les prix ci-dessous.

The Voigtlaender sighting telescopes are supplied **at the same price with one of the above discs a—d.** If **e—k** are desired there is **an additional charge,** as specified below. When telegraphing orders one of the letters a—k of the discs **are added to the codeword** of the telescope. An entirely new disc a—d costs M. **6.**— a piece, but in the case of e—k, the under-mentioned prices are increased **Mark 4.**— a piece.

Todos los telescopios Voigtleander pueden ser vendidos **sin aumento** de precio con los sistemas de **a—d.** Si se deseasen los sistemas de **e—k** se deberian **pagar las aumentaciones** de aquí abajo. Para los pedidos telegráficos es necesario **añadir** las letras **a—k de los sistemas de arriba á la palabra del código.** Los sistemas enteramente nuevos a—d cuestan M. **6.**— más la pieza, pero los e—k tienen un aumento de M. **4.**— por pieza.

Z F 2	Z F 23	Mehrpreis für Abkommen: Augmentation de prix pour les systèmes: Additional charge for discs: Aumento de precio para los sistemas:	e	f	g	h	i	k
† Hegowald	† Hegowaxt		+ e	+ f	+ g	+ h	+ i	+ k
M. 154.—	**175.—**		**M. 7.—**	**8.40**	**11.20**	**11.50**	**14.—**	**14.—**

Zielfernrohre für Kugelschusswaffen. | Télescopes pour fusils à balle. | Sighting telescopes for rifles. | Telescopios para fusiles de bala.

Helios

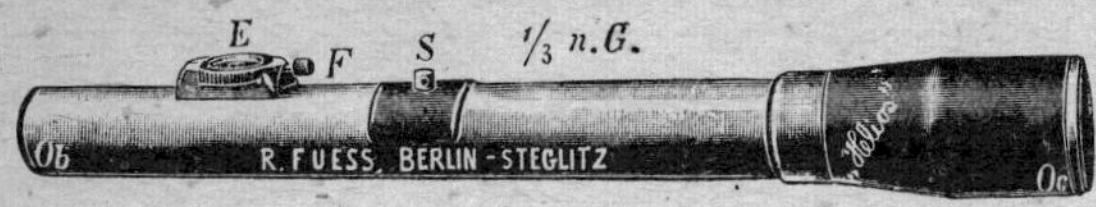

Helios 3 ZF7

Helios 4 ZF24

Helios 5 ZF8

Helios 5a ZF25

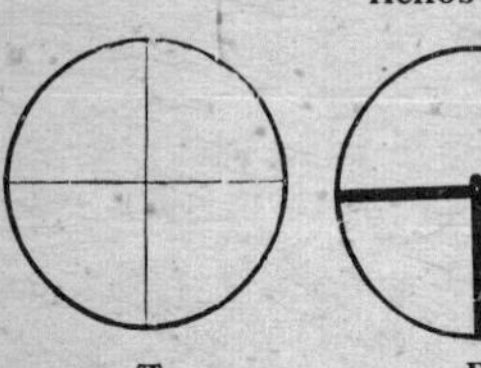
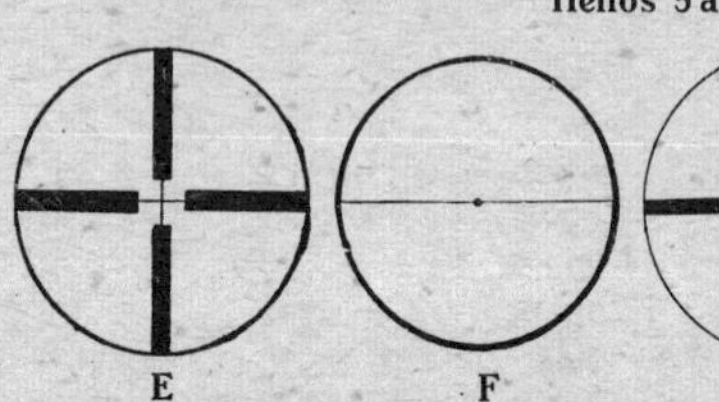
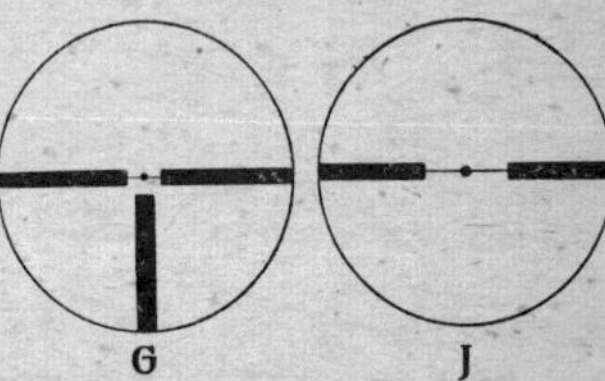

A B C D E F G J

Sehr lichtstark, grosses Gesichtsfeld, klares Bild, stabil gebaut, leicht, handlich.

Die Fernrohre werden mit dem **Abkommen B** geliefert. Die **anderen** Abkommen werden auf Wunsch angebracht, was den Preis des Fernrohres um **M. 11.20 erhöht.** Bei telegr. Orders **hänge** man das Zeichen des Abkommens A—J **an** das Codewort des Fernrohres.

Très lumineux, grand champ visuel, images très nettes, solidement construit, léger, très maniable.

Ces télescopes sont en principe délivrés avec le **dispositif B,** sur demande ils sont également délivrés **avec d'autres dispositifs,** ce qui **augmente** leur prix de **M. 11.20.** Pour télégrammes **ajouter** la lettre du dispositif A—J **au** mot codique du télescope.

Very strong light, extensive range of view, clear sight, firm make, light, handy.

The telescopes are supplied with the **disc B,** if desired the **other** discs are fixed, **an additional charge** of **M. 11.20** then being made for the telescope. When cabling orders **add** one of the letters A—J **to** the codeword of the telescope.

Muy luminuso, gran campo visual, imagenes muy claras, sólidamente construido, ligero muy manejable.

Estos telescopios se provéen en principio con el **sistema B;** según deseo se provéen **con los otros sistemas,** lo **que les hace aumentar M. 11.20** Para telegramas **añadir** la letra del sistema A—J **á la palabra código** del telescopio.

	ZF7	ZF24	ZF8	ZF25
Objektiv-Oeffnung	19mm	24mm	35,4 mm	37mm
Durchmesser	25mm	27mm	25 mm	36mm
Gesichtsfeld auf 100 Meter	17 m	13 m	11 m	10 m
Länge	30 cm	27 cm	30 cm	32 cm
Augenabstand	8 cm	8 cm	8 cm	8 cm
Gewicht	360 gr	400 gr	400 gr	400 gr
Vergrösserung	3 ×	4 ×	5 ×	5 ×

	ZF7	ZF24	ZF8	ZF25
Ouverture del objectif	19mm	24mm	35,4 mm	37mm
Diamètre	25mm	37mm	25 mm	30mm
Champ visuel à 100 m	17 m	13 m	11 m	10 m
Longueur	30 cm	27 cm	30 cm	32 cm
Distance de l'oeil	8 cm	8 cm	8 cm	8 cm
Poids	360 gr	400 gr	400 gr	480 gr
Grossissement	3×	4×	5×	5×

	ZF7	ZF24	ZF8	ZF25
Opening of object glass	19mm	24mm	35,4 mm	37mm
Diameter	25mm	27mm	25 mm	30mm
Range of view et 100 meters	17 m	13 m	11 m	10 m
Length	30 cm	27 cm	30 cm	32 cm
Distance of eye	8 cm	8 cm	8 cm	8 cm
Weight	360 gr	400 gr	400 gr	480 gr
Enlargement	3×	4×	5×	5×

	ZF7	ZF24	ZF8	ZF25
Abertura del objetivo	19mm	24mm	35,4 mm	37mm
Diametro	25mm	27mm	25 mm	30mm
Campo visual de 100 m	17 m	13 m	11 m	10 m
Longitud	30 cm	27 cm	30 cm	32 cm
Distancia del ojo	8 cm	8 cm	8 cm	8 cm
Peso	360 gr	400 gr	400 gr	480 gr
Aumento	3 ×	4 ×	5 ×	5 ×

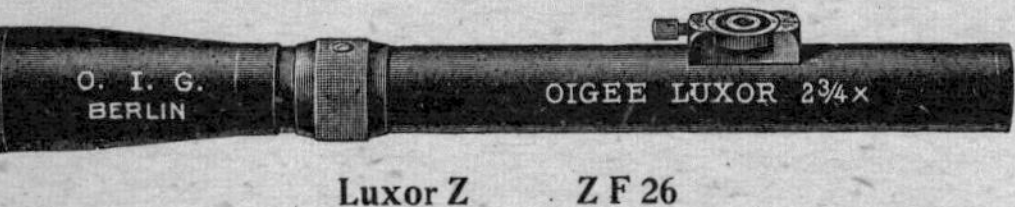

Luxor Z ZF26

Luxor V ZF27

Luxor

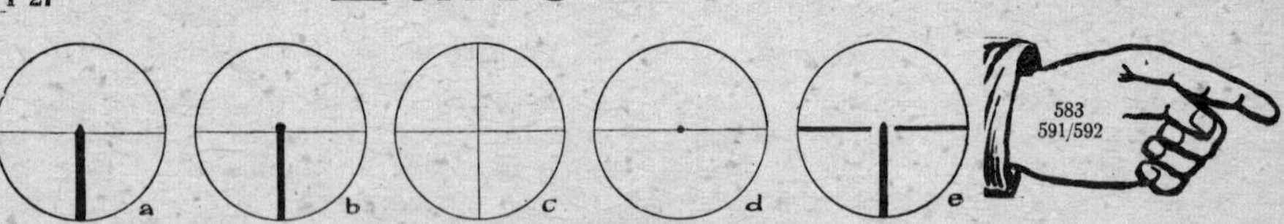

583
591/592

Die Luxor-Zielfernrohre sind sehr hell, haben grosses Gesichtsfeld, scharfas Bild, leicht, stabil. Zubehör: 2 Lederdeckel. Abkommen a—e nach Wunsch.

Les télescopes Luxor sont très clairs, ont un grand champ visuel, présentent fort nettement les images, sont légers, solides. Accessoires: 2 couvercles de cuir. Systèmes a—e au choix.

The Luxor sighting telescopes are very clear, have an extensive range of view, clear definition and are light and firmly made. Accessoires: 2 leather lids. Discs a—e according to desire.

Los telescopios „Luxor" son muy claros, tienen un gran radio de vista presentando muy bien las imágenes y son ligeros y solidos. Accesorios: 2 coberteras de cuero. Sistema a —e según se desée.

	ZF26	ZF27
Länge	29,5 cm	30 cm
Gewicht	380 gr	390 gr
Augenabstand	8 cm	8 cm
Gesichtsfeld auf 100 m	17 m	10 m
Vergrösserung	3×	5×

	ZF26	ZF27
Longueur	29,5 cm	30 cm
Poids	380 gr	390 gr
Distance de l'oeil	8 cm	8 cm
Champ visuel à 100 m	17 m	10 m
Grossissement	3×	5×

	ZF26	ZF27
Length	29,5 cm	30 cm
Weight	380 gr	390 gr
Distance of eye	8 cm	8 cm
Range of view at 100 m	17 m	10 m
Enlargement	3×	5×

	ZF26	ZF27
Longitud	29,5 cm	30 cm
Peso	380 gr	390 gr
Distancia del ojo	8 cm	8 cm
Radio de vista de 100 m	17 m	10 m
Aumento	3×	5×

No.	ZF7	ZF24	ZF8	ZF25	ZF26	ZF27
†	Helton	Heltonfu	Hulank	Hulankfu	Teleziel	Telegros
Mk.	126.—	133.—	140.—	161.—	126.—	140.—

Zielfernrohre für Kugelschusswaffen. | Télescopes pour fusils à balle. | Sighting telescopes for rifles. | Telescopios para fusiles de bala.

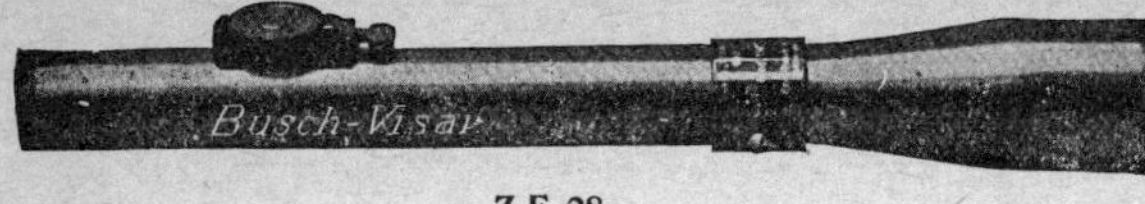

Z F 28.

Busch-Visar.

Z F 29.

Visar 3.

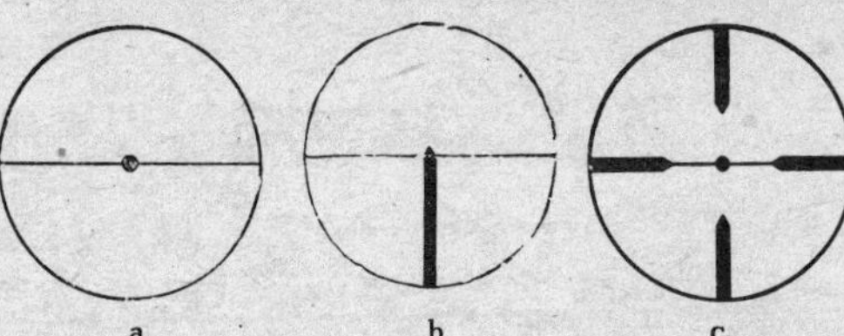

a. b. c.

Visar 5.

Busch

	Z F 28	Z F 29
Vergrösserung	3 ×	5 ×
Objektivdurchmesser	2,15 cm	3,1 cm
Gesichtsfeld à 100 m	17 m	10 m
Augenabstand	8 cm	8 cm
Länge	28 cm	30 cm
Gewicht	360 g	450 g

	Z F 28	Z F 29
Grossissement	3 ×	5 ×
Diamètre de l'objectif	2,15 cm	3,1 cm
Champ visuel à 100 m	17 m	10 m
Distance de l'oeil	8 cm	8 cm
Longueur	28 cm	30 cm
Poids	360 g	450 g

	Z F 28	Z F 29
Enlargement	3 ×	5 ×
Diameter of object glasses	2,15 cm	3,1 cm
Range of view at 100 m	17 m	10 m
Distance of eye	8 cm	8 cm
Length	28 cm	30 cm
Weight	360 g	450 g

	Z F 28	Z F 29
Aumento	3 ×	5 ×
Diametro del objetivo	2,15 cm	3,1 cm
Radio de vista de 100 m	17 m	10 m
Distancia del ojo	8 cm	8 cm
Longitud	28 cm	30 cm
Peso	360 g	450 g

Das Abkommen No. c ist durch Anstrich von Radium leuchtend, sodass bei Dunkelheit ein gutes Zielen auf den dunklen Wildkörper möglich ist. Zubehör: 2 Lederdeckel, Abkommen a oder b.
No. c kostet Mk. 28.— mehr.

Le point de repaire No .c est ,par frottement de radium, lumineux, de sorte qu'on peut tirer dans d'excellents conditions le gibier par l'obscurité. Accessoires: 2 couvercles de cuir, systèmes a ou b. No. c entraine une augmentation de Mk. 28.—.

By a coating of radium the disc No. c is rendered luminous so that it is possible to take good aim in the darkness at the dark body of a deer etc. Accessories: 2 leather lids, discs a or b, No. e costs Mk. 28.— more.

Los telescopios con sistema No. c son muy claros, tienen un gran radio de vista presentando muy bien las imagenes y son ligeros y sólidos. Accesorios: 2 coberteras de cuero. Sistemas a – b. No. e cuesta Marcos 28.— más.

Z F 30. Z F 31.

Schütz.

a. b. c.

	Z F 30	Z F 31
Vergrösserruug	3 ×	5 ×
Gesichtsfeld à 100 m	18 m	12 m
Augenabstand	7 cm	6 cm
Länge	26 cm	31 cm
Gewicht	375 g	450 g

	Z F 30	Z F 31
Grossissement	3 ×	5 ×
Champ visuel à 100 m	18 m	18 m
Distance de l'oeil	7 cm	6 cm
Longueur	26 cm	31 cm
Poids	375 g	450 g

	Z F 30	Z F 31
Enlargement	3 ×	5 ×
Range of view at 100 m	18 m	12 m
Distance of eye	7 cm	6 cm
Length	26 cm	31 cm
Weight	365 g	450 g

	Z F 30	Z F 31
Aumento	3 ×	5 ×
Radio de vista de 100 m	18 m	12 m
Distancia del ojo	7 cm	6 cm
Longitud	26 cm	31 cm
Peso	375 g	450 g

Die Fernrohre lassen sich durch Drehung des Okulars für jedes Auge einstellen. Sehr lichtstark — stabil — grosses Gesichtsfeld.

Ces télescopes se règlent à n'importe quelle vue. Très lumineux — solides — grand champ visuel.

By the turning of the ocular the telescopes can be adjusted for any eye. Very strong light — firm — extensive range of view.

Estos telescopios se acomodan á cualquier vista. Muy luminosos, solidos y gran radio de vista.

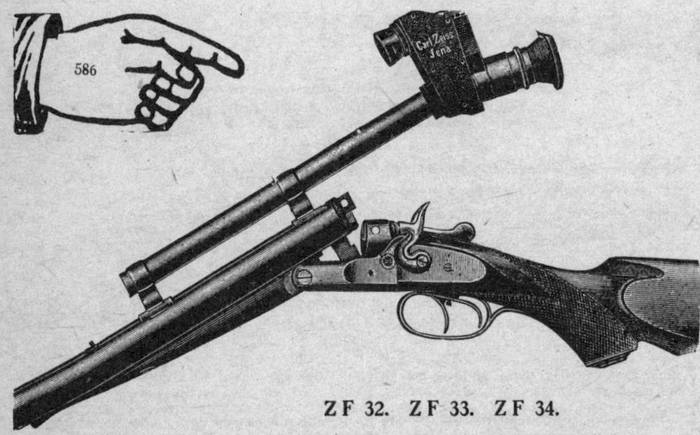

Z F 32. Z F 33. Z F 34.

Zeiss

Z F 32. Z F 33. Z F 34.

	Z F 32	Z F 33	Z F 34
Vergrösserung	2 ×	2 ×	2,8 ×
Gesichtsfeld à 100 m	21,8 m	21, 8 m	21,5 m
Augenabstand	7 cm	7 cm	3½ cm
Gewicht	410 g	410 g	365 g
Lichtstärke	56	56	52

	Z F 32	Z F 33	Z F 34
Grossissement	2 ×	2 ×	2,8 ×
Champ visuel à 100 m	21,8 m	21,8 m	21,5 m
Distance de l'oeil	7 cm	7 cm	3½ cm
Poids	410 g	410 g	365 g
Force de la lumière	56	56	52

	Z F 32	Z F 33	Z F 34
Enlargement	2 ×	2 ×	2,8 ×
Range of view at 100 m	21,8 m	21,8 m	21,5 m
Distance of eye	7 cm	7 cm	3½ cm
Weight	400 g	410 g	365 g
Intensity of light	56	56	52

	Z F 32	Z F 33	Z F 34
Aumento	2 ×	2 ×	2,8 ×
Radio de vista de 100 m	21,8 m	21,8 m	21 5 m
Distancia del ojo	7 cm	7 cm	3½ cm
Peso	400 g	410 g	365 g
Fuerza de la luz	56	56	52

Prismenfernrohre, Abkommen a. **Enormes Gesichtsfeld, sehr scharf!** Abkommen b kostet Mk. 7.50 mehr.

Télescopes à prismes, Système a. **champ visuel énorme. Images extrêmement nettes.** Le système b coûte en plus Mk. 7.50.

Prism telescopes, disc a. **Very extensive range of view extremely clear definition.** Disc b costs Mk. 7.50 more.

Telescopios de prismas, Sistem a. **de radio de vista enorme y magenes extramadamente limpias.** El sistema b cuesta Mk. 7.50 más.

No.	Z F 28	Z F 29	Z F 30	Z F 31	Z F 32	Z F 33	Z F 34
†	Telehell	Telesart	Telefeld	Teleleix	Teleweit	Telekipp	Telegrad
Mk.	**126.–**	**140.–**	**126.–**	**140.–**	**160.–**	**160.–**	**193.40**

Repetierbüchsen mit Fernrohr. | Carabines à répétition avec télescopes. | Repeating rifles with telescopes. | Carabinas de repetición con telescopios.

Die auf Seite **478-483** gebrachten Fernrohre liefern wir auch fertig auf unsere Repetierbüchsen montiert. Untenstehend bringen wir **als Anhalt** die Preise der verschiedenen **Aufmachungen inklusive Einschiessen.**

Nous livrons aussi, montés sur nos carabines à répétition, les télescopes portés aux pages **478-483**. **Ci-dessus, pour la gouverne approximative des clients, nous indiquons les prix des différentes sortes de montages, y compris frais de réglage au tir.**

The telescopes specified on page **478-483** we supply also ready mounted on our repeating rifles. **Below we give the prices of the different mountings including shooting test.**

También provéemos los telescopios que hay en la página **478-483** montados sobre nuestras carabinas de repetición. **Aqui abajo indicamos los precios de diferentes telescopios montados y arreglados al tiro.**

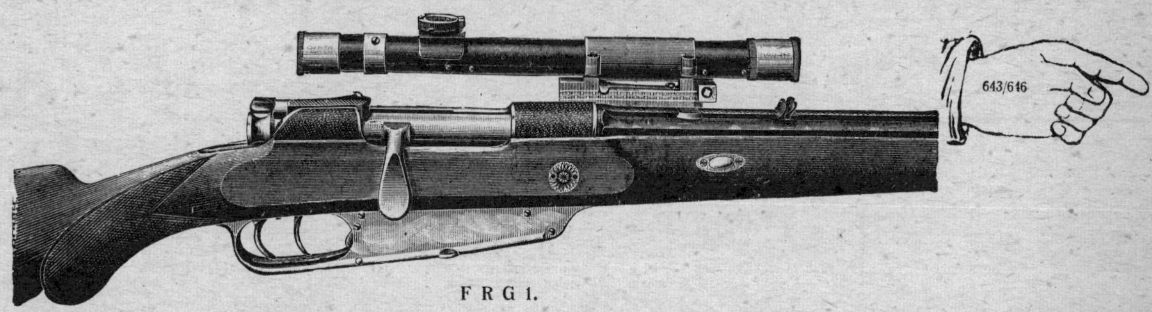

F R G 1.

Abbildung veranschaulicht die Montage eines Fernrohres auf einer **Büchse Modell 88**, mit Schlüssel **seitlich verstellbar, schnell abnehmbar.** Der Preis inklusive **Montage** und **Anschuss** mit Fernrohr auf **100—200—300 Meter.**

Cette illustration montre un télescope monté sur **une carabine Mod. 88, fixable de côté au moyen de clef et rapidement enlevable.** Le prix comprend le **montage** et **le réglage au tir à 100 200—300 mètres.**

In the illustration a telescope is shown mounted on a **rifle model 88, which is adjustable by means of key at side and can be quickly detached.** The price includes **mounting and shooting test** with telescope **up to 100—200—300 meters.**

Esta ilustración enseña un telescopio montado sobre una **carabina Mod. 88, fijable al lado por medio de llave y rápidamente levantable.** El precio comprende el montaje y el **arreglo del tiro de 100—200 300 metros.**

F R G 2.

Die Montage ist **hohl**, sodass man **trotz** aufgesetztem Fernrohr auch über **Visier und Korn** schiessen kann. Aufmachung wie **F R G 1**, aber **seitlich** umzuklappen, sodass man das Fernrohr beim Einführen des Rahmens **nicht abnehmen braucht.**

Le montage est **creux**, de sorte que **malgré** le télescope, on peut tirer **en prenant directement comme repaire la hausse et le point de noire.** Même montage que F R G 1 mais **renversable de côté**, de telle sorte qu'on peut introduire dans l'arme le chargeur à cartouches **sans enlever le télescope.**

The mounting is **hollow so that one can also aim with the sights when the telescope is attached.** Mounting like F R G 1 but it can be **folded down at side, so that the magazine case can be inserted without taking off the telescope.**

El montage es **hueco**, de suerte que à pesan del telescopio al puede **tirar tomando directamente como guarida el alza y el punto de mira.** La misma clase que F R G 1, pero **al lado**, de tal suerte que al cargador de cartuchos se puede introducir en el arma **sin desmontar el telescopio.**

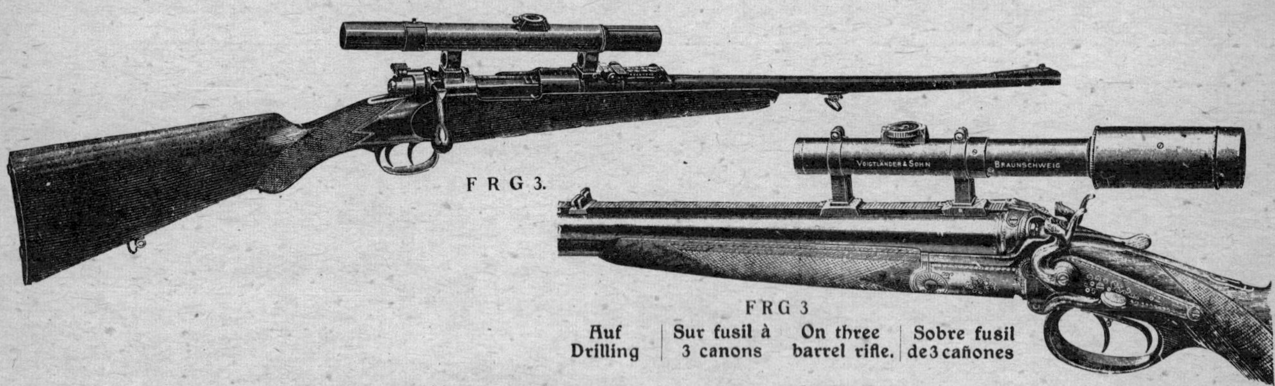

F R G 3.

F R G 3

Auf Drilling | Sur fusil à 3 canons | On three barrel rifle. | Sobre fusil de 3 cañones

Montage bei Büchsen Modell 98, Drillingen etc., schnell durch Federdruck abnehmbar, die beiden Ringe treten mit **je 2 also 4 Füssen** in die auf der Laufschiene befindlichen **Eisenschuhe.** Durch die **Ringe** kann man bei **aufgepasstem** Fernrohr auch **über Visier und Korn** schiessen.

Montage sur carabines Mod. 98, fusils à 3 coups etc., facilement enlevable par pression sur un ressort, les **2 supports reposent chacun avec 2 pieds c'est à dire en tout 4 pieds sur les talons de fer se trouvant sur le bande du canon. On peut viser au travers des anneaux directement par la hausse et le point de mire**

In the case of rifles, model 98 three barrels etc., the mounting can quickly be detached by pressure of the spring. The telescope is **supported by 2 rings, each fitting with 2 feet into iron sockets on the extension rib. By means of these rings the sights can also be used when shooting.**

Montage sobre carabinas Mod. 98, fusiles de 3 cañones etc., facilmente levantable por medio de presión sobre un resorte. **Los 2 apoyos reposan cada uno con 2 piés sobre el arma. Se puede tirar cómodamente á través del anillo directamente sobre el alza y el punto de mira**

Die Aufmachung F R G 2 ist die **beste** für **Büchsen, Büchsflinten, Doppelbüchsen, Drillinge.**

Le montage F R G 3 est le **meilleur** pour **carabines de chasse, fusils-carabines, carabines de chasse à 2 canons, fusils à 3 canons etc.**

The mounting F R G 3 is the **best for rifles, rifle and shot guns combined, double barrel rifles, three barrel rifles.**

La clase F R G 3 es la **mejor** para **carabinas, fusiles-carabinas, carabinas de 2 cañones, fusiles de 3 cañones etc.**

Montage von Fernrohren inkl. Einschiessen.	Montage de télescopes inclus réglage au tir.	Mounting of telescopes including shooting tests.	Montage de telescopios inclusive arreglo al tiro.

F R G 1 † Gaseng	F R G 2 † Gischebe	F R G 3 † Gosems
Mark 60.—	90.—	62.—

Schaft-Verbesserungen für Fernrohrbüchsen.

Dispositifs de crosse perfectionnés pour carabines à télescope.

Improved stocks for rifles with telescopes.

Culatas perfeccionadas para escopetas de telescopio.

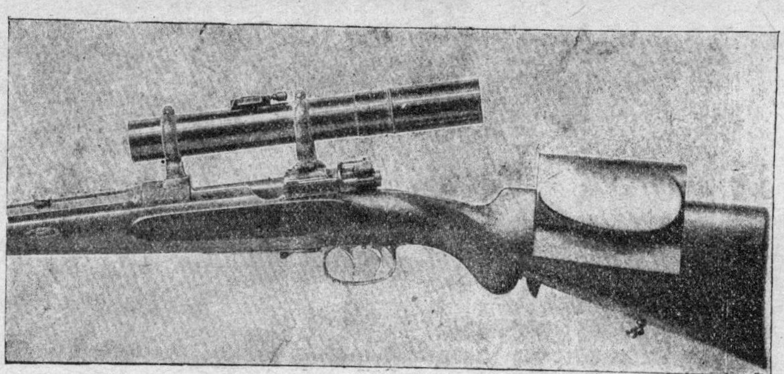

Gewehrschaft mit verstellbarer Kolbenbacke (für Fernrohrbüchsen).

Crosse à pièce de couchement en joue mobile (pour carabines à télescope).

Rifle-stock with adjustable cheek-piece (for long range telescopes).

Caja de escopeta con el carrillo movible (para escopetas con telescopios de apuntar).

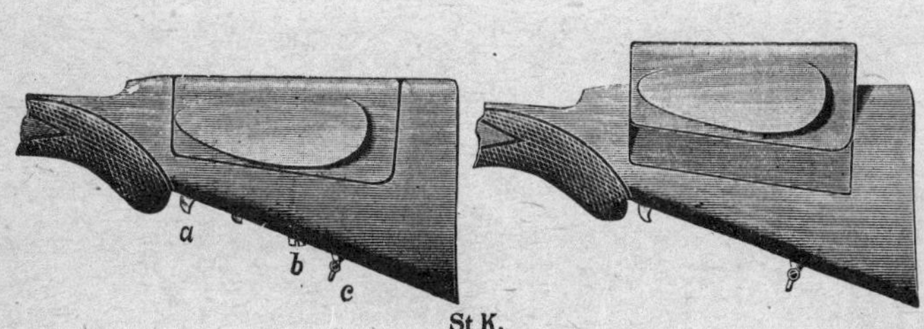

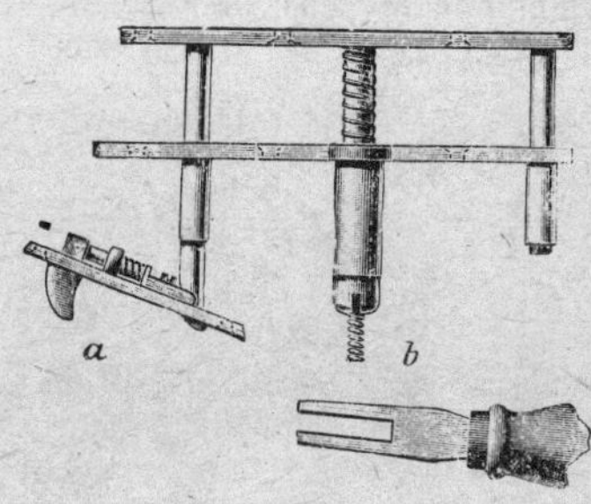

St K. Da das Zielen des Fernrohrs naturgemäss den Anschlag mit Backe durch die **hohe Lage** über Visier und Korn **verhindert**, dient obige Einrichtung dazu, beim Schießen mit Fernrohr einen **festeren Halt** im **Anschlage** zu gewinnen. Durch **Druck** auf einen **Knopf springt die Backe hoch** und schnappt beim Herunterdrücken wieder ein. Die Einrichtung kann bei **jedem** Fernrohrgewehr leicht angebracht werden. Preis **ohne** Anbringen.

St K. Etant donné que pour visier avec les carabines munies de télescope **on ne peut, en raison de la position élevée de la hausse et du point de mire, appuyer la joue sur la crosse, l'arrangement ci-dessus à l'avantage considérable de fournir au tireur un excellent point d'appui. En pressant sur un bouton, la joue saute en place** et regagne aisément sa place normale sous une pression de la main. Cet arrangement peut aisément être pratiqué **sur n'importe quelle arme à** télescope. Prix sans le montage.

St K. Owing to the high position above the front and rear sights the sighting of the telescope naturally prevents the use of the cheek-piece. This disadvantage is remedied by the above arrangement, which conduces to a firmer hold when the telescope is used. By the pressure of a button the cheek-piece springs up and snaps to when pressed down again. **The arrangement can easily be attached to any telescope rifle.** Price without mounting.

St K. Al apuntar con los telescopios por estar este más alto que el alza ó la mira, no se puede hacer uso del carrillo ordinario. **Para remediar esta desventaja se ha introducido el carrillo movible arreglo que permite que se mantenga firme al fusil mientras que se apunta pór medio del telescopio. Actuado por un botón de empuje resulta el carrillo** y luego se le vuelve en su sitio sólo con empujarle hacia abajo con la mano hasta que enganche el pestillo con muelle que le sujeta. El arreglo puede ser aplicado à **cualquier** fusil con telescopio Precio sine montage.

St K ✣ Hamgol

Mark 24.–

Schaft-Verbesserungen für Fernrohrbüchsen.

Dispositifs de crosse perfectionnés pour carabines à télescope.

Improved stocks for rifles with telescopes.

Culatas perfeccionadas para escopetas de telescopio.

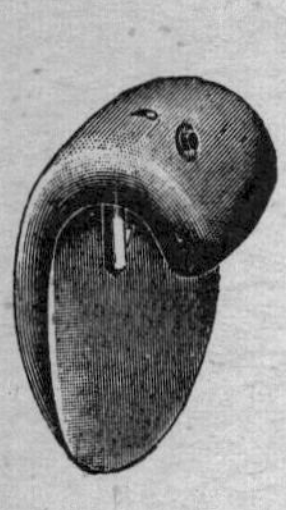

St K 1.

Aufsteckbacke für Fernrohrbüchsen.

Joue appliquable à toutes les carabines à télescope.

Cheek for attaching to rifles with telescopes.

Carrillo aplicable á todas las carabinas de telescopio.

Die Backe lässt sich an jedem Schaft leicht anbringen, doch muss uns die Waffe **eingeschickt** werden. Der Preis versteht sich inklusive Anbringen. Die Backe ist durch Federdruck aufzusetzen und ebensoschnell abzunehmen. Zweck der Backe wie unter St K Seite 485 beschrieben.

Cette joue est facilement appliquable à n'importe quelle crosse, mais l'arme doit **nous être envoyée** à cet effet. Le prix s'entend inclus l'apposition de l'appareil. La joue se fixe au moyen de ressort et s'enlève aussi rapidement. La raison d'être de cette joue est la même que celle détaillée sous le St K page 485.

The cheek can easily be attached to any stock but the arm must be **sent to us.** The fixing on is included in the price. The cheek is attached by the pressure of a spring and quickly taken off again. With regard to the purpose of the cheek see description under St K page 485.

Este carrillo es fácilmente aplicable á cualquiera culata, pero el arma debe **sernos enviada** para este efecto. El precio se entiende incluso la fijación del aparato. El carrillo se fija y se levanta por medio del resorte. La rasón de estar de este carrillo es la misma que la detallada en el No. St. K., página 485.

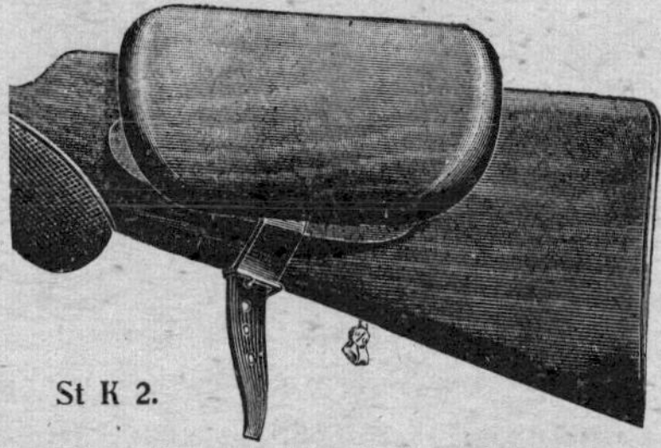

St K 2.

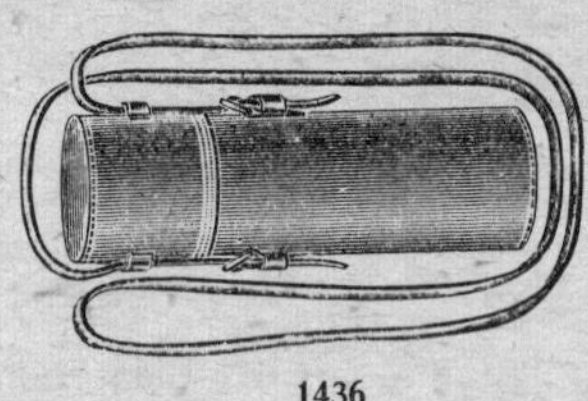

1436

Anschlagbacke für Fernrohrbüchsen.

Cheek for strapping on to rifles with telescopes.

Joue à boucle pour carabines à télescope.

Carrillo de argolla para carabinas de telescopio.

Lederfutterale für Fernrohre.

Leather covers for telescopes.

Etuis de cuir pour télescopes.

Estuche de cuero para telescopios.

St K 2. Diese Backe ist aus **Holz** und mit **Riemen** zum Anschnallen eingerichtet, sodass **der Schütze ohne mechanische Vorrichtung dieselbe an jedem Fernrohrgewehr schnell befestigen kann.**

St K 2. Cette joue est **en bois** et munie de **courroie** et boucles, de sorte que **chacun peut rapidement et aisément la fixer en la bouchant sur n'importe quelle arme à télescope, sans instruments.**

St K 2. This cheek is of **wood** and provided with a **strap so that the marksman can quickly attach same without mechanical instruments** to any **telescope-rifle.**

St K 2. Este carrillo es **de madera** y está provisto **de correa** y argollas, de suerte que **el tirador puede fijarlo comódamente atandolo sobre cualquier arma de telescopio.**

1436. Futteral mit Tragriemen aus Ia blankem steifen Rindleder. Bei Bestellung ist stets das Modell des Fernrohres bezüglich der richtigen Grösse anzugeben.

1436 Etui avec courroie, en vachette blanche et rigide, de première qualité. Il y a lieu de toujours indiquer sur la commande le modèle du télescope, à cause des dimensions.

1436. Cover with strap, of best stiff bright cowhide. When ordering the model of the telescope or the correct dimensions must always be stated.

1436. Estuche con correa, de gamuza blanca y rigida, de primera calidad. En los pedidos hay que indicar siempre el modelo del telescopio, á causa de las dimensiones.

St K 1 † Hamgolxi	St K 2 † Hamgolon	1436 † Wolig
Mark 20.–	Mark 9.60	Mark 9.–

Schlachtvieh-Betäubungs-Apparate.

Instruments d'abattage pour bêtes de boucherie.

Apparatus for stunning cattle, before slaughter.

Instrumentos de matanza para bestias de carniceria.

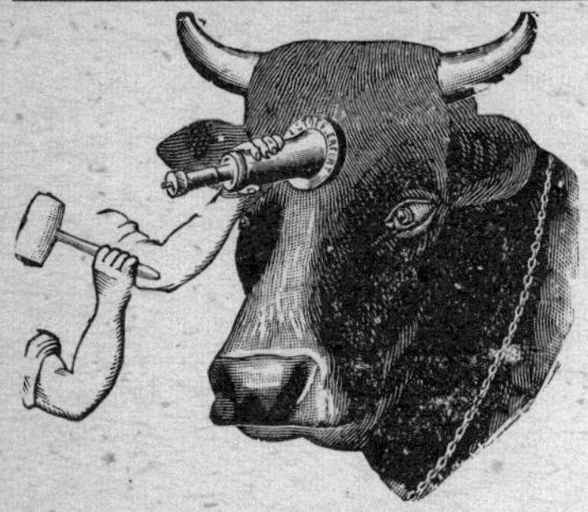

S V 1 S V 2

S V 3 S V 4 S V 5

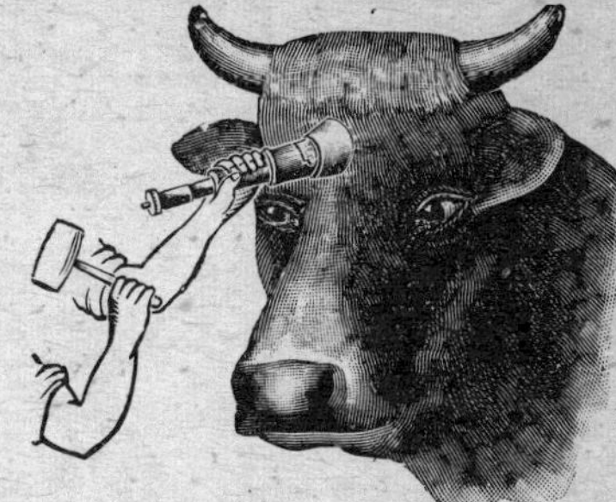

S V 6 S V 7

Kugelschussapparate für Rinder.

S V 1 aus **Eisen** mit Lederwulst.
S V 2 aus **Messing** ohne Lederwulst.
S V 3 aus Eisen m. **glockenförmigem offenen Schalldämpfer.**
S V 4 wie S V 3 mit **geschlossenem** Schalldämpfer.
S V 5 wie S V 3 aus **Messing.**
S V 6 aus **Eisen** m. **zweikammerigem** Schalldämpfer.
S V 7 wie S V 6 aus **Messing.**

Assommoirs à balle pour boeufs.

S V 1 en **fer,** avec rondelle de cuir.
S V 2 en **laiton** sans rondelle de cuir.
S V 3 en fer, avec **ébruiteur de la détonation, ouvert en forme de cloche.**
S V 4 comme S V 3 avec ébruiteur **fermé.**
S V 5 comme S V 4 en **laiton.**
S V 6 en **fer** avec ébruiteur de la détonation **à 2 chambres.**
S V 7 comme S V 6 en **laiton.**

Ball shooting apparatus for oxen.

S V 1 of **iron** with leather pad.
S V 2 of **brass** without leather pad.
S V 3 of iron with **open bell shaped detonation moderator.**
S V 4 like S V 3 with **closed** detonation moderator.
S V 5 like S V 4 of **brass.**
S V 6 of **iron** with **two chambered** detonation moderator.
S V 7 like S V 6 of **brass.**

Mazas de bala para bueyes.

S V 1 de **hierro** con rodaja de cuero.
S V 2 de **latón** sin rodaja de cuero.
S V 3 de hierro con **propalador de la detonación abierto.**
S V 4 comó S V 3 con propalador **cerrado.**
S V 5 comó S V 4 de **latón.**
S V 6 de **hierro** y con propalador de la detonación **de 2 cámaras.**
S V 7 comó S V 6 de **latón.**

S V 8

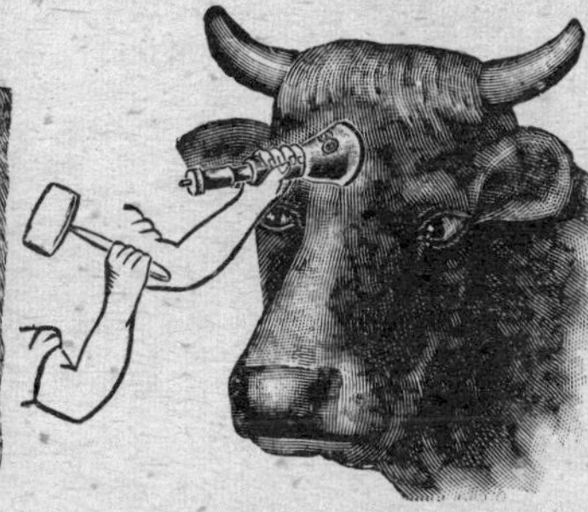

S V 9 S V 10

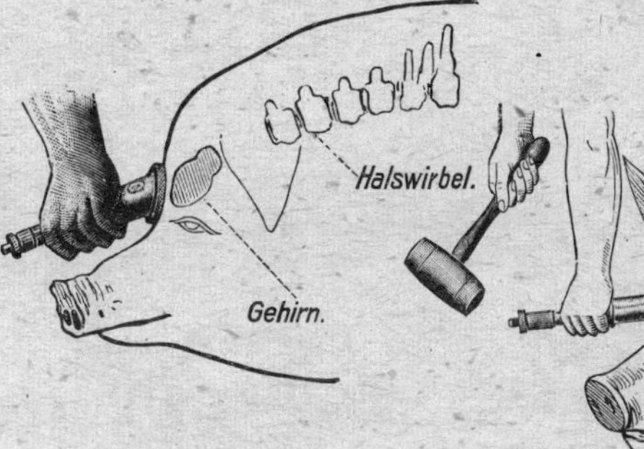

S V 11 S V 12

S V 13 S V 14

Kugelschussapparate für:

S V 8 aus **Messing,** für **Rinder,** schwerstes Modell mit einkammerigem Schalldämpfer.
S V 9 für **Rinder** und **Schweine,** aus **Eisen,** mit glockenförmigem, geschlossenem Schalldämpfer.
S V 10 wie S V 9, aus **Messing.**
S V 11 für Schweine, aus **Eisen, glockenförmiger,** offener Schalldämpfer.
S V 12 für Schweine, aus **Messing, glockenförmiger,** offener Schalldämpfer.
S V 13 für Schweine, aus **Messing, zweikammeriger** Schalldämpfer, **Randfeuer.**
S V 14 wie S V 13, aber **Centralfeuer.**

Assommoirs à balle:

S V 8 en **laiton,** pour **boeufs,** modèle extra fort, avec ébruiteur de la détonation à une chambre.
S V 9 pour **boeufs** et **porcs,** en **fer,** avec ébruiteur de la détonation fermé.
S V 10 comme S V 9, en **laiton.**
S V 11 pour porcs, en **fer,** avec ébruiteur de la détonation ouvert en forme de cloche.
S V 12 pour porcs, en **laiton,** avec ébruiteur de la détonation ouvert en forme de cloche.
S V 13 pour porcs, en **laiton,** avec ébruiteur de la détonation **à 2 chambres, à percussion** annulaire.
S V 14 comme S V 13, mais à **percussion centrale.**

Ball shooting apparatus for:

S V 8 of **brass,** for **oxen,** heaviest model with one chambered detonation moderator.
S V 9 for **oxen** and **pigs,** of **iron,** with bell shaped closed detonation moderator.
S V 10 like S V 10, of **brass.**
S V 11 for pigs, of **iron, bell shaped open detonation moderator.**
S V 12 for pigs, of **brass, bell shaped open detonation moderator.**
S V 13 for pigs, of **brass, two chambered** detonation moderator, **rim fire.**
S V 14 like S V 13, but **central fire.**

Mazas de bala:

S V 8 de **latón,** para **bueyes,** modelo extra-fuerte, de propalador de la detonación de una cámara.
S V 9 para **bueyes** y **puercos,** de **hierro,** con propalador de detonación cerrado.
S V 10 como S V 9, de **latón.**
S V 11 para puercos, de **hierro,** con propalador de detonación abierto.
S V 12 para puercos, de **latón,** con propalador de detonación abierto.
S V 13 para puercos, de **latón,** con propalador de detonación **de 2 cámaras,** de **percusión anular.**
S V 14 como S V 13, pero de **percusión anular.**

No.	S V 1	S V 2	S V 3	S V 4	S V 5	S V 6	S V 7	S V 8	S V 9	S V 10	S V 11	S V 12	S V 13	S V 14
†	Fhras	Fhret	Fhril	Fhrof	Fhlex	Fhlak	Fhlir	Fhloz	Fhlun	Fhaki	Fhelo	Fhist	Fhord	Fhugi
Cal.	9,6	9,6	9,6 K	9,6 K	9,6	9,6	9.6	10,4	1900 L	1900 L	1900 K R	1900 K R	1900 K	1900 L
Mark	24.—	33.—	20.30	20.30	26.—	30.80	38.50	41.80	20.30	26.—	20.30	24,20	32.—	32.—

Rändelmaschinen. | Sertisseurs. | Crimping machines. | Engastadores.

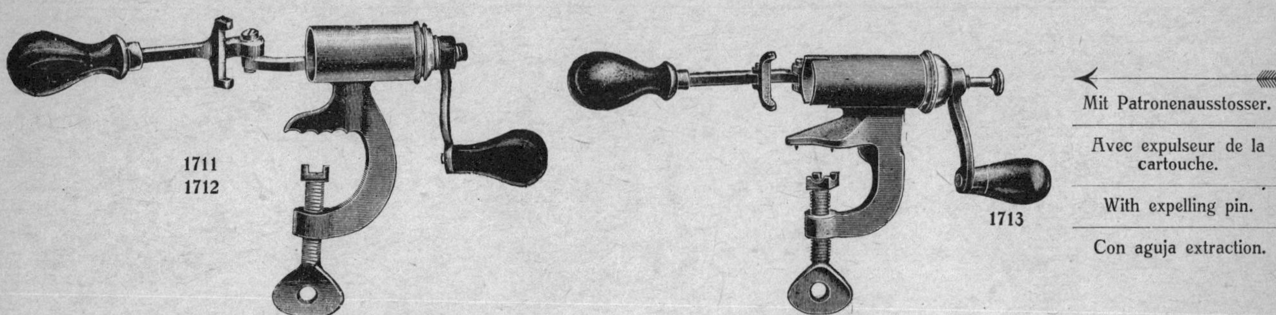

Mit Patronenausstosser.

Avec expulseur de la cartouche.

With expelling pin.

Con aguja extraction.

Englische Modelle.

1711. Starke massive Messinghülse, fein bronziert.
1712. Wie 1711 aber mit Eisenhülse.

1713. Wie 1711 aber grün lackiert, mit Ausstosser.

Modèles anglais.

1711. Forte douille massive en laiton, soigneusement bronzée.
1712. Comme 1711 mais avec douille de fer.

1713. Comme 1711 mais verni vert, avec expulseur.

English model.

1711. Strong massive and brass case finely bronzed.
1712. Like 1711 but with iron case.

1713. Like 1711 but varnished green, with expeller.

Modelos ingleses.

1711. Fuerte tubo macizo de latón cuidadosamente bronceado.
1712. Comó 1711 pero con tubo de hierro.

1713. Comó 1711 pero barnizado verde con extractor.

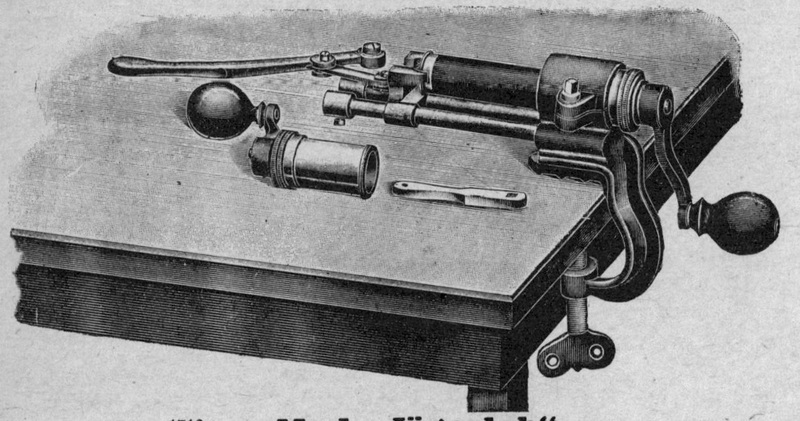

1713 a **Mod. „Jägerlob".**

Lade-bretter. | Planche à charger. | Loading boards. | Planchas de cargar.

1670—1674.

1713 a. Supportführung, gerader sicherer Einschub, 1 auswechselbare Calibermatrize wird mitgeliefert, spielend leichtes Rändeln, hochfeine Stahlteile für lange und kurze Patronen.

1670. Passend für 20 Lefaucheux- u. Centralfeuer-Schrot-Patronen.

1671. Passend für 50 Lefaucheux- u. Centralfeuer-Schrot-Patronen.

1672. Passend für 20 Centralfeuer-Schrot-Patronen.

1673. Passend für 50 Centralfeuer-Schrot-Patronen.

1674. Passend lür 50 Centralfeuer-Büchsen-Patronen.

1713 a. A support, nous joignons à la machine une matrice à calibre interchangeable, sertissage agréable et facile, pièces d'acier extra, pour cartouches longues et courtes.

1670. Pour 20 cartouches à plombs Lefaucheux et à feu central.

1671. Pour 50 cartouches à plombs Lefaucheux et à feu central.

1672. Pour 20 cartouches à plombs à feu central.

1673. Pour 50 cartouches à plombs à feu central.

1674. Pour 50 cartouches de carabine à feu central.

1713 a. Support motion, straight and safe insertion, interchangeable caliber matrisces also included, very easy crimping, very fine steel parts for long and short cartridges.

1670. Suitable for 20 Lefaucheux and Centerfire shot cartridges.

1671. Suitable for 50 Lefaucheux and Centerfire shot cartridges.

1672. Suitable for 20 Centerfire shot cartridges.

1673. Suitable for 50 Centerfire shot cartridges.

1674. Suitable for 50 Centerfire rifle cartridges.

1713 a. Entregamos junto con la máquina un modelo de calibre intercambiable, engaste agradable y facil, piezas de acero de primera, para cartuchos largos y cortos.

1670. Para 20 cartuchos de perdigones Lefaucheux y de fuego central.

1671. Para 50 cartuchos de perdigones Lefaucheux y de fuego central.

1672. Para 20 cartuchos de perdigones de fuego central.

1673. Para 50 cartuches de perdigones de fuego central.

1674. Para 50 cartuchos de carabina de fuego central.

No.	1711	1712	1713	1713 a	1670	1671	1672	1673	1674
†	Havel	Horid	Horlack	Horlalok	Finat	Fetras	Filout	Filzig	Fidrol
							pro 100		
Mark	5.40	4.60	5.—	8.40	55.—	130.—	39.—	96.—	54.—

Lademaschinen für Büchsenmacher-Werkstätten. | Machines à charger pour ateliers d'armuriers. | Loading Machines for gun-smiths work-shops. | Máquinas de cargar, para talleres de armeros.

30 Patronen pro Minute. | 30 cartouches à la minute. | 30 cartridges a minute. | 30 cartuchos por minuto.

60 Patronen pro Minute. | 60 cartridges a minute.
60 cartouches à la minute. | 60 cartuchos por minuto.

Stahl-Rändelknopf. | Steel crimping-cup.
Bouton à vis en acier. | Botón destornillable, de acero.

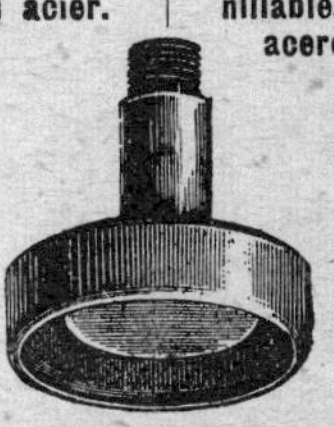

1718

1719

1718 a

1718. Grosse Rändelmaschine für Hand- und Fussbetrieb, Zahnradübertragung, schnelles **leichtes Arbeiten,** Stahlrändelknopf.

1719. Fussbetrieb, Präzisionsmaschine, **spielend leicht** arbeitend, ganz aus Stahl und Eisen, mit Eisenfuss und Holztischplatte, Stahlrändelknopf.

1718 a. Stahlrändelknopfe zu 1718 und 1719, eckig oder rund rändelnd in allen Calibern.

1718. Grand et fort sertisseur pouvant marcher au pied ou à la main, fonctionnement à dents, **travail rapide et facile,** bouton sertisseur en acier.

1719. Marchant au moyen du pied, machine de précision, travail **extrêmement facile et agréable,** entièrement en acier et en fer, avec pied en fer, plaquette de bois, bouton sertisseur en acier.

1718 a. Boutons sertisseurs en acier pour 1718 et 1719, sertissant en rond ou en angles, en tous calibres.

1718. Large crimping-machine for hand- and foot-work, cog-wheel transmission, **very quick and easy working,** steel crimping-cup.

1719. Foot-work, precision-machine, **very easy and convenient working,** of steel and iron entirely, with iron foot and wooden table top, steel crimping cup.

1718 a. Steel crimping cups for 1718 and 1719, for cornered and round crimping in all calibers.

1718. Grande y fuerte, pudiendó marchar á pié y á mano, funcionamiento de dientes, **trabajo rapido y facil,** botón de acero.

1719. Marcha por medio del pié, máquina de precision, **trabajo extremadamente fácil y agradable.** Enteramente de acero y de hierro, con pié de hierro, plaqueta de madera, botón de acero.

1718 a. Botones machacadores de acero para 1718 y 1719, machacando en redondo ó en ángulos, en todos los calibres.

Ladeblock. | **Blocs à chargement.** | **Loading Blocks.** | **Formas cargadoras.**

Climax.

1000 Patronenhülsen in 60 Minuten fix und fertig geladen, für Schwarz- und rauchloses Pulver.	Charge 1000 douilles de cartouches en 60 minutes, pour poudre noire et sans fumée.	1000 cartridge-shells ready loaded in 60 minutes, for black and smokeless powder.	Carga 1000 tubos de cartuchos en 60 minutos, para pólvora negra y sin humo.

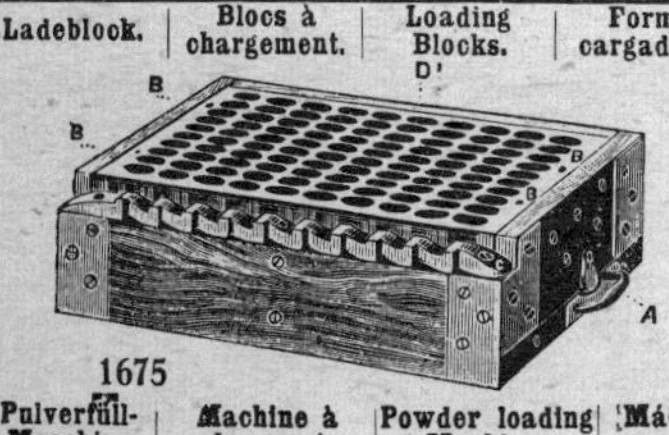

1675

Pulverfüll-Maschine.	Machine à charger à poudre.	Powder loading Machine.	Máquina para cargar pólvora
Schrotfüll-Maschine.	Machine à charger à plombs.	Shot loading Machine.	machina para cargar perdigones.

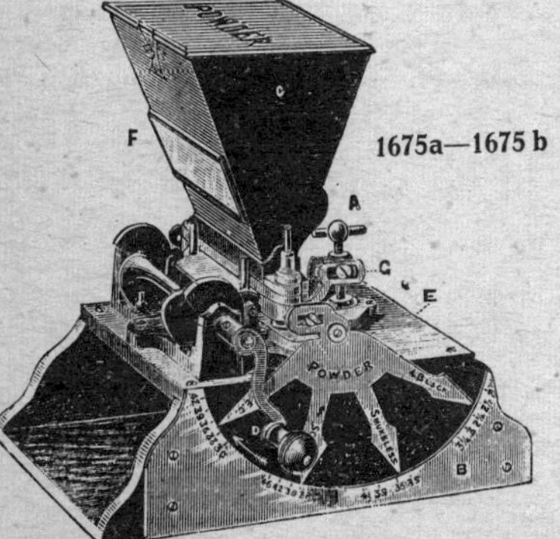

1675a—1675 b

Pfropfenpress-Maschine.
Machine presse-bourres.
Wad Press Machine.
Máquina de prensar tacos.

1675 c.

Pfropfen-trichter. | Loading funnels.
Entonnoirs pour bourres. | Embudos cargadores.

1675 d

Pulver- und Schrotbehälter. | Powder and shot receptacle.
Récipient pour poudre et plombs. | Vasija para perdigones y pólvora.

1675 e

Die komplette Anlage erfordert folgende Teile, passend für alle Caliber mit Ausnahme von 1675 und 1675 d, die pro Caliber zu bestellen sind:

1675. Aus Holz und Messing mit Schiebedeckel, für 100 Patronen für je 1 Caliber.

1675 a. Holz-Messing-Stahl, Trichter mit Glasplatte, Präzisionseinstellung für **Pulvermass,** jede Drehung ladet 10 Patronen.

1675 b. Wie 1675 a für **Schrotladung.**

1675 c. Aus Holz-Stahl-Schmiedeeisen, automatisch und für **jede Höhe einstellbar.**

1675 d. Aus Messing für **je 1 Caliber,** Aufsatz zu 1675.

1675 e. **Aus Eisen, schwarz** emailliert, für **Pulver** und **Schrot** zum Leeren und Füllen der Maschinen.

Une organisation complète comporte les pièces suivantes, qui conviennent à tous les calibres à l'exception des 1675 et 1675 d qui sont à commander d'après calibre:

1675. En bois et laiton avec couvercle, pour 100 cartouches d'un même calibre.

1675 a. En bois-laiton-acier, entonnoir avec plaque de verre, **système de précision** pour poudre, à chaque tour 10 cartouches se trouvent chargées.

1675 b. Comme 1675 a **pour chargement à plombs.**

1675 c. En bois-acier et fer forgé, automatique, **fixable à toute hauteur.**

1675 d. En laiton, en 1 calibre, accessoire pour à 1675.

1675 e. **En fer, noir, émaillé, pour plombs et poudre,** pour emplir ou vider les machines.

A complete equipment comprises the following parts, and with the exception of 1675 and 1675d, which must be ordered in accordance with the caliber, same are suitable for all calibers:

1675. Of wood and brass, with sliding lid for 100 catridges of one caliber each.

1675 a. Wood-brass-steel, funnel with glass plate, arrangement for precise **measuring of powder,** 10 cartridges loaded with each turn.

1675 b. Like 1675 a **for loading of shot.**

1675 c. Of wood steel and forged iron **can be adjusted automatically and for any height.**

1675 d. Of brass for 1 caliber each, top piece for 1675.

1675 e. **Of iron, enamelled black, for powder and shot** for emptying and filling of the machines.

Una organización completa requiere las piezas siguientes, que convienen á todos los calibres, á excepción de los 1675, 1675 d, los cuales hay que pedir con arreglo al calibre:

1675. De madera y latón, con tapadera; para 100 cartucheras de un mismo calibre.

1675 a. De madera, latón, acero, embudo con placa de vidrio, **sistema de precisión para pólvora;** á cada vuelta se encuentran cargados 10 cartuchos.

1675 b. Comó 1675 a **para cargamento de perdigones**

1675 c. De madera, acero é hierro forjado automático, **fijable de toda altura.**

1675 d. De latón, en 1 calibre, accessorio para 1675.

1675 e. **De hierro, negro, esmaltado, para perdigones y pólvora, para llenar ó vaciar** las máquinas.

No.	1718	1719	1718 a	1675	1675 a	1675 b	1675 c	1675 d	1675 e
†	Heinar	Hautrot	Hamaus	Finelt	Finga	Fangei	Fellas	Filop	Fingor
Mk.	126.—	340.—	100.— per 100	202.50	435.—	435.—	356.—	82.—	7.50

Spezial-Körner und Visiere. | Points de mire et visières spéciaux. | Special front and rear sights. | Puntos de apontadores mira y especiales.

Umlegediopter.
1933. **Mit Stellschraube** im Gehäuse zum Anpassen auf **Büchsen, Büchsflinten, Drillingen etc.**, verdeckt liegend.

Mireur pliant.
1933. **Muni de vis defixation, s'appose sur les carabines, les carabines-fusils, les fusils à 3 canons** etc. etc., disparaît complètement quand il est plié.

1933

Foldingpeep-sight
1933. **With adjusting screw** in box, for fitting **on to rifles, rifles and shot guns, 3 barrels etc.**, in covered position.

Mirador plegable.
1933. **Provisto de tornillo de fijación**, se coloca sobre **las carabinas, las carabinas-fusiles, los fusiles de 3 cañonas etc. etc.**, dispara completamente cuando esta plegado.

Original-Lyman-Diopter
für **Repetier-Gewehre: Winchester. Colt. Marlin. Savage. Mauser. Mannlicher.**

Appareil-Lyman-Original
pour **armes à répétition: Winchester. Colt. Marlin. Savage. Mauser. Mannlicher.**

1920

Original-Lyman-Sight,
for **repeating guns: Winchester. Colt. Marlin. Savage. Mauser. Mannlicher.**

Aparato-Original-Lyman,
para **fusiles de repetición: Winchester. Colt. Marlin. Savage. Mauser. Mannlicher.**

1920. Wie abgebildet, amerikanisch schwarzblau, inkl. Schrauben zum Befestigen.

1920. Suivant l'illustration, bleu américain, avec vis pour fixer l'appareil.

1920. As in illustration, black blue American style, as in illustration.

1920. Según el grabado, azul americano, con tornillo para fijar el aparato.

Witzleben's Leuchtkorn.

Dieses Korn dient dazu, im **dunklen** doch noch zielen zu können. Es wird über die Laufmündung gezogen. Man muss es den Tag über dem Tageslicht aussetzen, wodurch es für die Dunkelheit die phosphoreszierende Leuchtkraft erhält. Lässt letztere nach, so halte man einen brennenden Magnesiumstreifen an das Korn.

Point de mire Witzleben lumineux.

Ce point de mire permet de viser **dans l'obscurité.** On le fixe près de l'embouchure du canon. Dans la journée on doit l'exposer à la lumière du jour, afin qu'il acquiert ainsi la phosphorescence qui lui est nécessaire la nuit. Faute de lumière du jour il n'y aurait qu'à approcher du point de mire une branche de magnesium en feu.

Witzleben's luminous sight.

This sight enables one to take aim **in the dark.** It is drawn over the muzzle of the barrel. During the day it must be exposed to the daylight, by which means it obtains in the darkness a phosphorising luminosity. If the latter subsides hold a burning strip of magnesium to the bead.

Punto de mira luminoso Witzleben.

Este punto de mira permite apuntar **en la oscuridad.** Se fija cerca de la boca del cañón. Durante el dia se debe exponer ó la luz del dia, con objeto de que de este modo tome la fosforescencia que le es necesaria por la noche. Falto de luz del dia hay que aproximar al punto de mira un ramo de magnesio en fuego.

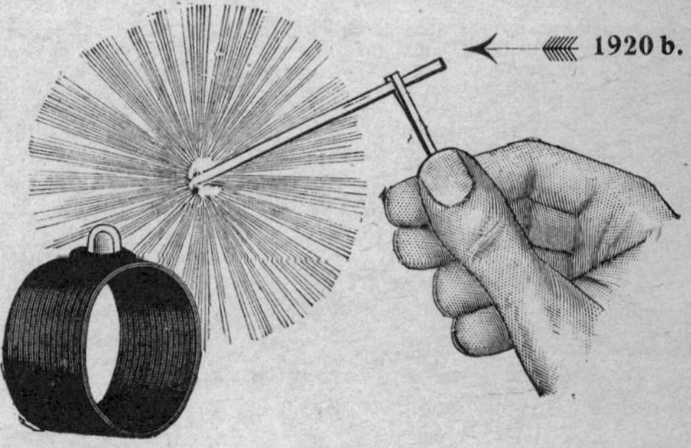
1920 b.
1920 a

1920 a. **Leuchtkorn mit Gummiring,** passend für **Doppelflinten aller Caliber** inklusive Magnesiumband in Karton.

1920 a. **Point de mire lumineux avec anneau de caoutchouc,** allant **à tous les fusils à 2 canons de tous calibres,** avec bande de magnésium en carton.

1920a. **Luminous sight with rubber ring,** suitable for **double barrel guns of all calibers,** including band of magnesium in cardboard box.

1920 a. **Punto de mira luminoso con anillo de cautchuc, adecuado à todos los fusiles de 2 cañones de todos calibres,** con cinta de magnesio, en cartón.

1920 b. **Reservemagnesiumband,** 1 Meter.

1920 b. **Bande de magnésium de réserve,** d'un mètre de long.

1920 b. **Spare band of magnesium** 1 meter in length.

1920 b. **Cinta de magnesio de reserva,** de un metro de largo.

Englicht's Nachtgabelvisier.

Wird auf den Flintenlauf geschoben, die **Gabeln reflektieren das Licht** auf das Korn, sodass **letzteres** in **der Dunkelheit beleuchtet** wird. Man kann damit sehr **schnell schiessen,** da das **Auge schnellen** und **sicheren Anhalt** für die Visierbahn findet.

Visière fourche Englicht.

Est poussé sur le canon du fusil, **la fourche réflechit la lumière** sur le point de mire de sorte que **celui-ci devient lumineux dans l'obscurité.** On peut **ainsi tirer très vite, car l'oeil trouve sur le champ et avec la plus grande facilité la voie pour viser.**

Englicht's fork sight for the night.

Is slid over the barrel of the gun, **the forks reflect the light** on to the bead, so that **the latter is illuminated in the dark.** One can shoot **very quickly with same as it at once gives the eye the proper plane of sight.**

Mira-horguilla „Englicht".

Se empuja sobre el cañón del fusil, la **horquilla refleja la luz** sobre el punto de mira de suerte que **este se vuelve luminoso en la oscuridad.** Así se puede **tirar muy ligero, pués el ojo mira sobre el campo y con la mayor facilidad** la via **para apuntar.**

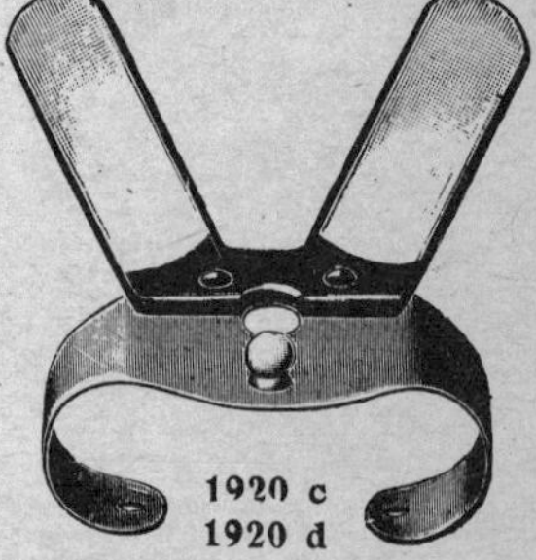
1920 c
1920 d

1920 c. Passend für **Flinten, Büchsflinten und Drillinge** aller Caliber mit Haltefeder.

1920 c. Allant sur **les fusils, carabines-fusils et fusils à 3 canons** de tous calibres, avec ressort de fixation.

1920c. Suitable **for guns, rifles and shot-guns combined and 3 barrels** of all calibers with spring clasp.

1920 c. Adecuado sobre **los fusiles, carabinas, fusiles y fusiles de 3 cañones de** todos los calibres, con resorte de fijación.

1920 d. Mit **Schraubenbefestigung für alle Sorten Büchsen, Browningflinten etc.**

1920 d. Avec **fixation à vis,** pour **toutes sortes de carabines, pour fusils Browning etc.**

1920 d. **With screw attachment for all kinds of rifles, Browning guns etc.**

1920 d. **Fijación de mira con tornillo, para todas las clases de carabinas,** para **fusiles Browning** etc.

No.	1933	1920	1920 a	1920 b	1920 c	1920 d
†	Messur	Lasso	Lassowitz	Lassomag	Lassoeng	Lassoenfi
Mark	**10.—**	**16.—**	pro 10: **12.—**	pro 10: **1.50**	**6.80**	**8.20**

Spezial-Körner und Visiere. | Points de mire et visières spéciaux. | Special front and rear sight. | Puntos de mira y apuntadores especiales.

Frank's elektrisches Leuchtkorn.

B ist die Batterie, die unter dem Lauf liegt.

A ist der **Gummiring**, der das Korn mit **Glühlämpchen** trägt.

Der Apparat ermöglicht **das Zielen selbst bei grösster Dunkelheit.**

Point de mire Frank lumineux et électrique.

B est la **batterie**, qui se met en dessous du canon.

A est l'anneau de **caoutchouc** qui porte le point de mire **avec une petite lampe.**

L'appareil permet de viser même dans la plus grande obscurité.

Frank's electric and luminous sight.

B is the **battery**, lying underneath the barrel.

A is the **rubber ring** holding the bead with small **incandescent lamp.**

This apparatus renders **sighting possible even in the greatest darkness.**

Punto de mira Frank, luminoso y eléctrico.

B es la **batería**, que se pone debajo del cañón.

A es el **anillo de cautchuc** que lleva el punto de mira con una **pequeña lámpara.**

El aparato permite **apuntar también en la más grande oscuridad.**

Anwendung des Frank'schen elektr. Leuchtkorns

1920e. 1920f. 1920g.

1920e. Kompletter Apparat mit Batterie - Leuchtkorn, mit Lämpchen und Gummiring.
1920f. 1 Ersatzbatterie.
1920g. 1 Ersatzlämpchen.

1920e. Appareil complet, avec batterie point de mire lumineux, lampe et anneau de caoutchouc.
1920f. Batterie de réserve.
1920g Petite lampe de réserve.

1920e. Complete apparatus with battery, luminous bead with small lamp and rubber ring.
1920f. 1 spare battery.
1920g. 1 spare lamp.

1920e. Aparato completo, con batería, punto de mira luminoso, lámpara y anillo de cautchuc.
1920f. Batería de reserva.
1920g Pequeña lámpara de reserva.

Teile für Scheibenbüchsen. | Pièces pour carabines à cible. | Parts for target-rifles. | Piezas para carabinas de tiro al blanco.

Diopter. | Mireurs. | Peep sights. | Miras diopticas.

1921

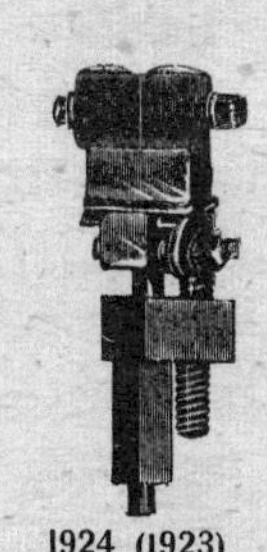

1922

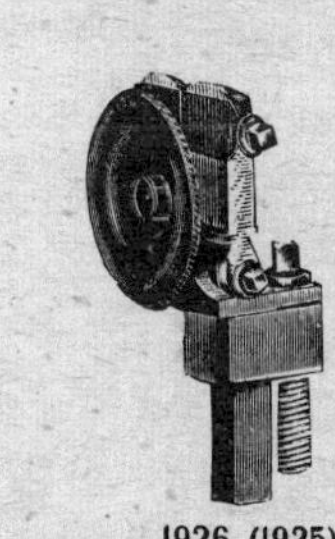

1924 (1923)

1926 (1925)

1928

1931

1921. **Schweizerdiopter** mit Schlüssel.
1922. **Steigdiopter** mit Gabel und Fuss.
1923. „ „ verstellbarer Gabel.
1924. Wie 1923 **ohne** Scheibe für Feld.
1925. **Steigdiopter** mit **seitlich** angeordnetem Fuss.
1926. Wie 1925 mit **verstellbarer Gabel**.
1927. Wie 1926 **ohne** Scheibe für Feld.
1928. **Steigdiopter** mit **hohem Fuss**, Gabel und Scheibe für Mauser und Aydt.
1929. **Steigdiopter, verstellbare Gabel** und Scheibe.
1930. Wie 1929 **ohne Scheibe** für Feld.
1931. **Steigdiopter** für **Zimmerstutzen ohne** Fuss.
1932. „ mit **einseitigem** Fuss.

1921. **Mireur suisse** avec clef.
1922. „ **mobile** avec fourche et pied.
1923. „ „ „ „ réglable.
1924 Comme 1923 **sans** disque pour champ.
1925. **Mireur mobile** avec pied **latéral.**
1926. Comme 1925 avec **fourche réglable.**
1927. Comme 1926 **sans** disque pour champ.
1928. **Mireur mobile avec pied élevé,** fourche et disque pour Mauser et Aydt.
1929. **Mireur mobile, fourche et disque réglables.**
1930. Comme 1929 **sans** disque pour champ.
1931. **Mireur mobile** pour **tir de salon, sans pied.**
1932. „ „ „ **pied latéral.**

1921. **Swiss peep** sight with key.
1922. **Elevating peep sight** with fork and foot
1923. „ „ „ with adjustable fork.
1924. Like 1923 **without** disc for field.
1925. **Elevating peep sight with foot at side.**
1926. Like 1925 **with adjustable fork.**
1927. Like 1926 **without** target for field.
1928. **Elevating peep sight with high foot,** fork and target for Mauser and Aydt.
1929. **Elevating peep sight, adjustable fork** and disc.
1930. Like 1929 **without disc** for field.
1931. **Elevating peep sight for indoor rifles without foot.**
1932. „ „ „ **with foot at side.**

1921. **Mira diop. suizo,** con llave.
1922. „ „ **movible** con horquilla y pié.
1923. „ „ „ „ „ arreglable.
1924. Como 1923 **sin** disco para campo.
1925. **Mira movible** con pié **lateral.**
1926. Como 1925, con **horquilla arreglable.**
1927. Como 1926, **sin** disco, para campo.
1928. **Mira movible con pié elevado, horquilla** y disco para Mauser y Aydt.
1929. **Mira movible, horquilla y disco arreglable.**
1930. Como 1929 **sin disco** para campo.
1931. **Mira movible para tiro de salón, sin pié.**
1932. „ „ „ **pié lateral.**

No.	1920e	1920f	1920g	1921	1922	1923	1924	1925	1926	1927	1928	1929	1930	1931	1932
†	Lassofrak	Lassofrala	Lassofribo	Lambil	Larva	Lastis	Lasting	Leder	Lasenc	Leaver	Leward	Laxi	Latria	Meanty	Measles
Mk.	7.50	pro 10: 10.—	pro 10: 15.—	2.50	5.—	7.50	6.—	7.50	8.50	7.50	6.—	7.20	6.40	4.50	6.50

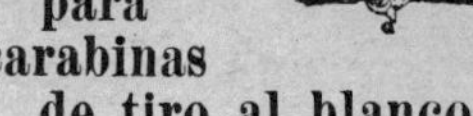

Teile für Scheibenbüchsen. | Pièces pour carabines à cible. | Parts for target-rifles. | Piezas para carabinas de tiro al blanco.

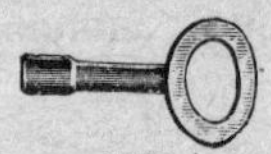

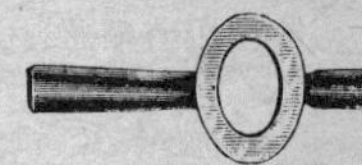

1934 1935 1936/1942 1943 1947 1948

1934. **Diopterfüsse** für Tesching etc.
1935. **Halteschrauben** für Diopter.
1936. **Diopterscheiben**, ca. 40 mm.
1937. „ „ 50 „
1938. „ „ 55—60 mm.
1939. „ „ 75 mm.
1940. } **Fertig mattiert und gebräunt** wie 1937.
1941. „ 1938.
1942. „ 1939.
1943. **Diopterscheiben** mit Einrichtung für Glaseinlage.
1944. **Diopterscheiben** von Schmiedeeisen, 50 mm Durchm.
1945. **Diopterscheiben** von Schmiedeeisen, 70 mm Durchm.
1946. **Gelbe Gläser** zum Einlegen.
1947. **Diopterschlüssel**, einfach.
1948. „ doppelt.
1949. **Hornpillen.**
1950. **Stahlpillen.**

1934. **Pieds de mireur** pour carabines Flobert etc.
1935. **Vis d'arrêt** pour mireur.
1936. **Disques de mireurs**, d'environ 40 mm.
1937. „ „ „ „ 50 „
1938. „ „ „ „ 55—60 „
1939. „ „ „ „ 75 „
1940. } **Finis, mats, brunis** comme 1937.
1941. „ 1938.
1942. „ 1939.
1943. **Disques pour mireurs** avec disposition pour garniture deverre.
1944. **Disques pour mireurs** en fer forgé, diamètre de 50 mm.
1945. **Disques pour mireurs** en fer forgé, diamètre de 70 mm.
1946. **Verres jaunes** pour disques
1947. **Clef pour mireur**, simple.
1948. **Clef pour mireur**, double.
1949. Pilule en corne.
1950. Pilule en acier.

1934. **Peep sight feet** for small rifles etc.
1935. **Holding screws**, for peep sights.
1936. **Discs** for peep sights, about 40 mm.
1937. „ „ „ „ „ 50 „
1938. „ „ „ „ „ 55—60 „
1939. „ „ „ „ „ 75 „
1940. } **Ready matted and bronzed** like 1937.
1941. „ 1938.
1942. „ 1939.
1943. **Discs** for peep sights, with arrangement for insertion of glass.
1944. **Discs** for peep sights, of wrought iron, 50 mm in diameter.
1945. **Discs** for peep sights, of wrought iron, 70 mm in diameter.
1946. **Yellow glasses** for insertion.
1947. **Keys** for peep sights, simple.
1948. **Keys** for peep sights, double.
1949. **Lenses of horn.**
1950. **Lenses of steel.**

1934. **Piés de miras** para carabinas Flobert etc.
1935. **Tornillo de parar,** para miras diopticas.
1936. **Discos para miras** de 40 mm próximamente.
1937. **Discos para miras,** de 50 mm próximamente.
1938 **Discos para miras,** de 55—60 mm próximamente
1939. **Discos para miras,** de 75 mm próximamente.
1940. } **Acabados, mates, bruñidos** como 1937.
1941. „ 1938.
1942. „ 1939.
1943. **Discos** para miras con disposición, para montura de vidrio.
1944. **Discos** para miras de hierro forjado, diametros de 50 mm.
1945. **Discos** para miras de hierro forjado diametros de 70 mm.
1946. **Vidrios amarillos** para discos.
1947. **Llave para mira diopt.,** sencilla.
1948. „ „ „ „ doble.
1949. **Pildora** de cuerno.
1950. „ „ acero.

Visiere. | Hausses. | Sights. | Alzas.

1956

1957

1958

1958 a

1956. **Schweizervisier.**
1957. do. **gross** für Laufschiene.
1958. **Supportvisier** mit Doppelstellung und Feder.
1959. **Schweizervisier** mit Feder, Schlüssel, für Pistolen.
1960. **Supportvisier** mit Feder, Schlüssel, für Pistolen.
1958 a. Wie 1958 mit fein, **verziertem** Kimmenplättchen, beste Qualität.

1956. **Hausse suisse.**
1957. **Hausse suisse, grande,** pour bande de canon.
1958. **Hausse à support,** avec double position et ressort.
1959. **Hausse suisse,** avec ressort et clef, pour pistolets.
1960. **Hausse à support,** avec ressort et clef, pour pistolets.
1958 a. Comme 1958 avec plaquette **garnie,** qualité extra.

1956. **Swiss sight.**
1957. **Swiss sight large** for extension rib.
1958. **Support sight** with double position and spring.
1959. **Swiss sight** with spring and key for pistols.
1960. **Support sight** with spring and key for pistols.
1958 a. Like 1958 with finely **decorated** notched plates, best quality.

1956. **Alza suiza.**
1957. **Alza suiza grande** para cinta de cañon.
1958. **Alza de soporte** con doble posición y resorte.
1959. **Alza suiza con resorte** y llave para pistolas.
1960. **Alza de soporte con resorte** y llave para pistolas.
1958. Como 1958 con plaquita, calidad extra.

Körner (siehe auch Seite 517). | Guidons (voir aussi page 517). | Front sights (see also page 517). | Guiones (véase también página 517).

1968 1971 1970 1969 1972 1973 1967

1967. **Sattelkorn** mit auswechselbarer **Perle.**
1968. „ „ auswechselbarem **Mantel** und **Feldkorn.**
1969. **Federsattelkorn** mit Mantel und Feldkorn.
1970. **Reservemäntel** zu 1967/1969.
1971. **Feldkorn** zu 1967/1969.
1972. „ mit **Perle** für **Wildscheibe.**
1973. **Sattelsupportkorn** mit auswechselbarem Mantel und Feldkorn.

1967. **Guidon avec perle** interchangeable.
1968. „ „ **battants** et pointe de mire interchangeables.
1969. **Guidon avec battants** et pointe de mire.
1970. **Battants de réserve** pour 1967/1969.
1971. **Point de mire** pour 1967/1969.
1972. **Point de mire** avec **perle et disque pour la chasse.**
1973. **Guidon à support** avec battant et point de mire interchangeables.

1967. **Saddle sight** with interchangeable pearl.
1968. „ „ „ „ **mantle** and **field sight.**
1969. **Spring saddle sight** with mantle and field sight.
1970. **Reserve mantle** to 1967/1969.
1971. **Field sight** to 1967/1969.
1972. „ „ with pearl for game target.
1973. **Saddle support beads** with interchangeable mantle and field sight.

1967. **Guiones con perla** intercambiable.
1968. „ „ **batientes** y punto de mira intercambiable.
1969. **Guiones con batientes** y punto de mira.
1970. **Batientes de reserva** para 1967/19
1971. **Punto de mira** para 1967/1969.
1972. „ „ „ **con perla y disco para la caza.**
1973. **Guion de soporte** con batiente y punto llave mira la caza.

Sattelkorn D. R. G. M. | Guidon D. R. G. M. | Saddle sight D. R. G. M. | Guión D. R. G. M.

offen
ouvert
open
abierto

geschlossen
fermé
closed
cerrado

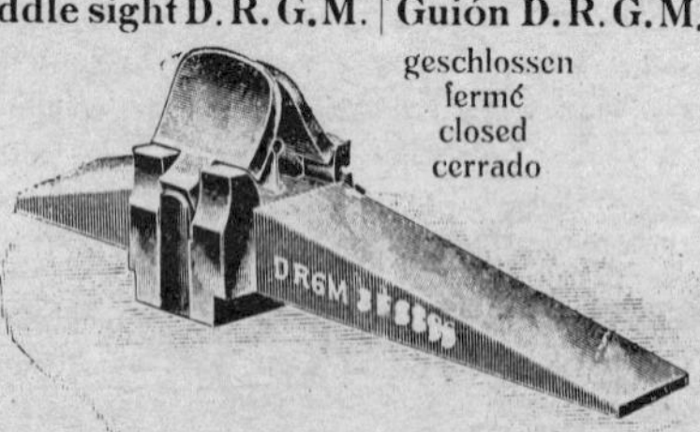

1973 a

Sternkorn D. R. G. M. | Guidon „stern" (étoile) D. R. G. M. | Drav sight D. R. G. M. | Guión „Stern" estrella D. R. G. M.

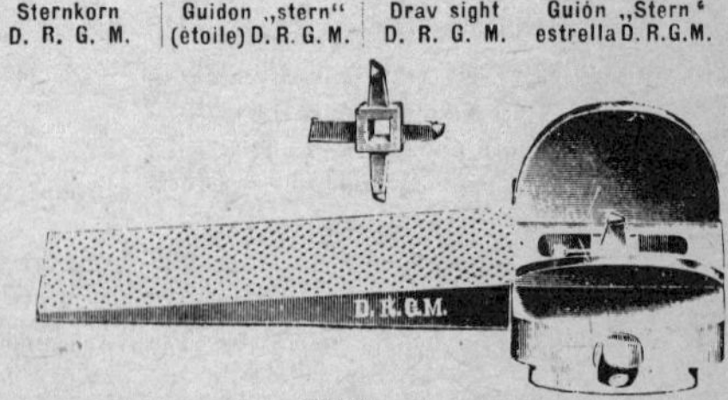

1973 b

1973 a. Mit **zusammenklappbaren Seitenflügeln zum Schutze** der feinen **Kornperle** beim Tragen im Futterale etc.

1973 b. **Fertig schraffiert und gebläut** zum Aufsetzen. Kein Auswechseln des Korns mehr nötig. Man dreht die Axe, auf der sich 3 verschieden starke Perlkörner und 1 Feldkorn befinden.

1973 a. **Avec ailes latérales rabattables pour préserver** le pointe de mire très fine, lorsqu'on porte l'arme en fourreau etc.

1973 b. **Très bien travaillé et bleui,** pour changer de point de mire il suffit simplement de tourner l'étoile, qui se compose de 4 points de mire dont 3 perles.

1973 a. With **folding side wings for protection of the fine pearl beads** when carried in case etc.

1973 b. **Finely finished and blued** for putting on renders changing of sight unnecessary. One turns the axle on which 3 pearl sights of different size and 1 field sight are contained.

1973 a. **Con alas laterales rebatables para preservar el punto de mira muy fino,** cuando se lleva el arma en vaina etc.

1973 b. **Muy bien trabajado y azulado.** Para cargar de punto de mira es suficiente doblar sencillamente la estrella, que se compone de 4 puntos de mira, de los cuales 3 perlas.

No.	1934	1935	1936	1937	1938	1939	1940	1941	1942	1943	1944	1945	1946	1947	1948	1949	1950
†	Muting	Meaner	Meitra	Maundi	Marki	Maiskorn	Mechan	Measly	Meeknes	Maitrank	Minero	Memoir	Meseems	Melit	Merry	Mesent	Mespris
pro	10	10	10	10	10	10	10	10	10	10	10	10	10	10	10	10	10
Mark	10	1.20	12	15	18	36	25	30	44	45	84	96	25	2.60	3.60	1.50	1.80

No.	1956	1957	1958	1959	1960	1958a	1967	1968	1969	1970	1971	1972	1973	1973a	1973b
†	Menstan	Mendmont	Menmart	Menman	Memwo	Menderfei	Silabre	Sicurt	Silba	Sinos	Semin	Selfer	Senior	Seniorsat	Seniorster
pro	10	10	10	10	10	10	10	10	10	10	10	10	10	1	1
Mark	20	25	37	28	40	45	10	30	35	10	6.40	17	40	5.50	11.50

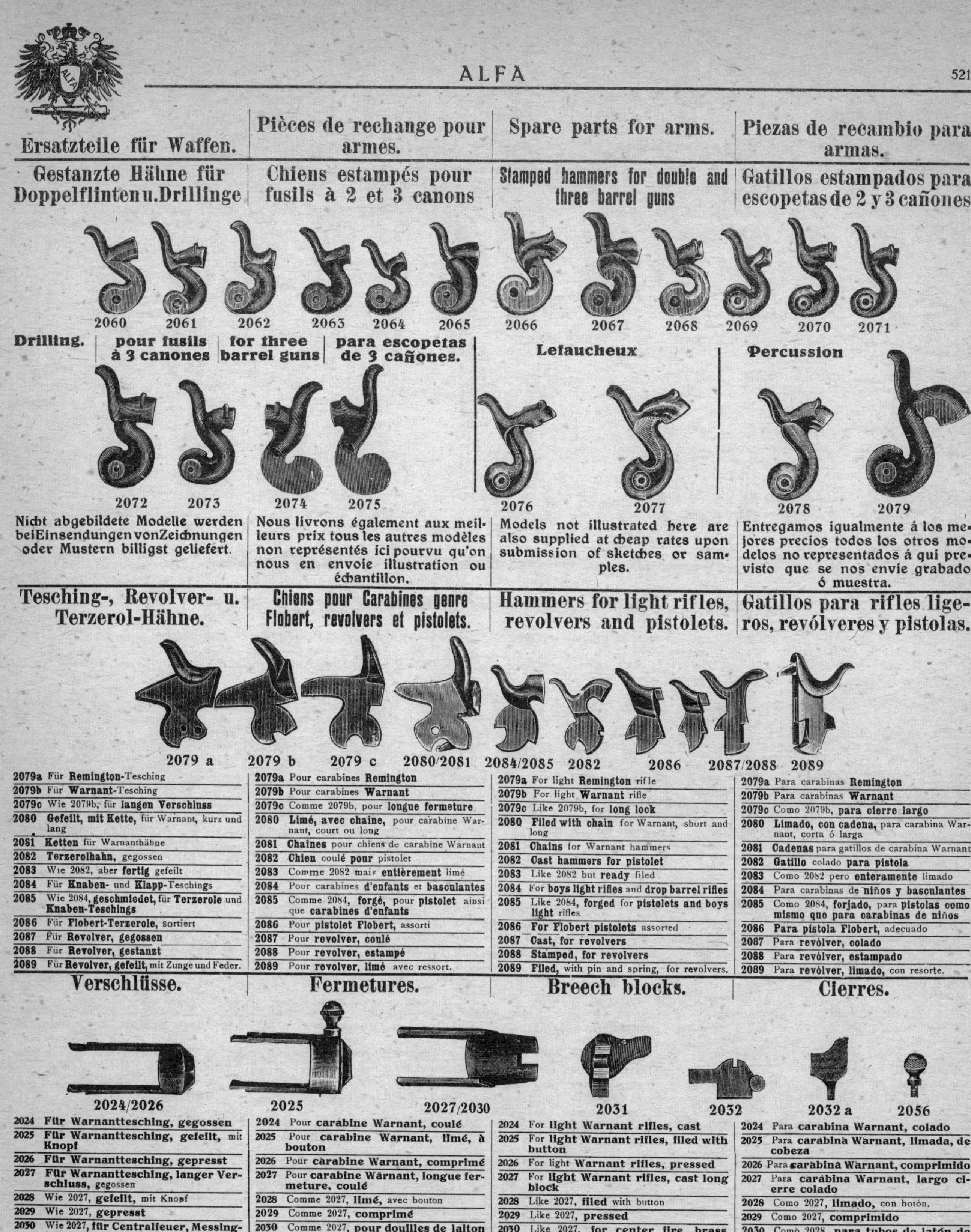

Ersatzteile für Waffen.

Pièces de rechange pour armes.

Spare parts for arms.

Piezas de recambio para armas.

Gestanzte Hähne für Doppelflinten u. Drillinge

Chiens estampés pour fusils à 2 et 3 canons

Stamped hammers for double and three barrel guns

Gatillos estampados para escopetas de 2 y 3 cañones

2060 2061 2062 2063 2064 2065 2066 2067 2068 2069 2070 2071

Drilling. | pour fusils à 3 canons | for three barrel guns | para escopetas de 3 cañones.

2072 2073 2074 2075

Lefaucheux

2076 2077

Percussion

2078 2079

Nicht abgebildete Modelle werden bei Einsendungen von Zeichnungen oder Mustern billigst geliefert.

Nous livrons également aux meilleurs prix tous les autres modèles non représentés ici pourvu qu'on nous en envoie illustration ou échantillon.

Models not illustrated here are also supplied at cheap rates upon submission of sketches or samples.

Entregamos igualmente á los mejores precios todos los otros modelos no representados á qui previsto que se nos envíe grabado ó muestra.

Tesching-, Revolver- u. Terzerol-Hähne.

Chiens pour Carabines genre Flobert, revolvers et pistolets.

Hammers for light rifles, revolvers and pistolets.

Gatillos para rifles ligeros, revólveres y pistolas.

2079 a 2079 b 2079 c 2080/2081 2084/2085 2082 2086 2087/2088 2089

2079a	Für **Remington**-Tesching
2079b	Für **Warnant**-Tesching
2079c	Wie 2079b, für **langen Verschluss**
2080	**Gefeilt, mit Kette,** für Warnant, kurz und lang
2081	**Ketten** für Warnanthähne
2082	**Terzerolhahn,** gegossen
2083	Wie 2082, aber **fertig** gefeilt
2084	Für **Knaben-** und **Klapp-**Teschings
2085	Wie 2084, **geschmiedet,** für **Terzerole** und **Knaben-Teschings**
2086	Für **Flobert-Terzerole,** sortiert
2087	Für **Revolver, gegossen**
2088	Für **Revolver, gestanzt**
2089	Für **Revolver, gefeilt,** mit Zunge und Feder.

2079a	Pour carabines **Remington**
2079b	Pour carabines **Warnant**
2079c	Comme 2079b, pour **longue fermeture**
2080	**Limé, avec chaine,** pour carabine Warnant, court ou long
2081	**Chaines** pour chiens de carabine Warnant
2082	**Chien** coulé **pour** pistolet
2083	Comme 2082 mais **entièrement** limé
2084	Pour carabines **d'enfants** et **basculantes**
2085	Comme 2084, **forgé,** pour **pistolet** ainsi que **carabines d'enfants**
2086	Pour **pistolet Flobert,** assorti
2087	Pour **revolver,** coulé
2088	Pour **revolver, estampé**
2089	Pour **revolver, limé** avec ressort.

2079a	For light **Remington** rifle
2079b	For light **Warnant** rifle
2079c	Like 2079b, for **long lock**
2080	**Filed with chain** for Warnant, short and long
2081	**Chains** for Warnant hammers
2082	**Cast hammers for pistolet**
2083	Like 2082 but **ready** filed
2084	For **boys light rifles** and **drop barrel rifles**
2085	Like 2084, **forged** for **pistolets and boys light** rifles
2086	**For Flobert pistolets** assorted
2087	**Cast, for revolvers**
2088	**Stamped, for revolvers**
2089	**Filed,** with pin and spring, for revolvers.

2079a	Para carabinas **Remington**
2079b	Para carabinas **Warnant**
2079c	Como 2079b, **para cierre largo**
2080	**Limado, con cadena,** para carabina Warnant, corta ó larga
2081	**Cadenas** para gatillos de carabina Warnant
2082	**Gatillo** colado **para pistola**
2083	Como 2082 pero **enteramente** limado
2084	Para carabinas de **niños y basculantes**
2085	Como 2084, **forjado,** para **pistolas como mismo que para carabinas de niños**
2086	**Para pistola Flobert,** adecuado
2087	Para **revólver, colado**
2088	Para **revólver, estampado**
2089	Para **revólver, limado,** con resorte.

Verschlüsse.

Fermetures.

Breech blocks.

Cierres.

2024/2026 2025 2027/2030 2031 2032 2032 a 2056

2024	**Für Warnanttesching, gegossen**
2025	**Für Warnanttesching, gefeilt,** mit **Knopf**
2026	**Für Warnanttesching, gepresst**
2027	**Für Warnanttesching, langer Verschluss,** gegossen
2028	Wie 2027, **gefeilt,** mit Knopf
2029	Wie 2027, **gepresst**
2030	Wie 2027, **für Centralfeuer, Messinghülse**
2031	Für **Remingtontesching,** gepresst
2032 / 2032a	Für **Flobert-Terzerole u. Knabenteschings,** gegossen
2056	**Knöpfe für Warnant.**

2024	Pour **carabine Warnant, coulé**
2025	Pour **carabine Warnant, limé, à bouton**
2026	Pour **carabine Warnant, comprimé**
2027	Pour **carabine Warnant, longue fermeture, coulé**
2028	Comme 2027, **limé,** avec bouton
2029	Comme 2027, **comprimé**
2030	Comme 2027, **pour douilles de laiton** à feu central
2031	Pour **carabine Remington,** comprimé
2032 / 2032a	Pour **pistolets Flobert et carabines** d'enfants, coulé
2056	**Boutons pour carabines Warnant.**

2024	For **light Warnant rifles, cast**
2025	For **light Warnant rifles, filed with button**
2026	For light **Warnant rifles, pressed**
2027	For **light Warnant rifles, cast long block**
2028	Like 2027, **filed** with button
2029	Like 2027, **pressed**
2030	Like 2027, **for center fire brass shell**
2031	For **light Remington rifle,** pressed
2032 / 2032a	For **Flobert pistolets and boys light rifles,** cast.
2056	**Buttons for Warnant rifles.**

2024	Para **carabina Warnant, colado**
2025	Para **carabina Warnant, limada, de cobeza**
2026	Para **carabina Warnant, comprimido**
2027	Para **carabina Warnant, largo cierre colado**
2028	Como 2027, **limado,** con botón.
2029	Como 2027, **comprimido**
2030	Como 2028, **para tubos de latón de fuego central**
2031	Para **carabina Remington,** comprimido
2032 / 2032ä	Para **pistolas Flobert y carabinas de niños**
2056	**Botones para carabinas Warnant**

No.	†	pro	Mark
2060	Tirsau	20	4.—
2061	Tergau	20	4.—
2062	Trapzunt	20	4.—
2063	Traken	20	4.—
2064	Trozen	20	4.—
2065	Tranor	20	4.—
2066	Treffer	20	4.—
2067	Teller	20	4.—
2068	Tenne	20	4.—
2069	Timor	20	4.—
2070	Tilmann	20	4.—
2071	Tigrin	20	4.—
2072	Tiflisko	20	4.—
2073	Troja	20	4.—
2074	Tarant	20	6.—
2075	Toranto	20	6.—
2076	Taffa	20	4.—
2077	Truding	20	4.—
2078	Tilly	20	4.—
2029	Training	20	4.—
2079a	Tedlos	10	2.40
2709b	Taktlos	10	2.40
2709c	Tairer	10	2.40
2080	Tiras	10	10.—
2081	Toranz	10	1.50
2082	Tanamp	10	1.50
2083	Tinors	10	6.—
2084	Tillag	10	1.50
2085	Timless	10	3.—
2086	Timber	10	1.50
2087	Timon	10	1.20
2088	Otron	10	1.80
2089	Otrun	10	9.—
2024	Schlamme	10	8.—
2025	Schlamku	10	9.—
2026	Staisain	10	6.—
2027	Stanza	10	4.—
2028	Sterne	10	11.—
2029	Stutzig	10	7.—
2030	Standol	10	9.—
2031	Stentol	10	2.20
2032	Strassbu	10	—.80
2032a	Schofung	10	—.80
2056	Stusia	10	—.80

Waffenstöcke Marke „Riemer“. | Cannes à épée marque „Riemer“. | Sword sticks brand „Riemer“. | Bastones espadas marca „Riemer“.

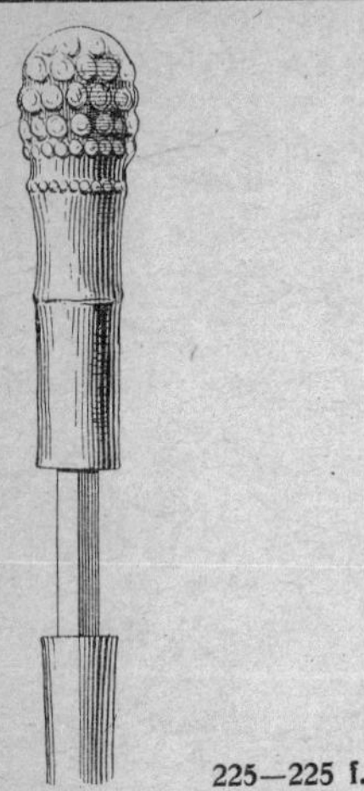
225—225 f.

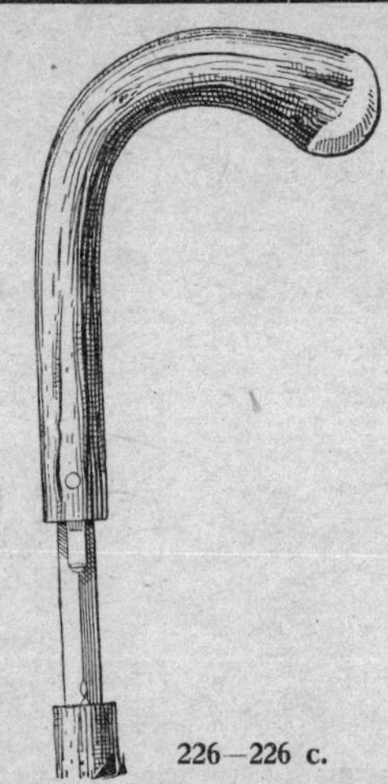
226—226 c.

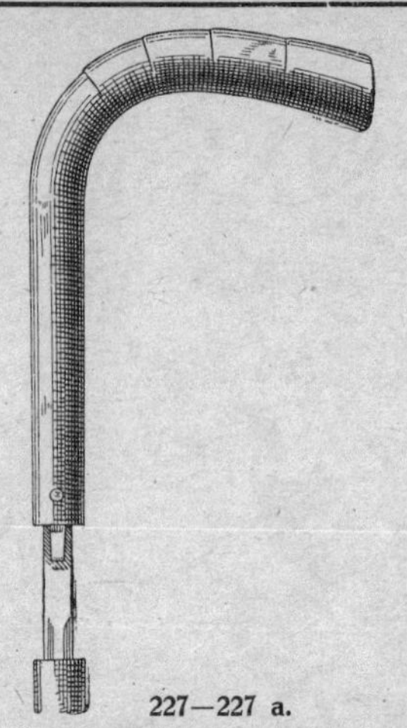
227—227 a.

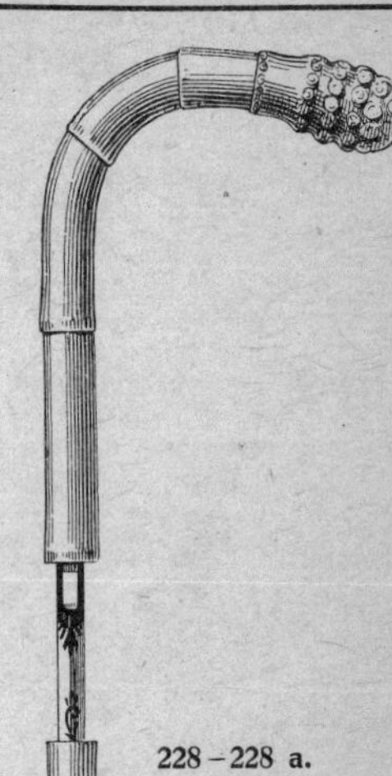
228—228 a.

225 g—225 i.

225. **Pfefferrohr** mit einfacher, vierkantiger Klinge, Dolch.
225 a. Do. mit **fein geschliffener,** vierkantiger Klinge, Dolch mit Federdrücker.
225 b. Do. mit fein geschliffener, vierkantiger Klinge, Degen wie an 231 **und Federdrücker.**
225 c. Do. mit fein geschliffenem **breiten Dolch** (Messerklinge), wie an 227 und **Federdrücker.**
225 d. Do. mit fein geschliffenem **breiten** Degen (Hauklinge) und Federdrücker.
225 e. Do. mit **kurzem** eisernen Stilett **ohne** Federdrücker.
225 f. Do. mit **langem** eisernen Degen **ohne** Federdrücker.
225 g. **Bambusrohrstock,** leichte Qual., ca. 33 cm lange Degenklinge.
225 h. **Spanisch Rohrstock,** kräftig und elegant, vernickelter Beschlag, 33—45 cm lange Degenklinge.
225 i. **Bambusrohrstock,** stabil, mit 60—70 cm langer, vierkantiger Degenklinge.
226. **Eichenwurzelhaken** mit fein geschliffenem **Dolch** und Feder drücker.
226 a. Do. mit fein geschliffenem **Degen** und Federdrücker.
226 b. Do. mit fein geschliffenem **breiten Dolch** (Messerklinge) und Federdrücker.
226 c. Do. mit fein geschliffenem **breiten Degen** (Hauklinge) und Federdrücker.
227. **Naturhalbhaken,** braun, mit fein geschliffenem breiten Dolch (Messerklinge) und Federdrücker.
227 a. Do. braun, mit fein geschliffenem **breiten** Degen **(Hauklinge)** und Federdrücker.
228. **Pfefferrohrhaken,** hell, matt geschliffen mit fein geschliffenem Dolch zum **Rechtsdrehen.**
228 a. Do. hell, matt geschliffen, mit fein geschliffenem **Degen** zum rechtsdrehen.

225. Bambou, avec lame quadrangulaire, poignard.
225 a. Do. avec lame quadrangulaire **soigneusement aiguisée,** poignard, à presse-ressort.
225 b. Do. avec lame quadrangulaire soigneusement aiguisée, épée, comme 231, à **presse-ressort.**
225 c. Do. avec **large lame poignard** bien aiguisée (lame de couteau) comme au 227, à **presse-ressort.**
225 d. Do. avec **large épée** soigneusement aiguisée (lame à manier de taille) à **presse-ressort.**
225 e. Do. avec **stylet** de fer, **sans** presse-ressort.
225 f. Do. avec **longue** épée de fer, **sans** presse-ressort.
225 g. Canne en bambou, qualité courante, lame épée d'environ 33 cm.
225 h. **Canne espagnole,** solide et élégante, garniture nickelée, lame à épée de 35 à 45 cm.
225 i. **Canne en bambou,** solide, lame à épée quadrangulaire, longue de 60—70 cm.
226. Racine de chêne à poignée courbe, avec **lame poignard,** à presse-ressort.
226 a. Do. avec **lame épée** soigneusement aiguisée, à presse-ressort.
226 b. Avec **large lame poignard** soigneusement aiguisée (lame de couteau) à presse-ressort.
226 c. Avec **large lame épée** soigneusement aiguisée (lame à manier de taille).
227. **Manche demi courbe nature,** brun, avec large lame poignard soigneusement aiguisée (lame de couteau) et ressort.
227 a. Do. brun, avec **large** lame épée soigneusement aiguisée (lame à manier de taille) à presse-ressort.
228. **Bambou à manche courbe,** clair, poli mat, avec lame poignard soigneusement éguisée, **tourner à droite.**
228 a. Clair, poli mat, avec lame **épée** soigneusement éguisée, tourner à droite.

225. **Bamboo** with plain fourcornered blade, dagger.
225 a. Do. with finely sharpened fourcornered blade, dagger and spring.
225 b. Do. with finely sharpened fourcornered blade, sword as 231 **and spring.**
225 c. Do. with finely sharpened **broad dagger as 227 and spring.**
225 d. Do. with finely sharpened **broad sword** and **spring.**
225 e. Do. with **short iron dagger without** spring.
225 f. Do. with **long** iron sword **without** spring.
225 g. **Bambus cane,** light quality, about 33 cm long dagger blade.
225 h. **Spanish cane** strong and elegant nickeled mounting 33—45 cm long dagger blade.
225 i. **Bambus cane,** firm with 60—70 cm long, four edged dagger blade.
226. **Oak, cross hook,** root nose, with finely sharpened **dagger** and spring.
226 a. Do. root nose, with finely sharpened **sword** and spring.
226 b. Do. root nose, with finely sharpened **broad dagger** and spring.
226 c. Do. root nose, with finely sharpened **broad sword** and spring.
227. **Natural cross hook,** brown with finely sharpened broad dagger and spring.
227 a. Do. brown with finely sharpened **broad** sword and spring.
228. **Bamboo cross hook,** light, with finely sharpened dull polish dagger, **revolving spring.**
228 a. Do. light with finely sharpened dull polish **sword,** revolving spring

225. **Bambú,** con daga de hoja cuadrangular.
225 a. Do. con daga hoja cuadrangular bien **afilata** y con resorte.
225 b. Do. con espada hoja cuadrangular, bien afilata como 231 **y resorte.**
225 c. Do. con **daga hoja ancha** como el 227, bien afilata **y resorte.**
225 d. Do. con **espada hoja ancha** bien afilada **y resorte.**
225 e. Do. con **daga hoja corta,** hierro, **sin** resorte.
225 f. Do. cón espada **larga,** hierro, **sin** resorte.
225 g. **Bastón de Bambú,** calidad corriente, poja de 33 cm próximamente.
225 h. **Bastón español,** sólido y elegante, montura niquelada, hoja de espada de 35 à 45 cm.
225 i. **Caña de bambu,** sólida, hoja de espada triangular, largo de 60 —70 c.
226. **Encina, mango forma cruz,** con **daga** bien afilata y resorte.
226 a. Do. con **espada** bien afilata y resorte.
226 b. Do. con **daga ancha** bien afilata y resorte.
226 c. Do. con **espada ancha** bien afilata y resorte.
227. **Mango natural, forma medio redonda,** moreno con daga ancha bien afilada y resorte.
227 a. Do. moreno con espada **ancha** bien afilada y resorte.
228. **Bambú mango forma cruz,** claro, barnizado obscuro, con daga bien afilada, **resorte á vuelta.**
228 a. Do. claro, barnizado obscuro, con **espada** bien afilada resorte á vuelta.

No.	225	225 a	225 b	225 c	225 d	225 e	225 f	225 g	225 h	225 i	226	226 a	226 b	226 c	227	227 a	228	228 a
†	Paf	Pafa	Pafe	Pafi	Pafo	Pafu	Pafna	Pafziv	Pafzul	Pafzak	Eik	Eika	Eike	Eiki	Nat	Nata	Rorat	Rora
pro	10	10	10	10	10	10	10	10	10	10	10	10	10	10	10	10	10	10
Mk	54.—	96.—	114.—	132.—	150.—	24.—	36.—	15.—	30.—	24.—	138.—	156.—	174.—	186.—	174.—	192.—	144.—	156.—

Waffenstöcke Marke „Riemer“.

Degenstöcke mit Sägenklingen.

Cannes à épée marque „Riemer“.

Cannes à épée avec lames-scies.

Sword Sticks Brand „Riemer“.

Sword Sticks wit saws.

Bastones espadas marca „Riemer“.

Bastones espadas con sierras.

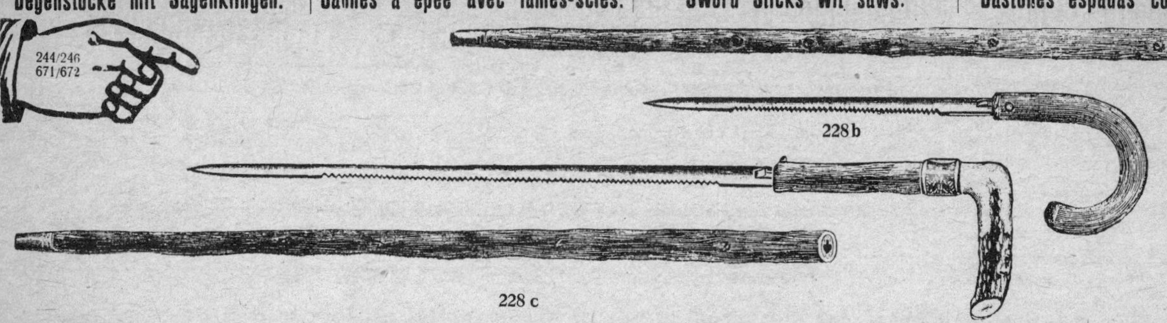

228 b

228 c

No. 228b. Eichen-Rundhaken-Stock mit 30 cm langer, 12 mm breiter **Stossdegenklinge** mit **Sägen-Rücken,** mit Druckknopf.

No. 228c. Eichenstock mit **kräftigem** echt **Hirschhorngriff,** 50 cm langer, 13 mm **breiter Degenklinge** mit **Sägen-Rücken,** Druckknopfverschluss, starke Zwinge.

No. 228b. Canne en chêne à manche courbe — avec lame longue de 30 cm, large de 12 mm — **aïgue** et **à dos formant scie** — avec presse ressort.

No. 228c. Canne en chêne — **à fort** manche **de corne de cerf** véritable — **lame** à épée longue de 50 cm et large de 13 mm **avec dos formant scie** — fermeture à ressort.

No. 228b. Oak Round Hook Stick, with **thrust sword blade** 30 cm long, 12 mm broad, **saw at back,** press button.

No. 228c. Oak Stick with **strong** genuine **stag horn handle,** sword blade 50 cm long, 13 mm broad **with saw at back,** press button spring, strong ferule.

No. 228b. Bastón mango forma redonda, con **espada** 30 cm largo, 12 mm ancho, **sierra al** otro lado, y botón resorte.

No. 228c. Bastón encina con puño asta de ciervo verdadera, hoja espada 50 cm largo, 13 mm ancha con sierra al otro lado, botón empuje, resorte; ferula fuerte.

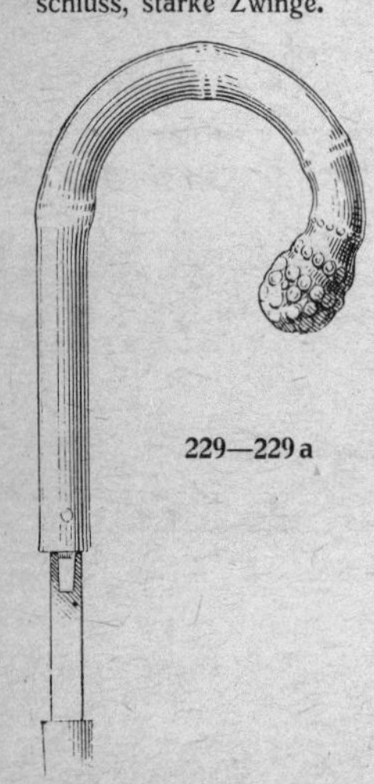

229—229 a

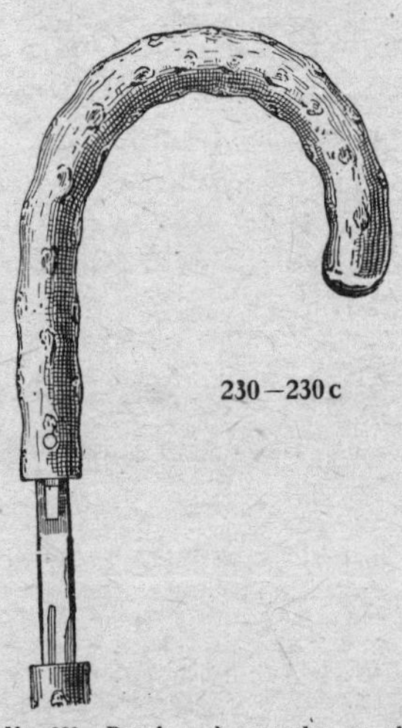

230—230 c

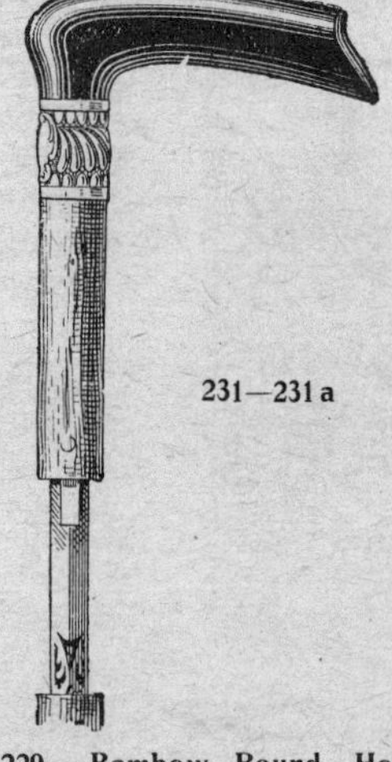

231—231 a

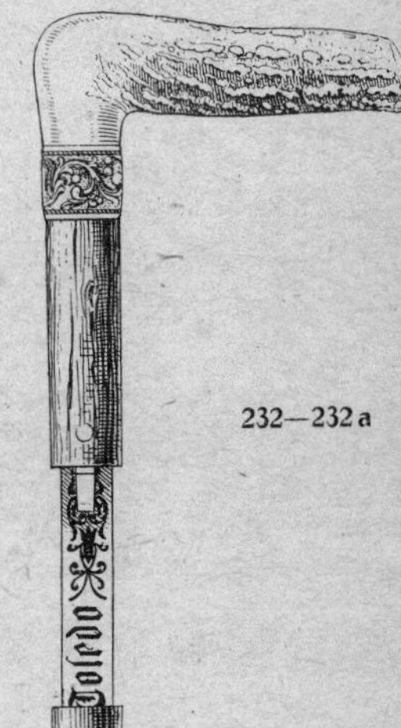

232—232 a

No. 229. Pfefferrohr-Rundhaken mit fein geschliffenem **breiten Dolch** (Messerklinge) mit Federdrücker.

No. 229a. Do. mit fein geschliffenem breiten **Degen** (Hauklinge) mit Federdrücker.

No. 230. Congo-Rundhaken, braun mit fein geschliffenem **breiten Dolch** (Messerklinge) mit Federdrücker.

No. 230a. Do. braun mit fein geschliffenem **breiten Degen** (Hauklinge) mit Federdrücker.

No. 230b. Do. braun mit fein geschliffenem **Dolch** mit Federdrücker.

No. 230c. Do. braun mit fein geschliffenem **Degen** mit Federdrücker.

No. 231. Büffelhorngriff, auf Eiche mit fein geschliffenem Dolch mit Federdrücker.

No. 231a. Do. auf Eiche mit feingeschliffenem **Degen** mit Federdrücker.

No. 232. Hirschhorngriff, auf Eiche mit fein ziseliertem, reich vergold., breiten Degen (Hauklinge) mit Federdrücker.

No. 232a. Do. auf Eiche mit fein **ziseliertem** reich **vergoldeten Dolch** (Messerklinge) mit Federdrücker.

No. 229. Bambou à manche courbe, à **large** lame **poignard** soigneusement aiguisée (lame de couteau) à presse-ressort.

No. 229a. Do. à lame **épée** large et soigneusement aiguisée (lame à manier de taille), avec presse-ressort

No. 230. Congo à manche courbe, brun, à **large lame-poignard** soigneusement aiguisée (lame de couteau) avec presse-ressort.

No. 230a. Do. brun à **large lame-épée** soigneusement aiguisée (lame à manier de taille) avec presse-ressort.

No. 230b. Do. brun à lame **poignard** soigneusement aiguisée, avec presse-ressort.

No. 230c. Do. brun à lame **épée** soigneusement aiguisée, avec presse-ressort.

No. 231. Poignée en corne de bufle, montée sur chêne, à lame poignard soigneusement aiguisée, avec presse-ressort.

No. 231a. Do montée sur chêne à lame **épée** soigneusement aiguisée, avec presse-ressort.

No. 232. Poignée en corne de cerf, montée sur chêne, à large lame épée élégamment ciselée et richement dorée (lame à manier de taille) avec presse-ressort.

No. 232a. Do montée sur chêne à lame **poignard** élégamment cisélée et richement **dorée** (lame de couteau) avec presse-ressort.

No. 229. Bambow Round Hook, with finely polished **broad dagger** and thumb spring.

No. 229a. Do. with finely sharpened broad **sword** and thumb spring.

No. 230. Congo Round Hook, brown with finely sharpened **broad dagger** and thumb spring.

No. 230a. Do. brown with fine polished **broad sword** and thumb spring.

No. 230b. Do. brown with finely sharpened **dagger** and thumb spring.

No. 230c. Do. brown with finely sharpened **sword** and thumb spring.

No. 231. Buffalo Horn Handle on oak with finely sharpened dagger and thumb spring.

No. 231a. Do. on oak with finely sharpened **sword** and thumb spring.

No. 232. Stag Horn Handle on oak with finely chased, richly gilded broad sword, thumb spring.

No. 232a. Do. on oak with finely chased, richly **gilded** broad **dagger,** thumb spring.

No. 229. Bambú forma redonda con **daga** ancha bien bruñida y resorte dedo pulgar.

No. 229a. Do. con **espada** daga ancha bien bruñida y resorte pulgar.

No. 230. Congo forma redonda, moreno con **puñal ancho** bien bruñido y resorte dedo pulgar.

No. 230a. Do. con **puñal espada** ancha bien bruñido y resorte dedo pulgar.

No. 230b. Do. moreno con **puñal** ancho bien bruñido y resorte dedo pulgar.

No. 230c. Do. moreno con **espada** ancha bien bruñido y resorte dedo pulgar.

No. 231. Puño asta de búfalo en encina con daga bien bruñida y resorte dedo pulgar.

No. 231a. Do. en encina con **espada** bien bruñida y resorte dedo pulgar.

No. 232. Puño asta de ciervo en encina con espada ancha bien engastada y dorada, resorte dedo pulgar.

No. 232a. Do. en encina con **daga** ancha bien **engastada** y **dorada** resorte dedo pulgar.

No.	228 b	228 c	229	229 a	230	230 a	230 b	230 c	231	231 a	232	232 a
†	Degsa	Dagse	Runs	Runsa	Loga	Loge	Logi	Logo	Gruf	Grufa	Horna	Horne
pro	10	10	10	10	10	10	10	10	10	10	10	10
Mark	**168.—**	**216.—**	**168.—**	**186.—**	**156.—**	**174.—**	**132.—**	**144.—**	**144.—**	**156.—**	**252.—**	**240.—**

Waffenstöcke mit selbsttätigem, federndem Rückschlag Marke „Flerant“.	Cannes à épée à ressort rebondissant automatiquement, marque „Flerant“.	Sword Sticks with automatic rebounding spring Mark „Flerant“.	Bastones espadas con muelle de retroceso propio marca „Flerant“.

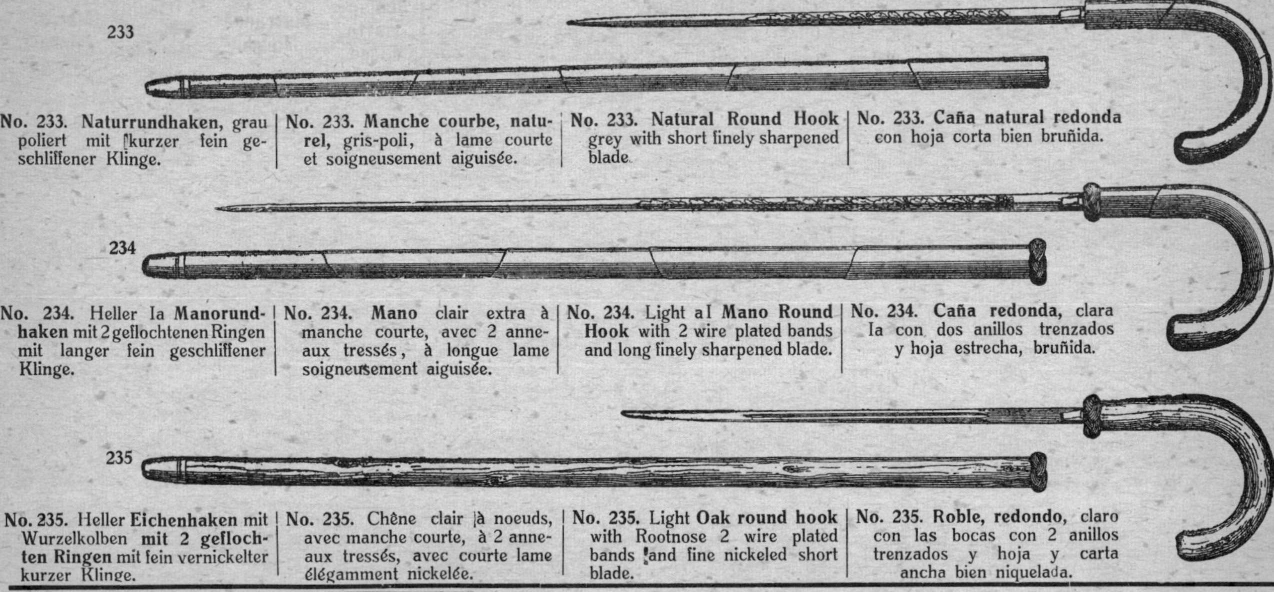

233

No. 233. Naturrundhaken, grau poliert mit kurzer fein geschliffener Klinge.	No. 233. Manche courbe, naturel, gris-poli, à lame courte et soigneusement aiguisée.	No. 233. Natural Round Hook grey with short finely sharpened blade.	No. 233. Caña natural redonda con hoja corta bien bruñida.

234

No. 234. Heller Ia Manorundhaken mit 2 geflochtenen Ringen mit langer fein geschliffener Klinge.	No. 234. Mano clair extra à manche courte, avec 2 anneaux tressés, à longue lame soigneusement aiguisée.	No. 234. Light a I Mano Round Hook with 2 wire plated bands and long finely sharpened blade.	No. 234. Caña redonda, clara Ia con dos anillos trenzados y hoja estrecha, bruñida.

235

No. 235. Heller Eichenhaken mit Wurzelkolben mit 2 geflochten Ringen mit fein vernickelter kurzer Klinge.	No. 235. Chêne clair à noeuds, avec manche courte, à 2 anneaux tressés, avec courte lame élégamment nickelée.	No. 235. Light Oak round hook with Rootnose 2 wire plated bands and fine nickeled short blade.	No. 235. Roble, redondo, claro con las bocas con 2 anillos trenzados y hoja y carta ancha bien niquelada.

Elégante canne de promenade, à matraque de caoutchouc, très facilement dégainable.	Elegant walking-stick with easily drawn rubber cudgel.	Bastón elegante con salvador de goma que se suelta en el acto.

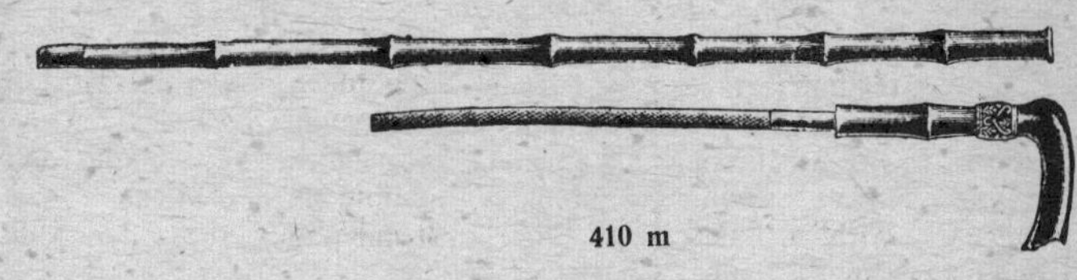

410 m

410

Spazierstöcke mit Gummischläger.	Cannes de promenade à matraque de caoutchouc.	Walking sticks with rubber beater.	Bastones de paseo de golpeador de cautchuc.
No. 410. Salon-Stock ohne Krücke.	No. 410. Canne de salon sans manche.	No. 410. Saloon cane without crook.	No. 410. Bastón de salón, sin puño.
No. 410 a. Rundhakenstock poliert in modernen Farben.	No. 410 a. Canne à manche courbe, poli en couleurs à la mode	No. 410 a. Round hook stick, polished in modern colours.	No. 410 a. Bastón de puño curbo, en colores moderno.
No. 410 b. Kongo-Rundhakenstock.	No. 410 b. Canne à manche courbe, Congo.	No. 410 b. Kongo-round hook stick.	No. 410 b. Bastón de puño curbo, Congo.
No. 410 c. Weichsel-Rundhakenstock.	No. 410 c. „ „ „ en cerisier	No. 410 c. Cherry round hook stick.	No. 410 c. „ „ „ de cerezo.
No. 410 d. „Patmos“ ff. polierter Rundhakenstock, mahagonifarbig m. geflochtenemRing.	No. 410 d. „Patmos“ soigneusement poli, à manche courbe, couleur acajou, avec anneau tressé.	No. 410 d. „Patmos“, very finely polished round hook stick, mahogony colored with pleated ring.	No. 410 d. „Patmos“, cuidadosamente pulido, puño curbo color caoba, con anillo trenzado.
No. 410 e. „Jura“ ff polierter Rundhakenstock durchgebeizt, mit geflochtenem Ring.	No. 410 e. „Jura“, soigneusement poli, à manche courbe teint de part en part, avec anneau tressé.	No. 410 e. „Jura“ very finely polished round hook stick, etched with pleated ring.	No. 410 e. „Jura“ cuidadosamente pulido, puño curbo, tinte porte en parte, anillo trenzado.
No. 410 f. Rundhakenstock aus Natur-„Zuckerrohr“ mit geflochtenem Ring.	No. 410 f. Canne à manche courbe, avec anneau tressé, canne à suere naturelle.	No. 410 f. Round hook stick of natural „sugarcane“ with pleated ring.	No. 410 f. Bastón de puño curbo, con anillo trenzado, cana de azucar natural.
No. 410 g. Pol. Rundhakenstock, piementfarbig, mit geflochtenem Ring.	No. 410 g. Canne polie à manche courbe, couleur piment, avec anneau tressé.	No. 410 g. Polished round hoock stick pepper colored with pleated ring.	No. 410 g. Bastón pulido, de puño curbo, color pimiento, con anillo trenzado.
No. 410 h. Pol. Rundhakenstock, mit Neusilberkapsel und geflochtenem Ring.	No. 410 h. Canne polie à manche courbe, avec capsule vieil argent et anneau tressé.	No. 410 h. Polished round hook stick with German silver capsule and pleated ring.	No. 410 h. Bastón pulido de puño curbo, con cápsula plata nueva y anillo trenzado.
No. 410 i. ff. pol. Rundhakenstock, mahagonifarbig.	No. 410 i. Canne soigneusement polie à manche courbe, couleur acajou.	No. 410 i. Very finely polished round hook stick, mahogony colored.	No. 410 i. Bastón bien pulido, puño curbo, color caoba.
No. 410 k. ff. Rundhakenstock, „Malaccarohr“ mit geflochtenem Ring.	No. 410 k. Canne soigneusement polie, à manche courbe „Malacca“, avec anneau tressé.	No. 410 k. Very fine round hook stick, Malacca cane with pleated ring	No. 410 k. Bastón bien pulido, puño curbo, Malacca, anillo trenzado.
No. 410 l. Eleganter Rundhakenspazierstock mit Metallspirale.	No. 410 l. Elégante canne de promenade, à manche courbe, à spirale métallique.	No. 410 l. Elegant round hook stick, with metal spiral.	No. 410 l. Elegante bastón de pasea puño curbo y espiral metálica.
No. 410 m. Wie 410 l mit Horngriff.	No. 410 m. Comme 410 l à poignée de corne.	No. 410 m. Wie 410 l with horn handle.	No. 410 m. Como 410 l puño de cuerno.

No.	233	234	235	410	410 a	410 b	410 c	410 d	410 e	410 f	410 g	410 h	410 i	410 k	410 l	410 m
†	Ola	Alo	Uii	Malepa	Maleste	Malechi	Malerra	Malpist	Malkalt	Malwad	Malkent	Malzbux	Malross	Malzeki	Malhewo	Maladfu
Pro	10	10	10	10	10	10	10	10	10	10	10	10	10	10	10	10
Mark	192.—	252.—	240.—	48.—	67.20	86.40	96.—	124.80	129.60	144.—	105.60	105.60	192.—	144.—	70.—	90.—

Hieb- und Faust-Waffen Marke „Leharti“.

Armes à main de défense marque „Leharti“.

Life preservers and knuckle-dusters Mark „Leharti“.

Salvadores y llaves inglesas marca „Leharti“.

Totschläger oder Boxer.	Casse-tête ou nerf de boeuf.	Life preserver plaited-wrist.	Rompe cabezas.

522

523/524

Englische Polizeiknüttel aus Gummi.	Matraque de caoutchouc de la police anglaise.	English truncheon rubber.	Bastón de goma, usado por la policia inglesa.

515/518

Schlagwaffe „Morgenstern“.	Matraque „Morgenstern“.	Striking weapon „Morgenstern“.	Matraca „Morgenstern“.

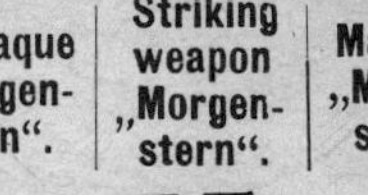

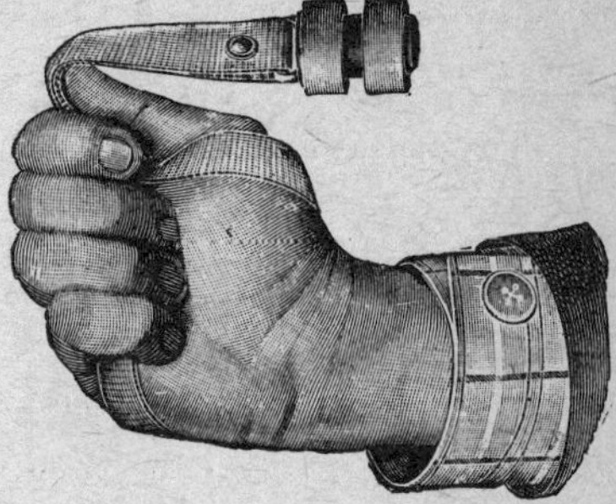

518a

No. 522. 2 Kugeln mit feinem Hanf umflochten, mit Armschnur.

No. 523. Wie 522 mit Leder umflochten.

No. 524. Mit einer Bleikugel, Leder umflochten, lederne Armschnur.

No. 515. Massiv Gummi 31 cm lang.

No. 516. Wie 515, aber 36 cm lang.

No. 517. Wie 515 } mit Spiralfedereinlage und
No. 518. Wie 516 } Faustriemen.

No. 518a. Metallkörper mit Gummiringen am Lederriemen, bequem in der Tasche.

No. 522. à 2 boules, tresse de chanvre, avec lacet à main.

No. 523. Comme 522 avec tresse de cuir.

No. 524. à boule de plomb, tresse de cuir, lacet à main en cuir.

No. 515. Massif en caoutchouc long de 31 cm.

No. 516. Comme 515 long de 36 cm.

No. 517. Comme 515 } avec à l'interieur ressort en spirale
No. 518. Comme 516 } et lien à main.

No. 518a. à pièces métalliques, avec rondelles de caoutchouc, courroi de cuir, aisément portable dans la poche.

No. 522. 2 hemp cased balls with wrist cord.

No. 523. Like 522 pleated with leather.

No. 524. With one leaden ball, round with plaited leather, leather wrist cord.

No. 515. Massive rubber 31 cm long.

No. 516. Like 515, but 36 cm long.

No. 517. Like 515 } with spiral spring insertion and
No. 518. Like 516 } fist strap.

No. 518a. Piece of metal with rubber rings on leather strap, convenient for pocket.

No. 522. De 2 balas, trenza de cáñamo, con caro para la mano.

No. 523. Como 522 con trenza de cuero.

No. 524. Bala de plomo, trenza de cuero, lazo para la mano de cuero.

No. 515. Macivo de cautchuc, largo de 31 cm.

No. 516. Como 515, largo de 36 cm.

No. 517. Como 515 } con resorte en el interior en
No. 518. Como 516 } espiral y ligadura de mano.

No. 518a. De piezas métalicas con rodajas de cautchuc, correa de cuero que se puede elevar en el bolsillo.

Schlagwaffe aus Gummi mit Bleikugeln.	Assommoir en caoutchouc avec boules de plomb	Striking weapon of rubber with leaden balls.	Matraca de goma elástica con balas de plomo.

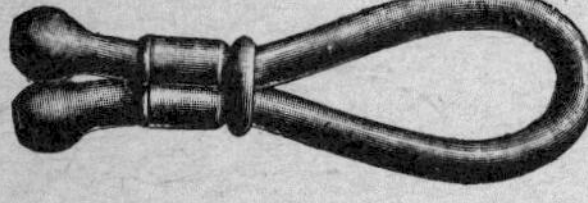

412a

Totschläger als Spazierstock.	Canne-matraque formant canne de promenade.	Life preserver as walking stick.	Bastón matraca que forma bastón de paseo.

413

Faust-Schlagringe.	Coup de poing.	Knuckle-dusters.	Claves inglesas.

519—521—521b　　519a—521a—521c

No. 412a. Roter Weichgummi mit Bleikugeln.

No. 413. Festes afrikanisches Holz, mit Schnur umsponnenen Bleiknopf.

No. 519. Metall, roh gescheuert, ohne Zacken.

No. 519a. Metall roh gescheuert, mit Zacken.

No. 520. Metall, blank poliert, ohne Zacken.

No. 520a. Metall, blank poliert, mit Zacken.

No. 521. Metall, fein vernickelt, ohne Zacken.

No. 521a. Metall, fein vernickelt, mit Zacken.

No. 521b. Schlagring aus Aluminium, ohne Zacken.

No. 521c. Schlagring aus Aluminium, mit Zacken.

No. 412a. En caoutchouc rouge souple avec boules de plomb.

No. 413. Bois d'afrique solide, à tête de plomb garnie de tresses.

No. 519. En métal, forgé brut, sans dents.

No. 519a. En métal, forgé brut, avec dents.

No. 520. En métal, poli brillant, sans dents.

No. 520a. En métal, poli brillant, avec dents.

No. 521. En métal, soigneusement nickelé, sans dents.

No. 521a. En métal, soigneusement nickelé, avec dents.

No. 521b. Coup de poing en aluminium, sans dents.

No. 521c. Coup de poing en aluminium, avec dents.

No. 412a. Soft red rubber with leaden balls.

No. 413. Firm African wood, leaden knob, cord-wound.

No. 519. Metal, rough, without prongs.

No. 519a. Metal, rough, with prongs.

No. 520. Metal, brightly polished without prongs.

No. 520a. Metal, brightly polished with prongs.

No. 521. Metal, finely nickeled without prongs.

No. 521a. Metal, finely nickeled with prongs.

No. 521b. Knuckle duster of aluminium without prongs.

No 521c. Knuckle duster of aluminium with prongs.

No. 412a. De goma roja flexible con bolas de plomo.

No. 413. Madera de Africa sólida de cabeza de plomo, guarnecida de trenzas.

No. 519. De metál, forjado bruto, sin dientes.

No. 519a. De metál, forjada bruto, con dientes.

No. 520. De metál. pulido brillante, sin dientes.

No. 520a. De metál, pulido brillante, con dientes.

No. 521. De metál, cuidadosamente niquelado, sin dientes.

No. 521a. De metál, cuidadosamente niquelado, con dientes.

No. 521b. Clave inglesa de aluminio, sin dientes.

No. 521c. Clave inglesa de aluminio, con dientes.

No.	522	523	524	515	516	517	518	518a	412a	413	519	519a	520	520a	521	521a	521b	521c
+	Totbox	Boxot	Boxra	Polken	Puknol	Zeikner	Faring	Fanriglo	Fanrulgl	Tospa	Firans	Tiranzi	Ransfi	Ransfiz	Ringfu	Ringfuz	Ringleader	Riata
pro	10	10	10	10	10	10	10	10	10	10	10	10	10	10	10	10	10	10
Mark	18.—	20.—	30.—	13 —	14.50	16.—	18.—	15.—	28.—	5.—	1.10	1.20	1.20	1.30	2.60	2.70	8.—	12.—

Jagd-Nick-Messer,
mit festeintretender Klinge, echten Hirschhornschalen, Neusilberbacken, **Marke „Alfa".**

Couteaux de chasse,
à lame ferme, à plaquettes de corne cerf véritable et à ferrure de vieil argent, **marque „Alfa".**

Hunting Knives,
with firm blades, genuine stag handles, German silver caps, **Mark „Alfa".**

Cuchillos de caza,
con cierre en la hoja, mango verdadero, asta ciervo, plata alemana, **marca „Alfa".**

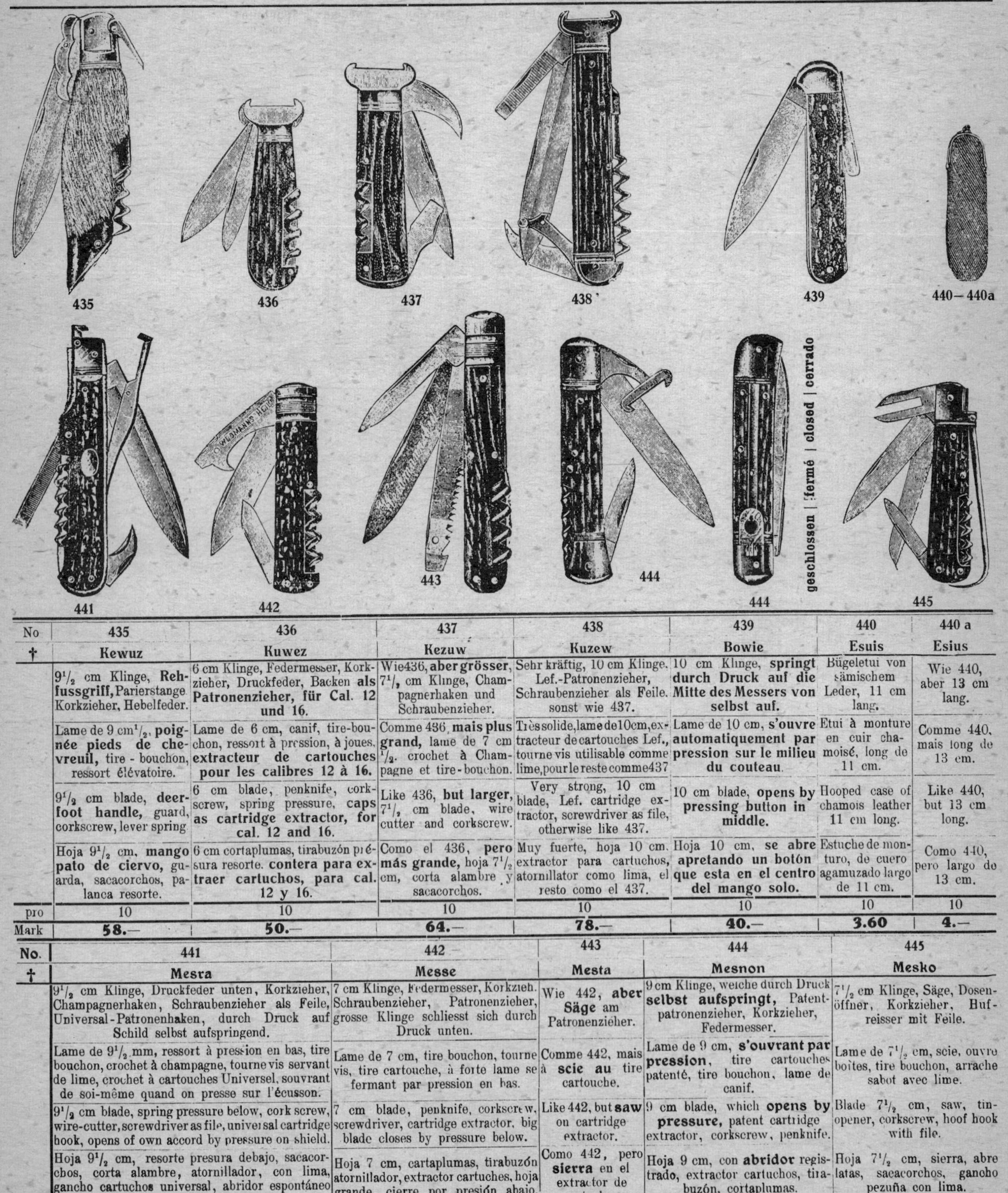

No	435	436	437	438	439	440	440 a
†	Kewuz	Kuwez	Kezuw	Kuzew	Bowie	Esuis	Esius
	$9^1/_2$ cm Klinge, **Rehfussgriff,** Parierstange Korkzieher, Hebelfeder.	6 cm Klinge, Federmesser, Korkzieher, Druckfeder, Backen **als Patronenzieher, für Cal. 12 und 16.**	Wie 436, **aber grösser,** $7^1/_2$ cm Klinge, Champagnerhaken und Schraubenzieher.	Sehr kräftig, 10 cm Klinge, Lef.-Patronenzieher, Schraubenzieher als Feile, sonst wie 437.	10 cm Klinge, **springt durch Druck auf die Mitte des Messers von selbst auf.**	Bügeletui von sämischem Leder, 11 cm lang.	Wie 440, aber 13 cm lang.
	Lame de 9 cm $^1/_2$, **poignée pieds de chevreuil,** tire-bouchon, ressort élévatoire.	Lame de 6 cm, canif, tire-bouchon, ressort à pression, à joues, **extracteur de cartouches pour les calibres 12 à 16.**	Comme 436, **mais plus grand,** lame de 7 cm $^1/_2$. crochet à Champagne et tire-bouchon.	Très solide, lame de 10 cm, extracteur de cartouches Lef., tourne vis utilisable comme lime, pour le reste comme 437	Lame de 10 cm, **s'ouvre automatiquement par pression sur le milieu du couteau.**	Etui à monture en cuir chamoisé, long de 11 cm.	Comme 440, mais long de 13 cm.
	$9^1/_2$ cm blade, **deerfoot handle,** guard, corkscrew, lever spring.	6 cm blade, penknife, corkscrew, spring pressure, **caps as cartridge extractor, for cal. 12 and 16.**	Like 436, **but larger,** $7^1/_2$ cm blade, wire cutter and corkscrew.	Very strong, 10 cm blade, Lef. cartridge extractor, screwdriver as file, otherwise like 437.	10 cm blade, **opens by pressing button in middle.**	Hooped case of chamois leather 11 cm long.	Like 440, but 13 cm long.
	Hoja $9^1/_2$ cm, **mango pato de ciervo,** guarda, sacacorchos, palanca resorte.	6 cm cortaplumas, tirabuzón presura resorte. **contera para extraer cartuchos, para cal. 12 y 16.**	Como el 436, **pero más grande,** hoja $7^1/_2$ cm, corta alambre y sacacorchos.	Muy fuerte, hoja 10 cm, extractor para cartuchos, atornillator como lima, el resto como el 437.	Hoja 10 cm, **se abre apretando un botón que esta en el centro del mango solo.**	Estuche de monturo, de cuero agamuzado largo de 11 cm.	Como 440, pero largo de 13 cm.
pro	10	10	10	10	10	10	10
Mark	**58.–**	**50.–**	**64.–**	**78.–**	**40.–**	**3.60**	**4.–**

No.	441	442	443	444	445
†	Mesra	Messe	Mesta	Mesnon	Mesko
	$9^1/_2$ cm Klinge, Druckfeder unten, Korkzieher, Champagnerhaken, Schraubenzieher als Feile, Universal-Patronenhaken, durch Druck auf Schild selbst aufspringend.	7 cm Klinge, Federmesser, Korkzieh. Schraubenzieher, Patronenzieher, grosse Klinge schliesst sich durch Druck unten.	Wie 442, **aber Säge** am Patronenzieher.	9 cm Klinge, welche durch Druck **selbst aufspringt,** Patentpatronenzieher, Korkzieher, Federmesser.	$7^1/_2$ cm Klinge, Säge, Dosenöffner, Korkzieher, Hufreisser mit Feile.
	Lame de $9^1/_2$ mm, ressort à pression en bas, tire bouchon, crochet à champagne, tourne vis servant de lime, crochet à cartouches Universel, souvrant de soi-même quand on presse sur l'écusson.	Lame de 7 cm, tire bouchon, tourne vis, tire cartouche, à forte lame se fermant par pression en bas.	Comme 442, mais à **scie au** tire cartouche.	Lame de 9 cm, **s'ouvrant par pression,** tire cartouches patenté, tire bouchon, lame de canif.	Lame de $7^1/_2$ cm, scie, ouvre boites, tire bouchon, arrache sabot avec lime.
	$9^1/_2$ cm blade, spring pressure below, cork screw, wire-cutter, screwdriver as file, universal cartridge hook, opens of own accord by pressure on shield.	7 cm blade, penknife, corkscrew, screwdriver, cartridge extractor, big blade closes by pressure below.	Like 442, but **saw** on cartridge extractor.	9 cm blade, which **opens by pressure,** patent cartridge extractor, corkscrew, penknife.	Blade $7^1/_2$ cm, saw, tin-opener, corkscrew, hoof hook with file.
	Hoja $9^1/_2$ cm, resorte presura debajo, sacacorchos, corta alambre, atornillador, con lima, gancho cartuchos universal, abridor espontáneo por presión en la placa.	Hoja 7 cm, cartaplumas, tirabuzón atornillador, extractor cartuches, hoja grande, cierre por presión abajo.	Como 442, pero **sierra** en el extractor de cartuchos.	Hoja 9 cm, con **abridor** registrado, extractor cartuchos, tirabuzón, cortaplumas.	Hoja $7^1/_2$ cm, sierra, abre latas, sacacorchos, gancho pezuña con lima.
pro	10	10	10	10	10
Mk.	**100.–**	**60.–**	**66.–**	**60.–**	**68.–**

Jagd-Nick-Messer mit festeintretend. Klinge u. echten Hirschhornschalen u. Neusilberbacken, **Marke „Alfa".**	**Couteaux de chasse** à lame ferme, avec plaquettes de corne de cerf véritable et ferrures vieil argent, **marque „Alfa".**	**Hunting knifes** with firm blade, genuine stag handle, German silver cap, **mark „Alfa".**	**Cuchillos de caza** con cierre en la hoja, mango verdadero asta ciervo, plata alemana, **marca „Alfa"**

Schweden-messer. | Couteau suédois. | Swedish knife. | Cuchillo sueco.

446

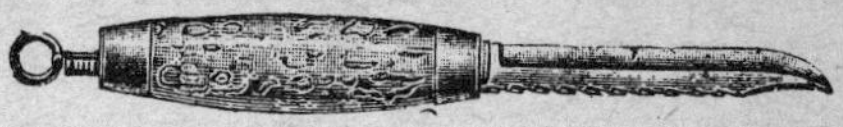

447

Armee-messer. | Couteau militaire. | Army knife. | Havaja del ejercito.

455

448

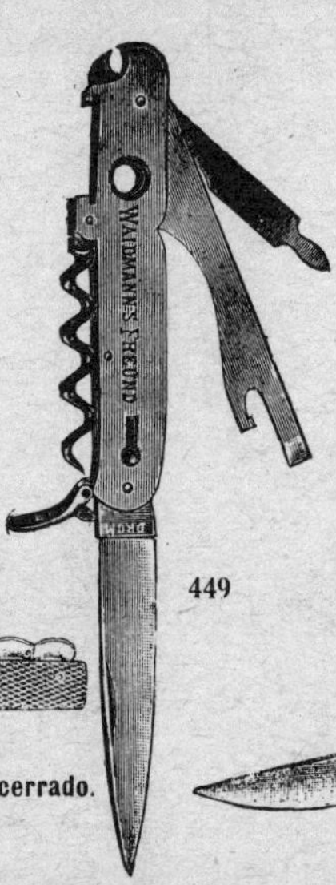

449

450 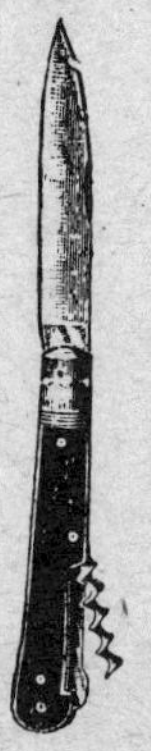 451  452  453

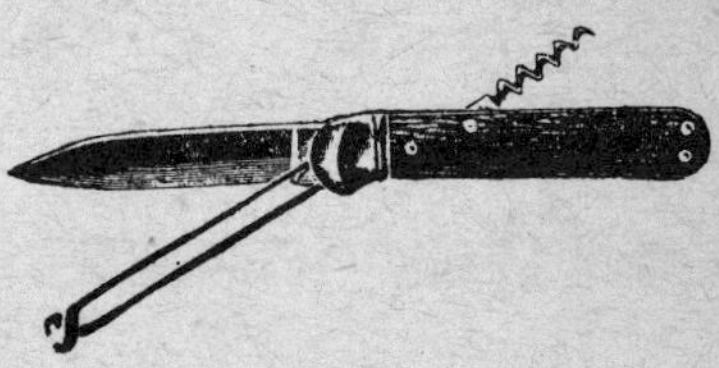

456

457

geschlossen. | fermé. | closed. | cerrado.

454

457

ganz geöffnet. | complétement ouvert. | quite open. | abierto del todo.

30 cm lang. | de long. | long. | largo.

457

in Scheide. | en étui. | in sheath. | en vaina.

458

39 cm lang. | de long. | long. | largo.

No.	446	447	448	449	450	451	452
†	Mesve	Mesbo	Mesdu	Messefe	Meslu	Mespas	Mesrox
	9 cm Klinge, gelbes Holzheft **Schwedenmesser.**	Wie 446, mit **Säge u. Schraubenzieher.**	7 cm Klinge, 3 Federmesser, Säge, Schrauben u. Korkzieher, Hohlbohrer, Hufreisser mit Feile.	Metallschalen grosse Klinge m. Sicherung Korkzieher, Nagelreiniger mit Feile. Zigarrenabschneider, Schraubenzieher. Drahtzange, **selbsttätig aufspringend**	$8\frac{1}{2}$ cm Klinge, **Räumer,** Schraubenzieher mit Feile, Kork- u. Patentpatronenzieher.	9 cm Klinge, **billiges aber gutes Messer,** imit. Griff.	Wie 451, mit **Korkzieher** $9\frac{1}{2}$ cm Klinge.
	Lame de 9 cm, manche de bois jaune, **Couteau suédois.**	Comme 446, avec **scie et tourne-vis.**	Lame de 7 cm, 3 lames de canif, scie, tourne-vis et tire-bouchon, perçoir, arrache sabot et lime.	Plaquettes de métal, forte lame avec sûreté, tire-bouchon, cure-ongles et lime, coupe-cigarres, tourne-vis, pince à fil de fer, **s'ouvrant automatiquement**	Lame de $8\frac{1}{2}$ cm, **cureur,** tourne-vis avec lime, tire bouchon et tire cartouches patenté.	Lame de 9 cm, couteau **bon-marché** mais de **bonne-qualité,** poignée imitation.	Comme 451 avec **tire-bouchon,** lame de $9\frac{1}{2}$ cm.
	9 cm blade, yellow wooden handle, **Swedish knife.**	Like 446, with **saw and screw-driver.**	7 cm blade, 3 penknives, saw, screw driver and corkscrew, auger, hoof hook with file.	Metal scales, large blade with safety, corkscrew, nailcleaner with file, cigar-cutter, screwdriver, wire-cutter, **opens of own accord.**	$8\frac{1}{2}$ cm blade, **punch,** screwdriver with file, corkscrew and patent cartridge extractor.	9 cm blade, **cheap** but **good knife,** imitation handle.	Like 451, but **corkscrew,** $9\frac{1}{2}$ cm blade.
	Hoja 9 cm, mango madera, amarilla **Novaja sueca.**	Como 446, con **sierra** y **tirabuzón.**	Hoja 7 cm, 3 cortaplumas, tirabuzón y sacacorchos, barrena, gancho pezuña con lima.	Cachas metal, hoja ancha con seguro, sacacorchos, limpiauñas con lima, corta puros, atornillador, corta alambre, **abridor espontáneo.**	Hoja $8\frac{1}{2}$ cm, **punzón,** atornillador, con lima, sacacorchos y extractor cartuchos registrado.	Hoja 9 cm, **barato** pero **buena** navaja, mango imitación.	Como 451 pero **sacacorchos,** hoja $9\frac{1}{2}$ cm.
pro	10	10	10	10	10	10	10
Mark	**22.–**	**25.–**	**86.–**	**80.–**	**64.–**	**22.–**	**36.–**

No.	453	454	455	456	457	458
†	Mesnof	Mestub	Mesbal	Meswor	Mescil	Mestur
	$9\frac{1}{2}$ cm Klinge, Stahlbacke, echt Hirschhorn.	$11\frac{1}{2}$ cm Klinge, Federmesser, Korkzieher, Ia Qual., echt Hirschhorn.	9 cm Klinge, Federmesser, Säge, Korkzieher.	8 cm Klinge, Universalpatronen- und Korkzieher.	20 cm Klinge, halb und ganz einlegbar, karierter Horngriff, Ia Qualität, **Lederscheide mit Schlaufe.**	26 cm Klinge, halb u. ganz einlegbar, Hirschhorngriff, Konstr. wie 457.
	Lame de $9\frac{1}{2}$ cm, ferrures d'acier, corne de cerf véritable.	Lame de $11\frac{1}{2}$ cm, lame de canif, tire-bouchon, qualité extra, corne de cerf véritable.	Lame de 9 cm, lame de canif, scie, tire-bouchon.	Lame de 8 cm, tire-bouchon et tire cartouche universel.	Lame de 20 cm, se plaçant dans toute sa longueur ou seulement dans la moitié, poignée corne quadrillée, qualité extra, fourreau de cuir avec patte.	Lame de 20 cm, se plaçant dans toute sa longueur ou seulement dans la moitié, poignée corne de cerf, même construction que 457.
	$9\frac{1}{2}$ cm blade, steel cap, genuine stag handle.	$11\frac{1}{2}$ cm blade, penknife, corkscrew best quality, genuine stag handle.	9 cm blade, penknife, saw, corkscrew.	8 cm blade, universal cartridge-extractor and corkscrew.	20 cm blade, wholly and half adjustable, chequered horn handle, good quality, **leather sheath with loop.**	26 cm blade, half and wholly adjustable, back horn handle constr. like 457.
	Hoja $9\frac{1}{2}$ cm, contera de acero, mango ciervo verdadero.	Hoja $11\frac{1}{2}$ cm, cortaplumas, tirabuzón calidad superior, mango ciervo, verdadero.	Hoja 9 cm, cortaplumas, sierra, tirabuzón.	Hoja 8 cm, extractor-cartuchos universal, y sacacorchos.	Hoja 20 cm, toda y media ajustable, mango asta á cuadros buena calidad, **vaina cuero** con **presilla.**	Hoja 26 cm, toda y media ajustable, mango ciervo, construcción como 457.
pro	10	10	10	10	10	10
Mark	**32.–**	**34.–**	**62.–**	**50.–**	**128.–**	**158.–**

Steifstehende Nicker mit echtem Hirschhorngriff und Neusilberbeschlag, Marke „Alfa".	Couteaux de chasse à lame fixe avec poignée corne de cerf véritable et monture vieil argent, marque „Alfa."	Hunting knives with fixed blades with genuine stag horn handle and German silver mounting, Mark „Alfa."	Cuchillos de caza hoja fija, con mango ciervo genuino y montaje plata alemana, marca „Alfa".

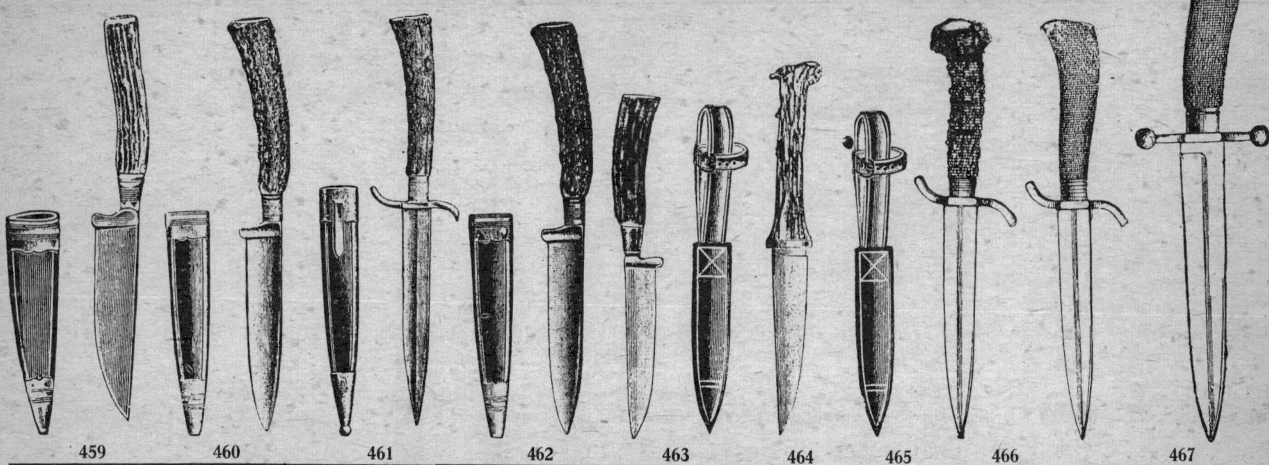

459 460 461 462 463 464 465 466 467

Dolche und Stiletts. | Poignards et stylets. | Daggers and stilettos. | Dagas y puñales.

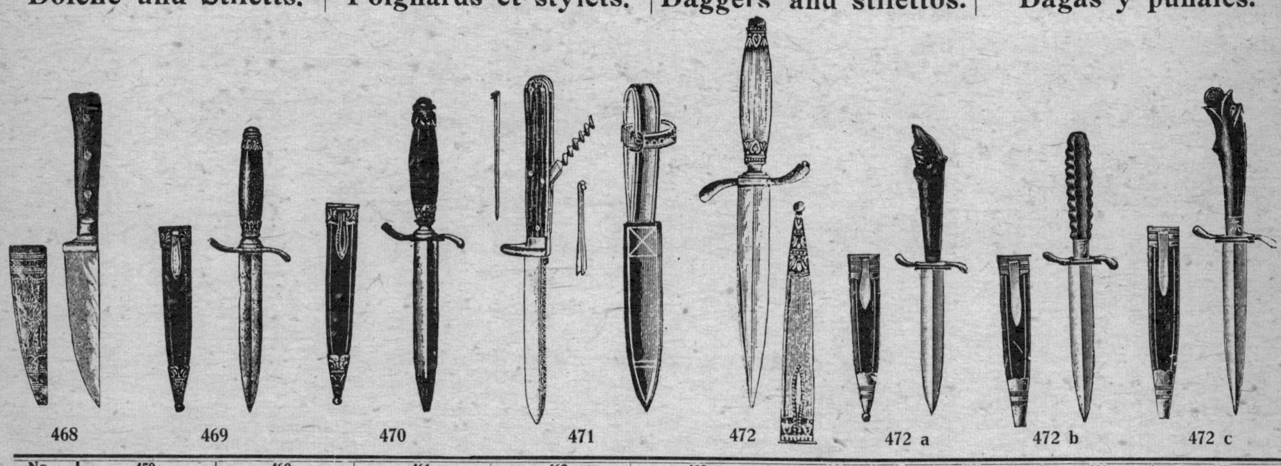

468 469 470 471 472 472 a 472 b 472 c

No.	459	460	461	462	463	464	465	466	467
†	Steini	Steila	Steimo	Steinu	Steige	Steiki	Steifo	Steire	Steilax
	Imitierter Griff, **Lederscheide,** 10 cm Klinge.	**Echter Hirschhorngriff,** gekrümmt, Lederscheide, 13 cm Klinge.	Echter Griff, **zweischneidig,** Parierstange, Lederscheide, 12 cm Klinge.	Wie No. 460, Ia Qualität, Parierstange, 8 cm Klinge.	Wie Abbildung, 11 cm Klinge mit Parierstange, Scheide mit Riemen.	Wie No. 463, **mit Scheide, mit Riemen, Rehkronengriff.**	Wie No. 464, mit **13 cm Klinge, Scheide mit Riemen.**	Wie No. 465, **mit Hirschhorngriff.**	Wie 466, aber **15 cm Klinge, Parierstange mit Kugeln.**
	Poignéeimitation, **fourreau de cuir,** lame de 10 cm.	**Poignée de corne de cerf véritable,** bombée, fourreau de cuir, lame de 13 cm.	Poignée véritable, **à 2 tranchants,** avec garde, fourreau de cuir, lame de 12 cm.	Comme No. 460, qualité extra, avec garde, lame de 8 cm	Suivant l'illustration, lame de 11 cm, avec garde, fourreau avec courroie.	Comme No. 463, **avec fourreau à courroie, manche corne de cerf à couronne.**	Comme 464, **lame de 13 cm, fourreau à courroie.**	Comme No. 465, **avec poignée corne de cerf.**	Comme No. 466, mais **lame de 15 cm, avec garde à boulets.**
	Imitation handle **leather sheath,** 10 cm blade.	**Genuine stag horn handle,** curved, leather sheath, 13 cm blade.	Genuine handle, **double edged,** guard, leather sheath, 12 cm blade.	Like No. 460, best quality, guard 8 cm blade.	Like drawing, 11 cm blade with guard, sheath with strap.	Like No. 463, **sheath with strap, deer-horn handle with top.**	Like No. 464 with **13 cm blade, sheath with strap.**	Like No. 465 **with stag horn handle.**	Like No. 466, **but 15 cm blade guard with balls.**
	Mango imitación, **vaina cuero,** hoja 10 cm.	**Mango asta de ciervo genuino,** vaina cuero, hoja 13 cm.	Mango verdadero, **de dos filos,** guarda, vaina cuero, hoja 12 cm.	Como No. 460, Ia calidad, guarda, hoja 8 cm.	Como grabado, hoja 11 cm, con guarda, vaina con correa.	Como No. 463 **vaina con correa, margo asta ciervo con corona.**	Como No. 464, **con hoja 13 cm, vaina con correa.**	Como 465, con **mango asta de ciervo.**	Como No. 466, **pero hoja 15 cm, guarda con bolas.**
pro	10	10	10	10	10	10	10	10	10
Mark	**12.—**	**32.—**	**40.—**	**18.—**	**24.—**	**66.—**	**76.—**	**50.—**	**68.—**

No.	468	469	470	471	472	472 a	472 b	472 c
†	Steimox	Steilix	Steinix	Steirik	Steirol	Steirolles	Steiroppi	Steiroflax
	Dolch, 10 cm Klinge, polierter Holzgriff, gravierte **Metallscheide.**	**Dolch, zweischneidig,** $14^1/_2$ cm Klinge, Ebenholzgriff, Scheide mit verz. Messing.	Wie No. 469, **aber 15 cm Klinge, Scheide mit verziertem Nickelbeschlag.**	11 cm Klinge, mit Säge, mit Korkzieher Champagnerhaken, Pinzette, Lochpfriem.	Dolch, **zweischneidig,** $14^1/_2$ cm Klinge, wie No. 470 aber alle Beschläge vergoldet.	Dolchmesser mit Parierstange, feine Stahlklinge 12 cm lang, geschnitzter Büffelhorngriff, Lederscheide mit verziertem Nickelbeschlag, ganze Länge 25 cm.	Wie 472 a, aber ganze Länge 13 cm, geriffelter Büffelhorngriff, ganze Länge 25 cm.	Wie 472 a, Klinge 14 cm lang, glatt geschnitzter verzierter Büffelhorngriff, Ia Qualität, ganze Länge 28 cm.
	Poignard, lame de 10 cm, poignée de bois polie, **fourreau métal gravé.**	**Poignard à 2 tranchants,** lame de 14 cm $^1/_2$, poignée ébène, fourreau à garniture de laiton à ornements.	Comme No. 469, **mais lame de 15 cm, fourreau à garniture nickel à ornements.**	Lame de 11 cm, avec scie tire-bouchon, crochet àChampagne, pincette et poinçon.	Poignard à 2 tranchants lame de 14 cm $^1/_2$, comme No. 470, mais à garnitures dorées.	Couteau-poignard, à garde, élégante lame d'acier de 12 cm, poignée corne de bufle sculptée, fourreau de cuir avec garniture nickel à ornements, longueur totale 25 cm.	Comme 472 a, mais longueur totale: 13cm, poignée corne de bufle à rainures, longueur totale: 25 cm.	Comme 472 a, lame de 14 cm, poignée lisse en corne de bufle sculpté, qualité extra, longueur totale: 28 cm.
	Dagger, 10 cm blade, polished wooden handle, **engraved metal sheath.**	**Double edged dagger,** $14^1/_2$ cm blade, ebony handle, sheath with brass decorations.	Like No. 469, **but 15 cm blade, sheath with decorated nickel mounting.**	11 cm blade, with saw, corkscrew, wirecutter, pincers, punch.	**Double edged,** dagger, $14^1/_2$ cm blade, like No. 470, but all mountings gilded.	Clasp dagger, with guard, fine steel blade, 12 cm long, carved buffalo horn grip, leather sheath with decorated nickel mounting, entire length 25 cm.	Like 472 a, but entire length 13 cm, rippled buffalo horn grip, entire length 25 cm.	like 472 a, blade 14 cm long, smoothlycarved decorated, buffalo horn grip, prime quality, entire length 28 cm.
	Daga, hoja 10 cm, mango madera barnizada, **vaina metal grabado.**	**Daga de dos filos,** hoja $14^1/_2$ cm, mango ebano, vaina con adornos de latón.	Como 469, **pero hoja 15 cm, vaina con montaje niquel adornado.**	Hoja 11 cm, con sierra sacacorchos, corta-alambre, pinzas, punzón.	**Daga de dos filos,** hoja $14^1/_2$ cm, como No. 470, pero montaje todo dorado.	Cuchillo puñal, de guardia, elegante hoja de acero de 12 cm, puño de cuerno de búfalo esculpido, vaina de cuero con guarnición niquel ornamento. Longitud total: 25 cm.	Como 472 a, pero longitud total 13 cm, puño cuerno de búfalo con encajes. Longitud total 25 cm.	Como 472 a, hoja de 14 cm, puño liso de cuerno de búfalo esculpido, calidad extra. Longitud total 28 cm.
pro	10	10	10	10	10	10	10	10
Mk.	**10.80**	**40.—**	**42.—**	**100.—**	**48.—**	**37.—**	**37.—**	**44.—**

Amer. Jagd-Messer und Aexte.	Couteaux amér. de chasse, hachettes etc.	American Hunting knives, hatchets etc.	Cuchillos amer. de caza, hachetas etc.

Bei Orders auf 472 a-e ist „Marble" zuzusetzen!

[illegible]

[illegible]

[illegible]

En los pedidos en No. 472 a-e indicar „Marble"!

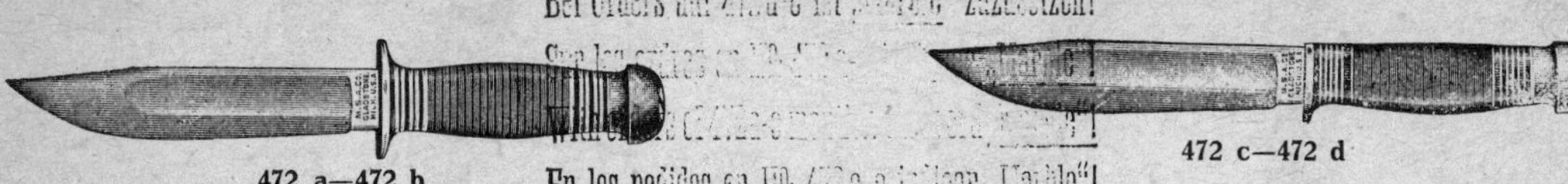

472 a—472 b

472 c—472 d

472 e—472 f

472 g—472 h

Mit Lederetui:	Avec étui de cuir:	With leather case:	á estuche de cuero:
472 a. Ledergriff, 12,5 cm lang.	472 a. Poignée de cuir, long de 12 cm 5.	472 a. Leather grip, 12,5 cm long.	472 a. Puño de cuero, largo de 12 cm 5.
472 b. „ 15 „ „	472 b. „ „ „ „ „ 15 „ .	472 b. „ „ 15 „ „	472 b. „ „ „ „ „ 15 „
472 c. „ 12,5 „ „	472 c. „ „ „ „ „ 12 „ 5.	472 c. „ „ 12,5 „ „	472 c. „ „ „ „ „ 12 „ 5.
472 d. „ 15 „ „	472 d. „ „ „ „ „ 15 „ .	472 d. „ „ 15 „ „	472 d. „ „ „ „ „ 15 „
472 e. Hirschhorngriff, 12,5 „ „	472 e. „corne de cerf, long de 12 „ 5.	472 e. Stag-horn-grip, 12,5 „ „	472 e. „ de cuerno ciervo, largo de 12 cm 5.
472 f. „ 15 „ „	472 f. „ „ „ „ „ „ 15 „ .	472 f. „ 15 „ „	472 f. Puño de cuerno ciervo, largo de 15 cm.
472 g. „ 12,5 „ „	472 g. „ „ „ „ „ „ 12 „ 5.	472 g. „ 12,5 „ „	472 g. Puño de cuerno ciervo, largo de 12 cm 5.
472 h. „ 15 „ „	472 h. „ „ „ „ „ „ 15 „ .	472 h. „ 15 „ „	472 h. Puño de cuerno ciervo, largo de 15 cm.

Gesichert. | Mis en sûreté. | Guarded. | Puesto en seguridad.

Offen. | Découvert. | Guard folded. | Descubierto.

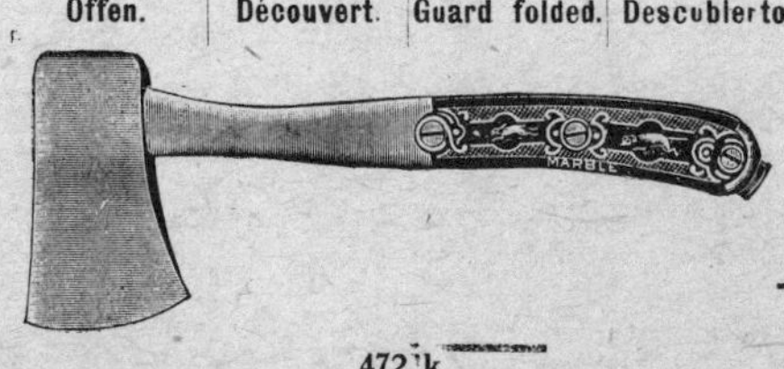

472 i
472 l

472 k

Marble.

Gesichert. | Mis en sûreté. | Guarded. | Puesto en seguridad.

Marble.

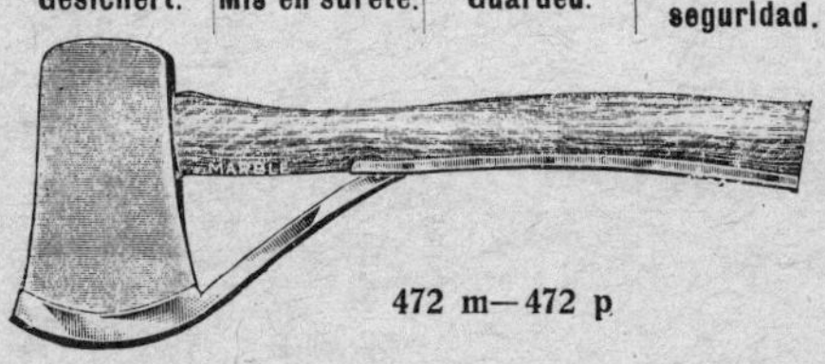

472 m—472 p

472 r—472 t

Die Aexte sind gross und stark genug, um einen Baum zu fällen. Sie haben Sicherheits-Vorrichtung zum Schutz der Schneide im Griff. Format klein, für die Tasche.	Ces hachettes sont assez grandes et fortes pour abattre un arbre. Dans la poignée, elles ont un dispositif de mise en sûreté pour protéger de toute coupure. Petit format de poche.	The hatchets are large and strong enough to fell a tree. The handle is provided with an arrangement for protecting the edge of the blade. Small size for pocket.	Estas hachetas son bastante grandes y fuertes para derribar un arbol. En el puño tienen un dispositivo de puesta en seguridad para proteger de toda cortadura. Pequeño tamaño de bolsillo.
472 i. Gewicht 0,45 kg, Länge 25,5 cm.	472 i. Poids 0 K 45, longueur 25 cm 5.	472 i. Weight 0.45 kg. length 25,5 cm.	472 i. Peso 0,45 kg. longitud 25 cm 5.
472 k. „ 0,56 „ „ 28 „	472 k. „ 0 „ 56, „ 28 „	472 k. „ 0.56 „ „ 28 „	472 k. „ 0.56 „ „ 28 „
472 l. „ 0.76 „ „ 30,5 „	472 l. „ 0 „ 76, „ 30 „ 5.	472 l. „ 0.76 „ „ 30.5 „	472 l. „ 0,76 „ „ 30 „ 5.
472 m. „ 0,67 „ „ 30,5 „	472 m. „ 0 „ 67, „ 30 „ 5.	472 m. „ 0,67 „ „ 30,5 „	472 m. „ 0,67 „ „ 30 „ 5.
472 n. „ 0,45 „ „ 28 „	472 n. „ 0 „ 45, „ 28 „	472 n. „ 0,45 „ „ 28 „	472 n. „ 0,45 „ „ 28 „
472 o. „ 0,56 „ „ 30,5 „	472 o. „ 0 „ 56, „ 30 „ 5.	472 o. „ 0,56 „ „ 30,5 „	472 o. „ 0,56 „ „ 30 „ 5.
472 p. „ 0,38 „ „ 25,5 „	472 p. „ 0 „ 38, „ 25 „ 5.	472 p. „ 0,38 „ „ 25,5 „	472 p. „ 0.38 „ „ 25 „ 5.
472 r. Leder-Etui, ganze Länge.	472 r. Etui de cuir, grand.	472 r. Leather case, entire length.	472 r. Estuche de cuero, grande.
472 s. „ halbe „	472 s. „ „ „ moins grand.	472 s. „ „ half „	472 s. „ „ „ menos grande.
472 t. Segeltuch-Etui, ganze Länge.	472 t. Etui en toile à voile, grand.	472 t. Canvas case, entire „	472 t. „ de lona, grande.

No.	472 a	472 b	472 c	472 d	472 e	472 f	472 g	472 h	472 i	472 k	472 l	472 m	472 n	472 o	472 p	472 r	472 s	472 t
†	Beili	Beilate	Beikas	Beipel	Beitor	Beivti	Beiras	Beilor	Beidur	Beimek	Beiflux	Beikatr	Beitanz	Beib z	Beitxk	Bei-dureka	Beilake	Beisota
Mark	10.80	12.	10.80	12.–	13.20	14.30	13.20	14.30	12.–	12.–	14.13	8.30	7.20	7.20	7.20	4.80	3.60	1.70

Standhauer, prima Stahl, echter Hirschhorngriff. Marke „Alfa“.	Coutelas, acier extra, poignée corne de cerf véritable. Marque „Alfa“.	Hangers, prime steel, genuine stag horn handle. Mark „Alfa“.	Machetes, acero primera, mango asta ciervo genuino. Marca „Alfa“.

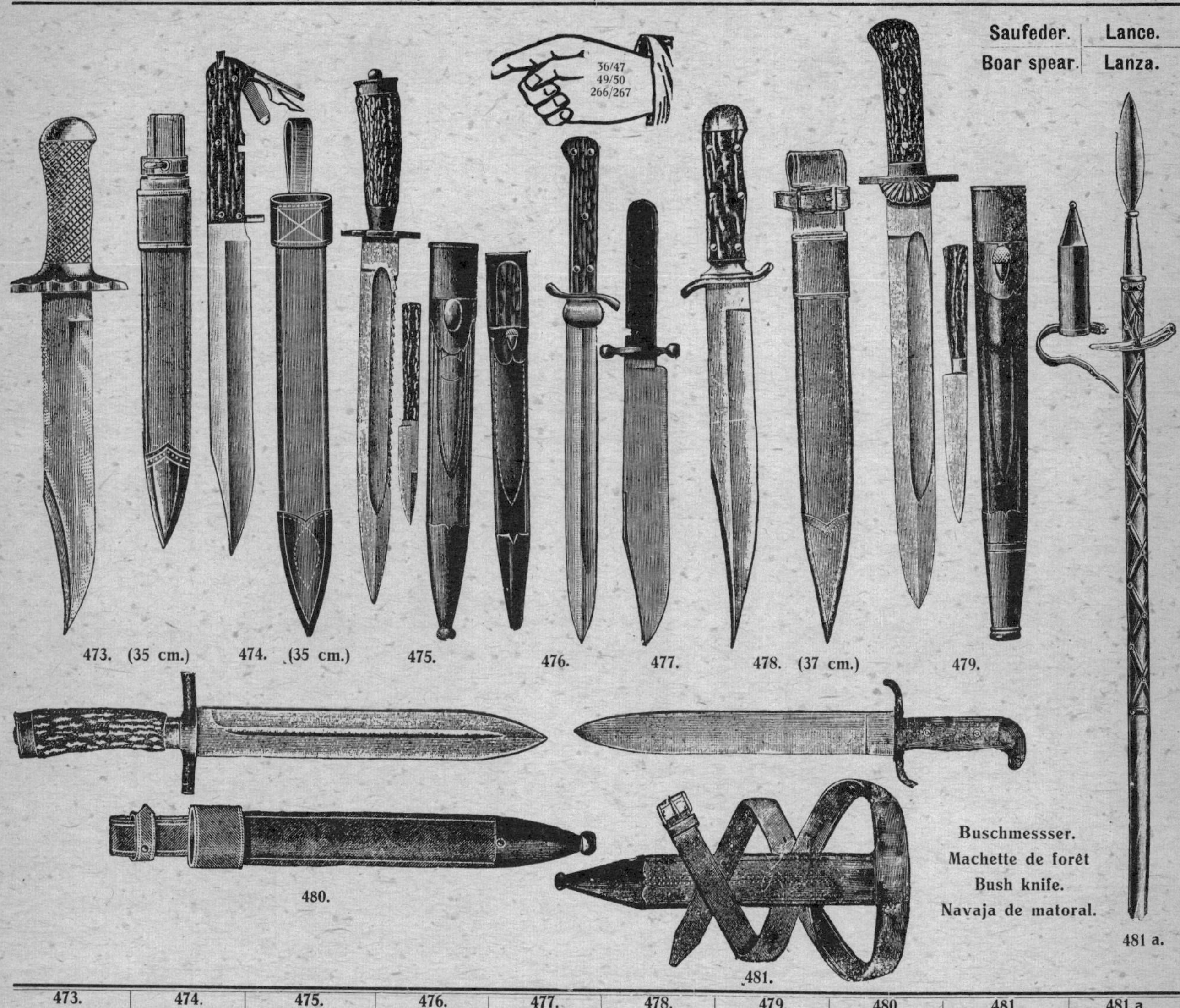

	473.	474.	475.	476.	477.	478.	479.	480.	481.	481 a.
	† **Stalau.**	† **Staras.**	† **Stafon.**	† **Staxer.**	† **Stanex.**	† **Stabel.**	† **Stasur.**	† **Statis.**	† **Stakal.**	† Stakausa.
	Schweres Modell, $3\frac{1}{4}$ cm breite, 23 cm lange Klinge, Griff und Parierstange aus einem Stück, vernickelte Garnitur, Rindlederscheide.	Wie 473, Pinzette, Schraubenzieher mit Feile, **Universalwerkzeug, aufspringender Parierhebel** mit Lederscheide.	26 cm lange, $2\frac{3}{4}$ cm breite Klinge, mit Sägerücken, extra Nickmesser, braune Lederscheide, alle **Beschläge schwarz brüniert.**	25 cm lange, $2\frac{1}{2}$ cm breite Klinge, mit Blutrinne, **extra Nickmesser Handschutz**, sonst wie 475.	$3\frac{1}{4}$ cm breite, 22 cm lange Klinge, Parierstange mit Kugeln, sonst wie 473.	$3\frac{3}{4}$ cm breite, 25 cm lange Klinge, **Beschlag schwarz brüniert**, sonst wie 473.	30 cm lange, $3\frac{1}{4}$ cm breite Klinge, mit extra Nickmesser, schwarze Lederscheide, **schwarzer Beschlag.**	$\frac{1}{4}$ natürl. Grösse, **schweres Modell**, gelbe Lederscheide mit **schwarzem Beschlag.**	**Modell Gerhardt**, alle **Teile abgerundet**, 5 cm breite, 30 cm lange Klinge, 8 mm stark. Scheide und Leibriemen, **schwarzer Beschlag**, Holzgriff.	20 cm lange Stahlklinge, 12 cm Tülle, 1,70 m langer Holzschaft mit Hirschhornknebel und Lederstreifen.
	Fort modèle, lame large de $3\frac{1}{4}$ cm et longue de 23 cm, poignée et garde d'une seule pièce, garniture nickelée, fourreau de vachette.	Comme 473, avec pincette, tourne-vis à lime, **outil passe partout-garde à ressort**, et fourreau de cuir.	Lame longue de 26 cm, et large de $2\frac{3}{4}$ cm, à dos formant scie, avec couteau en plus, fourreau de cuir brun, garnitures **brunies noires.**	Lame longue de 25 cm et large de $2\frac{1}{2}$ cm, à ruisseau **avec l couteau en plus avec protecteur de la main**, pour le reste comme 475.	Lame large de $3\frac{1}{4}$ cm et longue de 22 cm, **garde à boulets**, pour le reste comme 473.	Lame large de $3\frac{3}{4}$ cm et longue de 25 cm, garniture **brunie noire**, pour le reste comme 473.	Lame longue de 30 cm et large de $3\frac{1}{4}$ cm avec couteau en plus, fourreau en cuir noir, **garniture noire.**	En $\frac{1}{4}$ grandeur naturelle, **fort** modèle, fourreau de cuir jaune, **avec garniture noire.**	**Modèle Gerhardt**, toutes pièces **arrondies**, lame large de 5 cm, longue de 30 cm, et forte de 8 mm, fourreau et ceinturon, **garniture noire**, poignée de bois.	Lame d'acier, longue de 20 cm, rivet de 12 cm, bois de 1,70 m avec pièce de corne de cerf et lacets de cuir.
	Heavy model, blade $3\frac{1}{4}$ cm broad, 23 cm long, handle and guard of one piece, nickled mounting neats leather sheath.	Like 473, pincers screw driver with file, **universal tool, springing lever guard** with leather sheath.	Blade 26 cm long, $2\frac{3}{4}$ cm broad, with saw back, special hunting knife, brown leather sheath all **mountings browned.**	Blade 25 cm long, $2\frac{1}{2}$ cm broad, with blood groove, **special hunting knife hand protector**, otherwise like 475.	Blade $3\frac{1}{4}$ cm broad, 22 cm long, **guard with balls**, otherwise like 473.	Blade $3\frac{3}{4}$ cm broad. 25 cm long, **browned** mounting, otherwise, like 473.	Blade 30 cm long, $3\frac{1}{4}$ cm broad, with special hunting knife, black leather **sheath, black mounting**	$\frac{1}{4}$ natural size, **heavy model**, yellow leather sheath **with black mounting.**	**Mod. Gerhardt**, all parts **rounded**, blade 5 cm, broad 30 cm, long 8 mm thick, sheath and belt, **black mounted**, wooden handle.	Steel blade 20 cm long, socket 12 cm wooden shaft 1,70 m long, with stag horn guard and leather strip.
	Modelo pesado, hoja $3\frac{1}{4}$ cm anchura, 23 cm largura, mango y guarda de una pieza, montaje niquel, vaina cuero de vaca.	Como 473, pinza atornillador con lima, **herramienta común, guarda de resorte**, con vaina cuero.	Hoja 26 cm longitud, $2\frac{3}{4}$ cm ancha con sierra á un lado, cuchillo de caza especial, vaina cuero moreno, todos los **montajes morenos.**	Hoja 25 cm longitud, $2\frac{1}{2}$ cm ancha, con surco para la sangre, **cuchillo de caza especial, protege mano**; el resto como 475.	Hoja $3\frac{1}{4}$ cm ancha, 22 cm larga, **guarda con bolas**, el resto como 473.	Hoja $3\frac{3}{4}$ cm ancha, 25 cm longitud, montaje **moreno**, el resto como 473.	Hoja, 30 cm larga, por $3\frac{1}{4}$ cm ancha con cuchillo, vaina cuero negro, **montaje negro.**	$\frac{1}{4}$ del tamaño natural, modelo **pesado**, vaina cuero avellana **con montaje negro.**	**Modelo Gerhardt**, todas las **partes redondas**, hoja 5 cm ancha, por 30 larga, 8 mm grueso, vaina y correa, **montaje negro**, puño de madera.	Hoja de acero, de 20 cm de largo, remache de 12 cm madero de 1,70 m con pieza de cuerno de ciervo y lancetas de cuero.
Mark:	**12.–**	**17.–**	**18.50**	**21.–**	**10.–**	**14.–**	**28.–**	**19.**	**18.–**	**39.–**

Hirschfänger Marke „Alfa". | Epées de chasse marque „Alfa". | Cutlasses Mark „Alfa". | Alfanges marca „Alfa".

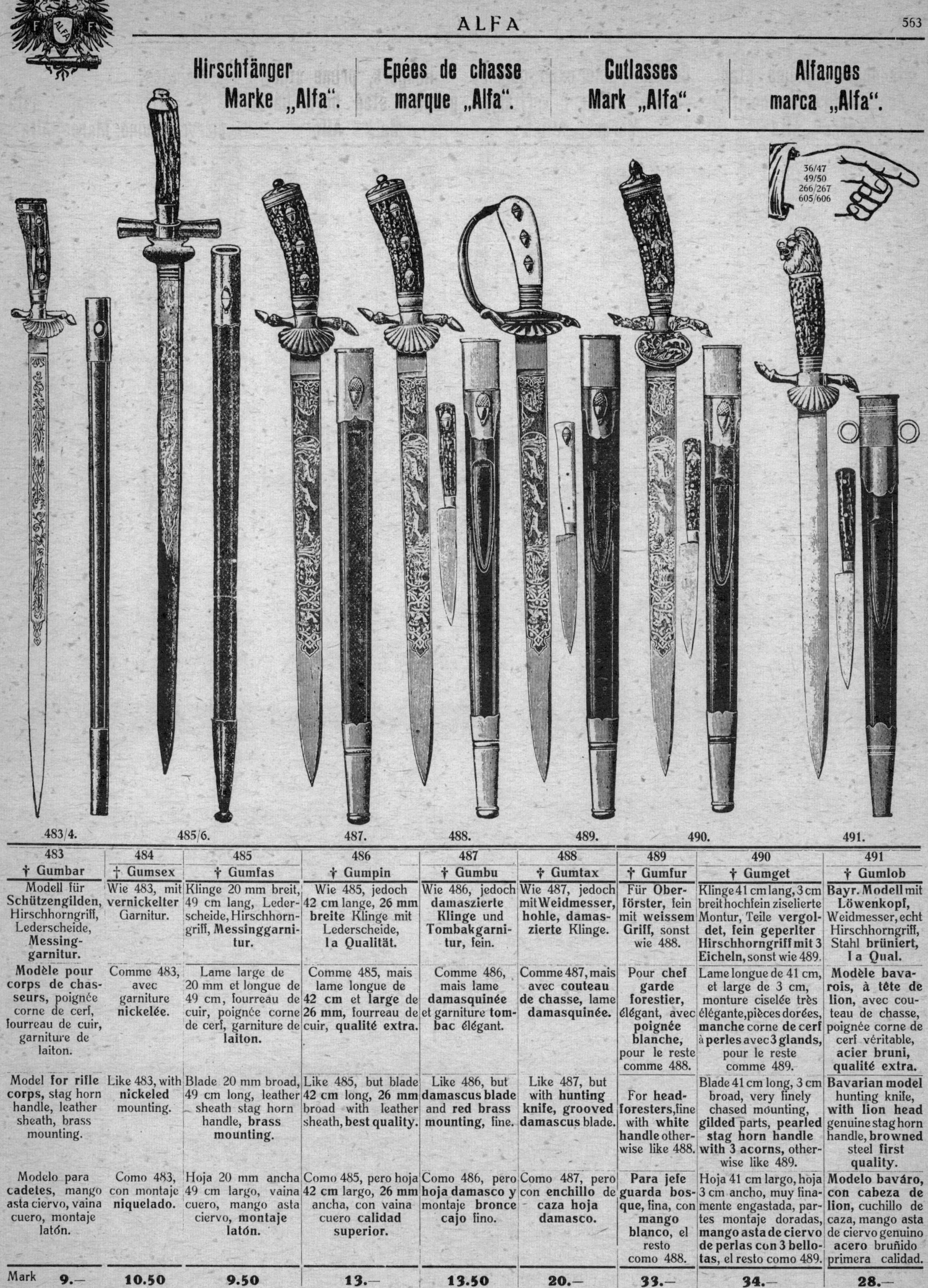

483/4. 485/6. 487. 488. 489. 490. 491.

483	484	485	486	487	488	489	490	491
† Gumbar	† Gumsex	† Gumfas	† Gumpin	† Gumbu	† Gumtax	† Gumfur	† Gumget	† Gumlob
Modell für **Schützengilden,** Hirschhorngriff, Lederscheide, **Messinggarnitur.**	Wie 483, mit **vernickelter** Garnitur.	Klinge 20 mm breit, 49 cm lang, Lederscheide, Hirschhorngriff, **Messinggarnitur.**	Wie 485, jedoch **42 cm** lange, **26 mm breite** Klinge mit Lederscheide, **la Qualität.**	Wie 486, jedoch **damaszierte Klinge** und **Tombakgarnitur,** fein.	Wie 487, jedoch mit **Weidmesser, hohle, damaszierte** Klinge.	Für **Oberförster,** fein mit **weissem Griff,** sonst wie 488.	Klinge 41 cm lang, 3 cm breit hochfein ziselierte Montur, Teile **vergoldet, fein geperlter Hirschhorngriff mit 3 Eicheln,** sonst wie 489.	**Bayr. Modell** mit **Löwenkopf,** Weidmesser, echt Hirschhorngriff, Stahl **brüniert, I a Qual.**
Modèle pour corps de chasseurs, poignée corne de cerf, fourreau de cuir, garniture de laiton.	Comme 483, avec garniture **nickelée.**	Lame large de 20 mm et longue de 49 cm, fourreau de cuir, poignée corne de cerf, garniture de **laiton.**	Comme 485, mais lame longue de **42 cm** et **large** de **26 mm,** fourreau de cuir, **qualité extra.**	Comme 486, mais lame **damasquinée** et garniture **tombac** élégant.	Comme 487, mais avec **couteau de chasse,** lame **damasquinée.**	Pour **chef garde forestier,** élégant, avec **poignée blanche,** pour le reste comme 488.	Lame longue de 41 cm, et large de 3 cm, monture ciselée très élégante, pièces dorées, **manche** corne **de cerf** à **perles** avec **3 glands,** pour le reste comme 489.	**Modèle bavarois, à tête de lion,** avec couteau de chasse, poignée corne de cerf véritable, **acier bruni, qualité extra.**
Model **for rifle corps,** stag horn handle, leather sheath, brass mounting.	Like 483, with **nickeled** mounting.	Blade 20 mm broad, 49 cm long, leather sheath stag horn handle, **brass mounting.**	Like 485, but blade **42 cm** long, **26 mm** broad with leather sheath, **best quality.**	Like 486, but **damascus blade** and **red brass mounting,** fine.	Like 487, but with **hunting knife, grooved damascus** blade.	For **head-foresters,** fine with **white handle** otherwise like 488.	Blade 41 cm long, 3 cm broad, very finely chased mounting, **gilded** parts, **pearled stag horn handle with 3 acorns,** otherwise like 489.	**Bavarian model** hunting knife, **with lion head** genuine stag horn handle, **browned** steel **first quality.**
Modelo para **cadetes,** mango asta ciervo, vaina cuero, montaje latón.	Como 483, con montaje **niquelado.**	Hoja 20 mm ancha 49 cm largo, vaina cuero, mango asta ciervo, **montaje latón.**	Como 485, pero hoja **42 cm** largo, **26 mm** ancha, con vaina cuero **calidad superior.**	Como 486, pero **hoja damasco y** montaje **bronce cajo** fino.	Como 487, pero con **enchillo** de **caza hoja damasco.**	**Para jefe guarda bosque,** fina, con **mango blanco,** el resto como 488.	Hoja 41 cm largo, hoja 3 cm ancho, muy finamente engastada, partes montaje doradas, **mango asta de ciervo de perlas con 3 bellotas,** el resto como 489.	**Modelo baváro, con cabeza de lion,** cuchillo de caza, mango asta de ciervo genuino **acero** bruñido primera calidad.
Mark **9.—**	**10.50**	**9.50**	**13.—**	**13.50**	**20.—**	**33.—**	**34.—**	**28.—**

Hauer mit Lederscheide und Riemen Marke „Alfa“. | Coutelas avec fourreaux de cuir et courroie, marque „Alfa“. | Cutlasses with sheaths and straps of leather Mark „Alfa“. | Machetes con vainas y correas marca „Alfa“.

36/47
49/50
266/267

MARAJOARAS

7007 7008 7009 7010 7011 7012 7013 7014 7015 7016

AMAZONAS

7017

AMAZONAS

7018

7000 7001 7002 7003 7004 7005 7006

7000	Poliert, 20 Zoll lang.	Poli, long de 20 pouces.	Polished, 20 inches long.	Pulido, 20 pulgadas de largo.
7001	Fein poliert, 24 Zoll lang.	Soigneusement poli, long de 24 pouces.	Finely polished, 24 inches long.	Pulido fino, 24 pulgadas de largo.
7002	Poliert, 24 Zoll lang.	Poli, long de 24 pouces.	Polished, 24 inches long.	Pulido, 24 pulgadas de largo.
7003	Poliert, 24 Zoll lang.	Poli, long de 24 pouces.	Polished, 24 inches long.	Pulido, 24 pulgadas de largo.
7004	Fein poliert, 22 Zoll lang, 3½ Zoll breit.	Soigneusement poli, long de 22 pouces, large de 3 pouces ½.	Finely polished, 24 inches long, 3½ inches broad.	Pulido fino, 22 pulgadas de largo, 3½ pulgadas de ancho.
7005	Fein poliert, Holzgriff mit Messingdraht, 22 Zoll lang	Soigneusement poli, poignée bois à fils de laiton, long de 22 pouces.	Finely polished, wooden handle with brass wire, 22 inches long.	Pulido fino, mango de madera y alambre de latón, 22 pulgadas de largo.
7006	Fein poliert, 22 Zoll lang	Soigneusement poli, long de 22 pouces.	Finely polished, 22 inches long.	Pulido fino, 22 pulgadas de largo.
7007	Fein poliert, 14 Zoll lang.	Soigneusement poli, long de 14 pouces.	Finely polished, 14 inches long.	Pulido fino, 14 pulgadas de largo.
7008	Fein poliert, 18 Zoll lang.	Soigneusement poli, long de 18 pouces.	Finely polished, 18 inches long.	Pulido fino, 18 pulgadas de largo.
7009	Fein poliert, 17 Zoll lang.	Soigneusement poli, long de 17 pouces.	Finely polished, 17 inches long.	Pulido fino, 17 pulgadas de largo.
7010	Fein poliert, 12 Zoll lang.	Soigneusement poli, long de 12 pouces.	Finely polished, 12 inches long.	Pulido fino, 12 pulgadas de largo.
7011	Fein poliert, 16 Zoll lang, 2½ Zoll breit.	Soigneusement poli, long de 16 pouces, large de 2 pouces ½.	Finely polished, 16 inches long, 2½ inches broad.	Pulido fino, 16 pulgadas de largo, 2½ pulgadas de ancho.
7012	Fein poliert, 12 Zoll lang.	Soigneusement poli, long de 12 pouces.	Finely polished, 12 inches long.	Pulido fino, 12 pulgadas de largo.
7013	Fein poliert, 14 Zoll lang.	Soigneusement poli, long de 14 pouces.	Finely polished, 14 inches long.	Pulido fino, 14 pulgadas de largo.
7014	Fein poliert, 12 Zoll lang. Messing-Montur, Ledergriff.	Soigneusement poli, long de 12 pouces, monture laiton, poignée cuir.	Finely polished, 12 inches long, brass mounting, leather grip.	Pulido fino, 12 pulgadas de largo, montura de latón, empuñadura de cuero.
7015	Fein poliert, 12 Zoll lang, Griff unpoliert.	Soigneusement poli, long de 12 pouces, poignée non polie.	Finely polished, 12 inches long, handle unpolished.	Pulido fino, 12 pulgadas de largo, mango sin pulimentar.
7016	Fein poliert, 12 Zoll lang.	Soigneusement poli, long de 12 pouces.	Finely polished, 12 inches long.	Pulido fino, 12 pulgadas de largo.
7017	Fein poliert, 14 Zoll lang, Holzgriff mit Messingdraht.	Soigneusement poli, long de 14 pouces, poignée bois et fils de laiton.	Finely polished, 14 inches long, wooden handle with brass wire.	Pulido fino, 14 pulgadas de largo, mango de madera con alambre de latón.
7018	Fein poliert, 14 Zoll lang, Holzgriff.	Soigneusement poli, long de 14 pouces, poignée bois.	Finely polished, 14 inches long, wooden handle.	Pulido fino, 14 pulgadas de largo, mango de madera.

Die **Lederscheiden** werden in zwei Qualitäten hergestellt; die I a Scheiden sind mit hochliegenden Verzierungen versehen, welche bei der II a Qualität fehlen.

Ledergürtel zu den Hauern werden in der Breite von 14, 18 oder 24 mm geliefert.

Wenn mit Lederscheiden gewünscht, Qual. I † a anhängen.
„ II † b „

Les **étuis de cuir** sont livrés en 2 qualités. La première qualité comporte des ornements en relief, tandis que la 2 aqualité est privée de ces ornements.

Nous livrons pour les coutelas **des ceintures de cuir** larges de 14, 18 ou 24 mm.

Quand on désire les coutelas avec fourreau de cuir, prière d'ajouter
† a pour I. Qual.
† b pour II. Qual.

The **leather-sheaths** are made in two qualities; those of a¹ quality are embossed, those of aII quality are plain.

Leather-belts for the cutlasses are made ½, ¾ and 1 in. wide.

If desired with leather sheath add
† a for the I. quality
† b for the II. quality.

Las **vainas de cuero** se fabrican en dos calidades; las de Ia. calidad llevan dibujos en relieve las de IIa. calidad lisas sin dibujos.

Para los machetes se fabrican **correas de cuero** de 14, 18 ó 24 mm de ancho.

Cuando se desea los machetes con estuche de cuero hay que añadir la letra telegráfica
† a para I Cualidad
† b para II Cualidad.

No.	7000	7001	7002	7003	7004	7005	7006	7007	7008	7009	7010	7011	7012	7013	7014	7015	7016	7017	7018
†	Bitake	Betroda	Betruve	Bewerato	Bewetare	Bawitcho	Bezelar	Biaso	Biblomo	Bicanore	Becaro	Bistro	Biton	Biwalow	Bittam	Biabe	Bladome	Blazeuer	Blanchow
pro	10	10	10	10	10	10	10	10	10	10	10	10	10	10	10	10	10	10	10
Ohne Lederscheide / Sans étui de cuir / Without leather sheath / Sin estuche de cuero	30.65	40.28	37.35	33.70	53.90	48.45	44.10	38.20	35.60	33.75	30.15	36.85	34.80	39.20	25.70	25.25	12.50	38.50	40.50
Mit Lederscheide / Avec étui de cuir / With leather sheath / Con estuche de cuero † a I	55.15	68.10	65.20	61.50	—	81.10	68.10	57.40	55.30	61.55	50.—	65.50	51.—	58.40	41.25	38.60	—	59.30	59.—
† b II	54.40	67.35	64.45	60.75	—	80.35	67.35	56.65	54.55	60.80	49.25	64.75	50.25	57.65	40.50	37.85	—	58.55	58.25

Raubtierfallen. | Pièges à fauves | Traps for beasts of prey. | Trampas para animales de rapina.

Zu jedem Artikel wird kostenlos eine Gebrauchsanweisung geliefert.

Mode d'emploi est joint gratuitement à chaque article.

Directions supplied with every article free of charge.

Instrucciones con cada articulo gratis.

2603.
Gespannter mit Ei beköderter deutscher Schwanenhals.
Piège à engrenage, modèle allemand, avec 1 œuf comme appât.
German swan neck set with egg bait.
Cuello cisne alemán preparado con cebo huevo.

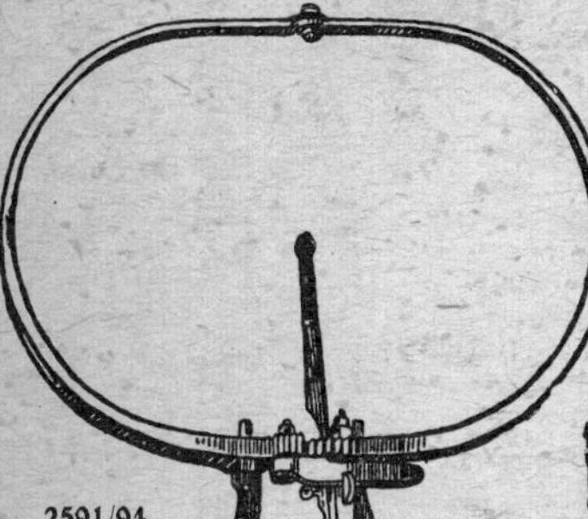

2591/94.

Schwanenhals | Swan neck.
Piège à engrenage. | Cuello cisne.

Im aufgestellten Zustande.
Tendu.
When set.
Preparado.

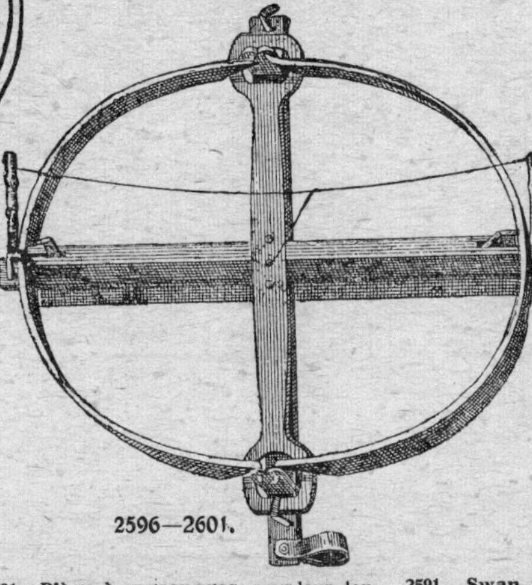

2596—2601.

Plitznersche Stellschiene. | Rail de tension Plitzner. | Plitzner steel frame. | Bastidor acero Plitzner.

2602.

Grösstes und stärkstes Tellereisen mit aussen liegender Feder.
Très grand et fort piège à palette de fer, avec ressort extérieur.
Largest and strongest plate iron with outside spring.
Placa hierro mayor y más fuerte con muelle exterior.

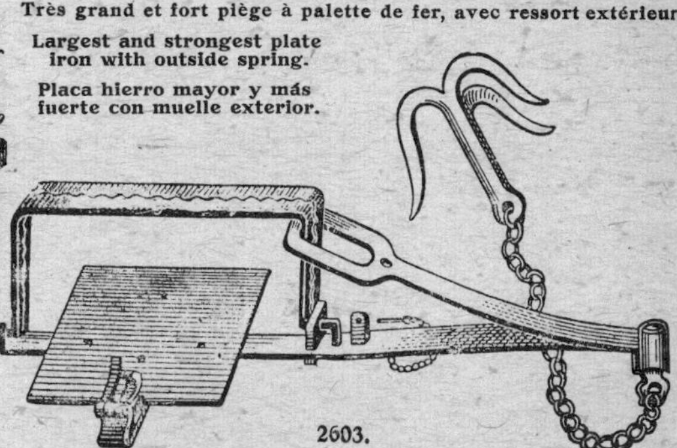

2603.

2591. Schwanenhals für **Wolf,** Bügellänge 49 cm, Bügelbreite 63 cm, Gewicht ca. $7\frac{1}{2}$ kg.

2592. Schwanenhals für **Fuchs** (grösste Sorte), Bügellänge 41 cm, Bügelbreite 60 cm, Gewicht 6 kg.

2593. Schwanenhals für **Fuchs** (2. Grösse), Bügellänge 38 cm, Bügelbreite 52 cm, Gewicht ca. $5\frac{1}{2}$ kg.

2594. Schwanenhals für **Marder,** Bügellänge 28 cm, Bügelbreite 41 cm, Gewicht ca. 3 kg.

2595. Stellvorrichtung zum leichten Stellen der Berliner Schwanenhälse.

2596. Der grösste deutsche Schwanenhals zum Fang von **Tiger, Hyäne, Wolf** usw. Bügellänge 1 m, Bügelbreite 1 m inkl. Federhaken und Dreheisen.

2597. Deutscher Schwanenhals für **Wolf, Hyäne** etc. Bügelbreite 70 cm, Bügellänge 60 cm.

2598. Deutscher Schwanenhals, Grösse wie 2599, fein geschliffen und poliert, für **Fuchs, Dachs, Otter** usw. Bügellänge 45 cm, Bügelbreite 55 cm, Gewicht ca. $5\frac{1}{2}$ kg.

2599. Deutscher Schwanenhals mit **geruchloser Politur** gestrichen, für **Fuchs, Otter, Marder** usw. Bügellänge 45 cm, Bügelbreite 55 cm, Gewicht $5\frac{1}{2}$ kg.

2599 a. Derselbe mit Tellerstellung.

2600. Deutscher Schwanenhals speziell für **Marder, Iltis** etc. Bügellänge 37 cm, Bügelbreite 43 cm, Gewicht $3\frac{1}{2}$ kg.

2601. Derselbe mit Tellerstellung.

2602. Zu den deutschen Schwanenhälsen 2596, 2600. Durch Hebelübertragung und Schnellfeder ist bei dieser Stellschiene der nur **denkbar leiseste Abzug geschaffen,** dabei ist ein Selbstzuschlagen des Eisens vollständig ausgeschlossen.

2603. Für **Bären, Löwen, Tiger, Puma** usw. Bügelausdehnung 33×30 cm, Gewicht 13 kg. **Komplett** mit **Federhaken, Kette** und **Anker.**

Zum Herausnehmen der Feder wird jedem Berliner Schwanenhals ein Holzkreuz und ein Schraubenzieher gratis beigegeben.

2591. Piège à engrenages, pour loup, longueur des branches 49 cm, largeur des branches 63 cm, poids environ 7 k $\frac{1}{2}$ (Schwanenhals).

2592. Piège à engrenages (Schwanenhals), pour renard (grandeur supérieure), longueur des branches 41 cm, largeur des branches 60 cm, poids 6 k.

2593. Piège à engrenages (Schwanenhals), pour renard (2e grosseur) longueur des branches 38 cm, largeur des branches 52 cm, poids environ 5 k $\frac{1}{2}$.

2594. Piège à engrenages (Schwanenhals), pour martre, longueur des branches 28 cm, largeur des branches 41 cm, poids environ 3 k.

2595. Instrument permettant de tendre aisément les pièges à engrenages (Schwanenhals).

2596. Le plus grand des pièges allemands à engrenages (Schwanenhals), pour la prise des tigres, hyènes, loups etc. Longueur des branches 1 m, largeur des branches 1 m, y compris le crochet à ressort et le battant de fer.

2597. Piège allemand à engrenage, pour **loups, hyènes** etc. Largeur des branches: 70 cm, longueur des branches: 60 cm.

2598. Piège allemand à engrenage même grandeur que 2599, soigneusement poli, **pour renards, blaireaux, loutres, martrés** etc. Longueur des branches: 45 cm, largueur des branches: 55 cm, poids: environ 5 K. $\frac{1}{2}$.

2599. Piège allemand — polissure inodore, pour **reuards, loutres, martres** etc., longueur des branches: 45 cm, largeur des branches: 55 cm, poids: 5 K. $\frac{1}{2}$.

2599a. Le même piège, mais avec dispositif à palette.

2600. Piège allemand spécialement pour **martres, putois** etc, Longueur des branches: 37 cm, largeur des branches: 43 cm, poids: 5 K. $\frac{1}{2}$.

2601. Le même piège, mais avec dispositif à palette.

2602. Pour les pièges allemands à engrenage No. 2596, 2600 Cette rail de tension est ainsi constituée qu'elle procure aux pièges un déclanchement très sensible, tout en rendant impossible le déclanchement du piège par lui-même.

2603. Pour **ours, lions, tigres, pumas** etc. Extension des brauches: 33×30 cm poids: 13 kg. Complet, avec crochet à ressort, chaîne et ancre.

Pour l'enlèvement du ressort, il est joint gratuitement à chaque piège à engrenage berlinois une croix de bois et un tourne-vis.

2591. Swan neck für **wolves,** length of jaws 49 cm, width of jaws 63 cm, weight about $7\frac{1}{2}$ kg.

2592. Swan neck for **foxes** (largest kind), length of jaws 41 cm, width of jaws 60 cm, weight 6 kg.

2593. Swan neck for **foxes** (2nd size), length of jaws 38 cm, width of jaws 52 cm, weight about $5\frac{1}{2}$ kg.

2594. Swan neck for **marters,** length of jaws 28 cm, width of jaws 41 cm, weight about 3 kg.

2595. Setting arrangement for easy setting of Berlin swan neck.

2596. The largest German swan neck for catching **tigers, hyenas, wolves** etc. Length of jaws 1 m, width of jaws 1 m, including spring clamp and key.

2597. German swan neck for **wolves, hyenas** etc. Width of jaws 70 cm, length of jaws 60 cm.

2598. German Swan neck, same size as 2599, finely polished, for **foxes, badgers, otters** etc. Length of jaws 45 cm, width of jaws 55 cm, weight about $5\frac{1}{2}$ kg.

2599. German swan neck, coated with **odorless polish,** for **foxes otters, marders** etc. Length of jaws 45 cm, width of jaws 55 cm, weight $5\frac{1}{2}$ kg.

2599 a. Same with plate setting.

2600. German swan neck, for **marders, polecats** in particular. Length of jaws 37 cm, width of jaws 43 cm, weight $3\frac{1}{2}$ kg.

2601. Same with plate setting.

2602. For the German swan necks 2596, 2600. This steel frame acts as smoothly and easily as possible by means of a lever transmission and spring, any self shutting of the iron being entirely precluded.

2603. For **bears, lions, tigers, pumas** etc. Extension of jaws 35×60 cm, weight 13 kg, **Spring clamp, anchor** and **chain complete**

Wooden cross and screw-driver for detaching of spring supplied free of charge with all Berlin swan necks.

2591. Cuello cisne para **lobos,** largura de quijadas 49 cm, ancho 63 cm, peso sobre $7\frac{1}{2}$ Kilos próximamente.

2592. Cuello cisne para **zorros** (clase mayor), largo quijadas 41 cm, ancho 60 cm, peso 6 Kilos próximamente.

2593. Cuello cisne para **zorros** (2. tamaño), largura quijadas 38 cm, ancho 52 cm, peso $5\frac{1}{2}$ Kilos próximamente.

2954. Cuello cisne para **comadrejas,** largo quijadas 28 cm, largo 41 cm, peso 3 Kilos próximamente.

2595. Disposición para los cuellos cisne de Berlin.

2596. El mayor cuello cisne alemán para coger **tigres, hienas, lobos** etc. **Largo** de quijadas 1 metro, ancho 1 metro, **empalme** muelle y llave incluido.

2597. Cuello cisne alemán para **lobos, hienas** etc. Ancho quijadas 70 cm, **largo** 60 cm.

2598. Cuello cisne alemán, igual tamaño que 2599, muy bien pulido, para **zorros, tejones, nutrias** etc. Largura quijadas 45 cm, ancho 55 cm, peso sobre $5\frac{1}{2}$ **Kilos.**

2599. Cuello cisne alemán, bañado con **lustre inodoro,** para **zorros, nutrias, comadrejas** etc. Largo quijadas 45 cm, ancho 55 cm, peso $5\frac{1}{2}$ Kilos.

2599 a. Igual con placa para parar.

2600. Cuello cisne alemán para **comadrejas, gatos** monteses particularmente. Largo quijadas 37 cm, ancho 43 cm, peso $3\frac{1}{2}$ K.

2601 Igual con placa para parar.

2602 Para los cuellos cisne alemanes 2596 2600. Este bastidor acero acciona tan suave y facilmente como posible por medio de una palanca trasmisora y muelle excluyendo asi que se cierre el cepo por si solo.

2603. Para **osos, leones, tigres, hienas** etc. Extension de quijadas 35×60 cm, peso 13 Kilos. Con **empalme muelle ancho y cadena completa.**

Cruz madera y destornillador para desatornillar muelle provisto gratis con todos los cuellos cisne

2591	2592	2593	2594	2595	2596	2597	2598	2599	2599 a	2600	2601	2602	2603
† Pegaduri	Peluguer	Pavoro	Pegotan	Peluguin	Pegasa	Pegulali	Pelois	Pazgua	Peguntir	Pelleza	Pazupuer	Pernotat	Pellejero
Mk. 72.—	54.—	47.—	40.—	10.—	60.—	34.—	34.—	20,50	22.—	16,50	20.—	9.—	52.—

Selbstschüsse. | Armes à feu tirant automatiquement. | Automatic shootes. | Armas de fuego que tiran automaticamente.

Automatischer Revolver-Böller dient zur Verscheuchung von Wild, Vögeln, Heuschrecken, Menschen etc. Der Apparat gibt 24 Schuss im Zeitraum von 12 Stunden selbsttätig, also je 30 Minuten, einen Schuss ab. Man kann aber auch den Apparat so einstellen, dass er nur in 1 oder 1½ oder 2 Stunden etc. schiesst. Man verwendet Platzpatronen.

2723b in Cal. 12 mm
2723c in Cal. 15 mm
(Patronen 12 und 15 mm Seite 175.)

2723d Schützenständer zum Apparat (10 kg)

Mortier-Revolver automatique sert pour épouvanter le gibier, les oiseaux, les gens etc. Dans l'espace de 12 heures, l'appareil tire automatiquement 24 coups, soit 1 coup toutes les 30 minutes. Cependant on peut l'arranger de manière qu'il ne tire par exemple que toutes les heures, toutes les heures et demie ou toutes les 2 heures etc. On emploie des cartouches à blanc

2723b Cal. 12 mm
2723c Cal. 15 mm
(Voir cartouches Cal. 12 et 15 mm page 175.)

2723d Supports pour l'appareil (10 Kilo.)

Automatic revolver-mortar serves for the scaring of game birds, locusts men etc. The apparatus fires automatically 24 shots within 12 hours i. e. every 30 minutes one shot. The apparatus can how ever be set in such a manner that it fires only every hour 1½ or 2 hours etc. Blank cartridges are used.

2723b in Cal. 12 mm
2723c in Cal. 15 mm
(Cartridge 12 and 15 mm page 175.)

2723d Shooting stand for apparatus (10 kg.)

Mortero-revolver automático sirve para espantar la caza, los pájaros etc. En el transcurso de 12 horas el aparato tira automaticamente 24 culposo, sea, 1 tiro cada 30 minutos. Sin embargo, se puede arreglar de tal manera para que tire cada hora, cada hora y media y cadas 2 horas etc. Se emplean los cartuchos de blanco.

2723b Cal. 12 mm
2723c Cal. 15 mm
(Ver cartuchos Cal. 12 y 15 mm página 175.)

2723d Soportes para el aparato (10 Kilo.)

Ca. 11 kg, Grösse 50×34×25 cm.
2723b—2723c.

250×70 cm.
2723d.

Alarm- oder Selbstschuss-Apparat Marke „Alfa". | Appareil d'alarme ou à tir automatique, Marque „Alfa". | Alarm or self shooting apparatus Brand „Alfa". | Aparato „Alfa" de alarmo, ó tiro automático.

B

2723.

Diese Apparate sind für folgende Zwecke zu verwenden: **Zum Schutz von Fasanerien, Hühnerhöfen, Obstgärten, Stallungen, Wohnhäuser, ferner gegen Wilddieberei und Schlingenstellerei,** auch sind dieselben bei Raubzeugvertilgung zu verwenden. Der Apparat wird auf einem Holzpflock oder einem Brett aufgenagelt. Sobald der über die Erde gespannte Draht oder **Bindfaden berührt wird, geht der Schuss los.** Der Apparat wird mit einer **gewöhnlichen Lefaucheux-Patrone, Cal. 16,** scharf oder nur mit Pulver geladen. **Die Länge des Spanndrahts** oder Bindfadens **kann nach Belieben** gewählt werden. Um den Fuchs auf oder in dem Bau zu erschiessen, wird der Apparat im Bau aufgestellt, entweder in oder vor der Röhre. Die Länge des Apparats beträgt **23 cm. Lauflänge 8 cm.**

Patronen dazu Seite 418/19.

Ces appareils sont à employer dans les buts suivants: **pour préserver les faisanderies, les basses-cours, les jardins fruitiers, les écuries, les habitations, de même que contre le braconnage, la pose de collets et** pour la destruction des oiseaux de proie ou carnassiers. On cloue l'appareil sur un piquet de bois ou sur une planche et, **dès que le fil de fer ou la ficelle tendu à terre est remué le coup part.** L'appareil se charge avec **une cartouche Lefaucheux, Cal. 16, ordinaire,** chargée ou non, à blanc. La longueur du fil-de-fer ou de la ficelle de détente **dépend uniquement de la volonté du propriétaire** Si on vent tirer un renard dans ou au sortir de son terrier, on place l'appareil dans ou devant le dit terrier. **L'appareil est long de 23 cm** et la **canon de 8 cm.**

Voir page 418/19 cartouches correspondantes.

This apparatus is used for the following purposes: **For the protection of pheasantries, hen-houses, orchards, stables, dwellings further against poachers** and the laying of snares and in the extermination of small beasts of prey. The apparatus is nailed on to a wooden board etc. **As soon as the wire or cord, stretching above the ground, is touched the shot is fired.** The apparatus is loaded with **an ordinary Lefaucheux cartridge,** Cal. 16, either with shot or powder only. **The wire or cord can be in any length desired.** In order to shoot the fox in his hole the apparatus is placed in the latter either in or in front of the burrow. The apparatus **is 23 cm long. Length of barrel 8 cm.**

Cartridges see page 418/19.

Este apparato se emplea en los casos siguientes: **Para protejer las faisanerías, corrales-gallineros, huertas, caballerizas, casas y además contra cazadores furtivos, tendetores de lazos,** también para exterminar los animalitos de rapiña. El aparato se clava en una plancha de madera etc. Dispara en el momento **que se toque el alambre estirado por suelo.** Se carga el apparato **con un cartucho Lefaucheux ordinario** con ó sin bala de Cal. 16. **La longitud del alambre ó cordon** puede arreglarse **á gusto.** Para tirar al zorro en la zorrera se coloca el apparato en la embocadura de la misma. **Longitud del aparato 23 cm y del cañón 8 cm.**

Cartuchos véase página 418/19.

No.	2723 b	2723 c	2723 d	2723
†	Aurebols	Aurebuff	Persusta	Perfolar
Mark	**72.—**	**80.—**	**13.—**	pro 10 = Mk. **55.—**

Preuss'sche Hasenscheibe. | Cible-lièvre prussienne. | Prussian Hare Target. | Blanco prusiano con liebre.

2721.

Ebenso wie das Tontaubenschiessen eine fast unumgängliche Uebung zum sicheren Schiessen auf aufliegendes Wild ist, gibt obige Einrichtung dem angehenden Jäger, Forstlehrling usw. Gelegenheit, sich im Schiessen auf flüchtiges Wild genügend zu üben; ausserdem soll dieselbe aber auch für die gewandtesten Schützen ein interessanter Zeitvertreib sein.

Die Anordnung obiger Scheibe geschieht wie folgt: Man spannt den Draht vermittels zweier Knüppel zwischen zwei Bäume oder Pfähle, schiebt den Eisenrahmen auf, und die ganze Einrichtung kann in Betrieb genommen werden.

Der den Apparat Bedienende muss zur Sicherung hinter einem starken Baum, einem Klafter Holz oder dergl. mehr Platz nehmen, auf alle Fälle muss er so gedeckt sein, dass er durch abspritzendes Blei nicht getroffen werden kann.

Der Rahmen rollt sehr leicht und mit mässigem Abstoss schnell über eine 6 bis 8 m breite Strecke. Sobald das Blatt des Hasen getroffen ist, klappt eine rotlackierte Anzeigeplatte, deren Widerstand regulierbar ist, hinten über, so dass sie unten am Hasen sichtbar wird.

Wird die Laufbahn zu beiden Seiten durch Tannenzweige verblendet, so markiert dies täuschend den Moment, wenn der Hase in Wirklichkeit aus den Schonungen auf das Feld getrieben wird. Das Schiessen wird interessanter, sobald man 2 Hasen laufen lässt, damit der Schütze nie weiss, von welcher Seite der Hase kommt.

Preis mit 12 Meter Draht, einem auf Pappe aufgezogenen Hasenbild und 4 Hasenbildern extra.

2721.

2721.

De même que le tir aux pigeons artificiels est un exercice presque indispensable pour tirer avec sûreté le gibier volant, le dispositif ci-dessus donne au chasseur, à l'apprenti garde-forestier ou à toute autre personne l'occasion de s'exercer d'une manière très satisfaisante au tir du gibier fuyant. D'autre part, ce dispositif peut également offrir aux tireurs les plus adroits un passe-temps intéressant.

La mise au point de l'appareil en question s'opère comme suit: on tend le fil, au moyen de 2 bâtons, entre 2 arbres ou piquets, on pousse dessus la cible et l'appareil se trouve prêt à entrer en fonctionnement.

La personne maniant le dit appareil doit, pour sa mise en sûreté, se placer derrière un gros arbre, un abri de bois ou toute autre chose et en tout cas de telle façon quelle ne puisse être atteinte par les plombs.

La cible roule avec grande facilité et un coup de main suffisant lui fait franchir rapidement 6 ou 8 mètres de distance.

Dès que la cible est touchée par le coup, une plaquette d'avertissement vernie rouge — dont la sensibilisé est réglable à volonté — tombe de haut en bas, de sorte qu'elle apparaît sous le lièvre.

Quand on garnit de feuillages de sapin les 2 côtés de la piste, on a, à s'y méprendre, l'illusion que le lièvre passe en réalité, comme dans une battue.

Le tir est encore plus intéressant quand on fait mouvoir 2 lièvres, car alors le tireur ne peut savoir de quel côté viendra le lièvre.

Prix avec 12 mètres de fil, 1 figure de lièvre montée en carton et 4 figures de lièvre extra.

2721.

Just as clay pigeon shooting is an almost indispensable practice, for the safe shooting of birds on the wing, the above appliance gives the future hunter, foresters-apprentice etc. sufficient, opportunity of practising the shooting of running game, moreover same, is an interesting pastime even for the most expert marksmen.

The target is adjusted as follows: The wire is stretched by means of two sticks between two trees or poles, the iron frame then being attached and the apparatus is in working order.

The person attending to same must take up a position behind a strong tree, pile of wood etc being under all circumstances sheltered in such a manner, that he cannot be hit by pieces of lead.

With a slight push the frame rolls easily and quickly a distance of 6 to 8 meters along the wire. As soon as the hare is hit on the blade a red varnished indicator plate, the resistance of which is adjustable, falls down at the back and is visible underneath the hare.

If the wire is masked at both ends by pine branches it closely resembles the moment when the hare is actually driven from the plantations on to the field. The shooting is more interesting when 2 hares are set going, the marksman never being sure, from which side the hare will come.

Price: Including 12 meters of wire, a cardboard mounted picture of a hare and 4 spare pictures.

2721.

Del mismo modo que el tiro de pichones de barro forma una práctica casi insdispensable para tirar al vuelo con certeza, este blanco proporciona al principiante y otros una oportunidad muy sufficiente de adiestrarse en el tiro de animales fugaces. Además los cazadores adeptos mismos hallan en este blanco un pasatiempo interesante.

Se ajusta de la manera siguiente. Se tiende el alambre por medio de dos palitos entre dos árboles ó palos y se cuelga el cuadro de hierro. Ya está listó el aparato.

La persona que maneja el blanco debe abrigarse detras de un árbol ó un monton de leña de tal manera que no le alcancen los perdigones.

Con un ligero empuje, el cuadro rueda rápida y facilmente á una distancia de 6 á 8 metros. En el momento de dar en el blanco solto una placa encarnada y esmaltada, cuya resistencia se deja regular, y se ve por debajo de la liebre.

Tapándose el alambre por los dos extremos con ramos de abeto da esté blanco una representación muy real del momento de salir la liebre al descubiesto durante una batida. Más interessante aun es el soltar dos liebres de modo que no sepan los tiradores de que lado ha de salir.

Precio con 12 metros de alambre, figura de liebre montada en cartón y 4 figuras extra.

Einzelne Hasenbilder siehe Seite 577 | Figures de lièvre seules voir page 577 | Single Hare pictures 577 | Cada figura de liebre suelta cuesta 577

Fahrbare Hochwildbahn- und Hasenzugscheiben.

Cibles à rail, de gros gibier et de lièvres.

Movable deer and hare targets.

Blancos de rail, de animales salvajes y de liebres.

2721 a.—2721 d.

2721 a. Stabile Scheibeneinrichtung mit 10 Meter Laufschiene für Hochwild, Rehwild, Schwarzwild, Fuchs inkl. 4 auf Pappe gezogenen Bildern nach Wahl.
2721 b. Schienengeleis extra pro Meter.
2721 c. Mechanischer Doppel-Hase zum Kippen hierzu.
2721 d. Einzelne Kipphasen auf Draht. (Scheibenbilder siehe Seite 577.)

2721 a. Dispositif de cible stable, avec 10 mètres de rail, pour gros gibier, chevreuils, sangliers, renards, y compris 4 figures sur carton au choix.
2721 b. Rails supplémentaires, le mètre.
2721 c. Double lièvre mécanique basculant.
2721 d. Lièvre basculant, sur fil. (Voir figures pour cibles page 577.)

2721 a. Strong target arrangement with 10 meter rail for big game, deer, wild boar, foxes, including 4 pictures mounted on cardboard according to choice.
2721 b. Rails extra, per meter.
2721 c. Mechanical double hare tipping over for same.
2721 d. Single hares tipping over on wire. (Target pictures see page 577.)

2721 a. Dispositivo de blanco estable, con 10 metros de rail, para caza grande, corzos, jabalís, zorras, adjunto 4 figuras sobre cartón según deseo.
2721 b. Railes suplementarios, el metro.
2721 c. Doble liebre mecánica basculante.
2721 d. Liebre basculante, sobre hilo (Ver figuras para blancos página 577.)

Fussangel Marke „Alfa". | Crampons marque „Alfa". | Man Trap Brand „Alfa". | Abrojo marca „Alfa".

2725. **Fussangel.** Diese Fussangeln sind sehr praktisch für Weingärten usw. gegen Gartendiebe. Man legt dieselben wie man will und wird eine Spitze immer nach oben stehen. An solchen Orten, wo Fussangeln angelegt sind, müssen Warnungstafeln angebracht sein.

2725. **Crampons.** Ces crampons sont très pratiques pour vignes, jardins etc., contre les maraudeurs. On les place comme on veut, une pointe demeurant toujours tournée par en haut. Il y à lieu d'apposer une pancarte-avis aux endroits garnis de crampons.

2725. **Man traps.** These traps are very practical for vineyards etc. against garden robbers. One can place them as one likes and a spike will always stand upright. In those places, where man traps are laid a notice to this effect must be given.

2725. **Abrojo.** Estos abrojos son muy prácticos en los viñedos y contra ladrones de huertas y jardines. Se pueden colocar como se quiera y siempre quedará una punta al aire. En los sitios en que se hallen abrojos hay que fijar tablas de aviso.

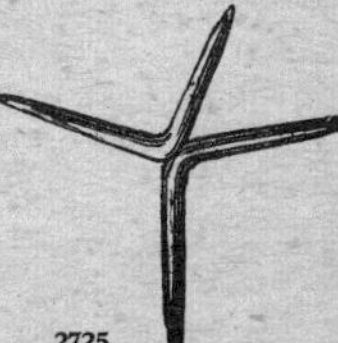

2725.

Steigeisen. | Griffes. | Climbing irons. | Apparato para trepar.

2725 a. **Steigeisen ganz aus Stahl mit la festen Lederriemen zum Erklimmen astloser Bäume etc.**

2725 a. **Appareil entièrement en acier extra, pour grimper aux arbres dépourvues de branches etc. avec courroie de cuir.**

2725 a. **Climbing irons of steel entirely with prime firm leather strap, for climbing of branchless trees etc.**

2725 a. **Apparato enteramente de acero extra para trepar á los árboles desprovistos de ramas etc. y con correa de cuero.**

2725 a.

No.	2721.	2721 a.	2721 b.	2721 c.	2721 d.	2725.	2725 a.
†	Penascal	Penashars	Penaslux	Penaswolf	Penaseber	Penolant	Penasteig
pro	1	1	1	1	1	10	2
Mark	**18.—**	**290 -**	**11.—**	**57.—**	**36.—**	**7.20**	**4.40**

Jagd- und Militär-Gläser.

Hunting and Military Glasses.

Jumelles de chasse et militaires.

Gemelos de caza y militares.

4107. 4107 a. 4109.

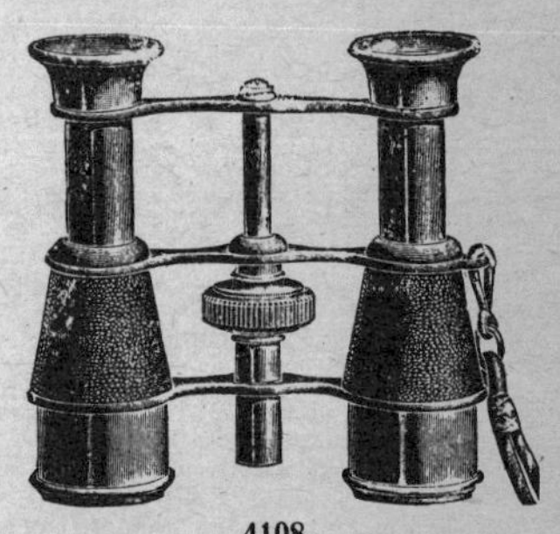

4108.

4110.

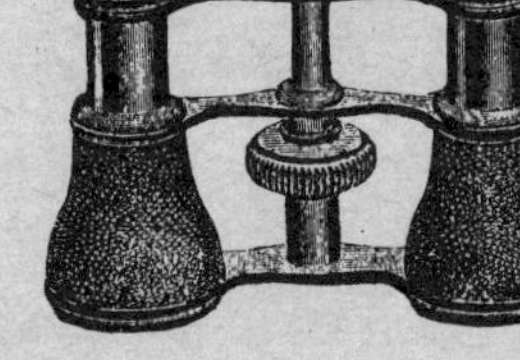

4111.

4111 a.

4107a. Einfaches gutes Jagdglas in Stoffbeutel.

4107. Jagdglas 11''', ganz schwarz mit Maroquin-Leder in Lederetui.

4108. Jagdglas „Liliput", 10''', ganz schwarz mit Kompass, mit Lederschnur in Wildlederbeutel.

4109. Jagdglas 11''', genau wie 4107, aber mit Nickelkugelringen.

4110. Jagdglas 13'''. Messing schwarz brüniert mit schwarzem Maroquinleder, in weichem Lederetui.

4111. Jagdglas 10''', klein und handlich, Ia Optik, wie 4110, aber in Wildlederbeutel mit Lederschnur.

4111a. Hervorragendes Sport- und Reiseglas, ganz schwarz oxidiert, grosse Okulare 15''', weiches schwarzes Wildlederetui.

4107a. Bonne jumelle de chasse, simple, en étui d'étoffe.

4107. Jumelle de chasse 11''', entièrement noire, avec cuir maroquin, en étui de cuir.

4108. Jumelle de chasse „Liliput" 10''', entièrement noire avec compas, lacet de cuir, en étui de cuir de cerf.

4109. Jumelle de chasse exactement comme 4107, mais avec anneaux à billes nickel.

4110. Jumelle de chasse 13''' en laiton, noir bruni, avec cuir maroquin noir, en étui cuir souple.

4111. Jumelle de chasse 10''', petite et très en main, qualités dioptriques de premier ordre, comme 4110, mais en une bourse de cuir de cerf, avec lacet de cuir.

4111a. Jumelle de sport et de voyage tout à fait supérieure, entièrement noir oxydé, grands oculaires 15''', étui noir en cuir souple de cerf.

4107a. Simple and good hunting glass in plain bag.

4107. Hunting glass 11''', quite black Morocco covered in leather case.

4108. Hunting glass „Liliput", 10''', quite black with compass, leather cord in deer skin bag.

4109. Hunting glass 11''', just like 4107 but with nickel ball rings.

4110. Hunting glass 13''', brass bronced, black Morocco covered, in soft leather case.

4111. Hunting glass 10''', small and handy, prime optics, like 4110, but in deer skin bag with leather cord.

4111a. Splendid sport hunting glass, oxidised quite black, large oculars 15''', soft black deer skin case.

4107a. Buen gemelo de caza, sencillo, en estuche de tela.

4107. Gemelos de caza 11''', Marroquin, negro, en cajita de cuero.

4108. Gemelos de caza „Liliput", 10''', toto negro con compás, correa de cuero, en saquito de piel de ciervo.

4109. Gemelos de caza 11''', idem pero con anillos bola de nikel.

4110. Gemelos de caza 13''', latón bronceado, cubierto de Maroquin negro, en cajita de cuero blando.

4111. Gemelos de caza 10''', pequeño y comodo, resultado óptico de Ia., igual al 4110 pero en saquito de piel de ciervo, con cordón de cuero.

4111a. Gemelo de sport y de viaje completamente superior, enteramente negro oxidado, estuche negro en cuero blando de ciervo.

No.	4107 a	4107	4108	4109	4110	4111	4111 a
†	Hispamilf	Hispornis	Histeric	Hirsuto	Histrion	Hocica	Hocicach
pro	10	10	10	10	10	10	10
Mark	60.—	87.—	100.—	85.—	105.—	110.—	230.—

Jagd- und Militär-Gläser. | Jumelles de chasse et militaires. | Hunting and Military-Glasses. | Gemelos de caza y militares.

4112.

4113.

4114.

4115.

4112. **Jagdglas** „Derby", 12''', Ia Optik, Maroquinleder in Wildlederbeutel und Lederschnur.

4113. **Artillerieglas**, 13''', Messing ganz schwarz brüniert, in Wildlederbeutel mit Lederschnur.

4114. **Jagdglas**, engl. Modell, Messing ganz schwarz brüniert, 13''', in Ia Lederetui.

4115. **Jagdglas**, franz. Modell, klein und handlich, Ia Qual. mit Blende und Innenriemen in Etuis mit Riemen, Vergrösserung 5×.

4113. **Jumelle de chasse**,„Derby" 12''' qualités optiques de premier ordre, cuir maroquin en bourse de cuir de cerf et lacet de cuir.

4113. **Jumelle d'artillerie**, 13''', laiton entièrement bruni noir, en bourse de cuir de cerf, avec lacet de cuir.

4114. **Jumelle de chasse**, modèle anglais, laiton entièrement bruni noir, 13''' en étui de cuir qualité extra.

4115. **Jumelle de chasse**, modèle français, petit et très en main, qualité extra, avec protège soleil, grossissement 5×, en étui avec courroie.

4112. **Hunting glass** „Derby", 12''' prime optics, Marocco leather in deer skin bag and leather cord.

4113. **Artillery glass**, 13''', brass bronced quite black in deer skin bag with leather cord.

4114. **Hunting glass**, English model, brass black bronced, 13''', in prime leather case.

4115. **Hunting glass**, French model, small and handy, prime quality with shade and inner strap in case with strap, enlargement 5×.

4112. **Gemelos de caza** „Derby" 12''', resultado optico de la Maroquin en saquito de ciervo con cuerda de cuero.

4113. **Gemelos de artilleria**, 13''', latón bronceado del todo negro en bolsa de piel de ciervo y cuerda de cuero.

4114. **Gemelos de caza**, modelo inglés, latón bronceado cole negro, 13''', en cajita de cuero de Ia.

4115. **Gemelos de caza**, modelo francés pequeño y comodo, Ia calidad, con guita soles correa interior y cajita con correa. Engrande cimiento: 5×.

4115a.

4115b.

4115c.

4115d.

4115a. Sehr lichtstark, verstellbare Blenden 24''' hartes Rindlederetui mit Umhängeriemen, hervorragend für Jagdzwecke, grosse Okulare.

4115b. Neuheit, Jagdglas Minimax, **kleinstes Volumen, höchste Leistung**, 15''', **ganz schwarz oxidiert**, $6^1/_2$ cm hoch, ausgeschraubt $8^1/_2$ cm, in elegantem Wildlederbeutel mit Riemen.

4115c. **Neubeit 21''' sehr grosses Objektiv, ganz schwarz oxidiert**, in Lederetui mit Riemen. Vorzüglich lichtstark in der Dämmerung, Oesen hinten.

4115d. **Jagd- und Touristenglas** Ia Gläser 19''', Sonnenblende und Oesen, genähtes, extra starkes Lederetui, wasserdicht mit Tasche, doppelter Riemen.

4115a. Trés lumineux, avec portèges soleil réglables, 24''' étui de cuir rigide avec courroie de suspension, supérieur pour la chasse, grands oculaires.

4115b. Nouveauté, jumelle de chasse Minimax, **volume extrêmement réduit, de la plus haute valeur**, 15''', entièrement **noir oxydé**, haut de $6\ ^1/_2$ cm, dévissé $8^1/_2$ cm, en une élégante bourse de cuir de cerf avec courroie.

4115c. **Nouveauté. 21''' très grand objectif**, entièrement **noir oxydé**, en un étui de cuir avec courroie, très lumineux au crépuscule ou à l'aube, portes d'attache par derrière.

4115d. **Jumelle de chasse et de tourisme**, qualité extra, 19''' étui de cuir extra fort, cousu et imperméable avec pochette, double courroie.

4115a. Very strong light, adjustable shades 24''' hard cow hide case with strap for hanging on, excellent glass for hunting purposes, large oculars

4115b. Novelty, hunting glass Minimax, **smallest volume greatest capacity 15''' oxidised quite black** $6^1/_2$ cm high, screwed out to $8^1/_2$ cm in elegant deer skin bag with strap.

4115c. **Novelty, 21''' very large objective oxidised quite black**, in leather case with strap. Splendid strong light in the dusk or dawn. Loops behind.

4115d. **Field glasses for hunters and tourists** al glasses shade loops, extra strong, sewed, leather case, water proof with pocket, double strap.

4115a Muy luminoso, estuche de cuero rigido con correa de suspensión, superior para la caza, grandes oculares.

4115b. Novedad, gemelo de caza Minimax, **volumen extremadamente reducido, del más alto volor**, 15''' enteramente negro **exidado**, alto de $6\ ^1/_2$ cm, destornillado $8^1/_2$ cm, en una elegante bolsa de cuero de ciervo con correa.

4115c. **Novedad, 21''', objetivo grandisimo**, enteramente, **negro oxidado**, en un estuche de cuero con correa, muy luminoso ol crepusculo ó al alba, puertas amarre por detras.

4115d. **Gemelo para caza y para turismo**, calidad extra, 19''', estuche de cuero extrafuerte, cosido é impermeable, con bolsillito, doble correa.

No.	4112	4113	4114	4115	4115 a	4115 b	4115 c	4115 d
†	Hogana	Hojearl	Holandes	Holgares	Holgakon	Holgasut	Holgastis	Holgabel
pro	10	10	10	10	1	1	1	1
Mark	130.—	180.—	160.—	220.—	40.—	24.—	36.—	22.—

Patronen-Etuis. | Etuis à cartouches | Cartridge-Cases. | Estuches para cartuchos.

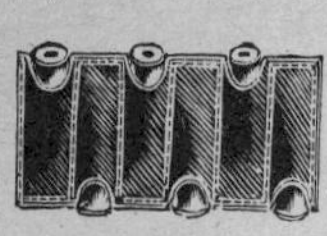

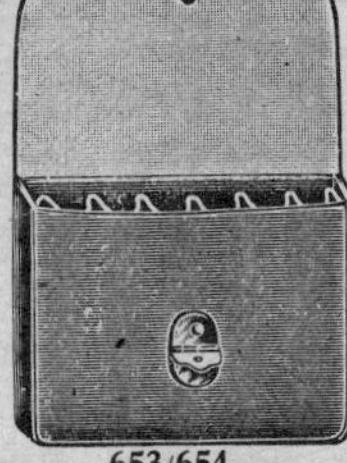

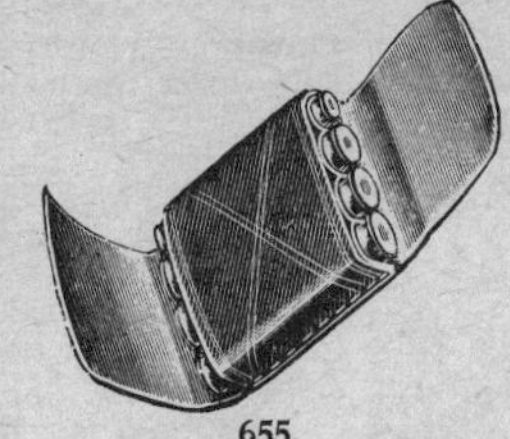

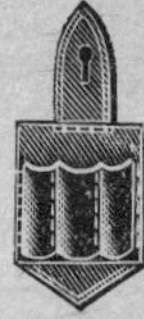

651. 652. 653/654. 655. 656. 657/658. 659. 660. 661.

651. Patronenfutteral, aus Leder für 6 Büchsenpatronen.

652. Patronenfutteral z. Tragen in der Tasche, aus leichtem kaffeebraunen oder naturfarbenen Rindleder, mit Stoff gefüttert, für 5 Büchsenpatronen.

653. Patronen-Etui für 6 Büchsenpatronen, lang 55 mm oder 72 mm, bessere Ausführung mit Druckschlösschen.

654. Patronen-Etui für 6 Flintenpatronen, Cal. 16, Taschenf., in besserer Ausführung mit Druckschlösschen.

655. Patronen-Etui zum Tragen in Brusttasche, an jeder Seite 3 Flintenpatronen und 1 Büchsenpatrone oder an einer Seite 5 Büchsen- und an der anderen 4 Flintenpatronen, mit Druckschlösschen.

656. Patronenhalter, wie oben, zum Anhängen an den Knopf, für 3 Büchsenpatronen.

657. Patronenhalter, für 2 Flintenpatronen.

658. Patronenhalter für 2 Flinten-, 1 Büchsenpatrone zum Anhängen.

659. Patronenhalter für 3 Büchsenpatronen, zum Anknöpfen oder Aufschieben an den Taschenriemen. Letzteres ermöglicht durch zwei auf der Rückseite angebrachte Schlaufen.

660. Dasselbe für 2 Patronen, je 1 für Schrot und Kugel.

661. Patronen-Etui aus farbiger Rindsvachette für 6 Kugel- und Schrotpatronen mit Nickelschlösschen.

651. Etui à cartouches, en cuir, pour 6 cartouches à carabine.

652. Etui à cartouches, se portant dans la poche, en vachette légère couleur café ou nature, doublé d'étoffe, pour 5 cartouches à carabine.

653. Etui à cartouches, pour 6 cartouches à carabine, long de 55 mm ou 72 mm, exécution supérieure, avec fermeture à pression.

654. Etui à cartouches pour 6 cartouches à fusils, cal. 16, se portant en poche, en exécution supérieure, avec fermeture à pression.

655. Etui à cartouche, se portant dans la poche intérieure, de chaque côté 3 cartouches à fusil et 1 cartouche à carabine ou d'un côté 5 cartouches à carabine et de l'autre 4 cartouches à fusil, avec fermeture à pression.

656. Porte-cartouches, comme ci-dessus, se portant à l'aide du bouton, pour 3 cartouches de carabine.

657. Porte-cartouches pour 2 cartouches de fusil.

658. Porte-cartouches pour 2 cartouches à fusil et 1 cartouche à carabine, s'accrochant.

659. Porte-cartouches pour 3 cartouches à carabine à boutonner ou à glisser sur la courroie à poches. Cette dernière opération se fait au moyen de 2 pattes se trouvant au dos.

660. Dito, pour 2 cartouches 1 à plombs et 1 à balle.

661. Etui à cartouches en vachette de couleur, pour 6 cartouches à balle et à plombs, avec fermeture nickel.

651. Cartridge case of leather for 6 rifle cartridges.

652. Cartridge case to carry in pocket, of light coffee or natural brown cowhide, lined for 5 rifle cartridges

653. Cartridge case for 6 rifle cartridges, length 55 or 72 mm, best make with small press locks.

654. Cartridge case for 6 gun cartridges, cal. 16, for pocket, best execution with small press locks.

655. Cartridge case to put in breast pocket, on each side 3 gun and 1 rifle cartridge or on one side 5 rifle and on the other 4 gun cartridges, with small press lock.

656. Cartridge holder, as above, to hang on button, for 3 rifle cartridges.

657. Cartridge holder, for 2 gun cartridges.

658. Cartridge holder for 2 gun and 1 rifle cartridge to hang on.

659. Cartridge holder for 3 rifle cartridges, to button or attach to strap of case, the latter by means of 2 loops at back.

660. The same for 2 cartridges, one each for shot and ball.

661. Cartridge case of special colored cowhide for 6 ball and shot cartridges, with small nickel lock.

651. Cartuchero cuero, para 6 cartuchos de rifle.

652. Cartuchera cuero, vaca color natural ó cafe claro, forrado, para llevar en el bolsillo, para 5 cartuchos de carabina de caza.

653. Cartuchera para 6 cartuchos de rifle, largura 55 ó 72 mm, fabricación superiór, con cierre pequeño á presión.

654. Cartuchera para 6 cartuchos de escopeta, cal. 16, para bolsillo hechura superior, con cierres pequeños á presión.

655. Cartuchera para poner en bolsillo pecho, en cada lado 3 cartuchos escopeta y 1 cartucho rifle ó en un lado 5 cartuchos rifle y en el otro 4 cartuchos escopeta, con cierre pequeño de presión.

656. Portador de cartuchos, como arriba para colgar de un botón, para 3 cartuchos de rifle.

657. Portador de cartuchos para 2 cartuchos escopeta.

658. Portador de cartuchos para 2 cartuchos escopeta y 1 cartucho rifle, para colgar.

659. Portador de cartuchos para 3 cartuchos rifle para colgar de un botón ó atar á la correa de la cartuchera, este último por medio de 2 ojales, traseros.

660. El mismo, para 2 cartuchos, uno para perdigón y el otro para bala.

661. Cartuchera de cuero vaca color especial, para 6 cartuchos á bala y perdigón, con cierre niquelado pequeño.

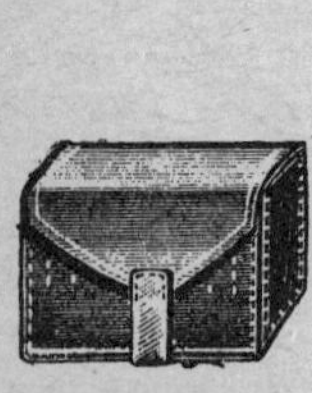
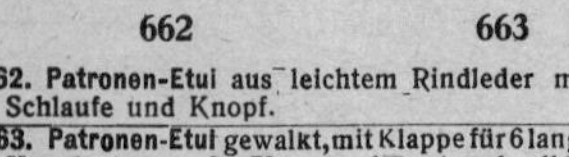
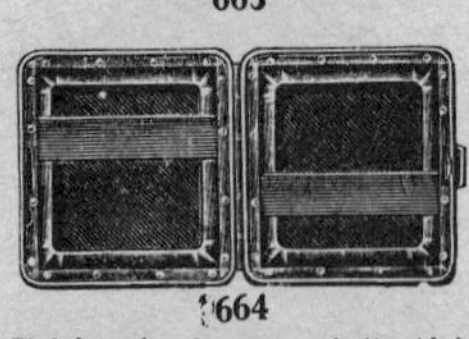
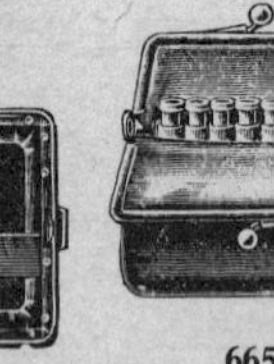
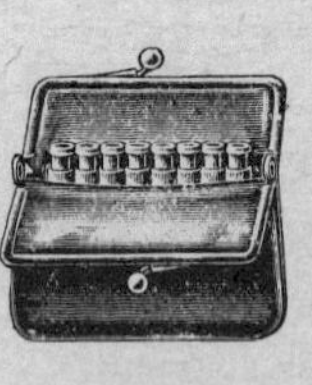

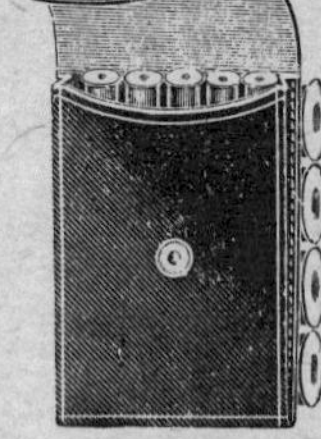
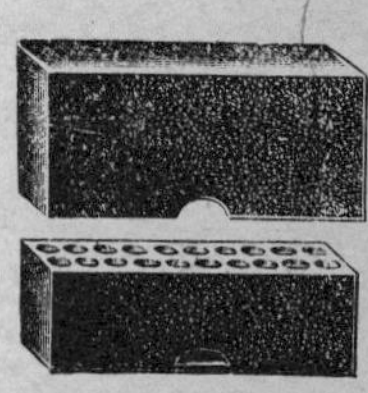

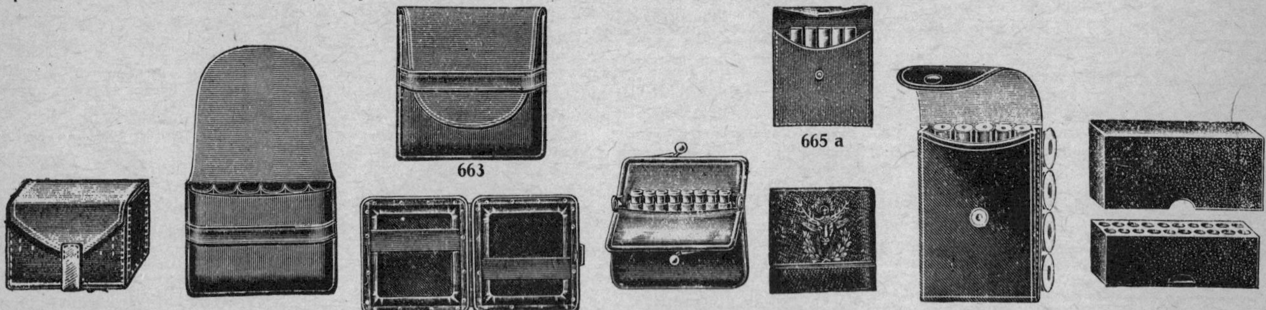

665 a 663 662 663 664 665 665 b 665 c 665 d

662. Patronen-Etui aus leichtem Rindleder mit Schlaufe und Knopf.

663. Patronen-Etui gewalkt, mit Klappe für 6 lange Kugelpatronen 9—72 mm, elegant und solide.

664. Patronenbügel-Etui für Schrot und kurze Kugelpatronen.

665. Patronenbügel, säm. Wildleder, braun, für 8 Kugelpatronen.

665 a. Patronen-Etui aus naturfarbenem Rindl., **für 6 lange** (bis 80 mm) Büchsenpatronen **mit Druckknopf.**

665 b. Hochfein **schwarzes Leder** mit gepresstem Hirschkopf für 5 Büchsenpatronen.

665 c. Prima Rindleder mit Verschlussklappe u. Druckknopf, für 4 Schrot- und 5 lange Kugelpatronen.

665 d. Für **20 Scheibenbüchsenpatronen** Cal. 8,15 oder $9^1/_2$.

662. Etui à cartouches en vachette légère avec patte et bouton.

663. Etui à cartouches, à portes-cartouches arrondies, avec rabat, pour 6 longues cartouches à balle 9—72 mm, élégant et solide.

664. Cartouchière, étui pour cartouchcs à plombs et courtes cartouches à balle.

665. Cartouchière, cuir de cerf chamoisé, brun, pour 8 cartouches à balle.

665 a. Etui à cartouches, en vachette couleur nature, pour **6 longues** cartouches à carabine (jusqu'à 80 mm) avec **bouton à pression.**

665 b. Cuir noir extra, élégant, avec tête de cerf en repoussé, pour 5 cartouches de carabine.

665 c. Vachette extra, avec rabat à fermeture et bouton à pression, pour 4 cartouches à plombs et 5 longues cartouches à balle.

665 d. Pour **20 cartouches à carabine de cible**, Cal. 8,15 ou $9^1/_2$.

662. Cartridge case of light cow-hide with loop and button.

663. Cartridge case, special finish, with flap for 6 long ball cartridges 9—72 mm, elegant and strong.

664. Cartridge case, for shot and small ball cartridges.

665. Cartridge case, of brown chamois for 8 ball cartridges.

665 a. Cartridge case, of natural colored cowhide **for 6 long** (up to 80 mm) rifle cartridges **with press button.**

665 b. Very fine **black leather** with pressed stags head, for 5 rifle cartridges.

566 c. Prime cow-hide with closing flap and press button, for 4 shots and 5 long ball cartridges.

665 d. For **20 target rifle cartridges** cal. 8.15 or $9^1/_2$.

662. Cartuchera de cuero vaca ligera con ojal y botón.

663. Cartuchera fabricación especial, con orejera para 6 cartuchos bala larga 9—72 mm, elegante y solido.

664. Cartuchera para cartuchos perdigón y bala pequeña.

665. Cartuchera para 8 cartuchos bala, de cuero agamuzado moreno.

665 a. Estuche para cartuchos de cuero de vaca color natural **para 6 cartuchos largos** de carabina (hasta 80 mm) **con botón de presión.**

665 b. Cuero negro superior, elegante con cabeza de cierro en recnázo, para 5 cartuchos de carabina.

665 c. Cuero vaca de primera, con alzacuello de cierre y botón de presión, para 4 cartuchos de perdigónes y 5 largos cartuchos de bala.

665 d. Para **20 cartuchos de carabina de tiro al** blanco, Cal. 8,15 ó $9^1/_2$.

No.	651	652	653	654	655	656	657	658	659	660
†	Schra	Schreb	Schris	Schros	Schrun	Schrank	Schreib	Schrift	Schrate	Schrobo
Pro	10	10	10	10	10	10	10	10	10	10
Mark	10.—	18.—	27.—	31.—	39.—	10.—	9.—	10.—	10.—	9.—

No.	661	662	663	664	665	665 a	665 b	665 c	665 d
†	Schrau	Schripo	Schrulle	Schrevi	Schrebu	Schrebusa	Schrebuti	Schrebufe	Schreburn
Pro	10	10	10	10	10	10	10	10	10
Mark	31.—	27.—	20.—	51.—	22.—	13.—	22.—	28.—	6.—

Patronen-Etuis. | Etuis à cartouches. | Cartridge-Cases. | Estuches para cartuchos.

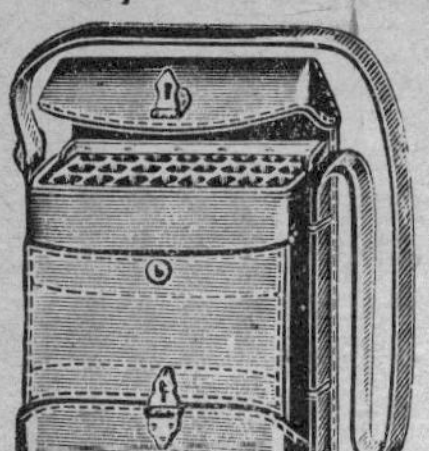

670/671, 676/77.

Wendetaschen für Patronen.

Cartouchières.

Turnig cases for cartridges.

Cartucheras.

Wessels Patronen-Etui. Eine Hälfte steckt man in die Tasche, die andere hängt gebrauchsfertig draussen.

Etui à cartouches Wessel. On place la moitié des cartouches dans la poche et l'autre moitié pend à l'extérieur, prête à être mise en usage.

Wessels cartridge case. Half the cartridges are placed in the case and the other half is ready for use outside.

Estuche para cartuchos Wessel. Se coloca la mitad de los cartuchos en el bolsillo y la otra mitad cuelga en el interior, dispuesto para ser puesto en uso.

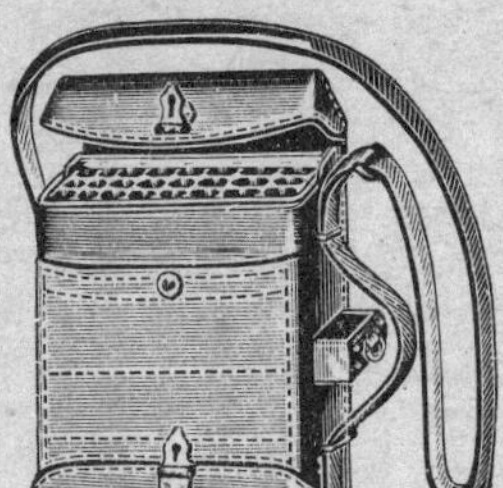

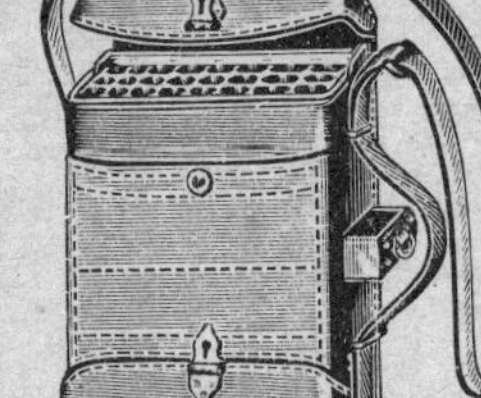

666/669. 672/75. 681 a, 681 b. 681 c, 681 d. 681 e.

666. Cal. $8^1/_2$, Patronentasche für Scheibenbüchse, Messingrohr-Blecheinsatz, mit Ia. kaffeebrauner Rindsvachette überzogen, für 24 Patronen.
667. Dieselbe mit Schubfach für Diopter.
668. Cal. $11^1/_2$, dieselbe ohne Schubfach für Diopter.
669. Cal. $11^1/_2$, dieselbe mit Schubfach für Diopter.
670. Cal. $8^1/_2$, dieselbe zum Wenden für 48 Patronen.
671. Cal. $11^1/_2$, sonst wie vorstehend.
672. Cal. $8^1/_2$, mit Schubfach.
673. Cal. $11^1/_2$, mit Schubfach.
674. Cal. 8, mit Schubfach für 72 Patronen.
675. Cal. 8, mit Schubfach für 96 Patronen.
676. Für 24 Schrotpatronen, Cal. 16.
677. „ 36 „ „ 16.
678. „ 24 „ „ 12.
679 „ 36 „ „ 12.
680. „ 48 „ „ 16.
681. „ 48 „ „ 12.
681 a. Wessels Etui Ia. Rindleder für 12 Patr. Cal. 16.
681 b. „ „ „ „ „ 10 „ „ 12
681 c. „ „ „ „ „ 6 „ „ 16. **und 7 lange Kugelpatr.**
681 d. „ „ „ „ für 5 Patr. Cal. 12. **und 7 lange Kugelpatr.**
681 e. „ „ „ „ für 16 **Scheibenbüchsenpatr.** Cal. 8,15 oder $9^1/_2$.

666. Poche à cartouches. Cal. $8^1/_2$ pour carabine à cible, tubes en laiton, monture fer blanc, garni de vachette couleur café, pour 24 cartouches.
667. La même, avec compartiment pour mireur dioptique.
668. Cal. $11^1/_2$, la même sans compartiment pour mireur dioptrique.
669. Cal. $11^1/_2$, la même, avec compartiment pour mireur dioptrique.
670. Cal. $8^1/_2$, la même, renversible, pour 48 cartouches. [ci-dessus.
671. Cal. $11^1/_2$, pour le reste comme
672. Cal. $8^1/_2$, avec compartiment.
673. Cal. $11^1/_2$, „ „
674. Cal. 8 „ „ pour 72 cartouches.
675. Cal. 8, „ „ „ 96 cartouches.
676. Pour 24 cartouches à plombs Cal. 16.
677. „ 36 „ „ „ „ 16.
678. „ 24 „ „ „ „ 12.
679. „ 36 „ „ „ „ 12.
680. „ 48 „ „ „ „ 16.
681. „ 48 „ „ „ „ 12.
681 a. Etui Wessel, vachette extra, pour 12 cartouches cal. 16.
681 b. „ „ „ „ „ 10 „ „ 12.
681 c. „ „ „ „ „ 6 „ „ 16 et 7 longues cartouches à balle.
681 d. „ „ „ „ „ 5 cartouches cal 12. et 7 longues cartouches à balle.
681 e. „ „ „ pour 16 cartouches à carabines de cible. Cal. 8,15 ou $9^1/_2$.

666. Cal. $8^1/_2$, cartridge case for target rifle, with tin lined brass tubes, prime coffee brown cow-hide covering, for 24 cartridges.
667. The same with drawer for peep sight.
668. Cal. $11^1/_2$, the same without drawer for peep sight.
669. Cal. $11^1/_2$, the same with drawer for peep sight.
670. Cal. $8^1/_2$, the same for turning for 48 cartridges.
671. Cal. $11^1/_2$, otherwise as above.
672. Cal. $8^1/_2$, with drawer.
673. Cal. $11^1/_2$, with drawer.
674. Cal. 8, with drawer for 72 cartridges.
675. Cal. 8, with drawer for 96 cartridges.
676. For 24 shot cartridges, Cal. 16
677. „ 36 „ „ „ 16.
678. „ 24 „ „ „ 12.
679. „ 36 „ „ „ 12.
680. „ 48 „ „ „ 16.
681. „ 48 „ „ „ 12.
681 a. Wessels case. prime cowhide for 12 cartridges cal. 16.
681 b. „ „ „ „ „ 10 „ „ 12.
681 c. „ „ „ „ „ 6 „ „ 16. and 7 long ball cartridges
681 d. „ „ „ „ for 5 cartridges cal. 12. and 7 long ball cartridges.
681 e. „ „ „ „ for 16 target rifle cartridges. Cal. 8,15 or $9^1/_2$.

666. Cal. $8^1/_2$, cartucheras para balas rifle tiro al blanco, con montage lata, tubos latón, cubierta con cuero vaca 1a, color café, para 24 cartuchos.
667. El mismo con cajón para mira dioptica
668. El mismo cal. $11^1/_2$, sin cajón para mira dioptica.
669. El mismo cal. $11^1/_2$, con cajón para mira dioptica.
670. El mismo cal. $8^1/_2$, para volver, para 48 cartuchos. [el anterior.
671. El mismo cal. $11^1/_2$, el resto como
672. Cal. $8^1/_2$, con cajón.
673. Cal. $11^1/_2$, con cajón.
674. Cal. 8, con cajón para 72 cartuchos.
675. Cal. 8, con cajón para 96 cartuchos.
676. Para 24 cartuchos perdigón, cal. 16.
677. „ 36 „ „ „ 16.
678. „ 24 „ „ „ 12.
679. „ 36 „ „ „ 12.
680. „ 48 „ „ „ 16.
681. „ 48 „ „ „ 12.
681 a. Estuche Wessel. cuero de vaca de prim., para 12 cart. cal. 16.
681 b. „ „ „ „ „ „ „ 10 „ „ 12.
681 c. „ „ „ „ „ „ „ 6 „ „ 16. y 7 largos cart. de bala.
681 d. „ „ „ „ „ prim., para 5 cart cal. 12. y 7 largos cart. de bala.
681 e. „ „ „ „ „ primera, para 16 cartuchos de carabinas de tiro al blanco. Cal. 8,15 ó $9^1/_2$.

Patronen-Beutel. | Bourses à cartouches. | Cartridge Bags. | Bolsas para cartuchos.

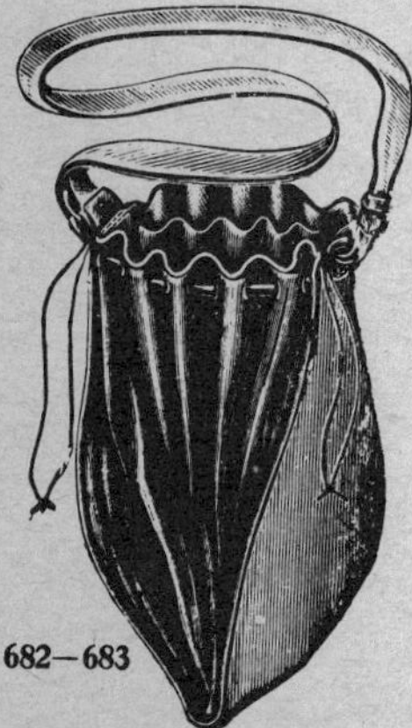

682—683

682
Patronen-Beutel aus schwerem Ia Rindleder.
683
Patronenbeutel wie 682, nur aus leichtem Rindleder.
684
Patronenbeutel, Prima schweres Rindleder, Tragriemen, Regenschutzdeckel.
685
Patronenbeutel wie 684, aber leichter.

682
Bourse à cartouches, en vachette extra, très forte.
683
Bourse à cartouches comme 682, en vachette légère.
684
Bourse à cartouches, forte vachette de qualité extra, courroie, couvercle contre la pluie.
685
Bourse à cartouches comme 684, mais plus léger.

682
Cartridge bag of prime heavy cow-hide with sling.
683
Cartridge bag like 682 but of lighter cow-hide.
684
Cartridge bag prime heavy, cowhide, sling, waterproof lid.
685
Cartridge bag like 684, but lighter.

682
Cartuchera bolsa de cuero vaca, Ia, con correa.
683
Cartuchera bolsa como 682 pero de cuero vaca más ligera.
684
Cartuchera bolsa de cuero vaca, Ia, correa, tapa impermeable.
685
Cartuchera bolsa como 684, pero más ligera.

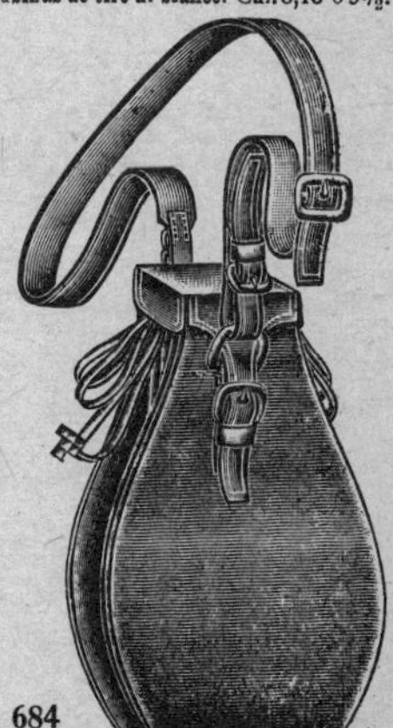

684
685

No.	666	667	668	669	670	671	672	673	674	675	676	677	678	679	680	681	681 a	681 b	681 c	681 d	681 e	682	683	684	685
†	Strad	Strell	Strif	Strove	Struba	Stratte	Struma	Strumo	Stripe	Strusa	Strako	Straus	Strasi	Stronk	Streng	Strono	Strononi	Stronofa	Stronost	Stronole	Stro-noru	Strumi	Strane	S.rasko	Strumpe
pro	10	10	10	10	10	10	10	10	10	10	10	10	10	10	10	10	10	10	10	10	10	10	10	10	10
Mark	100.—	110.—	100.—	116.—	132.—	150.—	152.—	160.—	210.—	250.—	150.—	190.—	170.—	206.—	194.—	214.—	29.—	29.—	31.—	31.—	30.—	143.—	122.—	167.—	143.

Jagdtaschen. | Carniers. | Game Bags. | Morrales.

772/73.

774.

772. **Grosse Jagdtasche** aus Ia kaffeebrauner Rindsvachette, 32 cm breit, 22 cm tief, 2 Abteilungen, 1 Vortasche, 1 Segeltuchtasche mit feinem Riemennetz, vernick. Karabiner und Schnalle, holländisches Modell.

773. Dieselbe wie 772, jedoch grösser, 40 cm breit und 30 cm tief.

774. **GrosseJagdtasche** aus Ia naturfarbenem hellem Rindleder, 39/26 cm, 1 Vortasche, 2 Segeltuchtaschen, 1 Gummituchtasche, 1 braunes Riemennetz ohne Fransen, vernick. Schnalle und Karabinerhaken, belgisches Modell.

772. **Grand carnier,** vachette extra couleur café, large de 32 cm, profond de 22 cm, 2 compartiments, 1 poche de devant, 1 poche toile à voile, avec élégant filet à courroie, crochet à mousqueton et boucle nickelés, modèle hollandais.

773. Le même que 772 mais plus grand, large de 40 cm et profond de 30 cm.

774. **Grand carnier** en vachette extra couleur nature claire, 39/26 cm, 1 poche de devant, 2 poches en toile à voile, 1 poche de caoutchouc, 1 filet brun à courroie sans franges, boucle et crochet à mousqueton nickelés, modèle belge.

772. **Large game-bag** of prime coffee brown cowhide 32 cm broad, 22 cm deep, 2 compartments, 1 front pocket, 1 canvas pocket with fine strap net nickeled carbine and buckle, Dutch model.

773. The same like 772, but larger, 40 cm broad and 30 cm deep.

774. **Large game-bag** of fine natural colored light cowhide, 39/26 cm, 1 front pocket, 2 canvas bags, 1 rubber pocket, 1 brown strap net without fringe, nickeled buckle and carbine hook, Belgian model.

772. **Morral grande** de cuero vaca 1 a, café, 32 cm ancho, 22 cm profundo, 2 compartimentos, 1 bolsillo delantero, 1 bolsillo lona con correa fina para carabina y hebilla modelo alemán.

773. El mismo como 772, pero más grande 40 cm ancho y 30 cm profundo.

774. **Morral grande** de cuero vaca 1a color natural, ligero, 39/26 cm, 1 bolsillo delantero, 2 sacos de lona, bolsillo goma red de correa morena, sin franja, hebilla niquelada y eslabón, carabina, modelo Belga.

Netze. | Filets. | Nets. | Redes.

Hasennetz.
Filet à lièvre.
Hare net.
Red de liebre

775

für Jagdtaschen.
pour carniers.
for game-bags.
para morrales.

776/781.

781 a. — 781 d.

775. **Hasennetz,** ausdehnbar, zum Aufschnallen auf die Jagdtasche, aus brauner gezwirnter Kordel.

Netz aus braun-lederfarbiger Ia gezwirnter Kordel, doppelt geknüpft, am Riemen zum Anschnallen, seitlich dehnbar.

776. 21 cm breit mit Fransen.
777. 25 cm breit mit Fransen.
778. 28 cm breit mit Fransen.
779. 21 cm breit ohne Fransen.
780. 25 cm breit ohne Fransen.
781. 28 cm breit ohne Fransen.
781 a. **Ohne Deckel** 18×14 cm.
781 b. **Ohne Deckel** 25×17 cm.
781 c. **Ohne Deckel** 30×22 cm.
781 d. **Ohne Deckel** 36×24 cm.
781 e. Wie 781 b **mit Deckel.**
781 f. Wie 781 c **mit Deckel.**
781 g. Wie 781 d **mit Deckel.**

775. **Filet à lièvre** extensible, se bouclant sur le carnier, en corde brune tressée.

Filet en corde extra, couleur cuir foncé tressé et à doubles nœuds, se bouclant sur la courroie, tournable de côté.

776. Large de 21 cm avec franges.
777. Large de 25 cm avec franges.
778. Large de 28 cm avec franges.
779. Large de 21 cm sans franges.
780. Large de 25 cm sans franges.
781. Large de 28 cm sans franges.
781 a. **Sans couvercle** 18×14 cm.
781 b. **Sans couvercle** 25×17 cm.
781 c. **Sans couvercle** 30×22 cm.
781 d. **Sans couvercle** 36×24 cm.
781 e. Comme 781 b **avec couvercle,**
781 f. Comme 781 c **avec couvercle.**
781 g. Comme 781d **avec couvercle.**

775. **Hare net,** expansive, to strap on game-bag, of brown twisted cord.

Net of brown leather colored, prime twisted cord, double strap fastening, expansive at side.

776. 21 cm broad with fringe.
777. 25 cm broad with fringe.
778. 28 cm broad with fringe.
779. 21 cm broad without fringe.
780. 25 cm broad without fringe.
781. 28 cm broad without fringe.
781 a. **Without lid** 18×14 cm.
781 b. **Without lid** 25×17 cm.
781 c. **Without lid** 30×22 cm.
781 d. **Without lid** 36×24 cm.
781 e. Like 781 b **with lid.**
781 f. Like 781 c **with lid.**
781 g. Like 781 d **with lid.**

775. Red para liebres, espansiva, para atar en el morral, de cuerda morena trenzada.

Red de cuerda 1 a doble trenzada, color cuero moreno, sujetador correa espansiva á los lados.

776. 21 cm ancho con franja.
777. 25 cm ancho con franja.
778. 28 cm ancho con franja.
779. 21 cm ancho sin franja.
780. 25 cm ancho sin franja.
781. 28 cm ancho sin franja.
781 a. **Sin tapadera,** 18×14 cm.
781 b. „ „ 25×17 „
781 c. „ „ 30×22 „
781 d. „ „ 36×24 „
781 e. Como 781 b, **con tapadera.**
781 f. „ 781 c, „ „
781 g „ 781 d, „ „

No.	772	773	774	775	776	777	778	779	780	781	781 a	781 b	781 c	781 d	781 e	781 f	781 g
†	Ceres	Cantor	Casus	Canvas	Capri	Coli	Carl	Cepto	Cracos	Canal	Carlik	Carlof	Carlut	Carlst	Carlakt	Carlep	Carlass
pro	10	10	10	10	10	10	10	10	10	10	10	10	10	10	10	10	10
Mark	495.—	544.—	448.—	64.—	38.—	42.—	47.—	31.—	33.—	38.—	20.—	27.—	35.—	42.—	37.—	47.—	56.—

Wildnetze. | Filet à gibier. | Game nets. | Redes para caza.

781 h. Wildnetz aus Bindfadengeflecht, einfach mit Schnur zum Umhängen.

781 i. Wildnetz aus gutem Hanfgeflecht mit Lederschnur und Lederriemen.

781 k. Wildnetz aus feinstem Hanfgeflecht mit dicker Lederschnur und breitem Lederriemen, gross.

781 h. Filet pour gibier, tressé en ficelle, simplement avec lacet pour porter en bandouillère.

781 i. Filet pour gibier, tressé en bon chanvre, avec lacet et courroie de cuir.

781 k. Filet pour gibier tressé en excellent chanvre avec gros lacet de cuir et large courroie de cuir, grand modèle.

781 h. Game net of string tresses, plain with cord for hanging round.

781 i. Game net of good hemp tresses with leather cord and leather strap.

781 k. Game net of finest hemp tresses with thick leather cord and broad leather strap, large.

781 h. Red para caza, trenzado en cordón, simplemente con cordón para llevar en las mochilas.

781 i. Red para caza, trenzado en buen hilo, con cordón y correa de cuero.

781 k. Red para caza trenzado en excelente cordón con gran hilo de cuero y ancho correa de cuero, gran model.

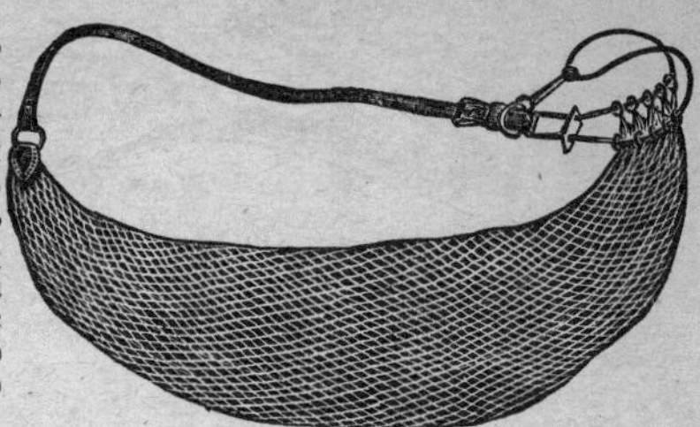

781 h — 781 k

Jagdmuffen. | Manchons. | Muffs for Hunters. | Manguitos.

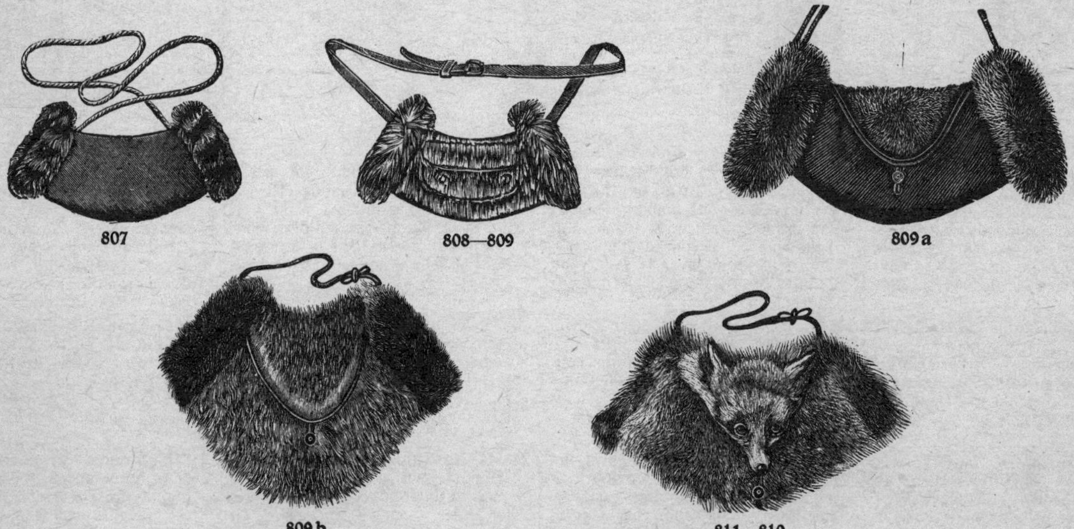

807 — 808—809 — 809 a — 809 b — 811—810

807. Graugrün Tuch mit **Pelzfütterung** mit Leder-Leibriemen.

808. Aus leichtem, schokoladebraunem **Rindleder,** mit einer Vortasche mit 6 Patronenhaltern, Pelzfütterung, mit Waschbär oder Fuchs garniert, mit Leibriemen, bester Gebrauchsmuff.

809. Wie No. 808, **jedoch zweiteilig,** sodass jede Hand in besonderer, gefütterter Tasche liegt, bester Gebrauchsmuff.

809 a. Prima braunes Chagrinleder, innen weisses **Schaffellfutter** mit Patronentasche, echter Nerzklappe, Seefuchs-Schweifbesatz, Doppelmuff.

809 b. Aus japan. Dachsfell, eingefasste Klappe, darunterliegende Patronentasche, innen weisses Lammfellfutter.

811. Aus Fuchspelz mit Fuchskopf, Patronentasche, innen weisses Lammfellfutter, Doppelmuff.

810. Wie 811 aber **ohne Kopf,** dafür mit Fuchsklappe, Doppelmuff.

807. Tissu **vert-gris à doublure de fourrure,** avec courroie de cuir.

808. En **vachette** légère couleur chocolat, avec 1 poche de devant, 6 porte-cartouches, doublure de fourrure, garni de poils d'ours polaire ou de renard, courroie, manchon de service très recommandable.

809. Comme No. 808, **mais double,** de sorte que chaque main repose dans une poche à part fourrée, excellent moufle de service.

809 a. En chagrin extra, brun, doublé intérieurement **de peau de mouton,** avec poche à cartouches, rabat martre véritable, garniture des côtés renard de mer, manchon double.

809 b. En peau de blaireau japonais, rabat bordé, poche à cartouches située en dessous, à l'intérieur doublure peau blanche d'agneau.

811. En fourrure de renard avec tête de renard, poche à cartouches, doublure intérieure en peau blanche d'agneau, moufle double.

810. Comme 811 mais **sans tête,** pour cette raison rabat fourrure de renard, moufle double.

807. Grey green cloth, **fur lining,** leather belt.

808. Of light chocolate brown **cow-hide,** with 1 front pocket, 6 cartridge holders, fur-lining, trimmed with racoon or fox-skin, with belt, most serviceable muff.

809. Like No. 808, **but 2 compartments,** so that each hand reposes in special lined pocket, most serviceable muff.

809 a. Prime brown shagreen leather, white inside with cartridge bag, genuine marten flap, fox-tail trimming, double muff.

809 b. Of japanese badger skin, bordered flap with cartridge bag underneath, lined inside with white lamb-skin.

811. Of fox skin with fox-head, cartridge bag, lined inside with white lamb-skin, double muff.

810. Like No. 811, but **without head,** fox-skin flap, double muff.

807. Tela gris verde, forro piel, correa cuero.

808. De **cuero vaca** ligero, chocolate, con 1 bolsillo delantero, 6 tenedores cartuchos, forro piel, adornado con piel de zorro ó oso, con correa, manguito muy serviciable.

809. Como No. 808, **pero 2 compartimentos,** por lo cual cada mano descansa en un bolsillo forrado, manguito muy serviciable.

809 a. En cuero extra, moreno, doblado interiormente **de piel de cabrito,** con bolsillo de cartuchos, alzacuelle verdadera montura de los costados de zorro de mar, manguito doble.

809 b. De piel de tejón japonés, alzacuelle borde; bolsillo de cartuchos situado debajo en el interior, dobladura piel blanca de cordero.

811. De forros de zorro, con cabeza de zorro; bolsillo de cartuchos, de bladille interior de piel blanca de cordero, manguito doble.

810. Como No. 811, pero **sin cabeza,** por esta razón alzacuelle forro de zorro, manguito doble.

No.	781 h	781 i	781 k	807	808	809	809 a	809 b	811	810
†	Carlett	Carliff	Carlurr	Delta	Drigo	Daber	Daberka	Daberli	Darob	Dank
pro	10	10	10	10	10	10	10	10	10	10
Mark	**15.–**	**54.–**	**80.–**	**72.–**	**180.–**	**204.**	**170.–**	**145.–**	**180.–**	**160.–**

Sitzstöcke. | Cannes-siège. | Cane chairs. | Bastones-asiento.

Jagdstock „Wipla“
Canne-siège „Wipla“
Cane chair „Wipla“
Bastón asiento „Wipla“

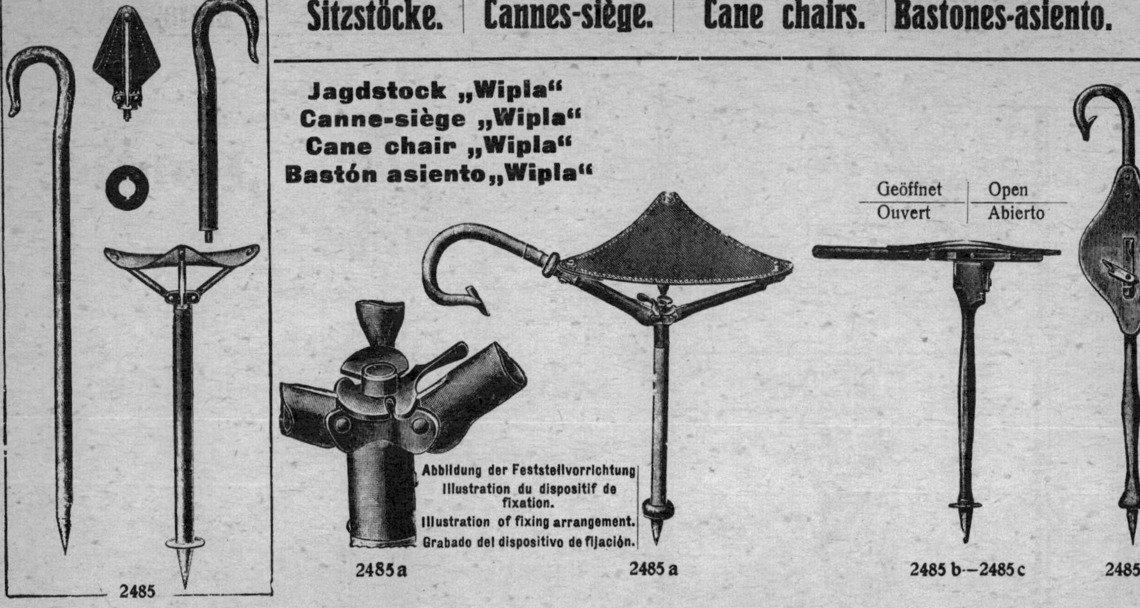

Abbildung der Feststellvorrichtung
Illustration du dispositif de fixation.
Illustration of fixing arrangement.
Grabado del dispositivo de fijación.

2485. **Stahlrohrspitzstock** als **Spazierstock u. Jagdstuhl** zu verwenden, wie Abbildung zeigt. Eichenholz-Krücke, abschraubbarer Sitz und Scheibe, die bequem im Rucksack getragen werden können. **Praktischster u. empfehlenswertester Jagdstock.**

2485. Canne-siège en tubes d'acier, à la fois **canne de promenade et siège de chasse,** comme le montre l'illustration. Manche de chêne, siège dévissable et disque pouvant aisément être portés dans le sac à dos. Canne-siège extrêmement pratique et recommandable.

2485. Chair of steel tubes for use as walking stick and hunting chair, as shown in illustration. Oak wood crook, screw off seat and disc, which can easily be carried in knapsack. Most practical and recommendable.

2485. Bastón-asiento en tubos acero al mismo tiempo como de paseo y asiento de caza, como lo muestra el grabado. Mango de roble, asiento divisable y disco pudiendose llevar cómodamente en la mochila. Bastón-asiento extremadamente práctico y recomendable.

2485a. Aus Ia Stahlrohr mit Ledersitz und **Feststellvorrichtung,** welche ein **Drücken** der Sitzstreben **verhindert.** Eichenstock, Auflagewulst über dem Zwingenteller. Der Stock wird in 3 verschiedenen Grössen geliefert.

2485a. Tubes acier extra, siège de cuir **dispositif de fixation, qui empêche le basculage** du siège, cette canne est fabriquée en 3 différentes grandeurs.

2485a. Of prime steel tube with leather seat and **fixing arrangement,** which **prevents the pressure** of the stays. Oak stick with roll over the ferule plate. The stick is supplied in 3 different sizes.

2485a. Tubos de acero de primera, asiento de cuero, **dispositivo de fijación** el cual **impide el balanceo del asiento.** Este bastón está fabricado en 3 tamaños diferentes.

2485b. Jagdstock, aus hartem Holz, braun gebeizt, Gewicht nur ca. 700 gr, sehr grosse bequeme Sitzfläche. Wird in 3 Grössen geliefert in **Façon A.**

2485b. Canne de chasse en bois dur, bruni, poids seulement environ 700 grammes, siège plat très grand et commode. Fabrication en 3 grandeurs **dans la façon A.**

2485b. Hunting stick of hard wood, etched brown, weight about 700 gr only, very large convenient surface for seat. Supplied in 3 sizes **in shape A.**

2485b. Bastón de caza de madera dura bruñida, peso solamente 700 gramos próximamente. Asiento plano muy grande y cómodo. Fabricación en 3 dimensiones, **en el modelo A.**

2485c. Wie 2485 b, in **Façon B.**

2485c. Comme 2485 b, **en façon B.**

2485c. Like 2485 b, **in shape B.**

2485c. como 2485b, **en el modelo B.**

2485d. Stahlrohr-Sitzstock, sehr leicht, Sitz Modell van Meenen (Schlossteile nicht aus Guss, sondern Stahl.)

2485d. Canne-siège tubes acier très léger, siège modèle van Meenen (pièces de mécanisme non en métal fondu mais en acier.)

2485d. Steel tube chair very light, seat model van Meenen (lock parts not cast but of steel.)

2485d. Bastón-asiento tubos acero muy ligero, asiento modelo van Meenen (las piezas de mecanismo no son de metal fundido, pero de acero.)

2485e. Stahlrohrsitzstock wie vorher, jedoch mit **herausziehbarer, geschliffener Klinge und Säge.** Durchaus solide. Für **Förster** unentbehrlich.

2485e. Canne-siège tubes acier comme ci-dessus mais avec lame et scie dégainable et aiguisée. Extrêmement solide. Indispensable pour gardes forestiers.

2485e. Steel tube chair as above but with sharpened blade and saw for drawing out. Very firm. Indispensable for foresters.

2485e. Bastón-asiento tubos acero como aqui arriba pero con enchilla y sierra desenvamable y omolada. Extremadamente solida. Indispensable para guarda bosques

2485f. Neuheit, D. R. G. M. Zusammenschiebbarer Stahlrohrsitzstock, auf 3 Längen **verstellbar,** Sitz Mod. **van Meenen,** wie bei No. 2485 d.

2485f. Nouveauté D. R. G. M. Canne-siège tubes d'acier, à coulisse, réglable en 3 longueurs, siège modèle van Meenen, comme 2485 d.

2485f. Novelty D. R. G. M. Collapsible steel tube chair, adjustable in 3 lengths. Seat mod. van Meenen, as with No. 2485 d.

2485f. Novedad D. R. G. M. bastón-asiento tubos acero, de bastidor arreglable en 3 tamaños. Asiento modelo van Meenen, como 2485 d.

2485g. Stahlrohr-Sitzstock D. R. G. M. wie No. 2485 f **auf 3 Längen** verstellbar, jedoch mit dreieckigem bequemen Ledersitz.

2485g. Canne siège tubes acier D. R. G. M. comme 2485 f, réglable en 3 longueurs mais siège de cuir triangulaire et très commode.

2485g. Steel tube chair D.R.G.M. like No. 2485 f, adjustable in 3 lengths, but with triangular comfortable leather seat.

2485g. Bastón-asiento tubos acero D. R. G. M., como 2485 f, **arreglable** en 3 tamaños, pero asiento de cuero triangular y muy cómodo.

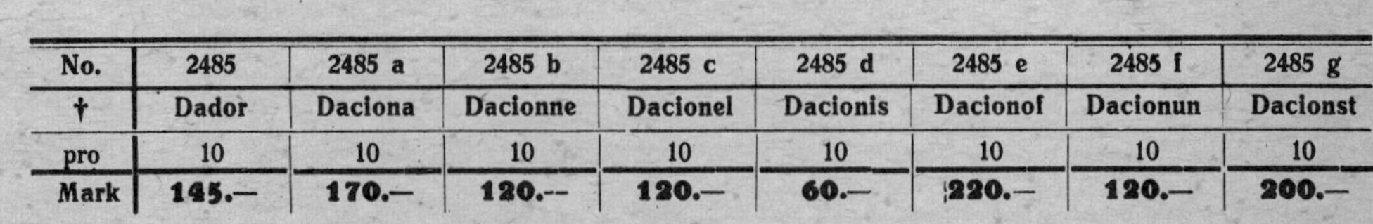

No.	2485	2485 a	2485 b	2485 c	2485 d	2485 e	2485 f	2485 g
†	Dador	Daciona	Dacionne	Dacionel	Dacionis	Dacionof	Dacionun	Dacionst
pro	10	10	10	10	10	10	10	10
Mark	145.—	170.—	120.—	120.—	60.—	220.—	120.—	200.—

Sitzstöcke. | Cannes-siège. | Cane chairs. | Bastones-asiento.

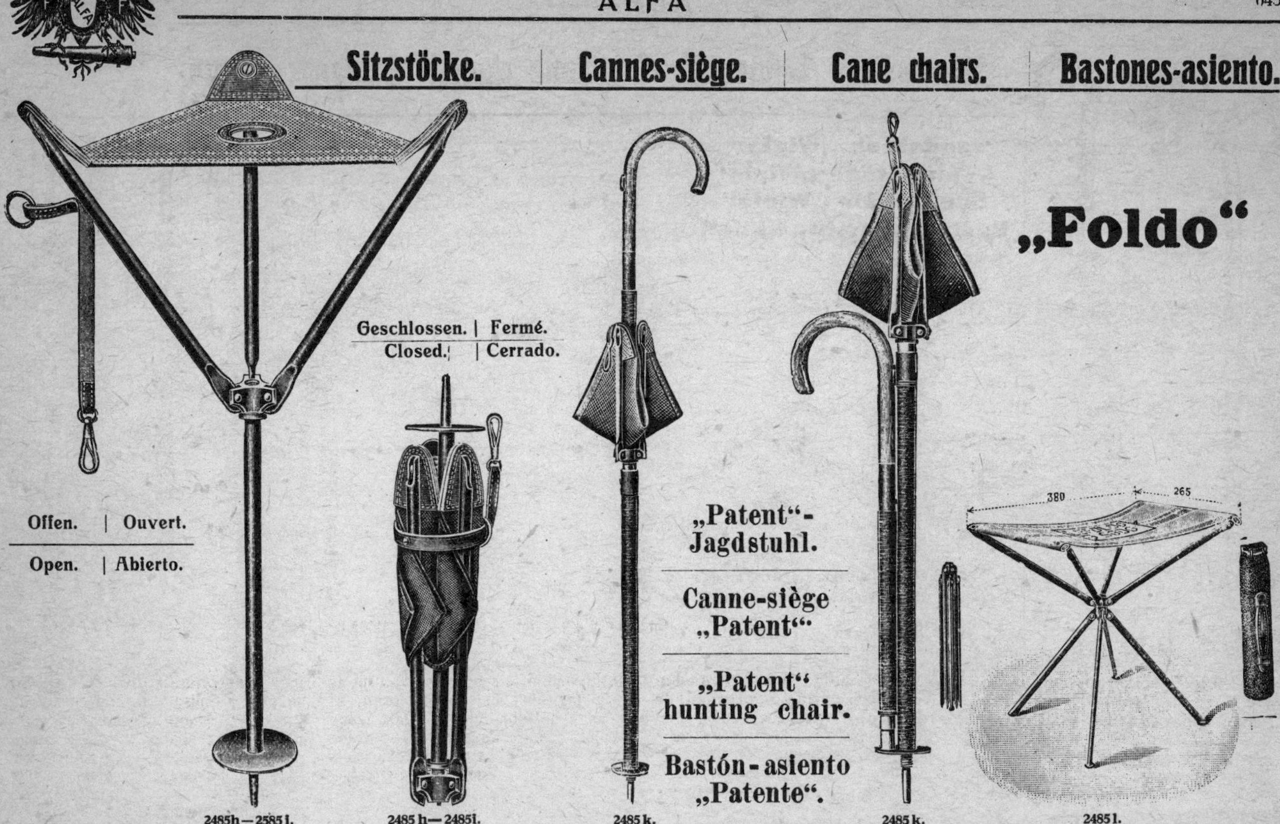

2485 h. Stahlrohrsitzstock, schwarz brüniert, sehr leicht und stabil mit **Segeltuchsitz.**

2485 i. Wie 2485 h mit **Ledersitz.**

2485 k. „Patent-Jagdstuhl", Gewicht nur 750 gr aus kräftigem Stahlrohr mit Lederbezug. Sitz aus kräftigem Leder mit Segeltuch-Unterlage mit einem Griff zerlegbar. Im Innern des Rohres ist Platz für einen dreiteiligen Putzstock mit Bürste. Der Stock trägt Gewicht bis 125 Kilo.

2485 l. „Foldo"-Jagdstuhl, Universalstuhl für alle Arten Sport, wie Jagd, Angelsport, Touristen etc., zusammengelegt ca. 28 cm lang. Starker Segeltuchsitz, hergestellt aus Stativstahl, sehr gediegen auch für schweres Gewicht, tiefschwarz emailliert mit Tragriemen. Gewicht ca. 900 gr.

2485 h. Canne-siège tubes acier, bruni noir, très léger et solide, avec **siège toile à voile.**

2485 i. Comme 2485 h avec **siège de cuir.**

2485 k. Canne-siège déposée, poids seulement 750 gr en solide tube d'acier avec garniture de cuir. Siège en cuir résistant, avec garniture inférieure en toile à voile, poignée démontable. On peut loger, dans le vide intérieur du tube, une baguette à nettoyer en 3 pièces et une brosse. La canne supporte un poids allant jusqu'à 125 Kilo.

2485 l. Canne-siège „Foldo", siège universel, pour toutes sortes de sports, comme chasse, tourisme, pêche etc. Repliée, elle ne mesure qu'environ 28 cm, solide siège en toile à voile, construit en solide acier, pour forts poids, émailié noir foncé, acier avec courroie, poids environ 900 grammes.

2485 h. Steel tube chair, burnished black, very light and firm, with **canvas seat.**

2485 i. Like 2485 h with **leather seat.**

2485 k. „Patent" hunting chair, weight only 750 gr of strong steel tube with leather cover. Seat of strong leather with canvas lining, can be taken to pieces in one movement. In the interior of the tube there is room for a cleaning rod in 3 pieces with brush. The cane-chair carries weight up to 125 Kilos.

2485 l. „Foldo" hunting chair, universal chair for all kinds of sport such as hunting & fishing, also for tourists etc. Folded together about 28 cm long. Strong canvas seat, made of special steel, very substantial also for heavy weights, enamelled deep black with carrying strap, weight about 900 grammes.

2485 h. Bastón asiento tubos-acero, bruñido negro, muy ligero y sólido, con **asiento de lona.**

2485 i. Como 2485 h **con asiento de cuero.**

2485 k. Bastón asiento patentado, peso: solamente 750 gr en sólido tubo de acero, con montura de cuero. Asiento cuero resistente, con montura inferior de lona, puño desmontable. Se puede colocar en el vacio interior del tubo una barilla de limpiar en 3 piezas y un cepillo. El bastón soporta un peso hasta 125 Kilog.

2485 l. Bastón-asiento „Foldo", asiento universal para toda clase de sports, como caza, turismo, pesca etc., plegado un de próximamente 28 cm. Asiento sólido de lona. Construido en acero con correa sólida, para pesos fuertes. Esmaltado, negro, oscuro. Peso. 900 gr próximamente.

Sitz-Zielstöcke. | Cannes-siège pour viser. | Cane chairs as gun-rest. | Bastones de asiento para apuntar.

„Gründig"

1639/1640

1639. Jagdsitzstock, genau wie auf Seite No. 643 unter No. 1636 beschrieben, aber mit **ausziehbarem Zielstab.**

1640. Wie 1639, aber der Stock wie Ausführung No. 1637 auf Seite 643.

1639. Canne-siège de chasse, exactement comme à la page 643 No. 1636, mais avec **bâton pour viser enlevable.**

1640. Comme 1639. mais canne dans la même exécution que No. 1637 page 643.

1639. Hunters cane chair, just as described on page 643 under No. 1636 but **with pull out gun-rest.**

1640. Like 1639, but stick of same make as No. 1637 on page 643.

1639. Bastón asiento de caza. Exactamente como en la página No. 643 No. 1636 pero con **bastón para atornillar levantable.**

1640. Como 1639, pero bastón en el mismo trabajo que el No. 1637 página 643.

No.	2485 h	2485 i	2485 k	2485 l	1639	1640
†	Dacioneh	Dacionau	Dacionae	Dacionall	Dwina	Dagont
pro	10	10	10	10	10	10
Mark	125.—	150.—	240.—	80.—	240.—	255.—

Stehend. | Debout. | Standing. | Denié.

1639/1640

Sitzend. | Assis. | Sitting. | Sentado.

1639/1640

Sitz-Zielstöcke. | Cannes-siège pour viser. | Cane chairs as gun-rest. | Bastones de asiento para apuntar.

„Stricker“.

1640a.

Knieend. | à genoux. | Kneeling. | De rodillas.

1640a.

Stehend | Debout. Standing. | Depié.

1640a.

Mod. Wolf.

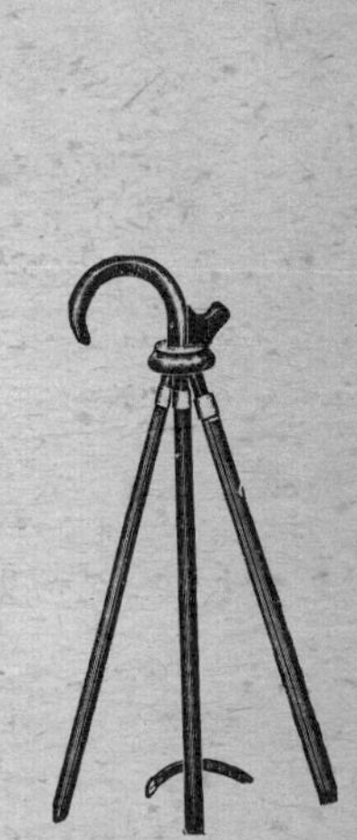

1640b.

1640a. Zielstock aus Stahl mit beim Oeffnen herausspringenden **3 Füssen,** Gewicht ca. 1000 gr. Als Gehstock benutzbar. Der Zielstock selbst lässt sich auch aus der Mitte herausziehen und als Gehstock benutzen. Er ist durch Klemmschraube auf **verschiedene Höhen** einstellbar.

1640a. Canne pour viser, en acier, **à 3 pieds** se mettant en place quand on ouvre l'appareil, poids environ 1000 gr. Utilisable en marche. La canne à viser ellemême peut être retirée et utilisée en marche. Au moyen de vis ad hoc, elle est rapidement fixable **en différentes grandeurs.**

1640a. Steel cane for taking aim, on being opened **3 feet** appear, weight about 1000 gr. Can be used as walking stick. The aiming cane may also be drawn out from the middle and used as walking-stick. By means of a set screw it can be quickly adjusted **in various heights.**

1640a. Bastón para apuntar, de acero, **de 3 piés** se coloca, cuando se abre el aparato. Peso: 1000 gr próximamente. Utilizable en marcha. La caña de atornillar se puede retirar ella misma y utilizada en marcha. Por medio de tornillo ad-hoc es fijable rápidamente **en diferentes tamaños.**

1640b. Zielstock aus Holz, Modell Wolf, sehr **leicht** und gleichzeitig als **Gehstock** zu benutzen. Er bietet beim Schiessen eine stabile Unterlage und ermöglicht so ein sicheres Treffen.

1640b. Canne pour viser, en bois, modèle „Wolf“, très leger et **également utilisable en marche.** Elle offre, pour le tir, un point d'appui ferme et facilité ainsi la précision du tir.

1640b. Aiming cane of wood, model „Wolf“, very light, can be used also as **walking stick.** Very firm support when shooting, enabling a good aim.

1640b. Caña de madera para apuntar, modelo „Wolf“, muy **ligero** é igualmente utilizable **en marcha.** Ofrece para el tiro un punto de apoyo firme y facilita as la precisión del tiro.

Mod. Witzleben.

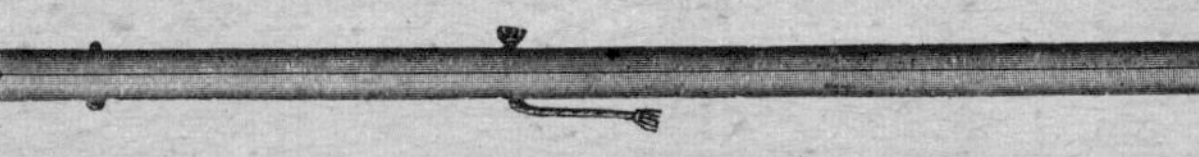

Mod. Witzleben.

1640c. Dieser wirklich praktische Zielstab aus Holz bietet auseinandergeschoben mit seinem oberen spitzen Winkel zur **Auflage der Büchse** ein **unentbehrliches Hilfsmittel** zum ruhigen Abkommen. Die in der Mitte sichtbare seidene Schnur dient dazu, den Auflagepunkt je nach der Grösse des Jägers zu verstellen oder zu befestigen.

1640c. Cet appui en bois pour viser vraiment pratique offre, avec son extrêmité supérieure pointue, **lors de la mise en joue de la carabine, un moyen incomparable** de viser en tout repos. Le cordon de soie, visible au milieu, a pour effet de modifier ou de fixer la hauteur du point d'appui, selon la grandeur du chasseur.

1640c. This really practical wooden aiming cane when pulled out forms **at the top end a sharp angle, which serves as a support for the rifle** and is indispensable for taking a careful aim. The silk cord in the middle, serves to adjust and fix the rifle rest according to the height of the hunter.

1640c. Este apoyo de madera para apuntar verdaderamente práctico ofrece, **con su extremidad superior puntiaguda, fuero de la puesta en carrilla dela carabina, un medio incomparable de apuntar en todo reposo.** El cordon de seda visible en medio tiene por objeto modificar o fijar la altura del punto de apoyo, según la estatura del cazador.

No.	1640 a	1640 b	1640 c
†	Dagontax	Dagonttri	Dagontrit
pro	10	10	10
Mark	440.–	160.–	60.–

Wildlocker. | Appeaux. | Game calls. | Reclamos.

Rehlocker! Appeau pour chevreuils! Deer-Calls! Reclamo para corzos!

Angstgeschrei! Cri d'effroi. Special Call! Grito de angustia!

1440. 1441. 1442. 1443. 1444. 1445. 1446. 1447.

1440. Verstellbar, Neusilber-Etui.
1441. Von Horn, Holzetui, fein abgestimmt.
1442. Britannia-Metall, Holzetui, abgestimmt.
1443. Weichselrohr mit Ring, die Schraube regulierbar.
1444. Wie No. 1443 von Büffelhorn.
1445. Büffelhorn, Regulierschraube, abschraubbarer Verschluss und Endkugel zum Tondämpfen.
1446. Horn in Neusilberetui, Mod. „**Uhlenhuth**", bester Locker.
1447. Horn mit Fadenumwicklung im Etui „**Angstgeschrei**".

1440. Réglable, étui vieil argent.
1441. En corne, étui de bois, soigneusement essayé.
1442. Métal anglais, étui de bois, essayé.
1443. Cerisier, avec anneau, vis réglable.
1444. Comme No. 1443, en corne de bufle.
1445. Corne de bufle, vis réglable, fermeture dévissable, et bombe à l'extrémite pour ébruiter.
1446. Corne en étui vieil argent, Mod. „**Uhlenhuth**", appeau supérieur.
1447. Corne avec garniture de fil, en étui, „**cri d'effroi**".

1440. Adjustable, German silver case.
1441. Of horn, wooden case, well tuned.
1442. Britannia metal, wooden case, tuned.
1443. Cherry wood with ring, with adjusting screw.
1444. Like No. 1443, of buffalo horn.
1445. Buffalo horn, adjusting screw, turn lock and ball for moderating sound.
1446. Horn in German silver case, Mod. „**Uhlenhuth**" best call.
1447. Horn wound with thread in case „**Special call**".

1440. Movible, caja de plata alemana.
1441. De asta, caja madera, bien templado.
1442. De metal Britania, caja de madera, templado.
1443. Madera cerezo con anillo, con tornillo movible.
1444. Como No. 1443, de cuerno búfalo.
1445. Asta de búfalo, tornillo movible, cierro a vuelta y bola para templat el sonido.
1446. Asta en caja de plata alemana, modelo „**Uhlenhuth**", reclame superior.
1447. Asta redondo con hilo en caja „**reclamo especial**".

Pneumatische Rehlocker. | Appeau pneumatique. | Pneumatic deer call. | Reclamo pneumatico.

Buttolo.

1447 a.

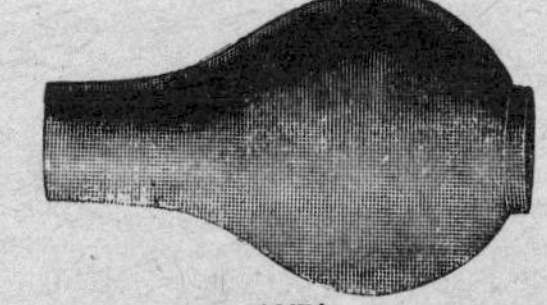

1447 b.

Universallocker. Appeau universel. Universal call. Reclamo universal.

1447 c.

1447 a. **Buttolos Blatter** für Lock uud Angstgeschrei des Rehs, durch leichten Druck mit der Hand zu betätigen, hergestellt aus Ia schwarzem Gummi.
1447 b. Aehnlich wie 1447 a, aus **Gummi**.
1447 c. **Universallocker** für **Rehe, Hasen, Raubvögel** aus **Horn** mit **2 Stellschrauben.**

1447 a. **Poire Buttolo** pour appeler et imiter le cri d'effroi du cerf, fonctionne à la main, en caoutchouc noir de qualité extra.
1447 b. Similaire au No. 1447 a, **en caoutchouc.**
1447 c. **Appeau universel** pour cerf, lièvre, oiseaux de proie, **en corne,** avec **2 vis de fixation.**

1447 a. **Buttolo's deer caller,** acting by means of light pressure with the hand, made of best black rubber.
1447 b. Similar to 1447 a, of **rubber.**
1447 c. **Universal caller** for deer, hare, birds of prey, of **horn with 2 adjusting screws.**

1447 a. **Pera Buttolo,** para llamar é imitar el grito de angustia del ciervo; funciana con la mano. De cautchuc negro de calidad superior.
1447 b Parecido al No. 1447 a, **de cautchuc.**
1447 c **Reclamo universal** para ciervo, liebre, pájaros de presa, de **cuerno,** con **2 tornillos de fijación.**

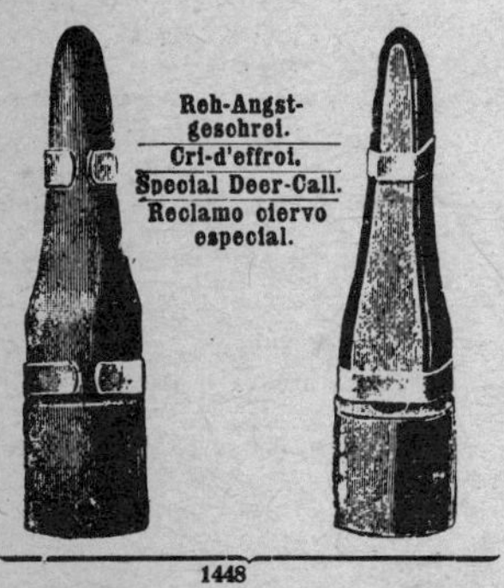

Reh-Angstgeschrei. Cri-d'effroi. Special Deer-Call. Reclamo ciervo especial.

1448

Ente. | Canard. | Duck. | Pato.

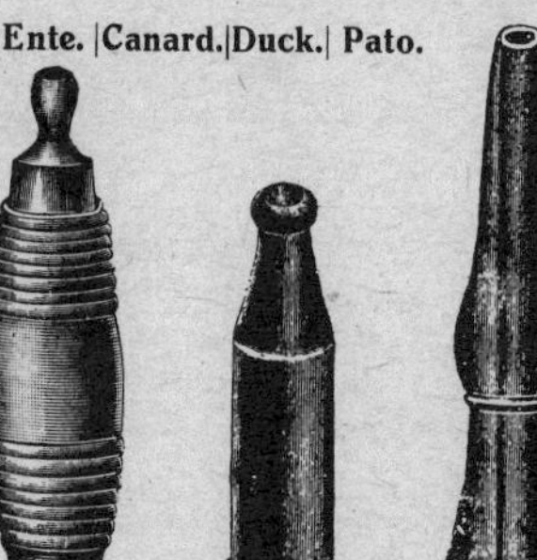

1449 1450 1451

Lockente. Canard-appeau. Decoy duck. Anade de reclamo.

1459/60

Gummilockente. Canard-appeau de caoutchouc. Rubber decoy duck. Anade de reclamo, de goma.

1461/62

1448. Ebenholz im Etui, Modell „Uhlenhuth" Angstgeschrei.
1449. **Ente,** Buchsbaumholz, Fässchenform, fein abgestimmt.
1450. **Ente,** rötlich poliertes Holz, fein abgestimmt.
1451. **Ente,** schwarzes Horn, fein abgestimmt, Ia Qualität.
1459. **Lockente** von Holz, naturgetreu bemalt, Ente oder Enterich pro Stück.
1460. Wie 1459, jedoch Jungente pro Stück.
1461. **Gummilockente** zum Aufblasen mit feinem, naturgetreu bemalten Sammetüberzug, gross.
1462. Wie 1461, jedoch Jungente pro Stück.

1448. Ebène en étui, modèle „Uhlenhuth" cri d'effroi.
1449. Canard, en hêtre, forme barril, soigneusement essayé.
1450. Canard, bois rougeâtre poli, soigneusement essayé.
1451. Canard, corne-noire, soigneusement essayé, qualité extra.
1459. Canard-appeau, en bois, peint selon nature, canne ou canard mâle, la pièce.
1460. Comme 1459, mais canneton, la pièce.
1461. Canard-appeau de caoutchouc, se gonflant, avec élégante garniture de velours peinte selon nature, grand.
1462. Comme 1461, mais canneton, la pièce.

1448 Ebony in case, Mod. „Uhlenhuth" call of fear.
1449. **Duck,** box-tree wood, barrel form, well tuned.
1450. **Duck,** red polished wood, well tuned.
1451. **Duck,** black horn, well tuned, best quality.
1459. **Decoy duck,** of wood, painted according to nature, duck or drake, a piece.
1460. Like 1459, but duckling, a piece.
1461. **Rubber decoy duck** for inflating with fine natural colored velvet cover, large.
1462. Like 1461, but duckling, a piece.

1448. Ebano en caja, Modelo „Uhlenhuth", reclamo sorpresa.
1449. Para **anade,** de madera haya, forma barril, bien templado.
1450. Para **anade,** de madera encarnada barnizada, bien templado.
1451. Para **anade,** de cuerno negro, calidad superiór, bien templado.
1459. **Anade de reclamo,** de madera, pintado según el natural, ánade ó anade macho pieza.
1460. Como 1459, pero anadeja, pieza.
1461. **Anade de reclamo de goma** para inflar cubierto de terciopelo pintado bien color natural, grande.
1462. Como 1461, pero anadeja, pieza.

No.	1440	1441	1442	1443	1444	1445	1446	1447	1447 a	1447 b	1447 c	1448	1449	1450	1451	1459	1460	1461	1462
†	Wiking	Wildfa	Wilko	Wolgeb	Wurstl	Winter	Wofern	Wolging	Winterst	Winterli	Winteroh	Wolke	Worbut	Walking	Wurtzig	Wrongo	Wirgo	Wrongum	Wirgum
pro	100	100	100	100	100	100	100	100	10	10	10	100	100	100	100	10	10	1	1
Mark	44.—	90.—	156.—	130.—	180.—	270.—	400.—	142.—	90.—	30.—	60.—	168.—	64.—	90.—	144.—	55.—	44.—	27.—	19.—

Signalpfeifen. | Sifflets. | Signal whistles. | Silbatos.

Schieber- bezügl. Ziehpfeifen, vernickelt. | Sifflets nickelés, se poussant ou se tirant. | Push and Pull whistles, nickeled. | Silbatos de empuje y tirón, niquelado.

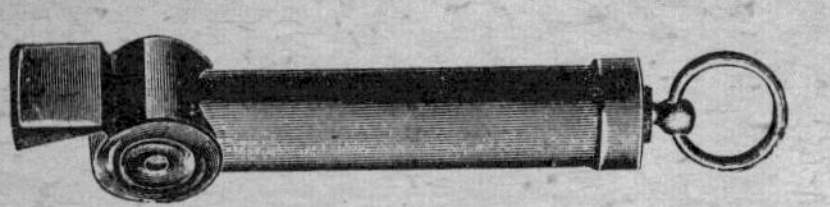

1525

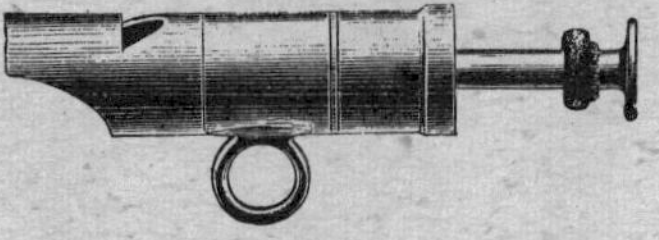

1526

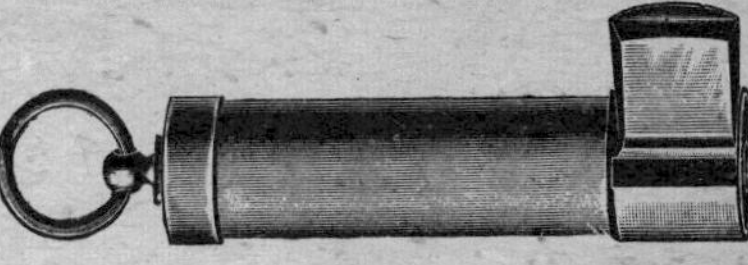

1527

No.	1525	1526	1527
lang	13 cm	$6^1/_2$ cm	$11^1/_2$ cm
longueur	13 cm	$6^1/_2$ cm	$11^1/_2$ cm
length	13 cm	$6^1/_2$ cm	$11^1/_2$ cm
largo	13 cm	$6^1/_2$ cm	$11^1/_2$ cm

Horn- und Holzpfeifen. | Sifflets de corne et de bois. | Horn and wooden whistles. | Silbatos de cuerno y madera.

Feuerwehr. | **Pompiers.**
Fire-brigade. | **Bomberos.**

1528/29

1530/31

Eisenbahnschaffner. | Chef de train. | Railway guard. | Guarda trén.

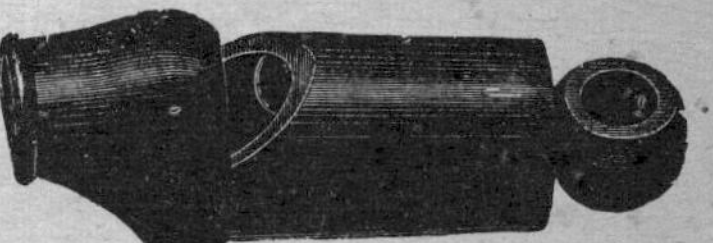

1532/33

1528	1529	1530	1531	1532	1533
9 cm Buchsbaumholz.	Wie 1528, aus Horn.	6 cm Buchsbaum.	6 cm Horn.	7 cm Buchsbaum.	7 cm Horn.
hêtre 9 cm.	Comme 1528, en corne.	hêtre 6 cm.	corne 6 cm.	hêtre 7 cm.	corne 7 cm.
9 cm box tree wood.	Like 1528, of horn.	6 cm box tree.	6 cm horn.	7 cm box tree.	7 cm horn.
9 cm madera haya.	Como 1528, haya.	6 cm haya.	6 cm haya.	7 cm haya.	7 cm haya.

„Halali".

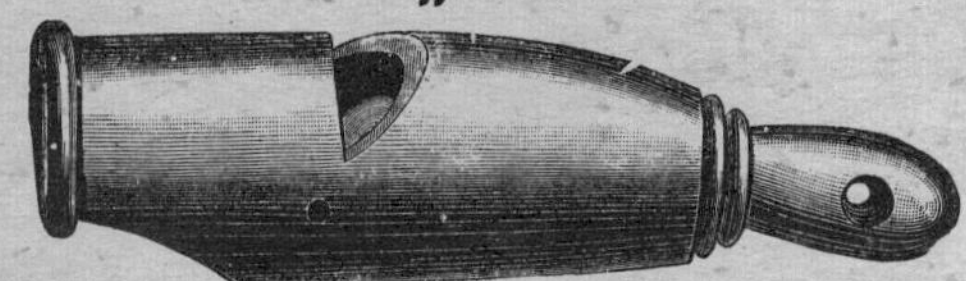

1534.

Strassenbahn. | Tramways. | Tram. | Tranvia.

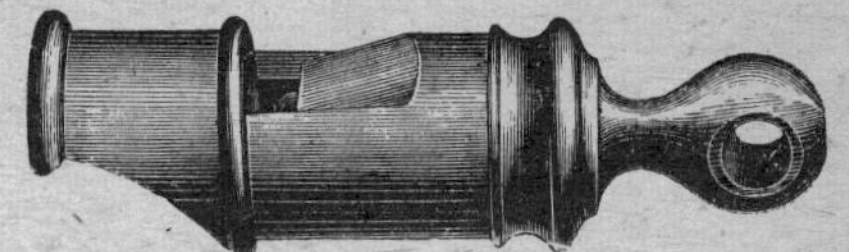

1535.

Doppeltriller. | Siffletà trille, de 2 tons. | Double trill whistle. | Silbato doble trino.

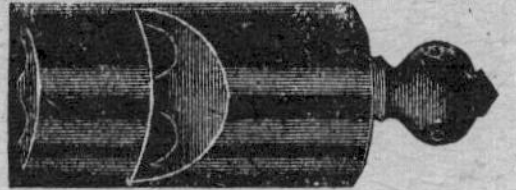

1536.

Zinnpfeife mit Triller. | Sifflet de zinc, à trille. | Tin trill whistle. | Silbato trino de hoja de ata.

1540.

1534.	1535.	1536.	1540.
8 cm Horn.	7 cm Horn.	Grosses Modell, Horn.	6 cm lang aus Zinn.
8 cm corne.	7 cm corne.	Grand modèle, corne.	Long de 6 cm, en etain.
8 cm horn.	7 cm horn.	Large model horn.	6 cm long of tin.
8 cm haya.	7 cm cuerno.	Modelo grande, asta.	Largo de 6 cm, de estaño.

„Pfiffi".

1536 a.

„Mungo".

1536 b.

1536 a. Wie Pfiff 1491, aber aus **Zelluloid** für die Westentasche.
1536 b. Hundepfeife aus Ia **Hirschhorn.**

1536 a. Comme Pfiff 1491, mais en **celluloid**, pour poche de gilet.
1536 b. Sifflet de chien, en **corne de cerf** extra.

1536 a. Like Pfiff 1491, but of **celluloid** for waist coat pocket.
1536 b. Dog whistle of prime **staghorn.**

1536 a. Como Pfiff 1491, pero de **celuloide**, para bolsillo de chaleco.
1536 b. Silbato para perro, de **cuerno superior.**

No.	1525	1526	1527	1528	1529	1530	1531	1532	1533	1534	1535	1536	1540	1536 a	1536 b
†	Ziter	Zurim	Zupfer	Zurbel	Zuros	Zustlo	Zobad	Zompli	Zompas	Zonum	Zomlap	Zenit	Zoltap	Zenitti	Zenitsa
pro	10	10	10	10	10	10	10	10	10	10	10	10	100	100	100
Mk	**16.–**	**11.20**	**16.–**	**7.–**	**8.-**	**6.–**	**7.–**	**5.60**	**6.40**	**8.–**	**8.40**	**11.20**	**39.–**	**36.–**	**36.–**

Signalhörner. | Cornes. | Bugle-horns. | Cornetas.

I tönige Huppen. — Cornes à I ton. — I tune cornets. — Cornetas de I tono.

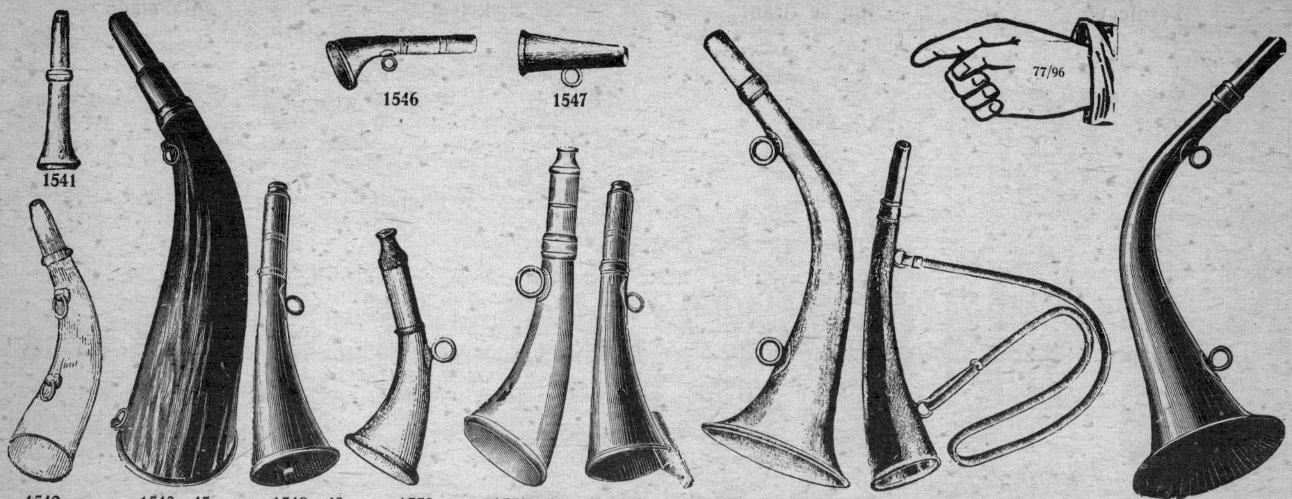

1541 1546 1547 77/96

1542 1543—45 1548—49 1550 1551—52 1553 1554—55 1555 1556

1541	1542	1543	1544	1545	1546	1547	1548
9½ cm Horn.	20½ cm Horn.	22 cm Horn.	30 cm Horn.	Wie 1544, Nickelmundstück ca. 40 cm.	Messing 10 cm.	Messing 6½ cm.	11 cm Messing.
9 cm ½ corne.	20 cm ½ corne.	22 cm corne.	30 cm corne.	Comme 1544, embouchoir nickel ca. 40 cm.	laiton 10 cm.	laiton 6 cm ½.	11 cm laiton.
9½ cm horn.	20½ cm horn.	22 cm horn.	30 cm horn.	Like 1544, nickel mouthpiece ca. 40 cm.	brass 10 cm.	brass 6½ cm.	11 cm brass.
9½ cm cuerno.	20½ cm cuerno.	22 cm cuerno.	30 cm cuerno.	Como 1544, pieza boca de niquel ca. 40 cm.	latón 10 cm.	latón 6½ cm.	11 cm latón.

1549	1550	1551	1552	1553	1554	1555	1556
Wie 1548, vernickelt.	15 cm Horn mundstück.	17 cm Messing.	17 cm vernickelt.	Wie 1551, mit Pfeife.	26 cm Messing.	Wie 1554, vernickelt.	Wie 1554, 29 cm.
Comme 1548, nickelé.	15 cm embouchoir de corne.	17 cm laiton.	17 cm nickelé.	Comme 1551, avec sifflet.	26 cm laiton.	Comme 1554, nickelé.	Comme 1554, 29 cm.
Like 1548, nickeled.	15 cm horn mouthpiece.	17 cm brass.	17 cm nickeled.	Like 1551, with whistle.	26 cm brass.	Like 1554, nickeled.	Like 1554, 29 cm.
Como 1548, niquelado.	15 cm pieza boca cuerno.	17 cm latón.	17 cm niquelado.	Como 1551, con silbato.	26 cm latón.	Como 1554, niquelado.	Como 1554, 29 cm.

2 tönige Huppen. | Cornes à 2 tons. | 2 tune cornets. | Cornetas 2 sonidos.

1557—60 1561—64 1565—66

4 tönige Huppen. | Cornes à 4 tons. | 4 tune cornets. | Cornetas de 4 tonos.

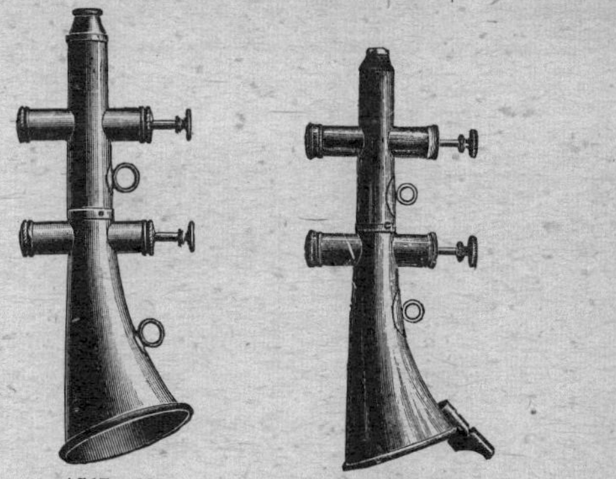

1567—68 1569—70

Mit Pfeiffe. — Avec sifflet.
With whistle — Con silbato.

1557	1558	1559	1560	1561	1562	1563	1564
11 cm Messing.	11 cm vernickelt.	13 cm Messing.	13 cm vernickelt.	15 cm Messing.	15 cm vernickelt.	17 cm Messing.	17 cm vernickelt.
11 cm laiton.	11 cm nickelé.	13 cm laiton.	13 cm nickelé.	15 cm laiton.	15 cm nickelé.	17 cm laiton.	17 cm nickelé.
11 cm brass.	11 cm nickeled.	13 cm brass.	13 cm nickeled.	15 cm brass.	15 cm nickeled.	17 cm brass.	17 cm nickeled.
11 cm latón.	11 cm niquelado.	13 cm latón.	13 cm niquelado.	15 cm latón.	15 cm niquelado.	17 cm latón.	17 cm niquelado.

1565	1566	1567	1568	1569	1570
Wie 1561, mit Pfeife.	Wie 1562, mit Pfeife.	23 cm Messing.	23 cm vernickelt.	23 cm Messing.	23 cm vernickelt.
Comme 1561, avec sifflet.	Comme 1562, avec sifflet.	23 cm laiton.	23 cm nickelé.	23 cm laiton	23 cm nickelé.
Like 1561, with whistle.	Like 1562, with whistle.	23 cm brass.	23 cm nickeled.	23 cm brass.	23 cm nickeled.
Como 1561, con silbato.	Como 1562, con silbato.	23 cm latón.	23 cm niquelado.	23 cm latón.	23 cm niquelado.

No.	1541	1542	1543	1544	1545	1546	1547	1548	1549	1550	1551	1552	1553	1554	1555
†	Zolkip	Zolka	Zolzu	Zolri	Zasis	Zanmess	Zolsic	Zoler	Zolcon	Zolrco	Zolgrenz	Zolrend	Zolast	Zoldin	Zeval
pro	10	10	10	10	10	10	10	10	10	10	10	10	10	10	10
Mark	10.40	12.—	15.—	25.—	46.—	9.50	7.50	9.60	11.20	14.40	15.—	18.—	22.—	24.—	28.—

No.	1556	1557	1558	1559	1560	1561	1562	1563	1564	1565	1566	1567	1568	1569	1570
†	Zrufu	Zelfol	Zandal	Zelma	Zunfti	Zingap	Zella	Arak	Borax	Carpaz	Dasvor	Arrest	Atur	Arsen	Arnal
pro	10	10	10	10	10	10	10	10	10	10	10	10	10	10	10
Mark	28.—	27.—	30.—	29.—	32.—	35.—	38.—	38.—	42.—	40.—	42.—	88.	98.—	90.—	100.—

Feuerzeuge „Alfa“. | Lampes et briquets de poche „Alfa“. | Tinder boxes „Alfa“. | Lámparas y eslabones de bolsillo „Alfa“.

Taschenfeuerzeuge Marke „Alfa“. | Allumeurs marque „Alfa“ | Tinder boxes Brand „Alfa“. | Mecheros marca „Alfa“.

2507 — 2506 geschlossen | fermé closet | cerrado — 2506 geöffnet | ouvert open | abierto

Diese Feuerzeuge **sind Selbstzünder.** Beim Drehen des Ringes springt der Deckel auf (Abb. I) und die Lampe brennt. Die Zündung wird durch den Amorce-Streifen betätigt (Abb. II), welcher nach 100 maligem Gebrauch zu erneuern ist.

Ces allumeurs fonctionnent **spontanément.** Il suffit de tourner l'anneau pour que le couvercle saute et la lampe brûle (fig. I). Le feu est produit par une bande d'amorces (fig. II) qui est à remplacer après avoir fonctionné 100 fois.

The above tinder-boxes **act spontaneously.** When the ring is turned the lid springs open (drawing I) and the lamp burns. The lighting is effected by means of a strip of caps (drawing II, which must be renewed after using same 100 times.

Los mecheros arriba **actuan espontaneamente.** Cuando se da vuelta al anillo los resortes del borde se abran (dibujo I) y la lampara arde. El encender se efectua por medio de una cinta de pistones (dibujo II), que se debe renovar después de usarlo 100 veces.

2506. Feuerzeug wie oben beschrieben, Stahlblech, vernickelt, poliert. | **2506.** Comme décrit ci-dessus, ferblanc aciéré, nickelé, poli. | **2506. Tinder boxes** as described above steel plate, nickeled, polished. | **2506. Mecheros** como arriba deseritos placa acero niquelado, pulido.

2506a. Wie oben, **feinere Qualität,** Messing, vernickelt. | **2506a.** Comme ci-dessus, **qualité supérieure,** laiton nickelé. | **2506a.** As above, **better quality,** nickeled, brass. | **2506a.** Como arriba, **mejor calidad,** niquelado, bronce.

2507. Wie 2506, **mit Lunte.** | **2507.** Comme 2506 **avec mèche.** | **2507.** Like 2506, **with slow match.** | **2507.** Como 2506, **con cerilla.**

Taschenlaternen Marke „Alfa“. | Lanterne de poche marque „Alfa“. | Pocket Lanterns Brand „Alfa“. | Linternas bolsillo marca „Alfa“.

I — II

2508. 83×53×16 mm — 2509. 82×47×20 mm

Diese **Taschenlaternen** sind wie Abb. II zusammenlegbar und haben dann die angegebenen Grössen.

Ces **lanternes de poche** sont, comme le montre l'illustration II, repliables sur elles-mêmes, et ont alors les dimensions indiquées ci-contre.

These **pocket lanterns** can be put together as in drawing II and have then the dimensions mentioned.

Linternas según modelo pueden ser puestas juntas como grabado II y entonces tienen las dimensiones mencionadas.

2508. Dreieckiges Format mit abgerundeten Ecken, beledert, aus Ia Messingblech, **vernickelt.** | **2508. Format triangulaire,** avec coins arrondis, garni de cuir, en fer-blanc, laiton extra, nickelé. | **2508. Three cornered form** with rounded corners, leather cover, gold letters, best quality brass, nickeled. | **2508. Forma triangular,** esquinas redondas, tapa cuero, letras oro mejor calidad bronce niquelado.

2509. Wie 2508, aber **viereckiges Format** (sehr gängig). | **2509.** Comme 2508 mais **format quadrangulaire,** (très courant). | **2509.** Like 2508, but **4 cornered** form (ready sale). | **2509.** Como 2508, pero **forma 4 esquinas** (en venta).

422a. Amorces zu 2508 und 2509 per Dutzend Schächtelchen à 100 Zündungen. | **422a.** Amorces pour 2508 et 2509, par douzaine de boîtes à 100 amorces. | **422a.** Caps for 2508 and 2509 per dozen small boxes with 100 ignitions. | **422a.** Pistones para 2508 y 2509 por docena cajas de 100 cuestan.

1214/215

Alfa
D. R. G. M.
Das beste automatische Cereisen-Feuerzeug und Taschenlämpchen

Alfa
deposé S. G. D. G.
La meilleure lampe-briquet cérique qui existe.

Alfa
D. R. G. M.
The best automatic ceric tinder-box and pocket-lamp.

Alfa
Patendo S. G. D. S.
La mejor lámpara, eslabón cérico que existe.

2509 a

Ein Druck u. Feuer.

Auswechselbarer Zündstein. :: Einfachste Handhabung.

Kein Versagen.

Anweisung und Erklärung.

a) Feder, welche den Zündstift an die Feile presst. — Durch Aufheben der Feder wird der Zündstein ausgewechselt und ein neuer eingesetzt.

b) Füllschraube wird geöffnet und die das Innere der Büchse ausfüllende Watte mittels Tropfzählers oder kleinem Trichter mit reinem Benzin getränkt. Ueberflüssiges Benzin ist herauszuschleudern, da sonst die Feile mit Benzin nass wird und ein vorübergehendes Versagen eintreten kann.

In diesem Falle muss das Benzin erst wieder verdunsten, was in einigen Momenten der Fall ist. — Der Docht ist ca. 20 cm lang und muss, wenn er durch das Benzin verkohlt ist, mittels einer Nadel nachgezogen werden. — Nach längerem Gebrauch ist die Feile mit einem Bürstchen zu reinigen. Falls nicht genügend Funken sprühen, um die Benzingase zu entzünden, so wolle man die Feder hochheben, den Zündstein umdrehen und ihm eine andere Reibfläche geben. —

Une simple pression et du feu.

Pierres d'inflammation interchangeables. :: Maniement très facile.

Pas de rate.

Mode d'emploi et explications.

a) Ressort pressant la cheville d'inflammation sur la lime. Pour changer de cheville d'inflammation il suffit de soulever le ressort.

b) On défait la vis de remplissage et ou approvisionne de benzine pure le réservoir, en versant, au moyen d'un compte gouttes ou d'un entonnoir, sur la ouate dont est garni le réservoir. Il faut avoir soin d'ôter la benzine superflue, car autrement la lime s'en trouverait mouillée ce qui pourrait provoquer des inconvéments. Dans ce cas il faut laisser un peu la benzine s'évaporer, ce qui est l'affaire de quelques instants. La mèche mesure environ 20 cm de long et doit, quand son extrêmité est carbonisée, être tirée à l'aide d'une épingle, après un long usage il faut nettoyer la lime avec une brosse. Quand les étincelles sont faibles il ya lieu de lever le ressort d'inflammation et de tourner dans un autre sens la cheville d'inflammation.

Fire on pressure of button.

Interchangeable flint.
Simple handling.

Does not miss fire.

Directions and Explanation.

a) Spring, which presses the nipple on to the fi e. By lifting the spring. the flint is taken out and replaced by a new one.

b) The filling screw is opened and the wadding filling the interior of the box saturated by means of a tube or funnel with pure benzine. Superfluous benzine must be shaken out as otherwise the file is moistened with benzine and a temporary missing of fire may occur.

In this case the benzine must first evaporate which takes place in a few moments. The wick is about 20 cm long and when charred by the benzine it must be pulled up by means of a pin. After being some time in use the file must be cleaned with a small brush. If there are not sufficient sparks to ignite the benzine gases the spring must be lifted up and the flint turned round in order to change the friction face.

Una simple presión y enseguida hay fuego.

Piedras intercambiables.
Manejo sencillésimo.

No falta.

Modo de usarlo y explicaciones.

a) De resorte apretando la clavija de inflamación sobre la lima. Para cambiar la clavija de inflamación basta con levantar el resorte.

b) Se desprende el tornillo de relleno y se aprovisiona de bencina pura el depósito, vertiendo por medio de un cuenta gotas ó embudo sobre el algodón del cual está provisto el depósito. Hay que tener cuidado de quitar la bencina superflua. pués de lo contrario se mojaria la lima, lo que podría provocar algunos inconvenientes.

En este caso es necesario dejar evaporar un poco de bencina, pero esto es cuestión de algunos instantes. La mecha mide próximamente 20 cm de larga, y debe ser tirada por medio de un alfiler cuando su extremidad esté carbonizada. Después de un uso algo largo hay que limpiar la lima con un cepillo. Cuando las chispas estén débiles hay que levantar el resorte de inflamación y de volver al otro lado la clavija de inflamación.

No.	2506	2506 a	2507	2508	2509	422 a	2509 a
†	Palitro	Palmeado	Palmeta	Palmiped	Palmotea	Palmetor	Palitrobb
pro	100	100	100	10	10	144	100
Mark	**70.—**	**113.—**	**100.—**	**53.—**	**42.—**	**3.50**	**180.—**

Feuerzeuge „Alfa". | Lampes et briquets de poche „Alfa". | Tinder boxes „Alfa". | Lámparas y eslabones de bolsillo „Alfa".

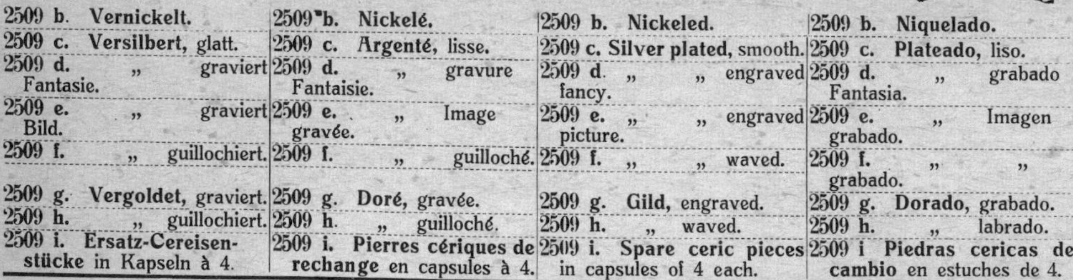

2509 b. Vernickelt.	2509 b. Nickelé.	2509 b. Nickeled.	2509 b. Niquelado.
2509 c. Versilbert, glatt.	2509 c. Argenté, lisse.	2509 c. Silver plated, smooth.	2509 c. Plateado, liso.
2509 d. „ graviert Fantasie.	2509 d. „ gravure Fantaisie.	2509 d. „ „ engraved fancy.	2509 d. „ grabado Fantasia.
2509 e. „ graviert Bild.	2509 e. „ Image gravée.	2509 e. „ „ engraved picture.	2509 e. „ Imagen grabado.
2509 f. „ guillochiert.	2509 f. „ guilloché.	2509 f. „ „ waved.	2509 f. „ „ grabado.
2509 g. Vergoldet, graviert.	2509 g. Doré, gravée.	2509 g. Gild, engraved.	2509 g. Dorado, grabado.
2509 h. „ guillochiert.	2509 h. „ guilloché.	2509 h. „ waved.	2509 h. „ labrado.
2509 i. Ersatz-Cereisenstücke in Kapseln à 4.	2509 i. Pierres cériques de rechange en capsules à 4.	2509 i. Spare ceric pieces in capsules of 4 each.	2509 i Piedras cericas de cambio en estuches de 4.

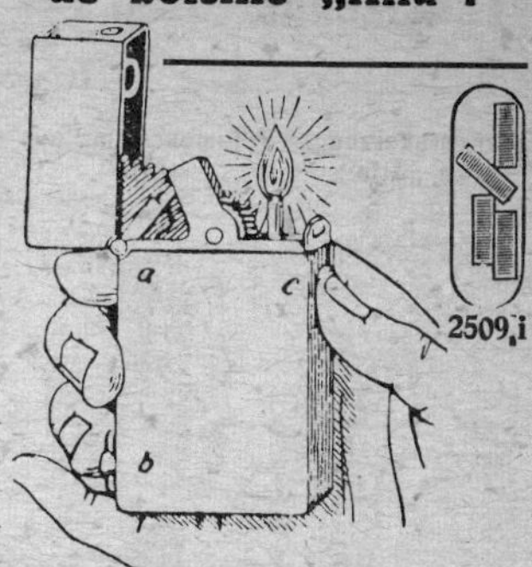

2509 b—2509 h

Geldtaschen Marke „Alfa". | Portemonnaie marque „Alfa". | Purses Brand „Alfa". | Portamonedas marca „Alfa".

2524. Schwarzes Rindleder mit Taschen und Druckknopf.
2525. Wie 2524, aber 2 Taschen, 2 Klappen, 2 Druckknöpfe.
2526. Sporttasche, helles Rindleder, 2 Taschen, mit Riemen, genäht.

2524. Vachette noire, avec poches et bouton à pression.
2525. Comme 2524, mais à 2 poches, 2 clapets et 2 boutons à pression.
2526. Portemonnaie de sport, vachette claire, 2 poches, avec courroie, cousu.

2524

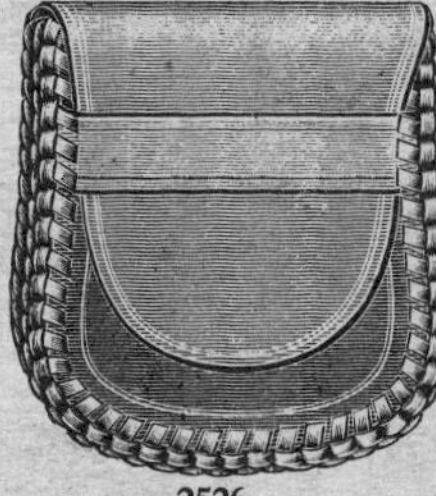

2525

2526

2524. Black cowhide with pockets and press-button.
2525. Like 2524, but 2 pockets, 2 flaps, 2 press-buttons.
2526. Sportsman's purse light cowhide, 2 pockets, with straps, sewed.

2524. Piel vaca negra con bolsas y botón.
2525. Como 2524, pero 2 bolsas, 2 orejas, 2 botones.
2526. Portamonedas Sportman, piel vaca ligera, 2 bolsas, con bandas, cosidas.

Kompasse f. d. Tasche Marke „Alfa". | Boussoles de poche marque „Alfa". | Pocket Compasses Brand „Alfa". | Brújulas bolsillo marca „Alfa".

2498. Pa. Messingblech, vernickelt, 40 mm Durchmesser.
2499. Wie 2498, geschweifte Form, Windrose auf Papier.
2500. Wie 2499, gewölbte Form.
2501. Zylindrische Form, gelb mit Spiegel.
2502. Wie 2501, vernickelt, mit Armtierung, Windrose auf Metall.

2498. Fer-blanc laiton extra, diamètre de 40 mm.
2499. Comme 2498, forme cuvette, rose de vents sur papier.
2500. Comme 2499, forme bombée.
2501. Forme cylindrique, jaune avec miroir.
2502. Comme 2501, nickelé, avec bouton d'arrêt, rose des vents sur métal.

2498. Prime brass plate, nickeled, 40 mm in diameter.
2499. Like 2498, curved form, paper dial.
2500. Like 2499, arched form.
2501. Cylindrical form, yellow with looking glass.
2502. Like 2501, nickeled, with stop, metal dial.

2498. Placa bronce Ia, niquelada, 40 mm diametro.
2499. Como 2498, forma curva, cuadrante papel.
2500. Como 2499, forma anqueada.
2501. Forma cilindrica, amarilla con espejo.
2502. Como 2501, niquelada, con tecla, cuadrante metal.

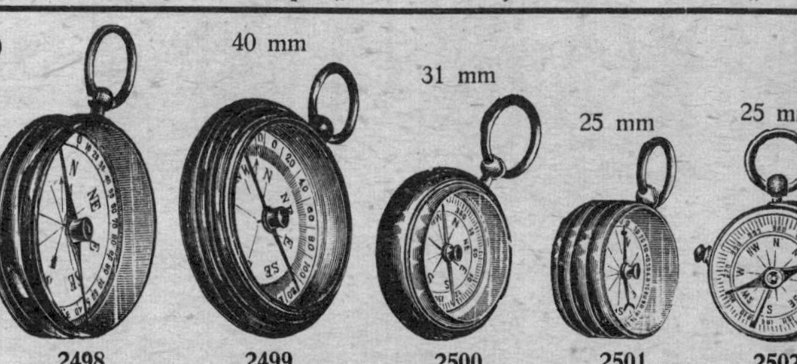

2498 2499 2500 2501 2502

Höhenbarometer für die Tasche Marke „Alfa". | Baromètre de poche pour mesurer les hauteurs, marque „Alfa". | Pocket Barometer for measuring of heights Brand „Alfa". | Barómetro bolsillo para medir alturas, marca „Alfa".

Zum Messen von Höhen. Die Skalen werden in jeder gewünschten Sprache resp. Schrift für denselben Preis geliefert.

2493. 45 mm Papierskala in Schachtel. Höheneinteilung bis 2600 Meter.
2494. Wie 2493, Einteilung bis 5000 Meter.
2495. Wie 2493, mit Metallskala.
2496. Wie 2494, mit Metallskala.
2497. Etui für Barometer.

Pour mesurer les hauteurs. Les démarcations sont faites pour le même prix, dans n'importe quelle longue et dans n'importe quel genre d'écriture.

2493. Démarcation sur papier en boîte de 45 mm. Echelle jusqu'à 2600 mètres.
2494. Comme 2493, échelle jusqu'à 5000 mètres.
2495. Comme 2493, avec démarcations sur métal.
2496. Comme 2494, avec démarcations sur métal.
2497. Etui pour baromètre.

For measuring for heights. Scales supplied in every language and or writing desired at same price.

2493. 45 mm paper dial in case. Height division up to 2600 meters.
2494. Like 2493, division up to 5000 meters.
2495. Like 2493, with metal dial.
2496. Like 2494, with metal dial.
2497. Case for barometer.

Escalas provistas en todas lenguas explicaciones deseadas al mismo precio.

2493. Escala 45 mm papel, en caja division altura hasta 2600 metros.
2494. Como 2493, division hasta 5000 metros.
2495. Como 2493, con cuadrante metal.
2496. Como 2494, con cuadrante metal.
2497. Estuche para barometro.

Seitenansicht. | Side view.
Vue de côté. | Vista lado.

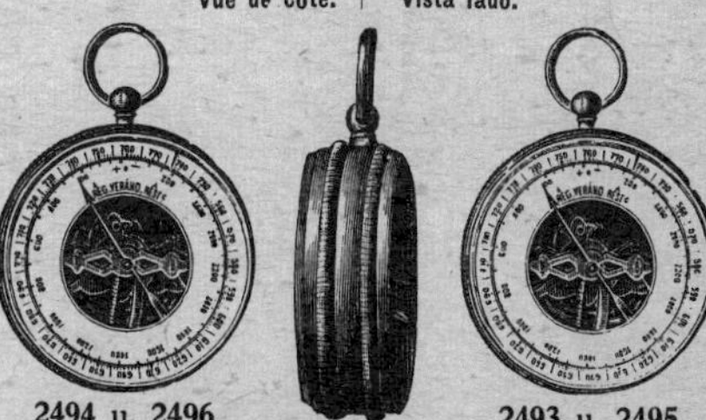

2494 u. 2496 2493 u. 2495

No.	2509 b	2509 c	2509 d	2509 e	2509 f	2509 g	2509 h	2509 i	2524	2525	2526	2498	2499	2500	2501	2502	2493	2494	2495	2496	2497
†	Palitrodd	Palitroff	Palitrogg	Palitrokk	Palitroll	Palitronn	Palitropp	Palitrorr	Paterno	Patibul	Patitis	Palafreu	Palanquin	Palastro	Paleogra	Paliativ	Pajilla	Palabra	Palacio	Paladea	Paladino
pro	100	100	100	100	100	100	100	100	100	100	100	100	100	100	100	100	1	1	1	1	1
Mark	320.—	390.—	480.—	520.—	520.—	660.—	700.—	9.—	96.—	80.—	172.—	104.—	86.—	45.—	76.—	160.—	14.—	16.—	20.50	22.—	2.40

Schrittzähler. | Compte-pas. | Pace Marker. | Contador de pasos.

2503. Schrittzähler mit 3 Zeigern, bis **25000** Schritt. Der grosse Zeiger zählt jed. einzelnen Schritt bis 100, der kleine rechts zählt jede 100 bis 1000 und derjenige links jede 1000 b. 25000 Schritt. Die 3 Zeiger stellen sich durch Druck auf den Knopf gleichzeitig auf 0. Vernickelt.

2503. **Compte-pas,** à 3 démarcateurs, jusqu'à 25000 pas, le grand démarcateur marque chaque pas accompli jusqu'à 100, le petit de droite marque chaque centaine jusqu'à 1000 et celui de gauche marque chaque mille jusqu'à 25000 pas. Les 3 démarcateurs se mettent tous à 0 au moyen d'une pression sur le bouton. Nickelé.

2503. Pace Marker with 3 needles up to **25000** paces. The large needle counts every single step up to 100, the small one on the right counts every 100 up to 1000 steps and the one on the left every 1000 up to 25000 steps. Upon pressure of the button the 3 needles point simultaneously to 0. Nickeled.

2503. Marcador de pasos con 3 agujas hasta **25000** pasos. La aguja grande cuenta todos los pasos simples hasta 100, la pequeña de la derecha cuenta de 100 hasta 1000 pasos y la de la izquierda cuenta de 1000 á 25000 pasos. Apretando el botan las 3 agujas marcan á 0. Niquelado.

2504. Schrittzähler, mit 3 Zeigern von **10** bis **100000** Schritt. vernickelt.

2504. Compte-pas avec 3 démarcateurs de **10** à **100000** pas. Nickelé.

2504. Pace marker with 3 needles marking **10** to **100000** paces. Nickeled.

2504. Marcador de pasos, con 3 agujas marca **10** á **100000** pasos. Niquelado.

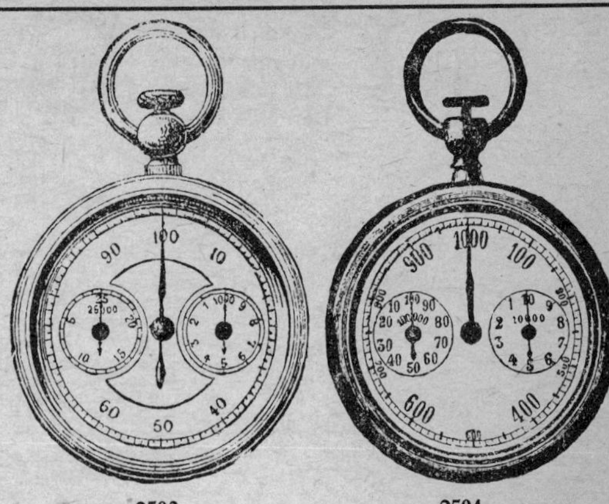

2503. 2504.

Die **senkrechte Hängung** des Schrittzählers in der Tasche wird durch **mitgelieferte** patentierte **Sicherheitszange** vollkommen erzielt.

Au moyen d'une pince délivrée avec l'appareil, celui-ci peut être maintenu exactement verticalement dans la poche.

The vertical hanging of the pace marker in the pocket **is achieved by means of the patent nippers supplied therewith.**

Para colgar el contador de pasos verticalmente en el bolsillo **se efectua con las tenacillas patente.**

Kette für Kompasse und Schrittzähler. 2505. Leder geflochten, mit Karabiner.

Chaîne pour compas et compte-pas. 2505. Cuir tressé avec crochet mousqueton.

Chain for compasses and pace marker. 2505. Braided leather with carbine.

Cadena para compases y contadores de pasos marcadores paso. 2505. Cuero trenzado con crochete mosquetón.

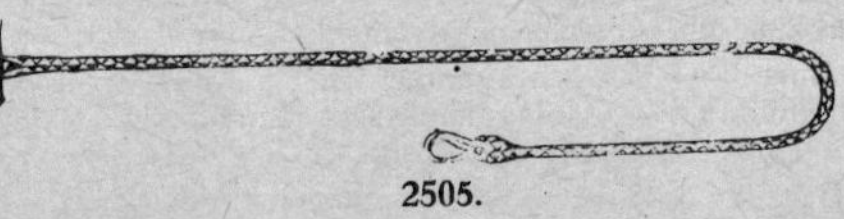

2505.

Taschenuhren für Militär, Jäger, und Touristen. | Montres pour militaires, chasseurs et touristes. | Watches for military, hunters, tourists. | Relojes para militares, cajadores y turistas.

Universal.

2504 a—2504 b.

Jagd.

2504 c.

8 Tage Uhr.
Montre marchant 8 jours sans être remontée.
8 day watch.
8 dias.

2504 d—2504 e.

Civil.

2504 f.

2504 a. Roskopf Anker-Remontoir 19''' **Nickel.**

2504 b. Roskopf Anker-Remontoir **schwarz.**

2504 c. Jagd Anker-Remontoir 18''' **vernickeltes** Metallgehäuse mit **Altsilber**-Hochreliefprägung.

2504 d. 8 Tage Uhr, gutes Werk, 18''' Anker-Remontoir-Uhr, 8 Tage **gehend,** vernickelt.

2504 e. Wie 2504 d, aber **schwarz brüniert.**

2504 f. Civil-Uhr, **französisches** Ankerwerk, 19''' hochfein ziseliert, gutes Werk, Stahl damasziert, Imitation Toledo.

2504 a. „Roskopf" à remontoir et à ancre 19''' nickel.

2504 b. „Roskopf" à remontoir et à ancre 19''' noir.

2504 c. Montre de chasse à remontoir et à ancre 18''' nickelé boitier métal, avec hauts reliefs vieil argent.

2504 d. Montre marchant 8 jours sans être remontée bon travail, 18''' remontoir et à ancre, nickelé.

2504 e. Comme 2504 d, mais bruni noir.

2504 f. „Civil", travail français, à ancre, 19''', très élégamment ciselé, excellent travail, acier damasquiné, imitation Tolède.

2504 a. Roskopf anchor-remontoir 19''' nickel.

2504 b. Roskopf anchor-remontoir black.

2504 c. Hunting anchor-remontoir 18''' nickeled metal case, with old silver-high relief work,

2504 d. 8 day watch, good works, 18''' anchor-remontoir watch, goes 8 days, nickeled.

2504 e. Like 2504 d, but burnished black.

2504 f. Civil watch, French anchor works 19''', very finely chased good works, damask steel imitation Toledo.

2504 a. „Roskopf" de cuerda y de ancla, 19''', niquel.

2504 b. „Roskopf" de cuerda y ancla, 11''', negro.

2504 c. Reloj de caza de cuerda y de ancla, 18''', niquel, botera metal con altos relieves de plata nueva.

2504 d. Reloj con cuerda, para 8 dias, buen trabajo, 18''', cuerda y ancla, niquel.

2504 e. Como 2204, pero bruñido negro.

2504 f. „Civil" trabajo francés, ancla, 19''', muy elegantemente cinzelado, excelente trabajo, acero damasco, imitación Toledo.

No.	2503	2504	2505	2504 a	2504 b	2504 c	2504 d	2504 e	2504 f
†	Palidec	Palilis	Paliquet	Uhradi	Uhradila	Uhradiko	Uhradife	Uhradini	Uhradilu
pro	10	10	10	10	10	10	10	10	10
Mk.	145.—	150.—	8.—	50.—	50.—	52.—	180.—	180.—	290.—

Taschenuhren für Militär, Jäger, Touristen. | Montres pour militaires, chasseurs et touristes. | Watches for military, hunters, tourists. | Relojes para militares, cazadores y turistas.

Jagd. — **Jagd.** — **Stopp.** — **Sport.**

Doppelkapsel.
à double cuvette.
Double case.
De doble cubito.

2504 g

2504 h

2504 i—2504 k

2504 l—2504 m

2504 g. Jagd-Uhr, Anker-Remontoir, 19‴, geprägtes antikes Phantasie-Savonnette-Gehäuse, Hochrelief-Prägung, stark versilbert und oxidiert.

2504 h. Wie 2504 g, aber mit **Sprungfeder-Doppelkapsel,** auf **beiden** Seiten ziseliert.

2504 i. Stopp-Uhr für Sportzwecke, Ankerwerk, 18‴, zeigt bis $^1/_5$ **Sekunde** an, vernickelt.

2504 k. Wie 2504 i, aber **schwarz oxidiert.**

2504 l. Sport-Uhr wie 2504 i mit **komplettem Gehwerk.**

2504 m. Wie 2504 l, aber **schwarz oxidiert.**

2504 g. Montre de chasse à ancre et à remontoir, 19‴, reliefs antiques boitier savonette-fantaisie-hauts reliefs, massivement argenté et oxydé.

2504 h. Comme 2504 g, mais avec ressort bondissant, double cuvette, ciselé des 2 côtés.

2504 i. „Stopp" seulement pour sport, à ancre, 18‴, marque jusqu'à $^1/_5$ de seconde, nickelé.

2504 k. Comme 2504 i, mais noir oxydé.

2504 l. „Sport" comme 2504 i, mais plus complète.

2504 m. Comme 2504 l, mais noir oxydé.

2504 g. Hunting watch, Remontoir, 19‴, antique stamped fancy Savonnette case, high relief work, strongly nickeled and oxidised.

2504 h. Like 2504 g, but with double spring case, chased on both sides.

2504 i. Stop, for sporting purposes only, anchor work 18‴, indicates up to $^1/_5$ of a second, nickeled.

2504 k. Like 2504 i, but oxidised black.

2504 l. Sport-watch, like 2504 i, with complete works.

2504 m. Like 2504 l, but oxidised black.

2504 g. Reloj de caza, de ancla y cuerda, 19‴, relieves antiguos, cubito savoneta, altos relieves, plata maciza y oxidada.

2504 h. Como 2504 g, pero con resorte, doble cubito, cincelado de 2 lados.

2504 i. „Stopp" solamente para sportes, de ancla, 18‴, marca hasta $^1/_5$ de segundo, niquelado.

2504 k. Como 2504 i, pero negro oxidado.

2504 l. „Sport", como 2504 i, pero mas completo.

2504 m. Como 2504 l, pero negro oxidado.

Wecker-Uhr. Alarm-watch. Montre-réveil. Despes-tador.

2504 n—2504 o

2504 p 2504 r — 2505 a 2505 b

RADIUM

Radium mit Wecker. Radium with alarum. | Radium et réveil. Radium y despestador.

Bei Tag. | Durant le jour.
During day. | Durant la dia.

2504 s 2504 t

Pendant la nuit. | During the night. | Durante la noche.

2504 s 2504 t

2504 n. Taschen-Weckeruhr, gutes Werk, läuft **2 Tage,** zum Aufstellen durch hinteren Deckel, **vernickelt.**

2504 o. Wie 2504 n, aber schwarz **oxidiert.**

2504 p. Radium-Uhr, Anker-Remontoir, **vernickelt, leuchtet im Dunkeln** (siehe Abbildung 2504 s.)

2504 r. Wie 2504 p, aber **schwarz oxidiert.**

2504 s. Radium-Weckeruhr, hat **beide Eigenschaften** von **2504 n** und **2504 p, vernickelt.**

2504 t. Wie 2504 s, aber **schwarz oxidiert.**

2505 a. Radium-Uhr in **billigerer** Ausführung wie 2504 p aber **ohne** Sekundenzeiger, **vernickelt.**

2505 b. Wie 2505 a, aber **schwarz oxidiert.**

2504 n. Montre-réveil de poche, bon travail, marche 2 jours, s'installant par la cuvette de derrière, nickelé.

2504 o. Comme 2504 n, mais noir oxydé.

2504 p. Montre Radium, à remontoir et à ancre, nickelé, brille dans l'obscurité (voir illustration 2504 s.)

2504 r. Comme 2504 p, mais noir oxydé.

2504 s. Montre-réveil Radium, à les 2 propriétés des numéros 2504 n & 2504 p, nickelé.

2505 t. Comme 2504 s, mais noir oxydé.

2505 a. Montre Radium, en exécution bon marché, comme 2504 p, mais sans démarcation des secondes, nickelé.

2505 b. Comme 2505 a, mais noir oxydé.

2504 n. Alarm watch, good works, goes 2 days, can be propped up by means of back lid, nickeled.

2504 o. Like 2504 n, but oxidised black.

2504 p. Radium watch, anchor remontoir, nickeled, shines in the dark (see illustration 2504 s.)

2504 r. Like 2504 p, but oxidised black.

2504 s. Radium alarm watch, has both the qualities of 2504 n and 2504 p, nickeled.

2504 t. Like 2504 s, but oxidised black

2505 a. Radium watch of cheaper make, like 2504 p, but without second hand, nickeled.

2505 b. Like 2505 a, but oxidised black.

2504 n. Depestador de bolsillo, buen trabajo, marche 2 diasse instala por el cubito de atrás, niquelado.

2504 o. Como 2504 n, pero negro oxidado.

2504 p. Reloj Radium de cuerda y ancla, niquelado, brille en la oscuridad (ver ilustración 2504 s).

2504 r. Como 2504 p, pero no oxidado.

2504 s. Despestador Radium, de las 2 propriedades de los 2504 n y 2504 p, niquelado.

2504 t. Como 2504 s, pero no oxidado.

2505 a. Reloj Radium, ejecución barata. como 2504 p, pero sin demarcación de segundos, niquelado.

2505 b. Como 2505 a, pero negro oxidado.

No.	2504 g	2504 h	2504 i	2504 k	2504 l	2504 m	2504 n	2504 o	2504 p	2504 r	2504 s	2504 t	2505 a	2505 b
†	Uhradibb	Uhradidd	Uhradiff	Uhradigg	Uhradikk	Uhradill	Uhradinn	Uhradipp	Uhradirr	Uhradiss	Uhraditt	Uhradich	Uhradixz	Uhradink
pro	10	10	10	10	10	10	10	10	10	10	10	10	10	10
Mark	68.—	104.—	300.—	300.—	200.—	200.—	192.—	192.—	180.—	180.—	290.—	290.—	140.—	140.—

Mückenschleier Marke „Alfa“.

Moustiquaire marque „Alfa“.

Mosquito veil brand „Alfa“.

Mosquitera marca „Alfa“.

675/678

4055.

4055 a.

4051/4054.

4051. **Mückenschleier** aus Tarlatan mit eingesetztem seidenen Gesichtsfenster und Tragbändern.

4052. Wie 4051, ganz aus **Seidengaze**, moosgrün, mit Tragbändern.

4053. Wie 4052, aber mit **Seidenband** eingefasst, Tragbänder aus Gummi mit Haken und Oesen.

4054. Genau wie 4053, aber aus **dunkelgrüner Seide**, allerbeste Qualität.

4055. **Mückenschleier mit Kühlvorrichtung**, Patentgewebe, **Gesichtsfenster** aus Rosshaar.

4055 a. **Mückenschleier** mit Rosshaarfenster und selbstschliessendem Ventil für Zigarren, Tabakspfeife, Wildlocke etc. D. R. G. M. 303 611 usw. Aus fast unzerreissbarem, farbecht. Brüsselbatist. Färbt nicht ab, klatscht nicht ans Gesicht, lässt sich bequem aufbügeln.

4051. Moustiquaire en **tarlatan** avec garniture spéciale de soie pour le visage et bandes.

4052. Comme 4051 entièrement en **gaze de soie**, vert mousse, avec bandes.

4053. Comme 4052, mais bordé **d'une bande de soie**, bandes en caoutchouc, avec crochets et partes à crochet.

4054. Exactement comme 4053, **mais en soie vert foncé** qualité supérieure.

4055. Moustiquaire **avec dispositif de rafraîchissement**, genre de tissu déposé, garniture spéciale en cuir de cheval pour le visage.

4055 a. **Moustiquaire** avec garniture en crin de cheval pour visage, clapet se fermant automatiquement pour cigares, pipes, affeaux etc. Déposé S. G. D. G. 303 611 etc., **en** batiste de Bruxelles presque indéchirable, ne déteint pas. Ne bat pas le visage et s'en laisse aisément écarter.

4051. **Mosquito veil**, of **tarlatan** with silk insertion for face, and bands.

4052. Like 4051, but **of silk gauze**, entirely, moosgreen, with bands.

4053. Like 4052, but with **silk ribbon** border and elastic, band with hooks and ears.

4054. Just like 4053, but **of dark green silk**, very best quality.

4055. **Mosquito veil** with **cooling arrangement**, patent texture, face window of horse hair.

4055 a. **Mosquito veil** with horse hair window and self closing opening for cigars, pipes, gamecalls etc. D. R. G. M. 303 611 etc. Brussel cambric, fast colour, very difficult to tear, does not lose its colour or lash, the face can easily be ironed.

4051. **Mosquitera** de **tarlatan** con insertos de seda para la cara y cintas.

4052. Igual al 4051, enteramente **de pero gasa**, de seda verde de musgo con cintas.

4053. Igual al 4052, pero con **cinta de seda** y garfios.

4054. Del todo igual al 4053, pero **con seda verde oscura** de la mejor calidad que se puede obtener.

4055. **Mosquitera sistema refrescador** y ventana patendada de crin.

4055 a. **Mosquitero** con montura de cuero de caballo para la cara. Chapa cerrándose automaticamente para cigarros, pipas, reclamos etc. Patentado S. G. D. G. 303 611 etc. en batista de Bruselas casi inrompible. No se destiñe, no golpea en la cara y se deja separar cómodamente.

Schiesshandschuhe. | Gants pour le tir. | Shooting gloves. | Guantes de caza.

Mit Seidenfinger.
Avec doigt de soie.
With silk fingers.
Con indica de seda.

4068—4069.

Ohne Finger.
Sans doigts.
Without Fingers.
Sin dedos.

4070.

Armwärmer. Manchettes. Arm warmers. Calienta brazos.

4071.

Mückenhandschuhe. Gants moustiquaires. Mosquito gloves. Guante mosquitero.

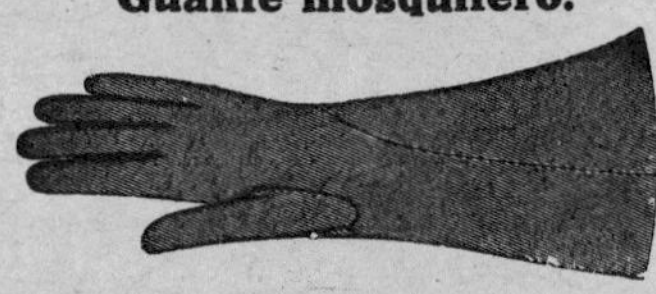

4072.

4073.

4073 a.

4068. Aus dunkelgrünem **Eydergarn**, mit **Schlitz** im Zeigefinger.

4069. Wie 4068, aber Zeigefinger **aus Seide.**

4070. Nur mit **Daumen** aus dunkelgrünem **Eydergarn.**

4071. Aus **starkem Wollgarn.**

4072. **Aus weichem Gemsleder,** über den Rockärmel zu ziehen.

4073. Wie 4072, aber aus Ia **unzerstechlichem Batist.**

4073 a. Mit **halben Fingern** an Daumen und Zeigefingern, sonst wie 4073.

4068. **En fil Eyder** vert foncé, avec fente à l'index.

4069. Comme 4068, **mais index de soie.**

4070. **Avec pouce** seulement **en fil Eyder** vert foncé.

4071. En fort **fil de laine.**

4072. **En chamois souple,** à tirer sur la manche de l'habit.

4073. Comme 4072, **mais en batiste impénétrable.**

4073 a. **Avec demi-doigt** au pouce et à l'index, pour le reste comme 4073.

4068. Of dark green **Elder yarn,** with slit in index finger.

4069. Like 4068, but index finger **of silk**.

4070. **With thumb** only of dark green **elder yarn.**

4071. Of **strong woolen yarn.**

4072. Of **soft chamois leather** for pulling over arm of coat.

4073. Like 4072, but **of fine impenetrable batist.**

4073 a. **With half fingers** on thumbs and index fingers, otherwise like 4073.

4068. **De hilado „Elder“** verde oscuro con indice rayado.

4069. Como 4068, pero con **indice de seda**

4070. Con solo **el pulgar** de **hilado** verde oscuro

4071. **De hilado de lana fuerte.**

4072. **De cabritilla blanda** para ser tirada por encima de las mangas de la chaqueta.

4073. Como 4072, idem **pero de batista impermeable fina.**

4073 a. **Con medio dedo** en el pulgar y en el indece. Para el resto como 4073.

814—817

817 a—817 b.

Pulswärmer.

814. **Feinstes, weiches Kalbleder,** 12 cm hoch, mit **Schaffell** gefüttert, sehr praktisch, per Paar.

815. Ebenso, mit **Katzenpelz** gefüttert, 13 cm hoch, 3 facher Gummizug, per Paar.

816. Ebenso, mit **Opossum-Futter**, 5 facher Gummizug, p. Paar.

817. **Feines dänisches Leder,** 13 cm hoch, mit **Cyperkatze** gefüttert, 5 facher Gummizug, per Paar.

817 a. **Ledermanschetten, schwarzes Lackleder, Rundfederschluss,** per Paar.

817 b. **Ledermanschetten, braunes Rindleder, Rundfederschluss,** per Paar.

Manchettes.

814. En veau souple extra, haut de 12 cm, doublé de peau de mouton, très pratique, par paire.

815. Dito, doublé de peau de chat, haut de 13 cm, à 3 bandes de caoutchouc, la paire.

816. Dito, doublé d'opossum, à 5 bandes de caoutchouc, la paire.

817. Cuir danois extra, haut de 13 cm, doublé de peau de chat de chypre à 5 bandes de caoutchouc, la paire.

817 a. Manchettes de cuir, cuir noir verni, fermeture à ressort en rond, par paire.

817 b. Manchettes de cuir, vachette brune, fermeture à ressort en rond, la paire.

Sportmans' mittens.

814. Finest, soft calfskin, 12 cm high, with sheep-skin lining, very practical, per pair.

815. The same, lined with cat-skin, 13 cm high, triple elastic band, per pair.

816. The same with opossum-lining, quintuple elastic band, per pair.

817. Finest Danish leather, 13 cm high, lined with Cyprian cat-skin, quintuple elastic band, per pair.

817 a. Leather cuffs, black varnished leather, spring-clasp, per pair.

817 b. Leather cuffs brown cowhide, spring-clasp, per pair.

Puños de caza.

814. Cuero ternera, superior suave, 12 cm alto, con forro piel de oveja, muy practico, por par.

815. El mismo, forrado con piel de gato, 13 cm alto, borde triple elastico, por par.

816. El mismo con forro de maritacaca, borde triple, elastico, por par.

817. Piel danesa superior, 13 cm alto, forrado con piel de gato cypria, borde quintuple elastica, por par.

817 a. Puños de cuero, charol negro cierre broche, por par.

817 b. Puños de cuero vaca moreno, cierre broche, por par.

No.	4051	4052	4053	4054	4055	4055 a	4068	4069	4070	4071	4072	4073	4073 a	814	815	816	817	817 a	817 b
†	Habun	Habona	Habichu	Habient	Habilid	Habilidda	Hazanos	Hazmer	Hebdomad	Hecatom	Hectogam	Hechice	Hechicell	Drof	Dena	Dose	Divis	Elit	Edent
pro	10	10	10	10	10	10	10×2	10×2	10×2	10×2	10×2	10×2	10×2	10×2	10×2	10×2	10×2	10×2	10×2
Mark	S O	22.50	26.—	36.—	36.—	38.—	28.—	32.—	25.50	14.—	66.—	40.—	48.—	56.—	60.—	84.—	84.—	18.—	20.—

Ohren-Schützer. | Cache-oreilles. | Ear-proctectors. | Cubre-orejas.

Déposé. | Registered. | Registrado.
833/35.

828/29.

Triumph.
830/31.

Gesetzlich geschützt.
Gloria.
Déposé | Registered. | Registrado
832.

828. Aus fleischfarbenem, militärgrauem u. schwarzem Filz, Messingdraht-Feder, um den Hinterkopf anzulegen, in Farben sortiert.

829. Dieselbe wie 828, aus Sammet, in denselben Farben sortiert.

830. Aus Filz, in denselben Farben wie oben, mit Bandfeder, von oben oder um den Hinterkopf anzulegen.

831. Aus Sammet, in Farben wie oben, mit Bandfeder, von oben oder um den Hinterkopf anzulegen.

832. Aus extra starkem Filz, in Farben wie oben, mit Gummikordel anzulegen.

833. Aus Filz, in Farben wie oben sortiert, an der Ohrmuschel zu befestigen.

834. Aus Sammet, in Farben wie oben sortiert, an der Ohrmuschel zu befestigen.

835. Aus Sammet wie 834, jedoch mit imit. Lammpelz gefüttert.

828. En feutre couleur chair, gris militaire allemand et noir, ressort fil de laiton se plaçant derrière la tête, en couleurs assorties.

829. Comme 828 mais en velours, assorti dans les mêmes couleurs.

830. En feutre dans les mêmes couleurs que ci-dessus, bande ressort, s'apposant sur le devant ou le derrière de la tête.

831. En velours, dans les mêmes couleurs que ci-dessus, s'apposant sur le devant ou le derrière de la tête.

832. En feutre extra fort, dans les mêmes couleurs que ci-dessus, se fixant à l'aide d'un lacet élastique.

833. En feutre, assorti dans les couleurs ci-dessus, se fixant directement sur l'oreille.

834. En velours, assorti dans les couleurs ci-dessus, se fixant directement sur l'oreille.

835. En velours comme 834, mais doublé en peau d'agneau imitation.

828. Of flesh colored, military grey and black felt, brass wire spring to put round back of head, assorted colours.

829. Same as 828, of velvet, assorted in same colours.

830. Of felt, in same colours as above with spring, to put on from top or round back of head.

831. Of velvet, in same colours as above, with spring to put on from top or round back of head.

832. Of extra strong felt, in colours as above, to put on with elastic band.

833. Of felt, in colours assorted as above, to fasten on ear.

834. Of velvet, in colours assorted as above, to fasten on ear.

835. Of velvet like 834, but lined with imitation lamb skin.

828. De fieltro color carnoso, gris militar y negro, carnoso, alambre elastico de latón, para hacia atras, colores diferentes.

829. Igual que 828, de terciopelo, iguales colores diferentes.

830. De fieltro, de los mismos colores como arriba, con elastico en la parte alta para poner hacia arriba ó en redondo.

831. De terciopelo, en los mismos colores que los anteriores, con elastico para poner en la parte alta, hacia arriba ó en redondo.

832. De fieltro extra fuerte, en colores como los anteriores, para poner, con elastico.

833. De fieltro en colores variados como los anteriores para sujetar.

834. De terciopelo colores variados como los anteriores, para sujetar.

835. De terciopelo como 834, pero forrado con cuero cordero imitación.

Gestrickte Bekleidung. | Vêtements tricotés. | Knitted clothing. | Vestidos de punto.

Hals-, Brust- und Rückenschützer.
Protèges-cou-poitrine-dos.
Neck, chest-and back protectors.
Guarda pecho, cuello, y espaldas.

Schlauchmützen.
Cache-oreilles.
Hose caps.
Gorras de punto.

Schneemützen.
Passe-montague.
Snow-caps.
Gorra para nevadas.

Kappen.
Calotte.
Caps.
Gorras.

Shawls.
Foulard.
Comforters.
Bufandas ó tapabocas.

4057/58.

4059/60.

4061/62.

4063/64.

4065/67.

4057. Halsschützer in bestem Wollgarn, olive, grau, weiss oder schwarz.

4058. Wie 4057, aber in Ia Seide, olive, grau, weiss oder schwarz.

4059. Schlauchmütze aus feinstem Wollgarn, olive oder grau.

4060. Schlauchmütze aus Ia Seide, olive oder grau.

4061. Schneemütze aus feinstem Wollgarn, olive, grau, weiss oder schwarz.

4062. Schneemütze aus Ia Seide, olive, grau, weiss oder schwarz.

4063. Kappe aus feinstem Wollgarn, olive, grau oder schwarz.

4064. Kappe aus Ia Seide, olive, grau od. schwarz.

4065. Shawl aus feinem Wollgarn, olive oder grau.

4066. Shawl aus Ia Seide, olive oder grau.

4067. Shawl wie 4065, extra lang, olive od. grau.

4057. Protège-cou en laine extra, olive, gris, blanc ou noir.

4058. Comme 4057, mais en soie extra, olive, gris, blanc ou noir.

4059. Cache-oreilles en laine extra, olive ou gris.

4060. Cache-oreilles en soie extra, olive ou gris.

4061. Passe-montague en laine extra, olive, gris, blanc ou noir.

4062. Passe-montague en soie extra, olive, gris, blanc ou noir.

4063. Calotte en laine extra, olive, gris ou noir.

4064. Calotte en soie extra, olive, gris ou noir.

4065. Foulard en laine extra, olive ou gris.

4066. Foulard en soie extra, olive ou gris.

4067. Foulard comme 4065, extra long, olive ou gris.

4057. Neck protector of best wòòlen yarn, òlive, grey, white or black.

4058. Like 4057, but best silk, òlive, grey, white òr black.

4059. Hose cap of finest woòlen yarn, òlive òr grey.

4060. Hose cap of best silk, òlive or grey.

4061. Snow cap of finest woòlen yarn, olive, grey, white or black.

4062. Snow cap of best silk, olive, grey, white or black.

4063. Cap of finest woolen yarn, òlive, grey or black.

4064. Cap of best silk, olive, grey òr black.

4065. Comforter of fine wòolen yarn, òlive or grey.

4066. Comforter of best silk, olive òr grey.

4067. Comforter like 4065, extra long, olive or grey.

4057. Guarda pecha del mejor hilado de lena oliva, gris, blancò ó negro.

4058. Igual al 4057, pero de la mejor seda, oliva, gris, blanco ó negro.

4059. Gorra de punto del mejor hilado de lena, oliva ó gris.

4060. Gorra de punto de la mejor seda, oliva ó gris.

4061. Gorra de nevada del mejor hilado de lana, oliva, gris, blancò ó negro.

4062. Gorra de nevada de la mejor seda, oliva, gris, blanco ó negro.

4063. Gorra del mejor hilado de lana, olivo gris, blanco ó negro.

4064. Gorra de la mejor seda, olivo, gris, blanco ó negro.

4065. Bufandas de hilado de lana, olivo ó gris.

4066. Bufandas de seda superior, olivo ó gris.

4067. Bufandas como 4065, extra largas, olivo ó gris.

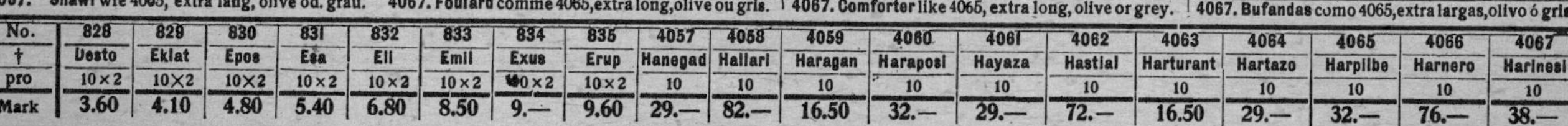

No.	828	829	830	831	832	833	834	835	4057	4058
†	Desto	Eklat	Epos	Esa	Eli	Emil	Exus	Erup	Hanegad	Hallari
pro	10×2	10×2	10×2	10×2	10×2	10×2	10×2	10×2	10	10
Mark	3.60	4.10	4.80	5.40	6.80	8.50	9.—	9.60	29.—	82.—

No.	4059	4060	4061	4062	4063	4064	4065	4066	4067
†	Haragan	Haraposi	Hayaza	Hastial	Harturant	Hartazo	Harpilbe	Harnero	Harinesi
pro	10	10	10	10	10	10	10	10	10
Mark	16.50	32.—	29.—	72.—	16.50	29.—	32.—	76.—	38.—

Requisiten aus Original-Armee-Granaten, Cal. 3,7 cm, Marke „Alfa".

Articles provenant de grenades militaires originales, Cal. 3,7 cm, marque „Alfa".

Articles made from original army bombs, cal. 3,7 cm, brand „Alfa".

Articulos hechos de granadas militares originales, de cal. 3,7 cm, marca „Alfa".

Zigarrenabschneider. Coupe-cigare. Cigar-cutter. Corta cigarro.

X 24

Briefbeschwerer. — Presse-papier. Letter weight. — Sujeta papeles.

X 25

Sockel aus rotem, schwarzem oder grauem Stein.
Socle en pierre rouge, noire ou grise.
Pedestal of red, black or green stone.
Pedestal de piedra cucarnada, negra ó verde.

Zigarrenabschneider mit Streichholzhalter.
Coupe-cigare avec porte-allumettes.
Cigar-cutter with match-box holder.
Corto cigarro con fosforero.

Rauchlämpchen. Lampe pour fumeur. Smoking lamp. Lamparilla da fumadera.

X 22

Zum Füllen mit Spiritus.
à remplir d'esprit.
For filling with spirit.
Para ser llenada de espiritu de fino.

Zigarrenabschneider. Coupe-cigare. Cigar-cutter. Corta cigarro.

X 23

In Originalhülse aus poliertem Messing.
Douille originale, en laiton poli.
Original shell of polished brass.
Granada original de latón pulido.

Zigarren-Abschneider. Coupe-cigare. Cigar-cutter. Corta cigarro.

X 20

Granate auf Eisensockel mit Schiffsschraube und Rettungsring.
Grenade sur socle de fer avec roue de turbine et ceinture de sauvetage.
Bomb on iron pedestal with ships screw and life belt.
Granada sobre pedestal de hierro con helice y cinturon de salvamento.

X 21

Polierte Kupferschale.
Récipient en cuivre poli.
Polished copper bowl.
Taza de cobre pulido.

Briefbeschwerer, sehr zierlich gearbeitete Militärhelme auf schwarzem Sockel.

Presse-papier, casques militaires soigneusement travaillés, sur socle noir.

Letter-weights, daintily executed military helmets on black pedestals.

Sujeta papeles, reproduciones elegantes de cascos militares en pedestales negros.

Kürassier. Cuirassier. Curassier. Coracero. — X 26

Czapka Garde. Lanciers de la garde. Guard. Guardia lancero. — X 27

Tschako. Schako. Czako. Chaco. — X 28

Tschako. — Schako. Czako. — Chako. — X 29

Husar. — Hussard. Hussar. — Husar. — X 30

Sparbüchse. — Tirelire. Saving-box. — Alcancia. — X 39

Sehr gross. — Très grand. Very large. — Muy grande.

Ulanen-Czapka. Casque de uhlan. Lancers helmet. Casco de lancero. — X 33

Dragoner. Dragon. Dragoon. Dragon. — X 34

Jägerhut. Coiffure des chasseurs. Rifleman. Cazador. — X 35

Garde du Corps. Garde du corps. Garde du corps. Guardia Imperial. — X 32

No.	X 20	X 21	X 22	X 23	X 24	X 25	X 26	X 27	X 28	X 29	X 30	X 39	X 33	X 34	X 35	X 32
†	Badabi	Bedotto	Bedimo	Bedrago	Reforme	Bedy	Begaro	Beglome	Bendar	Belite	Baleamos	Bespirte	Benzo	Besido	Besnu	Belinge
pro	10	10	10	10	10	10	10	10	10	10	10	10	10	10	10	10
Mark	38.—	74.—	38.—	180.—	80.—	60.—	55.—	55.—	48.—	48.—	55.—	156.—	102.—	102.—	72.—	60.—